Jesús

Roger Caratini

Jesús

**Traducción de
Silvia Kot**

Editorial El Ateneo

Caratini, Roger
    Jesús - 1ª ed. - Buenos Aires: El Ateneo, 2005.

  724 p.; 23x15 cm.

Traducido por: Silvia Kot

ISBN 950-02-5935-4

1. Jesucristo. I. Kot, Silvia, trad. II. Título
CDD 232

Título original: Jésus (de Bethléem au Golgotha)
Traductor: Silvia Kot
© L'Archipel, 2000

Derechos mundiales exclusivos de edición en castellano
© 2005, Grupo ILHSA S.A.
  Editorial El Ateneo
  Patagones 2463 - (C1282ACA) Buenos Aires - Argentina
  Tel.: (54 11) 4943 8200 - Fax: (54 11) 4308 4199
  E-mail: editorial@elateneo.com

1ª edición: noviembre de 2005

ISBN 950-02-5935-4

Diseño de cubierta: Departamento de Arte de Editorial El Ateneo
Diseño de interiores: Lucila Schonfeld

Impreso en Verlap S.A.
Comandante Spurr 653, Avellaneda,
provincia de Buenos Aires,
en el mes de noviembre de 2005.

Queda hecho el depósito que establece la ley 11.723
Libro de edición argentina

Índice

ANEXOS

MAPAS

A Françoise, sin quien no habría podido escribir
este libro, y a mis hijos.

Intenciones

Desde el punto de vista puramente histórico, e independientemente de toda consideración fideísta, podemos estar seguros de que el hombre al que llamamos "Jesús" existió, como existieron sus contemporáneos llamados Augusto, Tiberio, Plinio el Viejo, Herodes Antipas, Poncio Pilato, Juan el Bautista, Filón de Alejandría y muchos otros. Y así como tenemos la seguridad de que Sócrates fue condenado a muerte y bebió la cicuta —una de las formas de la guillotina en Atenas— en 399 antes de nuestra era (¡cuatro años después del restablecimiento de la democracia!), estamos casi igualmente seguros de que Jesús fue condenado a muerte y crucificado —la crucifixión era la guillotina de los romanos— en el año 29 de nuestra era, en la época en que el procurador Poncio Pilato era el administrador de Judea.

Pero de su vida terrenal, el personaje no dejó ningún rastro, ningún objeto, ningún escrito, y los análisis químicos del famoso "Sudario de Turín" demostraron que esa tela databa en realidad de la Edad Media. Por otra parte, sobre Jesús mismo, su vida y su enseñanza, no tenemos ningún testimonio contemporáneo, directo o indirecto, sincero o falsificado, ni siquiera una minúscula alusión a su existencia, contrariamente a lo que sucede con Sócrates, de quien Platón, por ejemplo, hizo una biografía tendenciosa, y Aristófanes, una caricatura.

Las escasas informaciones de fuente romana sobre el surgimiento de una nueva secta religiosa en Judea son por lo menos medio siglo posteriores a la muerte de Jesús, que los historiadores ubican ahora en el año 30 de nuestra era.

Sólo en el año 112 d.C., durante el reinado del emperador Trajano, apareció, en una carta muy detallada dirigida a ese monarca por Plinio el Joven (63-114), su legado en las provincias romanas de Bitinia y del Puente (en la margen meridional del mar Negro), un extenso informe sobre una secta religiosa cuyos miembros juraban no robar, no mentir y no ser adúlteros. Según Plinio, solían reunirse con frecuencia y cantarle himnos a un personaje al que llamaban "*Chrestus*": por eso se los denominaba *christi*.

Cuatro años más tarde, hacia 116, otro autor latino, el historiador Tácito, escribió en sus *Anales*, a propósito del inmenso incendio que arrasó Roma en el año 64, y que, según el rumor público, había provocado el emperador Nerón:

> "Un rumor infamante atribuía a Nerón la orden del incendio. Para terminar de una vez con eso, el emperador inventó presuntos culpables y libró a las más refinadas torturas a esos hombres odiados por sus crímenes que la gente llamaba *christi*, los cristianos. Esta denominación proviene de Cristo, que, bajo el reinado de Tiberio, fue condenado al suplicio por el procurador Poncio Pilato. Esta secta perniciosa, reprimida en sus comienzos, volvió a esparcirse no sólo a través de Judea, donde había nacido, sino en la misma Roma".

A estas exiguas fuentes provenientes de autores exteriores al naciente movimiento cristiano, hay que añadir los escritos del historiador judío de expresión griega Flavio Josefo (alrededor de 37-100), que también escribe sobre una época que no vivió, y que menciona brevemente a Jesús (unas pocas líneas, dentro de las dos mil páginas que componen su obra, en dos tomos: *Antigüedades judías* y *La guerra de los judíos*). Jesús, escribe, "era un hombre sabio" (Libro XVIII, cap. IV), fue acusado ante Pilato por "los principales de la nación judía", y crucificado por orden del procurador. Fuera de esto, el conjunto de las demás fuentes exógenas es desesperadamente escaso. En última instancia, nos revelan muy pocas cosas: 1) que Jesús nació en alguna parte (pero ¿dónde?) de Galilea, durante el reinado del emperador Augusto, en la época en que moría el tetrarca —el rey— de las provincias judías de Palestina, Herodes el Grande, hacia el año 4 antes de nuestra era, en el seno de una familia cuyo jefe era un pequeño artesano de la madera, un carpintero; 2) que hablaba arameo, y sabía leer y escribir; 3) que recorrió Galilea en la época en que Juan el Bautista predicaba en el valle del Jordán; 4) que "subió", como se decía entonces, de Galilea a Jerusalén, durante el reinado de Tiberio: 5) que fue arrestado (¿por quién? ¿por decisión de las autoridades romanas o por decisión de las autoridades judías?); 6) que fue citado a comparecer ante el Sanedrin, y luego transferido al procurador de Judea; 7) que fue condenado a muerte (¿por quién? ¡Gran problema!); 8) que fue condenado al suplicio de la cruz por las autoridades romanas, las únicas que tenían el derecho de decidir la ejecución de un reo.

Pero si bien las fuentes exógenas sobre las que podríamos basarnos para escribir una vida de Jesús son casi inexistentes, en cambio las fuentes endógenas, es decir, las que provienen de las dos primeras generaciones de discípulos de Cristo, son muchas. Las principales son los textos que se llaman *Evangelios*, y los que fueron reunidos bajo el título de *Hechos de los Apóstoles*, escritos en la segunda mitad del primer siglo de nuestra era (aproximadamente entre los años 64 y 100), *por lo menos* treinta años después de la muerte de Jesús, basados en los recuerdos de sus autores y los testimonios que pudieron recoger.

Estas fuentes se repiten unas a otras, están llenas de indicaciones, nombres, relatos de milagros, hechos sobrenaturales, pero también de exhortaciones y consideraciones que constituyen en conjunto una doctrina religiosa, moral y social coherente y verdaderamente nueva, tanto en el aspecto teológico, desde el punto de vista de los judíos, como en el aspecto político, desde el punto de vista de los romanos.

Para desgracia del historiador, los *Evangelios* y los *Hechos de los Apóstoles* fueron redactados, como dijimos, tardíamente, y en un contexto político difícil, por seguidores cuyo objetivo no era establecer una verdad histórica, sino exaltar ante todo el mensaje de Jesús, y luego construir una Iglesia universal que, tres siglos después de la muerte de Cristo, sería oficialmente admitida en el Imperio romano por el edicto de Milán (en 313).

La pretensión de este libro es modesta. No es ni teológica, ni mitificadora, ni sarcástica. Consiste en reconstruir la trágica novela que fue la vida del Hijo del Hombre, reubicándola en el marco político, social, y en ciertos aspectos, cruel, en el que se desarrolló, tratando de unir, como escribía Guignebert, "los escasos vestigios de verdad humana que la memoria de los discípulos galileos pudo conservar" (*Jésus*, p. 665).

Creo que serán útiles algunas precisiones sobre los principios que me han guiado al escribir esta "novela de Jesús".

La aventura terrenal de Cristo es relatada y comentada por dos personajes ficticios que siguen a Jesús, de lejos o de cerca, hasta el Gólgota: Marcelo, un caballero romano, consejero del emperador, y su guía en Palestina, el mercader fenicio Hiram. Uno es un pagano racionalista, el otro un ex idólatra, convertido al judaísmo, que tiene la fe del carbonero. Todos los acontecimientos que presencian y comentan son los narrados por los cuatro *Evangelios canónicos* de la Iglesia romana (los de san Mateo, san Marcos, san Lucas y san Juan, que se citan generalmente por el nombre de sus autores), los *Hechos de los Apóstoles* y los *Apócrifos neotestamentarios*. Para que el lector pueda diferenciar el origen de los textos, hay notas que remiten a las fuentes utilizadas.

La "novela" de Jesús es un relato, y todo relato implica un desarrollo cronológico de los hechos que lo constituyen. Pero en esta materia, sólo tenemos la "certeza" de la fecha aproximada de la muerte de Jesús (la Pascua judía del año 30 de nuestra era). En cuanto a los diferentes episodios de su vida, narrados por las fuentes (los *Evangelios*), ni siquiera estamos seguros de su cronología relativa, porque, en primer lugar, los cuatro *Evangelios* no relatan los mismos hechos (por ejemplo, el episodio de las bodas de Caná sólo figura en Juan), y en segundo lugar, los hechos no siempre aparecen en el mismo orden, y ningún especialista pudo resolver el rompecabezas que representan las discordancias cronológicas de los *Sinópticos*. En este libro, que se presenta como un relato novelado y no como un ensayo histórico, he seguido el orden de los *Sinópticos* cuando era posible, y opté por un orden imaginario, pero verosímil, en los otros casos.

Para facilitar la lectura de esta "novela", la completé con diversos anexos que figuran al final del libro, y con mapas que permiten establecer el marco geográfico de los diferentes episodios.

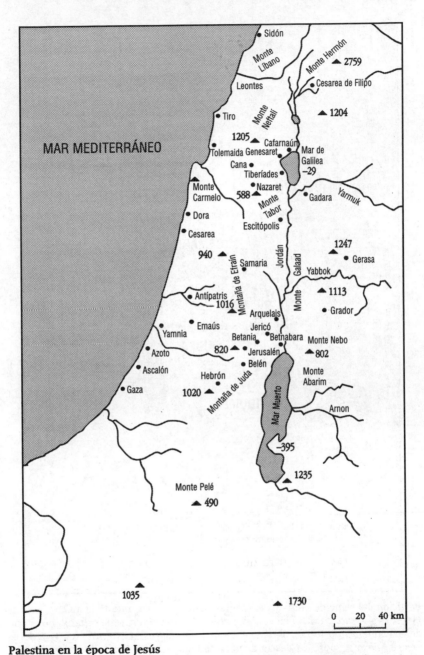

Palestina en la época de Jesús

Palestina está limitada al norte por los montes del Líbano y del Anti-Líbano, al sur por el desierto del Néguev, al este por los desiertos de Siria y al oeste por el mar Mediterráneo. Se inscribe en un rectángulo de alrededor de 260 km de largo por 170 km de ancho. En la época romana, la superficie del Estado judío sobre la que gobernaba Herodes el Grande era inferior a la de la actual Bélgica, pero el país estaba cubierto de aldeas y pequeñas ciudades.

Partición del reino de Herodes el Grande después de su muerte (4 a.C.)
Herodes el Grande murió en el año 4 antes de nuestra era (que es también el año
del nacimiento de Jesús). Después de muchas discusiones entre sus herederos
(véase Anexo 2, sobre los descendientes de Herodes), los territorios sobre los que
había reinado fueron divididos por el emperador Augusto entre cuatro de sus
herederos: Arquelao, Herodes Antipas, Filipo II y la sobrina y esposa de éste,
Salomé (hija de Herodías y Filipo I). Después de un agitado comienzo de reinado,
Arquelao fue destituido y desterrado por el emperador, que confió la administración de sus territorios (Idumea, Judea y Samaria) a un procurador.

1
En ti pienso, oh tierra del Jordán

Octubre-noviembre, año 749 de Roma
(5 a.C.)

En Damasco, el caballero Marcelo, enviado personal del emperador Augusto, re-
cibe al mercader fenicio Hiram, que será su guía a través de Palestina – Hiram
le cuenta a Marcelo la historia del pueblo judío, desde su establecimiento en el
país de los cananeos, dos mil años atrás – La organización política del Estado
judío bajo el reinado absoluto del rey Herodes el Grande.

La mañana empezaba a clarear. Una franja de luz, delgada y pálida, se estiraba en el horizonte del oasis que se extendía indefinidamente alrededor de Damasco, y podían percibirse, a pesar de la distancia, las copas oscuras del olivar que circundaba la ciudad, y más lejos aún, en las laderas, el color púrpura de los viñedos y el suave verdor de los huertos, que poco a poco dejaban lugar al color rojizo de los desiertos de Siria. Más cerca de las murallas de la ciudad, un cortejo de dromedarios impasibles, de cabezas arrogantes, orgullosamente dirigidas hacia el cielo, marchaba con paso lento y hierático hacia el levante.

Marcelo, que había llegado recientemente de Roma, enviado por el emperador Augusto para hacer una investigación sobre la agitación que reinaba desde hacía algún tiempo en Judea, iba y venía nervioso por la terraza de la confortable casa de campo que había puesto a su disposición Publio Sulpicio Quirino, el gobernador de esa rica provincia imperial que era Siria, de la que Palestina dependía administrativamente. Hacía casi una semana que esperaba febrilmente al guía fenicio que debía conducirlo por Jerusalén, y su impaciencia aumentaba día a día.

—Que la peste se lleve a esos fenicios —refunfuñaba esa mañana—, sus habladurías inoportunas y su mala educación. ¿Creerá ese guía imbécil que al hacerme esperar así, está ofendiendo en realidad al divino Augusto? ¡Tengo asuntos mucho más graves que re-

solver en nombre del Emperador, que contemplar todas las mañanas cómo el sol se levanta sobre Damasco, por Júpiter!

Seguramente Júpiter lo oyó, desde lo alto de sus nubes, porque
aquella mañana, el legionario que vigilaba su casa fue a anunciarle
la llegada de un tal Hiram, oriundo de Sidón.[1]

—¿Qué aspecto tiene? —le preguntó Marcelo a su guardia.

—El de un fenicio, señor, y está todo dicho —le respondió el romano—. Habla latín con un acento terrible, haciendo rodar la "r",
no se afeita desde hace por lo menos diez días, y el asno que arrastra detrás de sí está cargado de bolsas, armas, telas y no sé qué más.

—Hazlo subir.

Cuando Hiram se presentó ante Marcelo, se inclinó profundamente, humilde pero no obsequioso, y de ninguna manera intimidado por la actitud impaciente del caballero romano a quien debía
acompañar a través de Judea. Éste le hizo notar su enojo con un tono severo.

—Perdóname, señor caballero —le dijo Hiram—, pero me llevó más de un mes llegar hasta aquí desde Jerusalén.

—¿Cinco semanas para recorrer 250 millas?[2] ¿Te burlas de mí?

—No soy más que un pobre fenicio, señor, no tengo caballo y
camino junto a mi asno, que está demasiado cargado para trotar.

—¿Qué hacías en Jerusalén? Creí que venías de Sidón.

—Salí de Sidón, pero aproveché para pasar por Jerusalén para
traerte noticias frescas, señor emisario...

—Y sin duda también para hacer algunos negocios con los judíos, a juzgar por las alforjas que carga tu asno...

—¿Cómo quieres que un fenicio viaje sin hacer un poquito de
comercio, señor?

—Ya sé, ya sé, ustedes y los judíos llevan el comercio en la sangre —repuso Marcelo sonriendo—. Pero vayamos a las cosas serias.
Háblame de Judea.

—¿Qué quieres saber?

—Todo: el país, la gente, el idioma que hablan, las riquezas, la
política, y sobre todo la naturaleza y el origen de los disturbios que

---

1. En la actualidad, Saida, en el Líbano.
2. Aproximadamente 350 kilómetros.

preocupan al emperador. Quirino me dijo que, al parecer, eres el hombre que más sabe sobre Judea en esta región.

—El señor gobernador me honra demasiado, caballero. No soy más que un pequeño mercader fenicio que viaja mucho por el país y tiene muchos clientes influyentes en Jerusalén: a veces me hacen confidencias.

—Pues bien, date prisa en hablarme de esa Judea y de Jerusalén. Vine de Roma para eso. Y en primer lugar, ¿en qué idioma hablan en Palestina? ¿En hebreo?

—¡Oh! Hace mucho tiempo —por lo menos, tres o cuatro siglos— que ya no se habla hebreo en Palestina. Los judíos de Palestina hablan dialectos arameos, y los que viajan también hablan griego. Los letrados son políglotas: se expresan en arameo en la vida corriente, en los mercados, por ejemplo, o en las asambleas, pero también en griego y algunos de ellos, a veces incluso en latín. Por supuesto, los sacerdotes, los rabinos y los doctores de la Ley, que pasan gran parte de su tiempo leyendo las Sagradas Escrituras, son puristas que escriben perfectamente el hebreo antiguo, pero la lengua escrita que utilizan en la vida corriente es el griego.

—Y tú, que pareces hablar el latín corrientemente, ¿qué idiomas conoces?

—¡Yo soy una torre de Babel! Mi lengua materna es el arameo, como sucede con todos los fenicios, pero también uso el griego, el hebreo, el latín e incluso el árabe de los caravaneros del sur.

—Perfecto. Entonces toma asiento y háblame de Palestina. ¿Es una provincia grande, como Siria, por ejemplo?

—No. Es un país pequeño, del tamaño de la Cerdeña. Desde Dan hasta Bersabé, no hay más de 150 millas romanas.

—¿Qué son Dan y Bersabé? ¿Ciudades?

—Son las dos ciudades que marcaban, hace mil años, los límites del reino de Salomón: Dan al norte y Bersabé al sur.

—Ciento cincuenta millas es la distancia entre Roma y Nápoles por la via Appia: en efecto, es muy pequeña Palestina. ¿Es un territorio muy poblado? ¿Cuántos habitantes te parece que hay entre Dan y Bersabé, como tú dices?

—No se sabe exactamente, señor caballero.

—¿Cómo que no se sabe? ¿Herodes el Grande, que reina —gracias a nosotros, los romanos— desde hace casi treinta y tres años en este país, nunca hizo un censo?

—Nunca.

—¿Y el gobernador de Siria tampoco?

—Hace mucho tiempo que estas tierras de Oriente se hicieron romanas, señor caballero, y con excepción de Fenicia y Palestina, la mayoría de los territorios conquistados por Roma eran habitados por nómadas, incluso en tiempos de los persas.

—Que yo sepa, los judíos no son nómadas.

—No, es cierto, pero tampoco son administradores como ustedes, los romanos. Por eso no se sabe cuántos habitantes tiene hoy Palestina: según un persa que conozco y que trató de calcular la población de Judea y las provincias del norte, ascendería a dos o tres millones de almas.

—¿Tan poco?

—Sí, tan poco.

—Bueno, pero me cuesta entender cómo una cantidad tan pequeña de hombres, habitantes de un pequeño territorio que, por otra parte, me pareció muy rico en tierras cultivadas y árboles frutales, puede tener motivos de agitación, como dice el emperador. ¿Puedes explicarme cómo funciona Palestina, Hiram?

—Será un honor para mí, señor Marcelo. ¿Por dónde quieres que comience? ¿Por la política?

—Comienza por el comienzo, para que yo pueda entender la política de ustedes. ¿De dónde proviene este pueblo judío?

Marcelo había sido perentorio. Se instaló dignamente en un gran *solium*,3 y escuchó sin decir una palabra, con los ojos entrecerrados, la historia de los judíos tal como se la contó Hiram, sentado con las piernas cruzadas sobre un almohadón de muchos colores que estaba en el piso, a la manera de los comerciantes orientales en los mercados.

—Antiguamente, en el tiempo de mis ancestros, los fenicios que ya habían creado los poderosos reinos de Biblos, Tiro y Sidón,

---

3. Grandes sillones de asiento cuadrado y espaldar alto, con brazos rellenos y almohadones, en los cuales los juristas y los administradores romanos tenían la costumbre de sentarse para recibir a sus clientes o sus administrados.

hace quizá más de dos mil años, e incluso antes de ellos, no había judíos, ni en Palestina, ni en ninguna parte. Sus antepasados, a quienes se llama hebreos, erraban como nómadas a través de los desiertos de Caldea, entre Babilonia y el Golfo Pérsico, sin mezclarse nunca con los demás pueblos de la Mesopotamia.

—Entonces ¿quién ocupaba Judea en aquel momento?

—Todavía no era Judea en esa época. Para los habitantes de Tiro y Sidón, era "el país de Canaán", así llamado porque se encontraban allí esos grandes moluscos que llamamos en nuestra lengua *kinahhu*,4 y que los pescadores fenicios, egeos y cretenses iban a recoger a sus playas, durante todo el año, para extraer de ellos un colorante, el púrpura, que se usaba para teñir. En ese momento, Canaán no le pertenecía a nadie. Luego, algunos pueblos que llegaron del norte por mar, tras intentar invadir Egipto, se establecieron en esa región: los antiguos faraones los llamaban *Pueblos del mar*.5

—¿Y lograron invadir Egipto?

—No pudieron hacerlo, porque los egipcios los echaron. Algunos de ellos, a quienes los judíos llaman *pelishitim*[6] y los romanos, *palestinos*, se desviaron hacia nuestras costas y fundaron allí las primeras ciudades de la región. En aquella época, los hebreos no podían quedarse en el lugar y siguieron trasladándose, más o menos mezclados a otros nómadas, entre el Tigris y el Eufrates, en busca de un territorio. Y lo hicieron hasta el día en que, hace unos dos mil años, guiados por un patriarca que se llamaba Abraham, dejaron la Caldea para ir a levantar sus tiendas en el país de Canaán. Pero no permanecieron mucho tiempo allí...

—¿Por qué? ¿A causa de los *pelishitim*?

—Es posible, pero nadie lo sabe. Dicen que uno de los suyos, que se llamaba José, y era nieto de Abraham, había sido vendido por sus hermanos a unos caravaneros que lo llevaron a Egipto. Parece que supo ganarse la confianza del faraón que reinaba en aquella

4. El nombre científico de este molusco es *Murex trunculus*.

5. Se trata de invasores indo-europeos, llegados por mar, que trataron de invadir el delta del Nilo en dos oportunidades, en 1230 a.C. (¿aqueos?) y en 1191 a.C. (¿licios? ¿cretenses?). Fueron rechazados por el faraón Ramsés III y se establecieron por un tiempo en las costas de Palestina.

6. Son los filisteos de la Biblia.

época ese poderoso país, e incluso consiguió que éste permitiera entrar a todos los hebreos a sus territorios. Pero seguramente los trataron mal, porque al cabo de dos generaciones, volvieron a partir hacia el país de Canaán conducidos por otro patriarca, Moisés, que organizó su éxodo, y entonces se establecieron definitivamente en Canaán. Una vez instalados, los hebreos fueron gobernados al principio por jefes que la Biblia llama *Jueces*, y luego por reyes, el primero de los cuales se llamó Saúl.

—¿Cuándo fue eso?

—No se sabe... Quizás hace más de mil doscientos años.

—¿Y los pelishitim?

—Los pelishitim, que habían fundado muchas ciudades prósperas en el país de Canaán, resistieron como pudieron la invasión de los hebreos, lucharon contra ellos durante mucho tiempo, pero finalmente debieron rendirse. Luego los hebreos dominaron a los diferentes pueblos cananeos, y terminaron por crear un reino que conoció un gran período de prosperidad política bajo los reinados de Saúl y de sus dos primeros sucesores, que se llamaban David y Salomón.[7] David conquistó la ciudad cananea de Jerusalén, a la que transformó en capital, y Salomón, que llevó adelante relaciones comerciales del Estado hebreo con los países vecinos del Mar Rojo, actuó como todos los grandes reyes: construyó en Jerusalén el Templo del dios único de los hebreos, símbolo monumental y religioso de ese pueblo, que se llama a sí mismo el "pueblo de Dios". Lamentablemente, a la muerte del rey Salomón, los judíos se dividieron y se repartieron en dos reinos distintos: al norte, el de Israel, cuya capital fue Samaria, y al sur, el de Judá, que mantuvo a Jerusalén como capital.

—¿Qué fue de esos dos reinos, Hiram?

—No dejaron de combatirse durante dos siglos, y Palestina se transformó en un inmenso campo de batalla, para el beneficio de los poderosos imperios que los asirios y los babilonios habían establecido, desde hacía siglos, en la Mesopotamia: el rey de los asirios, Sargón II, pudo conquistar Samaria sin problemas, y deportó a su país a los sacerdotes y los principales jefes de familia del reino de Israel,

---

7. Saúl: 1030-1010 a.C.; David: 1010-970 a.C.; Salomón: 973-931 a.C.

hace poco más de siete siglos.[8] Doscientos años más tarde, el rey de los babilonios, Nabucodonosor, hizo lo mismo, cuando tomó Jerusalén[9] y deportó a los habitantes del reino de Judá a Babilonia.

—¿Todos los judíos de Judea fueron llevados en cautiverio?

—No. Nabucodonosor procedió como el asirio: sólo capturó a los jefes de las grandes familias, las personalidades importantes del reino, y naturalmente, a todos los sacerdotes, porque para los judíos, sean de Judá o de Israel, la religión desempeña un papel fundamental, que ustedes, los griegos y los romanos, no pueden entender.

—¿Qué tiene de particular la religión de los judíos?

—En vez de adorar, como ustedes, los paganos, a una diosa de la Luna, un dios del Sol, una divinidad del Mar, etcétera, veneran a un solo dios, Yahveh, a quien consideran el único creador de todo lo que existe, en la tierra y en el cielo, y creen que ese dios, único y eterno, los eligió como su pueblo, con exclusión de todas las demás naciones de la tierra: por eso le habría prometido a su primer patriarca, Abraham, su ancestro, que les daría el país de Canaán sólo para ellos. Desde hace siglos, los sacerdotes no dejan de repetir a los judíos que son el pueblo elegido de ese Dios que, en el final de los tiempos, los reunirá a todos en la prometida Tierra Santa, el país de Canaán. Los judíos creen también que su Ley —su *Torah*, como dicen en hebreo— le fue revelada por Dios mismo a Moisés en el desierto, en el monte Sinaí, cuando conducía a los descendientes de Abraham fuera de Egipto, hacia el país de los pelishitim: ésa es la razón por la cual la respetan tan escrupulosamente.

—¿Y qué dice esa Torah?[10]

—Es bastante complicado. En realidad, al salir de Egipto, Moisés sólo enunció los principales mandamientos de Dios: los "doctores de la Ley" los pusieron por escrito, con todos los detalles, mucho más tarde, seguramente durante el cautiverio en Babilonia.

8. En 721 a.C. (para las fechas, véase Anexo 1).
9. En 597 a.C.
10. La palabra hebrea *torah* significa "ley". En sentido estricto, designa el código religioso y social de los judíos contenido en la Biblia y en el Talmud juntos. Pero en el sentido usual, designa al conjunto de los primeros cinco libros de la Biblia (*Génesis, Éxodo, Levítico, Números, Deuteronomio*), denominado *Pentateuco*.

—¿Cuánto duró ese cautiverio?

—El tiempo de dos generaciones: unos sesenta años.

—¿Fue penoso?

—Los que regresaron decían que había sido la mayor de las abominaciones, pero no se sabe exactamente cómo lo vivieron. Lo cierto es que ni Nabucodonosor ni, menos aún, sus sucesores pusieron a los judíos en cárceles o campos de prisioneros. Incluso en esa misma época, los sacerdotes y los doctores de la Ley que se encontraban entre ellos pudieron redactar la parte esencial de los Libros de la Biblia, para que no se olvidara la Ley de Moisés.

—¿Y después?

—Después, Babilonia fue conquistada por Ciro, el emperador de los persas, que liberó a todos los pueblos exiliados en Babilonia: los judíos cautivos pudieron regresar a Judea, y todavía viven allí.

—Gracias por este curso de historia, Hiram. Pero ¿qué sucede ahora?

—Ahora, la provincia que ustedes, los romanos, llaman "Judea" no es otra cosa que la Judá de los antiguos judíos, cuya capital sigue siendo Jerusalén, más los territorios conquistados por Salomón, lo que podría llamarse "la Judea más grande", que se extendía desde Dan hasta Bersabé, como se decía en el tiempo de ese gran rey...

—... y que nosotros, los romanos, también llamamos Palestina —aclaró Marcelo—, aunque en los textos administrativos siempre la llamamos "provincia de Judea". Sé esto mejor que nadie, ya que me ocupo de administrar los territorios orientales del Imperio. Para nosotros, los romanos, Palestina incluye la Judea propiamente dicha, con el agregado de Samaria y Galilea al norte, y Perea, al este del Jordán. A estos cuatro territorios del Imperio, que denominamos *"cantones"* en nuestra jerga administrativa, los funcionarios y los recaudadores romanos incorporaron unas diez ciudades griegas, al oeste del lago de Genesaret, que forman lo que se llama la *"Decápolis"*.

—¡Sabes tanto como yo, señor caballero! ¿Qué otra cosa quieres que te revele sobre Palestina?

—¿Tú amas a esta Palestina, Hiram?

—Es el país más bello que conozco, por supuesto. Se diría que sus paisajes han sido diseñados y pintados por la mano de un artista genial. En pocas horas, se puede pasar, como en nuestro país, del mar a la montaña, del azul brillante del Mediterráneo a la suavidad de las aguas del Jordán, de las pequeñas colinas redondeadas que bordean las márgenes del lago de Genesaret[11] a los peñascos rugosos del monte Mitsar. Y además, está ese río, ese maravilloso río que nace entre las adelfas del monte Hermón, que atraviesa Palestina de norte a sur, y se arroja, amarillo y limoso, a las aguas del mar Muerto: el Jordán, señor caballero, es el alma del país de Canaán.

Como buen administrador que era, Marcelo odiaba los adjetivos y no le importaban los azules brillantes, los mares grises ni los peñascos rugosos: cortó en seco los románticos impulsos de mala calidad del fenicio y volvió al tema que le preocupaba:

—Y los judíos ¿cómo viven, en ese paraíso que me describes? ¿En paz? —preguntó.

—Podría decirse que viven en paz —le respondió Hiram—, pero en medio de incesantes gritos.

—¿Gritos? ¿A qué te refieres?

—Todo el mundo grita en Judea. Las mujeres pasan el tiempo haciendo hijos, y una vez que los dieron a luz, les gritan. En el Sanedrín, los sacerdotes, los escribas y los doctores de la Ley discuten permanentemente, día tras día, sobre la manera de interpretar la Torah. En el mercado de la ciudad alta, los comerciantes no dejan de gritar, para atraer a los clientes o para increpar a los que no se resuelven a comprar. Y hasta los animales que se llevan hacia el Templo balan y mugen como si quisieran participar en el alboroto.

—¿Y el pueblo?

—No es muy diferente al pueblo fenicio. Los hombres que viven en el campo cultivan la tierra y crían ganado. Los de las ciudades comercian, y sólo piensan en despojarse unos a otros, como entre nosotros, en Biblos, Tiro o Sidón. Sin embargo, lo que los diferencia de nosotros, los fenicios, que somos navegantes y viajeros de alma, es el amor casi carnal que sienten por su tierra, la Tierra Santa que Yahveh les había prometido y les permitió ocupar. La peor desgracia que podría ocurrirle a un judío, sería no poder vivir allí: cuando se aleja, sufre como si se separara de un ser amado. ¡Ah, cómo com-

---

11. *Kineret*, para los hebreos, o *mar de Galilea*. Más tarde le cambiarían el nombre en honor al emperador Tiberio, y lo llamarían *lago de Tiberíades*.

prendo la desazón y la nostalgia del poeta cuando piensa en su tierra natal y canta, acariciando su arpa:

> En mí, desfallece mi alma
> Cuando pienso en ti, ¡oh tierra del Jordán!

Marcelo quedó intrigado, más que emocionado, por el lirismo del fenicio, a quien había considerado, al principio de la conversación, como un simple mercader, un poco más informado que los otros quizá, y no pudo evitar preguntarle de dónde sacaba su erudición bíblica. La respuesta de Hiram lo sorprendió: el hombre le confesó que se había convertido al judaísmo, y que se había circuncidado por causa de su hermano y "por las necesidades de su profesión".

—¿Por las necesidades de qué profesión? ¿Qué me estás diciendo? —preguntó Marcelo, cada vez más interesado en el personaje.

—Mi hermano tiene muchos rebaños que pacen en nuestras llanuras, al sur de Tiro, y vende sus corderos y carneros a los galileos, por mi intermedio. Pero esos judíos son maniáticos: su Ley les prohíbe comer carne preparada o vendida por incircuncisos. Entonces me instruí en la religión judía, uno de sus sacerdotes me circuncidó y me hice una clientela de oro a través de toda la Galilea, donde me convertí en el rey de la carne de cordero. También tengo muchos clientes en Jerusalén, sobre todo en los ambientes religiosos y políticos. Por eso Quirino, el legado del emperador, que gobierna la provincia de Siria, me pidió que me pusiera a tu disposición.

—¿Conoces realmente los engranajes de la vida política de Jerusalén? Tengo que preparar un informe muy completo sobre ese tema para el emperador, y no sé por dónde empezar.

No hizo falta más para que el elocuente fenicio se lanzara a una larga conferencia político-religiosa. En menos de dos horas, Marcelo entendió lo que los consejeros del emperador trataban de entender en Roma desde hacía dos o tres años: que el pueblo judío se consideraba un pueblo superior a todos los demás, puesto que el Dios único que había creado el cielo, las estrellas y la tierra lo había elegido como Su pueblo, y, para guiarlo en este mundo, le había entregado Su Ley, que le había revelado a Moisés. Este inspirado legislador le había dado al pueblo elegido por Yahveh lo que nosotros llamaríamos hoy una constitución teocrática, que ponía el supremo poder político y judicial en manos de Dios, representado por la asamblea del Sanedrín y por el sumo sacerdote, a quien también llamaban gran sacrificador:

—Es el mismo Yahveh quien instituyó el Sanedrín —le dijo con convicción el fenicio al representante del emperador—: es Él quien le dijo a Moisés: *"Reúneme a setenta de los ancianos de Israel*[12] *—deberás estar seguro de que son realmente ancianos y escribas del pueblo—, llévalos a la Carpa del Encuentro, y que permanezcan allí contigo. Yo bajaré hasta allí, te hablaré, y tomaré algo del espíritu que tú posees, para comunicárselo a ellos. Así podrán compartir contigo el peso de este pueblo, y no tendrás que soportarlo tú solo".*

—Tu Yahveh no es más que un débil —replicó Marcelo—, como nuestro Júpiter; el Sanedrín no es diferente a nuestro Senado, y tu sumo sacerdote recibe su poder del tetrarca Herodes, elegido por las autoridades romanas para gobernar a los judíos. Lo que me gustaría que me explicaras, Hiram, no son las leyendas de tu Biblia, que no me interesan, sino lo que realmente pasa en Judea, y más precisamente, en Jerusalén.

Las convicciones religiosas pregonadas por el fenicio fueron sometidas a una dura prueba por aquella brutal llamada al orden del caballero, pero como estaban lejos de ser sinceras, el mercader no tuvo ningún problema en dejar caer su máscara de converso para aparecer ante los ojos de Marcelo con su auténtico rostro de sagaz informante, y en pocos minutos, le trazó un cuadro preciso y realista de la situación política de Judea.

—Hay dos partidos en Jerusalén, tanto en la sociedad civil como en el Sanedrín: el partido de los fieles nacionalistas, que pretenden descender de los héroes que resistieron antaño a los seléucidas,[13] y

12. "Israel" es uno de los nombres que se ha dado el pueblo judío. El término es sinónimo de "pueblo elegido" o "pueblo de Dios".

13. Dinastía que le debe su nombre a Seleucos, uno de los tres lugartenientes de Alejandro que se repartieron su imperio tras su muerte. En su mayor dimensión, el imperio seléucida se extendió desde el Indo hasta Grecia y Egipto, pero en 67 a.C., sus territorios orientales fueron reconquistados por los persas, y se redujo sólo a la Siria romana, que abarcaba la Siria actual, Líbano, Jordania e Israel. Esa Siria fue conquistada por Pompeyo, que la anexó a la República romana en 64 a.C.

se llaman *fariseos*, y el de los conservadores, partidarios del orden a ultranza, que están a favor del mantenimiento de ese orden por la fuerza —romana, evidentemente—, y que se llaman *saduceos*. De modo que durante veinte o treinta años, en Judea, y especialmente en Jerusalén, hubo un desorden permanente y una guerra civil esporádica entre esos dos partidos. Este estado de cosas favoreció la invasión de Judea por parte de los árabes de Petra —los nabateos— y de los beduinos, que se desplazaban como nómadas por las estepas de Idumea, al sur de Judea, los idumeos.

—¿Y entonces? —preguntó Marcelo, cada vez más cautivado por el relato del fenicio.

—Entonces pasó lo que tenía que pasar: cuando Siria se convirtió en una provincia romana, hace unos sesenta años, se formó un nuevo partido en Jerusalén, y una delegación de judíos fue a buscar al poderoso extranjero que había conducido sus legiones hasta Damasco, para pedirle que arbitrara el debate. Habían hecho rey a ese poderoso extranjero que no era otro que Pompeyo. No hace falta decir, Marcelo, que los problemas se resolvieron rápidamente. El orden se restableció en un periquete: los agitadores fueron arrestados, deportados o ejecutados, Pompeyo anexó a la Siria romana las ciudades costeras de Palestina, porque quería tener el dominio del Mediterráneo oriental, y el Estado judío fue declarado vasallo de Roma, mediante el pago de un tributo anual cuyo monto no recuerdo ahora. Pompeyo nombró al gran sacerdote de entonces, Hircano II, etnarca de Judea, con todos los poderes de un rey, y este Hircano impuso su autoridad al Sanedrín. El hermano de Hircano II (Aristóbulo II), que había desencadenado la guerra civil, fue enviado a Roma como prisionero, junto con sus dos hijos, y murió envenenado por los pompeyanos.

—Reconozco los métodos expeditivos y eficaces de Pompeyo —dijo Marcelo—. Daban resultado.

—Eficaces, sí, pero sólo por un tiempo, porque el gran hombre dejó su carrera de conquistador y partió hacia Roma para hacer política con César. Entonces, en cuanto volvió la espalda, el caldero palestino volvió a bullir: los hijos de Aristóbulo se evadieron de su prisión romana, y uno de ellos, Antígono, se proclamó rey de los judíos, reconstituyó el partido nacionalista de los fariseos, y la guerra civil se reanudó con más fuerza que antes en Judea.

—Lo que me cuentas parece una novela por entregas —observó irónicamente Marcelo.

—Y en Roma, las cosas no iban mejor —replicó sin inmutarse Hiram, que conocía la historia romana tan bien como la de los judíos—. Mientras los fariseos y los saduceos se mataban entre ellos en Jerusalén, la guerra civil entre Pompeyo y César hacía estragos en Occidente. Dieciséis años más tarde, César liquidó a Pompeyo, luego él mismo fue asesinado, y comenzó otra guerra civil entre Antonio, su antiguo lugarteniente, y Octavio, su sobrino y heredero. En materia de desórdenes políticos, los romanos se arreglaban tan bien como los judíos en esa época.

—Guárdate tus opiniones sobre la historia de Roma —dijo Marcelo. — Lo que me interesa es el final de tu novela judía.

—Terminó en Jerusalén de la misma manera que en Roma, donde triunfó el genio de Octavio Augusto: el poder cayó finalmente en manos de un hombre de hierro, Herodes el Grande, que sometió por la fuerza a los fariseos y al Sanedrín. En cuanto asumió, hizo matar a los setenta y un miembros de ese Consejo y los reemplazó por judíos simpatizantes de su causa...

—¿Herodes era judío?

—No exactamente. Su padre, Antipatros II, era el jefe de los edomitas, árabes nómadas que transitaban por los desiertos del sur de Judea, y él mismo soñaba con tomar el poder en Judea. Con ese propósito, este incrédulo empezó por convertirse al judaísmo, creyendo seguramente que Jerusalén bien valía una circuncisión, y al mismo tiempo se alió con los romanos. Entonces, Herodes se hizo amigo de Antonio quien, dos años antes de casarse con Cleopatra, lo nombró *etnarca*[14] de Judea. Luego, como sabes, se instaló en Oriente la guerra civil entre Antonio y Octaviano, que todavía no se hacía llamar Augusto. Después de la victoria de este último en Accio y el suicidio de su rival, Herodes juró fidelidad al vencedor, que aumentó su poder nombrándolo tetrarca de Judea. Hoy, des-

14. En la época de Augusto, en la jerarquía administrativa romana, el título de etnarca era conferido al gobernador nativo de una provincia relativamente independiente, pero que le rendía cuentas a Roma. Era inferior al título de tetrarca, equivalente al título de rey, y se otorgaba al amo de un territorio considerado demasiado pequeño como para ser calificado de "reino".

pués de treinta años, el Imperio cambió, pero Herodes sigue siendo el tetrarca de Palestina, y tiene más poder que nunca, aunque algunos judíos le reprochan el hecho de no pertenecer a su pueblo.

—En síntesis, si te entendí bien, Hiram, nuestra provincia de
Judea no se reduce a Judea, sino que hay que agregarle a Galilea y
Samaria. El hombre todopoderoso que la gobierna desde hace un
tercio de siglo, es Herodes el Grande, un árabe convertido al judaísmo, que al principio gobernó por la gracia de Antonio, y ahora reina por la de Augusto, y nada amenaza a este buen equilibrio.

—Nada, salvo las innumerables disputas religiosas que desga-
rran a Israel y lo socavan desde el interior. Supongo que en Roma
saben lo que pasa, ¿no es cierto?

—No creas, Hiram. En muchos sentidos, nuestro Imperio que
acaba de nacer se parece a la República de antaño. ¿Cómo quieres
que sepan en Roma lo que sucede en todas nuestras provincias
orientales? El informe diario que le entregué ayer al correo imperial
que parte hoy de Damasco estará en manos del emperador dentro
de dos o tres meses, ¡y en tres meses pueden pasar tantas cosas!

El joven Marcelo estaba en lo cierto. Era el final del otoño del
año 749 de Roma,[15] y al año siguiente, en la primavera, en alguna
parte de Palestina, en la región del Jordán, nacería un hombre cuya
Palabra resuena todavía hoy, dos mil años después, en el corazón de
los seres humanos.

15. En 5 a.C.

2

En Galilea, sobre la ruta de Genesaret

30 de noviembre-4 de diciembre, año 749 de Roma
(5 a.C.)

Hiram y Marcelo parten de Damasco (30 de noviembre) – Descripción de Galilea, la "tierra de los paganos" – Primera noche bajo las estrellas, al pie del monte Hermón – Las Aguas de Merom y la noche en Hasor (2 de diciembre) – Llegada a Kineret (mar de Galilea); Hiram y Marcelo hablan de Herodes (3 de diciembre) –El cisma de los samaritanos – Agradable descanso en Gerasa, última etapa antes de Samaria (4 de diciembre)

Una semana más tarde, en el frío de la última mañana de noviembre, Marcelo, seguido por Hiram, que había cambiado su asno por un pequeño caballo árabe convenientemente vigoroso, franqueó discretamente las murallas de Damasco, y los dos hombres iniciaron un trote corto en dirección al sudoeste, por una ruta bien recta que atravesaba los campos, los viñedos y los huertos, orgullo de la capital siria.

El caballero, perdido en sus pensamientos, intentaba implementar un plan de investigación eficaz. El emperador quería saber, en primer lugar, si los rumores que circulaban desde hacía unos meses sobre la existencia de tumultos en Judea eran fundados, porque en Roma se hablaba de una conspiración tendiente a hacer desaparecer al tetrarca de Judea, Herodes el Grande. El joven estaba seguro de que se enteraría de eso investigando personalmente entre los bastidores del palacio real de Jerusalén, o incluso en Jericó, donde el tetrarca poseía una residencia privada. Luego, si se confirmaba la hipótesis de la conspiración, la misión de Marcelo era descubrir quién de los hijos de Herodes o de los soberanos partos que reinaban sobre el imperio persa, manejaba los hilos. Si sólo se trataba de un asunto de familia, Marcelo tenía orden de no inmiscuirse, porque Augusto pensaba que el tetrarca ya había cumplido su ciclo y se acercaba el momento de instalar en Judea un hombre nuevo

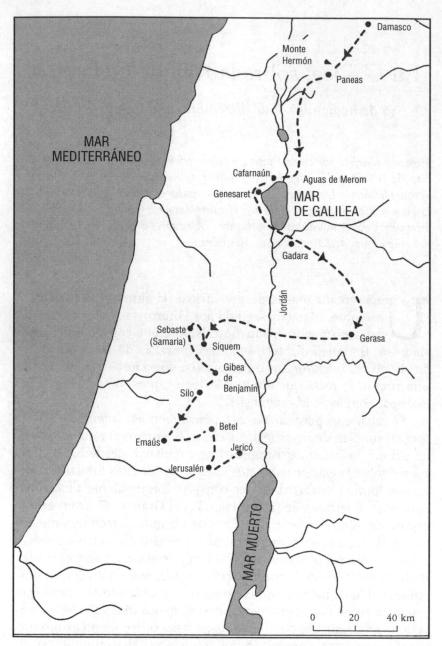

Itinerario de Marcelo de Damasco a Jerusalén

en el poder. Pero el golpe podía provenir también de los reyes partos de la dinastía de los arsácidas, que reinaban sobre el imperio
persa desde hacía dos siglos y, en ese caso, el asunto se volvía serio:
los partos ya habían reconquistado Armenia, así como una parte de
Siria, de manos de los romanos, y si ahora intentaban desequilibrar
a Judea, cuyo control les abría las puertas del rico Egipto, era preciso informar a Augusto sin tardanza. Por último, preocupado por
la introducción en el Imperio de cultos nuevos provenientes del
Oriente, el emperador quería recibir un informe detallado sobre las
sectas judías que, según decían, se multiplicaban en Palestina, y
hasta en Fenicia, y sobre el culto persa del Sol invencible, que se
propagaba peligrosamente en Roma.

Esta doble investigación, política y religiosa, que le había confiado el emperador, era una tarea apasionante que Marcelo pensaba
llevar a cabo en el más breve plazo y, como el camino a Jerusalén
parecía ser largo, pensó que su guía fenicio seguramente podría
darle informaciones sobre ese culto que preocupaba a Roma. Así
que le formuló la pregunta sin ambages:

—Tú que siempre andas por todas partes en este país, ¿oíste hablar de los adoradores del Sol?

Sí. Hiram había oído hablar de ellos, y se refirió al tema en un
tono sentencioso e irónico a la vez: monoteísta reciente y en cierto
modo prosélito, no se atrevía a hablar mal del paganismo de sus
amos romanos abiertamente, pero atacaba sin problemas el de los
persas, sus enemigos.

—Estás en Oriente —le dijo a Marcelo con un imperceptible dejo de condescendencia —, una tierra donde se encontraron todos
los dioses, donde los de la Mesopotamia y los de los antiguos fenicios lucharon contra las divinidades del Olimpo, y sus aventuras se
mezclan en la memoria de los pueblos. ¿Cómo no adorar al sol que
nos calienta y nos ilumina, que hace madurar las mieses y crecer
los naranjos? Y los persas, que son los peores idólatras, transmitieron sus creencias bárbaras a los legionarios romanos contra los que
lucharon en Armenia y en la Mesopotamia, en tiempos de Craso y
de Pompeyo. Creen en un solo dios, el Sol, y lo consideran al mismo tiempo la luz celeste que dispensa su calor a los humanos, y un
dios guerrero que combate el Mal en la tierra, por intermedio de su
servidor de este mundo, al que llaman Mitra. Según sus leyendas,

ese servidor sería un hombre, nacido de una roca en una gruta, y sus primeros adoradores habrían sido pastores y pescadores. Dicen que realizó muchos milagros en la tierra, y luego ascendió al cielo, siempre dispuesto a socorrer a los hombres que celebran su culto. Los adoradores de Mitra sostienen que en el fin de los tiempos, los muertos saldrán de sus tumbas a su llamado, y que los que trataron de hacer el bien durante su vida, lo encontrarán en el cielo y vivirán eternamente en su Luz, mientras que los que hayan sido radicalmente malos serán precipitados al reino de las tinieblas.

—¿No es parecido a lo que enseña la religión de los judíos, Hiram? Ellos también son monoteístas, creo.

Hiram se encolerizó súbitamente, con el apasionamiento de los neófitos:

—El Mitra de los persas no es más que un ídolo de piedra —dijo en tono despectivo—, mientras que Yahveh es un puro Espíritu que nadie puede ver ni tocar, y que nunca se manifestó en forma corporal ante nuestros profetas, Abraham, Moisés y todos los demás: simplemente los inspiró. Yahveh eligió a Israel, y sólo a Israel, como su pueblo, y le hace expiar en este mundo el pecado de Adán, el primer hombre, que lo desobedeció apenas fue creado. En un tiempo fijado por Él, surgirá, en la descendencia del rey David, un Mesías que liberará al pueblo de Dios de la dominación que le imponen sus enemigos, y todos los judíos serán llevados nuevamente a Palestina, donde se erigirá un reino ideal para ellos, únicamente para ellos, cuya capital será Jerusalén. Ese Mesías que espera el pueblo de Dios no tiene ninguna relación con el Mitra de los idólatras que promete la bienaventuranza eterna a todos los hombres que sean juzgados dignos de ella, mientras que nuestro Dios, a quien estamos aliados por medio de la circuncisión, sólo salvará a Su pueblo, el pueblo que él eligió, pero a todo Su pueblo, sin distinción de personas. Todos pueden hacerse judíos: basta con hacerse circuncidar y respetar sinceramente la Ley de Moisés. ¡En cambio, volverse adepto de Mitra es absolutamente distinto! Hay que pasar por una larga y severa iniciación: primero sumergen al neófito en el agua clara de un río para purificar su cuerpo, y luego, después de poner miel sobre su lengua y sobre sus manos, rocían su cuerpo con la sangre de un toro, porque los adoradores de Mitra creen que ese servidor del Dios Luz inmoló un toro sagrado cuya sangre ha-

bría fertilizado la tierra. Tras esa primera ceremonia ritual, el iniciado pasará por varios grados: será nombrado sucesivamente *Cuervo,
Soldado* o *León de Mitra*, etcétera, hasta convertirse en *Heliodromus*,[1]
y luego *Pater*.

—¿Son muchos los adoradores de Mitra en Palestina?

—En todos los lugares por donde pasaron los persas, hay adoradores de Mitra, y en Palestina también. ¡Incluso en Jerusalén! ¿Ustedes no tienen mitríacos en Occidente?

—Hay muchos entre los ex combatientes de los ejércitos de
Oriente, así como en los ambientes mundanos, pero ya casi no hay
vida religiosa en Roma, mi buen Hiram. Por cierto, el pueblo siempre celebra con entusiasmo las grandes fiestas religiosas subvencio-
nadas por el Tesoro público, pero casi únicamente porque son una
oportunidad para bailar y embriagarse. Los caballeros, los senadores, o simplemente, los pequeños burgueses romanos, no se interesan por ello, y se burlan de los comerciantes judíos cuando éstos se
niegan a comer tocino o murmuran sus plegarias. Yo mismo soy
pagano y estoy orgulloso de serlo, y jamás me encontrarás en un
templo: me tienen sin cuidado Júpiter, las lupercales y todas esas
pavadas.

—Espera a llegar a Jerusalén, señor caballero: los judíos "hacen" religión como los romanos "hacían" política en tiempos de Cicerón o de César.

Marcelo se preguntaba cómo un pequeño comerciante fenicio
que había pasado toda su vida entre Sidón, Damasco y Jerusalén podía tener alguna idea de lo que habían sido las trifulcas en el Senado, las conjuras catilinescas y las campañas electorales romanas, pero por miedo a ofenderlo, no le hizo ningún comentario y volvió a
sumirse en sus reflexiones.

Los dos primeros días del viaje le parecieron interminables al joven romano. A medida que avanzaban por la ruta de Damasco, el
paisaje agrícola y llano, cuya monotonía no era interrumpida por
ninguna aldea, ninguna colina, ningún bosquecillo, ningún acciden-
te del terreno, se transformaba progresivamente en desierto. Primero desaparecieron los huertos y los viñedos, luego los campos culti-

1. "Correo del Sol".

vados, y surgieron los prados de hierbas altas y secas en los que pastaban algunos vacunos enflaquecidos, abandonados allí por sus pastores. El único ser humano que vio durante esos dos días fue un camellero silencioso e indiferente, que se cruzó en su camino y se dirigía a paso lento hacia el norte en compañía de cuatro dromedarios blancos, polvorientos y famélicos que empujaba delante de él.

—Si ésta es la Tierra prometida a los hijos de Abraham por su Dios, es un regalo bastante pobre —le comentó Marcelo al fenicio, quien le respondió sonriendo:

—Estás blasfemando, señor caballero: espera a ver el Jordán.

—¿Cuándo llegaremos a ese famoso río?

—Mañana, seguramente, si no perdemos tiempo en el camino cuando entremos a las tierras de las tribus de Zabulón y de Isacar, en Galilea.

—¿Cómo es esa historia de tribus, Hiram?

—¡Oh, no es muy difícil de entender! Todos los judíos se consideran descendientes de Abraham, a quien Yahveh prometió el país de Canaán. El hijo de Abraham, Isaac, tuvo dos hijos, Esaú y Jacob, y éste tuvo, a su vez, doce hijos...

—¿Doce?

—Sí, doce varones, que se llamaban Rubén, Simeón, Leví, Judá, Isacar, Zabulón, Benjamín, Dan, Neftalí, Gad, Aser y José...

—¡Prolífico, el padre Jacob!

—Hablas como los gentiles, como los *goim*, señor caballero: no es el "padre Jacob", como tú dices, quien fue prolífico, sino que Dios quiso que lo fuera. Se le apareció una vez al pie de la montaña de Efraín, a dos días de marcha al norte de Jerusalén, lo bendijo y le dijo: *"En adelante no te llamarás Jacob, sino Israel.*[2] *Sé fecundo y multiplícate. De ti nacerá una nación, más aún, una asamblea de naciones, y saldrán reyes de tus entrañas. La tierra que di a Abraham y a Isaac, ahora te la doy a ti y a tu descendencia".*

—No me dirás que tú, Hiram, el mejor y más astuto mercader de Sidón, crees en esas pamplinas...

---

2. *Israel* es el nombre que le da Yahveh a Jacob cuando le renueva la promesa hecha a Abraham de dar a sus descendientes el país de Canaán. Este nombre designa, pues, al mismo tiempo al pueblo judío, es decir, al conjunto de los descendientes de Jacob, y al territorio que Yahveh les ha atribuido.

—No son pamplinas, señor Marcelo, está escrito en el Libro sagrado de los judíos, en la Biblia.

—No por estar escrito es verdad. Los poemas de Homero también son textos escritos, y no por eso dejan de ser fábulas... Pero volvamos a tu historia de las tribus. Si te entendí bien, en el pueblo de Israel ocurrió lo mismo que en el de Roma: así como entre nosotros existían grandes familias, que llevaban el nombre de su antepasado más antiguo, el pueblo judío estaba compuesto por doce tribus, cada una de las cuales llevaba el nombre de su fundador, que era uno de los doce hijos de Jacob: la tribu de Zabulón, por ejemplo, estaba integrada por todos los descendientes de ese personaje, que era el sexto hijo de Israel, alias Jacob. En cierto modo, es como la *gens Julia*, la *gens Tulia*, etcétera, que nosotros tenemos en Roma. Al final, todos los pueblos se parecen, Hiram.

—Te repito, señor, no son pamplinas. Vi con mis propios ojos el monumento de piedras que Jacob levantó en el lugar donde el Eterno le habló y le renovó la promesa que le había hecho a su abuelo Abraham.

—¿Y dónde está ese lugar?

—En el sur de Palestina, en Judea, a dos días de marcha de Jerusalén. Todavía lleva el nombre que le dio Jacob: Betel, que en hebreo significa "la Casa de Dios"; pasaremos por allí antes de llegar a Jerusalén.

—Bueno, admitámoslo. Pero volvamos a la pregunta que te hice: ¿qué quisiste decir cuando hablaste de las tierras de las tribus de Zabulón y de Neftalí?

Entonces Hiram le contó cómo, después de atravesar el Sinaí bajo la guía de Moisés, el pueblo de Israel había conquistado la Tierra Prometida, palmo a palmo, de manos de los pueblos que ocupaban Palestina antes que ellos: los filisteos, los amonitas, los moabitas, los madianitas y otros, y cómo Josué, el general hebreo que había gobernado al pueblo de Israel tras la muerte de Moisés, y que fue el artífice de la conquista de Canaán, repartió esas tierras entre las doce tribus de Israel. Los territorios del sur, situados entre el mar Muerto y el Mediterráneo, le tocaron a la tribu de Judá, se convirtieron en "Judea", y Jerusalén fue su capital. La parte septentrional del país, que se extendía al oeste del Jordán y de los grandes lagos que atravesaban ese río, fueron para las tribus de Zabulón, Isacar, Neftalí y Aser.

Pero esa región había pagado un pesado tributo a las invasiones asi-
rias y, al despoblarse paulatinamente, se abrió a los fenicios y a los
arameos de la vecindad, que se instalaron allí: por eso —explicó doc-
tamente el fenicio—, los judíos tomaron la costumbre de llamar a
esa perdida comarca *Guelil-ha-goim*, es decir, "el Círculo de los paganos", o en forma resumida, *Guelil* ("el Círculo"), y de ahí nació el
nombre de *Galilea*, que luego conservó.

—¿Ya no hay judíos en Galilea? —preguntó Marcelo, extrañado.

—Tras la toma de Babilonia por los persas y el derrumbe del imperio de Nabucodonosor, los judíos retornaron al país de sus antepasados, es decir, principalmente a Judea. No llegaron a repoblar toda
Galilea, donde todavía hay en la actualidad muchos paganos. Pero
hoy es la tierra más rica y atractiva de Palestina. Las vecinas montañas del Líbano retienen las nubes, de manera que llueve a menudo,
la hierba está siempre verde y abundan los árboles frutales, como en
Fenicia. Si hay un lugar en el mundo parecido al paraíso, sin duda es
Galilea. Desde la primavera hasta el comienzo del invierno, toda la región, de Cafarnaún a Caná, es un inmenso tapiz de flores: lo verás
dentro de tres o cuatro días, cuando hayamos atravesado el Jordán.

—Una región tan bella, con praderas tan ricas, seguramente
despertará muchas codicias.

—Por supuesto, pero los galileos supieron resistir todos los intentos de invasión, porque no solamente siempre fueron numerosos, sino que también eran valientes y estaban adiestrados, desde su
infancia, en ejercicios guerreros. Además, las tierras de Galilea son
tan fértiles y están tan bien regadas por los torrentes que descienden de las montañas, incluso durante los grandes calores estivales,
que invitan a que las cultiven hasta los galileos, que no se sienten
atraídos por la agricultura: no hay ociosos entre ellos, y en esa región existen muchos pueblitos y aldeas con colinas abundantemen-
te cubiertas de viñas, olivares y árboles frutales.

—¿Y las ciudades?

—Son casi tan numerosas como los palmares, señor caballero,
pero la mayoría de ellas han sido edificadas alrededor del mar de
Galilea, que también se llama Kineret, porque, visto de lejos, tiene
forma de arpa. Los griegos lo llaman Genesaret.

—Tengo prisa por llegar a esa Galilea de ensueño, querido
Hiram. Empiezo a cansarme de los desiertos de Siria.

—Saldremos de ellos esta noche, y dormiremos al pie del monte Hermón, en la última aldea de Siria antes de la frontera palestina, que los griegos llaman Paneas, en homenaje al dios Pan.

—¿Por qué?

—Porque al pie de la montaña, a la salida del pueblo, hay una gruta de donde brotan las aguas del Jordán, y para ustedes, los griegos y los romanos, el dios de los manantiales y de las grutas es el dios Pan.

—¡Qué buena idea tuviste al planear este alto! ¿La posada es acogedora?

—No estamos en Roma, ni siquiera en Damasco, señor caballero: no hay posadas en estas regiones. Deberemos pernoctar en la tienda, como beduinos, a menos que algún lugareño acepte recibirnos.

—Tendré que hablarle al emperador sobre esa aldea, en la que nace un río tan hermoso. Démonos prisa, Hiram: tengo urgencia por dormir mecido por los gruñidos del dios Pan.

De hecho, no fue el dios Pan quien turbó el sueño de Marcelo en el transcurso de esa primera noche que pasó dentro de la tienda: durante toda la noche fue sometido a los ataques de los mosquitos, a los que la tibieza de la noche volvía particularmente agresivos. De modo que antes del alba, sacudió al fenicio que, protegido de esos terribles insectos por un velo de gasa, roncaba como un centurión después de una batalla.

—¡Arriba, Hiram! Nos vamos...

El fenicio refunfuñó:

—Pero si todavía es de noche, señor.

—No importa. Estoy impaciente por pisar el suelo de Galilea. Además, si te tomas el trabajo de abrir los ojos, podrás comprobar que el horizonte se aclara y la noche llega a su fin.

Hiram hizo de tripas corazón, se quitó el improvisado mosquitero, arregló los bultos que había colocado cuidadosamente a su lado, ensilló su caballo y el de su amo, y los dos hombres emprendieron nuevamente la ruta que llevaba a Galilea.

—¿Cuál es nuestra próxima etapa, Hiram?

—El lugar donde las aguas que brotan de la gruta de Paneas se mezclan con otras, que descienden del monte Hermón y forman con ellas una especie de estanque: las llaman las Aguas de Dan, y allí nace el Jordán.

—¿Por qué las llaman así?

—Porque se extienden sobre los territorios que Josué le otorgó a la tribu de Dan. Las atravesaremos sin dificultad, ya que tiene muchos vados, y luego pasaremos por la ciudad de Dan.

—¿Es una ciudad grande?

—¡Oh, no! En la actualidad no es más que una gran aldea. Desde allí, iremos hacia el sur, siguiendo la orilla derecha del Jordán, y llegaremos hasta las Aguas de Merom, que son veneradas por todos los judíos.

—¿Por qué?

—A las Aguas de Merom llegó Josué, el sucesor de Moisés, el hombre que conquistó Canaán sobre los pueblos que ocupaban entonces la Tierra Prometida. Todos los reyes del país, los de los amorritas, los hititas, los filisteos y los demás pueblos cananeos habían reunido sus ejércitos en las cercanías de las Aguas de Merom, con una gran cantidad de caballos y carros, con la intención de detener el avance del pueblo de Israel y destruirlo. Entonces Yahveh le dijo a Josué: *"No les tengas miedo, porque mañana, a esta misma hora, yo haré que estén todos muertos delante de Israel. Tú mutilarás sus caballos y quemarás sus carros de guerra"*. Y así ocurrió realmente, y esos monarcas impíos debieron huir con sus tropas hasta Sidón, en Fenicia, perseguidos por Josué, que hizo cortar las cabezas de todos los reyes conjurados y de todos los súbditos varones, se apoderó de todas sus ciudades y aniquiló a todos esos pueblos sin dejar ni un solo ser vivo. Luego, cuando conquistó toda Palestina, Josué repartió el país de Canaán entre las doce tribus de Israel, como ya te expliqué. Por eso, las aguas de Merom son importantes en la memoria de este pueblo de Israel. Está escrito en el Libro.

—¿Crees verdaderamente que esos combates tuvieron lugar? Los griegos también tienen un libro que cuenta una guerra del mismo tipo que se habría llevado a cabo hace mil años: es la *Ilíada*. Pero ellos consideran ese relato como una fábula, y su mayor filósofo, Platón, incluso quiso prohibir que los niños la leyeran.

—Tu fábula griega fue escrita por un hombre, caballero, y los hombres suelen mentir, especialmente los poetas. Pero el Libro de los judíos es el Libro de Dios: no puede mentir.

Marcelo se encogió de hombros, pensando que si Hiram, que no era más que un judío convertido, hablaba así, con tanta convicción, lo que le esperaba en Jerusalén —donde, por orden del emperador, debía hacer entrar en razón a los judíos— no sería nada fácil. Renunció a tratar de convencer al fenicio.

A la noche, los viajeros llegaron a las aguas de Merom, unas aguas tan glaucas que la luna, que esa noche era luna llena, no llegaba a reflejarse en ellas. El Jordán, que brotaba de esas aguas, era un río limoso, y alrededor, el siniestro e inquietante paisaje tenía cierto hechizo poético. Esto le encantó a Marcelo, de modo que a Hiram le costó mucho convencerlo de seguir el recorrido de las dos o tres millas que los separaban de la pequeña aldea de Hasor, donde, según le explicó al romano, podrían dormir bajo techo, en una casa bien cerrada, protegidos de los bandidos.

—¿Hay bandidos en Galilea? —preguntó Marcelo, asombrado.

—El país está plagado de ellos: se refugian en las montañas de la región.

—¡Bandidos! ¿Como en nuestros Abruzzos?

—¿Qué son los Abruzzos?

—Una región montañosa de la Italia central, donde van a esconderse todas las personas con antecedentes penales de Roma, y adonde nuestros policías no se atreven a ir si no son acompañados por una o dos legiones.

—Galilea no es tan peligrosa como se podría creer, pero hay muchas fincas aisladas, y el país es atravesado por la ruta de las caravanas: ésas son dos buenas razones para atraer a los bandidos, sobre todo porque lo intrincado de las montañas de la Alta Galilea les garantiza un refugio inexpugnable. Para atravesar la región sin problemas, es mejor no alejarse de las orillas del Jordán, y eso es lo que haremos: dormiremos en Hasor y, después de pasar el lago de Kineret, iremos hasta Samaria sin detenernos.

Hasor era una gran aldea cananea en la ladera de una montaña, que había caído bajo la férula de los faraones egipcios de la XII dinastía mucho antes de la llegada del pueblo de Israel a Palestina. Marcelo e Hiram pasaron allí una buena noche, bien abrigados, y partieron al alba en dirección al mar de Galilea. Era el tercer día de las calendas de diciembre,[3] el frío de la noche empezaba a desapa-

---

3. El 3 de diciembre.

recer y los dos jinetes, todavía dormidos, avanzaban en silencio hacia el sur. Hiram había optado por seguir un camino de cornisa que
serpenteaba por la ladera oriental de las montañas de Neftalí, inun-
dadas de luz por los rayos del sol naciente que brillaba a lo lejos, sobre los desiertos de Siria, y acechaba impaciente y entornando los
ojos, la aparición del mar de Galilea en el valle.

Finalmente lo vio, y con tanto entusiasmo como el de Colón y
sus marinos cuando gritaron "¡Tierra! ¡Tierra!" frente a las costas de
las Bahamas, le gritó a Marcelo, que cabalgaba a su lado, mientras
le señalaba con un gesto febril una mancha oscura al pie de los
montes:

—¡Kineret! ¡Kineret!

Los dos hombres no necesitaron más de veinte minutos para ga-
lopar cuesta abajo entre los cedros hasta un promontorio rocoso
desde donde podía abarcarse con una sola mirada el movedizo espectáculo del lago de Genesaret en el que se hundían las aguas verdes y azules del Jordán que, después de perder en su trayecto el lo-
do que arrastraban, finalmente se habían vuelto límpidas y puras.
Sus alrededores estaban bordeados de pequeñas colinas, cubiertas
de campos de trigo y huertos, y entre las adelfas y los jazmines que
abundaban en sus riberas, una multitud de seres humanos se entregaba a sus tareas. Había pescadores, doblados bajo el peso de sus
redes, calafateadores que golpeaban con sus mazos los cascos de
barcos de pesca invertidos, tejedores de redes, lavanderas, mercaderes ambulantes que empujaban sus asnos o sus mulos cargados de
fardos, pastores que buscaban alguna oveja perdida, sabios inmóviles, sumidos en meditaciones: en una palabra, una humanidad que
—observada de lejos— parecía un gigantesco hormiguero silencioso y colorido, rodeada por un conjunto de aldeas de casitas blancas,
diseminadas por la llanura o por las laderas de las montañas. El fenicio, orgulloso de sus conocimientos geográficos y de su familiaridad con esos maravillosos parajes, los señaló con la mano y se los
nombró, de lejos, a Marcelo:

—Allí, bien al norte del lago, está Cafarnaún, el puerto de pesca más importante de toda Galilea, y sobre la ribera occidental, está
la pequeña rada de Tariquea, donde salan los barriles de pescados
durante todo el año. Aquel grupo de casas entre ambas aldeas, es el
pueblito de Genesaret: allí se puede fundar una gran ciudad en ho-

nor a tu emperador o a quien lo suceda.4 Más allá, hacia las montañas, del otro lado del mar, puedes ver las ciudades de Hipos y Gadara, que fueron fundadas después del paso de Alejandro Magno
por Judea.

Por más que abriera mucho los ojos, Marcelo no veía gran cosa,
y tenía prisa por bajar a mezclarse con la muchedumbre galilea. Dejó de escuchar los comentarios de su guía, taloneó bruscamente a
su caballo y descendió al galope en dirección a las adelfas que adornaban las orillas del lago. Desde su partida de Damasco, era la primera vez que Marcelo veía en acción tal cantidad de hombres, mujeres y niños que gritaban, se movían de un lado a otro, se llamaban
unos a otros: casi creyó estar en Roma o en una playa de Nápoles,
cerca de la casa de campo que antaño había construido Pompeyo, y
experimentó una sensación difícil de definir. Lo invadió un placer
delicioso, mezcla de embriaguez y nostalgia, que de pronto borró de
su campo de conciencia a Hiram y su acento fenicio, el recuerdo reciente de las dos o tres caravanas que había cruzado al atravesar el
desierto sirio, el rumor de las aguas de Merom y hasta los nombres
de las doce tribus de Israel que se había esforzado por aprender de
memoria, previendo que debería enfrentar algunos debates políticos en Jerusalén. Se sentía completamente ajeno al lugar en el que
estaba y fuera del momento que estaba viviendo: casi sin darse
cuenta, se vio rápidamente inmerso en la efervescencia del foro, le
parecía oír el ruido de los vehículos, los insultos de los muleros, los
gritos de los vendedores de pollos, y el pescador galileo derrengado
que caminaba delante de él se había metamorfoseado milagrosamente en un joven romano afeminado que había olvidado ceñir el
cinto de su toga.

Luego, también sin darse cuenta, Marcelo se despertó de su sueño, recobró el sentido y alcanzó a su guía, que se había alejado de
él. Le propuso que fueran a comer a una taberna que había visto al
borde del lago, lejos de la multitud. Antes de regresar al camino, tenía algunas preguntas que hacerle al fenicio, y además, se moría de
hambre: ésas, pensó, eran dos excelentes razones para hacer un al-

---

4. El sucesor de Augusto fue el emperador Tiberio, que reinó de 14 a 37 d.C.
La ciudad llevó, pues, el nombre de Tiberíades, y el lago Kineret, el de lago de
Tiberíades.

to, y unos minutos después, mientras saboreaban los pescados recién recogidos que un amable posadero había asado frente a él, después de haberlos llenado de hojas de hinojo, el enviado especial del
emperador empezó a interrogar a su guía sobre el estado de salud
del tetrarca de Judea, que era la pieza principal de Roma en el tablero palestino.

—¿Tú sabes qué edad tiene Herodes?

—Diría que se acerca a los setenta años. Déjame calcular: tenía
treinta y seis cuando Antonio lo nombró rey de Judea, o etnarca, si
prefieres, y de eso hace más de treinta y dos años. Sí, así es: debe de
tener sesenta y ocho o sesenta y nueve años.

—¿Está bien de salud?

—No, caballero, está muy enfermo. Según los rumores que corren en Jerusalén, estaría agonizando.

—¿Oíste hablar de algún complot urdido en su contra?

—Durante su reinado de más de treinta años, Herodes desbarató una infinidad de complots, que terminaron con la muerte o el
exilio de los conspiradores. De todos modos, en su estado, puede
morir en cualquier momento... Así que, haya o no un complot, si
Augusto no hace nada, esto terminará en una guerra civil.

—No te preocupes, Hiram, no habrá guerra civil. La política de
los emperadores en Palestina fue definida por el propio César, y Augusto tiene las mismas intenciones que su padre adoptivo: Palestina es un corredor que lleva de Asia a Egipto, y Egipto es el granero
de Roma. Por lo tanto, Palestina debe estar en paz y protegida contra toda incursión extranjera, especialmente contra las ambiciones
de los emperadores persas. Roma nunca tolerará que se instale el
desorden en esta región, y desde hace treinta y cinco años, Herodes
mantiene el orden aquí con mano de hierro: por eso, antes Antonio
y ahora Augusto, siempre lo apoyaron y cerraron los ojos ante sus
excesos y sus crímenes.

—Pero ahora Herodes está viejo, y muy enfermo.

—Es una de las razones por las que el emperador me envía a Jerusalén: Augusto quiere evitar que un complot o una revolución en
Judea lleven al poder a algún ambicioso que podría ceder ante la
presión de los arsácidas de Persia, y mi misión consiste en explicarle al emperador la situación política local, ya que, evidentemente,
Herodes está acabado.

—Es posible que el hombre esté acabado, pero a pesar de su enfermedad y de su edad, el tirano todavía tiene lo suyo. Hace poco hizo un testamento en el que designaba sucesor a su hijo mayor, Antipater, que tuvo con Doris, la primera de sus nueve esposas, y le envió ese testamento a Augusto. Luego descubrió que ese heredero, que tenía mucha prisa por reinar, había organizado una conjura para envenenarlo: lo encerró en prisión y le ordenó a uno de sus guardias que lo degollara en su celda, sin más, y ¡adiós, Antipater! Después de eso, Herodes redactó un nuevo testamento, según el cual después de su muerte, su reino debía repartirse entre tres de sus hijos: Arquelao y Antipas, ambos hijos de Maltake, y Filipo, hijo de Cleopatra de Jerusalén, pero esta elección no es del agrado de todos en Judea. Finalmente, corrió el rumor de que hace muy poco habría dado a sus guardias la orden secreta de exterminar a todos los bebés de menos de dos años de la región de Belén.

—¿Belén?

—Es un pueblito a tres horas de marcha de Jerusalén, que antiguamente pertenecía a la tribu de Judá. Todos los judíos conocen muy bien ese lugar, porque, según dicen, es el pueblo natal de David.

—¿Qué razón tendría Herodes para dar semejante orden?

—Recuerda lo que te dije cuando salimos de Damasco, hace cinco días: los judíos creen que Yahveh les enviará un día un Mesías, procedente de la Casa de David, que los liberará de la opresión de sus enemigos y los reunirá a todos en Palestina. Uno de sus profetas, que se llamaba Miqueas y vivió hace más de setecientos años, en la época en que Roma no era más que una minúscula aldea sobre el Tíber, anunció la futura venida de ese Mesías, que nacerá, decía, en Belén:

> Y tú, Belén Efratá,
> tan pequeña entre los clanes de Judá,
> de ti me nacerá
> el que debe gobernar a Israel.[5]

---

5. *Miqueas* 5, 1. Citado luego por *Mateo* 2, 1.

"Esta profecía está escrita en la Biblia, y le causó una gran impresión a Herodes, que está a punto de morir. Como el tetrarca quiere transmitir su poder de rey de Judea a su descendencia, dio esa orden para eliminar a ese eventual pretendiente anunciado por Miqueas y, como no sabe en qué familia nacerá, decidió exterminar a todos los niños de Belén que tengan menos de dos años.

—¿La orden fue ejecutada?

—Todavía no, señor caballero, pero no tardará.

—¿Cuántos son, según tu opinión, esos pequeños inocentes que serán asesinados?

—Alrededor de cincuenta: Belén de Judá es un pueblito pequeño, formado por apenas un centenar de hogares.

—El número no tiene nada que ver con el asunto, Hiram. Aunque mataran a un solo inocente, el horror sería igualmente grande. Pero en la época que vivimos, esa masacre de inocentes, suceda o no suceda, es sólo un detalle, y ciertamente no es lo que le interesa a Augusto.

—¿Qué es lo que le interesa?

—El contenido del testamento de Herodes a favor de Arquelao.

—Entonces, señor caballero, ése es un problema más difícil de resolver que el de la cuadratura del círculo. Todo depende de Augusto.

—¿Por qué? ¿Es un testamento secreto?

—De ninguna manera: toda la Corte lo conoce.

—¿Y tú?

—Tengo algunas amistades en la Corte, y conozco el testamento a grandes rasgos: en él, Herodes habría nombrado a Arquelao etnarca de Judea, Samaria e Idumea...

—¿Idumea?

—El país de los edomitas, los beduinos, sus ancestros: cuando todavía estábamos en Damasco, te expliqué que Herodes es hijo de un rey de los edomitas, ¿recuerdas?

Marcelo asintió con la cabeza. Hiram prosiguió sus explicaciones: Herodes había repartido sus Estados entre tres de sus hijos, y le había dado la parte más grande —Judea, Samaria e Idumea— a Arquelao, no sólo porque sentía afecto por él, sino también porque era el que más lo merecía. Antipas —también llamado Herodes Antipas— recibió la dignidad de tetrarca de Galilea y Perea, y Filipo obtuvo la misma dignidad sobre los territorios semidesérticos que Herodes había conquistado de los árabes unos veinte años atrás.

—¿Qué territorios?

—Gaulanitida, Traconitida, Batanea, Auranitida...

—No los conozco.

—No te pierdes nada, no son más que desiertos: están prácticamente deshabitados...

—Bueno, esto está claro. Le enviaré un primer informe al emperador esta misma noche.

—Está claro, pero no es obvio, y harías bien en poner en guardia al emperador. El territorio más poblado y más rico, el que tiene mayor interés estratégico en lo que respecta a la protección de Egipto, es Judea...

—Eso lo sabe, y yo mismo te lo dije.

—Sí, pero lo que tú y el emperador olvidaron, es que en Palestina no consideran a los herodianos —Herodes y sus hijos— completamente judíos.

—¿Por qué?

—No son más que conversos. No pertenecen a ninguna de las doce tribus de Israel, y por lo tanto, no pueden ser herederos del reparto de Canaán realizado por Josué.

—Tú también eres un converso, Hiram.

—Sí, pero yo no tengo pretensiones de convertirme en rey de Israel: me conformo con vender allí piernas de cordero *kasher*.

—Pero no es menos cierto que Herodes, siendo un converso, fue admitido como rey de Judea por el Templo.

—Porque tenía argumentos irrefutables, como antes los tuvo Nabucodonosor, el babilonio: la fuerza, el poder y una absoluta falta de escrúpulos. Ahora que el tetrarca está a punto de morir, el partido nacionalista del que te hablé en Damasco volverá a sublevarse.

—¡Ah, sí, lo recuerdo!: el partido de los fariseos.

—Efectivamente, los fariseos: no le doy más de diez años a Arquelao para ser eliminado por ellos. Los fariseos preferirían estar bajo la dominación forzada de Roma, o incluso pactar con el emperador persa, antes que ver la Tierra Santa en manos de un falso judío como Arquelao, el hijo mayor de Herodes.

—Ahora que me lo dices, esto me recuerda un incidente diplomático que se produjo en vida del tetrarca: una delegación de judíos descontentos había ido a pedir al emperador que Judea fuera colocada bajo la autoridad del gobernador romano de Siria. Augusto los despidió gentilmente y hasta me comentó que prefería a Herodes y sus métodos expeditivos antes que todos los gobernadores de provincias romanas del mundo, ya que todos ellos son bastante corruptos. Me dijo: *"Con Herodes, no hay nada que temer: haría empalar frente a él al mismo emperador de los persas, si éste intentara comprarlo"*. Pero al no estar Herodes, el emperador está preocupado: ¿qué podríamos aconsejarle a Augusto?

—Que le retire a Arquelao su rango de tetrarca, que lo convierte en una especie de rey de los judíos (algo que los judíos no pueden admitir), y que instale en su lugar a un gobernador en Judea.

—¿Con qué título?

—No sé. ¿Por qué no procónsul?

—Ese título está pasado de moda en Roma.

—Razonemos —propuso Hiram, que empezaba a divertirse con esa discusión en forma de negociación comercial—. ¿Qué función tendría ese futuro magistrado?

—Administrar en el lugar los intereses de Roma y de Judea.

—¿Cómo llaman ustedes en Roma al apoderado que administra una sociedad comercial por cuenta de su propietario?

—Procurador.

—Pues bien: que el emperador nombre un procurador para Judea. Seguramente los fariseos no tendrán nada que decir en contra.

—Tu idea es grandiosa, Hiram. Enviaré inmediatamente un correo al emperador diciéndole eso: que designe simplemente un procurador para administrar la Judea. Incluso tengo uno en vista, que sería perfecto para el cargo.

—¿Lo conozco?

—No. Es un puro romano que jamás puso los pies en Oriente, un hombre fuerte del tipo de Herodes, pero sin su crueldad. Será un excelente procurador.

—¿Cómo se llama?

—¿De qué te serviría saberlo?

—Por simple curiosidad.

—Es un tal Coponio. Tiene unos treinta años y es un excelente administrador. Si el emperador está de acuerdo con nuestra idea de gobernar a Judea por medio de un procurador, le propondré que

nombre a Coponio. Y ahora debemos darnos prisa, porque el sol ya
está alto y tenemos que tomar la ruta a Jerusalén. ¿Cuál es nuestra
próxima etapa?

—Pasaremos por la margen izquierda del Jordán, para evitar a
los salteadores de las montañas de Galilea, y esta noche pernoctaremos en Gerasa.

—¿En la Decápolis? ¿Por qué ese desvío? ¿Por qué no cortamos
directamente por Samaria?

—Para que puedas contemplar con tus propios ojos una maravillosa pequeña ciudad griega.

—¡Ah, sí! Gerasa... Por lo que recuerdo, es una creación de Alejandro, que, después de su muerte, cayó junto con Siria bajo el poder de su lugarteniente Seleucos...

—Y del de Roma, cuando Pompeyo anexó Siria.

—¿Cuánto tiempo necesitamos para llegar a Gerasa?

—Alrededor de cinco horas, señor caballero, si tomamos la ruta de las colinas.

—¿Cómo es esa ruta? ¿Difícil?

—Es un camino que pasa entre las montañas y el valle del Jordán, y atraviesa toda una serie de oasis: es un paseo bellísimo.

—Entonces vamos por la ruta de las colinas, pero no perdamos
más tiempo. ¡A caballo, Hiram, a caballo! Y ahora háblame de los samaritanos: ¡tienen una pésima reputación entre los judíos, en Roma!

Hay que decir que los habitantes de Samaria formaban un grupo aparte en Palestina, y que sus convicciones religiosas eran consideradas heréticas por los judíos rigoristas de Jerusalén, que ten-
dían a considerar a sus correligionarios del norte como mestizos, o
incluso —pero aún—, como descendientes de los colonos babilonios o arameos que se habían convertido al culto de Yahveh *después*
de su establecimiento en Palestina, a expensas del pueblo de Israel,
deportado a Asiria por el rey Sargón II. Ellos también constituían
una potencial fuente de agitación, ahora que el reinado de Herodes
llegaba a su fin, y Marcelo escuchó con la mayor atención las explicaciones que le dio Hiram sobre los samaritanos.

—Después de destruir Samaria, la capital de la región —detalló
Hiram—, el rey de Asiria construyó otra capital cerca de allí, que se
llamó Siquem. Luego convocó a habitantes de Babilonia y de otras
ciudades de su país, y los estableció como colonos en las ciudades

de Samaria, en el lugar de los hijos de Israel. Al principio, esos asirios no sabían servir ni honrar a Yahveh, y esto irritó al Eterno, que lanzó leones contra ellos para hacerlos morir. El rey ordenó entonces que se enviara a Samaria a uno de los sacerdotes que se encontraban entre los judíos cautivos en Babilonia para que enseñara a los colonos a servir bien a ese dios, para aplacar su ira, y así se hizo. Pero los colonos asirios actuaron a su manera: en las diferentes ciudades en las que se habían establecido, construyeron templos donde siguieron rindiendo culto a sus propios dioses, que eran muchos y diversos, y, para respetar las órdenes de su rey, organizaron el culto de Yahveh en esos mismos templos, como si se tratara de un dios inferior.

—¿Cómo siguió la controversia?

—Recrudeció cuando llegó Alejandro Magno a Palestina, tras su victoria sobre Darío en Issos, Siria, hace más de cuatro siglos.

—¿Por qué motivo?

—En esos tiempos, había un solo Templo en Palestina, el de Jerusalén, que había sido construido por Salomón, y cuyo sumo sacerdote, un tal Jedua, tenía un hermano llamado Manasés, que se había casado con la hija del sátrapa persa de Samaria, Sanabalet. Esta unión era contraria a la Ley de Moisés, que prohíbe que un judío se case con una mujer que no pertenezca al pueblo de Dios, una *goiá*, como se dice en hebreo, y Jedua fue obligado a prohibirle a Manasés, su propio hermano, que se acercara al altar de los sacrificios. Éste fue a quejarse al sátrapa, su suegro, que le prometió hacer construir un templo sobre Siquem, en el monte Garizim, y que él sería el sumo sacerdote. Cuando Alejandro, que en ese momento se dirigía a Egipto, atravesó Palestina, Sanabalet le juró lealtad y le pidió permiso para erigir el tempo en cuestión. El macedonio, muy interesado en las cosas de la religión, le dio su autorización y hasta financió la construcción del santuario del monte Garizim. Como comprenderás, señor caballero, ni el sumo sacerdote de Jerusalén ni el gobernador hebreo de Judea, Nehemías, podían aceptar eso, y desde aquella época, el Sanedrín considera a los samaritanos como una nación tanto o más detestable que las de los filisteos o los edomitas, y todos los judíos de Judea piensan así.

—¿Y qué sucede en nuestros días, ahora que los asirios y los babilonios desaparecieron hace siglos?

—Los hijos de los hijos de Jacob, a quienes el Eterno ha conducido antaño a Palestina, temen a Yahveh y se atienen a sus mandamientos, pero los samaritanos de hoy son los descendientes de los colonos asirios de ayer, y muchos de ellos siguen todavía sus costumbres: no temen a Yahveh, no cumplen sus mandamientos, y no merecen ser considerados judíos. Por lo menos, esto es lo que se piensa en Jerusalén.

—¿Y tú, Hiram? ¿Qué piensas tú?

—¡Oh, yo no me meto en política, eso mata el comercio! Sin embargo, tengo una pequeña idea al respecto.

—¿Cuál?

—Creo que la desconfianza actual de los judíos de Judea hacia los samaritanos es una lejana consecuencia de la Restauración...

—¿Qué Restauración?

—El gran retorno de los judíos tras el cautiverio de Babilonia. Cuando Ciro, el rey de los persas, destruyó el poder del asirio y tomó Babilonia, permitió el regreso de los exiliados: a eso se llama la "Restauración". Pero no hay que engañarse sobre el sentido del término, que es una trampa: la Tierra Santa no le fue restituida al pueblo de Dios, porque Palestina se convirtió primero en una satrapía persa, y luego, tras la muerte de Alejandro, que había echado de allí al sátrapa persa, fue una provincia del Egipto de los Ptolomeos, y ahora es una provincia romana. Para hacer que los descendientes de Abraham aceptaran este dominio de los extranjeros sobre la Tierra Santa, los seléucidas, sucesores de Alejandro, y los romanos, sucesores de los seléucidas a partir de Pompeyo, en lugar de gobernarlos con la espada, como habían hecho los asirios y los babilonios, les impusieron una especie de dictadura religiosa, una teocracia, como dicen los juristas romanos, ejercida desde Jerusalén por el Templo, el Sanedrín, el sumo sacerdote y los sacerdotes de Jerusalén, que aceptaron colaborar con los sucesores de Alejandro: el sumo sacerdote actual, por ejemplo, y sobre todo su vicario, Anás, que es su sucesor designado, son básicamente pro-romanos. Si yo pudiera darle un consejo al emperador, le diría que se gane el apoyo del sumo sacerdote y trate bien a su vicario: para el pueblo de Judea, todo lo que dice Anás es palabra santa.

—Entiendo: la Restauración provocó el cisma de los samaritanos, quienes, al crear un segundo Templo, rival del Templo de Salomón, en el monte Garizim, socavaron el poder absoluto de éste.

—Y créeme, Marcelo —hizo notar el fenicio—: esto aún no terminó. A este primer golpe contra la fe de Moisés, seguirán muchos otros, y seguramente aumentarán y se multiplicarán las herejías: para Israel, el monte Garizim es el comienzo del fin. Y el hecho de que el tetrarca Juan Hircano[6] haya tomado Siquem de Samaria y destruido el templo del monte Garizim no hizo más que reforzar las convicciones de los samaritanos.

—Si te entiendo bien, Hiram, todos los esfuerzos de la nación judía, a partir de la restauración, tendieron a un solo objetivo: preservar a toda costa su religión primigenia contra cualquier influencia extranjera...

—Exactamente. Y esta única preocupación tuvo dos consecuencias, señor caballero. La primera fue que los sacerdotes del Templo se convirtieron en la clase política dominante en Palestina, y la segunda, que se consideró la minuciosa observancia de la Ley de Moisés como una regla inviolable. Por eso, los samaritanos, que rechazan la autoridad del Templo y se toman algunas libertades con la Torah, constituyen un verdadero peligro para el pueblo judío. Su país es una tierra en la que pronto florecerán las peores herejías, estoy seguro de ello... y lo temo.

Marcelo, como buen pagano que era, sólo había retenido, de todo lo que le había dicho su guía fenicio, que el pequeño pueblo judío parecía complacerse en un laberinto ideológico, en el que había poco espacio para el sentido común. Los judíos vivían en la prosperidad, en medio de la paz romana, en un territorio que consideraban otorgado por Yahveh. El largo reinado de Herodes el Grande les había permitido fundar nuevas ciudades, restaurar las antiguas y reconstruir el Templo de Jerusalén que estaba en ruinas. Ningún cataclismo, ningún enemigo amenazaba a Israel, y sin embargo, ese pueblo, que tenía todo para ser feliz, se desgarraba en interminables querellas rituales que los espías del emperador persa seguramente vigilaban con una sonrisa burlona, cuando no las alimenta-

6. Juan Hircano, o Hircano I, fue sumo sacerdote y etnarca de Judea de 134 a 104 a.C. Las dificultades que atravesaban entonces los seléucidas le permitieron independizar a su país, Judea. Su ministerio estuvo marcado por la herejía de los samaritanos, que habían construido un segundo Templo, rival del de Jerusalén, en el monte Garizim (véase mapa n° 1, p. 15).

ban. Tanta incoherencia irritaba al joven romano, que no veía otra solución política para Palestina que instaurar en ella un procurador que garantizara los intereses de Roma, y dejar que los judíos discutieran entre ellos, guardándose la posibilidad de intervenir legal o militarmente en caso de una crisis grave.

La luna acababa de aparecer en el cielo, y la noche caía lentamente: la ruta de las colinas que recorrían los dos viajeros desde la madrugada, bordeaba un pequeño promontorio, y después de franquearlo, Hiram le hizo una señal a Marcelo para que se detuviera y contemplara, a sus pies, totalmente blanca en el centro de un palmar oscuro, la lujosa ciudad greco-romana de Gerasa, rodeada por su muralla gris, en cuya parte superior podían verse todavía las siluetas movedizas de algunos legionarios romanos.

—¡Esta es Gerasa, la fortaleza del desierto! —declamó gloriosamente el fenicio, con el tono de un bufón presentándole a algún dignatario oriental un lote de jóvenes esclavas desnudas.

Marcelo estaba furioso por haber hecho un rodeo tan largo para contemplar lo que le pareció, a él que venía de Roma, una aldea de provincia, pero no quiso arruinar el entusiasmo del fenicio. Volvió a lanzar al galope a su caballo taloneando sus flancos, mientras decía en tono alegre:

—Vamos a ver qué nos ofrece esta ciudadela para cenar.

Diez minutos más tarde, después de pasar bajo un arco de triunfo de triple arquería, Marcelo llegó a la puerta meridional de la ciudad, cuya calle principal, bordeada por columnas, llevaba a un pequeño foro más o menos circular, de donde partían dos calles transversales: una se dirigía a los barrios habitados, donde se veían arder las teas y se oían los gritos y las risas de los habitantes de Gerasa, y la otra, a los edificios administrativos, el palacio del gobernador y las termas.

—Aquí se reconoce el estilo de Deinocrates —le señaló Marcelo a su compañero.

—¿De qué hablas, señor caballero?

—Del arquitecto que siguió a Alejandro en sus conquistas. Él fue quien proyectó el plano de Alejandría, con una arteria principal central y arterias secundarias que la cruzan en ángulo recto. Las más grandes tienen columnatas, para poder pasear por ellas a pesar del sol.

De hecho, Gerasa era una Alejandría en miniatura, pero en materia de ornamentos, el arquitecto no parecía haber tenido demasiada imaginación. Los únicos monumentos que interrumpían la monotonía de las arterias con columnas eran lo que los griegos llamaban *tetrapilos*, es decir, unos pabellones de cuatro basas cuadradas en las que se apoyaban cuatro columnas coronadas por una pequeña pirámide, y los templos, de tamaño mediano, que adornaban la ciudad (los más grandes estaban dedicados a Artemisa, Poseidón, Zeus y Hércules). Algunas estatuas de mármol, ubicadas aquí y allá, en diversos cruces de calles, parecían velar sobre Gerasa bajo la luna, y en el silencio de la noche, se oía el ladrido de los perros y los cantos de los borrachos.

—Si hay borrachos, hay tabernas —dedujo Hiram con gran lógica.

—Así que no nos moriremos de sed —completó Marcelo—. Creo haber visto el palacio del gobernador, cerca del tetrapilo que se encuentra a la izquierda de la calle principal, hacia la puerta oeste de la ciudad. Vayamos a ver si me equivoco.

Marcelo no se equivocaba. El palacio del gobernador se alzaba a doscientos pasos, sobre una colina, desde donde dominaba tímidamente el templo hexástilo de Artemisa y un pequeño edificio gris coronado por una estrella, que no podía ser otra cosa que una sinagoga. Por supuesto, el gobernador, un veterano que había servido en su juventud en las legiones de César, se desvivió por recibir al enviado del emperador que estaba en gira de inspección, y Marcelo pudo cenar por fin a la romana: recostado sobre un mullido lecho, saboreó como un experto el vino de la región, que le sirvieron en abundancia, mientras su anfitrión le relataba la batalla de Accio, en la que había participado veintiséis años atrás.

Como era habitual entre romanos, la conversación también giró en torno a las costumbres de los judíos. Lo que más le irritaba al gobernador, no era ni su religión, ni sus costumbres, ni sus innumerables prohibiciones rituales, sino su calendario.

—Cuando pienso —gruñó— que César impuso sobre todo el mundo romano, hace más de cuarenta años, la división del año que sigue exactamente la trayectoria regular del sol en el cielo, y que, gracias a la introducción de un día suplementario en febrero cada cuatro años, es posible celebrar la fiesta de las cosechas y nuestras diversas fiestas religiosas todos los años en la misma fecha, mientras que los judíos todavía miden el tiempo según los caprichosos movimientos de la luna... Así resulta, por ejemplo, que su fiesta de la cosecha, que ellos llaman *Pentecostés*, no cae obligatoriamente en el momento de las cosechas: este año tuvo lugar en el mes de octubre, bajo una lluvia torrencial, cinco meses después del último golpe de guadaña de los segadores.

—¿Son muchas las fiestas judías, gobernador? —preguntó Marcelo.

—Por lo menos, tantas como las nuestras, si no más, caballero. En general, son fiestas conmemorativas, que celebran distintos momentos de la historia de los judíos, tal como los cuenta su Libro sagrado. La principal es la que llaman *Pésaj*, la Pascua: tiene lugar en el primer mes (lunar) de su año, en el mes de Nisan,[7] y dura una semana. Conmemora simbólicamente lo que los judíos llaman el Éxodo, es decir, su salida secreta de Egipto bajo la conducción de Moisés, su Legislador, como está relatada en la Biblia. Su guía seguramente sabe esto, ya que es judío.

—No soy judío, señor gobernador, sino un fenicio convertido. Del Éxodo sólo conozco lo que me enseñó el sacerdote que me circuncidó, y no leí la Biblia.

—¡Ah, sí, entiendo! Eres un comerciante —dijo el gobernador—. Todos tus colegas que comercian con Judea hicieron lo mismo que tú: se convirtieron. Pues bien: yo mismo me encargaré de instruir a mi huésped, el caballero, ya que el tema parece interesarle.

Y volviéndose hacia Marcelo, retomó el hilo de su explicación sobre los orígenes de la Pascua judía:

—Según la Biblia, para permitir que su pueblo saliera de Egipto sin problemas, el dios de los judíos les había prometido, por intermedio de Moisés, que la noche anterior a su partida pasaría por las casas del país y mataría a los primogénitos de todas las familias, salvo a los de las familias judías: éstas tenían que marcar las

---

7. El calendario israelita es un calendario lunar, como el de todos los pueblos mesopotámicos o relacionados con la Mesopotamia. Tiene doce meses lunares algunos años, y trece meses los demás años (llamados *embolísmicos*). El mes de Nisan está entre los meses de marzo y abril del calendario gregoriano (que es un calendario solar).

puertas de sus casas con la sangre de un cordero, para que Yahveh
pudiera reconocerlas y pasarlas por alto. Los hijos de Israel obedecieron esta prescripción: el Eterno pasó sobre las casas en medio
de la noche, y todos los primogénitos de Egipto fueron muertos,
desde el del faraón hasta los de los cautivos en sus prisiones, e incluso los de los animales. Esa misma noche, el Faraón llamó a
Moisés y a su hermano Aarón y les dijo: "*Salgan inmediatamente de
en medio de mi pueblo, ustedes y todos los israelitas... Tomen sus ovejas
y sus vacas, y váyanse*". Así fue como los israelitas se fueron de
Egipto, precipitadamente, llevando sus artesas sobre sus espaldas,
y la masa que habían preparado para el pan del día siguiente, sin
haber tenido tiempo de hacerlo levar, porque ya no tenían levadura. Para que no se borrara de las memorias el recuerdo de los diferentes episodios que habían precedido a esa memorable partida
(las marcas de sangre en las casas judías, el "paso" del Eterno, el
pan sin levadura que los judíos comían en el desierto), Moisés,
siempre inspirado por Yahveh, instauró la conmemoración de la
Pascua.

—Es una hermosa historia —dijo Marcelo—, pero sin duda no
es más que una leyenda. ¿Por qué se llama así esa fiesta?

—Su nombre deriva de la palabra aramea *paskha*, que significa
"pasar" y "pasar por alto": el día de Pascua fue aquel en el que Dios
"pasó" por Egipto y mató a todos los primogénitos, "pasando por alto" a los de Israel.

—¿Cómo se desarrolla esa conmemoración?

—Al principio del mes de Nisan, cada familia se procura un cordero o un cabrito macho de un año, sin ningún defecto, lo guarda
hasta el decimocuarto día de ese mes, y al anochecer el animal es
inmolado por el gran sacrificador. En ese momento, comienza la
Pascua. El jefe de familia toma la sangre del cordero y marca con
ella el dintel y los dos postes de la puerta de la casa donde será asado el animal entero, ya que los hombres de la familia lo comerán en
el transcurso de la noche. Para la cena pascual, los comensales deben estar convenientemente vestidos: ceñidos con un cinturón, cal-
zados con sandalias y con el bastón en la mano. Deben comer todo
el cordero, y si a la mañana siguiente quedan algunos restos, los
quemarán. Luego, durante siete días, los judíos comen pan sin levadura, como lo hicieron en el desierto durante el Éxodo, y hasta

hubo una época en que toda persona que infringiera esa costumbre era considerada como excluida del pueblo de Dios. ¡Esto es así desde hace mil años!

—Tú que eres judío, Hiram, ¿sabías esto? —le preguntó Marcelo, sonriendo, a su guía—. Nunca me lo contaste...

—Los rabinos que me circuncidaron lo enseñan, y todos los años, cuando se acerca el tiempo de la Pascua, triplico mis ventas y celebro al Eterno, aunque mis ancestros, que en esa época estaban en Sidón, no hayan vivido una historia tan desdichada como la de los judíos.

—Los judíos siempre encontrarán dificultades en Palestina —dijo sentenciosamente el gobernador.

—¿Por qué?

—Porque son demasiado intransigentes y no son tan numerosos como para resistir a los grandes imperios: rechazaron en vano la ley de los egipcios, luego la de los persas, luego la de los macedonios, y ahora muestran disgusto ante la ley romana. ¿Qué harán en el futuro? Su obstinación los perderá.

—¿Quiere decir que todos los pueblos pequeños deben inclinarse ante los más fuertes? —preguntó Hiram.

—Es la ley natural. Se cumple para el león y la gacela, se cumplió para la multitud de pequeños pueblos que en el pasado se convirtieron en satrapías del imperio persa, se cumple ahora para todos los que han sido integrados al Imperio romano, y se cumplirá siempre.

—Tu visión de la historia no es nada divertida, gobernador —se animó a decir Hiram—, pero tengo el presentimiento de que es falsa.

—¿Y por qué, si puede saberse?

—Porque un día los leones habrán devorado a todas las gacelas, y, como es sabido que los leones no se comen entre sí, inventarán una nueva regla de juego para poder sobrevivir.

Ya era muy entrada la noche cuando los comensales se separaron. Solo en su habitación, Marcelo intentó recapitular y analizar sus primeras impresiones palestinas. Ya había desterrado de su memoria los pocos recuerdos sensoriales que sólo le habían dejado huellas fugitivas, porque, fuera de una breve y sutil modificación de las microscópicas células sensibles, especializadas en su recepción, ninguna otra parte de su ser había sido involucrada por sus causas: ni el murmullo de las aguas de Merom, ni el hedor de

una carroña de camello que se disputaban ruidosamente miríadas
de moscas, ni la sorprendente limpidez del lago de Kineret, ni el
sabor a ajo de los pescados asados que había saboreado en su ribera, nada de eso despertaba ya ningún eco en su alma. En cambio,
algunos fragmentos de frases pronunciadas por Hiram en los seis
días en que habían cabalgado juntos, volvían a su mente, lo ator-
mentaban como tantas preguntas que se agitaban en su interior, y
lo que desencadenaban no era una sensación, sino una idea, o tal
vez el fantasma de una idea, algo inmaterial y sin embargo capaz
de hacer palpitar su corazón un poco más rápido: "Estás en una tierra donde se encontraron todos los dioses", "En el fin de los tiempos, los muertos saldrán de sus tumbas", "Les enviará un Mesías"... ¿Qué era un Mesías?

Y Marcelo se durmió en la cama romana con la que soñaba desde que había salido de Damasco.

La noche no había desaparecido del todo cuando el gallo del gobernador lanzó su canto sonoro, con la misma intensidad que el gallo del jurisconsulto que, en Roma, vivía en la casa vecina a la suya,
en el Quirinal. Su canto anunciaba la primera hora —*prima hora*—
del cuarto día de las calendas de diciembre del año 749 de Roma,[8]
y Marcelo se despertó sobresaltado. Generalmente, en Roma no era
el canto del gallo del vecino lo que lo despertaba, sino los martillazos de los caldereros, los gritos de los carreteros y la campana de su
propia villa que llamaba a los sirvientes al trabajo. Saltó prestamente de la cama: como todos los romanos, había dormido con su ta-
parrabos y su túnica de mangas cortas. Como tenía urgencia por
reemprender el camino, se negó a ir al *balneum*,[9] como le propuso
un esclavo: se limitó a hacer rápidamente sus abluciones, pero pidió un barbero porque, como todos los hombres elegantes de las
ciudades, no podía salir sin hacerse afeitar. Entre dos pasadas de la
navaja de su *tonsor* sobre sus mejillas, comió, o mejor dicho, mas-
ticó higos blancos, más suculentos que los higos romanos, y después de que lo lavaron, lo empolvaron y lo perfumaron, fue a despedirse de su anfitrión y salió al encuentro de su fiel fenicio, que lo

8. El 4 de diciembre del año 5 antes de nuestra era.
9. Sala de baños particular.

aguardaba frente al palacio del gobernador, sosteniendo a los dos caballos por la brida.

—¡En marcha, Hiram, en dirección a Samaria! —le gritó mientras saltaba sobre su cabalgadura—. Tengo urgencia por ver esa famosa capital fundada por Herodes, esa Sebaste de la que tanto se habla en Roma.

3
En el país de los samaritanos

4 de diciembre, año 749 de Roma
(5 a.C.)

En Samaria: el santuario disidente del monte Garizim – Una conferencia teológica nocturna en Siquem, antigua capital de Samaria – Los apocalipsis y el movimiento mesiánico.

La región que los hebreos llamaban *Shomrom*, los griegos *Samareitis* y los romanos *Samaria*, hacia la que cabalgaban, en la bruma matinal, el caballero y su guía, ocupaba el centro de la provincia palestina. Samaria era una región cubierta de colinas, que se extendía entre el valle del Jordán y la rica llanura que bordeaban, más lejos hacia el oeste, las orillas del Mediterráneo. Nuestros dos viajeros habían partido de Gerasa antes de despuntar el día, y trotaron rápidamente durante tres largas horas a través de la montañosa y desértica Perea antes de penetrar a un valle estrecho que llevaba al Jordán.

—¡Qué placer encontrar este río! —no pudo evitar decir Marcelo, que no había abierto la boca desde Gerasa—. Empiezo a entender a tu viejo poeta judío...

—No hables con tanta familiaridad del rey David, señor caballero. El pueblo de Israel le debe haber llevado a buen fin la conquista de Palestina, y lo venera, como ustedes, los romanos, veneran la memoria de Escipión o la de Mario. Pero, a decir verdad, yo también amo a este río Jordán.

Ahora la ruta se internaba en un pequeño desfiladero encajonado entre dos montañas, parecidas a las de Galilea. Hiram, que trotaba al lado de Marcelo, cumpliendo concienzudamente su función de guía, le hizo una señal para que detuviera su caballo:

—Estamos aquí en un lugar tan famoso en la memoria de Israel como las aguas de Merom —le dijo—. La más alta de esas dos montañas, al norte de nuestra ruta, es el monte Ebal, y la que está enfrente, hacia el sur, es el monte Garizim, del que te hablé ayer, la montaña de los samaritanos heréticos.

—¿Qué hubo aquí? ¿Una batalla?

—Más que una batalla, caballero: un combate del que participó el Eterno.

—Tengo la impresión de que me vas a contar uno de esos cuentos de hadas que conoces tan bien...

—Y yo tengo la impresión de que deseas escucharlo, señor caballero.

Y el fenicio le contó, como un Homero que cantara las proezas de Aquiles, cómo, trece siglos atrás, Josué, el sucesor de Moisés, había tomado la ciudad de Ai, que pertenecía a los cananeos.

—Después de tomar e incendiar la ciudad de Jericó, Josué recibió del Eterno la orden de partir al asalto de la ciudad de Ai: *"¡No temas ni te acobardes! Reúne a todos los combatientes y prepárate para subir contra Ai. Yo te entrego al rey de Ai, a su pueblo, su ciudad y su territorio"*. Josué se levantó, eligió treinta mil guerreros valerosos y los hizo salir de noche, ordenándoles que se emboscaran detrás de la ciudad y se prepararan para el combate. Les dijo: *"Yo y toda la gente que irá conmigo nos acercaremos a la ciudad, y cuando ellos salgan contra nosotros, como lo hicieron la primera vez, nosotros huiremos. Ellos nos seguirán, porque pensarán que huimos como la vez anterior, y así los apartaremos de la ciudad. Nosotros huiremos delante de ellos. Entonces ustedes saldrán del lugar donde estaban emboscados y ocuparán la ciudad. El Señor, nuestro Dios, la pondrá en sus manos. Y apenas la tomen, la incendiarán. Ustedes actuarán conforme a la palabra del Señor"*. Las cosas se desarrollaron como estaba previsto. Todos los hombres que estaban en la ciudad de Ai se armaron y persiguieron a Josué y sus soldados. Entonces el Eterno le dijo a Josué: *"Apunta hacia Ai con la jabalina que tienes en la mano, porque yo te entrego la ciudad"*. Josué obedeció, y cuando extendió su brazo, los hombres que estaban emboscados salieron rápidamente de su escondite, entraron a la carrera en la ciudad, la tomaron y la incendiaron inmediatamente. Todos los habitantes de Ai —eran doce mil, entre hombres y mujeres— murieron ese día: ninguno de ellos pudo huir, y no hubo ni un solo sobreviviente. Durante todo el tiempo que duró la masacre, Josué no retiró la mano que sostenía la jabalina, con la cual amenazaba a la ciudad, de la que sólo quedó un montón de ruinas. Luego hizo colgar a su rey de un árbol y, al ponerse el sol, mandó que descolgaran el cadáver y lo arrojaron cerca de la puerta de la ciudad: luego levantaron sobre él un gran montículo de piedras, como señal de esta memorable victoria.

—Los helenos no fueron tan crueles cuando tomaron Troya, más o menos en esa misma época —le hizo notar Marcelo al fenicio—. Tu Josué se comportó como un infame salvaje.

—Es el Eterno quien guió su mano. Después de esa victoria, Josué hizo edificar un altar de piedras para los holocaustos en la cima del monte que se alza frente a nosotros: el monte Ebal.

—¿Y qué son esas piedras blancas que veo en la ladera de la montaña, un poco más arriba de nuestra ruta?

—Son piedras blanqueadas a la cal sobre las cuales Josué hizo escribir la Ley que le fue dada a Moisés en el monte Sinaí, en el desierto de Egipto. Desde aquel momento, el santuario del monte Ebal se convirtió en el lugar de reunión de todas las tribus de Israel, y fue en el valle en el que nos encontramos ahora donde se construyó la ciudad de Siquem, que fue la única capital del reino judío hasta la conquista de Jerusalén por el rey David, hace mil años.

—¿No había judíos en esa época en Jerusalén?

—No. La ciudad pertenecía a los amorritas.

—¿Los amorritas?

—Era un pueblo de agricultores y pastores, de idólatras, como había muchos en esa época en Siria y en la Mesopotamia. Después de vencer a los amorritas, David convirtió a Jerusalén en la capital de la Tierra Santa, y Siquem se volvió progresivamente un pequeño pueblo, un lugar que es venerado por el santuario del monte Ebal y en recuerdo de la victoria de Josué sobre los cananeos. Más tarde, como te dije cuando estuvimos en Damasco, el Estado de Salomón fue dividido en dos reinos: el de Israel en el norte, y el de Judá en el sur, y Siquem recuperó su gloria pasada como capital de Israel, rival de Jerusalén. Doscientos años más tarde, el rey más grande que conoció ese reino, el rey Omri, hizo construir otra capital, a la que llamó Samaria, y Siquem se fue convirtiendo poco a poco en ese pueblito en el que pernoctaste la última noche. En cuanto a Samaria, fue tomada y destruida por Sargón, el rey de Asiria, que deportó a sus habitantes a Babilonia. Pero hace poco más de veinte años, Herodes construyó cerca de las ruinas de esa ciudad una espléndida capital, a la que dio el nombre de Sebaste, y a la que visitaremos antes de emprender camino hacia Jerusalén.

—Tu historia del pueblo judío es bastante complicada, Hiram.

—Es la historia de un pequeño pueblo que cambió de amo con frecuencia. Pero ya verás, señor caballero: te acostumbrarás. Por ahora, sólo debes recordar que los descendientes de Abraham, tras diversas peripecias, y sobre todo después de su salida de Egipto, terminaron por conquistar, hace alrededor de mil años, la Tierra Santa que el Eterno le había prometido al patriarca en el pasado, especialmente gracias a Josué, sucesor de Moisés, y que su rey era en ese momento David. A partir de entonces, los reinos de Israel y de Judá se mantuvieron, a veces en guerra entre sí, hasta la conquista de Palestina por los asirios y por los babilonios, que ya te conté en Damasco. Luego la Tierra Santa corrió la suerte de todos los territorios de Oriente: pasó sucesivamente a manos de los persas, de los macedonios, y ahora de los romanos.

—No olvidé nada de lo que me enseñaste, Hiram. Incluso escribí un pequeño ayuda-memoria personal, para no cometer errores cuando estemos en Jerusalén.

—¿Qué vas a hacer en Jerusalén?

—Tomaré contacto, en nombre del emperador, con Anás, el vicario del sumo sacerdote, ya que tú me dijiste que en este momento es la personalidad más influyente del mundo judío. En efecto, habrá que pensar en nombrar a otro sumo sacerdote en el lugar del que estuvo a cargo hasta ahora y que, según parece, acaba de ser víctima de una curiosa enfermedad.

—¿Te refieres a Zacarías? ¿El que se volvió mudo de repente, en enero o febrero pasado?

—Sí. ¿Tú sabes qué pasó, Hiram?

—Había entrado al Templo para quemar incienso, y cuando salió, sólo podía hablar por gestos. Pero ahora hace dos o tres semanas que está curado, desde que su mujer dio a luz un niño: un hecho asombroso, ya que el sumo sacerdote tiene más de setenta años. El nacimiento de ese niño, al que llamaron Juan, dio que hablar en Jerusalén. ¿Así que Roma quiere nombrar a otro sumo sacerdote?

—¡Oh, no hay apuro! Pero como ese Zacarías ya no está en su primera juventud, a pesar de su milagrosa paternidad, el emperador y el gobernador de Siria preferirían tomar sus previsiones. Por eso, Augusto me pidió que le enviara los nombres de dos o tres personalidades sacerdotales para designar en su momento a un sumo sacerdote. También debo prepararle un nuevo estatuto para Judea: ya mandé una carta detallada a Roma sobre ese tema, y creo que uno de estos días, cuando muera Herodes, Judea dejará de ser un reino independiente y tendrá un procurador romano.

—¡Tendrán trabajo para rato!

—¡Ya lo creo! Ustedes, los judíos, son complicados: algunos con sus exigencias religiosas, otros con sus pretensiones nacionalistas...

—Sin hablar de las sectas, caballero.

—¿A qué te refieres ahora?

—Son una especie de partidos políticos que agrupan a muchos judíos que no están de acuerdo ni con el sumo sacerdote, ni con el Sanedrín.

—¿No están de acuerdo sobre qué?

—Sobre la interpretación de la Torah, sobre lo que hay que creer o no creer, sobre el papel del sumo sacerdote, y sobre muchas otras cosas... Sobre el problema de los samaritanos, por ejemplo.

—¿Los samaritanos? ¿Y qué quieren éstos?

Hiram alzó los ojos al cielo, pero no porque esperara una inspiración divina, sino para mostrar su exasperación:

—Sostienen doctrinas que quieren imponer a todo el mundo, y que el Sanedrín rechaza. Los samaritanos discuten todo el tiempo entre sí, en el Sanedrín y hasta en las calles de Jerusalén, y nadie puede ponerlos de acuerdo. De ahí los tumultos, las manifestaciones y todas esas cosas que perjudican al comercio.

—¡Ah, tú sí que eres un fenicio! ¡Pero el comercio no es lo único que existe en la vida, Hiram!

—Sí, ya sé: me dirás que también existe la política, pero qué quieres, prefiero vender piernas de cordero. En Palestina, es menos peligroso que meterse en los asuntos públicos.

—Pero no olvides que estoy aquí para hacer un informe sobre el clima político de Palestina, Hiram.

—Lo sé, pero no te preocupes, señor caballero: mañana, cuando lleguemos a Sebaste, te presentaré a uno de los mejores informantes de la capital.

—Creía que la capital de Samaria era Siquem...

—*Era* Siquem, pero hace muchísimo tiempo que no lo es. Sebaste fue fundada por Herodes en homenaje al emperador Augusto.[1] Llegaremos mañana, y podrás apreciar su esplendor. Sin embargo, los samaritanos más recalcitrantes permanecieron en Siquem, adonde llegaremos hacia el final del día. Le avisé de nuestra llegada a uno de mis buenos clientes. Es un viejo doctor de la Ley que tomó el partido de los samaritanos contra Jerusalén: él te contará mejor que nadie la historia de esa ciudad... Pero ya estamos llegando: mira a tu alrededor.

Más que una ciudad, Siquem parecía realmente una gran aldea, y casi no quedaban en ella vestigios de su pasada grandeza. Marcelo le preguntó irónicamente a su compañero de viaje:

—¿Era esto, la capital de los samaritanos?

Hiram le explicó cómo Siquem, otrora floreciente por su situación estratégica entre el monte Ebal y el monte Garizim, que le aseguraba el control de la ruta comercial que unía a Siria y Fenicia con Egipto, había sido tomada y destruida hacía ciento veintitrés años por el sumo sacerdote de entonces, Juan Hircano, que en aquel momento combatía la herejía de los samaritanos, y luego había sido reemplazada por Sebaste.

—No entiendo: si la verdadera capital de Samaria es Sebaste, ¿qué hacemos en este pueblo semiabandonado?

—Ya te lo dije: te preparé una entrevista con un samaritano. Llegará aquí de un momento a otro.

—¿Por qué un samaritano?

—Porque los judíos de Jerusalén aborrecen a los samaritanos, y los últimos tetrarcas, tanto Herodes como Juan Hircano, pasaron una buena parte de su reinado persiguiéndolos. Pero los samaritanos tienen muchos adeptos, en Jerusalén, entre la gente sencilla, los pobres, e incluso entre los ladrones y las prostitutas, y poco a poco escapan al control del Sanedrín. Además, se sienten cada vez más atraídos por los cultos orientales, como el de Mitra, cuyos sacerdotes, manipulados por los emperadores persas, van conquistando gradualmente las mentalidades en Oriente. Entre nosotros, Marcelo, las herejías han dejado de ser un problema religioso: ahora son un problema político.

---

1. Sebaste significa "la mejor". Es el equivalente griego del latín *augusta*.

—En Roma también, Hiram, el entorno del emperador está preocupado: la sociedad romana está empezando a perder sus tradiciones, y nadie olvida la rebelión de los gladiadores que puso en peligro a la República en tiempos del César. Aquellos de nuestros historiadores y filósofos que conocen mejor la historia de las ciudades griegas temen que se propaguen las doctrinas perniciosas que impugnan la autoridad del Estado, como antes lo hacían las sectas pitagóricas, cuyas ideas están volviendo a ponerse de moda. Y como es mejor prevenir que curar, también tengo la misión de investigar sobre este punto. En Roma, empezamos a desconfiar de esas cofradías en las que algunos charlatanes celebran los misterios de los cultos orientales que proceden de Alejandría, ya se trate de Serapis, Cibeles, Mitra o los innumerables Baales que nos llegan de Canaán o de Fenicia. Nosotros, que aprendimos a dirigir nuestra vida y nuestra República según las reglas de nuestra razón, vemos que sacerdotes, magos y aprendices de brujos, que pretenden ser portadores de una verdad revelada, nos sumergen en sus supersticiones y sus profecías provenientes de las montañas de Persia, los desiertos de Siria o las corrientes del río Orontes. Desde hace seis siglos, los griegos, gracias a sus sabios y sus filósofos, y luego los romanos, gracias a sus legiones y al genio de algunos generales, han construido una sociedad y una civilización que está lejos de ser justa, lo admito, pero que es equilibrada y próspera: no puede permitirse que se contaminen con los amuletos y los perfumes mágicos de Oriente.

Ya era de noche. Hiram había escuchado, impasible, el discurso de Marcelo. Había atado su caballo en la pequeña plaza de la aldea, hacia la que se dirigía ahora a grandes zancadas un hombre provisto de una antorcha. Al ver a los dos caballeros, empezó a correr en dirección a ellos y se detuvo, sin aliento, pero sonriente:

—¡Salud, Hiram! —le dijo al fenicio en arameo—. Y salud también a ti, señor —le dijo a Marcelo en griego.

—¡La salvación del Eterno sea contigo, Matías! —le respondió Hiram—. Veo que recibiste mi mensaje.

—Me lo dieron unos caravaneros árabes. Sígueme: uno de los nuestros preparó para ustedes una cena y dos camas, en una casita desde la que podrán ver las alturas del monte Garizim, tras el cual no tardará en aparecer la luna. Allí podremos conversar libremente, en compañía de algunos amigos que se unirán a nosotros. Tú podrás interrogarlos sin ningún problema, señor caballero, ya que todos hablan griego con fluidez.

—¿Quiénes son tus amigos, Matías? —preguntó Marcelo.

—Aquí, en Siquem, sólo pueden ser samaritanos. Pero logré convencer a un rabí de Sebaste, que vendrá a conversar con nosotros.

—¿Un rabí?

—Sí, un doctor de la Ley, un hombre que conoce perfectamente todas sus prescripciones.

—Yo creía que los judíos tradicionales consideraban a los samaritanos como seres impuros, a los que había que excluir del pueblo judío...

—Tienes razón, señor caballero, ésa es la opinión del sumo sacerdote y de la mayoría de los miembros del Sanedrín, pero hay excepciones entre ellos, y rabí Samuel es una de ellas.

—¿Cenará en la misma mesa que nosotros, y dormirá en la misma casa que nosotros, conmigo, que soy un romano pagano, y contigo, que eres un samaritano impuro? Me sorprendería.

—Veo que empiezas a entender nuestras costumbres, señor Marcelo. La buena voluntad de rabí Samuel tiene límites, y por cierto, no llegará hasta el punto de compartir nuestra comida: aunque estuviera perdido en el desierto y muerto de hambre, rechazaría el pedazo de pan que le tendiera la mano impura de un samaritano. Después de nuestra reunión, regresará a Sebaste, que está a una hora de aquí.

Algunos minutos más tarde, después de saborear un plato de habas cocidas en grasa de cordero y algunas langostas asadas, todo regado con un generoso vino tinto proveniente de los viñedos de la vecina Fenicia, Marcelo comenzó a descubrir los múltiples aspectos y la complejidad de la religión judía. Rabí Samuel había llegado poco después de la cena ofrecida por Matías, quien abrió el debate de inmediato:

—Nuestro amigo *goi* vino a nosotros sin ideas preconcebidas: tratemos de responder a sus preguntas sin pelearnos. Habla tú, señor caballero.

—En realidad —dijo Marcelo—, estoy aquí como representante del emperador Augusto, y lo que me interesa, no son las creencias religiosas de los judíos, ni los detalles de su Ley, sino en qué medida puede vivir su pueblo en el seno del Imperio, junto a comunidades religiosas diferentes a la suya, por ejemplo al lado de los adoradores de Mitra, sin que se produzcan perturbaciones del orden público.

Matías lo tranquilizó. El estatuto que había otorgado Herodes a los samaritanos les convenía, y agradecían la generosidad de ese gran rey, cuya inminente muerte él personalmente deploraba. ¿Acaso no les había construido una suntuosa capital, Sebaste, y les había permitido levantar un nuevo santuario sobre el monte Garizim, tras la destrucción del anterior, al mismo tiempo que Siquem? De modo que Marcelo podía dormir tranquilo: los samaritanos no preparaban ninguna insurrección contra el poder romano. Sin embargo, se quejaban porque estaban expuestos a la permanente agresividad de las autoridades judías de Jerusalén, que les tenían un odio infinito: cuando hablaban de ellos, los habitantes de Judea los llamaban "banda de borrachos"; cuando citaban el nombre de su antigua capital, transformaban maliciosamente "*Siquem*" en "*Sikar*", que significa "borrachera" en arameo, y se burlaban constantemente de la naturaleza caritativa de los samaritanos, cuya tradición incluía detenerse para curar a los heridos en el borde de los caminos, o ayudar espontáneamente a los pobres y los sin techo.

Rabí Samuel criticó a sus correligionarios por tratar a los samaritanos de borrachos, pero intentó excusarlos: todo el mundo sabía en Jerusalén que en Samaria, las uvas de la vendimia no eran recogidas en su totalidad por manos judías, porque los samaritanos tenían la costumbre de convocar para ello a caravaneros idólatras, y por lo tanto, impuros. Luego añadió, con algo de perfidia:

—Por otra parte, en nuestro Libro Sagrado, nunca se habla del "pueblo de los samaritanos": las Escrituras sólo se refieren a ellos como "los habitantes de las ciudades de Samaria".

—¿Y ese dicho sobre los samaritanos? ¿Quién lo inventó?

—¿Cuál?

—No te hagas el inocente, rabí Samuel —dijo Matías—: ¡ustedes suelen decir en Jerusalén que un trozo de pan ofrecido por un samaritano es más impuro que la carne de cerdo!

Rabí Samuel tuvo la decencia de callarse, pero la frase sacudió a Marcelo: si esa clase de insultos era frecuente, no haría falta gran cosa para que esos judíos susceptibles se destriparan mutuamente, y Roma tenía en ese momento cosas más importantes que hacer, que interponerse en una guerra civil en Palestina. Pero era indiscutible que entre los samaritanos de Sebaste y los judíos de Jerusalén, el odio era de una extrema violencia. Sobre todo porque el cisma engendrado por la construcción de un templo rival en el monte Garizim, en tiempos de Alejandro Magno, había sustraído a Samaria de la tiranía teocrática que el Templo y sus sacerdotes le imponían a Jerusalén.

Sin embargo, no solamente ese odio casi racial —por no decir racista— estropeaba las relaciones entre los samaritanos y los judíos de Judea. En el transcurso de esa reunión nocturna, Marcelo también había descubierto que existía una discrepancia doctrinal profunda, que no se expresaba ni con insultos, ni con agresiones verbales, ni por medio de amenazas, pero que constituía un germen de división más poderoso a largo plazo: se refería a sus creencias relativas al destino último del hombre después de la muerte.

Fue rabí Samuel quien dirigió la conversación sobre las doctrinas de los samaritanos, empezando, como era lógico, por citar la Torah:

—"*Entonces el Señor Dios formó al hombre con polvo del suelo, e insufló en sus narices aliento de vida, y resultó el hombre un ser viviente*", está escrito en nuestro Libro Sagrado[2] —dijo sentenciosamente, como si predicara—. Pero también dice la *Sabiduría de Salomón* que el hombre *"fue creado a imagen de Dios para la inmortalidad"*. De esto resulta que el hombre procede directamente de Dios, y que se compone de un cuerpo material, como todos los animales, de quienes la Torah nos dice que también están formados de tierra, pero se diferencia de ellos porque ha recibido el soplo divino, el *néfesh*. Por otra parte, esto lo pensaban ya los griegos, hace seis siglos, cuando Pitágoras y Platón afirmaban que el hombre era un cuerpo dotado de un *alma*. Lamentablemente, el primer hombre pecó, incitado por Eva, la primera mujer: el Eterno lo echó del Paraíso, y nosotros, sus descendientes, nacemos con ese pecado en nosotros, y soportamos sus consecuencias hasta la muerte, porque, al haber sido expulsado del Paraíso, el hombre ya no puede comer los frutos del árbol de la vida. Por lo tanto, muere, y su cuerpo y su alma caen al *sheol*, el país

2. *Génesis* 2, 7.

del polvo, un lugar del que nada se sabe, donde los hombres se duermen con un sueño eterno y ya no son más que sombras. Recuerden las palabras de Job: *"Así el hombre se acuesta y no se levanta; desaparecerán los cielos, antes de que él se despierte, antes de que se alce de su sueño".*3 Y no obstante, muchos son los profetas que nos han transmitido un mensaje diferente al de Job sobre el destino de esas criaturas de Dios que son los hombres. Pienso en las palabras de Isaías, el primero de los grandes profetas de Israel, que hace ya setecientos años le suplicaba al Eterno que resucitara a los muertos para juzgarlos: *"¡Te esperamos, oh, Eterno! En el camino de tus juicios... Tus muertos revivirán, se levantarán sus cadáveres. ¡Despierten y griten de alegría los que yacen en el polvo! Porque tu rocío es un rocío de luz, y la tierra dará vida a las Sombras".*4 Y pienso también en las palabras pronunciadas por Daniel, hace quinientos ochenta y siete años, cuando estaba cautivo en Babilonia, y que nuestra Biblia transcribe: *"En los últimos tiempos, [...] muchos de los que duermen en el suelo polvoriento se despertarán, unos para la vida eterna, y otros para la ignominia, para el horror eterno. Los hombres prudentes resplandecerán como el resplandor del firmamento, y los que hayan enseñado a muchos la justicia brillarán como las estrellas, por toda la eternidad".*5 Dicho de otro modo, desde hace por lo menos siete siglos, se desarrolló entre nosotros, los doctores de la Ley, la idea de que llegaría un día en que todos los muertos renacerían. ¿Creen ustedes que Judas Macabeo, el hijo del sumo sacerdote Matatías, que hace ciento ochenta años levantó el estandarte de la rebelión contra Antíoco, el rey seléucida de Siria del que en aquel momento dependía Israel, habría ordenado un sacrificio por los pecados de los muertos, si no hubiera creído en la resurrección futura? El autor del segundo libro de los Macabeos lo escribe expresamente: *"Si no hubiera esperado que los caídos en la batalla iban a resucitar, habría sido inútil y superfluo orar por los difuntos. Además, él tenía presente la magnífica recompensa que está reservada a los que mueren piadosamente, y este es un pensamiento santo y piadoso".* En verdad les digo —concluyó rabí Samuel—: desde hace un siglo, la idea de la re-

3. *Job* 14, 12.
4. *Isaías* 26, 19.
5. *Daniel* 12, 2.

surrección de los justos fue progresando y llena de esperanza el corazón de los judíos.

—Confieso que es una idea original —dijo Marcelo—, y entre nosotros, ningún filósofo, ningún poeta la expresó todavía.

—¿Qué es un filósofo? —preguntó Matías.

—Es un hombre, un sabio si prefieres, cuya profesión consiste en reflexionar sobre la naturaleza del mundo y las cosas del mundo, sobre el destino humano, sobre la manera de conducirse en la vida para ser feliz, sobre el bien y el mal, sobre lo verdadero y lo falso...

—¿Reflexiona sobre todo eso por su propia cuenta? ¿No está inspirado por ningún dios? ¡Sin embargo, ustedes tienen dioses en su Olimpo!

—Nuestros filósofos consideran que esos dioses son fábulas, Matías, que sólo sirven para ser contadas a los niños.

—Pero entonces, ¿cómo inventaron sus antepasados las leyes que los gobiernan?

—Razonando, pensando por sí mismos.

—¿Y nunca se preguntaron qué sería de ustedes cuando murieran?

—Nosotros, los griegos y los romanos, pensamos que cuando un ser humano muere, su principio vital inmaterial, lo que llamamos su *alma*, o su *pneuma* —su "aliento", si prefieres— se hunde en las entrañas de la tierra y llega a una región que llamamos "los Infiernos", donde es juzgada por tres jueces infernales que deciden su suerte por la eternidad. Eso es al menos lo que cree el pueblo. Los filósofos tienen otra opinión, y una de las teorías más admiradas es la que Platón expuso antaño en un mito.

—¿Un mito? ¿Qué es eso?

—Un mito es la presentación de una doctrina bajo la forma de un cuento puramente imaginario. En el presente caso, Platón imagina la historia de un hombre, un armenio de nombre *Er*, que resucita doce días después de su muerte y cuenta lo que vio en los Infiernos: allí juzgaron su alma, dice, y le ordenaron elegir un nuevo destino, el que quisiera, y después de eso, Er vivió una nueva vida.

—¿Y cuando termina esa nueva vida?

—El alma de Er regresará a los Infiernos y será juzgada, y así sucesivamente, durante siglos: es lo que Platón llama *rueda de nacimientos*, a la que todos los seres humanos —tú, yo o Platón— están sometidos. La rueda sólo cesará de girar cuando el ser humano elija una vida pura: entonces se unirá a la Divinidad y conocerá la vida eterna y la bienaventuranza.

—Nuestra doctrina no tiene nada que ver con ese mito según el cual, si entendí bien, el hombre elige su destino y debe resucitar incesantemente hasta que haga la buena elección —dijo rabí Samuel—. Nosotros, los israelitas, creemos que sólo los justos resucitarán: la generación que pereció en el Diluvio, por ejemplo, no participará en la resurrección final, y tampoco los muertos de Sodoma y Gomorra. Del mismo modo, todos los pueblos que persiguieron a Israel y hoy parecen triunfantes, los filisteos, los persas y tantos otros, no se beneficiarán con la resurrección, que sólo está reservada a los elegidos de Dios.

—¿Todos los judíos piensan como usted, rabí Samuel?

—Es al menos la opinión de los más formalistas de nosotros, los fariseos —los *perishaia*, como decimos en arameo—, que se encargan de difundirla entre la gente por intermedio de las sinagogas. Ellos dicen que algunas cosas no dependen de nosotros, sino que dependen de nuestro destino, como la resurrección, por ejemplo, mientras que las otras dependen de nuestro libre albedrío: podemos hacerlas o no hacerlas. Además, los fariseos creen que las almas son inmortales, que serán juzgadas en el otro mundo y recompensadas o castigadas según la vida que se haya llevado en la tierra: las almas virtuosas serán resucitadas, las almas malvadas serán eternamente retenidas en el *sheol*.

—Según lo que me explicaron en Damasco —le dijo Marcelo al rabí—, los fariseos son judíos nacionalistas, terriblemente apegados a las tradiciones de sus ancestros. ¿Es cierto eso?

—*Perishaia* es un antiguo término arameo que significa "separados": se los llama así porque tratan de mantenerse alejados de todo lo que es impuro, y especialmente, de todo lo que podría dañar la pureza de nuestra religión. En ese sentido, puede decirse que son nacionalistas: quieren preservar también la pureza del pueblo judío. Personalmente, aunque no apruebo sus doctrinas, comprendo a los fariseos.

Rabí Samuel dio por terminado su discurso, que, evidentemente, no fue del agrado de Matías, a juzgar por su expresión de enfado y los suspiros que lanzaba:

—Nosotros no pensamos ni como rabí Samuel, que acaba de presentarnos la doctrina oficial del Templo, ni —menos aún— como los fariseos —dijo pausadamente, pero con claridad, el samaritano—. En primer lugar, sólo admitimos como libros sagrados, como Escrituras, los cinco libros del *Pentateuco*, es decir, la Torah de Moisés, y consideramos que los demás libros, como los de los *Reyes* o los *Profetas*, por ejemplo, son simples libros históricos. Luego, en el nombre mismo de esa Torah, e independientemente de lo que hayan dicho los profetas, nosotros, los samaritanos, no creemos en la resurrección. En cambio, en este mundo en el que el pueblo de Dios está oprimido, y en el que la Ley divina es escarnecida por los impíos, nosotros estamos llenos de confianza y de esperanza, porque conservamos, en el fondo de nuestro corazón, la promesa que el Eterno le hizo a Moisés, y que puede leerse en el último libro de la Torah: *"Suscitaré entre sus hermanos un profeta semejante a ti, pondré mis palabras en su boca, y él dirá todo lo que yo le ordene. Al que no escuche mis palabras, las que este profeta pronuncie en mi Nombre, yo mismo le pediré cuenta. Y si un profeta se atreve a pronunciar en mi Nombre una palabra que yo no le he ordenado decir, o si habla en nombre de otros dioses, ese profeta morirá"*.[6]

Marcelo se inclinó hacia Hiram para preguntarle a quién o a qué se refería Matías con esa cita del *Deuteronomio*. El fenicio le respondió que, a partir del cisma del monte Garizim, Samaria ya no dependía del Templo de Jerusalén, y que los habitantes de esa región habían adherido a doctrinas provenientes de Persia, Siria o Egipto, prohibidas en Judea, pero que eran difundidas por falsos profetas, magos y charlatanes de toda clase en Sebaste y en las campiñas samaritanas.

—¿Qué clase de doctrinas? —preguntó Marcelo.

—Doctrinas que anuncian la inminencia de los peores cataclismos, inundaciones, terremotos o terribles tempestades, que predicen la llegada de unos monstruos inmundos y devastadores, presagios del cercano fin del mundo. Esos relatos son presentados ante los ingenuos como "revelaciones" que ciertos personajes bíblicos

6. *Deuteronomio* 18, 18.

habrían recibido en el pasado y habrían puesto por escrito en textos que los impostores que los difunden pretenden haber descubierto.

—¿Qué personajes, por ejemplo?

—¡Oh, hay una buena docena de ellos! Las revelaciones más antiguas habrían sido hechas... al hijo de Caín, Enoc, cuyas visiones sobre el fin del mundo habrían sido consignadas en un *Libro de Enoc* que circula en Palestina desde hace cien o ciento cincuenta años.

—¿En qué idioma está escrito?

—Parte en hebreo y parte en arameo. En él se anuncia que está próximo el día en que todos los muertos saldrán de sus tumbas y serán juzgados por el Eterno, unos después de otros: será el día del Juicio Final.

—¿Tú crees en esos cuentos de viejas?

—No, pero me asustan.

—¿Cómo se llaman esos cuentos? ¿Profecías? ¿Fábulas? ¿Leyendas?

—Quienes los hacen circular y los declaman en las plazas de las aldeas los llaman, no sé por qué, *apocalipsis*.

—Eso te lo puedo explicar yo, mi buen Hiram: *apocalipsis* es una palabra griega que significa simplemente: "revelación". Pero dime: aparte del de Enoc, ¿circulan muchos de esos apocalipsis en Palestina?

—¡Oh, sí! Los más importantes, que llenan de terror a los que los leen o los oyen, son el *Apocalipsis* atribuido a Baruc, que fue el secretario de Jeremías hace seis siglos, el *Testamento de los Doce Patriarcas*, la *Asunción de Moisés* y la *Ascensión de Isaías*.

—¿Son recientes esos textos, Hiram?

—Te lo dije: todos aparecieron hace ciento cincuenta años aproximadamente. Y la mayoría de los judíos de este país toman esas charlatanerías al pie de la letra, para provecho de los falsos sacerdotes, los astrólogos y otros estafadores por el estilo. Pero lo que, a mi juicio, es grave, y tu emperador debería saber, Marcelo, es que esa clase de apocalipsis tienen una enorme importancia política, porque están dirigidos a la gente común, que, ahora que nuestro rey Herodes se encuentra al borde de la muerte, está dispuesta a todo. No faltan revolucionarios ni agitadores en Samaria y Judea. Si cualquier iluminado, como los que aparecían tan a menudo antes del reinado de Herodes, se propone enloquecer a la gente de pueblo con esas pamplinas sobre el fin del mundo y el Juicio Final, habrá desorden garantizado en Jerusalén, en Sebaste y en las rutas de las caravanas. No tendré la impertinencia de darle consejos a Octaviano Augusto, pero más vale prevenir que curar.

—¿A qué clase de iluminados te refieres? ¿A un nuevo Jeremías?

—Los profetas de antaño siempre se referían a la situación que vivía el pueblo judío en la época en que predicaban, y lo alertaban, en nombre del Eterno: este mundo es malo, decían, y es malo por culpa de ustedes. Arrepiéntanse, rindan culto a Dios y el mundo será mejor. Los fabricantes de apocalipsis tienen un punto de vista diferente, porque no miran el presente, sino el futuro de la humanidad: este mundo es malo, les dicen siempre a quienes los escuchan, pero desaparecerá. La vida de ustedes es miserable, pero será reemplazada por una vida mejor, y esto no sucederá por la intervención de Yahveh, que es demasiado perfecto para rebajarse a "reparar" el mundo que los hombres, por su maldad, han perturbado, sino por la de un agente de Dios, investido por Él para ser el salvador del mundo, un Mesías.[7]

La conversación tomaba un giro demasiado audaz para el teólogo ortodoxo que era rabí Samuel. Se despidió rápidamente de Marcelo y se hizo llevar de regreso a Sebaste esa misma noche, mientras Matías le explicaba al romano el concepto samaritano de Mesías.

—Ese Mesías, en cuya venida creemos, a pesar de los teólogos, y al que llamamos *Toheb*, no se manifestará bruscamente, de improviso. Su venida será anunciada por acontecimientos tremendos, hambrunas, huracanes, guerras que trastornarán la tierra: los hombres ya no respetarán las leyes, ni las de Roma, ni las de la Torah, y el profeta Elías, heraldo de Dios, el que combatió en su tiempo el culto a Baal,[8] instaurado por Jezabel, bajará del Cielo al que fue lle-

7. En hebreo bíblico, *masah* significa "ungir", y *masih*, "ungido". De esto resulta en arameo *meshiha*, y de esta palabra deriva *messias* en griego y latín. El equivalente griego es *Khristos* ("Cristo").

8. Ajab, rey de Israel (el reino judío del norte, del que formaba parte Samaria) entre 876 y 864 a.C. aproximadamente, se casó con la hija del rey de Tiro, Jezabel, una pagana de la secta de Baal. El profeta Elías luchó encarniza-

vado en un carro de fuego por el Eterno Dios, que lo tiene en reserva con vistas a restaurar el orden del mundo desquiciado: él es quien restablecerá a las tribus de Jacob y preparará la llegada del Mesías. Esta llegada provocará una coalición entre los malos y las fuerzas de las tinieblas, dirigidas por el gran adversario del Mesías, el Anticristo, contra las fuerzas del Bien y de la Luz. Pero el ejército del mal será destruido por el Mesías, cuya victoria inaugurará el reino en Jerusalén, en cuyo seno serán reunidos todos los hijos de Israel, incluyendo a los de la *Diáspora* que se dispersaron por todo el mundo. La ciudad de David será reemplazada entonces por una ciudad descendida del Cielo, en la que el pueblo de Dios vivirá una edad de oro durante mil años.

—¿Y después? —preguntó Marcelo con ironía—. ¿Cómo terminará tu cuento de hadas?

—No es un cuento de hadas, Marcelo, ¡es la verdad! Después, todo lo perecedero perecerá por el fuego y, en ese mundo purificado, resucitarán los muertos...

—¿Todos los muertos?

—Sí, todos los muertos, tanto los que hayan sido justos durante su vida como los que hayan sido malos: ellos serán juzgados, y ése será el gran día del Eterno, el del Juicio Final. Los justos recibirán como recompensa la vida eterna en la morada de Dios, donde contemplarán Su gloria y brillarán, como Él, con una luz más deslumbrante que la del sol, en compañía de los ángeles, y los malos serán precipitados con los demonios en la *gehenna*, un infierno del que no saldrán jamás.

—No te entiendo muy bien, Matías —objetó Marcelo—. Por un lado, me dices que los samaritanos no creen en la resurrección, y por el otro, me dices que todos los muertos saldrán de sus tumbas y serán juzgados el día del Juicio Final: es contradictorio.

—No dije que revivirán —aclaró Matías—, sino que serán juzgados y permanecerán por toda la eternidad, sea en el *sheol*, sea en la gloria de Dios. No me entendiste, Marcelo.

---

damente contra ese sacrilegio, antes de ser llevado al Cielo en un carro de fuego. Una tradición asegura que regresará a la tierra poco antes de la llegada del Mesías.

—Lo que entendí es que los judíos, cuando fueron llevados en cautiverio a Asiria y Babilonia, interpretaron esa deportación como un castigo divino, y entonces fundaron todas sus esperanzas en una Restauración de su reino en la Tierra Santa. Pero esa Restauración los decepcionó, y ahora, algunos de ellos piensan que la verdadera felicidad no está en la tierra, sino en el más allá, y que sólo la conocerán después de la muerte, cuando resuciten. Nada de todo eso resiste el menor análisis, permítanme que les diga. Yo tengo otra doctrina para proponerles.

—¿Ustedes, los paganos, tienen doctrinas sobre el destino humano? —inquirió Matías, al mismo tiempo escéptico y despectivo.

—"Nosotros", no creo, pero "yo" tengo una, y es la del emperador. Desde hace siglos, ustedes están convencidos de que, entre todos los miles de pueblos de la tierra, Israel es el único pueblo que fue elegido por Dios para ser feliz y próspero en la tierra santa de Canaán, y pudieron creer en ese sueño en tiempos de Salomón y de David. Luego, cuando vinieron los asirios, los babilonios y otros, ustedes sintieron que entre las promesas de Yahveh y el estado por lo menos miserable en el que se encontraban, constantemente oprimidos por otros pueblos más poderosos, constantemente divididos, había una distancia insoportable. En la actualidad, muchos de ustedes piensan que sólo una intervención milagrosa y directa de su Dios podrá poner fin a su declinación.

Por venir de un romano a quien consideraba a priori como un idólatra, estas palabras sorprendieron a Matías, que de pronto perdió su actitud distante y un poco agresiva:

—Lo que acabas de decir, Marcelo, se parece curiosamente a un sueño que nos refiere el profeta Daniel, cuando dice: *"Yo estaba mirando, en las visiones nocturnas, y vi que venía sobre las nubes del cielo como un Hijo de hombre; él avanzó hacia el Anciano y lo hicieron acercar hasta él. Y le fue dado el dominio, la gloria y el reino, y lo sirvieron todos los pueblos, naciones y lenguas. Su dominio es un dominio eterno que no pasará, y su reino no será destruido"*.9

—Pero hay una diferencia fundamental entre las visiones nocturnas de ese Daniel y mi razonamiento, Matías. Tu profeta sólo

9. *Daniel* 7, 13-14.

piensa en la desdicha del pueblo judío, y nos presenta a su "hijo del hombre" como alguien que salvará a ese pueblo elegido dominando a todas las demás naciones. En cambio yo pienso en los innumerables pueblos pequeños que son dominados por tiranos, y sueño, como César en el pasado, con que todos esos pueblos puedan vivir un día en forma independiente, y sin embargo, unidos por una misma ley, sin que haya un pueblo elegido, diferente a todos los demás. De modo que se me ocurre que ese hijo de hombre bien podría ser Augusto.

—Con todo el respeto que te debo, señor caballero, te recomiendo que no expongas abiertamente esas convicciones cuando llegues a Jerusalén, si no quieres que te lapiden, por representante del emperador que seas.

—¿Me lapidarían? Pero ¿por qué? ¿Porque soy romano?

—Como romano, no corres ningún riesgo. Es cierto que el rey Herodes, que le debe su poder a Roma, está a punto de morir, pero su hijo Arquelao fue designado su sucesor por Augusto, y tiene todo el interés del mundo en proteger tu persona. Por otra parte, el Templo y el Sanedrín son pro-romanos. Así que no tienes nada que temer, caballero: en tu carácter de enviado del emperador, por el poder oficial, tu persona es sagrada. Pero cuídate de los contrapoderes.

—¿Contrapoderes en este país que no tiene más de dos millones de habitantes, incluyendo a las mujeres?

—Hay más de los que te imaginas: están las sectas.

—¿Sectas?

Ahora fue Hiram quien dijo la última palabra:

—Se hace tarde. Hemos comido y bebido bien, sobre todo después de la partida de rabí Samuel. Podríamos ir a dormir —propuso bostezando—. Hablaremos de las sectas mañana, en Sebaste. Y quién sabe —agregó—: con todo el vino que bebimos, ¡quizá tengamos visiones durante el sueño, como Daniel!

Y se dirigió, tambaleándose, a su habitación, bajo la mirada severa y furiosa de Matías, que murmuró entre dientes:

—Ese converso no es más que un cerdo.

4

De Samaria a Jerusalén

5 de diciembre, año 749 de Roma
(5 a.C.)

Sebaste, la nueva capital de Samaria, construida por Herodes – La tumba del hijo de Aarón en Gibea, antigua ciudad de los benjamitas: Hiram le explica a Marcelo el rigor de la Ley de Moisés – Cómo la violación de la concubina de un levita, en Gibea, por parte de los benjamitas, provocó una terrible guerra civil en Israel y el rapto de las hijas de la ciudad de Silo por los benjamitas – Llegada a Betel: la escala de Jacob – Entrada de Marcelo a Jerusalén – La villa romana de extramuros en la que habitará en lo sucesivo Marcelo.

Hiram y Marcelo salieron de Siquem al alba, acompañados por Matías, que tenía interés en que visitaran Sebaste, la suntuosa capital construida por Herodes, que los judíos seguían llamando Samaria, como antiguamente. A la salida de Siquem, Matías les señaló a lo lejos un campo bien cultivado, más grande que todos los que lo rodeaban:

—Ese campo, Marcelo, es un lugar histórico para nosotros, los samaritanos.

—¿Histórico en qué sentido?

—Cuando Jacob, nieto de Abraham, se iba acercando al momento de su muerte, a la edad de ciento cuarenta y siete años, en Egipto, donde se había establecido con su familia, quiso distribuir sus bienes entre sus hijos y, para eso, llamó a su lado a José, y le dijo: *"Te doy una franja de tierra más que a tus hermanos; un campo que compré hace tiempo en Siquem"*. Pues bien, ése es el campo, caballero: hicieron un pozo en él que nunca se seca, que todo el mundo llama, en Palestina, el "pozo de Jacob".

—Otro de esos cuentos inverosímiles —replicó Marcelo—. Tu Abraham, si es que existió, vivió hace unos dos mil años: ¿cómo puedes creer que ya existía un campo, en ese preciso lugar, hace dos mil años? Admiremos más bien esta magnífica capital.

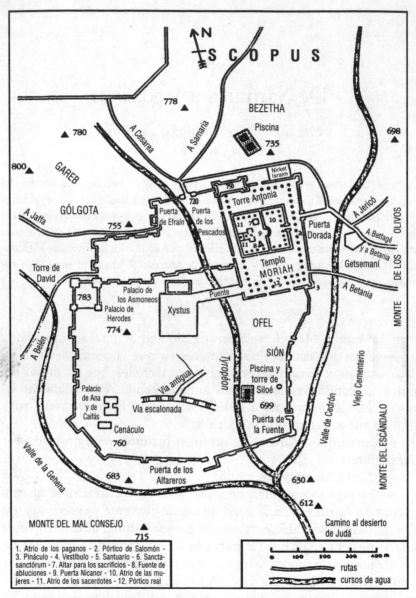

N

S C O P U S

778 ▲

BEZETHA

Piscina
735 ▢

698 ▲

780 ▲

A Cesarea

A Samaria

GAREB

800 ▲

GÓLGOTA

A Jaffa

755 ▲

Puerta
de Efraín

720 Puerta
de los
Pescados

79

Torre Antonia

Nirket
Israim

11 7 ▢ 10
A
11 8

Templo
MORIAH

A Jericó

Puerta
Dorada

A Betfagé
y a Betania

Getsemaní

A Betania

MONTE DE LOS OLIVOS

Torre de
David

783 ▢

Palacio de
los Asmoneos

Palacio de
Herodes

774 ▲

Xystus

Puente

12

3

OFEL

A Belén

Palacio
de Ana
y de
Caifás

Vía antigua

Vía escalonada

Tyropéon

SIÓN

Piscina y
torre de
Siloé

699

Puerta de
la Fuente

Valle de Cedrón

Viejo Cementerio

MONTE DEL ESCÁNDALO

Cenáculo

760

Valle de la Gehena

683 ▲

Puerta de los
Alfareros

630 ▲

612 ▲

MONTE DEL MAL CONSEJO
715 ▲

Camino al desierto
de Judá

1. Atrio de los paganos - 2. Pórtico de Salomón -
3. Pináculo - 4. Vestíbulo - 5. Santuario - 6. Sanctasanctórum - 7. Altar para los sacrificios - 8. Fuente de
abluciones - 9. Puerta Nicanor - 10. Atrio de las mujeres - 11. Atrio de los sacerdotes - 12. Pórtico real

0   100   200   300   400 m

rutas

cursos de agua

Jerusalén en la época de Jesús

En la época de Jesús, Jerusalén era una ciudad muy pequeña (Cicerón la llamaba
"fortificación"): la superficie del territorio interior a sus murallas llegaba apenas a
un centenar de hectáreas, y la gran mayoría de sus habitantes (cuyo número se ignora) vivía sin duda en las afueras de la ciudad. El núcleo urbano se extendía sobre un conjunto de pequeñas colinas cuya altura media sobrepasaba los 700 metros. Además del famoso Templo, Herodes había construido allí algunos
monumentos importantes, entre ellos, la torre Antonia y un palacio fortificado.

Sebaste estaba notablemente ubicada, en la cima de una colina cubierta de campos y vergeles, en los que ya se veía trabajar a una multitud de campesinos.

—La tierra de alrededor es tan fértil como la de Galilea, si no más —explicó Matías—. Herodes la repartió entre todos los habitantes de la región, que la poseen en propiedad plena y la cuidan como la niña de sus ojos.

—Es hábil de su parte —señaló Marcelo—: en caso de guerra, todos esos campesinos se transformarán espontáneamente en feroces defensores de su territorio.

—De su territorio y de su ciudad —subrayó Matías—, porque las cosechas y sus productos son conservados en graneros y hangares bien al resguardo, detrás de las murallas de Sebaste.

—Como en Galia.

—¿En Galia? ¿Qué es Galia? —preguntó el samaritano.

—Es una gran provincia romana, en Occidente.

—¿Como Palestina?

—Veinte o treinta veces más extensa que Palestina, con una gran cantidad de ciudades.

—¿Cómo se llaman sus habitantes?

—Los galos.

—¿Son idólatras, como los romanos?

—Sí, como los romanos, pero con la diferencia de que no adoran a los mismos dioses que nosotros.

La visita a Sebaste prosiguió a gran velocidad. Marcelo admiró sus gruesas murallas, dispuestas como las de las ciudadelas romanas, y observó la presencia de importantes fuerzas armadas detrás de sus muros:

—¿De dónde vienen todos esos soldados, Matías? ¿Son samaritanos?

—Los oficiales son samaritanos, y entre ellos hay algunos ex centuriones romanos. Los demás son mercenarios reclutados por Herodes no sólo en Samaria, sino también entre los idumeos, los árabes y otros pueblos.

—¿Y qué dice el sumo sacerdote de esos soldados *goim* que defienden tierras judías?

—A Herodes lo tiene sin cuidado lo que diga el sumo sacerdote. Cuando le hablan de él, pregunta sonriendo: "¿De cuántas legiones dispone?"

Matías paseó a Marcelo y a Hiram durante una hora más a través de la ciudad. Les hizo notar con orgullo que su muralla medía veinte estadios[1] de circunferencia, que su *forum* tenía un estadio y medio de diámetro,[2] y que el Templo construido por Herodes en la acrópolis de la ciudad no tenía nada que envidiarle al de Jerusalén. Terminó enfáticamente su visita guiada con estas palabras:

—Herodes nunca dejó de embellecer esta ciudad, porque consideraba que su fuerza era necesaria para su propia seguridad, y su belleza era un signo de su propia grandeza, que perpetuaría la memoria de su nombre en los siglos futuros.

Cuando Marcelo se encontró por fin nuevamente al pie de la colina de Samaria, en los territorios de la tribu de Efraín, sobre la ruta que llevaba a Jerusalén, lanzó un inmenso suspiro de alivio.

—¿Los judíos de Judea están tan preocupados por su grandeza, por sus fronteras y por sus doctrinas como los de Samaria?

—Los samaritanos se sienten rechazados por Jerusalén, y reaccionan afirmándose más de lo que deberían. Los judíos de Judea son orgullosos y dominadores, ya que son los amos del Templo, pero en el plano religioso, discuten permanentemente en cuanto a la interpretación de las Escrituras. Entre ellos, el árbitro supremo es el Sanedrín, es decir, la asamblea de sacerdotes, doctores de la Ley, escribas y grandes personajes laicos. Pero el Sanedrín está completamente dominado por los sacerdotes, como ya te lo dije.

—¡Pues bien, mi querido Hiram! Tengo la impresión de que tendré mucho trabajo en Jerusalén para acercarme a los que gobiernan. ¿Falta mucho todavía para llegar a la capital?

—Si no perdemos tiempo en el camino, llegaremos al anochecer. No se puede avanzar muy rápido por estos caminos de montaña.

—No perderemos tiempo. ¿Cuándo entraremos a Judea, Hiram?

—La frontera entre Samaria y Judea no está definida con exactitud. En esta montaña, creo que la última aldea samaritana es Gibea: allí se encuentra la tumba de Eleazar, el hijo de Aarón.

—¿Aarón?

—Era el hermano de Moisés.

—¿Qué importancia puede tener eso para mí? No sé nada de

1. Alrededor de 4 kilómetros.
2. Alrededor de 250 metros.

ese tal Aarón, ¡y ni siquiera sé si ese Moisés con el que me llenas los oídos todo el tiempo realmente existió!

—¿Quieres decir que no crees en las Escrituras, caballero?

—Creo que el sol brilla, que dos y dos son cuatro, que César, Escipión y Cincinato existieron, pero ¿cómo quieres que crea en la existencia de un hombre que habría vivido hace mil trescientos años y que no dejó ningún rastro de su paso por la tierra? Para mí, Moisés, Aarón, Rómulo y Aquiles están en la misma bolsa: la de los cuentos.

Los dos hombres siguieron discutiendo hasta que llegaron a Gibea, donde perdieron una buena media hora en buscar cierto túmulo funerario que no encontraron, pero donde Marcelo pudo satisfacer su curiosidad administrativa: en la plaza del pueblo, un magistrado o un ujier, a quien podía reconocerse por el cinto de oro que sostenía su manto, acompañado por media docena de hombres de armas detenía a un malhechor, al que los lugareños furiosos amenazaban con sus puños. Marcelo hizo un gesto para dirigirse hacia él, con el fin de interrogarlo, pero Hiram detuvo su impulso:

—Deja que vaya yo, caballero. Para ese magistrado tú eres impuro, pues no eres judío, y no te responderá. ¿Qué quieres preguntarle?

—Me gustaría saber si este pueblo donde estamos queda en Samaria o en Judea.

Hiram dirigió su caballo hacia el grupo de aldeanos que rodeaba al magistrado, parlamentó rápidamente con él, regresó junto a Marcelo, y le dijo:

—Estamos en Judea, señor caballero. Es lo que acaba de decirme el *hazzam*...

—¿El *hazzam*?

—Sí. El oficial de justicia que vino a arrestar a un ladrón de ganado.

—¿Qué robó?

—Un buey.

—¿Y qué castigo le espera? ¿La prisión?

—Depende. Si lo mató y se lo vendió a alguien, le tendrá que devolver cinco bueyes de la misma raza al propietario. Si el buey todavía está vivo y en su poder, deberá restituir dos. Y si no tiene dinero para cumplir su sentencia, será vendido como esclavo.

—¿Quién decide cuál es el castigo que se le debe imponer al ladrón? ¿El *hazzam*? ¿El alcalde del pueblo? ¿Un tribunal?

—En principio, es un tribunal, pero también hay otras jurisdicciones.

—¿En nombre de qué juzgan los delitos y los crímenes los judíos?

—En nombre de las leyes del pueblo elegido, que le fueron inspiradas a Moisés por Yahveh, el tercer mes después de la salida de Egipto, cuando el pueblo de Israel llegó al desierto del Sinaí: el Eterno llamó a Moisés desde lo alto de la montaña, hubo truenos y relámpagos, una nube espesa rodeó la montaña y sonó la trompeta de Dios. Moisés subió, solo, al monte Sinaí, y Yahveh, sobre la montaña envuelta en fuego y humo, le dictó en primer lugar los diez mandamientos fundamentales, y luego, las leyes que debe respetar el pueblo de Israel, lo que nosotros llamamos "la Ley". Más tarde, los sacerdotes explicaron y comentaron en detalle la Ley de Moisés: este código está contenido en el cuarto libro de la Biblia, el *Levítico*, y está resumido en el quinto libro, el *Deuteronomio*. El Sanedrín se basa en estos textos divinos para juzgar y castigar a los culpables que les presentan.

Esta explicación ofrecida con la mayor seriedad por Hiram sorprendió e impresionó a Marcelo:

—¿De modo que el pueblo judío tiene un código escrito en la época de Moisés —le dijo al fenicio—, es decir, hace más de mil doscientos o mil trescientos años? ¡No puedo creerlo!

Mientras tanto, Gibea había recuperado el orden y la calma. Habían encadenado al ladrón de bueyes, y la escolta comandada por el *hazzam* había partido con rumbo al sur, hacia Jerusalén, donde sería juzgado. Marcelo se preparó para lanzar su caballo por el mismo camino, cuando vio que Hiram doblaba hacia el este, en dirección a una pista arenosa que serpenteaba a través de los matorrales.

—¿Adónde me llevas, Hiram? —le preguntó.

—Daremos un rodeo por una ciudad que quiero que conozcas.

—¿Por qué?

—Porque antiguamente fue el escenario de acontecimientos importantes de la historia de los judíos, que te recordarán la historia de tu propia patria.

—¿De Roma?

—Sí, de Roma.

—¿Cuál es el nombre de esa ciudad?

—Silo.

—¡Pues vamos a Silo! Y ya que acabas de darme una conferencia sobre el origen del derecho escrito de los judíos, ¡me imagino que me vas a dar otra sobre los orígenes de nuestra República! Cuéntame lo que ha sucedido en esa ciudad.

—En el tiempo de los Jueces,[3] cuando todavía no había reyes en Jerusalén, cada uno hacía lo que le parecía, y los integrantes de la tribu de Benjamín se portaron muy mal con un hombre de la tribu de Leví que se encontraba en una de sus ciudades, Gibea, con su concubina: durante la noche, varios de ellos rodearon la casa en la que dormía el levita, hicieron salir a la concubina y la violaron todos por turno hasta la mañana. Avergonzado y desesperado, el hombre mató a la desdichada y cortó su cadáver en doce pedazos, que envió a cada una de las tribus de Israel. Como nunca había sucedido nada semejante en el pueblo de Dios, los jefes de tribus se reunieron inmediatamente en Mispa, la ciudad de los benjamitas, hicieron el juramento solemne de no dar ninguna de sus hijas como esposa a un benjamita en el futuro, y se dirigieron a todas las familias de Benjamín para decirles: "¿Qué es ese crimen que se ha cometido entre ustedes? Entréguennos de inmediato a todos esos perversos que están en Gibea, para que podamos darles muerte y extirpar el mal del seno de nuestro pueblo". Los benjamitas se negaron a hacerlo, y hubo una terrible guerra civil en Israel, a cuyo término la tribu de Benjamín fue casi completamente masacrada, incluyendo a las mujeres y los niños.

—Esta historia que me cuentas es horrible, Hiram, pero no veo qué relación tiene con la ciudad de Silo, a la que me llevas.

—Paciencia, caballero, paciencia. Después de esa matanza, los hijos de Israel sintieron arrepentimiento y decidieron perdonar a los benjamitas. Pero no bastaba perdonarlos, sino que también había que encontrarles esposas, para que pudieran procrear, ya que de lo contrario la tribu de Benjamín desaparecería a corto plazo. De mo-

---

3. Período que se extiende aproximadamente del siglo XIII al siglo XI a.C., marcado al principio por las conquistas de Josué, y luego por las guerras contra los filisteos, y que terminó con el advenimiento de Saúl, que inauguró el período llamado de los Reyes.

do que todos los jefes de tribus que habían jurado frente al Eterno, en Mispa, no ofrecer sus hijas como esposas a los benjamitas, fueron a buscar cuatrocientas vírgenes entre los galaaditas,4 en la ciudad de Jabes, las llevaron a Silo y les hicieron saber a los benjamitas que, si aceptaban hacer la paz, les darían esas cuatrocientas esposas.

—¿Y los benjamitas aceptaron? —preguntó Marcelo.

—No dudaron un solo instante, pero hicieron notar que cuatrocientas mujeres no eran suficientes, ya que todas las mujeres benjamitas habían sido asesinadas durante la guerra.

—Entonces ¿qué solución encontraron los jefes del pueblo de Dios a ese problema?

—Los ancianos de la asamblea de tribus les dijeron a los de la tribu de Benjamín: "Todos los años, en Silo, en el territorio de la tribu de Efraín, se celebra una fiesta en honor del Eterno. Vayan a esconderse en los viñedos, en emboscada. Y cuando las muchachas de Silo salgan para ir a bailar, salgan de los viñedos y rapten cada uno a una muchacha para convertirla en su esposa. Si sus padres y sus hermanos vienen a quejarse ante nosotros, y nos acusan de haber violado el juramento hecho por todas las tribus de Israel concerniente al matrimonio de sus muchachas con un benjamita, les diremos que no somos nosotros quienes se las hemos dado a ustedes". Así se hizo: los hijos de Benjamín raptaron a las bailarinas, se casaron con ellas y reconstruyeron sus ciudades. ¿Qué piensas de esto, señor caballero?

—Pienso que es contrario a las reglas del honor.

—No es lo que pensó Rómulo cuando hizo raptar a las sabinas para darlas como esposas a su pueblo...

Marcelo lanzó una carcajada sincera:

—¡No había pensado en eso! Y ahora, démonos prisa, porque no quisiera llegar demasiado tarde a Jerusalén.

—Ya hemos hecho la mitad del camino bajo el sol, y todavía no es mediodía. Te propongo trotar sólo una hora más y detenernos en Betel.

—Betel... Ya me mencionaste ese nombre, cuando llegamos a

---

4. Región que estaba bajo el control romano, situada al este del Jordán, que no formaba parte de los territorios correspondientes a las tribus de Israel.

Siquem. Déjame recordar... ¿no es el lugar en el cual el Eterno le renovó a Jacob la promesa que le había hecho a su abuelo Abraham?

—Tienes buena memoria, caballero.

Era un poco más de mediodía cuando Marcelo e Hiram llegaron, hambrientos y sedientos, a Betel. La temperatura era agradable a pesar de la cercanía del invierno, el sol brillaba en el cielo, la higuera bajo la cual se habían sentado tenía todavía algunos hermosos higos blancos que no pedían más que ser cortados. Hiram sacó de uno de sus bolsos unos panes chatos y redondos: la comida de los dos viajeros fue muy frugal, y después de haber comido su último pan, Marcelo le dijo al fenicio:

—Entonces, Hiram, ¿no olvidaste tu promesa?

—¿Qué promesa, señor caballero?

—La de mostrarme el famoso monumento de piedra que Jacob levantó en el lugar donde Dios le habló...

—Jacob era hijo de Isaac y nieto de Abraham, y tenía un hermano mayor que se llamaba Esaú. Cuando era muy joven, como es sabido, le compró su derecho de primogenitura a Isaac pagándole con un plato de lentejas. En el camino hacia el sur de Palestina, donde se reuniría con su padre, pasó por el lugar en el que estamos ahora, al caer el sol. Decidió pernoctar aquí, y tomó una piedra para apoyar su cabeza. Durante el sueño, tuvo la visión de una escala apoyada en la tierra y cuya cima tocaba el cielo, por la que incesantemente subían y bajaban ángeles. Entonces el Eterno, que estaba en la parte más alta de la escalera, le dijo: "*Yo soy el Eterno, el Dios de tu padre Abraham y el Dios de Isaac. La tierra en que estás acostado te la doy para ti y tu descendencia. Tu descendencia será como el polvo de la tierra y te extenderás al poniente y al oriente, al norte y al sur... Mira que yo estoy contigo; te guardaré por doquiera que vayas y te devolveré a este solar*".[5]

—¿Y luego?

—Luego, Jacob despertó de su sueño, sintió temor y exclamó: "*Así pues, estoy en la casa de Dios y no lo sabía! ¡Qué temible es este lugar: es la puerta del cielo!*". Después, se levantó, tomó la piedra que se había puesto por cabezal, la erigió como estela, derramó aceite sobre ella, y llamó a este lugar Betel.

5. *Génesis* 28, 12-15.

—¿Por qué ese nombre?

—Es una palabra hebrea que significa "casa".

—¿Y dónde está esa famosa piedra?

—A través del tiempo, seguramente fue cubierta por la arena... Pero este lugar donde estamos todavía es llamado "Casa de Dios", y no es por casualidad...

—Dime, Hiram: ¿eres así de crédulo cuando discutes con un cliente?

—No es lo mismo, señor caballero: cuando hablo con un cliente, sé que tratará de decirme que mi carne es mala para pagar menos dinero por ella, y por eso no creo lo que me dice y yo también le miento. Pero Dios no puede mentir y yo creo en Dios, diga lo que diga.

—Pero no es Dios quien te contó la historia de Jacob.

—Está escrita en la Biblia, que es el libro de Dios.

—¡Ah, si los súbditos de Roma obedecieran las leyes del emperador como tú obedeces a la Biblia, Hiram —dijo Marcelo sonriendo—, qué fácil sería la vida para nosotros, que debemos aplicarlas! Y ahora, ¡partamos hacia Jerusalén! Me gustó mucho este interesante desvío por Silo, pero no debemos perder tiempo.

—No temas, no perderemos más tiempo. Dentro de diez minutos estaremos nuevamente en la ruta principal que dejamos al salir de Gibea.

En efecto, tomaron esa ruta al pie de una pequeña colina, salpicada de fincas y huertos, en la cual, según explicó Hiram, los judíos solían reunirse antiguamente en tiempos de crisis: "Es la colina de Imwas, que ustedes, los romanos, llaman Emaús", le dijo.

Cuanto más se acercaban ambos jinetes a Jerusalén, más locuaz se volvía Hiram, pues le venían a la memoria los acontecimientos de la historia reciente de Judea:

—Todos los grandes imperios de la tierra han envidiado nuestra maravillosa Palestina —le explicó a Marcelo—: los persas, los macedonios, los romanos. Y la ruta que lleva a Jerusalén es para el pueblo de Israel un camino lleno de recuerdos gloriosos y trágicos. ¡Quiera Dios que la paz romana instaurada por Pompeyo, por César, y ahora por Augusto, no termine nunca!

—¿Por qué dices *nuestra* Palestina? Tú eres judío de religión, pero tu patria es Fenicia, y ustedes viven en paz, al pie del monte Líbano.

—La paz romana, señor caballero, es muy relativa. No será eterna: la dinastía parta está a punto de transformar nuevamente a Persia en una gran potencia y, créeme, hará temblar a Roma, en Oriente.

—¿Dónde podría hacerlo?

—En esa parte del Asia que avanza hacia el Mediterráneo, entre la costa africana y el Puente Euxino.[6] Y tú sabes muy bien que los territorios que más interesan a los persas son Fenicia y Palestina, ya que por allí hay que pasar para ir de Asia a Egipto...

—¿No confías en nuestras legiones?

—¿Acaso tienen ustedes un Pompeyo o un César?

—Tenemos a Augusto, Hiram.

—Lo sé. Pero es mortal, como todos los hombres, y, que yo sepa, no tiene ningún heredero varón.

—Es cierto, pero ya eligió a su sucesor, y te garantizo que tiene agallas.

—¿Quién es?

—Un hijo que su esposa, la emperatriz Livia, tuvo en su primer matrimonio, y que él adoptó: se llama Tiberio. Pero dime, Hiram, está cayendo la noche y no veo que Jerusalén aparezca en el horizonte. ¿Está lejos todavía, la ciudad de David?

—En una hora, más o menos, estaremos allí. Ya estoy viendo las primeras casas de Gibea, donde se inició la guerra civil de la que te hablé.

Marcelo se mostró sorprendido, porque había creído entender que las tribus de Israel reunidas habían incendiado y arrasado la ciudad en la que la mujer del levita había sido violada. Hiram le explicó que la Gibea de Benjamín había sido reconstruida por Saúl, quien había fijado allí su residencia, y que después de la muerte de éste, se la llamó Gibea de Saúl, y luego se convirtió en una fortaleza defensiva para proteger a Jerusalén hacia el norte. A medida que el emisario del emperador y su guía fenicio se aproximaban a la famosa ciudad judía, cuya oscura silueta podían adivinar, más que percibir, a lo lejos, el camino se iba llenando de una muchedumbre

6. El mar Negro. La región a la que alude Hiram corresponde a los territorios actuales de Turquía y Egipto, así como al actual Medio Oriente (Siria, Líbano, Israel, Jordania).

desordenada y ruidosa que se abría paso entre los caballos de los viajeros, los asnos de los aguateros, los corderos de los pastores, las literas de los funcionarios romanos y los carros veloces de algunos militares presurosos.

Todavía era de día cuando los dos hombres ingresaron a Jerusalén por la puerta de los Pescados, así llamada, seguramente, porque hacia ella convergían la ruta que venía de Samaria y la que se unía a la vía Maris que bordeaba la costa mediterránea: por esa puerta llegaban a la mesa de los afortunados jerosolimitanos, los sabrosos pescados provenientes del Mediterráneo. Como todas las puertas de las plazas fortificadas, estaba compuesta por un arco central, por debajo del cual pasaba la ruta que entraba a Jerusalén, y que estaba destinado a permitir el paso de los vehículos, los carros de guerra o los ejércitos, y dos arcos laterales que se levantaban sobre caminos reservados a los peatones y los jinetes. Los dos extremos de ese paso se cerraban con pesadas puertas, bien gruesas. Como buen conocedor, Marcelo admiró el trabajo de los ingenieros y los carpinteros que lo habían construido. Hiram le explicó que los ingenieros seguramente eran griegos y romanos, pero que los carpinteros, los albañiles y los cerrajeros no podían ser otra cosa que judíos, porque las murallas de una Ciudad Santa debían ser levantadas por manos puras.

La muralla de Jerusalén, construida por Herodes el Grande siguiendo el mismo plano de la del rey Ezequías,7 era verdaderamente colosal. Totalmente compuesta por enormes bloques de piedra, muy alta y almenada, estaba reforzada por una cincuentena de torres cuadradas, que tenían siete u ocho puertas semejantes a la de los Pescados —una de ellas, la puerta Dorada, llevaba directamente al Templo—, sin contar las poternas. La muralla medía unos tres mil pasos de perímetro,8 y parecía a prueba de todos los asedios.

Después de atravesar la puerta de los Pescados, Marcelo e Hiram se perdieron en un laberinto de callejuelas más o menos torcidas, zigzagueando entre grupos de casitas bajas, interrumpidas de vez en cuando por escalones de tierra o de piedras que facilitaban la marcha prudente de los asnos y las mulas. La ciudad estaba atrave-

7. Rey de Judá, el reino del sur, de 716 a 687 a.C.
8. Alrededor de 4,5 kilómetros.

sada en toda su longitud por un cauce de agua, casi siempre seco, de fondo pedregoso, que el pueblo llamaba "Valle de los Queseros", y los sacerdotes, *Tyropeon*, que significa exactamente lo mismo: solía llenarse de un agua lodosa y sucia al producirse la menor tormenta, y se prolongaba hasta el otro lado de las murallas de Jerusalén para ir a perderse al desierto de Judea. Otros dos cauces, más anchos, más profundos, y que merecían llamarse barrancos, bordeaban los muros de la ciudad, uno al este, el barranco de Cedrón, y el otro al oeste, el barranco de Hinom,9 donde, entre dos tormentas, se amontonaba la basura de la ciudad.

La parte de la ciudad situada al este del Valle de los Queseros mostraba tres promontorios: la pequeña meseta de *Moriah* (750 metros de altura), donde Salomón había construido el primer Templo, cuya suntuosidad está ampliamente descripta en la Biblia, y que ahora estaba cubierta en su totalidad por el Templo edificado por Herodes; la de *Ofel* (650 metros), donde David había establecido al principio su capital, y la colina de *Sión* (600 metros), a cuyo pie brotaba, fuera de los muros, la *Fuente de la Virgen*. En el exterior de las murallas, del otro lado del Cedrón, se extendía una colina plantada de olivos,10 que eran muy apreciados por los habitantes de Jerusalén por la sombra que daban cuando llegaba la primavera. Los ricos y los poderosos tenían sus mansiones y sus palacios en el suburbio occidental de la ciudad, en la colina *Gareb*, que se elevaba 787 metros, entre el Tyropeon y el valle de Hinom: era la "ciudad alta". Frente a ellas, hacia el norte, encerradas entre el Cedrón y la ruta a Samaria, podían verse las viviendas más modestas de la colina de Bezetha.

—¡Qué ciudad extraña! —le comentó Marcelo a Hiram, después de atravesar la puerta—. Desde afuera sólo se ven los muros, que parecen medir más de cien pies de altura, y podría creerse que se trata de una fortaleza clásica, pero cuando se entra, parece una

9. En los primeros tiempos de Jerusalén, y tal vez incluso antes de su creación, los hebreos idólatras tenían la costumbre de inmolar niños pequeños en el barranco de Hinom (*ge-Hinnom*), que ofrecían al dios Moloch. Seguramente por esta razón, el nombre de ese barranco también se usaba para designar al infierno (*ge-Hinnom*: "*gehenna*").
10. Es el famoso "monte de los Olivos" de los *Evangelios*.

pequeña Roma: las callejuelas malolientes me recuerdan a Suburra, y Sión, Ofel y Moriah, a nuestras colinas romanas, que son al mismo tiempo las más bajas y las más majestuosas. A todo esto, ¿qué significa el nombre *Jerusalén*? ¿Lo sabes, Hiram?

—"La fundación de Shalem".

—¿Shalem?

—Es el nombre de una divinidad antiguamente venerada por bandidos nómadas provenientes de la Mesopotamia, y que tal vez se establecieron por un tiempo en este lugar, llamado, por ese motivo, Jerusalén. Ahora desaparecieron... Entonces, señor caballero, ¿qué hacemos ahora que llegamos a Jerusalén? ¡Tal vez deberíamos pensar en descansar!

Hacía aproximadamente diez días que Marcelo caminaba, trotaba, comía y dormía en la calma de los desiertos o en el ambiente silencioso y caluroso de las ciudades de Palestina: los ruidos, los gritos, los olores y la agitación de la ciudad de David lo aturdían, y, ante todo, sentía la necesidad de una buena cama, en una habitación fresca, tranquila y perfumada, y de un buen baño. En el caos infernal de Jerusalén, sólo podía encontrar esa quietud en el Templo, que tenía la entrada prohibida a un *goi* idólatra como él, o en alguno de los suntuosos palacios de la ciudad, donde estaba seguro de que lo recibirían con los honores correspondientes a su rango, como emisario del emperador Augusto. Sin embargo, Marcelo dudaba en presentarse en el palacio de Herodes, quien estaba a punto de morir en Jericó, o en el palacio de los asmoneos, los antiguos reyes de Jerusalén, que no sabía a qué familia de sumos sacerdotes o sacrificadores había sido entregado. Fue Hiram, el invalorable Hiram, quien salvó al caballero al mismo tiempo de la promiscuidad nauseabunda de las calles y los callejones de Jerusalén, y de los incidentes diplomáticos: le propuso instalarlo en una casa de campo romana que se había hecho construir, fuera de los muros de la ciudad, uno de sus parientes, que había hecho fortuna en el comercio de las alhajas de oro.

—Mi primo —le había dicho Hiram al caballero— viene aquí una vez por año, en el mes de Nisan, en el tiempo de la Pascua. En esa época llegan a Jerusalén miles de peregrinos que vienen a inmolar sus corderos en el Templo, o en uno de los muchos altares preparados para esa circunstancia por los levitas, en los bosquecillos de los alrededores. Él les vende collares, brazaletes, estrellas de David, y otras cosas, y yo...

—Tú les vendes corderos.

—¿Cómo lo sabes?

—Como eres fenicio, no dejarías pasar semejante oportunidad.

—Pero yo respeto el *shabbat*, Marcelo, y no vendo nada durante esos cuatro días. La villa de mi primo está en el corazón de un bosque de olivos, a una hora de camino de Jerusalén. Se ocupan de ella durante todo el año unos esclavos idólatras, y nos atenderán como reyes.

—¿Dónde encuentra oro tu primo, para fabricar joyas?

—Se lo compra a unos piratas cretenses. Y tú, caballero, ¿dónde piensas obtener informaciones para hacerle tu informe al emperador?

La pregunta fue imprevista, pero oportuna, porque desde que supo que Herodes estaba a dos pasos de la muerte, Marcelo se preguntaba a quién debía dirigirse para informarse. Había entendido hacía mucho tiempo que si se producían disturbios en Judea, sin duda serían disturbios religiosos: la intransigencia latente que había percibido intuitivamente en Siquem, la noche anterior, en el rabí Samuel, y también en Matías, el samaritano, había confirmado sus opiniones, y ahora le faltaba conocer la posición oficial del Templo. Por eso, el caballero le respondió al fenicio, sonriendo:

—Seguiré tus consejos, Hiram.

—¿Qué consejos?

—Los que me diste en el camino a Gerasa: iré a ver al vicario del sumo sacerdote.

—¿A rabí Anás?

—Al mismo. Pero no sé cómo hacerlo.

—Es seguro que en este momento, dado el estado de salud de Herodes, el vicario estará viajando constantemente entre Jericó, donde está agonizando el tetrarca, y Jerusalén, donde debe rendirle honores a Arquelao, que en principio será el amo absoluto de Judea, a menos que el emperador decida otra cosa. ¿Quieres que te organice un encuentro con él? Debo entregarle un Águila de oro para el pórtico del Templo, que fue destrozado a hachazos, hace algunos meses, por unos fariseos.

—¿Qué haría yo sin ti? —dijo Marcelo sonriendo—. Iremos a ver el Templo mañana por la mañana, y aprovecharemos, tú, para entregar tu Águila a Anás, y yo, para saludarlo, ya que, como todos los sacerdotes, debe de ser muy susceptible. Luego, tú me lo citarás para pasado mañana a primera hora de la mañana.

—¿Dónde, señor caballero? ¿En el palacio de Herodes?

—Yo creía que Herodes estaba en Jericó.

—Sí, todavía está allí, pero para morir. Las oficinas y el personal administrativo del etnarcado siguen estando en Jerusalén.

—Quiero que nuestra entrevista sea discreta. Pídele que venga a la casa de tu pariente, el vendedor de joyas, al día siguiente a la mañana, a primera hora. A propósito: ¿tu vicario habla latín?

A Hiram le costó mucho trabajo hacerle entender y admitir a Marcelo que casi nadie hablaba latín en Oriente, y menos en Palestina: para todos los pueblos de Asia y África en contacto con Roma, el latín era la lengua del ocupante. Los pueblos asiáticos a los que Roma había impuesto su tutela, como los tirios, los sidonianos, los innumerables pueblos arameos, los sirios, los egipcios, los árabes de Petra o Idumea, despreciaban el idioma de sus vencedores, y en todas partes, la lengua de las clases acomodadas, de los negocios y de la política era el griego. Eso sucedía desde hacía más de trescientos años, desde el fulgurante paso de Alejandro por Asia y Egipto. En todos los demás lugares, ya fuera en Jerusalén, Tiro, Antioquía, Damasco o Gaza, el pueblo hablaba arameo, y en el imperio persa se había convertido incluso en el idioma oficial.

—Pero las leyes y los edictos que promulgamos están en latín —le hizo notar Marcelo.

—Hay un ejército de funcionarios en Fenicia, en Judea y en otras partes, que los traducen al griego y al arameo.

—¡Pero no me vas a hacer creer que no se habla hebreo en Palestina!

—Los campesinos, las personas del pueblo hablan hebreo, pero en la vida corriente, los palestinos hablan arameo.

—¡No dirán también sus oraciones en arameo!

—No, por supuesto. El hebreo es el idioma santo de la Biblia y de las oraciones, de los sacerdotes y los doctores de la Ley, y en la sinagoga, se lee y se recita la Ley en hebreo... ¡a veces, sin entenderlo!

—¿En qué idioma deberé discutir con el vicario del gran sacrificador?

—En griego, como todo el mundo.

—¿Y si llegamos a firmar algún acuerdo, un tratado, por ejemplo? ¿En qué idioma estará redactado?

—En griego para ti, en arameo para él y en hebreo para el Sanedrín. En las sinagogas, los rabinos leen la Ley primero en hebreo, y luego la traducen al arameo.

—¡No se puede decir que ustedes, los judíos, tengan el sentido de lo simple!

—Tenemos el sentido de la santidad, y la santidad no es simple.

Satisfecho por haber tenido la última palabra, Hiram dirigió su caballo hacia la puerta de los Pescados, seguido por el caballero, y una hora más tarde, en el corazón de un bosque de cedros y olivos, entre los mármoles de una casa de campo que no hubiera deslucido a los pinares de Janículo, Marcelo Mucio Escévola, emisario del emperador en Palestina, se quedaba dormido como un niño sobre unos almohadones de plumas, bajo la mirada indiferente de la luna de Judea.

5

Investigación en el mundo de las sectas

6-7 de diciembre, año 749 de Roma
(5 a.C.)

Jerusalén: el Templo, la torre Antonia y el palacio de Herodes – Hiram le entrega un Águila de oro a Anás, vicario del sumo sacerdote Joazar – Visita de Anás a Marcelo, a quien le presenta las tres sectas judías: los saduceos, los fariseos y los esenios – Marcelo y el eremita esenio Banos.

En Palestina, como en Roma, Marcelo se despertaba con las gallinas, los gallos y los asnos: al alba, e incluso antes del alba. Aquella mañana, tuvo que hacer un cambio en sus hábitos, porque el sol ya había salido cuando sonó la campana que lanzó hacia la casa y el jardín del joyero fenicio a una bandada de esclavos provistos de rastrillos, palas, baldes, trapos, esponjas, plumeros y escobas, que lavaron, frotaron y fregaron hasta el último rincón de esa casa en la que había dormido de un tirón hasta ese momento. Apenas salió de la cama, se puso rápidamente sus *calcei*,[1] anudó torpemente sus cordones y, por primera vez desde que había salido de Roma, se echó sobre los hombros una gran toga blanca con la que se envolvió en un instante: estaba listo para cumplir sus deberes de emisario del emperador.

Después de beber a toda prisa un vaso de agua, Marcelo salió precipitadamente de la casa y vio a su guía, risueño y colorado, que lo esperaba en el camino, a pocos pasos. Le presentó su caballo, que había sido cuidadosamente cepillado por experimentados esclavos.

—¿Qué te pasó, Hiram? ¿Tienes fiebre? —le preguntó.

—Me atacó un ejército de mosquitos. Mi cara está tan hinchada que ni siquiera puedo cerrar los ojos.

—¡Así verás más claro! ¡En marcha! Vamos al Templo. ¿Traes tu Águila de oro?

---

1. Calzado de cuero que se ataba con correas entrecruzadas.

—Está en el paquete que llevo cargado en la espalda.

—Entonces, partamos. Tengo prisa por ver ese Templo. Me contarás su historia en el camino.

Era una larga y legendaria historia, que —según los judíos— había comenzado en el Sinaí, cuando Dios le dio a Moisés las dos tablas de piedra sobre las que estaban grabados la Ley y los mandamientos que definían las condiciones de la Alianza hecha por el Eterno con Su pueblo. Por Su orden, las tablas habían sido colocadas en un cofre sagrado de madera de acacia recubierto con hojas de oro, el *Arca de la Alianza*. Los hebreos la habían transportado durante generaciones, en el transcurso de su larga peregrinación, en un santuario portátil, el *Tabernáculo*, que David, el primer gran rey de los judíos, colocó en medio de su tienda, en Jerusalén, donde ese guerrero heroico había proyectado construir un templo para honrar al Eterno. Esa "Casa de Dios" sería construida por su sucesor, el sabio rey Salomón, cuatrocientos ochenta años después de la salida de Egipto de los hijos de Israel: fue el primer Templo, cuya magnificencia superaba a todos los templos de la tierra, afirma la Biblia. Lamentablemente, fue destruido y completamente arrasado por Nabucodonosor, el rey de los babilonios.

Después de que los persas expulsaron a esos invasores, el sátrapa de Judea, Zorobabel, hizo construir un segundo Templo, más modesto, y el monumento que se aprestaba a descubrir Marcelo era el tercer Templo: erigido por Herodes el Grande, quien, según dijo el fenicio, había empleado para esa construcción más de diez mil obreros, superaba en esplendor, decían, al Templo de Salomón.[2] Hiram empezó a describir con términos ditirámbicos al edificio sagrado, que ahora percibía el caballero sobre la colina de Moriah, en el centro de una amplia explanada. Luego le pidió respetuosamente a Marcelo que lo esperara, y se dirigió a pie al Templo, apretando contra su pecho el paquete que contenía el Águila de oro que iba a entregarle al vicario del sumo sacerdote Anás, junto

2. El primer Templo fue destruido en 586 a.C.; el segundo Templo fue destruido en 520-518 a.C; el tercer Templo, el de Herodes, fue destruido en el año 70 d.C., por Tito (hijo del emperador Vespasiano y él mismo emperador en 79-81), durante la mayor rebelión de los judíos contra Roma, en 66-73.

con los respetuosos saludos de su amo, el emisario del emperador. Muy pronto, volvió a descender corriendo, para anunciarle triunfalmente a Marcelo que el vicario del gran sacrificador tendría la extraordinaria bondad de ir a visitarlo a la mañana siguiente, en el lugar y el horario convenidos, y que había pagado muy bien su Águila de oro, con auténticos denarios romanos, contantes y sonantes. Luego se dispuso a hacerle descubrir al caballero lo que llamó "las maravillas" de la Jerusalén de Herodes:

—Es la ciudad más grande del mundo, y la más poblada, señor Marcelo: la capital de la tierra, que cuenta con por lo menos trescientos mil habitantes —exclamó con orgullo.

Marcelo replicó que sólo el camino circular que rodeaba el centro de Roma era cinco veces más largo que el de los muros de Jerusalén, cuya superficie total correspondía apenas a uno de los catorce distritos de la Ciudad Imperial, que el último censo de la *Urbs* ordenado por Augusto había contado allí trescientos veinte mil ciudadanos romanos, sin tomar en cuenta, por supuesto, a las mujeres, los niños y los esclavos, y que el gobernador romano de Damasco calculaba en treinta mil almas solamente la población de Jerusalén y sus alrededores. Pero Hiram no dio su brazo a torcer: la ciudad de David era para él la octava maravilla del mundo, a la que no podían compararse ni Roma, ni Alejandría, ni ninguna otra ciudad del mundo. Y durante todo el día, arrastró al caballero a través de sus callejuelas fangosas y nauseabundas para mostrarle los palacios herodianos que constituían el orgullo de la ciudad: el de los asmoneos, la gran familia sacerdotal que había reinado en Jerusalén antes de la dinastía fundada por Herodes, y que éste había acaparado; el lujoso palacio de mármol del propio Herodes, protegido por cuatro torres de piedra, la mayor de las cuales medía noventa pies de altura, y por último, la torre *Antonia*, la imponente fortaleza que dominaba la colina fuera de los muros de Bezetha.

La noche cayó bruscamente, y puso fin a ese periplo. Marcelo bendijo desde el fondo de su corazón al relojero celeste que había hecho que los días de diciembre fueran los más cortos del año. Como por arte de magia, desaparecieron de las calles, las callejuelas, los callejones, las sendas y los caminos, las multitudes que olían a ajo, a sudor y a veces a incienso, a través de las cuales el caballero había tenido que abrirse paso a codazos durante horas. Ahora podría recuperar finalmente su caballo, que el fenicio había atado a una argolla, cerca de una poterna, y en menos de una hora, volvería al perfumado y silencioso confort de la casa de campo y las enramadas, donde a la mañana siguiente recibiría al vicario del sumo sacerdote, de quien esperaba obtener las informaciones que el emperador le había pedido que recogiera sobre la eventualidad de disturbios religiosos en Judea.

Sólo le restaba pasar una larga y agradable primera noche en Jerusalén.

A la mañana siguiente, bien instalado en una *sella portoria*[3] semejante a las que usaban para hacerse transportar las matronas romanas, Anás, el vicario del sumo sacerdote de Jerusalén ingresaba al bosque de cedros donde lo aguardaba Marcelo. Para visitar al enviado de Augusto, el hombre de Dios se había vestido con su ropa de los días festivos, compuesta por un par de grandes pantalones blancos, anchos, atados a los tobillos con cordeles, y una túnica de lino blanco de mangas largas, confeccionada en una sola pieza, muy abierta adelante, atada a la espalda con cintas, y ceñida a la cintura con un cinturón del ancho de una mano, ricamente bordado. Sobre su túnica, llevaba una sobrepelliz sin mangas, de color violeta, de la que colgaban abajo unas campanillas destinadas a alejar tanto a los demonios como a la gente que se le acercaba. Su cabeza estaba cubierta por un turbante de dos franjas, una blanca y la otra violeta.

Aunque era delgado y todavía ágil, al vicario le costó bastante trabajo salir de la *sella*, y con indiscutible voluptuosidad se tendió sobre el *scimpodium* —la *chaise longue* de los romanos— que Marcelo había preparado para él en la terraza de mármol rosado que adornaba la fachada de la casa.

Anás era más teólogo que sacerdote, y más político que teólogo. Apreciaba la firmeza que había mostrado Herodes el Grande durante su largo reinado, comenzado treinta y tres años atrás, y la ma-

---

3. Silla de manos utilizada en general por mujeres (los hombres se hacían transportar acostados en literas).

nera en que el tetrarca había sabido preservar el separatismo religioso del pueblo judío, tan diferente a los otros pueblos sobre los que Roma había impuesto su dominio precisamente porque eran paganos, y sus costumbres se adaptaban a las leyes romanas. Herodes había logrado mantener la paz civil en Israel, actuando como un general romano; la paz religiosa, manejando con habilidad y firmeza a la clase sacerdotal, y por último, la paz social, uniéndose al partido conservador de la clase rica, en cuyo seno se reclutaban a los sumos sacerdotes, contra los pobres que, excitados por los visionarios y los místicos, reclamaban el retorno a la vida comunitaria de las antiguas tribus. Por todas esas razones, el vicario era sensible al hecho de que un enviado del emperador quisiera consultarlo sobre las diferentes corrientes de pensamiento y religiosidad que se desarrollaban en Judea, entre las cuales las más importantes eran, a su juicio, las que sostenían dos partidos[4] muy influyentes de la sociedad judía: el de los saduceos y el de los fariseos, cuyo enfoque de la Torah y cuya conducta con respecto al ocupante (seléucida o romano) eran diferentes y hasta opuestos.

El partido saduceo, le explicó en primer lugar a Marcelo, había nacido unos cien años atrás, en los medios conservadores de Jerusalén, la clase de los ricos, de los sacerdotes y los funcionarios del Templo. En el plano religioso, esos judíos se atenían estrictamente al espíritu y a la letra de la Ley dictada en el pasado por Dios a Moisés: por eso, al igual que los samaritanos, negaban las ideas de la vida después de la muerte, y de la resurrección, y no creían en la existencia de seres sobrehumanos, como los ángeles, los demonios o los genios. Consideraban, además, que las Escrituras se limitaban a los cinco libros del *Pentateuco*. En el plano moral, los saduceos estaban convencidos de que cada hombre creaba libremente su propio destino, y no admitían la teoría de la predestinación. Por último, rechazaban absolutamente la idea de un Mesías que llegaría un día para salvar a la humanidad.

---

4. El término empleado habitualmente es el de "secta". En realidad, se trataba de verdaderos partidos políticos, con una ideología y una organización que no tenían nada de secreto ni de ritual, como suele suceder en las sectas en general.

—Por eso —terminó Anás—, los saduceos no son hostiles al régimen romano actual, que respeta íntegramente la religión de Israel, con la condición de que los judíos que la practican no alteren el orden público.

—¿Por qué se llaman "saduceos"? —le preguntó Marcelo al vicario del sumo sacerdote.

—Simplemente porque los principales jefes de esa secta pertenecen a la familia de los zadokitas, una gran familia sacerdotal, cuyo ancestro, un tal Zadok, fue sumo sacerdote en tiempos del rey Salomón. De hecho, los saduceos son conservadores absolutos, tanto en el plano político como en el de la religión, y cualquier movimiento popular que reivindique una nueva revelación o un Mesías, les resulta sospechoso. Por eso pregonan la colaboración con el régimen establecido, sea cual fuere, con tal de que no atente contra las tradiciones religiosas de Israel. Para el ocupante romano, son colaboradores ideales: le dicen "sí" a todo al César, siempre que se respete la Torah.

Marcelo tomó buena nota de esas palabras: los disturbios que temía Augusto, si los había, no provendrían de los saduceos, y eventualmente Roma podría apoyarse en ese influyente partido para enfrentarlos.

Completamente distinta le pareció, en cambio, la ideología de los fariseos, de los que le había hablado el rabí Samuel en Siquem. Esos judíos se mantenían "*separados*" de aquellos de sus compatriotas a los que consideraban "impuros" porque no observaban la Torah al pie de la letra, ya fuera por ignorancia, como la gente más humilde (los *am-haaretz*, "la gente de la tierra"), o por vil interés, o para halagar al ocupante. Anás le contó que sus precursores eran los "hombres piadosos" (los *jasidim*) que, en la época en que Israel era una provincia del reino seléucida de Antíoco Epífanes,[5] se habían rebelado contra ese rey bajo la conducción de los cuatro hijos del sumo sacerdote Matatías, Judas Macabeo y sus tres hermanos. A diferencia de los saduceos, los fariseos rechazaban cualquier

5. Descendiente de Seleucos I, lugarteniente de Alejandro, que recibió la fracción asiática del imperio del Conquistador. Antíoco IV Epífanes (175-164 a.C.) era rey de Siria, una de cuyas provincias era, en esa época, Palestina.

compromiso religioso con el ocupante, seléucida o romano, y militaban por un estricto y riguroso respeto a la Ley, de la que muchas veces tomaban la letra antes que el espíritu. En el plano de la práctica religiosa, eso se traducía en una multiplicación de las observancias y un permanente esfuerzo por preservar los ritos y las costumbres de los judíos de toda contaminación ajena. En el plano doctrinal, y contrariamente a sus grandes adversarios, los saduceos conservadores, los fariseos creían en la resurrección, en la existencia de una vida después de la muerte y de un lugar de castigo para los malos, en los ángeles y en los demonios, y en la llegada de un Mesías salvador del mundo.

Estas consideraciones teológicas, que parecían preocupar mucho a Anás, no le interesaban demasiado a Marcelo, que se lo dijo brutalmente:

—Las observancias, el Mesías, los ángeles o los demonios, no son el objeto de mi investigación, Anás, y no tengo nada que ver con las rencillas internas de los rabinos. Lo que me interesa es su comportamiento político: ¿los fariseos están en condiciones de levantarse contra la autoridad establecida, la de Roma en este caso, como lo hicieron los *jasidim* y los Macabeos hace ciento ochenta años? ¿Puedes responder a esta pregunta?

—No creo que sean capaces de llevar a cabo en la actualidad una revolución armada como la de los Macabeos, pero no han perdido las esperanzas de ver renacer un reino judío glorioso en un futuro más o menos próximo. Los fariseos son conscientes del poder romano y, si bien su hostilidad hacia el amo extranjero es irreductible, les interesa más el respeto integral a su religión. No tienen ninguna intención de hacerle la guerra a Augusto, como se la hicieron en el pasado los Macabeos a Antíoco.

—¿Cómo reaccionarían los fariseos si los romanos profanaran su Templo, por ejemplo?

—¡Qué horror estás diciendo, señor Marcelo!

—¿Cómo actuarían?

—Como saben que son demasiado débiles para impedir o vengar semejante crimen, se arrojarían al suelo y tenderían el cuello para reclamar la muerte. Los fariseos son gente de estudio, no de acción. Exégetas de la Torah, y no vengadores de agravios. Su modo de vivir no es ni blando, ni cómodo, sino sencillo: honran tanto a los ancianos que no se atreven a contradecirlos, aunque digan tonterías. Le atribuyen al destino todo lo que sucede, aunque el hombre tenga el poder de aceptarlo o rechazarlo, de modo que, aunque todo se hace por orden de Dios, depende de nuestra voluntad ir hacia la virtud o el vicio. En una palabra: aceptan la adversidad porque es deseada por Dios.

Marcelo, que en su adolescencia se había alimentado con la leche de la filosofía griega, se dijo a sí mismo que esa manera que tenían los fariseos de concebir la libertad humana y la conducta que derivaba de ella, se parecía curiosamente a la manera de pensar de los antiguos estoicos, para quienes *ser libre* significaba *querer la necesidad de las cosas*, pero se cuidó muy bien de hacer notar una semejanza tan audaz. También pensó que, además del "colaboracionismo" activo de los saduceos y la resistencia pasiva de los fariseos, seguramente había lugar para una especie de tercera vía, que podría ser el retorno a la resistencia activa de los Macabeos, y que allí residía el peligro para Roma, que debería señalarle al emperador en su próximo informe. Por último, el caballero se sorprendió de no encontrar ningún rastro de las antiguas doctrinas griegas, como el pitagorismo[6] o el platonismo, en esa Palestina que era un camino casi obligatorio para pasar del Asia anterior griega de los tiempos heroicos a Egipto, donde esas doctrinas habían llegado muy temprano. De modo que le planteó francamente la pregunta al vicario:

—Además de los saduceos y los fariseos, a los que acabas de referirte, Anás, ¿no circulan en Judea otras maneras de pensar que no tengan ninguna relación con las de los profetas de Israel, y que provengan de Grecia, Persia o Egipto?

—No hay nada de eso entre nosotros.

—¿Nunca tuvieron eremitas, o ascetas, o sabios solitarios?

—Oí hablar vagamente de hombres a los que se llama *hasen*, que viven en comunidades en algunos pueblos o en el desierto, e incluso como nómadas.

—¿Qué significa *hasen*? ¿Es una palabra hebrea?

—No, es una palabra aramea: significa "hombre piadoso", aunque algunos los llaman también *hasaim*, los "silenciosos", pero no

---

6. El pitagorismo nació en el siglo VI a.C. en la isla de Samos.

te puedo decir nada más sobre ellos, pues sería un pecado demasiado grande. Si quieres saber más sobre los *hasaim*, caballero, te aconsejo que vayas a ver a un eremita que vive en una colina, sobre la ruta de Efratá, a dos horas de marcha de Jerusalén. Se llama Banos. ¿Conoces el camino a Efratá?

—No. Es la primera vez que vengo a Jerusalén.

—Es un camino que parte de la puerta de la Fuente y lleva a Hebrón y al desierto de Judá, pasando por dos lugares sagrados de nuestra historia, muy conocidos por todos los judíos: la tumba de Raquel, la mujer de Jacob, que está a tres leguas de aquí, a la derecha del camino a Efratá, y Belén, la ciudad natal del rey David, que está muy cerca de allí. Al salir de Jerusalén, dirígete directamente hacia el sur, bordeando un pequeño arroyo, y tras dos horas de marcha, verás a tu derecha, en dirección al poniente, la pequeña colina en la que vive Banos. No es muy alta, y se puede llegar hasta la cima por un pequeño sendero en la ladera. Si llegas a verlo, no le hables de mí: ¡te tiraría piedras! No estamos de acuerdo sobre la interpretación de la Torah. Yo considero que los esenios son heréticos.

—¿Los esenios?

—Sí. Es la palabra con la cual los judíos que hablan latín traducen tanto el arameo *hasán* como el hebreo *hasaim*.7

Después de pronunciar estas palabras, que quizá juzgó imprudentes, el vicario hizo llamar a los que transportaban su silla, y se despidió rápidamente de Marcelo. Éste, después de desayunar sobriamente, decidió ir a visitar, sin más tardanza, al eremita de la pequeña colina.

Banos no le arrojó ninguna piedra. Por el contrario, lo recibió con mucha dulzura, y hasta con cierta afabilidad. Le rogó que lo disculpara por hacer sentar en el suelo, sobre la hierba húmeda, a un personaje de su importancia, y desde el comienzo se adelantó a sus preguntas.8

—Nosotros formamos parte del pueblo judío —dijo—, y vivi-

7. "Esenio" es evidentemente una palabra derivada del latín *esseni*, tomada a su vez del término arameo.

8. El siguiente pasaje sobre los esenios se inspira en Flavio Josefo, a quien debemos todo lo que se sabe sobre esa secta.

mos muy unidos. Nuestra regla de vida es simple: consideramos que las voluptuosidades son vicios de los que se debe huir. La continencia y el dominio de las pasiones son virtudes que nunca se apreciarán demasiado, y estamos en contra del matrimonio.

—Si todo el mundo aplicara esa regla, eso sería el fin de la humanidad, Banos.

—No es lo que nosotros queremos, caballero. Pero tememos la intemperancia de las mujeres, y estamos convencidos de que, tarde o temprano, ellas dejarán la fe. En cambio, nos interesa instruir a los niños, y los recibimos a todos, en la medida de nuestras posibilidades: los educamos en la virtud tan escrupulosamente como si fuéramos sus padres. Despreciamos las riquezas, y ponemos todos nuestros bienes en común: cuando alguien se une a nosotros, se despoja de todo lo que posee, para evitar la vanidad de las riquezas y ahorrarles a los demás la vergüenza de la pobreza, y de esta manera, todos podemos vivir juntos como hermanos.

—¿Tienen prohibiciones?

—Casi ninguna, salvo que nos negamos a ungir nuestro cuerpo con aceite. Si a alguno de nosotros le ocurre eso, limpia inmediatamente ese aceite como lo haría con una mancha. Nos consideramos suficientemente engalanados desde el momento que nos vestimos de blanco.

—¿Cómo está organizada esta sociedad, desde el punto de vista material?

—Nuestros jefes, que son personas de bien, administran todos nuestros ingresos y los distribuyen entre todos, a cada uno según sus necesidades. Y cuando salimos de viaje, no llevamos nada con nosotros, salvo armas para defendernos de los salteadores. En cada ciudad, siempre hay un hermano nuestro que puede recibirnos, alojarnos y alimentarnos. Sólo cambiamos nuestra vestimenta cuando está muy gastada o rota.

—¿Cómo viven en sus "casas"?

—En ellas, nunca hay ningún ruido, ni el menor disturbio, y siempre habla uno por vez: nunca hay discusiones. Nos esforzamos mucho por reprimir nuestras iras, por ayudar a los pobres, y cumplimos todas nuestras promesas sin que sea necesario prestar juramento.

—¿Cómo ordenan su vida?

—Somos muy respetuosos de Dios, y esperamos que despunte el día para hablar de cosas santas. En cuanto sale el sol, le elevamos una plegaria a Dios para agradecerle esa luz que nos envía, y salimos a trabajar en la tarea que nos han asignado. A las once, nos reunimos, nos lavamos el cuerpo con agua fría, tanto en invierno como en verano, y nos retiramos a nuestras celdas, cuya entrada está prohibida a toda persona que no pertenezca a nuestra cofradía. Después de eso, vamos al refectorio, y cuando todos estamos sentados, en un gran silencio, nos traen un pedazo de pan y un pequeño plato,9 un sacerdote bendice la carne y ora en silencio: ninguno de nosotros se atreve a comer antes de que él termine su plegaria. Se dice otra plegaria después de comer, para agradecer a Dios por su generosidad. Luego nos cambiamos los hábitos, y regresamos a nuestros trabajos. A la noche, la cena se desarrolla en la misma forma, pero a veces tenemos huéspedes que comen con nosotros.

—Y fuera de las comidas, ¿cómo viven?

—Vivimos en silencio, y cada uno habla por turno, o cuando es necesario. No hacemos nada sin consultar a los que nos guían, salvo ayudar a los pobres.

—¿Qué clase de actividades realizan?

—Estudiamos cuidadosamente los escritos de los antiguos, especialmente los concernientes a las cosas útiles para el alma y el cuerpo: así adquirimos muchos conocimientos sobre los remedios adecuados para curar a los enfermos, las propiedades benéficas de las plantas, las piedras y los metales.

—¿Quién puede entrar a una de estas comunidades?

—Todos los que quieran adoptar nuestra manera de vivir. Durante un año, viven fuera de nuestras casas: les damos un hacha y un hábito blanco, y aprenden a comer como nosotros, a lavarse con agua fría como nosotros, y a vivir en la continencia. Al final de ese primer año, los novicios son sumergidos en agua fría, siguiendo ciertos ritos. Luego, durante dos años, ponemos a prueba sus costumbres, y si los consideramos dignos de ello, los recibimos definitivamente entre nosotros. Pero antes de sentarse a la mesa con los demás, deben prometer solemnemente honrar y servir a Dios con

9. Una "entrada", diríamos nosotros en la actualidad.

todo su corazón, ser justos con los hombres, no agraviar nunca vo-
luntariamente a nadie, aunque se les ordenara hacerlo, evitar el mal
y a la gente mala, respetar a los demás, y especialmente a los reyes,
porque ellos reciben su poder de Dios. También deben prometer no
abusar nunca de sus poderes —si son llevados a ejercer algún alto
cargo— para maltratar a sus inferiores, mantener siempre en sus
corazones un amor inviolable por la libertad, conservar sus manos
y sus almas puras de robos y de injusticias, no revelarle a nadie los
misterios de nuestra religión, aunque se los amenazara con la
muerte o la tortura, y consignar por escrito en un libro, con el mayor cuidado, la doctrina que se les ha enseñado, así como los nombres de los hermanos de quienes la recibieron.

—¿Y si uno de ustedes los traiciona, y revela los misterios o no
mantiene sus promesas?

—Entonces lo expulsamos de nuestra comunidad.

—¿Cuál es la falta más grave que puede cometer un hombre, en
su opinión?

—Hablar de Dios, nuestro Legislador, con desprecio.

—¿Y cuál sería el castigo?

—La muerte.

—¿Respetan ustedes el *shabbat*?

—Religiosamente, más que todos los demás judíos. Incluso co-
cinamos la carne el día anterior para no vernos obligados a encender fuego en sábado. Y nuestro modo de vida es tan simple, tan natural y tan regular, que los más ancianos de nosotros viven más que
la generalidad de los hombres, y algunos llegan a los cien años.

—¿Y la muerte? ¿Temen a la muerte?

—Despreciamos los males de la tierra, vencemos los tormentos
por medio de la constancia, y preferimos la muerte antes que la vida cuando la causa es honorable: la guerra en la que participamos
contra los romanos demostró, en mil oportunidades, que nuestra
valentía es grande cuando la causa es justa. En ese caso, sabemos
enfrentar el hierro y el fuego, y dejaríamos que quiebren nuestros
huesos antes de decir la menor palabra contra nuestros jefes. En
cuanto a nuestros verdugos, no les tememos, y sonreímos ante la
proximidad de la muerte, porque sabemos que nos hará pasar de esta vida terrenal a una vida mejor.

—¿Creen en la inmortalidad del alma?

—Es una de nuestras creencias más fuertes. Estamos seguros de que, así como nuestros cuerpos son mortales y corruptibles, nuestras almas son inmortales e incorruptibles, y que están encerradas dentro de nuestros cuerpos como en una prisión...

—Ésa es una tesis que sostenía el más grande de nuestros filósofos, Platón: el cuerpo es una tumba, decía.

—Nosotros no conocemos a ese Platón, pero su fórmula es exacta. En cuanto se liberan de esos vínculos carnales que las retienen, las almas de los justos se elevan gozosas por los aires, hasta una región donde no hay ni lluvia, ni nieve, ni calor excesivo, y que un suave céfiro hace siempre agradable, mientras que las de los malos son precipitadas a lugares helados, agitados por eternas tempestades, donde gimen por siempre. En realidad, Marcelo, los justos se hacen mejores en esta vida porque tienen la esperanza de ser felices después de la muerte. Quienes no tienen esa esperanza, se vuelven malos, y su alma sufre eternamente después de su muerte. Y ahora, romano, debo dejarte, porque tengo que asistir a la iniciación de un hermano en Belén. Te deseo una vida larga y pura.

Esta profesión de fe produjo una fuerte impresión en Marcelo. Parecía estar en las antípodas del modo de pensar judío, según se desprendía del debate que había tenido en Siquem con Matías y rabí Samuel. En cambio, no estaba muy lejos de las ideas pitagóricas sobre la metempsicosis, y los principios de una vida en el seno de una comunidad cerrada —de un convento, podría decirse— eran los de las comunidades pitagóricas, que habían aparecido en Alejandría dos siglos atrás, un poco antes de que se crearan las primeras comunidades esenias en Judea. De ahí a inferir un simple contagio ideológico, debido a la proximidad de ambas regiones romanas, no había más que un paso. Pero ¿era ésa una razón para darlo? Prudentemente, como buen informante, Marcelo evitó hacerlo, porque tenía otra explicación posible para ese fenómeno: una explicación persa.

En esa región del Oriente, el imperio persa, cualquiera fuera la dinastía que estuviera en el poder, era en aquel momento el enemigo histórico de Roma, como había sido cinco siglos antes el de las ciudades griegas, y sus emperadores estaban interesados en ejercer presión militar en las fronteras orientales del Imperio romano (y no se privaron de hacerlo en Siria), o en desestabilizar políticamente esa zona sensible que era Palestina, para controlar la ruta de las especias proveniente de Arabia y el acceso a las ricas tierras egipcias. Eso es lo que creía entender Marcelo, y se lo dijo a su fiel Hiram, cuyo sentido común apreciaba:

—¿Qué pensarías tú, amigo, de un judío que respetara todos los ritos prescritos por la Torah, pero que se lavara varias veces al día con agua fría para purificarse, que se vistiera únicamente de blanco, que venerara al sol y evitara los sacrificios sangrientos?

—No necesitas decir más, señor caballero: lo que acabas de pintarme es el retrato de un hereje sumado a un adepto a Zoroastro. ¿Por qué me preguntas eso?

—Porque acabo de encontrar a un hombre que asegura ser un buen judío y se entrega a esas prácticas.

—¡Ah! Ya entendí: encontraste un esenio.

—¿Cómo lo sabes?

—En estos tiempos se ven cada vez más. Algunos son eremitas, que viven aislados en el desierto o en las colinas. Otros viven en comunidades, en casas, y se llaman "hermanos" entre ellos.

—¿Cualquiera puede entrar en esas casas?

—Por supuesto que no. Ante todo, hay que ser judío. Luego, los esenios sólo aceptan en sus casas a niños u hombres adultos, y les cierran las puertas a los jóvenes, pues consideran que ya están pervertidos. Por último, hay que pasar algunas pruebas antes de ser admitido definitivamente.

—Sí, es lo que creí entender hablando con Banos: primero son novicios durante un año, luego pasan por una especie de período de prueba durante dos años, y finalmente prestan juramento y se convierten en "hermanos".

—Más o menos así son las cosas. En una comunidad, hay cuatro grados: el niño, el novicio, el que está a prueba y el hermano. Pero sólo los hombres que llegan al cuarto grado son considerados esenios completos. El grado de "hermano" les es otorgado en una solemne ceremonia, en cuyo transcurso el iniciado que está a prueba presta el juramento del que te habló Banos, luego recibe una vestimenta blanca, un cinturón y una pequeña hacha que no deberá abandonar en toda su vida.

—¿Hay muchos esenios en tu pueblo?

—No muchos: cuatro o cinco mil quizá.

—Anás, el vicario, me dijo que no sabía de dónde provenía el esenismo. ¿Tú qué piensas?

—Algunos dicen que el movimiento tiene orígenes griegos, otros, que viene de Persia, y otros sostienen incluso que las costumbres de los esenios habrían sido importadas a Siria por indios que acompañaron a los ejércitos de Alejandro cuando regresaron a Macedonia.

—¿Y el Templo qué piensa de ellos? Anás no quiso decirme nada al respecto.

—Para el Templo, son judíos, y eso es todo. Pero durante las plegarias, ellos no se mezclan con los demás. En la sinagoga, se les reserva un lugar aparte.

—¿Entonces su presencia en Judea no amenaza provocar disturbios o enfrentamientos?

—No. A esos monjes no les gustan las guerras ni las batallas. Son mansos como corderos, y les horroriza el derramamiento de sangre. De todos los judíos, son los esenios quienes más respetan el sexto mandamiento que fue dado en el monte Sinaí.

—¿Qué dice ese sexto mandamiento?

—*No matarás.*

6

Belén

Enero-mayo, año 750 de Roma
(4 a.C.)

La enfermedad de Herodes el Grande – El censo del pueblo judío ordenado por el gobierno de la provincia de Siria, de la que depende administrativamente Palestina – José y María se empadronan en Belén y hablan de su pasado: el milagroso nacimiento de María, hija de Ana y Joaquín, su infancia en el Templo, su matrimonio virginal con José, la anunciación del ángel Gabriel a María sobre su futuro embarazo – En la gruta de Belén: las comadronas Zahel y Salomé descubren que María, que acaba de dar a luz, sigue siendo virgen; Jesús en el pesebre; los reyes magos – Matanza de los inocentes, ordenada por Herodes – Judas, hijo de Sarifeo, y Matías, hijo de Margalote, destruyen el Águila de oro que adorna el pórtico del Templo: Herodes los condena a muerte junto con cuarenta de sus partidarios, y son quemados en la hoguera; poco después, huida de la Sagrada Familia a Egipto – Muerte de Herodes el Grande en Jericó; se abre la querella sucesoria entre sus descendientes (comienzos de la primavera, año 4 a.C.).

El año 749 de Roma llegaba a su fin. En su palacio de Jericó, adonde se había hecho llevar, lejos de las conspiraciones y las intrigas de Jerusalén, Herodes moría lentamente de una fiebre maligna que lo quemaba y lo devoraba desde el interior. Violentos cólicos le provocaban horribles dolores, sus pies estaban hinchados y lívidos, las partes íntimas de su cuerpo, otrora tan vigoroso, eran devoradas por los parásitos, y debía hacer grandes esfuerzos para respirar: su aliento era tan fétido que nadie se atrevía a acercársele, ni siquiera sus médicos. Los que lo rodeaban contemplaban con espanto al desgraciado príncipe, y cada uno de ellos pensaba secretamente que el mal que lo aquejaba era un castigo que Dios le infligía por sus crueldades pasadas. Sin embargo, nadie en Jericó intentó aprovechar su estado para matarlo. Muy por el contrario: hicieron venir médicos de todas las regiones de Palestina, que le prescribieron bañarse en las aguas calientes y sulfurosas de Galilea, pero como no se lo podía transportar hasta allí, debido a su estado, lo introdujeron en una bañera llena de aceite: esto lo hizo sentir tan mal que los sirvientes encargados de cuidarlo creyeron que exhalaría su último suspiro.

Herodes se aferraba con todas sus fuerzas a la vida que amenazaba abandonarlo. Llamaron a unos magos persas, de los muchos que circulaban en esos tiempos por Siria, Fenicia y Palestina: ellos lograron calmar sus dolores con tisanas de adormideras, que tenían como efecto secundario sumir al enfermo en un sueño profundo del que salía con la mente confusa, pero el cuerpo descansado. El rey aprovechaba esos períodos de remisión para tomar las disposiciones finales y dictar sus últimas voluntades. En particular, como todos los grandes capitanes, pensó en sus soldados y resolvió otorgar a cada uno de ellos una prima de cincuenta dracmas, y a los jefes, bolsas repletas de oro. Pero la enfermedad no había atenuado su dureza hacia quienes creía sus enemigos, y su sed de venganza le proporcionó la energía necesaria para llevar a cabo un crimen tan pérfido como sangriento: mandó que los heraldos proclamaran a través de todo su reino un edicto que ordenaba a los notables judíos del país ir a Jericó, donde él estaba muriendo. Durante los días siguientes, llegaron, pues, al palacio real, a pie, a caballo o en carreta, centenares de jefes de familia, que venían de Golán, de Galilea, de Samaria, de Jerusalén, de Hebrón, y de todas las ciudades de Judea. A medida que llegaban, eran llevados a un recinto cerrado próximo al palacio, bien custodiados, y cuando todos estuvieron reunidos allí, Herodes dio la orden a sus soldados de matarlos con sus flechas, y si no tenían suficientes flechas, que los degollaran. Ni uno solo de ellos pudo escapar a la muerte.

El tetrarca estaba seguro de que el odio que sentían por él sus súbditos judíos era tal que indudablemente su muerte los alegraría. Por eso, no quería darles ese gusto. Al ver que los soldados vacilaban, sin embargo, en ejecutar una orden tan infame, Herodes duplicó la prima que les había prometido, y desde su lecho de enfermo, les dirigió un último discurso:

—Ustedes, que siempre me sirvieron tan fielmente —les dijo—, si actúan como les pido, tendrán la satisfacción no sólo de haber obedecido, por última vez, a su rey, sino también de haberle ofrecido unos funerales y un duelo que permanecerán en todas las memorias.

Y volvió a dormirse, agotado por ese esfuerzo, bajo la mirada atenta de los magos, que quemaban alrededor de su lecho hierbas aromáticas.

En ese mismo momento, en Damasco, el gobernador de Siria, Quirino, recibía desde Roma, donde el emperador se había enterado de que el tetrarca estaba moribundo, la orden de tomar provisoriamente en sus manos los asuntos de Judea que, desde hacía treinta y siete años, eran manejados por Herodes el Grande como déspota absoluto. De allí en adelante, los judíos serían, si no ciudadanos romanos, al menos súbditos de Roma, y en consecuencia, contribuyentes. El primer acto administrativo de Quirino fue, entonces, organizar su censo, para establecer la base tributaria romana. Pero no lo hizo solamente por eso: la sociedad judía, que en sus orígenes había sido nómada y tribal, se había convertido, a través de los siglos, en una sociedad familiar, y el gobernador de una provincia debía saber —aunque fuera con una perspectiva política— cuáles eran los vínculos y las lealtades de cada uno. De ahí el contenido inhabitual del edicto de empadronamiento que hizo proclamar por todas partes a comienzos del año 750 de Roma, que ordenaba a todos los judíos de Galilea, Samaria y Judea, así como a los de Perea, responder al censo sin más tardanza, en las ciudades de donde eran originarias sus casas.

En la práctica, esta prescripción, en apariencia simple, dio lugar a infinitos desórdenes. Sin duda, todos los judíos sabían o creían saber, por tradición, a qué casa pertenecían, y cuál era el lugar en el que se habían establecido en el origen, cuando Josué había repartido el territorio cananeo, mil doscientos años atrás. Pero la mayoría de ellos vivían ahora lejos de la cuna familiar. Algunos, cuyos antepasados se habían establecido, en tiempos del rey David, en Cafarnaún o en Genesaret, vivían ahora en Jerusalén o en Hebrón; y algunos otros, cuyos primeros ancestros conocidos habían nacido al sur de Judea, se habían establecido en Galilea. Por lo tanto, el edicto de Quirino obligaría a miles, decenas de miles de personas, a abandonar sus campos, sus animales, sus actividades, y viajar por las rutas de Palestina, algunas de las cuales estaban plagadas de bandidos, para inscribirse en el registro de un funcionario romano que, casi seguramente, ni siquiera hablaba su idioma. Las vías administrativas son a menudo tan impenetrables como las de la Providencia.

Marcelo fue uno de los primeros en conocer el edicto de Quirino quien, al saber que él se encontraba en Jerusalén, le hizo llegar
el texto a través de un correo especial. Leyó atentamente el texto, y
sonrió para sus adentros imaginando el efecto que tendría un edicto de esas características en Roma, y calculando todas las combina-
ciones electorales a las que podía haberse prestado en tiempos de
Cicerón o de Catilina. Le pidió su opinión a Hiram.

—Los funcionarios, sean romanos o no, son siempre iguales, y
nunca cambiarán —le respondió el fenicio, encogiéndose de hombros—. Están convencidos de que en todo el mundo, los pueblos viven de la misma manera que en Roma. Pero para mí, es una excelente noticia.

—¿Por qué?

—Porque cuando todos esos judíos hayan terminado el viaje
que les impuso Quirino, estaremos en vísperas de la primavera, y
sólo tendrán un deseo: festejar alegremente la llegada de los días
agradables: ¡y yo venderé piernas de cordero! Sobre todo porque
cuando se acerca el equinoccio, los corderos son suculentos. Ya ves,
caballero: lo que me gusta de todas las religiones, son las fiestas,
pues no hay una buena fiesta sin cordero, y...

—... y el rey del cordero es Hiram —completó Marcelo, riendo.

—Gracias por recordarlo, señor caballero. ¿Y tú? ¿Cómo sigue
tu investigación sobre la agitación en Palestina?

—No existe agitación alguna: más bien hay una calma chicha.
Todo el mundo aguarda la muerte del tetrarca para saber cuál será
el papel político de Arquelao después de los funerales de su padre.

—A tu juicio, ¿qué ocurrirá? ¿Conoces las intenciones del emperador?

—Sí, hasta cierto punto: a Augusto le gustaría que Palestina fuera una provincia completamente romana, y la idea de nombrar lisa
y llanamente un procurador le resulta muy interesante. Recuerda
que ya hemos hablado de esto en noviembre, en el camino a Gerasa. Incluso estoy seguro de que el edicto de Quirino es una señal
que anuncia la transformación política que espera Judea: un censo
es una buena oportunidad para enterarse de lo que piensan las personas respecto de quienes las gobiernan.

—Por el momento, a juzgar por los rumores que circulan, los
judíos no están de acuerdo con eso.

—No están de acuerdo, pero obedecen: ¿qué otra cosa quieres que hagan?

En efecto, de todos modos, así como habían obedecido a Herodes durante más de treinta años, los judíos se inclinaban, aunque fuera a regañadientes, ante las voluntades de Quirino. Cada jefe de familia emprendió la ruta que llevaba a la aldea o la ciudad que suponía había sido la de sus antepasados, en el tiempo de los Reyes. La mayoría de ellos partieron solos, a caballo o a lomo de mula, pero algunos de los más humildes hicieron el camino a pie, acompañados por su esposa, o incluso de toda su familia.

Entre estas buenas gentes, había una pareja: él, José, un hombre ya maduro, que llevaba un hacha de carpintero sobre el hombro, y cuya espalda se doblaba bajo una pesada bolsa; ella, María, una muchacha muy joven de apenas dieciséis años, cuyo vientre abultado revelaba una maternidad cercana, sentada entre dos fardos sobre el lomo de un pequeño asno gris. Hacía casi dos semanas que habían dejado las colinas y las cuestas de la lejana Galilea para ir a Belén, porque José era —o al menos, creía ser— de la casa del mismo rey David, cuya tierra natal era ese pueblo, situado a dos o tres horas de marcha de Jerusalén. Durante todo el camino que los había conducido de su modesta casita, perdida en medio de los viñedos y los olivares de las colinas de Galilea, hasta las murallas grises de la capital de Judea, al pie de las cuales trotaba ahora su asno, María no dejó de pensar en su madre, la bella Ana de los brazos blancos y las trenzas morenas, que la había llevado en su vientre siete meses antes de ponerla en el mundo, y que le había contado cien veces, en su infancia, el milagro de su nacimiento.[1]

Joaquín, el padre de María, era el hombre más rico de su pueblo, pero también el más desdichado, porque había llegado a la vejez, y Ana, su esposa, que pertenecía a una familia de levitas originaria de Hebrón, todavía no le había dado ningún hijo. Entonces, al aproximarse la fiesta de la *Dedicación*[2] —*Jánuca*—, Joaquín había

---

1. Las anécdotas citadas en este capítulo están inspiradas en el *Protoevangelio de Santiago.*
2. Fiesta judía que conmemora la purificación del nuevo Templo de Jerusalén por parte de Judas Macabeo, en 165 a.C., y se celebra al final del mes de diciembre. Su rito principal consiste en encender las velas del candelabro

ido a Jerusalén, con algunos de los miembros de su tribu, para llevar sus ofrendas. Pero el sumo sacerdote de entonces, Iscar, había rechazado sus dones, reprochándole por haberse atrevido a ubicarse entre los fecundos, aunque era infecundo: ¿acaso no decían las Escrituras que un judío que no engendraba un hijo varón estaba maldito? Con el corazón lleno de vergüenza, Joaquín fue a refugiarse en el desierto, junto con los pastores que cuidaban sus rebaños, y ayunó durante cuarenta días y cuarenta noches, mientras su esposa lloraba su forzada viudez.

Pero un día, mientras Joaquín estaba triste y solitario, sin sus pastores, cuidando sus ovejas, se le apareció un ángel nimbado de una inmensa luz, y le dijo: "No tengas miedo, Joaquín. He venido a anunciarte que tus plegarias fueron escuchadas: el Señor, que ha visto tu pudor, no te reprocha tu esterilidad, porque él castiga el pecado, pero no la naturaleza. La primera madre de tu pueblo, Sara, la mujer de Abraham, ¿no fue estéril hasta los ochenta años? Y Abraham, ¿no era centenario cuando nació su hijo Isaac? Ten confianza. Tu esposa Ana te dará una hija, y tú le darás el nombre de María. Ella será consagrada al Señor desde su nacimiento, y no vivirá con el pueblo, sino en el templo, al amparo de todas las impurezas y de todo pecado".

La mujer de Joaquín también fue visitada en sueños por un ángel del Eterno, que le habría hablado: "Ana, Ana —le habría dicho—, el Señor escuchó tu plegaria: darás a luz y el mundo entero hablará de tu posteridad. Parte hacia Jerusalén: allí encontrarás a Joaquín, a quien el Señor liberó del desierto". En ese momento, su sirvienta, Jutiné, fue a llevarle una diadema blanca como la que usan los reyes, y le dijo: "Deja de llorar, ama, deja aquí tus ropas de duelo. Cíñete esta diadema en la frente y vé al encuentro de Joaquín".

Durante ese tiempo, Joaquín había llamado a sus pastores y les había dicho: "Tráiganme diez corderos sin tacha y sin defecto para el Señor Dios, doce becerros bien tiernos para el Sanedrín, y cien cabritos para que todo el pueblo festeje conmigo la llegada de mi

---

de oro de siete brazos ubicado en el Tabernáculo, y que simboliza la presencia de Dios.

descendencia". Luego se dirigió, impaciente, a Jerusalén, donde su esposa, Ana, que lo esperaba en la puerta Dorada, se colgó de su cuello, gritando en todas direcciones: "Ahora sé que Dios me bendijo: Ana, la viuda, ya no es viuda; Ana, la estéril, ya no es estéril". Y siete meses más tarde, nació María, que en este momento, a un tiro de flecha de los muros de Jerusalén, temblaba de alegría recordando las palabras de su madre.

—¿Qué sucede, María? —le preguntó José—. Veo que tiemblas. ¿Tienes frío?

—¡Oh, no, no tengo frío, mi dulce José! Pienso en mi madre.

Mientras caminaba junto a su asno, José también se había sumergido en su pasado. A menudo trataba de revivirlo, recordando su primer hacha de carpintero, por ejemplo, o el nombre del primer sacerdote que le había enseñado a amar y a venerar al Eterno, o también la voz ruda de Joaquín cuando llamaba a sus corderos, y la dulce figura de Ana cuando estaba encinta de María. Hacía muchos años que todos esos recuerdos se habían borrado de su memoria como se vuelan las huellas que dejan los camellos en la arena del desierto, una vez que pasó la caravana, pero las últimas palabras de María lo hicieron estremecer, y lo invadió una sensación de indefinible bienestar. De pronto, el frío de la noche le resultaba indiferente, sus piernas ya no estaban pesadas, su boca ya no estaba seca, y hasta la angustia que lo oprimía ante la idea de que María diera a luz fuera de su casita de Galilea, sola, lejos de toda su familia, había desaparecido. ¿De dónde provenía esa inesperada emoción? José se repetía mentalmente las palabras de María que la habían provocado —"Pienso en mi madre"—, para intentar hacerla renacer, pero fue en vano: seguía sintiendo la misma alegría interior, y trataba de conservarla dentro de él, de impedir que se desvaneciera, sin poder descubrir su causa.

De golpe, su corazón latió más rápido, y la razón evidente, resplandeciente, de su dicha apareció frente a él: la figura radiante de Ana se impuso a su conciencia y la llenó por completo. Volvió a verla, cuando un día colocó delicadamente en el suelo a la pequeña María, que acababa de cumplir seis meses, y ésta volvió rápidamente gateando hacia su madre. Entonces, Ana la tomó en sus brazos y le prometió con una voz al mismo tiempo suave y gloriosa: "Tan cierto como que Dios existe, no caminarás en esta tierra impura hasta que yo te lleve al Templo del Eterno". Y ese mismo día, Ana dispuso un rincón de su cuarto, que había convertido en un verdadero santuario, para que su hija no tocara nada que fuera profano o impuro.

Los recuerdos se agolpaban en la memoria del viejo carpintero. Revivió el memorable banquete que Joaquín había ofrecido a los levitas de Galilea y a los habitantes de las aldeas de la región para festejar el primer cumpleaños de María. Oyó la voz grave del gran sacrificador, que bendijo a la criatura en el atrio del Templo: "Dios de las alturas, echa una mirada sobre esta niña y bendícela con una bendición suprema", había dicho, y en sus oídos resonaba todavía el cántico de reconocimiento que había entonado Ana, para agradecer al Eterno que la hubiera hecho fecunda y así hubiera hecho callar a sus enemigos, que se burlaban de su esterilidad: "Escuchen, ustedes, las doce tribus de Israel", cantaba. "Escuchen: ¡Ana está amamantando! ¡Ana amamanta! ¡Aleluya!".

Cuando María cumplió tres años, su padre, Joaquín, la llevó a Jerusalén, al atrio del magnífico Templo que había mandado edificar Herodes, y llamó a todas las hijas de los hebreos que estaban sin mancha, para que se unieran a ellos: "Tome cada una de ustedes una lámpara", les dijo, "y que se enciendan esas lámparas, para que el corazón de María no quede cautivo fuera del Templo del Eterno". Y ahora que se acercaba a Jerusalén, José revivía el espectáculo que tanto lo había conmovido: esa niñita de tres años que subía los escalones del Templo en la noche, rodeada de luz, y la grave alegría del sumo sacerdote que la recibió, le dio un beso y, después de bendecirla, la ubicó en el tercer escalón del altar. Aquella noche, el Eterno había hecho descender su gracia sobre ella. José recordaba que los pequeños pies de María habían comenzado a bailar, que no hizo ningún movimiento para seguir a sus padres cuando ellos salieron del Templo, como lo hubiera hecho cualquier otra niña, y se quedó allí como una paloma en una jaula sin barrotes hasta que cumplió doce años.

—¿Recuerdas el día de tus doce años, María? —le preguntó José a su joven esposa.

—¡Oh, sí! ¡Recuerdo muy bien aquel día!

"Aquel día" no era otro que el día en que María se había vuelto núbil y había sangrado por primera vez. Para los judíos, la sangre de la menstruación era una sustancia impura, que volvía impura a la mujer de la que salía, y cualquier objeto sobre el que ella se sentara se consideraba sucio. Entonces los sacerdotes del Templo se reunieron y deliberaron: ¿qué harían con esa virgen para que no ensuciara el divino santuario con su presencia? Después del debate, se decidió que el sumo sacerdote, Zacarías, revestiría su hábito de ceremonias con doce campanillas, ingresaría en el sanctasanctórum, y le rezaría a Dios para que le inspirara una solución a ese problema. Zacarías entró entonces al sanctasanctórum y empezó a orar, hasta que un ángel del Señor apareció frente a él y le reveló cómo convenía actuar:

—Zacarías, Zacarías, reúne a todos los viudos de Palestina, desde las Aguas de Merom hasta Jerusalén, y dale un ramo a cada uno de ellos: aquél a quien el Eterno muestre una señal, será el guardián de María y la tomará por esposa.

En los días siguientes, los heraldos recorrieron el país para convocar a los hombres que ya no tenían esposa: José, que era viudo, guardó sus herramientas, dejó su hacha de carpintero y se dirigió al Templo, así como todos los demás viudos de Israel. El sumo sacerdote se encerró en el sanctasanctórum, donde le rezó largamente al Eterno. Luego salió al atrio y distribuyó los ramos. José recibió el último ramo, y de él salió una paloma, que se posó sobre su cabeza. "José, éste es el signo", dijo entonces el sumo sacerdote. "Tú cuidarás a la virgen del Eterno". En vano objetó el carpintero que era demasiado viejo para asumir semejante responsabilidad, que ya tenía hijos y que sería el hazmerreír de todo el país. "Teme a Dios, José", replicó Zacarías, "y recuerda que Él entierra a todos los que se le resisten".

—No pude resistir al Eterno, María —dijo José—. Te recibí del Templo, te tomé bajo mi custodia, te respeté, y cuando partí hacia mi trabajo, te dejé en mi casa, bajo la protección del Eterno. ¡Ah, María! ¡Cuando pienso en la niñita que eras entonces, los ojos se me llenan de lágrimas!

María también se acordaba. José la había instalado en la casa que había construido con sus propias manos en las colinas, cerca de la fuente de un pequeño pueblo. Luego se había ido con su asno y su hacha de carpintero a las montañas de Galilea, donde permaneció tres años cortando árboles, serruchando ramas, cepillando madera, construyendo estructuras, siempre pensando en María, que crecía lejos de él.

Durante su ausencia, había sesionado en Jerusalén un consejo de sacerdotes que decidió confeccionar un velo para el Templo, destinado a separar el sanctasanctórum —donde oficiaban los sacerdotes— del resto del santuario iluminado por las llamas de las lámparas y las velas encendidas por los fieles. Como esa obra exigía ser ejecutada por manos de una pureza virginal, Zacarías envió servidores a través de todo el país, diciéndoles: "Encuéntrenme vírgenes sin tacha de la casa de David y tráiganmelas". Los servidores fueron en busca de las vírgenes y encontraron siete, que llevaron al Templo, pero ella, María, no estaba entre ellas. El gran sacrificador lo notó y ordenó que la llevaran también a ella. Y cuando las ocho vírgenes estuvieron reunidas, Zacarías les dijo: "Echen a suerte quién hilará el oro, el amianto, el lino, la seda, la escarlata y la púrpura".

—Echamos suertes —le contó María a José— y a mí me tocaron la verdadera púrpura y la escarlata: creo que fue en ese momento cuando Zacarías se volvió mudo.

—Tu memoria te engaña, María. El gran sacrificador perdió la voz algunos días más tarde, cuando fue designado por la suerte[3] para hacer la ofrenda del incienso para el Eterno. Ingresó, pues, al sanctasanctórum, mientras la multitud de fieles estaba afuera orando, y se dirigió lentamente al altar de los perfumes para quemar allí el incienso. En el momento en que acercaba la mecha encendida al vaso ritual, se le apareció un ángel del Señor, a la derecha del altar, y le dijo: "Zacarías, tu esposa, Isabel, a la que creías estéril, te dará un hijo, que será para ti una fuente de alegría, porque será grande ante el Eterno". Zacarías le respondió temblando de pavor que eso era algo imposible, porque él era viejo, y su mujer, Isabel, ya no era

---

3. En esa época, los sacerdotes encargados del servicio del Templo eran los aaronitas (descendientes de Aarón, el hermano de Moisés). Estaban divididos en veinticuatro clases, y cada una de ellas contaba con alrededor de trescientos miembros. De un shabbat al shabbat siguiente, durante una semana, cada clase se encargaba por turno de ese servicio, que consistía en mantener encendidas las lámparas de aceite que ardían día y noche, inmolar a las víctimas en el altar de los sacrificios, y proceder dos veces por día a la ofrenda del incienso. Esta ofrenda era realizada por un sacerdote, elegido al azar, que, solo en el sanctasanctórum, le rezaba al Eterno, mientras se elevaba hacia lo alto el humo piadoso del incienso.

muy joven tampoco. El ángel replicó que sin embargo así sería: "Soy Gabriel", le dijo severamente, "y he sido enviado por Dios para anunciarte esta buena nueva, pero puesto que no me crees, te volverás mudo a partir de ahora, y sólo recuperarás la palabra cuando esas cosas se cumplan".

—¿Y entonces?

—Entonces, María, cuando Zacarías apareció en el atrio del Templo, el pueblo, que lo esperaba y que estaba sorprendido de que hubiera permanecido tanto tiempo dentro del santuario, comprendió que un prodigio había sucedido mientras él oraba, o que el sumo sacerdote había tenido una visión, porque les hacía grandes gestos con las manos y de su boca no salía sonido alguno: Zacarías se había vuelto mudo. Algún tiempo después, Isabel quedó embarazada, como lo había anunciado el ángel Gabriel. En ese momento, los sacerdotes de Jerusalén decidieron confeccionar un velo para el Templo, y tú empezaste a tejer la púrpura y la escarlata. Yo estaba orgulloso de ti, ¿sabes? Yo, el pequeño carpintero de Galilea, tenía una mujer que trabajaba para el Templo de Jerusalén.

—Es curioso, mi dulce José, pero tengo la impresión de que todos esos hechos que acabas de contarme se produjeron hace muchísimo tiempo, y en realidad mi prima Isabel dio a luz un niño en el pasado otoño, hace poco más de cinco meses.

—¡Zacarías debe de sentirse feliz! ¿Cómo se llama ese hijo del otoño que es, en cierto modo, tu sobrino segundo, ya que es el hijo de tu prima?

—Cuando fueron al Templo para circuncidarlo, el octavo día después de su nacimiento —relató María—, los sacerdotes querían llamarlo Zacarías, como su padre. Pero Isabel se negó: ella quería llamarlo Juan. Los sacerdotes le hicieron notar que no había nadie, en su familia, que llevara ese nombre, y se dirigieron a Zacarías, que seguía mudo desde que había sido visitado por el ángel Gabriel. Le alcanzaron una tablilla de cera, sobre la cual el antiguo sumo sacerdote escribió, sin vacilar y ante la gran sorpresa de la asistencia: "Juan será su nombre". Y en el mismo momento en que Zacarías terminaba de grabar sobre la tablilla el nombre de Juan, su boca se abrió, se destrabó su lengua, y empezó a hablar bendiciendo a Dios. El temor se apoderó de la gente, y en todas las montañas de Judea, no se habló de otra cosa que de ese nuevo milagro.

—Pero a nuestro hijo, ¿qué nombre le daremos? —preguntó María.

—Todavía no lo pensé —respondió José—. Dejemos que el Señor Dios nos inspire.

—Estoy segura de que Él nos inspirará.

—¿Cómo lo sabes?

—Él me lo dijo.

—Estás blasfemando, María.

—No estoy blasfemando, José: el Señor Dios me lo dijo, pero nunca me atreví a confesártelo.

—Falta confesada es a medias perdonada, María. Pero explícame de qué se trata.

—Fue en la época en que tejía para el Templo, en agosto pasado, mientras tú todavía estabas lejos, trabajando en las construcciones. Me acuerdo perfectamente, porque mi prima Isabel había entrado en su sexto mes de embarazo. Yo había salido con mi cántaro para buscar agua, cuando oí una voz que me decía: "Ave María, llena eres de gracia, el Señor está contigo, bendita eres entre todas las mujeres". Tuve mucho miedo y miré a la derecha y a la izquierda de la fuente para ver de dónde venía la voz, pero no vi a nadie. Entonces, volví temblando a nuestra casa, dejé mi cántaro en el piso, me senté en una silla y empecé a hilar la púrpura. No sé cómo explicártelo, pero tenía la sensación de una presencia junto a mí.

—¿Cómo es eso?

—Sentía confusamente que no estaba sola, que había alguien escondido en la habitación y me miraba hilar. De pronto, al levantar la vista, vi un ángel que me observaba y que me dijo: "Ave María, llena eres de gracia, el Señor está contigo, bendita eres entre todas las mujeres, pues Dios te ha favorecido. Concebirás y darás a luz un hijo, y le pondrás por nombre Jesús".[4] El ángel también me dijo que ese hijo sería grande, que el Señor le daría el trono de David y que reinaría eternamente sobre la casa de Jacob.

—¿Qué ángel era, María?

—Supe inmediatamente que era el ángel Gabriel, mi dulce José,

---

4. Del nombre hebreo *Ieoshua* (véase *Zacarías* 3, 1: "*Me hizo ver a Ieoshua, el sumo sacerdote*") o *Ieshua* (= Josué; véase *Nehemías* 7, 7 y 8, 7).

y no entiendo por qué lo supe. Entonces le pregunté cómo sería posible que diera a luz si soy virgen y estoy destinada a serlo siempre. Gabriel me contestó: "No hay nada imposible para Dios. Su poder te cubrirá con su sombra, y por eso el niño que nazca será llamado Hijo de Dios, el Altísimo, y él salvará a los hombres de sus pecados".

—¿Qué le respondiste tú al ángel Gabriel?

—Que yo era la servidora del Señor Dios y que se hiciera según su palabra. Luego el ángel desapareció, mis ojos se cerraron por un instante, y olvidé enseguida su visita, su rostro y sus palabras, que ahora acabo de recordar súbitamente. Seguí trabajando tranquilamente la púrpura y la escarlata y, unos días más tarde, le llevé mi labor al sacerdote de nuestra aldea, que me bendijo diciendo: "María, el Señor Dios ha exaltado tu nombre, y serás bendecida entre todas las mujeres entre las generaciones de las generaciones".

—Son muchos milagros en poco tiempo —exclamó José, impresionado por la confesión de María—: la voz junto a la fuente, el ángel Gabriel, esas palabras del sacerdote...

—Y hubo un cuarto milagro, José. Cuando salí de la casa de ese sacerdote, estaba muy contenta por lo que me había dicho, y fui a visitar a mi prima Isabel, que estaba, como te dije, en su sexto mes de embarazo. En cuanto golpeé la puerta, vino a abrirme, feliz de verme, sosteniendo con sus dos manos su vientre abultado, y me dijo: "¿Cómo es posible que la madre de mi Señor venga a visitarme?" Le pregunté por qué decía eso, y me respondió, señalando su vientre con un gesto de la mano: "Cuando llamaste a la puerta, el niño saltó de alegría en mi seno. Eres bendita, bienaventurada María, y bendito es el fruto de tu vientre". Pero como el recuerdo de la visita del ángel y su anuncio se habían borrado de mi memoria, no entendí lo que quería decir mi prima, y elevé los ojos al cielo, diciendo: "¿Quién soy yo, la pequeña María, para que el sacerdote, y ahora mi prima, me bendigan así? ¿Por qué mi presencia hizo saltar al niño que ella lleva en su vientre? ¿Por qué me llamó madre de su Señor? ¿Por qué soy bendita?"

—¿Y cuál fue el cuarto milagro?

—En ese momento no me di cuenta de que había sido un milagro. Pero me quedé tres meses en casa de Isabel, y noté que mi vientre crecía día a día. Entendí que la predicción del ángel Gabriel se había cumplido en el mismo momento en que entré a la casa de mi prima: Dios me había cubierto con su sombra y yo llevaba su hijo. Entonces, temblando de miedo, regresé a nuestra casa de las montañas, donde me oculté de todos: acababa de cumplir dieciséis años, tú estabas ausente desde hacía casi cuatro años, ¡y yo, yo, la virgen consagrada al Eterno, estaba embarazada de tres meses!

María rompió a llorar inclinándose sobre el hombro de José que, también ganado por la emoción de su joven esposa, lloraba con todas las lágrimas de su corazón. El carpintero detuvo su asno, ayudó delicadamente a María a descender de él, tendió sobre el pasto húmedo una gruesa manta y colocó encima dos o tres bultos, sobre los que la hizo sentar. Él se acuclilló junto a ella, calentó sus pequeños pies helados con sus grandes manos, y lloraron así, inmóviles, durante algunos minutos, al costado del camino, sin reparar en los peregrinos y los jinetes que desfilaban frente a ellos.

En ese estado los vieron Marcelo e Hiram, que regresaban de Jericó, adonde habían ido a informarse sobre el estado de salud de Herodes. El romano hizo ademán de dirigir su caballo hacia ellos para preguntarles las causas de su desesperación, y, eventualmente, ayudarlos, pero Hiram lo detuvo:

—Deja tranquilos a esos dos peregrinos, señor caballero —le dijo—. Eso no te incumbe.

—¿Qué dices, Hiram? ¿No me incumbe ayudar a esa pobre gente que está en problemas?

—Tienes todo el derecho, sobre todo porque ese hombre y esa mujer parecen ser buenas personas, pero me has contratado para ser tu informante, y debo prevenirte contra el peligro que representan.

—¿Qué tengo que temer de un anciano cansado y una mujer encinta que llora? ¿Te estás burlando de mí, Hiram?

—De ellos no tienes que temer absolutamente nada, señor caballero, pero sí de las consecuencias políticas que puede tener tu intervención, en tu calidad de representante oficial del emperador.

—Me intrigas. Explícate francamente.

—Esa mujer encinta que llora se llama María. Es la hija de una aaronita, Ana. Una de sus parientas cercanas, Isabel, es la esposa de Zacarías, el sumo sacerdote de Jerusalén, cuyo vicario es Anás...

—¿El que me informó sobre las sectas judías?

—El mismo. Esas dos mujeres, Ana e Isabel, tuvieron el mismo destino: la primera se casó con un galileo riquísimo, mucho mayor que ella, un tal Joaquín, que pasaba el tiempo en las montañas con sus rebaños, y la segunda se casó con el sumo sacerdote, que no se ocupa precisamente de fruslerías...

—Es una manera insultante de referirse a un sumo sacerdote, Hiram.

—Insultante, puede ser. Pero es bastante probable que sea la verdad. Como sea, Ana dio a luz a una niña, hace alrededor de dieciséis años, cuando nadie se lo esperaba, y menos que nadie, Joaquín, que hacía mucho tiempo que no se acercaba a ella, y la otra acaba de traer al mundo a un niño, del mismo modo inesperado. Ustedes, los paganos, que no creen en los milagros, darían sus condolencias a Joaquín y a Zacarías por sus infortunios conyugales, pero los judíos creen en los milagros, y dicen que el nacimiento de la hija de Ana —esa María que te inspira tanta compasión — se debió a las plegarias de Joaquín, a quien Dios le consintió un milagro, y que lo mismo ocurrió con Juan, el hijo de Isabel.

—¿Qué relación existe entre esas historias de milagros —que, te lo confieso, para un buen pagano como yo no son más que historias vulgares de maridos engañados— y esta pareja que llora en el camino?

—Lo que les pasó a Zacarías y a Joaquín, también le pasó a este anciano que ves aquí.

—A él también lo...

—¡Deja de insultar a los creyentes, Marcelo! Cuando María concibió al niño que lleva en sus entrañas, hacía cuatro años que no veía a su marido, el viejo José, que trabajaba lejos de su aldea, en alguna parte de Galilea o de Judea...

—¡Ay! ¿Y quién es el padre, esta vez?

—Nosotros, los judíos, pensamos más o menos como ustedes los paganos: ¡algún hombre en cuyos brazos cayó la joven, puesto que el marido la había dejado sola! Pero tanto María como José e Isabel están persuadidos de que el padre es Dios mismo, una pretensión que las autoridades religiosas judías consideran una blasfemia, y por lo tanto, un delito. Lo que quiero decir es que si tú, Marcelo, representante del emperador Augusto, prestas ayuda a esa pareja que llora, tu actitud puede desencadenar una verdadera revuelta en Jerusalén, y entonces Roma deberá despedirse de lograr la estabilidad en Palestina.

—Y todo eso por un asunto de...

—Debes ser reservado en tus expresiones, caballero, y no opinar sobre lo que ignoras. Al insultar a María —algo que aquí le es indiferente a todos, sean judíos o paganos—, insultas a Ana, su madre, y sobre todo, a Isabel, su prima, que es la esposa del sumo sacerdote, a quien le ocurrió más o menos lo mismo. Peor aún: desde su nacimiento, María fue considerada por el Templo como la virgen más pura de Israel, y ella es quien tejió la púrpura y la escarlata del velo que separa al sanctasanctórum de los fieles. ¿Te imaginas los problemas que podría causar tu gesto en Jerusalén? Dos o tres torpezas de esa clase, y los judíos llamarán en su auxilio a los persas, que sólo necesitan un pretexto para intervenir en Palestina.

—¡Caramba! Tienes pasta de gran político, Hiram. No mezclemos a Roma con estas historias: dominaré mis impulsos caritativos. Pero, ya que pareces estar al corriente de tantas cosas, ¿sabes cuál fue la reacción de José cuando encontró a su mujer encinta de no se sabe quién después de cuatro años de ausencia, y cómo tomó las cosas el Templo?

—Lo sé por rumores, porque este asunto que, en Roma o en Damasco, no habría sido más que un caso banal y sin importancia, provocó un verdadero escándalo en Jerusalén, por el papel que desempeñó el Templo en la educación de María. Ella vivió allí entre los tres y los doce años, en un estado de absoluta pureza, y luego fue confiada solemnemente a la guarda de José, que prometió respetar su pureza. Cuando regresó de su trabajo en las construcciones después de cuatro años, entró a su casa y encontró a su mujer embarazada ya de seis meses, tuvo una verdadera crisis de desesperación, que los habitantes de su aldea todavía recuerdan, y muchos de ellos me lo contaron. Se golpeó el rostro, se arrojó al suelo llorando, sobre la bolsa que le servía de cama, indiferente a todos sus antiguos amigos, que llegaron atraídos por sus sollozos: "¿Cómo podré levantar nunca mi rostro hacia el Eterno?", decía entre dos crisis de llanto. "¡He recibido a María virgen del Templo, y no pude conservar su virginidad! ¿Quién cometió este crimen? ¿Quién me raptó a María y la deshonró? ¿Es la misma serpiente que sedujo durante el sueño a Adán?" Luego se levantó y llamó a María junto a él: "Tú que fuiste mimada por Dios, ¿por qué hiciste esto? ¿Por qué traicionaste al Eterno? ¿Por qué humillaste tu alma?" Ella le contestó lloran-

do que era pura, que jamás se había acercado a ningún hombre.
"¿De dónde viene entonces lo que llevas en tu seno?" "Tan cierto como que Dios existe, no sé de dónde vino a mí". Entonces José se puso a reflexionar sobre la conducta que debía seguir. ¿Debería ocultar la falta? Eso sería volverse cómplice, y por lo tanto, despreciar la
Ley de Moisés. ¿Debería denunciarla? Eso significaría la muerte para María, pero si ella estaba encinta de un ángel, él estaría entregando a una inocente en manos del verdugo, y eso sería peor aún. Y en
realidad le parecía inocente esa María que sollozaba frente a él ju-
rando que era pura, que no había conocido a ningún hombre, y que
no entendía qué le había pasado. Poco a poco los llantos del anciano y de su joven esposa se calmaron, pero las cosas no podían quedar así, porque José tenía que justificarse ante el Templo, y la pareja confesó su desconcierto a los sacerdotes de Jerusalén. Éstos
empezaron diciéndole severamente: "José, devuelve la virgen que
recibiste del Templo cuando tenía doce años. Has consumado el
matrimonio, cuando habías jurado respetar a la joven que Dios te
había confiado". Y como él aseguraba su inocencia y su ignorancia,
le hicieron beber el agua de la prueba, y también a María, y luego,
los jueces del Templo los enviaron al desierto. Regresaron sanos y
salvos, uno después del otro, y el sumo sacerdote dio a conocer por
fin su sentencia: "Si el Eterno, nuestro Dios, no quiso hacer mani-
fiesta la culpa de ustedes, yo tampoco. No los condeno", dijo. Y envió a José y María de regreso a su casa, adonde retornaron felices y
glorificando a Yahveh, el Dios de Israel.

Cuando Hiram terminó sus explicaciones, Marcelo observó que
José, María y su asno habían desaparecido. Hiram se adelantó para
preguntar por dónde se habían ido a otros judíos que llegaban a Galilea para el censo. Finalmente encontró a algunos que conocían al
carpintero, y ellos le informaron que José había tomado el camino
a Belén, donde se haría censar junto con dos de sus hijos, Judá y Samuel —que había tenido en un primer matrimonio—, y con María,
su esposa.

Belén. Esa localidad histórica donde, según se decía, había visto
la luz el rey David, era en esa época más un pequeño pueblo que
una aldea, y para llegar hasta allí, José había tenido que tomar un

pequeño camino que se desviaba de la gran ruta que llevaba a Jerusalén. Hizo sentar a María sobre su asno, que Judá llevaba por la brida, y Samuel iba detrás de ellos. José caminaba adelante, con gallardía, a pesar de su edad, y de vez en cuando se volvía para mirar a María. A veces la veía triste, y pensaba que se sentía mal por su embarazo, y a veces la veía sonreír. Intrigado, le preguntó por qué cambiaba de humor con tanta frecuencia, y ella le respondió:

—Porque al observar a tus dos hijos, me parece tener ante mi vista a dos pueblos, mi dulce José: uno que llora y se lamenta, y el otro que se alegra y se regocija. El primero es el pueblo de Israel, que se alejó de Dios, y el otro es el de los gentiles, que se acerca lentamente al Eterno. ¿Acaso no le prometió Dios a nuestro padre común, Abraham, que "en él serían bendecidas todas las naciones de la tierra"?[5]

Pero mientras hablaba, María hacía muecas de dolor, y le dijo a su esposo:

—José, ayúdame a bajar del asno, porque siento que el ser que está dentro de mí pugna por salir.

José hizo detener al animal, ayudó a María a descender y la llevó a una gruta totalmente desprovista de luz. Sin embargo, dicen algunos que en cuanto entró María, toda la gruta empezó a brillar, como si con ella también hubiera entrado el sol, y en el tiempo que siguió, no se apagó ni de día ni de noche. José dejó a María al cuidado de sus dos hijos y salió hacia la localidad de Belén, para buscar a una comadrona.

Fue entonces cuando vivió una extraña experiencia. Estaba caminando, pero tenía la impresión de no caminar. Alzó los ojos hacia las aves del cielo, pero las aves no volaban. Miró hacia el campo, y vio una escudilla en la hierba y obreros recostados como si estuvieran comiendo, pero sus manos no se movían; tenían pan en la boca, pero no masticaban. Vio un rebaño de corderos guiados por un pastor, pero el pastor y los corderos no avanzaban, y los cabritos que tenían el hocico en el agua de un arroyo, no bebían. Y de pronto, todo volvió a animarse y recobró la vida.

Entonces vio a una mujer que bajaba de la montaña y se dirigía hacia él, y que le dijo:

—Hombre, ¿adónde vas así?

5. *Génesis* 18, 18.

—Busco una comadrona judía —contestó él.

—¿Perteneces al pueblo de Israel?

—Sí.

—¿Quién es la mujer que está a punto de dar a luz en la gruta de Belén?

—Es mi novia.

—¿No es tu esposa?

—No. Es María, la que fue educada hasta los doce años en el Templo del Eterno. Yo he sido designado por la suerte para que fuera mi esposa, pero no lo fue. El niño que lleva en su vientre es fruto del Espíritu Santo.

—¿Es verdad lo que me dices?

—Ven a verlo tú misma.

La comadrona, que se llamaba Zahel, fue con José hasta la gruta, que estaba envuelta en una nube luminosa. Cuando se acercaron a la entrada de la gruta, la nube se retiró y apareció una gran luz, que provenía del interior, tan brillante que Zahel y José debieron cerrar los ojos para no enceguecer. Luego, de golpe, la luz desapareció, dejando ver a un recién nacido que mamaba del pecho de su madre, María. José se acercó y le dijo a su joven mujer:

—Vine con la comadrona Zahel, pero ella no puede entrar a la gruta porque la luz es demasiado intensa.

Ante estas palabras, María esbozó una sonrisa.

—No sonrías —le dijo José—. Zahel vino a examinarte para ver si necesitas que te preste ayuda.

María invitó a la comadrona a entrar, y siempre sonriente, se dejó examinar.

—¡Señor Dios! —exclamó Zahel—. ¡Perdón! Ningún médico ha visto ni puede haber imaginado que los senos de una parturienta estuvieran tan llenos de leche, mientras que el niño que acaba de nacer no tiene ninguna mancha de sangre y la mujer no ha sufrido ningún dolor. Es una virgen la que dio a luz, y después del parto, sigue siendo virgen.

Zahel, muy emocionada, salió de la gruta, y mientras se alejaba, se cruzó con Salomé, otra comadrona, que había llegado hasta allí atraída por la nube luminosa:

—¡Salomé! ¡Salomé! —le dijo—. Tengo que contarte un milagro: ¡una virgen acaba de dar a luz, y sigue siendo virgen!

—No puedo creer semejante cosa, a menos que la confirme por mí misma —respondió Salomé.

Luego se acercó a María y le dijo:

—Permite que yo también te examine, porque tengo una gran discusión con Zahel.

María, siempre sonriente, la autorizó. Se preparó en consecuencia y Salomé la revisó con su mano derecha, como lo hacen las comadronas. Pero en cuanto retiró su mano, ésta se secó repentinamente, como si acabara de quemarse con fuego. Salomé lanzó un grito, cayó de rodillas e invocó al Eterno:

—¡Dios de mis padres, acuérdate de mí! Tú sabes que siempre te he temido, que siempre curé a los pobres sin pedirles que me pagaran, que nunca acepté nada de la viuda o del huérfano, que jamás dejé que un desdichado se fuera de mi casa con las manos vacías. Y ahora me volví inválida a causa de mi incredulidad. Restitúyeme a los pobres, devuélveme la mano, para que pueda seguir curándolos invocando tu nombre.

Dicen que entonces Salomé vio descender frente a ella a un ángel del Señor, resplandeciente de luz, que le habló así:

—¡Salomé! ¡Salomé! El que es el Amo de todas las cosas escuchó tu plegaria y te concederá lo que pides: acerca tu mano al niño que acaba de nacer y tómalo en tus brazos. Él es el Salvador, el *Jesús* de todos los que confían en él.

Salomé se acercó al niño, tocó el borde de las mantillas que lo envolvían y lo tomó en sus brazos, diciendo:

—Lo adoraré hasta mi último aliento, pues él ha nacido para ser el rey de Israel.

E inmediatamente, Salomé fue curada.

Se dice también que aquella noche, que fue la noche de la Natividad del Salvador, desde el anochecer hasta la mañana siguiente resplandeció en el cielo una gigantesca estrella que brillaba más que todas las demás estrellas y las eclipsaba hasta el punto de que ya no eran visibles.

Mientras estos acontecimientos se desarrollaban en Belén, unos magos que habían salido de Persia interrogaban a las gentes, en Jerusalén, preguntándoles dónde estaba el rey de los judíos, cuya estrella habían visto en Oriente, porque venían a adorarlo. Por su parte, el rey Herodes, que luchaba contra la muerte en su palacio de

Jericó, al enterarse de la llegada de los magos y de las preguntas que hacían, encontró la fuerza suficiente para reunir en torno a su lecho a los principales sacrificadores de cada una de las veinticuatro clases de sacerdotes, así como a los escribas del Templo, cuya función era explicarle la Torah al pueblo. Les preguntó qué estaba escrito con respecto al anunciado Salvador, y en qué lugar debía nacer. Todos le respondieron que era en Belén, según la predicción del profeta Miqueas:

"Y tú, Belén Efratá,
tan pequeña entre los clanes de Judá,
de ti me nacerá
el que debe gobernar a Israel".

Herodes los despidió, y luego interrogó a los magos, preguntándoles qué señal habían visto a propósito del rey de Israel que acababa de nacer. Ellos le contestaron que habían visto una enorme estrella que eclipsaba a todas las demás, que habían llegado a la conclusión de que había nacido un rey para Israel que haría olvidar a todos los otros, y que venían para adorarlo. Entonces el tetrarca les dijo: "Vayan y búsquenlo. Si lo encuentran, avísenme, para que yo también pueda ir a adorarlo". Al decir estas palabras, Herodes mentía, por supuesto. Él quería saber dónde había nacido el rey de los judíos, no para adorarlo, sino para asesinarlo, porque quería transmitirle el poder a su hijo Arquelao, y así lo había escrito en su testamento.

Después de oír las recomendaciones de Herodes, los magos partieron hacia Belén, guiados por la estrella que habían visto por primera vez en Oriente. Entretanto, dos días después del nacimiento de Jesús, María y José habían dejado la gruta en la que había nacido su hijo para cobijarse en un establo. María colocó al niño en un pesebre, y el buey y el asno que se encontraban en el establo, hincando las rodillas, fueron a adorarlo como lo había predicho el profeta Habacuc: "Te manifestarás en medio de los animales". Frente a ese establo se detuvieron los magos, llevando ofrendas de oro, mirra e incienso, y se prosternaron ante el pesebre en el que descansaba el niño Jesús, envuelto en sus mantillas.

—¿Quiénes son ustedes? ¿De dónde vienen? —les preguntaron José y María.

—Somos magos que llegamos de Persia, y venimos por este niño —respondieron.

Entonces María tomó una de las mantillas y se las obsequió. Los magos la aceptaron graciosamente y, advertidos por un ángel de que no debían entrar a Judea, retornaron a su país.

Cuando llegaron a Persia, su rey y sus sacerdotes se reunieron y les preguntaron:

—¿Qué vieron y qué hicieron en Judea? ¿Qué trajeron de allí?

Entonces los magos mostraron la mantilla que les había dado María, y decidieron organizar una fiesta para celebrar ese obsequio. De acuerdo con sus costumbres, hicieron un fuego y arrojaron allí la mantilla, prosternándose ante la hoguera que habían encendido. Pero cuando ésta se apagó, la mantilla estaba intacta: el fuego no la había tocado. Sorprendidos por ese prodigio, los persas adoraron la mantilla como una reliquia, con mucho respeto.

Habían pasado seis días desde el nacimiento del niño Jesús. En la región de Belén había pastores que pasaban las noches en el campo, cuidando sus rebaños para protegerlos de los ladrones. Una noche, se les apareció un ángel, totalmente iluminado por la gloria del Señor. Un gran pavor se apoderó de los pastores, pero el ángel los tranquilizó:

—No tengan miedo —les dijo—: vine a anunciarles una buena noticia. Hoy, en Belén, la ciudad de David, les ha nacido un Salvador, y con este signo lo reconocerán: es un niño pequeño, envuelto en mantillas y acostado en un pesebre, entre un buey y un asno gris.

Luego, súbitamente se unió al ángel una multitud de otros ángeles, que entonaron un cántico de alabanza en honor a Dios, y los pastores partieron inmediatamente hacia Belén para adorar a su vez al Salvador.

No lo encontraron, pues siguiendo la costumbre, el octavo día después del nacimiento de su hijo, José y María lo habían llevado al Templo de Jerusalén, donde el niño fue circuncidado. Le dieron entonces el nombre de Jesús, como le había ordenado el ángel a María incluso antes de que fuera concebido en su seno. Luego fue consagrado al Eterno, como está escrito en la Ley de Moisés, y sus padres ofrecieron para él, en sacrificio, un par de tórtolas y dos pichones de paloma.

Ese bautismo colmó de dicha y felicidad a dos ancianos, un hombre y una mujer, que se encontraban en el templo ese día. El primero era un justo que se llamaba Simeón. Tenía ciento doce años, y Dios le había asegurado que no moriría antes de ver a Cristo, el hijo de Dios. Cuando vio al niño que habían circuncidado, exclamó con fuerte voz:

—¡Dios ha visitado a su pueblo y ha mantenido su promesa!

De inmediato fue a adorar al niño. Lo tomó en su manto, se arrodilló, y le besó los pies diciendo:

—Ahora, Señor, puedes dejar que tu servidor muera en paz, como lo has prometido, porque mis ojos han visto la salvación que preparaste delante de todos los pueblos: luz para iluminar a las naciones paganas y gloria de tu pueblo Israel.[6]

También se encontraba en el Templo ese día la profetisa Ana, hija de Fanuel, una viuda que había llegado a la edad de ochenta y siete años. Ella nunca se apartaba del Templo, donde permanentemente se entregaba al ayuno y la plegaria. Apareció en el mismo momento en que los padres presentaban a Jesús al Señor, se acercó al niño, se puso a dar gracias a Dios y a decir a todos los que esperaban la liberación de Israel que él representaba la redención del siglo.[7]

En cuanto a Marcelo, había regresado a Jerusalén. Le preocupaba la presencia de los magos llegados de Persia, y los rumores que circulaban acerca del nacimiento milagroso de un Salvador lo intrigaban. Como buen pagano, no creía ni en Dios ni en los milagros, pero pensaba que nunca había humo sin fuego.

—Mira, Hiram —le dijo crudamente a su informante fenicio, mientras saboreaba un vaso de vino tinto bien fresco en el jardín de su villa romana—, me tienen absolutamente sin cuidado esas historias de presagios y de nacimiento misterioso, y personalmente, creo que el viejo José no es más que otro marido engañado. Pero lo que me intriga es el nombre que le dio al niño que acaba de nacer: me suena como un grito que convoca: el "Salvador". ¿Qué significa

6. *Lucas* 2, 25-28.
7. *Lucas* 2, 36-38.

eso? ¿De qué o de quién necesitan ser salvados los judíos? ¿De los persas? ¿De los árabes nabateos de Petra? ¿De los romanos? ¿Y por qué empiezan a llamarlo "el descendiente de David" o "el rey de los judíos"? ¿No habrá en Judea algún movimiento nacionalista clandestino que intenta sublevar a la opinión pública contra Roma, ahora que Herodes está a punto de morir?

—Es posible —le contestó Hiram—, porque desde que el tetrarca enfermó, hay muchos que ambicionan el poder: en primer lugar, Arquelao, el heredero designado, pero también sus hermanos, los sacerdotes, los ricos propietarios de ganado, los banqueros...

—No hace falta decir, Hiram, que para tomar el poder en Palestina, no basta con algunos puñales. Hace falta un ejército, aunque más no sea para enfrentar las legiones que inmediatamente enviaría Roma en caso de una sublevación. Y yo estoy aquí para prever esa sublevación. Por eso me preocupa ese "Salvador" o ese "Jesús", no importa en qué idioma se lo nombre...

—¿Tienes miedo de un bebé de ocho días?

—No ironices, Hiram, porque me entendiste perfectamente. No es ese niño lo que me preocupa, sino el nombre que le dieron, con la bendición del Templo: Jerusalén necesitará un gobernante de mano dura en los próximos años. Además, yo no soy el único que se preocupa: Herodes, a pesar de estar agonizando, también desconfía. ¿Viste cómo liquidó a los principales jefes de familia de Judea hace algunas semanas?

—Herodes es un asesino, un tirano.

—Sí, puede decirse que no tiene demasiados escrúpulos, pero la matanza de Jericó muestra a las claras que sospecha algo.

—¿Tú lo apruebas?

—No, no puedo aprobarlo, ni a título personal, ni como representante del emperador. Pero es el eterno problema que se le plantea a un gobernante en este mundo: ¿es mejor sofocar una revuelta en sus inicios matando a un centenar de cabecillas potenciales, o dejar estallar una revolución que provocaría miles de víctimas?

—¿No sería mejor mostrar su fuerza y no usarla?

—Es lo que hace Roma en sus provincias imperiales, pero aquí, en Palestina, casi no hay fuerzas romanas y, después de Pompeyo, sólo hay administradores: Roma contaba casi únicamente con Herodes que, además, es un judío.

—Judío de corta data, caballero. No pertenece a ninguna de las doce tribus: viene de Idumea.

—En cualquier caso, el tema ya está resuelto, Hiram. El tetrarca Herodes puede morir un día de estos, y Judea tendrá un procurador. Lo único que quiero es que el cambio de régimen se haga sin derramamiento de sangre. A propósito, ¿sabes algo de los magos persas de los que tanto se habla en la región?

—¿Cuáles?

—Los que le prometieron a Herodes, hace algunos días, decirle dónde se encontraba ese recién nacido, ese Jesús de ustedes al que acaban de consagrar en el Templo.

—Persia es un país en el cual el asesinato político es un arte. El hecho de que Herodes les haya pedido que regresaran a Jericó les dio mala espina: temieron una trampa y volvieron a Persia por Damasco, sin pasar por Jericó. Según lo que oí decir, el tetrarca está furioso con ellos porque lo engañaron: ¡los está haciendo buscar por toda Judea para condenarlos al descuartizamiento! En este momento, seguramente están en Siria.

—¡Menos mal!

—¿Por qué dices "menos mal"?

—Porque su huida le evita al emperador complicaciones diplomáticas con Persia. Pero en lo que respecta a Jesús, temo que Herodes se vengue sobre el chico, o sobre sus padres.

—Eso es seguro, señor caballero. Ya envió esbirros a Jerusalén para que arresten a la "sagrada familia", como la llama irónicamente, para hacer torturar a Jesús, María y José en público, hasta la muerte, para que a nadie se le ocurra nunca más hacerse llamar "rey de los judíos".

—En eso reconozco su manera de actuar. Quiera Júpiter que no los encuentre.

—¡Oh, no creo que lo haga, señor caballero! Seguramente le avisaron a José del peligro que corría, y en este momento debe de estar escondido en alguna parte.

—¿Crees que habrá vuelto a Galilea?

—No, no creo. Seguro que Herodes dio la orden de bloquear todos los caminos que llevan al norte de Palestina. En mi opinión, en este momento José intentará llegar a la vía Maris, que bordea la costa del Mediterráneo y lleva a Egipto, donde hay muchos judíos, especialmente en Alejandría y en Leontópolis. Las iras de Herodes siempre fueron despiadadas, y si no atrapa a los fugitivos, habrá que esperar lo peor —concluyó Hiram—: ¡Hizo correr mucha sangre ese tetrarca! Mira, aquí viene un mensajero que parece muy cansado —añadió—: seguramente tendremos más noticias.

Marcelo se levantó de un salto, le arrancó el mensaje de las manos y su rostro se puso blanco de ira:

—Tenías razón, Hiram —dijo con voz temblorosa—: la cólera de Herodes está a la altura de su crueldad: acaba de hacer masacrar a todos los niños varones de menos de dos años de Belén y sus alrededores. Es horrible: hay por lo menos cincuenta víctimas.

—Acaba de cumplirse la siniestra profecía de Jeremías —dijo el fenicio, que recitó con voz emocionada los versículos del profeta:

"En Ramá se oyen lamentos,
llantos de amargura:
es Raquel que llora a sus hijos;
ella no quiere ser consolada,
porque ya no existen".[8]

—Esta matanza de inocentes es el último crimen de Herodes, te lo juro, Hiram: si no lo mata la enfermedad que padece, mi espada se encargará de él. Quiera el cielo que José haya podido huir con el recién nacido.

—Ahora está fuera de peligro, estoy seguro —repuso Hiram.

La "sagrada familia", como decía Herodes, había pasado, en efecto, a Egipto, provincia imperial que administraba en ese momento el gobernador Afrodisio. Según los relatos de esa huida, José había tenido una especie de sueño premonitorio. El día anterior a la masacre, se le apareció un ángel en sueños, y le dijo: *"Levántate, toma al niño y a su madre, huye a Egipto y permanece allí hasta que yo te avise, porque Herodes va a buscar al niño para matarlo"*.[9] Y el buen José obedeció: huyó a Egipto con María y el niño.

8. *Jeremías* 31, 15.
9. *Mateo* 2, 13. El relato de la huida a Egipto del siguiente capítulo se encuentra en el *Evangelio apócrifo* del Pseudo-Mateo.

Poco tiempo después, presumiblemente al comienzo de la primavera del año 750 de Roma,[10] Herodes murió finalmente en su palacio de Jericó, después de haber cometido un último crimen: enviar a la hoguera a unos cuarenta jóvenes que, arrastrados por dos fariseos fanáticos —Judas, hijo de Sarifeo, y Matías, hijo de Margalote—, habían profanado el Templo que era uno de sus orgullos.

Esos dos hombres, en extremo escrupulosos, eran escuchados como maestros infalibles por los jóvenes de Jerusalén, a los que prodigaban su saber. Cuando se enteraron de que la enfermedad del rey era incurable, exhortaron a sus discípulos a destruir las obras impías que el rey había ordenado hacer despreciando la Torah y las costumbres de sus antepasados. Los convencieron hábilmente, y con elocuencia, de que nada podía ser más glorioso para ellos que afirmarse como los defensores de su religión, porque todos los males que habían golpeado a la familia de Herodes provenían, sin ninguna duda, del hecho de que ese rey había osado transgredir las leyes inviolables de Moisés, y pisotear las antiguas ordenanzas para establecer otras.

Entre esas obras, la que más chocaba a su conciencia religiosa era una gigantesca Águila de oro que el rey había hecho incrustar sobre el pórtico del Templo, cuando la Ley mosaica prohíbe expresamente exponer cualquier imagen de esa clase. Unos años atrás, ya habían intentado, en vano, destruirla a hachazos, y el Águila dañada había sido reemplazada por otra aún más grande y más brillante, que insultaba con su presencia la santidad del lugar. Judas y Matías encontraron entonces las palabras adecuadas para convencer a sus discípulos de que destruyeran ese ídolo.

—No ignoramos —les dijeron— que la empresa es peligrosa, pero por eso mismo ustedes deben lanzarse a ella con más fervor, pues una muerte gloriosa siempre debe preferirse a la vida, por buena que sea, cuando se trata de defender las leyes del propio pueblo, y eso les valdrá una fama inmortal. Porque los cobardes mueren igual que los generosos, pero los que pierden la vida en acciones nobles tienen el consuelo de dejar a sus descendientes una gloria que no se apagará jamás.

10. En 4 a.C.

Estas enérgicas palabras no habrían bastado para decidir a los jóvenes a quienes estaban dirigidas y que vacilaban todavía, si al mismo tiempo no se hubiera propagado por la ciudad el rumor de la muerte de Herodes. Desde ese momento, en pleno mediodía, bajo un sol de fuego, los discípulos de Judas y Matías subieron con ellos hasta el Templo, arrancaron el Águila de oro del pórtico sobre el que estaba fijada, la arrojaron al suelo y la destrozaron, ante la mirada de la multitud que se había reunido en el atrio. En cuanto se enteró de esto, el general responsable del mantenimiento del orden público en Jerusalén, temiendo que se tratara del comienzo de una sublevación, envió sus tropas, que no tuvieron ninguna dificultad en dispersar a la muchedumbre. Sólo unas cuarenta personas se atrevieron a resistir: fueron detenidas, al igual que Judas y Matías, quienes, valientemente, se habían negado a huir, y fueron llevados a Jericó, ante el rey Herodes.

Contrariamente a los rumores, el tetrarca todavía estaba vivo, y a pesar de su gran debilidad, tenía todavía algunas fases de lucidez, durante las cuales era capaz de manifestar sus caprichos.

—¿De dónde sacaron la audacia para perturbar la santidad del Templo y arrancar esa Águila de oro que consagró el sumo sacerdote? —preguntó a Judas y Matías.

—Hace mucho que tomamos esa resolución —respondieron éstos, hablando en su nombre y en el de los demás prisioneros, con tanta seguridad que nadie podía dudar de que su corazón estaba de acuerdo con su lengua—. Y habríamos sido unos cobardes si no lo hubiéramos hecho. Hemos vengado el ultraje que tú, Herodes, has hecho a Dios y a la sagrada Ley de nuestro pueblo, como sus humildes defensores. ¿Por qué encuentras extraño que, habiéndola recibido de manos de Moisés, quien la recibió a su vez de Dios mismo en el monte Sinaí, la prefiramos a tus ordenanzas y tus edictos? ¿Y crees que tememos las torturas y la muerte a las que nos vas a condenar, cuando esa muerte, en lugar de ser el castigo de un crimen, será la recompensa de nuestra virtud y nuestra devoción?

Herodes comprendió que no sacaría nada más de esos fanáticos y los hizo llevar, encadenados, al hipódromo de Jericó, donde también hizo convocar a todos los notables de Jerusalén y del resto de Judea. Cuando estuvieron todos reunidos, ordenó que lo transportaran hasta allí en litera, porque estaba demasiado debilitado para mantenerse en pie, y les recordó los trabajos y las fatigas que había sufrido por el bien de su pueblo, que era él quien había reconstruido el Templo, destruido por los asirios, para la mayor gloria de Dios, algo que la dinastía de los reyes asmoneos, sus predecesores, no había logrado hacer durante los ciento veinte años que había estado en el poder. Que había construido ciudades y había ejecutado grandes obras en todas partes, y esperaba que su pueblo le estuviera agradecido, incluso después de su inminente muerte, y rindieran honor a su memoria. En vez de eso, terminó, habían esperado que estuviera en el umbral de la muerte para profanar en pleno día, y a la vista de todos, el Templo que él mismo había hecho consagrar a Dios.

Después de escucharlo, los notables alegaron inocencia: ellos no habían contribuido en nada a esa profanación, le dijeron al rey, y pensaban, como él, que ese crimen merecía ser castigado. Ese lenguaje aplacó la cólera de Herodes, que se limitó a nombrar a un nuevo sumo sacerdote, Joazar, en lugar del anterior, que no había sabido impedir la profanación, y condenó a la hoguera a los dos autores de la sedición, Matías y Judas, así como a los cuarenta jóvenes que habían sido arrestados con ellos. Todos fueron quemados ese mismo día en el centro del hipódromo, frente a él. La noche que siguió a la ejecución, hubo un eclipse de luna, como si el astro de la noche hubiera querido taparse el rostro ante tantos horrores acumulados, tanto por los profanadores como por aquel que los había condenado, y que murió pocos días después de ese último crimen.

La desaparición de ese monarca, ese abominable déspota, que sin embargo había sido capaz de mantener durante treinta años a Judea relativamente independiente de Roma y en paz, anunciaba el nacimiento de una nueva era para Israel. Los judíos que se habían dispersado a través del imperio romano y el imperio persa para huir de su tiranía, iban a poder retornar a la Tierra Santa. Quizá pudiera hacerlo también la familia de José, el carpintero, que había desaparecido en los desiertos egipcios algunas semanas antes de la muerte del rey, y de la que nadie se preocupaba ya demasiado. Nuevos tiempos se anunciaban en la región del Jordán.

Sin embargo, Marcelo estaba preocupado. No había olvidado a la pequeña judía que lloraba en los brazos de su anciano marido a la vera del camino, y que había huido a Egipto con su hijo en brazos: ¿habría llegado a buen puerto o habría perecido en los desiertos egipcios? Se confió a Hiram, que circulaba frecuentemente entre Sidón y Jerusalén, en ese período del año, ya que para él, como solía decir, era la época de la carne de cordero.

—Acuérdate de que partieron hacia Egipto —le dijo—. ¿Regresaron a la tierra de Israel?

—Lo ignoro, pero puedo preguntar, si lo deseas. Mañana parto hacia el mar de Galilea, y estoy seguro de que allí encontraré a algún pescador nazareno.

—Gracias por hacerlo. Esa pareja me ha conmovido y me gustaría ayudarla.

—Estaré de regreso en unas dos semanas. ¿No necesitarás mis servicios?

—No. Durante tu ausencia, redactaré mi informe oficial sobre Judea. El emperador lo necesita con urgencia para establecer la nueva organización administrativa y tomar contacto con Arquelao, el nuevo etnarca. No me moveré de Jerusalén, sobre todo porque se acercan los primeros calores del verano, y prefiero pasarlos bajo las enramadas de la casa de campo de tu amigo el joyero, antes que en los caminos.

7

La huida a Egipto

Mayo-diciembre, año 750 de Roma
(4 a.C.)

La huida de la Sagrada Familia a Egipto relatada a Marcelo por un testigo dudo-
so que pretende haberla acompañado – Arquelao se autoproclama rey de los judíos
en Jerusalén; feliz comienzo de su reinado (primavera del año 4 a.C.) – El nuevo
rey de los judíos se niega a rehabilitar la memoria de Judas de Sarifeo, de Matías y
de sus seguidores, exterminados por Herodes poco antes de su muerte; sedición en
Jerusalén: tres mil muertos (fin de la primavera, año 4 a.C.)– Regreso de Marcelo
a Roma: su informe al emperador Augusto sobre la situación política en Jerusalén.

El hombre que estaba de pie frente a Marcelo se llamaba Matías. Era uno de los tres sirvientes que había acompañado a
José durante su huida a Egipto. Él se había vuelto antes, solo,
en cuanto se enteró de la muerte de Herodes, y Marcelo, que quería encontrar a José y su joven esposa, se dispuso a interrogarlo. El
caballero estaba sentado frente a su mesa de trabajo, en la mano derecha tenía una pluma de caña, que mojaba de vez en cuando en un
tintero de dos cuerpos —un *atramentarium*— que contenía una tinta negra y brillante, y con la cual escribía rápidamente y con mano
ágil, sobre hojas de papel lisas, blancas y relucientes.

—Toma asiento, Matías —le dijo Marcelo —. Conversaremos largamente y escribiré todo lo que me digas sobre tu viaje a Egipto con
José y María. Déjame presentarte primero a mi amigo Hiram, un fenicio de religión judía, como tú, que me sirve de guía en Palestina...

—En Judea, señor caballero, en Judea. Eran los filisteos quienes
llamaban Palestina a la Tierra prometida por el Eterno, nuestro
Dios, al pueblo de Israel. Pero desde hace mil trescientos años, esta tierra nos pertenece, es nuestra, la amamos como amamos a
nuestra madre, y ya no hay filisteos.

Hiram le hizo una discreta señal a Marcelo y le dijo en voz baja:

—No pierdas tu tiempo, caballero. Los judíos están convencidos, y con razón, de que la tierra de Canaán ahora es de ellos, y que los filisteos desaparecieron de la historia. Por eso, no pueden soportar que los romanos la llamen *Palestina*.

Marcelo tomó en cuenta la observación. Él estaba allí para saber qué había pasado con José, y no para reformar la nomenclatura geopolítica de las provincias del Imperio romano.

—Así que te llamas Matías y eres judío. ¿A qué tribu perteneces? ¿Judá, Benjamín, Manasés...?

—Mi abuelo y mi abuela eran esclavos gálatas, mi padre fue emancipado por Pompeyo, y se convirtió al judaísmo para poder casarse con mi madre, que era una judía de Samaria.

—Mira qué sencillo —comentó Marcelo, sonriendo—. ¿Entonces, tú partiste a Egipto con José?

—Sí. José necesitaba sirvientes para ayudarlo a llevar su equipaje, y para defenderse contra los salteadores de caminos. En una palabra: para ayudarlo. En total necesitaba tres sirvientes, pero no tenía dinero para pagarlos. Yo acepté partir con él, junto con dos de mis camaradas, sin recibir salario, pues estaba seguro de que el hijo que le nació era el Enviado del Eterno.

—¿Por qué estabas seguro de eso?

—Ya te dije que mi madre era samaritana. Ella creía que este mundo de guerras, flagelos e injusticias sería regenerado por la venida de Toheb, el Ungido del Señor, el Mesías de Dios.

—Ya oí hablar de Toheb, cuando pasé por Siquem, en Samaria. ¿De modo que tú creías que el niño Jesús era Toheb?

—Lo sigo creyendo, y mis dos compañeros, que sirvieron conmigo a José en Egipto, también lo creen.

—Y tu mujer seguramente lo cree también, puesto que es de Samaria.

—Evidentemente. Ella vino de Samaria porque María acababa de dar a luz y necesitaba una sirvienta.

—Bueno. Es decir que los cuatro partieron con José y María. ¿Recuerdas, más o menos, la fecha de la partida?

—Salimos de noche, en dirección a Egipto, después de la visita de los magos que habían ido a Belén para adorar a Jesús, y antes de la matanza de los niños del pueblo.

—Cuéntame el viaje por el desierto. ¿En qué dirección fueron?

—Hacia el occidente. Primero llegamos a una gruta, donde María quiso descansar. Bajó de su asno y se sentó en el interior, con Jesús en su regazo. Pero de pronto, de la gruta salieron unos dragones gruñendo. Todos tuvimos miedo, salvo el Señor Jesús que, aunque era un bebé pequeño, bajó del regazo de su madre, se puso de pie y enfrentó a los dragones. Éstos hicieron como el buey y el asno del pesebre, y se prosternaron ante él.

—¿Qué piensas tú de esto, Hiram? — preguntó Marcelo, volviéndose hacia su compañero.

—Por ahora, pienso que Matías leyó eso en la Escritura y que simplemente nos está recitando un verso del Salmista:

"Alaben al Eterno desde la tierra,
    monstruos del mar y todos los abismos."[1]

—Continúa, Matías —dijo Marcelo.

—El Señor Jesús caminó hacia los dragones, para que no le hicieran daño a nadie.

—Pero Jesús acababa de nacer, sólo tenía unos días, no podía caminar ni hablar.

—Sin embargo, caminó, y les dijo a sus padres, que estaban asustados: "No me tomen por un niño pequeño. Siempre fui un hombre y debo amansar a todas las fieras de los bosques". También todos los leopardos y todos los leones que encontramos en nuestro camino fueron a adorarlo: inclinaban sus cabezas y movían suavemente la cola, como si quisieran jugar con él.

—¿Y su madre no decía nada?

—El primer día, cuando María vio que los leones, los leopardos y todos los animales salvajes venían a adorar al niño Jesús, tuvo mucho miedo. Pero su hijo reía y le decía: "No tengas miedo, madre. Estos animales no vienen a hacernos daño: vienen a ponerse a tu servicio". Luego, otros animales, asnos, bueyes, bestias de carga e incluso apacibles cabras de Judea nos seguían al mismo tiempo que los leones y los leopardos. Nadie temía a nadie, nadie molestaba a nadie, y los leones guiaban a los bueyes por el camino.

—¿Sigues siendo escéptico, Hiram?

—Cada vez más. Lo que te está contando Matías, lo encontró en las profecías de Isaías, como ésta:

1. *Salmos* 148, 7.

"El lobo y el cordero pacerán juntos,
el león comerá paja con el buey".[2]

Esos comentarios no perturbaron en absoluto a Matías, quien prosiguió relatando la huida a Egipto acumulando milagro sobre milagro:

—Dos días después de nuestra partida hacia Egipto, llegamos a un oasis donde se elevaban algunas palmeras. María, que sufría del calor, quiso descansar a la sombra de una de ellas. José la ayudó a bajar de su asno con mucha gentileza tomándola en sus brazos, y la hizo sentar al pie de uno de esos árboles. Alzando la mirada hacia el follaje del árbol, que estaba cargado de dátiles, María exclamó: "¡Cómo me gustaría probar los dátiles de esta palmera!" José la regañó con dulzura: "María, tú sólo piensas en los frutos de este árbol, mientras que a mí me preocupa el agua que nos faltará, ya que nuestros odres ya están vacíos". Entonces el niño Jesús, que seguía descansando en el regazo de su madre, le dijo a la palmera: "Árbol, inclínate, para que mi madre pueda comer tus frutos". Inmediatamente la palmera se inclinó hasta los pies de la virgen madre que, sin tener que levantarse, pudo recoger todos los dátiles del árbol y los distribuyó entre nosotros.

—¿Y luego?

—Luego el niño Jesús le dijo a la palmera que volviera a erguirse, y le ordenó: "Haz que brote de tus raíces un agua dulce y fresca". El árbol volvió a obedecer, y todos pudimos saciarnos, con alegría, con esa agua fresca, dando gracias a Dios. Salimos de ese oasis a la mañana siguiente. En el momento de partir, Jesús se volvió hacia la palmera y le habló otra vez: "Palmera, yo te bendigo y te otorgo este privilegio: que una de tus palmas sea transportada y plantada en el paraíso de mi padre. Y a todo aquel que venza en algún combate, se le dirá: 'Te has llevado la palma'." Y mientras esto decía, un ángel del Señor apareció en lo alto de la palmera, tomó una de sus ramas y voló hacia el cielo llevando una rama en sus brazos.

Marcelo terminó de transcribir las palabras de Matías, y luego llevó a Hiram aparte, al jardín de la casa, para hablarle a solas.

2. *Isaías* 65, 25.

—¿No crees que ese Matías nos está tomando el pelo? ¿Qué le prometiste cuando lo invitaste a venir?

—No le prometí nada. Simplemente le dije que tú debías hacer un informe para el emperador sobre la huida de José y su familia a Egipto.

—Es evidente que Matías nos está contando cualquier cosa. A mí no me interesan sus milagros y sus tonterías. Lo que me interesa saber es dónde está José en este momento, y si volverá a Palestina.

—¿Y por qué?

—Porque me gusta ese hombre, y su esposa-niña me da lástima. No me gustaría que les pasara nada malo.

—Ya no hay peligro: Herodes está muerto.

—Sí, Herodes está muerto, pero su hijo mayor, Arquelao, que no es mejor que él y tiene el puñal fácil, asumió el poder en el acto y se autoproclamó de oficio rey de los judíos, sin esperar la opinión de Augusto. El emperador me escribió sobre él diciendo que es un joven inexperto. Y ya puedo imaginarme desde ahora lo que va a pasar: para afianzar su poder, es evidente que buscará apoyo en los sacerdotes y en el Templo, y les entregará a cambio a esa desdichada familia.

—¿Y a ti qué?

—En primer lugar, quizá sea un tonto, pero no me gusta que se encarnicen con los viejos, las mujeres y los niños. Además, si ese Arquelao les cae bien a las autoridades judías, hará lo que le venga en gana en Judea, y Augusto no quiere que eso ocurra, pues pretende ser el único amo de todo lo que sea romano. Por último, José es un hombre del pueblo, y no estaría nada mal tener en Jerusalén, frente al partido religioso y aristocrático, un partido popular sobre el cual Augusto pudiera apoyarse. No olvides que es el hijo adoptivo de César, y que César siempre tuvo al pueblo a su favor, en contra de los senadores y los financistas.

—¿Conclusión?

—La conclusión, Hiram, es que debo proteger a ese buen José y a su esposa-niña contra los tiburones de Jerusalén. Pero en este asunto, prefiero permanecer en la sombra: tú eres quien debe poner manos a la obra y encontrarme a ese José, con su mujer y su hijo.

—Cuenta conmigo, Marcelo: haré hablar a Matías. Déjame solo con él. Te llamaré cuando haya terminado.

Entonces Hiram reanudó su interrogatorio a Matías, pero con mucho menos solemnidad, y fue directamente al grano:

—¿Cuánto quieres, Matías, por decirme dónde está José ahora?

—Pero...

—Nada de "peros": necesitamos saber dónde están José, María y el niño Jesús lo antes posible, y tú eres el único que nos lo puede decir en Jerusalén. Herodes murió, de modo que no corres ningún peligro al hablar, y como nosotros sólo queremos el bien de José, él no te podrá reprochar que nos hayas informado. Así que ¿cuánto?

—¿Qué quieren de José? Él tiene miedo de todo y de todos, y especialmente del Templo.

—Justamente del Templo se trata. Marcelo querría formar una especie de partido compuesto por hombres del pueblo, honrados y rectos, para contrarrestar el poder de los aaronitas que lo poseen todo en Judea: los territorios, la banca, el poder sacerdotal.

—Pero José no tiene nada que ver con todo eso.

—Sí, lo sabemos, pero es un hombre muy apreciado en Galilea, y Marcelo quiere desarrollar esa región. Precisa hombres como José.

Hiram necesitó un día entero para convencer a Matías. Éste terminó por decirle que José vivía en ese momento en una ciudad de Egipto llamada Sohenen, y que estaba dispuesto a regresar a Palestina, ahora que Herodes había muerto y Marcelo prometía protegerlos, a él y a su familia, tanto de Arquelao como del Templo. Pero, añadió Matías, José no quiere volver a Jerusalén porque teme ser arrestado por el nuevo etnarca de Judea: retornará directamente a sus montañas de Galilea. Para recompensar su ayuda, Hiram le dio a Matías una libra de oro, y el hombre partió hacia Egipto. Regresó en compañía de José, quien consideró conveniente refugiarse en el corazón de las montañas de Galilea con María y el niño Jesús, en pleno verano del año 750 de Roma. Allí fue a interrogarlo Marcelo para completar las informaciones que le había dado Matías sobre su huida a Egipto. Pero no se enteró de mucho más: el relato del carpintero fue rigurosamente el mismo que el de Matías.

Hacia el final del año 750, Marcelo fue llamado a Roma por el emperador Augusto, a quien le dio un detallado informe sobre la agitación política y religiosa en Judea, donde acababa de iniciarse el reinado de Arquelao. Adornó su exposición con algunas notas pintorescas referentes al prodigioso niño que era el tema de conversación en Jerusalén, tanto por las condiciones de su nacimiento, por ser hijo de una madre virgen, como por los "milagros" que se le atribuían.

—¡Ah! Esto me saca un poco de los eternos temas de mis gobernadores y otros procuradores, que siempre me reclaman nuevos impuestos, o legiones, o tratados comerciales —exclamó el emperador, tras haber recorrido con una rápida mirada el voluminoso expediente que le entregó Marcelo—. Háblame un poco de ese niño, Marcelo.

El caballero empezó por contarle al emperador las anécdotas que le había narrado Matías sobre los dragones en la caverna, la palmera que se inclinó hacia María y algunas otras. Luego, eligió algunos episodios entre los más notables de los que le había contado el mismo José durante su conversación en Galilea.

—José había decidido internarse lo más profundamente posible en el desierto que separa el valle del Nilo de las costas de Judea, y se trasladaba de aldea en aldea, sin quedarse más de una noche en cada lugar. En una de esas aldeas, en el camino a Hierápolis, había un templo como muchos otros que existen en Egipto, a cargo de un sacerdote muy astuto...

—Todos los sacerdotes son astutos en Oriente, caballero. Son verdaderos truhanes, tanto en Egipto como en Judea. A ver: ¿qué fraude cometió este sacerdote?

—Convenció a los habitantes de la región de que en el interior de una de las estatuas gigantes que adornan su templo vivía un demonio bastante rebelde, y que ese demonio le habló y le encargó que les transmitiera a ellos sus órdenes y sus deseos.

—Apuesto a que el demonio en cuestión reclamaba ofrendas, so pena de algún cataclismo.

—Por supuesto. Ahora bien: ese sacerdote tenía un hijo de tres años que todo el día profería palabras incoherentes, y cuando lo retaban, se desnudaba, se tiraba al piso y lanzaba piedras a todas las personas que pasaban cerca del templo, de manera que la gente se resistía a llevar allí sus ofrendas. Tenía cuatro o cinco de esas crisis por día.

—¡Puedo imaginarme la cara que pondría el sacerdote! Las crisis de su hijo hacían disminuir sus ingresos.

—Un día, ese chico tuvo su crisis en el momento en que el padre y la madre del niño de quien te hablé —José y María— pasaban frente al templo, y les tiró piedras. Para proteger a su bebé, María lo cubrió con una mantilla.

—¿Y entonces?

—Entonces el hijo del sacerdote arrancó la mantilla y se envolvió la cabeza con ella, y en ese mismo instante, su crisis cesó. Su padre gritó que era un milagro y expuso la mantilla al lado de la estatua.

—Adivino el motivo: invitaba a todos los visitantes del templo a tocar la mantilla milagrosa a cambio de un interesante óbolo. ¡Qué pillo, tu sacerdote! ¿Y los padres del recién nacido?

—Son buena gente. Él es un anciano carpintero, y ella, una joven virgen tímida: llamaron a su hijo Jesús, que significa "Salvador" en hebreo. Están convencidos de que es el hijo del Eterno, su Dios único, y que salvará al mundo de sus pecados.

—Pesada tarea, para un solo inmortal. ¡Nosotros adoramos una buena docena de dioses, y no bastan para hacerlo! ¿Tiene otros cuentos de hadas como ése para contarme?

—Te aseguro que no son fábulas, divino Augusto: vi con mis propios ojos todo lo que te informo. Al día siguiente, en otra aldea a la que llegó José, vivía una mujer que, según se decía, estaba poseída por un demonio que no le permitía ni vestirse, ni quedarse en su casa, y la obligaba a estar siempre desnuda, en los cementerios, frente a los templos y en los cruces de caminos, y tirar piedras a los transeúntes. Cuando María, la madre de Jesús la vio actuar así, en vez de burlarse de ella, le mostró compasión y el demonio la abandonó de inmediato. Otro día, en una aldea cuyo nombre ya no recuerdo, había una boda, y toda la gente estaba alegre, cuando aparecieron unos magos que no habían sido invitados y para vengarse, le echaron un maleficio a la novia, que instantáneamente se volvió sorda y muda. Cuando María entró a su habitación, con el niño Jesús en brazos, el perfume de su cuerpo penetró en el cuerpo de la desdichada, y las cadenas invisibles que paralizaban su lengua y sus oídos se soltaron: se levantó de su lecho y elevó un cántico para glorificar a Dios. Y esto no es todo...

—Me imagino que me hablarás de los leprosos.

—¿Cómo lo adivinaste, divino Augusto?

—Porque es la especialidad de todos los taumaturgos de Oriente: expulsan a los demonios, devuelven la vista a los ciegos, hacen caminar a los paralíticos y curan a los leprosos. Personalmente, estoy persuadido de que son todas artimañas, y hasta hice crucificar a uno de esos charlatanes cuando estuve en Egipto. Vamos, Marcelo, tú no te volverás como todos esos orientales, que ven cosas sobrenaturales por todas partes...

El caballero afirmó con vehemencia su buena fe: él era tan incrédulo como el emperador, y pensaba que todas esas curaciones que se llamaban milagrosas tenían explicaciones naturales, sólo que no se conocían. Le explicó su punto de vista al emperador:

—En tiempos remotos, divino Augusto, cuando se producía un eclipse lunar, casi todos, desde el pueblo hasta los reyes, veían en ese fenómeno la intervención de algún poder invisible, algún dragón que apagaba o devoraba al astro de la noche, por ejemplo. Más tarde, los astrónomos elaboraron hipótesis que explicaban esos fenómenos, u otros del mismo tipo, sin apelar a fuerzas sobrenaturales. Recuerdo haber aprendido como tú, cuando era más joven, todas sus teorías.

—Yo también me acuerdo, dijo el emperador. La que yo prefería fue elaborada hace cinco o seis siglos por un tal Anaximandro, originario de Mileto, Asia Menor. Él decía que la Tierra flotaba libremente en el espacio, sin ser sostenida por nada, y que estaba rodeada por ruedas huecas que contenían fuego y giraban en torno a ella. Cada rueda tenía tres orificios circulares, y los astros planos que vemos no eran más que la luz del fuego que pasaba a través de esos orificios y que nosotros percibimos desde la tierra bajo la forma de discos luminosos chatos, como la luna o el sol, por ejemplo. Y había eclipse total cuando uno de esos orificios se taponaba completamente, y eclipse parcial cuando sólo se tapaba una parte de un orificio.

—No conocía esa teoría de las ruedas de fuego, pero confieso que es atractiva para la mente.

—Se creyó en esta teoría durante mucho tiempo, hasta el día en que otros astrónomos, inspirados por las doctrinas de Pitágoras, establecieron que el sol y la luna eran esferas de fuego que giraban alrededor de la tierra, y que había eclipse cuando una de las dos esferas se interponía entre la Tierra y la esfera luminosa.

—Yo aprendí eso leyendo a Platón, divino Augusto. Y creo, como él, que los hombres aprenderán cada día más sobre todo esto, y elaborarán teorías cada vez más refinadas, hasta que un día el universo no tendrá más secretos para ellos.

—Y lo mismo ocurrirá con las enfermedades, las crisis de demencia y hasta con la muerte. ¡Viva la ciencia, Marcelo, y muera la ignorancia!... Por eso es que hace unos veinticinco años, condené al suplicio de la cruz a una especie de brujo arameo que pretendía curar a los leprosos sólo con tocarlos.

—¿Es ése tu concepto de clemencia, divino Augusto?

—Nunca condené a nadie a muerte de buen grado, pero tuve que dar un ejemplo y proteger a nuestras tropas. Ese tipo tocaba el cuerpo de un verdadero leproso, y luego le palpaba los brazos o las piernas a alguno de mis soldados que tenía alguna irritación en la piel... y le transmitía la lepra. Yo no podía permitir que ese brujo contaminara a todo mi ejército: lo hice crucificar. Pero al margen de esto, Marcelo, adoro los cuentos orientales: ¿no tienes alguno más sobre el bebé salvador?

—Tengo una historia excelente, pero es un poco larga.

—Soy dueño de mi tiempo como lo soy del universo, Marcelo. Te escucho.

—Se trata de otro milagro que se habría producido durante la famosa huida de José y la Sagrada Familia a Egipto.

Y Marcelo empezó a contárselo al emperador.

En una de las aldeas que atravesó el carpintero durante su periplo, había una lavandera que lavaba ropa en una tina, en vez de hacerlo en el río. María le pidió que le prestara la tina para bañar al niño Jesús. Pero la mujer, al ver que María estaba muy cansada, le propuso efectuar ella misma el aseo del bebé, y para hacerlo, usó agua perfumada. Después de bañarlo, se lo devolvió a su madre, pero no vació la tina. Entonces se presentó una muchacha cuyo cuerpo estaba cubierto por grandes manchas blancas de lepra. Ella se bañó también en el agua perfumada y, de pronto, las manchas desaparecieron, su piel se volvió rosada y la muchacha quedó purificada. Las personas que estaban allí no dudaron un solo instante de que José y su hijo eran dioses y no simples seres humanos, y que su presencia había bastado para sanar a la joven.

—La continuación de la historia fue aún más milagrosa, divino

Augusto. Cuando, después de esta curación sobrenatural, José decidió seguir camino con su familia y sus sirvientes, la joven le pidió, humildemente, que la llevara a ella también. Él aceptó con mucho gusto, y la muchacha partió con ellos. Al finalizar el día, llegaron todos a un gran castillo, habitado por un jefe egipcio de muy alto rango, que los instaló en una dependencia reservada para los huéspedes notables. Más tarde, la joven que había sido curada de la lepra se dirigió a las habitaciones de la señora del castillo para saludarla y la encontró llorando. Cuando le preguntó por el motivo de su aflicción, la mujer le dijo que su mal era tan grande que no quería hablar de él. La muchacha le dijo que si le revelaba la causa, ella podía ayudarla a encontrar un remedio para ese mal, y logró convencer a la dueña del castillo que se confiara a ella: "Te revelaré la causa de mis lágrimas pero, te lo ruego, guarda el secreto. Se trata de lo siguiente. El propietario de este castillo, que es mi marido, es muy poderoso, y reina sobre muchas ciudades. Viví mucho tiempo con él sin darle ningún hijo y, cuando finalmente tuve uno, se volvió leproso en los primeros días de su vida. Entonces mi marido, el rey, me dijo: 'O se lo entregas a una nodriza que lo lleve a un país donde yo no sea conocido, o lo matas. De lo contrario, no te veré nunca más'. Ahora comprenderás mi dolor y mi aflicción, y por qué lloro: lloro por mi hijo leproso y por mi esposo perdido".

La joven intentó consolar a la dueña del castillo y le dijo: "Conozco un remedio para tu dolor. Yo misma fui leprosa y Dios me curó por la gracia de Jesús, el Salvador, el hijo de María". La mujer le preguntó dónde estaba ese Salvador, y la joven le respondió: "Aquí, bajo tu techo, en esta misma casa donde se encuentran José, María y Jesús, que me trajeron con ellos después de mi curación: María había bañado a Jesús en agua perfumada, luego yo me lavé con la misma agua y fui inmediatamente purificada de la lepra". Feliz, la esposa del noble egipcio abrazó a la joven, preparó un banquete para José y los que lo acompañaban y, al día siguiente, tomó agua perfumada para lavar con ella al niño Jesús. Luego pidió que le llevaran a su hijo leproso y lo lavó con la misma agua que había servido para lavar al niño Jesús: en el momento en que lo introdujo en el agua, las manchas blancas desaparecieron del cuerpo de su hijo, que se encontró curado. Entonces la señora del castillo besó a la muchacha, le agradeció a María, glorificó a Dios y besó a Jesús, diciéndole: "¡Bienaventurados tus padres! ¡Tú que purificas a tus semejantes gracias al agua con la que lavas tu cuerpo!"

—¿Y nos dice tu historia qué fue de esa joven curada de la lepra, Marcelo?

—Se casó con un mulo — le respondió Marcelo, riendo, al emperador.

—¿Con un mulo? ¿Te burlas de mí, caballero?

—Jamás me atrevería, divino Augusto. Después de pasar dos o tres días en ese castillo, José, su familia y la joven milagrosamente curada de la lepra llegaron a otra aldea, donde se hospedaron en la casa de un hombre casado que no tenía hijos porque, según le confió su mujer a María, era absolutamente impotente. A la madrugada, decidieron reemprender el camino, pero la mujer se los impidió y les explicó, ruborizándose, que durante la noche su marido había sido liberado de su impotencia y la había poseído: en consecuencia, ella había organizado una gran fiesta, que tendría lugar esa misma noche, y quería que José, María y el niño Jesús, a quien ella creía que debía ese milagro, asistiesen a ella. José aceptó, como era lógico. La fiesta fue magnífica, y a la mañana siguiente, José partió con los suyos hacia el país de los judíos.

—Siento que tengo derecho a escuchar la historia del mulo —señaló el emperador.

—Si te aburro, divino Augusto, puedo pasar a temas más serios...

—No me aburres en absoluto, Marcelo. Todo esto me interesa y me divierte mucho más que tu informe sobre la administración de Judea. El oficio de emperador no es tan entretenido todos los días.

Entonces Marcelo se dispuso a contarle esa nueva anécdota a Augusto.

José tenía prisa por regresar a sus montañas de Galilea. Partió, pues, muy temprano de la aldea, donde los demás todavía dormían, después de una fiesta acompañada de buen vino, y marchó durante todo el día hacia el levante. Hacia el final del día, cuando el sol estaba a punto de ponerse, vio, sobre el mismo camino arenoso por donde él caminaba, a tres mujeres que volvían llorando de un cementerio vecino. María, que también las había visto, le dijo a la joven que los acompañaba: "Vé a saludarlas y pregúntales qué les sucedió, porque me parecen muy afligidas".

La joven obedeció e interrogó a las tres mujeres, como le había pedido María, pero ellas respondieron a sus preguntas con otra pregunta: "¿De dónde vienen ustedes, y adónde van a esta hora? Ya está cayendo el sol". La joven les dijo que ella y sus compañeros eran viajeros de camino a Judea, y que buscaban un lugar donde pasar la noche. Las tres mujeres la invitaron, sin vacilar, a ir con ellas, junto con todos sus compañeros de viaje, ya que, según dijeron, poseían una casa nueva, suficientemente grande para albergarlos a todos. "Sígannos y apresúrense", añadieron, "porque el sol se pone muy temprano en esta estación, y es mejor que lleguemos a casa antes de la noche".

Estas mujeres ciertamente estaban en buena posición, pues su casa era grande y estaba ricamente amueblada. Había también allí una amplia construcción, hacia la cual se dirigieron, llorando a lágrima viva, con sus invitados. En cuanto entraron, éstos vieron un lindo mulo, de piel lustrosa y ojos vivaces, que llevaba sobre el lomo una manta de seda bordada en oro, y comía granos de sésamo de la mano de una cuarta mujer, mayor que las otras tres. Las tres mujeres se precipitaron hacia él, le rodearon el cuello con sus brazos y le prodigaron mil caricias. "¿Qué es este mulo?", les preguntó la joven que había sido curada de la lepra. Ellas contestaron entre sollozos: "Este mulo es nuestro hermano menor". Y ante la expresión de asombro de la joven, la mayor de las tres mujeres contó su desgracia a sus invitados.

Su padre era un hombre muy rico que les había dejado después de su muerte, a ellas tres y a su hermano, una gran fortuna, además de esa hermosa casa en la que recibían esa noche a José y su familia. Cuando las tres hermanas decidieron casar a su hermano, todas las mujeres de la región se pusieron celosas unas de otras, se peleaban entre ellas, y corrieron a ver a las hechiceras para hacerse maleficios mutuamente. Y una noche, cuando las tres hermanas dormían, y las puertas de su casa y de sus dependencias estaban bien cerradas con llave, su hermano desapareció: al amanecer, en la cama donde se había acostado la noche anterior, encontraron en su lugar a ese mulo, durmiendo. Las tres hermanas sospecharon algún truco de magia, y visitaron todas las aldeas de la región para hallar a su amado hermano, o al menos, para descubrir algún rastro de su paso, interrogando a todos los brujos y a todas las hechiceras que encontraron. Pero fue en vano: jamás volvieron a ver a su hermano. Desde aquel momento, rodeaban al mulo con toda clase de atenciones, y todos los días iban a rezar ante la tumba de su padre, que estaba enterrado en el pequeño cementerio del que José las había visto salir el día anterior.

Cuando la joven oyó ese relato, les dijo muy emocionada: "Tengan confianza en Dios: pronto verán la curación de todos sus males. Más aún: la curación ya está aquí". Y como las tres hermanas no entendían lo que decía, ella les contó su aventura, como había hecho anteriormente con la dueña del castillo: "Yo, la que les habla, hace sólo unos pocos días tenía la piel cubierta de manchas de lepra, cuando vi que una mujer llamada María bañaba en una tina con agua perfumada a un niño al que llamaba Jesús. Luego vertí sobre mi cuerpo esa misma agua e inmediatamente fui purificada de la lepra. Y ese Jesús, que es la encarnación de la Curación, está aquí entre ustedes, y sé que puede curar su mal. Vayan a ver a María, su madre, cuéntenle su secreto, ruéguenle (yo también le rogaré), y recuperarán a su hermano".

Las mujeres fueron a ver a María, que aguardaba afuera, con José y el niño Jesús. Ya había caído la noche, y la luna, redonda y brillante, iluminaba todo el desierto. Las hermanas hicieron entrar a la familia a su casa y se arrodillaron frente a María llorando: "Señora María, llena de gracia", le dijeron, "ten piedad de tus servidoras. Ya no tenemos un jefe de familia que viva con nosotras, pues nuestro padre ha muerto y nuestro hermano fue hechizado y transformado en este mulo que puedes ver. Derrama sobre nosotras tu benevolencia, bienaventurada María, te lo suplicamos". María fue sensible a esa plegaria. Tomó al niño Jesús, lo colocó sobre el lomo del mulo y le dijo: "Jesús, hijo mío, por el gran poder oculto que posees, haga tu voluntad que este mulo se cure y vuelva a ser el hombre que fue anteriormente". De inmediato, el mulo se transformó en un hombre grande y fuerte, perfectamente sano, que se inclinó ante María, al mismo tiempo que su madre y sus hermanas. Y todos alzaron al niño Jesús y lo besaron, diciendo: "¡Que tu madre sea bendita entre todas las mujeres, oh, Jesús!"

Augusto rió francamente al escuchar el relato de Marcelo, y le dijo:

—Espero que tu cuento termine con una boda.

—Eso es lo que sucedió, divino Augusto. Para agradecerle a la joven que había sido curada de la lepra su intervención para devolverles a su hermano, las mujeres decidieron casarlo con ella. Como esta familia era rica, las bodas duraron diez días... Así fue como la joven se casó con el mulo que volvió a ser un hombre.

—Debo decir que me has hecho pasar un buen momento —dijo el emperador—. ¿Quién hace circular todas esas historias increíbles?

—El rumor público. Seguramente no hay una sola palabra de verdad en todo lo que acabo de relatarte, pero las únicas dos cosas de las que podemos estar seguros, es que José y María son personas de una gran piedad religiosa, y que desaparecieron de circulación con el recién nacido, el día anterior a la muerte de Herodes. A partir de esa desaparición, nadie oyó hablar más de ellos.

—¿Y el nacimiento en Belén, los reyes magos, el establo?

—¿Cómo quieres que lo sepa, divino Augusto? De todos modos, en mi opinión, dentro de dos o tres años ya no se hablará de estos asuntos.

—Yo también estoy seguro de ello. A la gente le encantan las fábulas, en estos países. Pero volvamos a las cosas serias. Según lo que me informaron, Arquelao se autoproclamó rey de Judea sin esperar mis decisiones: ¡es bastante audaz ese joven! Sin embargo, no puede ignorar que su padre dejó un testamento, cuyo único depositario soy yo, y que no puede disponer a su voluntad de los territorios sobre los que reinaba su padre, y que no es el único heredero. ¿Cómo sucedió esto? Mediante derramamiento de sangre, a juzgar por un lacónico mensaje que me llegó desde Damasco y que habla de tres mil muertos. No me extraña: ¡es la especialidad de los herodianos!

—Por una vez, no fueron ellos los responsables, divino Augusto, y no fue su sangre la derramada: se trató de una grave sedición religiosa, que no tiene nada que ver con una querella sucesoria y que hace presagiar otras, si no se pone orden allí.

En efecto, el reinado del hijo de Herodes había comenzado bajo los mejores auspicios, a fines de la primavera del año 750 de Roma. Aun antes de que se conociera la noticia de la muerte del tetrarca, Salomé, la hermana del difunto rey, había vuelto a poner en libertad a los notables que su hermano había hecho llevar al hipódromo de Jericó con la intención de hacerlos matar por sus soldados. Luego había reunido en el anfiteatro de la ciudad a todos los militares —generales, oficiales y soldados— para leerles públicamente la carta dictada por Herodes para ellos, en su lecho de muerte. En ese mensaje de ultratumba, el rey, después de agradecerles el amor y la fidelidad que le habían demostrado en vida, les rogaba que se comportaran del mismo modo con su hijo Arquelao, a quien había designado como sucesor. Después de eso, Ptolomeo, el guardasellos real, leyó sin más tardanza el testamento que convertía a Arquelao en el nuevo rey de los judíos, no sin dejar en claro que esa disposición sólo entraría en vigor después de ser oficialmente avalada por el emperador Augusto.

En cuanto Ptolomeo terminó su lectura, todos empezaron a gritar: "¡Viva el rey Arquelao!" A continuación, los soldados y todos sus oficiales juraron servir a su príncipe tan fielmente como habían servido al rey, su padre, y le desearon un largo y venturoso reinado. Luego Arquelao decidió honrar con magníficos funerales al hombre que había reinado sobre los judíos durante más de treinta años, y los encabezó él mismo: el cuerpo de Herodes, vestido con su ropaje real, una corona de oro en la cabeza y el cetro en la mano, fue colocado en una litera de oro adornada con piedras preciosas, seguida por los hijos del muerto y sus parientes cercanos. Detrás marchaban los ejércitos del gran guerrero que había sido Herodes, divididos según sus naciones: los tracios, los germanos, los alamanes y los galos, y luego, todos los demás pueblos, equipados como para el combate. Quinientos oficiales domésticos del difunto rey, que llevaban los perfumes y los inciensos tradicionales, cerraban el cortejo, que desfiló, en ese orden, desde Jericó hasta la fortaleza de Herodión, cerca de Jerusalén, donde fue enterrado el cuerpo de Herodes el Grande, como él lo había ordenado.

Una vez terminadas las ceremonias, Arquelao ofreció un gran banquete al pueblo y subió al Templo. En el trayecto, todos gritaban: "¡Viva el rey!", y cuando apareció en la explanada, se multiplicaron las aclamaciones hacia el joven príncipe, que se sentó en el trono de oro del Templo y pronunció un largo y emotivo discurso: les dijo a sus súbditos cuánto les agradecía su afecto hacia él, a pesar de conservar el recuerdo de la dureza con la que el rey, su padre, los había tratado algunas veces, y les aseguró que él les demostraría su reconocimiento. Luego recibió en audiencia a todos los jefes de familia de Jerusalén, y les informó que no tomaría oficialmente el título de rey hasta que Augusto confirmara el testamento de Herodes, y que por ese motivo se había negado, en Jericó, a ceñir la diadema que le había entregado su ejército. Por último, prometió demostrarles con sus acciones futuras que tenían razón en amarlo, y que se esforzaría por hacerlos más felices de lo que habían sido bajo el régimen de su padre. Esas palabras desencadenaron una oleada de aclamaciones y alentaron a los representantes de sus súbditos a pedirle al joven rey diversas gracias: algunos pidieron disminuir los impuestos, otros, liberar a los prisioneros de Herodes que estaban en prisión desde hacía mucho tiempo, y otros, abolir los peajes y las tasas que pesaban sobre la circulación de las mercancías, y otras solicitudes del mismo tenor. Arquelao, que sólo pensaba en consolidar su flamante poder, creyó conveniente no negarles nada y les hizo todas las promesas que le pidieron.

Pero pasados los primeros momentos de alegría, las relaciones entre el rey y su pueblo se volvieron tensas, cuando el nuevo etnarca se negó a rehabilitar la memoria de Judas, hijo de Sarifeo, y Matías, hijo de Margalote, cuyo suplicio, unido a la matanza de sus partidarios por orden del difunto Herodes, había conmovido profundamente a la opinión pública, aunque el temor que sus súbditos sentían por Herodes los había mantenido en silencio hasta su muerte. El advenimiento de Arquelao, que parecía inclinado a la clemencia y a la generosidad, los volvió más audaces, y poco a poco, en Jerusalén, las lenguas se desataron y los espíritus se caldearon. Algunos recordaron los crímenes de quien ahora sólo era llamado "el tirano", otros se manifestaron públicamente contra su crueldad, y todos recibieron con simpatía las primeras medidas del joven rey y de su tía, Salomé. Cuando llegó el tiempo de la Pascua, los fariseos, apoyados por una parte del pueblo, urgieron al joven rey a vengar a las víctimas de la última gran injusticia de su padre, condenando a muerte a algunos amigos de Herodes, a quienes acusaban de ser cómplices de las masacres del hipódromo, y también a destituir a Joazar de su cargo de sumo sacerdote, que le debía a Herodes, para honrar con ese puesto a un hombre cuyas virtudes lo hicieran digno de él.

Al joven etnarca, que se preparaba para partir hacia Roma, donde el emperador debía confirmarlo oficialmente en su cargo, le molestaron mucho esas exigencias, que consideró ofensivas para la memoria de su padre, y trató de aplacar esa gran agitación con delicadeza. Envió a hablar con los sediciosos al principal de sus generales, quien les dijo más o menos las siguientes palabras:

—No se dejen llevar por el afán de venganza. Consideren más bien que el castigo ordenado por Herodes, del que hoy se quejan, ha sido impuesto de acuerdo con nuestras leyes. Este pedido de ustedes menoscaba la autoridad del nuevo rey. Ha llegado el momento de dejar atrás el pasado y pensar en mantener la unión y la paz hasta que el emperador Augusto haya confirmado los poderes de nuestro príncipe: cuando regrese de Roma, quizá le sea posible, tras una madura reflexión, responder a sus ruegos. Pero mientras tanto, no se comporten como facciosos y no se involucren en una rebelión criminal.

Los facciosos en cuestión hicieron conocer inmediatamente, a través de gritos y vociferaciones, que no querían oír nada de eso, que para ellos era algo insoportable no poder obtener, ni siquiera después de la muerte de Herodes, la venganza que reclamaba la sangre de sus amigos, tan cruelmente derramada por el rey anterior. No conocían otra justicia, declararon, que la que les daría ese consuelo, y la intensa necesidad que de ello tenían hacía que no tuvieran en cuenta los peligros que corrían actuando en la forma en que deseaban hacerlo. De manera que, en vez de ser convencidos por los argumentos que les presentaban de parte del rey, y contenerse por el respeto que le debían, se irritaron cada vez más. No hacía falta ser adivino para suponer que, al acercarse la fecha de la Pascua, que atraía a Jerusalén a grandes multitudes, esa irritación amenazaba convertirse en una sedición general, sobre todo porque la cantidad de personas que lloraban la muerte de Judas y Matías no dejaba de aumentar: todos ellos se reunieron en el atrio y en el interior del Templo, y decidieron permanecer allí hasta obtener justicia.

Arquelao, temiendo que el movimiento se expandiera, envió un destacamento de guardias para expulsar a los manifestantes del lugar sagrado, pero los rebeldes incitaron al pueblo con gritos y lo exhortaron a unirse a ellos. La muchedumbre se precipitó sobre los guardias y mató a casi todos: sólo se salvaron el oficial que los comandaba y algunos soldados.

Aunque era joven e inexperto, Arquelao sabía, por habérselo oído decir a menudo a su padre, que tales excesos nunca debían quedar impunes. Por lo tanto, envió tropas contra los sediciosos, con órdenes de que la caballería matara a todos los que intentaran huir del Templo, e impidiera el acceso al atrio de quienes quisieran ir en su ayuda. El asalto fue particularmente sangriento, y entre los insurgentes hubo unos tres mil muertos. El resto de los sublevados logró huir hacia las montañas vecinas, pero la violencia de la represión que sobrevino desalentó a los que intentaron unirse a sus filas, y las cosas quedaron así.

—Todo esto —concluyó Marcelo— me parece especialmente grave, divino Augusto, porque estamos en presencia de fanáticos, que están dispuestos a morir por su causa, y nada puede detenerlos. En cuanto al príncipe Arquelao, ahora es odiado no sólo por los fariseos extremistas por ese asunto del Águila de oro, sino también por los jóvenes judíos, a causa de la masacre de tres mil de los suyos, y finalmente, por todos los judíos legalistas, porque se casó con una mujer no judía, Glafira, hija del rey de Capadocia.

—¿Qué me aconsejas hacer? —le preguntó el emperador.

—Destituir a Arquelao y desterrarlo a un lugar suficientemente alejado de Jerusalén, en Occidente por ejemplo, como para que no pueda organizar ninguna conspiración.

—¿Pero a qué etnarca pongo en su lugar?

—Tú eres el amo del mundo, Augusto: puedes abolir el régimen del etnarcado, conferir a Judea el estatus de provincia romana y poner como gobernante a un procurador romano enérgico y fiel a los intereses del Imperio.

—Lo que me aconsejas significa transformar el protectorado que Roma ejerce sobre Judea en una anexión lisa y llana: eso es más fácil de decir que de hacer, Marcelo...

—No te costará demasiado convencer al hijo de Herodes, divino Augusto: ya empieza a darse cuenta solo de su incapacidad para administrar a Judea.

—No es Arquelao a quien hay que convencer. Es a todo el pueblo judío, sus sacerdotes, sus doctores de la Ley, sus escribas, sus notables, y los militantes de los dos partidos cuya fuerza me describiste tan a menudo, el de los fariseos y el de los saduceos. Para todos esos judíos, la tierra palestina es sagrada: es la tierra que el Eterno creó para los descendientes de Abraham. Si yo promulgara mañana un edicto que transformara a Palestina, esa tierra judía actualmente protegida por Roma, en tierra romana, todos los judíos olvidarían inmediatamente sus enemistades políticas y sus discrepancias, y en cuarenta y ocho horas, matarían a todos los romanos, y no serán las tres o cuatro miserables legiones que mantenemos allá las que puedan impedirlo. Peor aún: llamarán en su ayuda a los partos, que no piden otra cosa que volver a tomar las armas contra nosotros, ya que nos vencieron tantas veces, mientras que, por el momento, nuestros ejércitos tienen bastante trabajo contra los germanos en el Rhin y en el Danubio.

—Es cierto. No había pensado en ese aspecto de la cuestión. Pero si permitimos que los desórdenes religiosos debiliten nuestras posiciones en Palestina, los arsácidas aprovecharán para tomar el papel de árbitros y nos suplantarán en esa región.

—Es lo que temo desde hace mucho tiempo, Marcelo. Mi intención es convertir a Judea en una provincia romana, como lo hizo César con Galia, pero para eso necesito la adhesión de la clase sacerdotal, que calmará a los fanáticos como ésos que recientemente se manifestaron a sangre y fuego en el atrio del Templo, pero también el apoyo del Sanedrín y de los jefes de las grandes familias de Jerusalén, que tienen interés en que reine el orden en Jerusalén, aunque sea para la buena marcha de los negocios.

—¿Qué medidas tomarás?

—Por el momento, ninguna. Sólo enviaré una o dos legiones de más a Cesarea, por precaución, y dejaré que Arquelao gobierne bajo vigilancia. Al mismo tiempo, convocaré a Roma a los notables más influyentes de Jerusalén, los halagaré, los seduciré, y al primer error grave de Arquelao, de acuerdo con ellos, aboliré el régimen de protectorado y convertiré a Palestina en una provincia imperial.

—Eso exigirá tiempo seguramente.

—El tiempo trabajará para mí y para Roma. Nadie consiguió nunca gobernar Judea, salvo Herodes con métodos despóticos, y el pueblo judío lo soportó porque era al mismo tiempo rey y gran sacerdote de los judíos —dijo el emperador—. Pero antes de nombrar un procurador, hay que encontrar a la persona adecuada, y todavía no la tengo. En cuanto descubra a ese hombre especial y las circunstancias lo justifiquen, desterraré a Arquelao. Por ahora, me conformo con él, y quiero que siga en su puesto: me sirve para frenar los intentos de los sacerdotes y los escribas judíos de tomar el poder.

—Tienes razón, divino Augusto —aprobó Marcelo—. Hay que dejar que las sectas y el Templo peleen entre ellos, e impedirles a toda costa que se inmiscuyan en nuestra política hacia Persia y los reinos árabes que se forman en nuestras fronteras.

—¿Tan peligrosas son las sectas? Podríamos hacerlas entrar en razón con una o dos legiones.

—No es tan sencillo, porque el peligro que representan es más moral que político. Sus dirigentes alimentan en el pueblo un estado de ánimo que puede ser fuente de graves desórdenes: las legiones no pueden hacer nada contra el misticismo.

—¿Hay muchas de esas sectas?

—Hay cuatro: la de los fariseos y la de los saduceos, que son simples partidos políticos; la de los esenios, sobre las que te hice un informe a principios de este año, y la de los zelotes, recientemente fundada por Judas de Gamala, llamado "el Galileo", y el fariseo Sadok.

—Recuerdo haber recibido un informe tuyo, bastante breve, por otra parte, sobre los esenios, en el mes de febrero último: me hablabas de un tal Banos. Pero nunca me dijiste nada sobre los zelotes. ¿De qué se trata? ¿Qué quieres decir cuando te refieres al estado de ánimo que reina en Judea?

—Creo haber entendido cómo fue evolucionando la religión judía desde los antiguos tiempos del Éxodo, y cómo pudo instalarse en Jerusalén el estado de ánimo al que me refiero. Si tienes la paciencia de escucharme, divino Augusto, puedo tratar de explicártelo.

—Toma tu tiempo. Marcelo. Ya no estamos en los tiempos de Pompeyo, cuando Roma sólo tenía que superar obstáculos materiales para asegurar su poderío. Presiento que hemos entrado en una era en la que pronto las ideas serán tanto o más poderosas que las legiones.

La explicación de Marcelo fue magistral. Había comprendido que la convicción fundamental de los judíos era que había un solo Dios, y que durante siglos (hasta el exilio en Babilonia) los judíos más fieles, es decir los profetas, nunca se habían planteado preguntas concernientes a la naturaleza y los atributos de su Dios. Pero, desde que el pueblo elegido había sufrido la desdicha del cautiverio en Babilonia, y su Templo sagrado había sido saqueado por los paganos llegados de las orillas del Eufrates, el mensaje de los profetas resultaba insuficiente para entender por qué su Dios único y omnipotente había sido vencido por todos los paganos que habían reconquistado el país de Canaán después de los asirio-babilonios, es decir, los persas, los macedonios y finalmente los romanos. Entonces los escribas comenzaron a construir en otro plano, en el del razonamiento, la imagen y el destino de su Dios, es decir, a elaborar lo que en términos científicos se llama una teodicea.

Los primeros intentos en ese sentido fueron hechos por los setenta y dos escribas y doctores de la Ley de Alejandría —los "Setenta"[3]—, a quienes el rey seléucida Ptolomeo Filadelfo había encargado, en el año 465 de Roma,[4] traducir al griego las Escrituras. Y unos ciento treinta años más tarde, el sabio Ben Sirá fue el primero en escribir:[5] "Por más que lo intentemos, nunca podremos decir en términos racionales quién es Dios, por que Él es todo". Por eso, cuando los judíos piadosos hablan de Dios, lo llaman "el Altísimo", el "Todopoderoso". Los escribas fueron incluso más lejos en ese sentido: como la infinita perfección de Dios impide admitir que el Eterno haya podido o pueda tener el menor contacto con el mundo material, ni siquiera para crearlo, imaginaron que esos contactos fueron realizados a través de seres intermedios, que ellos llaman sustitutos de Dios, o más científicamente, sus hipóstasis: la Palabra, la Gloria, la Sabiduría, por ejemplo, son hipóstasis divinas.

—¿Esas hipóstasis son seres materiales?

Marcelo le dijo que no, y que no podían compararse con ninguna otra cosa, con ningún ser conocido, que en eso residía para esos teóricos la realidad de Dios, cuyo intermediario con la realidad material que él ha creado era, en definitiva, la Palabra.

—Y el hombre, Marcelo, ¿qué papel tiene en todo esto?

3. En hebreo, se los llama *"Targumim"* (los "traductores"). Su "traducción" se llama el *"Targum"*.

4. 285 a.C.

5. En uno de los apócrifos del Antiguo Testamento, atribuido al escriba Jesús ben Sirá, que suele llamarse "el Sirácida".

—Es una mezcla de materia en la que Dios insufló algo inmaterial soplándolo en su nariz.

—¿Un alma?

—Sí, el soplo divino, el *néfesh*. Es lo que nosotros solemos llamar "alma". Y esa alma sale de nuestro cuerpo cuando morimos.

—¿Y qué sucede con ella entonces?

—He discutido durante toda una noche en Samaria, divino Augusto, con unos esenios y un fariseo, cuando atravesé Palestina en compañía de mi guía fenicio, y te confieso que es algo imposible de entender. Te envié un informe sobre eso a principios de este año.

—¡Ah, sí, ya recuerdo! Se trataba de un salvador de la humanidad sufriente que debía aparecer en la tierra... ¿Cómo lo habías llamado?

—El Mesías. Es una idea que está de moda en este momento en Samaria y Judea. Provoca muchas discusiones y muchas manifestaciones.

—¿Y en Galilea?

—Allí los problemas son diferentes. Galilea no es una provincia estratégica, como Judea, y está mucho menos poblada que ella: les interesa más a los egipcios que a los persas.

—Una última pregunta, Marcelo: ¿vale la pena que vuelva a enviarte a Palestina?

—Sí, para liquidar los asuntos pendientes. Pero regresaré a Roma pronto. Por otra parte, el día que decidas hacer gobernar a Judea por un procurador romano de mano dura, divino Augusto, ya no me necesitarás allá. Para los chismes religiosos, Hiram, el fenicio, que ha sido mi guía hasta ahora, te bastará como informante.

Ocho días después, como el Mediterráneo estaba cerrado para la navegación en invierno, Marcelo regresó a Jerusalén a caballo, siguiendo la ruta de los mensajeros imperiales, a lo largo del Danubio. Atravesó el Helesponto pensando en los guerreros troyanos, bordeó las costas del mar Jónico invocando a los manes de esos pacíficos héroes —Tales, Anaximandro, Pitágoras— que, seis siglos atrás, habían inventado allí la filosofía, la matemática y la astronomía, y los del gran Alejandro, que había inventado la guerra. Luego atravesó Fenicia por una ruta atestada de rebaños de corderos, la mitad de los cuales por lo menos, pensó, pertenecían a su querido Hiram. Y finalmente llegó a su bosque de olivos y su ciudad de Jerusalén, donde ya era primavera.

8

El tiempo pasa

Años 750-767 de Roma
(4 a.C.-14 d.C.)

Conflicto entre los dos herederos de Herodes, Arquelao y Antipas; su partida hacia Roma (fin de la primavera o principios del verano, año 4 a.C.) – Tripartición de Palestina por obra de Augusto entre los herodianos Arquelao, Antipas y Filipo II (4 a.C.) – Los papiros de Hiram concernientes a la infancia legendaria de Jesús (3 a.C.-5 d.C.) – Regreso de Marcelo a Jerusalén; su reencuentro con Hiram (fin de marzo/principios de abril, año 5 d.C.) – Augusto destituye a Arquelao, lo destierra a Galia y convierte a Judea en una procuraduría romana, cuyo primer procurador es Coponio; Antipas (Herodes Antipas) conserva el etnarcado de Perea y de Galilea, y se atribuye el título honorífico de tetrarca – Levantamiento armado de los zelotes de Judas de Gamala, llamado "el Galileo" (fin del año 6 d.C.) – El diario de Marcelo (del año 6 al año 14 d.C.): destitución del sumo sacerdote Jazar, reemplazado por Anás (año 7 d.C.); José y su familia festejan la Pascua en Jerusalén, y Jesús, de doce años, discute con los doctores del Templo (abril, año 9 d.C.) – El procurador Coponio es removido y reemplazado por Ambivio (9 d.C.) – Augusto inviste a su hijastro Tiberio con la potestad tribunicia, y Quirino destituye al procurador Ambivio, que es reemplazado en ese cargo por Anio Rufo (año 12 d.C.) – Muerte de Augusto, a quien sucede Tiberio (14 d.C.) – Valerio Grato, nuevo procurador de Judea (15 d.C.).

Marcelo no necesitó mucho tiempo para darse cuenta de que Jerusalén parecía ahora un volcán a punto de estallar. En las calles, en las plazas, alrededor de los mercados, la excitación se hallaba en su punto máximo, y al pie del monte Moriah, sobre el cual se alzaba orgullosamente, cubriéndolo por entero, el Templo que había construido Herodes, se veían más soldados que sacerdotes. En todas partes, incluso en el atrio del Templo, la gente se enfrentaba y discutía, y en los comercios empezaban a escasear los víveres. Por último, el caballero observó que los alrededores de la torre Antonia, la fortaleza que Herodes había hecho erigir en el ángulo noroeste de la colina, estaban particularmente animados, y que había allí una gran cantidad de oficiales y hombres de leyes, que parecían muy atareados.

El caballero esperó que llegara Hiram sin disimular su impaciencia; en esa época del año, cuando se acercaba la Pascua, pensaba con razón, el fenicio no debería tardar. Efectivamente, no tardó mucho, y, diez días después de su llegada a Jerusalén, Marcelo tuvo la alegría de verlo entrar a su jardín, montado en un elegante mulo:

—Veo que has cambiado de cabalgadura —le dijo, sonriendo—. ¿Qué hiciste con tu asno?

—Se lo di a un esclavo, que me sigue con él cuando viajo. Pero teniendo en cuenta la calidad de mi clientela, la visito a lomo de mulo. ¿Y cómo está el emperador, caballero?

—Rebosante de salud: ahora es un robusto sexagenario, y su inteligencia es más aguda que nunca. ¿Y cómo está nuestra Judea, Hiram?

—Me preocupa, caballero, me preocupa. Los sacerdotes y los jefes de las grandes familias critican en voz baja a Arquelao por haberse autoproclamado rey de los judíos y sucesor de Herodes, cuando todavía no se reveló su testamento. Antipas asegura que su padre hizo otro testamento, más válido que el que reivindica su hermano, y, según él, allí se lo designa como su único heredero. En cuanto a Salomé, la hermana de Herodes, apoya lo que dice su sobrino, así como un cierto número de ancianos allegados al difunto rey.

—¿Y qué dice el gobernador romano de Siria, del que depende Judea?

—¿Sabino?

—Sí, Sabino: Augusto recibió una carta de él, pero ignoro su contenido.

—Salomé le reveló su contenido a toda la corte: es un largo informe en el que el gobernador describe a Arquelao como un ambicioso y un incapaz, que le habría forzado la mano al emperador coronándose rey por su propia voluntad. El propio Antipater, el hijo mayor de Herodes, a quien éste mandó matar poco antes de su propia muerte, había redactado un informe, antes de morir, dirigido contra ese mismo Arquelao, acusándolo de ser el único responsable de la masacre del año anterior, que produjo tres mil muertos en un solo día en Jerusalén. Finalmente, sólo Ptolomeo, el guardasellos real, y su hermano Nicolás, apoyan las pretensiones de Arquelao a la corona.

—¿Quién tiene razón en todo esto, Hiram? ¿Antipas o Arquelao? ¿Tú qué opinas?

—Conozco a ambos hermanos, porque me compran antigüedades. Pues bien, puedo decirte que Antipas y Arquelao son lo mismo con distinto nombre. Herodes era ambicioso y cruel, pero tenía un solo objetivo: la grandeza y el poderío de Israel, y todo el oro que tenía, lo gastaba para embellecer su reino y fortificar esas poderosas ciudades que había creado, y para el Templo que reconstruyó, como un moderno Salomón. En cambio, sus dos hijos sólo piensan en sí mismos y hasta venderían el Templo, si pudieran, para enriquecerse.

—¿Y qué pasará ahora?

—Los dos pretendientes defenderán sus respectivas posiciones frente a Augusto. Creo que parten hacia Roma dentro de algunos días.

—¿Solos?

—De ninguna manera. Van con sus respectivos partidarios: Arquelao lleva a su madre, Maltake la samaritana, Ptolomeo, Nicolás —el hermano de Ptolomeo— e Ireneo, que es un gran orador; y Antipas es defendido por su tía, Salomé, por el hijo de ésta, Antipater, y por Sabino, el gobernador de Siria.

—Ya me imagino el palacio de Augusto invadido por esa fauna de litigantes. Y durante ese tiempo ¿quién gobernará Judea, Samaria, Galilea y los demás territorios de Palestina?

—Presumiblemente, Sabino, o tal vez incluso el mismo Publio Quintilio Varo, el legado del emperador, que es procónsul en África.[1]

Finalmente, los dos grupos de litigantes, acompañados por sus respectivos séquitos, se embarcaron rumbo a Cesarea después de la Pascua del año 751 de Roma.[2] Seis o siete semanas más tarde, todos se encontraron en Roma, frente a Augusto, a quien el gobernador Sabino le había enviado un voluminoso expediente que contenía, por un lado, el testamento de Herodes en favor de Arquelao, el inventario de los tesoros dejados por el difunto rey, el sello con el que se ha-

1. La provincia proconsular de África correspondía aproximadamente al actual Túnez, antes llamado Fenicia.

2. 3 a.C.

bía sellado esos documentos, y una memoria —redactada por Ptolomeo— que presentaba los argumentos invocados por quien se había autoproclamado rey de los judíos; y por el otro, una memoria que presentaba los argumentos de Antipas, la carta del gobernador Sabino contra Arquelao y otra del legado Varo. Por su parte, Augusto había reunido un gran Consejo de los principales personajes del Imperio, en el que estuvieron presentes especialmente su hija adoptiva, Julia, y el hijo de ésta y de Agripa, su principal general. Marcelo, que estaba de viaje, le diría más tarde a su amigo Hiram que la presencia de todos los grandes del Imperio en ese Consejo era la prueba de la importancia que le otorgaba Augusto a los asuntos de Judea, en el marco de su política con respecto a los soberanos partos de Persia.

En primer lugar, el emperador le dio la palabra a la parte demandante, es decir, a los adversarios de Arquelao, que presentaron su requisitoria por intermedio del primo hermano de Arquelao, es decir, Antipater, hijo de Salomé. Éste fue muy elocuente y defendió la causa de Antipas en estos términos:

—Sin esperar la expresión de la voluntad del emperador en lo concerniente a la interpretación del testamento de Herodes, Arquelao se apoderó ilícitamente del reino de su padre y, el mismo día en que se coronó a sí mismo, hizo matar, en el atrio sagrado del Templo, a tres mil judíos que, aunque sin duda se lo merecían como profanadores, no le correspondía a él castigarlos, ya que no tenía el poder legítimo para hacerlo. Además, siempre actuando sin poder legítimo, Arquelao licenció a varios oficiales del ejército de Judea, concedió al pueblo las gracias que le pedía sin tener competencia para hacerlo, porque todavía no había sido instituido por Roma; absolvió y liberó a los prisioneros que Herodes había encerrado en el hipódromo y tomó muchas otras decisiones que no tenía autoridad para tomar: todo esto, impulsado por una ambición que ni siquiera su juventud puede excusar. Además, divino Augusto y señores consejeros, Arquelao es un redomado comediante: de día finge llorar al padre que ha perdido, y de noche se embriaga y se revuelca en todos los placeres; se dice piadoso, pero llenó el Templo de cadáveres. Y he dejado para el final la suprema injuria: al coronarse a sí mismo sin esperar que el emperador lo hiciera, ha demostrado todo el desprecio que sentía por el divino Augusto. No, en verdad, Arquelao no merece en absoluto ser coronado rey de los judíos.

A esta acusación, Nicolás, abogado del príncipe, respondió que la responsabilidad de la sangre derramada alrededor del Templo y dentro del Templo sólo debía atribuirse a los sediciosos, que habían obligado al joven rey de los judíos a usar la fuerza, por resistir sus órdenes, y que Herodes había dictado un testamento que legaba su reino a Arquelao con total conocimiento de causa y en posesión de todas sus facultades.

Después del alegato de Nicolás, Arquelao cayó de rodillas ante Augusto. El emperador lo levantó con mucha suavidad y le dijo que lo juzgaba digno de suceder a su padre, pero que deseaba estudiar el expediente más a fondo antes de pronunciar su sentencia. Luego, levantó la sesión y se retiró a sus habitaciones...

Unos días más tarde, cuando todavía no había tomado ninguna decisión, Augusto recibió un pedido de audiencia de cincuenta judíos que acababan de llegar de Judea, y que se presentaron, con la autorización del legado Varo, como embajadores de su pueblo. Entre ellos, se encontraba un tercer hijo de Herodes, Filipo, hijo de Cleopatra, su sexta esposa,[3] y pronto se les unieron ocho mil judíos que vivían en Roma. Aunque ese pedido lo sorprendió, Augusto les hizo saber que escucharía sus reclamos con interés, y los convocó para dos días más tarde en el magnífico templo de Apolo, que era bastante amplio para albergarlos a todos.

—¿Qué piensas tú de este misterioso pedido? —le preguntó luego a Marcelo, después de dictar la convocatoria para la delegación judía—. Es la primera vez que recibo una solicitud de esta naturaleza en mi vida de emperador.

—El pequeño pueblo de los judíos está muy apegado a sus creencias y a su Ley, y está convencido de haber sido elegido por Dios, el creador de todas las cosas, como Su pueblo, con exclusión de todos los demás pueblos. Pero ese pueblo elegido, que tiene probablemente mil años de historia, no conoció más que desgracias en el transcurso de esa historia. Después de haber conquistado duramente la Tierra Santa que su Dios le prometió a su antepasado Abraham, esa tierra fue sucesivamente presa de los asirios, de los babilonios, de los persas, de los macedonios y ahora, de los romanos.

3. Véase Anexo 2.

—Es el destino de todos los pueblos pequeños que se forman a lo largo de los siglos en el seno de los grandes pueblos que los dominan y los absorben, Marcelo. Los cincuenta pequeños pueblos de la antigua Italia se convirtieron en un solo pueblo: el pueblo romano. Los ciento veinte o ciento cincuenta pueblos de la Galia empezaron a unirse unos con otros, y dentro de un siglo o dos serán una sola nación. Y así los demás.

—Lo sé, divino Augusto, pero en el caso de los judíos, esa fusión, esa asimilación es imposible, a causa de sus creencias religiosas.

—Los galos también tienen creencias religiosas diferentes a las nuestras, y sin embargo eso no impidió que poco a poco se volvieran galo-romanos. No veo por qué los judíos no podrían volverse judeo-romanos.

—Tienen una excelente razón para no hacerlo: el pueblo de Dios no puede mezclarse con ningún otro. Piensa, divino Augusto, que su Ley le impide a un judío casarse con una mujer no judía, ¡y quien viola esa prohibición puede terminar lapidado!

—De todos modos, los escucharé: veremos qué desean.

Dos días después, en el templo de Apolo, los embajadores judíos hablaron y empezaron por declarar contra Herodes:

—No era un rey —dijeron—, sino el déspota más grande que haya existido jamás. No se limitó a derramar la sangre de una enorme cantidad de víctimas, muchas veces de un rango elevado: su crueldad hacia los que quedaban con vida hacía que éstos envidiaran la dicha de los muertos. Judea, que vivía en la felicidad y la devoción, ha sido reducida por Herodes a una extrema miseria, y ha sufrido, por causa de sus injusticias, más desgracias que las que sufrieron sus antepasados en manos de los asirios y los babilonios.

Luego comenzaron a criticar a Arquelao, que había iniciado su reinado ilegítimo haciendo matar a tres mil ciudadanos, cuyos cadáveres se acumularon en el atrio del Templo, como si fueran víctimas ofrecidas a Dios para que fuera favorable al reinado que comenzaba. Y los embajadores terminaron su discurso de esta manera:

—Ya no queremos ser súbditos de un tirano, y te suplicamos, divino Augusto, que nos concedas la gracia de unir Judea a Siria, para que podamos someternos a las leyes de un Estado, y no a las de un déspota. Entonces se verá si somos sediciosos, como nos acusan.

Ocho días más tarde, el emperador pronunció su famosa sentencia de partición de la Palestina, confirmando las intenciones del testamento de Herodes, quien había deseado que su reino se distribuyera entre sus tres herederos. Le confirió la mitad a Arquelao, que obtuvo la Judea propiamente dicha, Samaria e Idumea con el título de etnarca de Judea; la otra mitad fue repartida entre Herodes Antipas (Antipas), que recibió Galilea y los territorios situados en la margen oriental del río —Perea—, también con el título de etnarca, y Herodes Filipo (Filipo II), que recibió los territorios en parte desérticos ubicados al noreste del río (Gaulanitida, Traconitida, Batanea y Auranitida), cuyo conjunto formaba Iturea, con el título de etnarca. Salomé, la hermana del difunto rey, obtuvo un pequeño territorio, con algunas ciudades, al norte del lago Tiberíades (que entonces se llamaba "mar de Galilea"). Por último, el cuarto hijo de Herodes, Filipo I, que vivía en Roma desde hacía mucho tiempo, con su esposa y sobrina, la bella Herodías, y que no había reclamado nada, no recibió ningún territorio ni ningún título, algo que más tarde le reprochó su esposa.

La noche del día en que se publicó este edicto, el emperador convocó a Marcelo al palacio para pedirle su opinión sobre las disposiciones que había tomado.

—Esta partición de los reinos judíos fue hecha con mano maestra, como tú sabes hacerlo, divino Augusto, y desde ahora, la paz política está garantizada en Palestina. Pero no diría lo mismo de la paz civil.

—¿Por qué dices eso, Marcelo?

—Por las sectas.

—¿Te refieres a los fariseos y los saduceos, cuyas doctrinas me explicaste varias veces?

—No, divino Augusto. Me refiero a la difusión cada vez más grande, en los ambientes judíos populares, y también entre algunos burgueses, de doctrinas puramente religiosas, casi místicas, que llevan a los individuos a apartarse de la vida del Estado, e incluso de la vida económica, para interesarse por el amor al prójimo y el destino del alma, como las de los eremitas de las orillas del mar Muerto, o de ciertos predicadores anónimos que aconsejan a quienes los escuchan que se preparen para el fin del mundo.

—¿Te refieres a los esenios, caballero? Ya me hablaste de ellos, y me parecen inofensivos: no son prosélitos.

—Pienso en los zelotes, divino Augusto.

—¡Ah, sí, los zelotes! Me mencionaste el nombre de esa nueva secta antes de partir hacia Jerusalén, en diciembre último, para liquidar lo que llamaste "los asuntos pendientes"... Me dijiste que había sido fundada por un tal Judas, a quien siempre confundo con el fariseo que provocó la revuelta del Águila de oro, a principios de la primavera.

—Ése era Judas, hijo de Sarifeo: Herodes lo hizo torturar hasta la muerte después de la sublevación. El fundador de la secta de los zelotes se llama Judas de Gamala, y lo llaman "el Galileo".

—¿Y qué es lo que predica?

—No lo sé exactamente, divino Augusto. Según lo que me informaron cuando estuve en Jerusalén, quiere que los romanos se vayan de Palestina, porque son paganos, y por lo tanto, impuros, y mancillan la Tierra de Dios con su mera presencia, y sobre todo, porque imponen sus leyes a los judíos, cuado el pueblo de Dios sólo debe obedecer a una sola ley: la de Moisés.

—¿Tiene muchos adeptos?

—Lo ignoro. Todavía no se manifestaron, ni por medio de revueltas, como lo hizo Judas, el hijo de Sarifeo, a fines del año pasado, ni a través de predicaciones públicas: la ideología de Judas el Galileo y de su acólito, un fariseo llamado Sadok, parece, por ahora, una brasa escondida debajo de la ceniza, y su nacionalismo religioso no tiene demasiados seguidores.

—Olvidemos a Palestina, Marcelo, y hablemos de tu futuro. He pensado confiarte una alta magistratura en la Galia. ¿Un cargo en Lugdunum?4

—Agradezco tu confianza, divino Augusto, pero preferiría no moverme más de Roma por un tiempo. Traje de Jerusalén una gran cantidad de manuscritos, actas administrativas, testimonios, y tengo la intención de escribir una historia del reinado de Herodes el Grande sin alejarme de las orillas del Tíber.

—¿No extrañas un poco Palestina?

4. Nombre latino de Lyon, la ciudad más grande de la Galia, en esa época.

—Apenas pensé en ella en los últimos dieciocho meses: recuerdo que llegué a Damasco en octubre del año 749, y estamos a mediados de la primavera de 751. El único verdadero amigo que hice allí, fue Hiram, mi guía fenicio, y la única familia que me conmovió, y cuya suerte —que, lamentablemente, ignoro— me interesa, es la del viejo carpintero José, su joven esposa María y su hijo, Jesús, que ya debe de estar por cumplir un año. Hiram, José, María y Jesús: esto es todo lo que extraño de Palestina. Y no hay peligro de que los olvide: Hiram me prometió escribirme al menos una vez por año, para tenerme al tanto de la vida de los cuatro.

—¿Sabe escribir ese vendedor de corderos?

—Escribe el griego tan bien como tú o yo, y también escribe hebreo y sánscrito.

—¿Sánscrito?

—El idioma de los habitantes de India y de los gimnosofistas, divino Augusto.

—¿Estuvo en la India, ese fenicio?

—¡Oh, no! Es demasiado lejos para él. Pero tiene algunos clientes, creo que son sacerdotes, y aprendió el sánscrito para escribirse con ellos. Todos los fenicios son un poco políglotos.

El proverbio "Ojos que no ven, corazón que no siente" seguramente no tiene validez entre los semitas, o al menos, entre los fenicios, porque Hiram cumplió su palabra: durante los ocho años que transcurrieron entre el día en que, con los ojos húmedos de tristeza, se había despedido de su amigo Marcelo en el puerto de Cesarea de donde zarpó la nave que lo llevó a Italia, y aquél en el que, con los ojos brillantes de alegría y felicidad, lo recibió en la rada de Sidón para una nueva misión en Palestina, encomendada por el emperador, es decir, entre 751 y 758 de Roma,[5] Hiram le envió en forma regular, una vez por año, un papiro caligrafiado y artísticamente atado con un hilo de oro, en el que consignaba cierto número de acontecimientos, que le eran informados por diversas personas, o de los que había sido testigo: "No te garantizo la veracidad de

5. Entre 3 a.C. y 5 d.C.

todos los hechos que te relato, caballero, porque en general, no los he presenciado, pero creo que te interesarán".

Éstos son algunos de esos papiros.

PAPIROS DE HIRAM EL FENICIO

Año 751 de Roma, en Galilea[6]

Jesús, el hijo de María y José, acaba de cumplir un año. Según contó uno de los sacerdotes del Templo, ya sabe hablar y, el día de su primer cumpleaños, le habría dicho a su madre María, desde la cuna: *"Oh, María, soy Jesús, el Hijo de Dios que tú diste a luz como te lo anunció Gabriel. Mi Padre me ha enviado para salvar al mundo".*

Comentario de Hiram

Ignoro el nombre del sacerdote a quien se debe esta revelación. Algunos me dijeron que podría ser Anás, pero no tengo ninguna prueba de ello. Personalmente, pienso que se trata de una noticia falsa: un bebé de un año no habla; a lo sumo, balbucea. Hay que desconfiar de las informaciones más o menos sobrenaturales que provienen de los sacerdotes: casi siempre las inventan ellos mismos para convencer a los paganos o a los infieles. Sin embargo, no hay humo sin fuego: es muy posible que María haya ido al Templo con su hijo cuando cumplió un año, pero no se puede decir nada más.

Año 755 de Roma, en Galilea7

En 755 de Roma, cuando Jesús tenía cinco años, estaba jugando en el vado de un arroyo con otros pequeños, y hacía correr el agua dirigiéndola hacia un charco, para aclararla. Luego sacó de su cántaro una especie de arcilla blanda, con la que modeló una docena de pájaros. Era el primer día del shabbat, y un fariseo escrupuloso sorprendió al niño modelando con sus camaradas. Fue a ver a José y le dijo:

6. 3 a.C.
7. 2 d.C.

—Tu hijo está modelando pájaros, cuando hoy es el día de shabbat y no tiene derecho a hacerlo.

Entonces, José fue a buscar a su hijo y lo reprendió en estos términos:

—¿Por qué haces algo que no está permitido hacer en el día de shabbat?

Jesús no contestó, pero golpeó las manos e hizo volar los pájaros que había modelado, mientras decía: "Váyanse, vuelen y acuérdense de mí, ustedes que están vivos". Los pájaros volaron lanzando gritos, y el fariseo, asombrado, fue a contarles a sus amigos lo que había visto.

Pero Anás —el vicario que luego sería gran sacerdote, y a quien Hiram le había entregado el Águila de oro cuando llegó a Jerusalén— se encontraba junto a los niños y conversaba con José. Tomó una rama de sauce, la usó para hacer correr el agua que Jesús había reunido y secó los charcos. Jesús montó en cólera y le dijo:

—¡Que tu hijo se convierta en raíz, y que tu fruto se seque como una rama arrancada por la tormenta!

E inmediatamente, el hijo de Anás se secó como una raíz.

En otra oportunidad, durante ese mismo año, Jesús caminaba junto a su padre, en su aldea, cuando un niño pasó corriendo y le golpeó el hombro. Jesús, disgustado, le dijo: *"No seguirás mucho tiempo más tu camino"*.

E inmediatamente, el niño cayó muerto. Los testigos de ese drama exclamaron:

—¿De dónde viene este niño? ¡Todo lo que dice se cumple de inmediato!

Los padres del niño muerto fueron a ver a José y le dijeron:

—José, tú no puedes vivir con nosotros, en el pueblo, con un niño como ése. O enséñale a bendecir y no a maldecir, porque todas sus maldiciones se cumplen.

José fue a buscar a Jesús, lo reprendió y trató de razonar con él:

—¿Por qué haces eso, hijo mío? —le preguntó—. Esas personas sufren, y ahora nos van a odiar a los tres: a ti, a tu madre y a mí.

Jesús le respondió:

—Tus palabras, padre, son sin duda sabias. De lo contrario, no serías capaz de criar niños.

Pero enseguida añadió:

—Los que no han sido malditos también recibirán su castigo.

Y al instante, todos los que estaban allí y se indignaron con sus palabras, se volvieron ciegos. Entonces, José se enojó con su hijo y le tiró de las orejas con fuerza. Jesús replicó: *"El que me busca, me encuentra. Y tú, padre, no actuaste con sabiduría".*[8]

Comentario de Hiram

No creo en la veracidad de estos relatos, que me contó una mujer del pueblo donde Jesús solía jugar, en Galilea. Era una mala persona, a la que no le gustaban los niños: se ve por la manera en que habla del hijo de María. Pero la historia de Jesús que no hace caso del shabbat es verosímil: según todo lo que me dijeron de él, es un niño muy independiente. Todo el resto es pura invención: en Galilea, todos me dijeron que Jesús no le haría daño a una mosca.

Año 756 de Roma[9]

Un maestro de escuela, que se llamaba Zaqueo, oyó a Jesús, que tenía entonces seis años, hablarle con insolencia a su padre:

—¿No quieres confiarme a tu hijo —le preguntó a José—, para que le enseñe a amar al prójimo y a honrar a sus padres y las personas de edad, para que se haga amigo de esos niños y los instruya a su vez?

—¿Quién podría tomar a su cargo a este niño e instruirlo? Sería cargar una pesada cruz.

Jesús los interrumpió y les dijo:

—Me considero ajeno a las palabras que acabas de pronunciar, maestro. Yo soy diferente a todos ustedes, aunque esté entre ustedes. No le reconozco ninguna dignidad a lo que viene de la carne porque, incluso antes de que tú nacieras, yo ya existía. Aunque te imagines que eres como mi padre, recibirás de mí una enseñanza que nadie aprendió ni enseñó hasta mí. Y la cruz de la que hablaste, padre, será cargada por aquél a quien le corresponda. Porque cuando yo sea exaltado, me abstendré de lo que tengo en común con tu estirpe. Ustedes no saben cómo nacieron, mientras que yo, sólo yo, sé exactamente cuándo nacieron ustedes y hasta cuándo vivirán en esta tierra.

8. Relatado en el apócrifo titulado *Evangelio árabe de la infancia*.
9. 3 d.C.

Todos empezaron a gritar, asombrados:

—En verdad, hoy hemos visto cosas prodigiosas. Jamás habíamos oído tales palabras, ni de boca de los sacerdotes, ni de los escribas, ni de los fariseos. ¿De dónde viene este niño? Sólo tiene cinco años y ya habla así. Nunca se ha visto nada igual.

Entonces, Jesús les dijo:

—¿Por qué se asombran? ¿Por qué no me creen cuando les digo que sé cuándo nacieron? Y sepan que también sé muchas otras cosas.

Perplejos, José, Zaqueo y todos los asistentes se quedaron sin saber qué decir. Entonces, el niño terrible se acercó a ellos y les dijo:

—Estuve jugando con ustedes, porque se asombran de nada: no tienen ni ciencia, ni inteligencia.

—Confíamelo, José —le volvió a decir Zaqueo a José—: debo instruirlo en forma conveniente.

Finalmente, con caricias y cumplidos, Zaqueo logró llevar a Jesús a su escuela. Una vez que entraron, Jesús se calló, y el maestro Zaqueo comenzó a repetirle varias veces el alfabeto:

—*Alfa, beta, gama, delta...*

Luego le pidió que lo repitiera. Pero como Jesús permanecía mudo, Zaqueo montó en cólera, se enojó contra ese alumno indisciplinado y le pegó en la cara.

—Cuando se golpea un yunque —dijo Jesús—, la cosa que se golpea contra él recibe el golpe más duro. Y tú, Zaqueo, puedo decirte que hablas como una campana que resuena, pero que no puede hablar, porque no tiene ni sabiduría, ni ciencia. Mejor, escúchame a mí.

Y le recitó varias veces, sin una sola falta, el alfabeto entero, de *alfa* a *omega*. Luego añadió:

—Los que no conocen *alfa*, ¿cómo pueden enseñar *beta*? ¡Hipócritas! Empiecen ustedes mismos por enseñar qué es *alfa*, y luego nosotros les creeremos en lo concerniente a *beta*.

Y Jesús se puso a interrogar a su maestro sobre la primera letra del alfabeto. ¿Por qué tiene esa forma? ¿Por qué está compuesta de dos triángulos, y el más grande contiene al más pequeño? ¿Por qué es alargada, abierta hacia abajo, terminada arriba en punta?

El maestro quedó al mismo tiempo asombrado y maravillado ante tantas preguntas, y empezó a gritar:

—¡Miren lo que me sobrevino! ¡Por favor, saquen a este niño de aquí! No debería estar en este mundo. En verdad, está destinado a una

gran cruz. Creo que sería capaz de quemar incluso al fuego, y que nació antes del diluvio. ¿Qué entrañas lo engendraron? ¿Qué vientre lo
dio a luz? ¿Qué madre lo crió? No puedo resistirlo. Me maldigo a mí
mismo: creí encontrar un discípulo, y encontré un maestro. Me puse
en ridículo. Yo, un viejo, fui vencido por un niño. Veo la inteligencia
que brilla en sus ojos, oigo la elocuencia de sus palabras, admiro la pureza de su lenguaje. ¿Es el Señor o es un ángel? No lo sé.

Entonces Jesús se echó a reír y dijo:

—Que los que no tienen fruto sean fecundos, y que los ciegos
vean el fruto de la inteligencia.

Todos los que se habían vuelto ciegos por su maldición recobraron
la vista, y desde ese momento, nadie más se atrevió a hacerlo enojar.

Algunos días más tarde, Jesús estaba jugando en una terraza elevada con otros niños. Hubo unos empujones, y uno de ellos cayó desde el techo y murió. Los demás niños huyeron, y se pusieron de acuerdo entre ellos para denunciar a Jesús:

—Fue Jesús quien lo mató —le dijeron al gobernador, cuando éste los interrogó.

Entonces, María y José fueron detenidos por asesinato. Todos los
niños que habían jugado con su hijo atestiguaron en su contra, y el
gobernador pronunció la ley de los hebreos: "Ojo por ojo, diente por
diente, vida por vida": Jesús sería entregado a los verdugos para que lo
mataran. Entonces, él le dijo a su juez:

—Juez, si invoco a este muerto, vuelve a la vida. Y si él dice que yo
no lo maté, ¿qué harás con los que atestiguaron en mi contra?

—Si haces eso, te juzgaré inocente, y los otros serán culpables.

Entonces, Jesús le dijo al niño que yacía, muerto, en el suelo:

—Tuza, Tuza, ¿yo te empujé?

El niño volvió a la vida y le contestó:

—¿Qué dices? Señor Jesús, tú no pudiste empujarme porque no
estabas allí cuando los que me empujaron lo hicieron: fueron Adai,
Rahbi, Wardi, Mardi y Musa.

Jesús se acercó a Tuza, lo levantó, se lo devolvió a sus padres, y todo el mundo quedó maravillado.[10]

10. Según la *Historia del niño Jesús*, apócrifo neotestamentario.

Comentario de Hiram

Estos son cuentos, es evidente. El hijo de María es sin duda un niño precoz, que conoció el alfabeto antes que otros niños de su edad. Por eso, surgió la anécdota referente a Zaqueo.

Año 757 de Roma, en Galilea[11]

Año triste: nos enteramos, en Jerusalén, de la muerte de Cayo César en Licia, a la edad de veintidós años. Era el último hijo adoptivo de Augusto, al que más amaba el emperador, y a quien le había escrito, dos años atrás, una carta que dio la vuelta al Imperio, en la que le decía: "Tengo sesenta y cuatro años, ignoro cuántos días me reservan aún los dioses, pero les ruego que te conserven feliz y floreciente para que me sucedas y gobiernes como un hombre de corazón este Imperio, que espero transmitirte también en condiciones felices y florecientes". ¿Quién tomará el trono imperial, pues, cuando desaparezca el divino Augusto? Nadie lo sabe.

Ese mismo año, Jesús cumplió siete años. Un día, María lo mandó a buscar agua. Había muchas personas en la fuente, y el cántaro que llevaba el niño se rompió. Jesús extendió su manto, lo llenó de agua, y se lo llevó a su madre, que quedó maravillada.[12]

Año 758 de Roma[13]

Jesús iba creciendo en estatura y en sabiduría, y, cuando llegó a la edad de ocho años, adquirió la costumbre de acompañar a su padre a las ciudades vecinas para ayudarlo en sus trabajos de carpintería, como colocar una puerta, hacer un tonel o fabricar una cama. Cuando José necesitaba alargar, acortar, ensanchar o angostar una tabla, Jesús sólo tenía que extender su mano, y la tabla tomaba las dimensiones deseadas, sin que José tuviera necesidad de serruchar o cepillar.

Un día, el rey de Jerusalén, Arquelao, lo mandó llamar para que le construyera un trono con las dimensiones exactas del volumen que él

11. 4 d.C.
12. Según la *Historia del niño Jesús*, apócrifo neotestamentario.
13. 5 d.C.

ocupaba al sentarse. José trabajó dos años en ese trono, y cuando lo terminó, le presentó su obra al rey. Lamentablemente, el rey encontró que le faltaban dos palmos[14] en cada dirección, y se enojó con José, que esa noche no pudo dormir:

—¿Por qué te afliges, padre? —le preguntó Jesús.

—Porque he perdido dos años de trabajo, y debo volver a empezar.

—No te desalientes, padre. Toma ese trono de un lado, yo lo tomaré del otro, y todo se arreglará.

José hizo lo que le decía su hijo, y el trono real se agrandó hasta las dimensiones que había pedido el rey.[15]

Otro día de ese mismo año, Jesús salió de su casa y vio un grupo de niños de su edad que jugaban. Los siguió hasta la puerta de una casa, donde entraron, pero aunque se quedó esperando, no los vio volver a salir. Golpeó la puerta, y les preguntó a las mujeres que le abrieron dónde estaban los niños que habían entrado unos minutos antes.

—Aquí no entró ningún niño —le dijeron.

Entonces, Jesús les dijo:

—¿Y los niños que están en el horno de su cocina?

—No son niños —le contestaron ellas—, son cabritos mamones que pusimos a asar.

—Ya veremos —repuso Jesús. Y empezó a gritar: — *"Vengan, cabritos del horno, que los llama su pastor"*.

Los cabritos que se estaban asando salieron del horno y comenzaron a saltar a su alrededor. Las mujeres, llenas de temor y admiración, se arrojaron a los pies de Jesús y le rogaron que no las castigara:

—¡Oh, Jesús, hijo de María, tú eres el buen pastor de Israel! —le dijeron—. Ten compasión de tus siervas que no te dijeron la verdad, pues tú has venido a curar, y no a hacer morir.

—Los hijos de Israel —les respondió Jesús— son como los ladrones que se apoderan de la mejor parte del rebaño para irritar al buen pastor.

14. Distancia entre el extremo del pulgar y el del meñique, estirados (alrededor de veintitrés centímetros).

15. Relatado en el apócrifo titulado *Evangelio árabe de la infancia*.

EL TIEMPO PASA   185

—Jesús —le dijeron las mujeres—, a ti no se te puede ocultar na-
da. Nada te irrita y se puede confiar en ti.
Entonces Jesús les dijo a los cabritos:
—Vamos, niños, vamos a jugar.
E inmediatamente ellos recuperaron su forma humana, frente a
las mujeres petrificadas de terror.[16]

Comentario de Hiram

Se trata de fábulas, de las que se les suele contar a los niños para
dormirlos. Pero no hay humo sin fuego. Si se cuentan historias ex-
traordinarias sobre este niño, debe ser porque él mismo es extraordinario.

Año 759 de Roma[17]

Los desórdenes que empezaron a producirse en Judea no parecían
involucrar a la gente de Galilea: Jesús seguía despertando la admiración de los habitantes de su aldea, y muchos aldeanos de los alrededores acudían a admirarlo. Ese año, en el mes de marzo, llegó una familia. Uno de sus integrantes era un niño llamado Simón, que al oír un
silbido procedente de un árbol, creyó que se trataba del canto de un pájaro, y tendió la mano hacia el árbol para atraparlo. Pero tuvo mala
suerte, porque no era un pájaro lo que silbaba, sino una víbora que le
mordió la mano. Su familia lo llevó a ver a un famoso médico, en Jerusalén, que no logró curarlo, y entonces fue a verlo a Jesús, sumida
en llanto, con su hijo.
—¿Por qué lloran? —les preguntó Jesús.
—Por nuestro hijo Simón —dijo la madre—. Extendió la mano
hacia un árbol para atrapar a un pájaro, y lo mordió una serpiente.
Jesús tuvo piedad de ellos, se acercó a Simón, lo tomó de la mano,
y dijo:
—Este Simón será mi discípulo, más adelante.
En ese mismo momento, Simón se curó, como si nunca lo hubiera mordido ninguna víbora. A partir de allí, lo apodaron *Qinya*, por el

16. *Ibíd.*
17. 6 d.C.

nido donde se había escondido la víbora (*qinya*, en sirio, significa "nido"), y porque esa palabra significa también "cananeo". Más tarde, Simón el cananeo fue el fiel discípulo de Jesús.[18]

Comentario de Hiram
¡Si creyéramos todo lo que se cuenta!

FIN DE LOS PAPIROS DE HIRAM

Hacía muchos años que de Palestina sólo quedaba en la memoria de Marcelo el delicioso recuerdo de los pescados asados con hinojos que había saboreado a orillas del lago de Genesaret, a principios del año 758 de Roma.[19] En aquella oportunidad, el emperador, enterado de que volvían a producirse disturbios en Judea, e incluso en Samaria, y que por todas partes circulaba el rumor de un próximo levantamiento contra Arquelao, decidió sacar a Marcelo de sus tareas de historiador y de la tranquilidad de su gabinete de trabajo para volver a enviarlo a Oriente, para que le hiciera un detallado informe de la situación política y religiosa en el etnarcado que le había confiado al hijo mayor de Herodes:

—El ambiente se está echando a perder en Judea, querido Marcelo —le dijo—. He recibido varias cartas de Varo, mi legado en Asia,[20] del que depende Siria, en las que me dice que en Jerusalén las cosas andan muy mal.

—¿Cómo es eso?

—Cuando el hijo de Herodes vino a Roma para defender su causa ante mí, hace ocho años, los fariseos y algunos otros se levan-

---

18. Según el apócrifo *Historia del niño Jesús*.

19. 5 d.C.

20. Las reglas concernientes a la administración de las provincias romanas no se fijaron definitivamente hasta el reinado de Tiberio, pero ya durante el reinado de Augusto, los gobernadores de las provincias imperiales (las que exigían la permanente presencia de tropas) tenían el título de *propretor* o *legado*, y eran elegidos entre los ex cónsules. Tenían bajo sus órdenes gobernadores para los asuntos administrativos y procuradores para los asuntos financieros o judiciales.

taron contra Varo, a quien yo había encargado gobernar Judea en ausencia de Arquelao, y que tuvo que enviar legiones suplementarias a Jerusalén. Una vez recuperada la calma, partió hacia Antioquía, donde reside habitualmente, y le entregó provisoriamente Judea a Sabino, el gobernador de Siria. Éste quiso emplear métodos duros contra los sediciosos y apoderarse de las fortalezas de Judea, pero también de Samaria, e incluso de las ciudadelas que se encuentran del otro lado del Jordán.

—Empiezo a entender, divino Augusto: Sabino quiso apoderarse de las plazas fuertes judías antes de la llegada de Arquelao, y los judíos tomaron las armas.

—Exactamente. Y como consecuencia de esa ridícula acción, nuestras legiones se vieron sitiadas en las dos o tres fortalezas de Jerusalén que ocupaban, por fuerzas judías dirigidas por fanáticos, llegados de Judea, pero también de Samaria, Galilea, Perea, Jericó.

—Pero ¿con qué fin?

—Con el fin de echar mano a la fortuna de Herodes: todo el oro y todos los bienes que acumuló durante su vida están bien guardados en la torre Antonia, la torre de Estratón y el palacio real que rodean al Templo al norte y al este.

—¿Cómo terminó esa operación de pillaje?

—"Pillaje" es la palabra justa. Para librarse de los judíos que atacaban a los romanos en todas partes, Sabino prendió fuego a los pórticos del Templo, sus tropas se apoderaron de todo lo que era valioso, y él se encerró con ellos en el palacio real. Hubo centenares de muertos, y levantamientos en toda Judea, sin contar los propios jefes judíos que partieron al asalto de los castillos herodianos. Todo eso sucedió mientras Arquelao se encontraba en Roma: debo decirte que, cuando estuvo de regreso en Jerusalén, el etnarca se vengó, tanto de los romanos que la habían saqueado, como de los judíos que lo aprovecharon. Reina la más completa confusión allí, y realmente necesito que vayas a Palestina, y que me envíes, lo más pronto posible, un informe sobre el estado de cosas.

—Si es necesario, parto mañana.

—Cuanto antes, mejor. Te haré preparar un trirreme.

—¿Para mí solo?

—No es para ti, Marcelo: es para el Imperio. Debes llegar a Jerusalén lo antes posible, y estamos a fin de marzo: el Mediterráneo está calmo, y con doscientos remeros, llegarás a Cesarea en menos de tres semanas. Recuerda las palabras de Catón. Un día de otoño exhibió un higo blanco grande y hermoso ante los senadores, que se negaban a votar la guerra a ultranza contra Cartago, y dijo: "Este higo que les muestro fue recogido hace cuatro días en la llanura de Cartago: ¡no tardarán más tiempo las tropas de Aníbal en llegar a las puertas de Roma!" Pues bien, yo te digo que Marcelo no tardará más de tres semanas en llegar a Jerusalén: quiero que estés en el lugar de la acción antes de fin de abril.

—Cuando el divino Augusto dice "Quiero", Marcelo sólo puede responder "Puedo", y que Neptuno nos sea favorable.

—Parte esta misma noche hacia Brindisi. Ya di órdenes para que mi propio trirreme esté perfectamente aparejado cuando llegues al puerto, y mandé a mis correos terrestres rápidos para que le avisaran a tu amigo fenicio: te estará esperando en Cesarea.

—¿Debo presentarme ante el etnarca?

—No hay más etnarca, pero Arquelao aún no lo sabe... Toma este rollo que tiene mi sello: es el acta de destitución de Arquelao. Harás que lo lleve mi legado, que también te esperará en Cesarea.

—¿A quién nombras en su lugar?

—A nadie por ahora. Varo, mi legado, atenderá los asuntos corrientes hasta que yo tome una decisión.

—¿Cuándo la tomarás?

—Después de recibir tu informe, caballero. Adiós, Marcelo, y buena suerte.

—Adiós, divino Augusto.

Marcelo partió esa misma noche hacia Brindisi por la vía Appia. La tripulación del trirreme imperial hizo maravillas y, tres semanas más tarde, el caballero se encontraba frente al fenicio Hiram en una pequeña posada al aire libre, en la larga playa de arena que se extendía a ambos lados de la ciudad. Una leve brisa hacía estremecer la superficie azul oscuro del Mediterráneo, y las gaviotas danzaban en torno al trirreme, anclado en medio de la rada, lanzando gritos agudos. Durante los primeros minutos, los dos amigos, sonriendo, cumplieron el ritual de los "Te acuerdas...", propio de los reencuentros.

—Verte me rejuvenece diez años, mi querido Hiram... ¡diez años!

—Nueve años solamente, señor caballero. Recuerda: fue en el

verano del año 750 de Roma cuando partiste a Galilea para ver a José, que acababa de volver de Egipto.

—Tienes razón, amigo, fue hace nueve años. Pero confieso que cuando te vi de lejos, en el muelle de Cesarea, al principio no te reconocí... Creo que tienes más barriga ahora.

—¡Ay, Marcelo, no te burles de mí! Pero qué quieres, cambié de régimen: ahora tengo una esposa, y ella se pasa el tiempo atiborrándome con pasteles, cremas y guisos.

—A propósito, ¿sigues siendo el rey de la pierna de cordero?

—Sí, pero ya no me ocupo personalmente de vender los corderos en pie. Tengo cuatro vendedores que circulan permanentemente entre Sidón y Jerusalén, y además tengo un socio. Ya no viajo tanto como antes.

—¿Y qué haces todo el día?

—Me dedico al comercio de antigüedades. Vendo estatuas de mármol griegas, cerámicas de Rodas, cristales antiguos de Fenicia y Siria, a los romanos ricos, que son grandes amantes del arte, en el aspecto financiero, se entiende, porque en el aspecto artístico, salvo algunas excepciones, no brillan demasiado.

—Lo que dices es muy justo, Hiram. Los romanos sólo han tenido oradores, poetas, legisladores y generales. Es lo que dice Virgilio, el mantuano, en la *Eneida*: "Roma: otros pueblos serán más hábiles para hacer salir del mármol figuras vivas, pero tus artes consisten en hacer que reinen las leyes de la paz entre las naciones, en ser compasiva con los vencidos y domar a los soberbios". Eso es, por otra parte, lo que intenta hacer Augusto. ¿Y dónde encuentras tus antigüedades?

—Para las de mármol y las de bronce, tengo dos naves que viajan entre Rodas y las islas griegas. En cuanto a la cristalería, me aprovisiono en Biblos.

—¿Y quiénes son tus clientes?

—Romanos, por supuesto, aunque los impuestos a la riqueza empiezan a hacerlos vacilar, y alejandrinos.

—Si me hubieran dicho, hace diez años, que te convertirías en un anticuario, no lo hubiera creído... ¡Habrías hecho fortuna en tiempos de Cicerón! Pero explícame una cosa...

—¿Qué?

—¿Cómo te arreglas con tu conciencia?

—¿Mi conciencia?

—Sí. Tu religión te prohíbe las imágenes, las estatuas...

—Soy judío de religión, pero no de nacionalidad. En Fenicia, nada está prohibido, salvo dejar de pagar los impuestos: nuestro país es territorio romano.

—¡Ah, sí! Olvidé ese detalle —dijo Marcelo, sonriendo—. ¿Y tú pagas regularmente tus impuestos, Hiram?

—Hasta la última moneda, caballero.

—Entonces, todo está perfecto. ¿Pero tu esposa no te reprocha que no respetes la Ley?

—Ella no es judía: es la hija de un centurión romano.

—¿Y a pesar de todas esas violaciones a la Torah, te siguen comprando las patas de cordero en Jerusalén?

—Ya no voy personalmente. Mi hermano se convirtió, y es él quien ahora prepara y vende la carne a mis antiguos clientes, y todos mis repartidores son judíos.

—En cierto modo, ahora es tu hermano el rey del cordero.

—Sí. ¡Así es la vida! Pero yo conservé muchas relaciones en Judea. En ese país no sólo hay escribas y fariseos obtusos: también hay judíos con mente amplia, como yo, y siempre los hubo. El asunto del Águila de oro es un ejemplo. Fue el Sanedrín el que me encargó, hace diez años, ese ídolo —que fue la causa de la masacre de tres mil jóvenes ordenada por Arquelao—, para reemplazar una primera Águila de oro que había sido destruida por los fanáticos.

—Lo recuerdo —declaró Marcelo—, y nunca me hubiera imaginado que el reemplazo de ese objeto pudiera tener repercusiones tan importantes y consecuencias tan sangrientas: ¡tres mil muertos en un solo día! ¡Es una locura!

—En todas las naciones del mundo hay locos, camarada caballero. Entre los judíos y entre los demás. Ya era así desde los tiempos de Sócrates, y mucho me temo que esto siempre sea así.

—¿Tú, un mercader fenicio, conoces a Sócrates?

—Mi padre me contó muchas veces su historia.

—¿Qué profesión tenía tu padre, Hiram?

—Era sacerdote de Baal en Berito.[21]

21. La antigua Beirut.

Imprevisible Oriente. Sólo de este lado del Mediterráneo se puede encontrar un hombre como este buen Hiram, se dijo Marcelo para sus adentros. En ese momento, el fenicio lo sacó de su ensueño preguntándole qué quería comer. Él le contestó, sonriendo:

—Como de costumbre, por supuesto...

—¿Pescado asado con hinojos?

—Veo que no has olvidado nada. Y ahora, basta de recuerdos: cenemos y ocupémonos de cosas serias. Vine a Palestina, ante todo, para descubrir los motivos de los disturbios que estallaron en Judea en la época en que Arquelao fue a Roma con sus partidarios para pedirle al emperador Augusto que confirmara el testamento de Herodes. Es preciso saber qué pasó exactamente: Augusto sostiene que su legado, Varo, y el gobernador de Siria, Sabino, cometieron graves torpezas que provocaron los sangrientos incidentes que conoces.

—Te confieso, caballero, que el asunto fue tan complicado como mortífero, y no sorprende que ustedes, en Roma, no hayan entendido nada en lo que se refiere a esos hechos. Pero puedo tratar de explicártelos.

—Te escucho con atención, porque, a pesar de haber vivido mucho tiempo en Jerusalén, no entendí realmente las razones de esa sedición.

—Empezó como todas las sediciones: con una manifestación. En el año 750 de Roma, el año del nacimiento de Jesús, en Jerusalén se celebraba Pentecostés, que no es otra cosa que la fiesta de la cosecha entre los paganos, como lo hacemos todos los años, cincuenta días después de la Pascua, según lo indica su nombre,[22] o, si prefieres contar semanas, el séptimo domingo después del domingo de Pascua. De pronto, estalló un enfrentamiento a mano armada entre la multitud de los peregrinos que habían ido a celebrar esa fiesta, y la legión romana que estaba de servicio en ese momento en la ciudad, bajo el mando de Sabino, el gobernador de Siria, responsable del orden público en ausencia de Arquelao, que seguía en Roma.

—¿Cuál fue la causa del enfrentamiento? Augusto dice que Sa-

---

22. La palabra griega *pentekostos* significa "quincuagésimo".

bino aprovechó la ausencia de Arquelao y el hecho de tener una legión romana a su disposición, para saquear las fortalezas, donde se guardaba el oro y los tesoros de Herodes, especialmente las dos o tres torres que dominan el Templo.

—Ésa es la versión oficial, pero te aseguro que es falsa: o tu emperador te ocultó la verdad, por alguna razón que ignoro, o fue mal informado. Reflexiona un instante, Marcelo: ¿puedes creer que los peregrinos que iban a festejar Pentecostés a Jerusalén pudieran estar armados con puñales, espadas y hachas disimulados bajo sus vestimentas? Pues bien, eso fue lo que pasó: ese enfrentamiento, que fue un verdadero combate callejero, fue premeditado.

—¿En qué te basas para hacer semejante afirmación?

—En dos observaciones. En primer lugar, los peregrinos —que eran más manifestantes que peregrinos— le habían enviado un mensaje al gobernador, intimándolo a retirar sus tropas y no cerrar el camino a una nación que, después de tanto tiempo, decían, estaba a punto de "recuperar su independencia". En segundo lugar, fueron ellos quienes dieron la señal de combate, que condujeron siguiendo una estrategia bien estudiada de antemano. Llegaron al pie de la colina del Templo, y se separaron en tres grupos: uno de ellos ocupó el anfiteatro,[23] otro cercó la fachada norte y la fachada este del Templo, y el tercero se ubicó entre la fachada oeste y el palacio real. Era evidente que esos movimientos masivos habían sido cuidadosamente preparados, y la alusión a la independencia nacional demuestra que los instigadores de la revuelta tenían motivaciones e ideales fuertemente nacionalistas.

—Tu explicación es apasionante, Hiram. Augusto cree que los choques fueron más o menos fortuitos, y que estaban relacionados con el hecho de que Sabino quiso aprovechar la ausencia de Arquelao para apoderarse de los tesoros de Herodes.

—¡Tonterías! Pero hay algo más, caballero: más o menos en la misma época, siempre en ausencia del rey, estallaron revueltas del mismo tipo en otras ciudades del país. La más importante tuvo lugar en Séforis, Galilea, cerca del lago Genesaret, donde un grupo de hombres, dirigidos por un tal Judas, hijo de Ezequías (que había sido condenado

23. Véase el plano de Jerusalén (p. 82).

a muerte por Herodes como terrorista, y crucificado), se introdujo en el palacio de Herodes y se llevó las armas y el oro que había allí. Varo, que contaba con otras dos legiones, terminó por reprimir ese intento de rebelión: muchos rebeldes fueron muertos en los combates callejeros, y dos mil sediciosos fueron crucificados.

—Creo haber entendido —concluyó Marcelo—. Durante todo el tiempo que duró su reinado, Herodes ejerció su despotismo sobre los grandes, porque no quería que compitieran con él, pero sólo excepcionalmente atacó al pueblo. Por eso, dejó en la memoria de la gente común el recuerdo de un rey que no los abrumó con impuestos, y son los grandes quienes lo odiaban y le temían. Como además tuvo la habilidad de halagar a la clase sacerdotal, fue un tirano feliz. Ahora que está muerto, todo el mundo se despierta y proliferan las ambiciones: sus hijos quieren reinar, los sacerdotes quieren que se los siga respetando, y muchos querrían apoderarse de sus tesoros, empezando por los romanos. Esta situación genera conflictos internos y suscita las vocaciones de algunos predicadores, y pronto Palestina caerá, como un fruto maduro, bajo el dominio de Roma o de los arsácidas. Pero si el Imperio quiere subsistir en Oriente, como le digo al emperador cada vez que me recibe, debe conservar Palestina, que es la puerta de entrada a Egipto, y para eso, debe abolir su actual régimen de protectorado y conferirle el estatus de provincia imperial.

—Estoy de acuerdo contigo, Marcelo, pero si el emperador opta por esa solución, yo, el pequeño mercader fenicio, le daría un consejo: que tenga cuidado con las sectas.

—Eso es obvio, pero lo urgente es eliminar políticamente a los herodianos de Judea. De hecho, llevo en mi equipaje el acta de destitución de Arquelao, en buena y debida forma: tengo la misión de entregársela al legado Varo, que se encargará de gobernar en forma interina, a la espera de un nuevo gobernante para Judea.

—¿Quién será? ¿Otro etnarca o un gobernador romano?

—Augusto me pidió que lo aconsejara sobre este punto después de analizar la situación. Todavía no inicié la investigación, pero ya tengo mi opinión formada.

—¿Cuál es tu solución?

—Siempre pensé que para los intereses de Roma, conviene que Judea sea una provincia romana dirigida por un procurador que sólo le rinda cuentas al emperador en persona, y no a sus legados. Y el primer consejo que le daría a ese procurador, sería que vigile las sectas, y en primer lugar, a la secta de los zelotes.

—¿Por qué los zelotes más que los esenios?

—Los esenios no son nacionalistas: son anarquistas aunque no lo sepan. Y no tienen ningún motivo para vender su alma a los emperadores partos que reinan en Persia. En cambio, los zelotes pueden ser sensibles a sus argumentos: los arsácidas[24] pueden proponerles la independencia nacional a cambio de un derecho de paso para sus ejércitos por el territorio judío, y en ese caso, Roma puede despedirse del Oriente que le quitaron a los persas Pompeyo, César y Marco Antonio.

—Admiro la claridad y la fuerza de tu razonamiento, Marcelo. ¿Qué puedo hacer por ti?

—Tengo que enviarle un informe al emperador para hacerle conocer mis conclusiones después de la investigación, pero no querría confiar el transporte de un texto de tal importancia a un mensajero oficial. ¿Cómo puedo hacer?

—Muy sencillo, caballero. Tengo una nave rápida que parte hacia Roma mañana, cargada de mercancías, y ni su comandante, ni ningún hombre de su tripulación, sabe leer latín. Dame tu informe, Marcelo, y a lo sumo dentro de un mes, estará en manos de Augusto.

—Lo tendrás mañana a la mañana, Hiram. A propósito, ¿dónde pernoctaremos esta noche?

—Tengo una villa en Cesarea: es uno de mis puertos de matrícula. Tu cuarto está preparado. Y ahora bebamos, y luego cenemos, pues la jornada ha sido larga.

—¡Por Júpiter, estoy de acuerdo! Pero a condición de beber a la salud del Imperio.

—¡A la salud del imperio! —repitió el fenicio.

A la mañana siguiente, Marcelo depositó en manos de Hiram un rollo cerrado con su sello, que contenía su informe sobre la situación de Palestina:

---

24. Dinastía parta, fundada por Arsacio, que sucedió a la dinastía greco-macedonia de los seléucidas, y reinó sobre el imperio persa de 250 a.C. a 224 d.C.

"Al divino Augusto, su respetuoso súbdito Marcelo, ¡salud!

El equilibrio de las fuerzas en Oriente ha cambiado en algunos años, divino Augusto. En Persia, las disputas internas han debilitado a la dinastía de los arsácidas, y ya pasó la época en que los partos tomaron nuestras insignias de manos de Craso, y luego de Antonio: el tratado de amistad que has sabido imponerle a su rey Fraates, hace dieciséis años, fue solemnemente renovado hace dos años por su sucesor, Fraatasio. Tampoco los armenios son de temer: se consumen en interminables guerras civiles. De modo que ni Siria ni Palestina están amenazadas en sus fronteras orientales. En cambio, en el futuro, deberemos temer más bien a los árabes nabateos del Sinaí y Petra, que pueden presionar sobre la frontera oriental de Judea y —¿quién sabe?— aliarse un día con los persas. Por todas estas razones, me parece indispensable, divino Augusto, que Roma controle completamente no sólo a la actual Judea, sino también a Samaria e Idumea, a las que hay que reunir en una provincia única bajo la administración directa de Roma, por medio de un procurador. Es necesario terminar con el régimen actual del etnarcado o del tetrarcado, que lleva a que los judíos sean gobernados por un rey judío nombrado por el emperador: los judíos, como los galos, los íberos, los egipcios, los numidas o los gálatas, deben depender únicamente de la autoridad central de Roma.

Vale!

Marcelo Claudio Primo".

Nada podía convenirle más al emperador Augusto. El acta de destitución de Arquelao tuvo efecto en el otoño del año 759 de Roma:[25] fue despojado de su etnarcado y desterrado a Vienne, en la Galia, donde luego terminaría sus días, mientras Augusto creaba la provincia imperial de Judea en el sentido amplio, que agrupaba a la Judea propiamente dicha, Samaria e Idumea, y designaba como primer procurador a un tal Coponio. Los otros dos hijos de Herodes (Herodes Antipas y Herodes Filipo) conservaron sus títulos y sus territorios: el primero mantuvo sus prerrogativas de etnarca de Galilea y Perea, donde actuaría como un gran constructor, siguiendo el ejemplo de su padre, y el segundo, cuyo territorio (Iturea) estaba

25. 6 d.C.

constituido por fragmentos de tierras al este del Jordán, edificó la ciudad de Cesarea ("Cesarea de Filipo"), cerca del origen de ese río, al pie del monte Hermón. No hay que confundir a este Filipo, que en adelante llamaremos Filipo II, que Herodes tuvo con su sexta esposa, Cleopatra de Jerusalén, con otro hijo de Herodes, Filipo I, que tuvo con su tercera esposa (hija de un tal Simón, a su vez, hijo del sumo sacerdote Boetos), y que no desempeñó ningún papel en la historia de los judíos, salvo el de marido engañado: se casó con una de sus sobrinas, la bella Herodías, a la que encontraremos más adelante, con la que tuvo una hija tan hermosa como su madre, la bailarina Salomé.

Así comenzó la era de los "procuradores de Judea". Estos magistrados romanos, nombrados por el emperador, tenían la plenitud de la jurisdicción civil y penal (el *jus gladii*) de su provincia. Residían habitualmente en la ciudad marítima de Cesarea (no confundirla con Cesarea de Filipo) y, excepcionalmente, en Jerusalén, cuando las circunstancias lo exigían, por ejemplo, durante las grandes fiestas religiosas —como la Pascua—, que reunía en la Ciudad Santa a una numerosa multitud de peregrinos.

El procurador de Judea tenía poder sobre todas las autoridades locales, civiles o religiosas, y sólo tenía que rendirle cuentas al gobernador de Siria, en este caso, el procónsul Publio Sulpicio Quirino; él era quien designaba o destituía, de ser necesario, al sumo sacerdote, y poseía las llaves de la torre Antonia, la fortaleza instalada por Herodes, que dominaba el atrio del Templo, y en la que se guardaban los ornamentos sacerdotales utilizados para las grandes ceremonias. Una de las tareas principales del procurador era también instalar y administrar el fisco romano. Éste se basaba principalmente en dos impuestos directos: uno *territorial* (impuesto agrario o *tributum agri*), que se pagaba en especie, y el otro *individual* (la capitación o *tributum capitis*), que debían pagar las mujeres a partir de los doce años y los hombres a partir de los catorce, y del que sólo estaban exentos los ancianos. Pero existían también muchos otros impuestos, directos o indirectos: impuestos sobre los ingresos, sobre los rebaños, sobre las importaciones y las exportaciones, y una cantidad de impuestos al consumo y peajes para puertos, puentes y mercados. La recaudación de impuestos directos estaba a cargo de funcionarios romanos, pero las contribuciones indirectas eran delegadas a particulares, los *publicanos*, que trabajaban a destajo, con todos los excesos que suelen producirse en esta clase de sistemas. Por último, el procurador tenía, por supuesto, la tarea de mantener el orden público. Para eso, disponía de cinco cohortes de infantería de alrededor de seiscientos hombres cada una, y un ala de caballería: en total, unos tres mil quinientos hombres, reclutados en Samaria, Siria y Cesarea de Filipo.

En suma, el sistema administrativo y fiscal romano era menos arbitrario que los que habían debido soportar los judíos bajo la dinastía asmonea y bajo Herodes el Grande. En efecto, los funcionarios romanos, y el procurador en particular, habían recibido orden de dominar su susceptibilidad legalista: no era cuestión de que el caso del Águila de oro y la siguiente masacre se repitieran. En las monedas romanas que circulaban en Palestina, y que eran acuñadas en el país, sólo figuraba el nombre del emperador, pero no exhibían su imagen, a causa de la prohibición mosaica. Por la misma razón, los soldados romanos que llegaban en cohortes a Jerusalén, dejaban sus insignias en Cesarea. Finalmente, también se prohibió el acceso al atrio del Templo, y al Templo mismo, a los no judíos, so pena de muerte. En cuanto a la administración local propiamente dicha, de acuerdo con las costumbres romanas, estaba en manos de las autoridades locales, que la administraban en conformidad con la Torah. Al parecer, cada ciudad de cierta importancia tenía su propio sanedrín, pero la autoridad del Sanedrín de Jerusalén regía en toda la provincia de Judea, e incluso más allá.

Marcelo asistió, e incluso participó lo mejor que pudo en este cambio de régimen de Judea, que se hizo en muy poco tiempo. Apenas dos meses después de haberle enviado su primer informe al emperador, el procurador Coponio instaló a sus administradores y funcionarios en la fortaleza de Cesarea la Marítima, e inmediatamente convocó allí, como era de esperar, a los principales representantes del Sanedrín de Jerusalén, los jefes de la antigua administración herodiana, que estaban repartidos entre el imponente palacio de Herodes, en el interior de Jerusalén, y el de Jericó, donde el tetrarca había muerto, así como a los jefes de familia de la aristocracia judía, en quienes el procurador esperaba poder apoyarse para administrar y gobernar a un pueblo que se suponía ingobernable por *goim*.

También hacia fines de ese año 759 de Roma, Marcelo asistió a un estallido revolucionario como no había conocido nunca Judea desde la rebelión de los Macabeos,[26] casi dos siglos antes: el levantamiento popular de los zelotes.

Como la nueva Judea, compuesta por la antigua Judea, Samaria e Idumea, era ahora una provincia romana, resultaba conveniente hacer el recuento de sus habitantes y de los bienes que poseían. En principio, esta tarea le correspondía al procurador de Judea, Coponio, que acababa de ser nombrado por el emperador. Pero como esa nueva provincia había sido anexada a Siria, fue el gobernador de Siria, Sabino, sucesor de Quirino, quien se encargó de ello. Al mismo tiempo, Sabino se apoderó de todos los bienes de Arquelao, que pasaron a ser propiedad del Estado romano.

Los judíos, que ya habían sido censados nueve años antes por iniciativa del gobernador Quirino, quisieron protestar por ese nuevo empadronamiento, porque temían consecuencias políticas y sobre todo fiscales, pero el sumo sacerdote de ese momento, Joazar, los convenció de que no se obstinaran en oponerse a los edictos administrativos romanos, y comenzó el operativo del censo. Pero en Gaulanitida,[27] en la ciudad de Gamala, un tal Judas, apodado "el Galileo", ayudado por un fariseo llamado Sadok, incitó al pueblo a rebelarse contra ese censo, argumentando que no era más que una manera disimulada de reducir a los judíos a la servidumbre. La rebelión se extendió como reguero de pólvora: fue increíble la magnitud de los desórdenes en los que esos dos hombres sumieron a Judea. Pronto hubo asesinatos, pillajes y denuncias por todas partes. Todos estaban expuestos: se robaba indiscriminadamente a amigos y enemigos so pretexto de defender las libertades públicas, se mataba a los ricos alegando que estaban al servicio de la administración romana, pero en realidad era para apoderarse de sus bienes, o, tentados por las recompensas prometidas, unos delataban a otros en la

26. Levantamiento nacionalista judío dirigido por la familia del sacerdote Matatías Macabeo contra el rey Antíoco Epífanes, hacia 180 a.C.
27. El actual Golán, entre Siria e Israel.

misma administración, y nada podía detener ese furor terrorista, ni siquiera la gran hambruna que se produjo en ese momento. El fuego de esa guerra civil se propagó hasta el Templo de Dios en Jerusalén.

De hecho, Judas de Gamala había creado una cuarta secta,[28] la de los zelotes, cuyas víctimas fueron sobre todo los judíos de las clases dominantes, acusados de "colaborar" con el ocupante romano: sus militantes llegaron a apuñalar, en medio de la multitud, en público, a aquellos de sus correligionarios a quienes juzgaban conveniente eliminar. Los judíos conservadores y los ricos los censuraban, los romanos los perseguían, y la opinión pública los llamaba "bandidos", "sicarios" o "asesinos": en la actualidad, seguramente se los llamaría "terroristas". La revuelta de los zelotes se prolongó durante todo el año 759 de Roma,[29] y el comienzo del año siguiente, y preocupó a todos:[30] a la clase sacerdotal, a las autoridades romanas, a la aristocracia judía y al mismo emperador, a quien el procurador de Judea le enviaba informe tras informe. Tampoco podía dejar de intrigar a Marcelo, que se esforzaba por entender, desapasionadamente, de qué se trataba.

Por supuesto, el caballero habló de los zelotes en las numerosas conversaciones que tuvo con diversas personalidades romanas y judías de Cesarea, especialmente con un ex oficial romano llamado Pompilio, que había peleado en todos los campos de batalla del Medio Oriente, antes de tomar un bien merecido retiro en Judea: "Ese Pompilio", le dijo Marcelo a Hiram, "es extraordinario: no sé de dónde saca todo lo que sabe, pero conoce todo sobre Fenicia, Siria o Palestina".

—Si quieres mi opinión —le había dicho el antiguo guerrero a Marcelo—, esa historia de zelotes oculta algo... pero no sé qué.

—Explícate, Pompilio, porque yo tampoco entendí nada de ese repentino levantamiento.

—Está claro que fue provocado por ese Judas de Gamala, que

28. Además de las tres sectas preexistentes: los fariseos, los saduceos y los esenios.

29. 6 d.C.

30. Lo relata con detalles Flavio Josefo, *Historia de los judíos*, libro XVII, cap. VIII.

nadie sabe de dónde salió, quien instigó a sus compatriotas a rebelarse contra el impuesto. Pero yo estuve justamente en Gamala
cuando pronunció su famoso discurso, y lo oí completo.

—¿Qué argumentos esgrimió?

—Judas el Galileo tenía un solo argumento, pero lo repitió incesantemente de diversas maneras. Reprochó a sus compatriotas, cuyo único amo es y debe ser Dios, por el hecho de obedecer, al some-
terse a los romanos, a quienes eran simples mortales. Durante una
hora, los exhortó a no pagar el impuesto romano porque, según decía, obedecer al procurador era obedecer a un hombre, reconocién-
dolo así como amo, y eso es blasfemo. No es una revolución fiscal
lo que desencadenó este Judas, sino una revolución religiosa.

—Y tú, Pompilio, ¿crees que el pueblo, tanto el de Gamala como el de Jerusalén, está dispuesto a seguir a Judas hasta el final?

—Por la manera en que actúan, es decir, como verdaderos asesinos y salteadores de caminos, creo que Sadok, y especialmente Judas, lograrán movilizar a una gran parte del pueblo judío, especialmente a los pobres, los trabajadores y todos los que ya no tienen
nada que perder. Creo que Judea sólo volverá a encontrar la paz
cuando esos terroristas sean definitivamente eliminados.

—Sin duda tienes razón en el actual estado de cosas, Pompilio,
pero yo creo que el futuro inmediato nos deparará sorpresas, tanto
a nosotros, los romanos, como a ellos, los judíos. Es cierto que hay
algo podrido en el reino de Judea, hay demasiadas injusticias, demasiados pobres, demasiada gente desdichada...

—Como en todas partes, Marcelo.

—Justamente: como en todas partes dentro del universo romano. Los zelotes —los "fervientes"—, como llama Judas a los suyos,
mientras que los sacerdotes del Templo y los burgueses de Jerusalén los llaman "sicarios" o "bandidos asesinos", seguramente se
equivocan al actuar de esta forma, pero su revuelta es un signo del
profundo desequilibrio de nuestra sociedad, contra el cual parece
que ni los dioses del Olimpo, ni Yahveh pueden hacer nada. "Obedezcan la Ley de Moisés", les dicen sus sacerdotes, porque es la Ley
del Eterno. "Obedezcan las leyes del Imperio Romano", nos dice el
emperador, porque están destinadas a proteger el orden público y
los bienes de los particulares. Estas consignas ya no son suficientes,
y los hombres necesitan otro mensaje.

—Tienes razón, Marcelo —repuso Pompilio—, pero aunque soy un viejo soldado, no creo que ese mensaje deba ser ni la espada de un legionario ni el puñal de un sicario.

—Te veo venir, Pompilio: nos vas a reclamar un nuevo mensaje socrático.

—Tuvo su significado en su tiempo, cuando para cada griego, la "sociedad" se limitaba a su propia ciudad. En nuestra época, todos somos ciudadanos de un imperio universal. Y en esta pequeña parte del mundo que es nuestra Palestina, hay muchas personas que confían en el advenimiento de una nueva Palabra, un nuevo Verbo, no basado en la fuerza o en las prohibiciones, sino en la caridad y en el amor hacia todos los hombres, que nos traerá un Mesías.

—¿Cómo definirías a ese Mesías, Pompilio?

—Como una especie de zelote sin puñal y sin odio, Marcelo, inspirado por un Dios de amor.

—¡Ingenuo Pompilio!

—Y tú eres cínico, Marcelo.

—No, Pompilio: soy realista.

Apenas cuatro meses habían transcurrido desde su regreso a Jerusalén, pero Marcelo había vivido allí acontecimientos tan intensos, que se había olvidado de Roma y de su cómodo y acogedor gabinete de trabajo en el palacio imperial. Esos judíos que se hacían matar o que mataban ellos mismos por un ídolo absurdo como el Águila de oro, que estaban obsesionados por la omnipresencia de su Dios único, entre quienes las intrigas palaciegas a las que estaba acostumbrado el caballero en Roma, eran remplazadas por intrigas religiosas o sacerdotales, lo apasionaban y lo intrigaban cada día más. Empezaba a amar a ese pueblo que ignoraba los contubernios electorales y el clientelismo político, que vivía más en el temor de transgredir la Torah que en el miedo a la pobreza o a la muerte, en el cual desde el banquero más rapaz hasta el miserable más desposeído rechazaban las monedas de oro cuando estaban adornadas por una efigie, y el hombre más hambriento se negaba a comer los alimentos que estaban al alcance de su mano si eran impuros.

Además, como hombre refinado y enamorado de la cultura he-

lénica, Marcelo había descubierto al llegar a Damasco once años
atrás, los escritos del griego Poseidonios,[31] que, apartándose de la
perspectiva optimista e intelectual del hombre que había instaurado en el pasado la enseñanza socrática ("el Mal, es el Bien que se
equivoca"), sostenía que el alma humana contenía un principio
divino y un principio del mal, causa de sus pasiones, y que el
hombre no podía alcanzar la felicidad inefable sólo mediante el
desarrollo de su capacidad de conocimiento, como decía Platón,
por ejemplo, que pregonaba como regla moral el amor al valor, es
decir, a la verdad, la belleza y el bien. Como Platón, Poseidonios le
atribuía al amor una virtud dinámica primordial, pero sostenía que
el amor al valor debía desaparecer frente al amor a la persona humana: no debo amar a otro porque es bello o bueno, afirmaba, sino por ser una persona humana, con el bien y el mal que contiene
en ella.

Marcelo tenía la vaga impresión de que esa teoría del amor a la
persona más allá del Bien y del Mal, más allá del hecho de obedecer o no obedecer a una ley, aunque fuera de origen divino como
la Torah, no podía germinar ni en el terreno político estable de los
grandes imperios autoritarios como el de los romanos, ni en el seno de las sociedades bárbaras, fundadas sobre el valor supremo de
la fuerza bruta. En cambio, creía que en el inestable terreno cultural de Judea y de sus sectas, esa revisión de la teoría helénica del
primado del valor y de la teoría romana del primado de la fuerza
era posible, e incluso probable, ya que la muerte de Herodes había
puesto todo en tela de juicio, tanto la autoridad despótica del príncipe como el legalismo obsesivo del Templo. Por lo tanto, pensaba
Marcelo, si en el calendario de la historia humana está escrito que
ésta debe invertir su trayectoria en esta pequeña tierra palestina, ya
que me encuentro aquí, me quedaré y observaré todo lo que sea
observable.

Y se quedó.

Se quedó ocho años, hasta la muerte de Augusto, en el año 767
de Roma: ocho años que Marcelo aprovechó para viajar por Siria,
Fenicia, y la misma Persia, para visitar las terrazas de Persépolis,

31. Filósofo estoico (135-51 a.C.), que fue maestro de Cicerón.

que habían permanecido en su mismo estado anterior, tras haber sido incendiadas en un momento de locura por un joven dios macedonio de ojos azules y cabello rubio. Entre dos viajes, regresaba a Jerusalén, donde, aparte de los nombres del procurador y del sumo sacerdote, nada parecía cambiar: los zelotes se habían refugiado en las montañas de Galilea, cada nuevo procurador destituía de su cargo al sumo sacerdote de turno para reemplazarlo por otro, antes de ser depuesto él mismo por Quirino, el inamovible gobernador de Siria. La lectura del diario personal en el cual el caballero había tomado la costumbre de consignar los acontecimientos salientes que presenciaba, nos sugiere que durante esos ocho años, la historia permaneció inmóvil en Palestina.

Año 760 de Roma[32]

Después de los dramáticos acontecimientos del final del año pasado, se restauró la calma en Jerusalén y en el resto de Judea. El procurador Coponio, bien aconsejado desde Damasco por Quirino, dividió nuestra provincia en distritos, cada uno de los cuales corresponde a una ciudad más o menos importante y sus alrededores. Como aquí está de moda la lengua griega, se los llama *toparquías*.

Signo de los tiempos: Quirino le pidió hace poco a nuestro procurador que destituyera al sumo sacerdote, Joazar, porque lo considera parcialmente responsable de los acontecimientos del año pasado. Esta destitución confirmaría la tesis de un complot tendiente a la instalación de un régimen teocrático en Judea. El cargo le fue confiado a Anás, que era el vicario del sumo sacerdote hace dos años. Fue él quien me informó en aquella época sobre las sectas judías.

Otro signo de los tiempos: hay tres apelativos que se están poniendo de moda entre los teólogos. Se trata de las palabras *nazer*, *nosri* y *nazir*. El primero significa "rama" o "vástago", el segundo tiene el sentido de "guardián, observador", y el tercero, "santo" o "consagrado". Apunto esto por si acaso.

32. 7 d.C.

Año 762 de Roma33

La sucesión de Herodes sigue provocando siempre los mismos disturbios, los mismos crímenes y los mismos procesos. Acabo de cerrar un expediente muy extraño que me envió el emperador para mis investigaciones poco después de la muerte de ese rey, hace... ¡doce años! Se trata de un judío originario de Sidón que, dos años después del deceso de Herodes, se presentó en Roma como Alejandro, su hijo mayor, y reclamó, por lo tanto, su parte de la herencia, es decir, la Gran Judea, que hasta hace poco era administrada, mal o bien, por nuestro buen Coponio.

Todo el mundo sabe que Herodes tuvo diez esposas sucesivas, y una considerable cantidad de hijos. Sus tres primeros hijos fueron estrangulados (seguramente por orden suya) y, especialmente, Alejandro y Aristóbulo, que tuvo con Mariana la Asmonea, su segunda esposa. El pretendiente que acaba de hacer valer sus derechos en Roma, asegura ser ese Alejandro, que habría sobrevivido milagrosamente a su estrangulamiento. Por supuesto, es un engaño: el hombre fue llevado ante Augusto, y éste entendió que se trataba de un impostor, y lo condenó a las galeras. El emperador me pidió que le proporcionara la lista de judíos que fueron estafados por este falso hijo de Herodes: ¡había un centenar!

Ese mismo año, Coponio fue destituido de su cargo y enviado de regreso a Roma. No es ninguna pérdida: ese procurador era un inepto, y su ocupación principal era curar su reumatismo bajo el sol de Judea. Pero era un buen hombre, incapaz de hacerle daño a una mosca. Nos anunciaron la llegada de su reemplazante para el final de la primavera: es un tal Marco Ambivio, a quien no conozco en absoluto.

Otro suceso notable: me enteré de que en el mes de abril murió Salomé, la hermana del rey Herodes y tía de Arquelao, quien sentía mucho afecto por ella. Esto me hace sentir viejo. La primera vez que oí hablar de Salomé, tenía cinco o seis años: mi padre solía contarme sus campañas en Siria con Casio, y me dijo que uno de sus amigos, Antipater, se había casado con una árabe de una gran belleza, que se llamaba Cipris, y tuvo dos hijos: Herodes y Salomé. Para el niño que

33. 9 d.C.

yo era entonces, esos nombres con sonoridades orientales, la imagen
de los desiertos sin fin, todo eso se parecía más a un cuento de hadas
que a la política. ¿En qué te has convertido ahora, Salomé? ¿En un poco de polvo en el fondo de un sepulcro? Tu alma que acaba de atravesar el Aquerón ¿en qué círculos de los infiernos terminará?

Señalo este año 762 con una cruz porque, al llegar la Pascua, tuve noticias del hijo de José y María, que tiene ahora doce años, y son
noticias sorprendentes: José, como lo hacen decenas de miles de judíos todos los años, "subió", como dicen aquí, a Jerusalén con María
y Jesús para celebrar la Pascua, la más importante de las fiestas judías. La tarde del 14 de Nisan, después de elegir y pagar el cordero ritual, sin tacha y sin defecto, que exige la Torah, José lo presentó a los
sacrificadores, a la entrada del atrio de los sacerdotes. Se oyó el sonido de una trompeta, uno de los oficiantes degolló al animal, recogió
su sangre en un recipiente, y luego la esparció ante el altar de los sacrificios, desde donde corrió, a través de las canalizaciones, hasta el
barranco del Cedrón. Quemaron las entrañas y la grasa del cordero,
y José se lo llevó, listo para asar, a la tienda que había levantado, fuera de los muros de Jerusalén, para celebrar el *séder*, la comida ritual
de la Pascua, la noche del 14 al 15 de Nisan, con su familia y otras familias llegadas de Galilea. Durante todo el día, los hombres instalaron asadores improvisados, encendieron pequeñas fogatas y asaron
los corderos con cuidado, como lo exige la Torah, que prohíbe rom-
per sus huesos. Las mujeres —por lo menos las que no tenían sus reglas, porque las otras son impuras— preparation los panes ázimos,
colocaron los platos y las copas sobre la mesa y trituraron hierbas
amargas, rábano blanco, tomillo y laurel, albahaca y orégano. Cuando llegó la hora de la comida pascual, la *cena*, como llamamos en latín a la comida de la noche, cortaron los corderos, que estaban asados
a punto, cada comensal mojó los labios en un vaso de agua salada, en
recuerdo de las lágrimas derramadas por sus antepasados cuando salieron de Egipto, y comenzó el *séder*, entre la alegría y las risas. Cada
uno sumergió el pan sin levadura en un tazón de salsa roja, y bebió
una primera copa de vino tinto, pronunciando una bendición. Luego
siguieron otras dos copas, que pasaron de mano en mano, y a la cuarta copa, todos los presentes entonaron los salmos de acción de gracias
pascual, el famoso *Hallel* de los judíos:

Nuestro Dios está en el cielo,
él hace todo lo que quiere.
Los ídolos, en cambio, son plata y oro,
obra de las manos de los hombres.
Tienen boca, pero no hablan;
tienen ojos, pero no ven;
tienen orejas, pero no oyen;
tienen nariz, pero no huelen;
tienen manos, pero no palpan;
tienen pies, pero no caminan;
ni un solo sonido sale de su garganta.
[...]
Amo al Señor, porque él escucha
el clamor de mi súplica,
porque inclina su oído hacia mí,
cuando yo lo invoco.
¡Oh, Señor, salva mi alma!
[...]
¡Alaben al Señor, todas las naciones,
glorifíquenlo, todos los pueblos!
Porque es fuerte su amor por nosotros,
y su fidelidad permanece para siempre.
¡Alaben al Señor!
[...]
El Señor es mi fuerza y mi cántico es del Señor;
él fue mi salvación.
Clamor de júbilo y salvación se eleva
en las tiendas de los justos:
¡La diestra del Señor hace proezas!
*[...].*34

La fiesta duró toda la noche, y al día siguiente, comenzaron las ceremonias religiosas propiamente dichas, que se prolongaron durante siete días. Luego, cuando pasó el tiempo de la Pascua, cada uno regresó a su casa, y los judíos se dispersaron, en pequeños grupos, por los

34. Extractos de los *Salmos* 115 a 117, que forman en conjunto el *Hallel*.

caminos de Palestina, y retornaron a sus ciudades y sus aldeas. José y María hicieron lo mismo, y volvieron a Galilea. Sin embargo, según me dijeron, Jesús se demoró en Jerusalén. Sus padres no se dieron cuenta inmediatamente, y, creyendo que se había quedado con otros compañeros de viaje, no se preocuparon por su ausencia hasta dos días después. Entonces volvieron sobre sus pasos y regresaron a la ciudad para buscarlo.

Después de tres días de búsqueda, y ante su gran sorpresa, terminaron por encontrarlo en el Templo, sentado en medio de los doctores de la Ley, conversando con ellos, escuchándolos con atención e interrogándolos con vivacidad. Todos los que asistieron a esa conferencia inesperada estaban maravillados, según dicen, por la inteligencia de ese niño de doce años, que criticaba a los doctores y a los sacerdotes, les explicaba las parábolas de los profetas y los símbolos ocultos en las Escrituras, y les aclaraba las oscuridades y las contradicciones de la Ley. Cuando me contaron eso, monté mi caballo y galopé hacia Jerusalén, para ver por mí mismo de qué se trataba: ¡circulan tantas noticias falsas y mentiras en esa ciudad! Cuando llegué al Templo, la "conferencia" —si realmente había tenido lugar, cosa que dudo— aparentemente había terminado, porque sólo se encontraban allí dos o tres sacerdotes y un clérigo que parlamentaban con José, y María. Ella reprendía a su hijo:

—Jesús, ¿por qué nos has causado esta inquietud? Hace tres días que tu padre y yo te buscábamos angustiados.

Jesús les respondió con calma:

—¿Por qué me buscaban? ¿No sabían que yo debo ocuparme de los asuntos de mi Padre?

Ni María ni José entendieron lo que les quería decir Jesús al hablar de esa manera. Yo tampoco entendí, dicho sea de paso, pero algunos escribas y fariseos, que parecían haber asistido a la conversación del niño con los sacerdotes, se acercaron a María y le dijeron:

—¿Eres tú la madre de este niño? Pues bien, bendita seas por haberlo traído al mundo: nunca habíamos oído que saliera tanta sabiduría de la boca de un ser humano.

Confundida, María balbució algunas palabras de agradecimiento, y luego vino a saludarme, con José, y me dijo que su hijo estaba creciendo no solamente en tamaño, sino también en sabiduría, y que en su ciudad de Galilea, lo habían apodado el Nazir, el "nazareno", como diríamos nosotros en latín. Y añadió, riendo:

—Ese apodo afectó a las aldeas de Galilea. Hasta tal punto que los extranjeros que pasan por nuestras montañas, provenientes de Siria o de Samaria, creen que el pequeño pueblito sin nombre donde vivimos, José y yo, se llama "Nazaret", o "Nazara", y cuando les explico que di a luz a mi hijo en Belén, y que en Galilea no hay ningún lugar llamado Nazaret, ¡no quieren creerme!

Año 763 de Roma[35]

La paz parece haber regresado realmente a Palestina, y esto se debe a Quirino, el gobernador de Siria, que actuó correctamente en la liquidación de la sucesión de Herodes. Finalmente completó el censo iniciado hace trece años —el año en que María dio a luz en Belén—, y vendió, para beneficio del Estado, los bienes de Arquelao, a quien desterró a Vienne, cerca de Lyon. Además, controla que los dos herederos del difunto rey, Filipo y Antipas, administren en paz sus territorios, bajo la estrecha vigilancia de Roma. En principio, los dos tienen rango de etnarca, pero Antipas se hace llamar "tetrarca", sin duda por orgullo. Como el hecho de que en Judea haya un procurador que dicta leyes y recauda impuestos, los dispensa finalmente de gobernar, se entregan al placer favorito de los reyes, cuando no hacen la guerra: la construcción. Fui a visitar las fuentes del Jordán, en Paneas, donde había pasado una noche a la intemperie en compañía de Hiram, hace trece años: allí vi la hermosísima ciudad que edificó Filipo, a la que llamó Cesarea, en homenaje al emperador. Es espléndida. Me dijeron que ahora se dedica a fortificar Betsaida, a orillas del mar de Galilea, a la que querría llamar "Julia", en honor a la hija de Augusto, pero todavía no hay nada decidido.

En este año 763 también tuvo lugar un extraño incidente mundano en Jerusalén, cuya protagonista fue una muchacha llamada Raquel, que lo tenía todo: cuna, fortuna, belleza y virtud. Esta perla rara se había casado con un tal Nabulón, también provisto de muchas cualidades, que era el hombre por excelencia que le convenía a tal mujer. Pero un joven caballero romano llamado Mundo, de gran fortuna, se enamoró perdidamente de la bella Raquel, empezó a regalarle joyas, a

35. 10 d.C.

dedicarle poemas y serenatas, un día le pedía que fuera su amante, al otro día, que se divorciara y se casara con él, y otro día, que huyera con él a Roma, donde las costumbres eran más libres que en Jerusalén. Y cuanto más lo rechazaba Raquel, más aumentaba su pasión, hasta que una noche llegó a ofrecerle doscientas mil dracmas si aceptaba partir con él: ella rechazó esa propuesta con desprecio.

Entonces Mundo, desesperado de dolor, decidió morir de hambre, y dejó de comer. Permanecía de la mañana a la noche inmóvil en su balcón, tendido sobre un colchón, sin probar ni un bocado de pan, limitándose a beber un vaso de agua de vez en cuando. Se había convertido en el hazmerreír de toda la ciudad, y como tenía fama de ser goloso, la gente pasaba bajo su ventana y lo tentaba con hermosas naranjas bien frescas, broquetas de cordero asado, peces vivitos y coleando, pasteles refinados, pero no lograban nada. Entonces, una de las esclavas emancipadas del padre del joven, llamada Ida, hábil en el arte de actuar de intermediaria con las mujeres más virtuosas, le pidió a Mundo que no perdiera las esperanzas, porque ella conseguiría lo que él deseaba, es decir, llevar a Raquel a su cama, y que eso no le costaría más que cincuenta mil dracmas. El joven recobró la esperanza y le dio inmediatamente a Ida lo que reclamaba. Por supuesto, todo Jerusalén estaba al tanto de esas tratativas, y algunos llegaron a hacer apuestas, en secreto, sobre las posibilidades de éxito de Mundo, a tal punto que el sumo sacerdote tuvo que amenazar con las iras de Yahveh a todos los que se prestaran a ese juego inmoral, severamente prohibido por la Torah.

Pero Ida había urdido un verdadero complot. Como no ignoraba que una mujer tan casta como Raquel no se dejaría tentar por una simple suma de dinero, sobre todo porque su padre era un hombre de gran fortuna, ideó una estratagema. Fue a Gaza, donde había un templo dedicado al culto del dios Anubis, y les habló a los sacerdotes sobre la gran pasión del caballero Mundo por la bella Raquel. "Si ustedes me prometen encontrar la manera de satisfacer esta pasión", les dijo, "yo les daré inmediatamente veinticinco mil dracmas para embellecer este templo, y otro tanto si él tiene éxito".

La esperanza de una recompensa tan grande les hizo aceptar la propuesta, y el más anciano de los sacerdotes partió con ella a Jerusalén, donde le dijo a Raquel que el dios Anubis sentía un gran amor por ella, y le rogaba que fuera a visitarlo a Gaza, a su templo, y que la respetaría, ya que los dioses de los egipcios, añadió, no tienen las mismas costumbres impúdicas que los dioses de los romanos, y no tienden trampas a las mortales para poseerlas. Raquel tenía ciertamente muchas cualidades, pero era ingenua y un tanto vanidosa. Orgullosa de haber sido distinguida por el dios Anubis, se vanaglorió de ello ante sus amigas, y hasta se lo dijo a su marido quien, como conocía su extrema castidad y su devoción, consintió de buen grado en que ella partiera a Gaza con el sacerdote que había ido a buscarla.

Cuando llegaron a Gaza, el sacerdote empezó por ofrecerle a Raquel una opípara cena, regada por un vino tinto de Fenicia que la mareó un poco, y luego la condujo a una habitación para que descansara. Cuando ella se asombró de que en esa habitación no hubiera luz, él le explicó que era la costumbre en los templos egipcios, y luego la dejó allí. Raquel se desvistió y se acostó en la oscuridad, y luego, un hombre, que ella creía que era Anubis, pero en realidad era Mundo, entró y pasó toda la noche con ella, sin respetarla en absoluto.

Cuando Raquel se despertó, al alba, Anubis-Mundo había desaparecido, y el sacerdote golpeó la puerta de su habitación para llevarla de regreso a Jerusalén. Allí, ella le contó a su marido que había sido poseída por un dios durante toda la noche, e incluso se jactó de ello frente a sus amigas. Nadie daba crédito a su historia, ni siquiera su marido, que estaba convencido de que su mujer había soñado. Y las cosas habrían quedado así, si Raquel no se hubiera encontrado por casualidad con Mundo, que no pudo resistir y le reveló, malévolo, la superchería:

—En realidad, te estoy muy agradecido por haber rechazado las doscientas mil dracmas que te ofrecí para acostarme contigo. No me importa que hayas despreciado a Mundo, puesto que conseguí lo que quería bajo el nombre de Anubis, ¡y sólo me costó cincuenta mil dracmas!

Se produjo un gran escándalo. Raquel desgarró sus vestiduras y se arrojó a los pies de su marido, rogándole que no dejara ese crimen impune. Éste fue a quejarse ante Marco Ambivio, el procurador de Judea, y pidió justicia. El asunto llegó a Roma, donde Augusto ordenó una investigación y, cuando se estableció la culpabilidad de los sacerdotes de Gaza, los condenó a muerte, así como a la pérfida Ida: todos fueron crucificados, y el templo de Anubis fue arrasado. En cuanto a Mundo, logró escapar: el emperador, que detestaba clavar en la cruz a un ciudadano romano, se limitó a condenarlo al exilio a perpetuidad en Panonia.

Año 765 de Roma[36]

Desde que el divino Augusto perdió, hace ocho años, a su último hijo adoptivo, Cayo César, la emperatriz Livia tiene una sola idea en la cabeza: llevar al trono a su propio hijo, Tiberio, que tuvo en su primer matrimonio con Tiberio Claudio Nero. Tiberio tiene ahora cincuenta y cuatro años, y desarrolla una brillante carrera política y militar: fue cuestor a los veintinueve años, general del ejército del Rhin y vencedor de los germanos a los treinta y siete, cónsul a los treinta y nueve, general en jefe de todos los ejércitos romanos —*imperator*— a los cuarenta y cinco, y al año siguiente, Augusto le confirió la potestad tribunicia, convirtiéndolo así en el segundo personaje del Imperio. Desde ese momento, Tiberio es el más grande hombre de guerra que Roma haya conocido después de Julio César: tiene a raya a los germanos, tanto en el Rhin como en el Danubio, y en el mes de enero de este año, el Senado y el emperador celebraron un triunfo excepcional en su honor. Todo el mundo está seguro ahora de que será el sucesor de Augusto.

Durante este tiempo, en Judea prosigue la danza de los procuradores. Ambivio fue destituido, sin que se conozca el motivo, por Quirino, que controla Judea desde Damasco. Fue reemplazado en el cargo de procurador de Judea por un tal Anio Rufo, del que no se sabe nada. ¿Cuándo vendrá el próximo?

Año 767 de Roma[37]

Augusto, el divino Augusto, ya no está entre nosotros. Murió de disentería, el 19 de agosto último, en Nola, durante un viaje a Campania, a la edad de setenta y siete años, después de reinar doce años en Occidente, junto con Antonio, que reinaba en Oriente, y solo, cuarenta y cinco años, a partir de su victoria sobre Antonio en la batalla de Accio, en el año 724 de Roma. Dicen que el mismo día de su muerte se hizo peinar con cuidado, para disimular la delgadez de su rostro, y llamó a su lado a algunos de sus amigos: "¿Les parece que representé

36. 12 d.C.
37. 14 d.C.

bien esta comedia que se llama vida?", les preguntó. "Si les gustó, aplaudan". Luego les ordenó retirarse, y murió en brazos de la emperatriz Livia, diciendo: "¡Adiós, Livia! Vive feliz y recuerda nuestro amor". Después de su muerte, se leyó en el Senado un primer rollo, su testamento, en el cual nombraba como sus herederos a Livia, a Tiberio y al pueblo romano, y otros tres rollos, sellados con el mismo sello: uno contenía sus órdenes para los funerales, el segundo era un informe sobre la situación del Imperio, y el tercero, un resumen de su vida que debía ser grabado en tablas de bronce que se colocarían frente a su mausoleo.[38]

De modo que tenemos un nuevo emperador: Tiberio. En cuanto se conoció la noticia en Judea, Antipas, que se hace llamar Herodes el Tetrarca, aunque no es su título oficial, se propuso halagarlo desde Jerusalén: se está haciendo construir una magnífica capital a orillas del mar de Galilea, donde pasé tan buenos momentos con Hiram cuando llegué a Palestina, y le dedicó la ciudad llamándola Tiberíades. Para honrar a la familia imperial, Antipas comenzó la construcción de otra gran ciudad, que también será rica en monumentos, y a la que llama Livias, en honor a Livia, la madre del emperador. En cuanto a esa joya de la naturaleza que es el mar de Galilea, en su estuche de colinas, ahora sólo se lo llama "lago de Tiberíades".

¡Cómo pasa el tiempo!... Desde que vivo en Palestina, tengo la vaga sensación de que la historia descansa en Jerusalén. Sin embargo, hay una última noticia: nos anuncian un nuevo procurador para el próximo año: un tal Valerio Grato. En este año 767 de Roma, ¿comenzará una nueva era para Judea?

Marcelo estaba en lo cierto, aunque esa nueva era no nacería sólo para Judea, sino para todos los pueblos de la tierra. Pero eso, el caballero pagano no podía preverlo.

---

38. Estas tablas grabadas fueron instaladas en todas las grandes ciudades del Imperio. Nos queda un solo ejemplar, que fue depositado en el templo de la ciudad de Ancira, la actual Ankara, donde puede admirarse en la actualidad.

9

El precursor

Diciembre 780-enero 781 de Roma
(Diciembre del año 27-enero del año 28 d.C.)

Las fuerzas religiosas y políticas de Jerusalén, antes de la aparición pública de Jesús: el sumo sacerdote Caifás, sucesor de Anás en 18 d.C., el procurador de Judea (Pilato, sucesor de Valerio Grato en 26 d.C.), y el Sanedrín – Hiram lleva a Marcelo a escuchar a Juan el Bautista a la orilla del Jordán, en Betabara (31 de diciembre de 27 d.C.) – Regreso a Betabara, donde Juan bautiza en las aguas del Jordán (1º de enero de 28 d.C.) – Llegada de Jesús, proveniente de Cafarnaún: se hace bautizar por Juan, y luego desaparece en el desierto, donde rechaza al diablo y sus tentaciones (2 de enero de 28).

Y el tiempo pasó, como había escrito Marcelo en su diario unos meses después del advenimiento de Tiberio al trono imperial. En Roma, Tiberio, que se había mostrado como un administrador honesto del Imperio durante los primeros años de su reinado, de pronto se volvió una especie de loco furioso cuando descubrió, en el año 776 de Roma, tras nueve años de reinado, que su favorito, el patricio Sejano, era el asesino de su hijo Druso, y que complotaba con la esposa de éste, Livia, para hacer desaparecer a la familia de César, con el objeto de apoderarse del trono. Desarrolló un violento odio contra los patricios, "esos hombres dispuestos a todas las vilezas", decía, y decidió vengarse de Sejano y los suyos. Tiberio se retiró a la isla de Caprea, desde donde dirigió su venganza contra la clase noble, y muchas ejecuciones tuvieron lugar hasta su muerte (en el año 37 de nuestra era). El resto del Imperio, bien administrado, fue indiferente a esto.

El decorado geográfico, político y humano en el que se desarrollaría, quince años después de la asunción de Tiberio, el misterioso drama cuyos ecos resuenan todavía hoy en muchos corazones, ya estaba dispuesto. Pero seguía vacío y silencioso, en cierto modo como esos teatros cerrados y oscuros, con los dorados intactos y los sillones bien ordenados, que se llenan de polvo en el olvido, esperan-

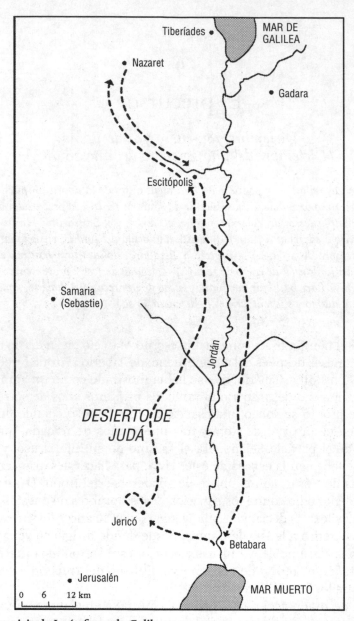

Primer viaje de Jesús fuera de Galilea
Según Lucas (3,1-22), el comienzo de la vida pública de Jesús se sitúa en el decimoquinto año del reinado de Tiberio, es decir, a fines del año 27 o a principios del año
28 de nuestra era. Los Evangelios nos lo muestran cuando llega desde Galilea,
mezclado entre la multitud que va a hacerse bautizar a Betabara, en los vados del
Jordán. Después de ser bautizado por Juan, se retira durante cuarenta días al desierto de Judá, y luego regresa a Galilea.

do que algún día un empresario inspirado o una estrella carismática los despierte y los haga vibrar otra vez.

En el centro de ese decorado, una pequeña ciudad oriental milenaria con un nombre extraño y casi cabalístico: Jerusalén. No era una ciudad como tantas otras, con un pueblo, un rey, plazas, palacios y templos: era *un* templo —*el* Templo— con una ciudad alrededor, y su atrio era inundado todos los días por un pueblo piadoso, que se consideraba su servidor, todo un pueblo que vivía al ritmo diario de las plegarias, al ritmo semanal del shabbat, y al ritmo anual de las siete grandes fiestas litúrgicas, un pueblo cuya existencia cotidiana estaba llena de ceremoniales, ritos y prohibiciones, y era controlada por cohortes de sacerdotes, escribas y doctores de la Ley, más numerosos en las calles de Jerusalén que los artesanos, los comerciantes, los funcionarios y los soldados.

Esos hombres de Dios sólo vivían para la Ley y dentro de la Ley. Toda Judea estaba inmersa en un ambiente pesadamente legalista, protegida por el gobierno de los procuradores, por evidentes razones políticas. Enseñaban a los niños, desde su más tierna infancia, que respetar la Ley era más importante que venerar a su madre, que el estudio de la Torah era una ocupación más importante y más noble que orar, e incluso que mantener el Templo. En esa época, el hombre más reverenciado, el más santificado de Jerusalén, aquél ante el cual se inclinaban los sumos sacerdotes y los reyes, era el santo, el ilustre, el famoso rabí Hillel, primer presidente, vitalicio, del Sanedrín, redactor de la *Regla de Oro*, el Código moral judío de forma negativa, cuyos preceptos empezaban con "No harás...", que en ese momento era casi centenario. Eran muchos —tal vez más de veinte mil— esos guardianes de la Ley, y en Judea —y especialmente en Jerusalén— nadie podía escapar a su control y a sus prohibiciones. Desde los tiempos de Moisés, eran los hombres de la tribu de Leví quienes se ocupaban del servicio religioso, mientras que Aarón, hermano del legislador, y su descendencia, se habían reservado las tareas sacerdotales superiores, como los sacrificios, por ejemplo. Más tarde, el rey David confirmó en esa función a uno de los descendientes de Aarón, que se llamaba Zadok. En la época de los procuradores, todos los sacerdotes de alto rango eran zadoquitas, y los levitas eran sus subordinados.

La actividad de esos agentes y de esos representantes de la Ley santa era coordinada por el Sanedrín. La institución, que se remontaba al tiempo de Moisés, era al mismo tiempo el Consejo Municipal de Jerusalén y el tribunal supremo del Estado judío, con múltiples funciones: el Sanedrín podía ser un tribunal ordinario, que trataba asuntos corrientes, una Cámara de Apelaciones ante la cual se podía presentar recursos, o una Corte Suprema que juzgaba asuntos graves, que pusieran en peligro la religión. En este último caso, estaba compuesto por un "presidente" (el *Nasí*) y setenta miembros, los *sanedristas*, que se reunían en el recinto sagrado del Templo, cuya puerta permanecía abierta de par en par sobre el atrio de los paganos.

Los miembros del Sanedrín se reclutaban entre cinco categorías de hombres de Dios: los ex sumos sacerdotes, los representantes de las veinticuatro clases de la nobleza sacerdotal aaronita, que pertenecían, todos ellos, al partido saduceo; los escribas, los doctores de la Ley, que eran reclutados en general en el puntilloso partido de los fariseos, y los "Ancianos" de Israel, elegidos por el voto de los integrantes. El *Nasí* era, en general, el sumo sacerdote en ejercicio, a quien asistía un vicepresidente, el *Ab-beth-din*. En los asuntos penales (religiosos o civiles), el Sanedrín tenía competencia para pronunciar condenas, incluso condenas a muerte (por lapidación o por el fuego: la crucifixión era un castigo puramente romano), pero era el procurador de Judea quien decidía sobre la oportunidad de las ejecuciones: ése era seguramente un punto de fricción entre los sumos sacerdotes y la administración romana en materia de justicia penal.

Pero en este decorado inmóvil sólo se representaban las pequeñas comedias pintorescas de la vida cotidiana. Reinaban, monótonos e indiferentes, el orden público romano y el orden religioso judío: el primero, representado por Valerio, el procurador que ocuparía ese cargo durante once años, hasta su reemplazo, en 779 de Roma,[1] por Poncio Pilato; y el segundo, por Caifás, el sumo sacerdote que tomaría en sus manos el destino del Templo después de Anás, en 771 de Roma.[2] La inquietud, ese germen de impaciencia, parecía haber abandonado la colina de Sión: sólo se mantenía, sin ningún afán de proselitismo, en las comunidades monásticas que

1. 26 d.C.
2. 18 d.C.

se habían establecido a orillas del mar Muerto, lejos del ruido y la furia de Jerusalén, las de los esenios, uno de cuyos eremitas, Banos, había hablado con Marcelo, unos meses antes del nacimiento de Jesús.

—En aquella época, mi querido Hiram —le explicó una noche el caballero al fenicio en el jardín de su casa de campo, adonde lo había invitado para saborear un plato de codornices, preparadas por su cocinero romano—, yo no entendía la actuación de los esenios: acababa de llegar a Palestina, y como buen pagano que soy, su misticismo me parecía, debo confesar, completamente incomprensible y extraño. ¡Pero eso fue hace veintiocho años! Ahora veo las cosas de otra manera, y creo que su virtud supera en mucho la nuestra y la de los antiguos griegos.

—¿En qué, señor caballero?

—Nosotros, los romanos, somos capaces de realizar actos ejemplares, entre ellos, tender nuestro cuello al cuchillo del asesino, como lo hizo Cicerón, por ejemplo, y cultivamos virtudes como el heroísmo, el amor a la patria o la devoción, pero no lo hacemos permanentemente, durante todo el día: ¡no es nuestro único objetivo en la vida! En cambio, los esenios sólo tienen una preocupación, que está antes que ninguna otra, y es dedicarse continuamente a ser virtuosos, y pensar en lo que ellos llaman su "salvación". No son envidiosos, ya que ponen todos sus bienes en común, y entre ellos no hay ricos ni pobres. No se enamoran, ni se ponen celosos, porque están convencidos de que las mujeres no contribuyen a la tranquilidad en la vida, y no hay mujeres en sus comunidades. Por último, ignoran la angustia de la muerte, porque creen que el alma es inmortal, y que cada hombre es un campo de batalla en el que se enfrentan el principio del Bien, Dios, y el principio del Mal, la materia. No temen a la muerte porque la consideran como una liberación gracias a la cual, una vez libre de los vínculos carnales que la retienen al cuerpo, su alma volará gozosamente hacia el cielo, y si la vida que el hombre llevó en la tierra fue la de un justo, vivirá una vida feliz por toda la eternidad.

—¿Adónde quieres llegar, Marcelo?

—A esto: que estamos en vísperas de ver trastocarse todos nuestros antiguos valores de patria, Ley, fuerza y poder, y que la raza humana está en búsqueda de otra visión de su destino. Claro que para eso, deberían aparecer nuevos profetas, nuevos *intermediarios* entre Dios y los hombres, un nuevo *Mesías*, como lo fueron antaño los profetas de Israel. Pero hace siglos que esos profetas se llamaron a silencio, y sin embargo son numerosos los escritos y los apocalipsis que circulan entre los judíos desde hace cien o ciento cincuenta años, en los que se anuncia la venida de un nuevo mensaje. Acuérdate, Hiram: ya hablamos de esto en Samaria, hace casi treinta años, cuando llegué de Damasco.

—Me acuerdo muy bien. Incluso creo haber recitado en aquel momento algunos versículos del cántico de Asaf, que se encuentra en el *Libro de los Salmos*, y que dice especialmente:

> "Ya no vemos señales ni quedan profetas:
> no hay nadie entre nosotros que sepa hasta cuándo".3

—Sí, recuerdo vagamente tu intervención y tu cántico, fenicio. Pero entiéndeme: yo, Marcelo, no creo ni en esa Biblia de ustedes, ni en un Dios que se ocupa todo el tiempo de lo que hacen los hombres en la tierra.

—¿Por qué?

—Porque si existiera un Dios así, no dejaría que sus criaturas cometieran todos los crímenes que cometen permanentemente en este mundo.

—Pero... acabas de hablar de profetas...

—Para mí, Hiram, un profeta no es nada más que un hombre un poco más clarividente, un poco más valiente que sus semejantes, y que los exhorta a no desesperar. Son los desdichados y los débiles quienes necesitan profetas, para tener el valor de luchar y vivir. Pero desde que los judíos volvieron de su cautiverio en Babilonia, es decir, hace unos quinientos años, no fueron más desdichados que cualquier otro pueblo pequeño de Oriente... Y la dominación romana es bastante liviana para ellos.

—Eso no quita que Herodes haya sido un tirano.

—Sí, pero un tirano que reconstruyó un Templo más grande y más hermoso que el de Salomón, y que ejerció su tiranía contra los

---

3. *Salmos* 74, 9.

grandes, no contra los pequeños. El pueblo no sufrió verdaderamente, y se preservó la religión: nunca Yahveh fue tan suntuosa-
mente honrado.

—¿Y la masacre de los tres mil sediciosos ordenada por Arquelao?

—Eso fue hace veintiún años, Hiram. Ahora estamos en el año
780 de Roma,4 en el decimoquinto año del reinado de Tiberio, mis
cabellos están blancos, y a ti ni siquiera te queda cabello. ¿Puedes
citarme una sola violencia de los romanos después de esa masacre
que, además, sin ser responsable de ella, Roma castigó en aquella
época, suspendiendo a Arquelao? En la actualidad, Judea vive en la
paz romana, como Galia, y lo único de lo que se quejan los judíos,
es de pagar demasiados impuestos, al igual que todos los súbditos
del Imperio, por otra parte. Se respeta el Templo, las rutas son se-
guras —no hay más bandidos, ni siquiera en las montañas de Galilea—, el pueblo tiene suficiente comida, el procurador se ocupa de
que no haya disturbios ni desórdenes, y hace aplicar, sin discusión,
todas las sanciones que impone el Sanedrín a los judíos que infrin-
gen la Torah. ¿Qué más quieres, Hiram? ¿Qué podría reclamar un
profeta en esta época?

—La libertad, tal vez.

—¿Qué libertad pueden querer los judíos? ¿La de ser gobernados por un nuevo Herodes, o peor, por un segundo Arquelao?

—La de no ver más paganos en la Tierra Santa de Israel.

—¿Eso quiere decir no ver más procuradores, ni recaudadores
de impuestos, ni legiones romanas en Judea?

—Sí.

—¿Sabes qué pasaría entonces? En muy poco tiempo, la Tierra
Santa de Israel, como tú dices, sería invadida por los partos, que de-
rribarían el Templo, eliminarían a los sacerdotes y a los escribas,
instaurarían en todas las ciudades el culto a Mitra o el zoroastrismo,
y reducirían a todos los judíos a la esclavitud.

—¡Pero son ellos los que nos liberaron, cuando estábamos cautivos en Babilonia!

—No son los partos quienes destruyeron el poder de Babilonia,

4. 27 d.C.

sino los persas, y lo hicieron, no para liberarlos a ustedes, sino para extender su propio poderío. En la actualidad, si los ejércitos romanos no estuvieran presentes en Oriente, los partos, sus sucesores, se apoderarían inmediatamente de Siria, Fenicia, Palestina, y luego de Egipto, y convertirían a todos los pueblos que viven en esos países en esclavos, Hiram. Ya que eres devoto, amigo mío, eleva plegarias a Yahveh para que deje a los hijos de Israel bajo la protección de Roma: es lo mejor que puede reservarles el destino. Que tomen ejemplo de los galos: desde César, ya no tienen nada que temer de los bárbaros germánicos. ¿Qué te parecen estas codornices, Hiram?

—Están perfectas y bien grasosas, Marcelo, pero creo que podríamos pedirle a tu cocinero otra jarra de vino tinto, para brindar por la *Pax romana*.

—También podríamos pedirle que nos ase algunas costillitas de cordero, porque esta pequeña discusión me abrió el apetito... ¿Qué dices, Hiram?

—¡Digo que es buena idea, caballero, y que eso jamás lo tendrán los partos! A propósito, ¿nunca fuiste al Jordán, tú que amabas tanto ese río?

—Tengo poco tiempo. En este momento, estoy terminando la lectura de las obras completas de Ovidio, que me envió hace poco mi *bibliopolo*.5 ¡Qué poeta! ¡Y qué imaginación! ¿Por qué me preguntas eso?

—Porque por allí se encuentra gente muy extraña últimamente.

—¿A qué te refieres?

—No te lo puedo explicar en dos palabras: hay que verlo para creerlo. Si no tienes nada mejor que hacer, puedo llevarte mañana mismo, y lo verás: el paseo vale la pena.

—¿Es lejos de Jerusalén?

—A dos horas de caballo, más o menos. En Perea, en medio de las montañas, en el desierto de Judá, un poco después de Jericó. Ahora estamos al comienzo del invierno, y la temperatura es más benigna: podríamos hacer el viaje de ida y vuelta en un día sin cansarnos, ni siquiera yo, que ya soy un sexagenario...

5. En la Roma antigua, librero que hacía copiar una gran cantidad de ejemplares de los manuscritos de los escritores en talleres de copistas.

—Y yo también, Hiram: tenemos aproximadamente la misma edad, creo, pero veo que tú gozas de buena salud... y de buen apetito.

—Tú también, caballero.

—Gracias, amigo. ¿A qué hora quieres salir mañana a la mañana?

—Al amanecer.

—Entonces, nos encontramos al amanecer. Buenas noches. Conoces bastante bien la casa como para encontrar solo tu cuarto.

—Buenas noches, Marcelo.

A la mañana siguiente, frescos y bien dispuestos, felices de trotar juntos otra vez sobre las rutas de Judea, como cuando eran jóvenes, los dos hombres salieron de Jerusalén por la puerta Dorada, cruzaron el barranco de Cedrón, atravesaron el monte de los Olivos, al pie del cual se extendía un pequeño terreno plantado de árboles, donde había un lagar de aceite,[6] y se encontraron en el camino del pequeño pueblo de Betania. Una vez atravesado éste, se internaron en un valle oscuro y profundo —"una verdadera guarida de ladrones", señaló Marcelo—, donde había un camino de montaña, estrecho y accidentado, que llevaba a la ciudad de Jericó, construida a la entrada del desierto de Judá. Desde el escarpado promontorio donde había detenido su cabalgadura, Marcelo pudo contemplar el Jordán, donde las aguas lodosas borbotaban entre los alisos, las mimosas, los helechos y las cañas gigantes, y corrían, a través de las arenas amarillas y grises del desierto de Judá, hacia el mar Muerto que centelleaba a lo lejos, brillante e inmóvil.

El Jordán no constituía una barrera infranqueable entre las tierras palestinas del oeste (Galilea, Samaria, Judea e Idumea) y las del este (Perea), o del noreste (Gaulanítida, Batanea, Auranítida, Traconítida). Nunca se había construido un puente sobre ese río, que las caravanas sólo podían atravesar por cuatro o cinco vados, hacia la parte baja del valle, donde estacionaban permanentemente largas filas de camellos cubiertos de fardos, rebaños de corderos o de cabras con sus pastores, y movedizas multitudes de todos los orígenes: hebreos, árabes nabateos, abisinios, babilonios, sirios, algunos de ellos, mercaderes, otros, peregrinos, o nómadas, y a veces, jinetes que tenían urgencia por entregar órdenes o noticias. El lugar

6. *Getsemaní* en hebreo.

donde todo el mundo se reunía, al llegar de Jericó, la última etapa
en el camino al mar Muerto, entre espesos matorrales, palmeras
erráticas y tamarindos, estaba a sólo una hora de marcha de la de-
sembocadura del río Jordán:[7] se llamaba Betabara.[8] Desde lejos, no
se podía distinguir el curso del río, cuyas aguas fangosas eran del
mismo color amarillo que la arena por la cual corría, a través de los
sauces y los juncos que lo bordeaban.

La llegada de Marcelo e Hiram casi no fue advertida por la hete-
rogénea multitud allí reunida. Hombres, mujeres y niños discutían
en voz alta, en pequeños grupos, y sus confusos sonidos se mezcla-
ban con el estruendo producido por el Jordán al precipitarse en esa
inmensa extensión de agua, más parecida a un lago que a un mar.
Los dos jinetes se alejaron ubicándose a la sombra de un grupo de
sauces, y contemplaron un instante a esos seres humanos macilen-
tos, flacos y extenuados, llegados de todas partes, que se movían y
hablaban entre sí.

—Señor caballero —le dijo gravemente Hiram a su compañero—: te presento a los condenados de la tierra.

—¿Qué quieres decir con eso?

—Todas esas personas están perdidas, no en el desierto de Judá, sino en el de la vida. Algunos son pobres, otros están enfermos,
otros son desdichados, y todos sufren un malestar que no tiene relación, en realidad, con su estado: se preguntan con angustia qué
hacen en el mundo.

—¿Cómo es eso?

—Se interrogan sobre su destino, que, para la mayoría de ellos,
es miserable, y casi todos buscan un guía que les indique el camino de la vida, su significado, y les diga adónde los llevan los sufrimientos que soportan.

—¿Y es aquí, en el desierto, comiendo langostas cocidas, donde
esperan encontrar la respuesta a sus preguntas?

7. Véase mapa, p. 15.
8. El paraje de la localidad fronteriza que se llamaba Betabara estaba sobre la margen izquierda del Jordán, y por lo tanto, en Perea, territorio que dependía de la autoridad de Antipas. Los vados, que llevaban el mismo nombre,
estaban en el río, que se hallaba en su totalidad en Judea, y por lo tanto, bajo
la autoridad del procurador (romano) de Judea.

—Sí, aquí.

—¿Por qué, Hiram?

—Porque, desde hace algunos meses, circula el rumor de que ha surgido un profeta en este desierto, y que su palabra consuela a los más desesperados.

—¿Un profeta?

—Sí, Marcelo, un profeta, un hombre que recibió la inspiración divina, un profeta como los que solían hablarle a Israel en el pasado y como no hubo más en los últimos quinientos años: un enviado de Yahveh.

—¿Cómo diablos se les ocurrió esa idea?

—Todos los judíos llevan las palabras de los antiguos profetas en el corazón, caballero, porque las oyen constantemente en el Templo y en las sinagogas, y hasta en las plazas públicas. Y las palabras que recuerdan con mayor frecuencia son los últimos versículos de la Biblia, las últimas palabras del último profeta, Malaquías, que les reconforta el corazón:

> "Porque llega el Día,
> abrasador como un horno.
> Todos los arrogantes y los que hacen el mal
> serán como paja;
> el Día que llega los consumirá,
> dice el Eterno, hasta no dejarles raíz ni rama.
> Pero para ustedes, los que temen mi Nombre,
> brillará el sol de justicia
> que trae la salud en sus rayos,
> y saldrán brincando como terneros bien alimentados.
> Ustedes pisotearán a los impíos,
> que serán ceniza bajo la planta de sus pies,
> en el Día que yo preparo".[9]

—Te felicito por tu memoria, Hiram.

—No hay ningún mérito en esto, caballero: todos los días nos leen estos versículos de Malaquías en la sinagoga.

---

9. *Malaquías* 3, 19-21.

—¿Vas a la sinagoga todos los días, Hiram? Eso me sorprende de ti.

—Soy creyente, Marcelo, y me estoy volviendo viejo: entonces, a veces me pregunto que será de mí cuando muera. Y así como un enfermo combate sus dolores con opio, yo calmo mis inquietudes con la religión. Y esos peregrinos han caminado durante días y días hasta llegar a Betabara, Marcelo, para oír la voz de ese profeta que clama en el desierto de Judá, y que les devuelve la esperanza.

—¿Y cómo se llama ese vocero de Dios, Hiram?

—Juan. Es el hijo de Isabel, la prima de María, y de Zacarías, el antiguo sumo sacerdote, que murió hace mucho tiempo.

—¡Juan! Sí, me acuerdo: nació dos o tres meses antes que Jesús, y su padre, que se volvió mudo —ya no recuerdo por qué— recuperó el uso de la palabra cuando escribió su nombre en una tablilla. ¿De modo que Juan se hizo profeta? ¿Y cómo sucedió eso?

—Realmente, eres un pagano incorregible, Marcelo, y te burlas de mí. Ya sabes que uno no se "hace" profeta, sino que está predestinado por Dios para serlo. Cuando el ángel Gabriel fue a visitar a Zacarías, hace algo más de treinta años, para anunciarle que, por voluntad del Eterno, su esposa Isabel dejaría de ser estéril, y que, aunque él mismo fuera tan anciano, podría embarazarla, y ella daría a luz un hijo, también le dijo que ese hijo estaría predestinado a reunir a los hijos de Israel:

> *Ese hijo será grande a los ojos del Señor. No beberá vino ni bebida alcohólica; estará lleno del Espíritu Santo desde el seno de su madre, y hará que muchos israelitas vuelvan al Señor, su Dios. Precederá al Señor con el espíritu y el poder de Elías, para reconciliar a los padres con sus hijos y atraer a los rebeldes a la sabiduría de los justos, preparando así al Señor un Pueblo bien dispuesto.*[10]

"Zacarías no creyó en las palabras del ángel, y fue castigado por esa incredulidad: súbitamente, se volvió mudo."

—Sí, ahora recuerdo el incidente. Yo no creo en esas historias de

10. *Lucas* 1, 15-18.

intervenciones divinas, pero me acuerdo muy bien de ésa... Y también que te enojaste mucho cuando te dije: "Seguramente hubo habladurías con respecto a la milagrosa curación de la esterilidad de Isabel".

—Tú siempre has blasfemado, caballero. Pero hoy deberás admitir que sólo un hombre inspirado por Dios puede hacer lo que hace Juan en Betabara.

—¿Qué hace de extraordinario? Repite durante todo el día, a todos esos desdichados que perdieron la esperanza, que no tienen más que rezarle a Dios, adorarlo, pedirle perdón por sus pecados, hacer penitencia, esperar que sobrevenga el apocalipsis, o espantosas catástrofes, terremotos, y no sé qué más. ¡Todos esos charlatanes dicen lo mismo!

—Abandona ya esa pose de incrédulo, Marcelo —le dijo el fenicio al romano, con un dejo de reproche en la voz—, y escúchalo: aquí viene.

El hombre al que la muchedumbre rodeó inmediatamente era delgado, pálido, oscuro y seco. Su piel curtida por el sol parecía pergamino pegado a sus huesos. La línea de una nariz larga y fina, curvada como el pico de un noble animal de presa, dividía en dos mitades un rostro ahusado, prolongado por una pequeña barba negra e hirsuta, e iluminado por un par de ojos oscuros de mirada inquieta. Caminaba lentamente, con el cuerpo envuelto en una larga túnica rugosa de piel de camello, ceñida en sus caderas por un tosco cinturón de cuero. Estaba descalzo, llevaba un bastón blanco en la mano, la cabeza echada hacia atrás, cubierta por una tela blanca plegada, parecida a la que usaban los beduinos, que dejaba ver una larga cabellera negra.

La leyenda[11] que circulaba sobre ese personaje afirmaba que había venido al mundo dos o tres meses antes de la matanza de los inocentes ordenada por Herodes, y que, imitando a José y María, que habían huido a Egipto para escapar al delirio asesino del rey, su madre, Isabel, había ido a refugiarse al desierto de Judá con el pequeño Juan, que todavía no tenía un año. Perseguida por los esbirros del déspota, llegó a la pared rocosa de una alta montaña, a la

---

11. *Elogio de Juan Bautista*, 136: se trata de un apócrifo atribuido a san Juan Crisóstomo, arzobispo de Constantinopla.

que le gritó, loca de terror: *"¡Roca, recíbeme con mi hijo Juan!"*. En ese mismo momento, la montaña se abrió, los recibió en una caverna, y luego se cerró detrás de ellos.

Esa caverna se convirtió entonces en un apacible retiro y un lugar de descanso para la madre y el hijo. Cuando Isabel necesitaba ir a buscar algo al exterior, alimentos, por ejemplo, las rocas se abrían por sí mismas ante su pedido, y luego se cerraban, por orden de la Providencia, cuando habían salido. En los días del verano, vivían allí, a resguardo del calor tórrido del exterior, y en el invierno, la caverna se calentaba milagrosamente, para que no sufrieran frío. Así subsistieron durante años, y más tarde fueron a instalarse en la margen izquierda del Jordán, en Perea, que formaba parte, junto con Galilea, de los territorios gobernados con prudencia y firmeza por el tetrarca Antipas desde la partición del reino de Herodes.[12]

Desde algunas semanas atrás, más exactamente desde el final del mes de diciembre del año 780 de Roma,[13] en el decimoquinto año del reinado de Tiberio, la voz de Juan se hacía oír cotidianamente por los judíos y algunos pocos gentiles que se reunían, cada vez en mayor cantidad, en los vados de Betabara.

—Y ahora que llegó Juan, ¿qué ocurrirá? —le preguntó Marcelo a Hiram, que parecía muy excitado.

—Gritará en el desierto.

—¿Qué estás diciendo?

—Es su manera de hablar. Casi todas sus prédicas comienzan con estas palabras: *"Soy el que grita en el desierto"*.

—¿Por qué?

—Porque cuando empezó a predicar, hace un mes, creo, los sacerdotes del Templo, advertidos de la actividad de este competidor ilícito, le enviaron a algunos levitas muy puntillosos, fariseos, para interrogarlo. Lo hicieron discretamente, junto a los vados de Betabara, en el lugar donde bautizaba, que se llama Betania:[14]

12. Véase mapa, p. 15.
13. 27 d.C.
14. *"Todo esto sucedió en Betania, al otro lado del Jordán, donde Juan bautizaba"* (Juan 1,28). Esta localidad, citada únicamente en el *Cuarto Evangelio* (según san Juan), es desconocida: no hay que confundirla con la pequeña aldea de Betania, próxima a Jerusalén, donde vivían Marta, María y Lázaro.

"—¿Quién eres tú? —le preguntaron—. ¿Eres el Ungido que Dios nos envía para nuestra salvación?

—Yo no soy el Mesías —les contestó.

—¿Eres Elías, el profeta que fue llevado al cielo en un carro de fuego, el heraldo de Dios, que debe venir a anunciarnos la llegada del Mesías?

—No, tampoco soy Elías.

—Entonces ¿quién eres, para que podamos dar una respuesta a los que nos han enviado? ¿Qué dices de ti mismo?

—Yo soy una voz que grita en el desierto: 'Allanen el camino del Señor', como dijo el profeta Isaías".[15]

Y el fenicio le explicó a Marcelo, con entusiasmo, que Juan enseñaba, incansablemente, a los que llegaban a Betabara, la necesidad de la penitencia, la gloria del arrepentimiento, la caridad, la mansedumbre y la justicia:

La gente le preguntaba: "¿Qué debemos hacer entonces?". Él les respondía: "El que tenga dos túnicas, dé una al que no tiene; y el que tenga qué comer, haga otro tanto".

Algunos publicanos vinieron también a hacerse bautizar y le preguntaron: "Maestro, ¿qué debemos hacer?". Él les respondió: "No exijan más de lo estipulado". A su vez, unos soldados le preguntaron: "Y nosotros, ¿qué debemos hacer?". Juan les respondió: "No extorsionen a nadie, no hagan falsas denuncias y conténtense con su sueldo".[16]

—¿Sólo eso les dice? —preguntó Marcelo—. ¿No los alerta contra el fin del mundo, contra Gog y Magog? ¿No se lamenta por las desgracias de Israel? ¿No lanza ningún anatema?

—Ése es el estilo de los profetas antiguos, Marcelo, de Isaías a Zacarías, que lloraban con gran elocuencia por el cautiverio en Babilonia, por la Tierra Santa mancillada, por el Templo destruido.

—Entre nosotros, Hiram, esos discursos no sirvieron de mucho, y el pueblo de Israel tiene una historia de mil años de desdi-

---

15. *Cf. Juan* 1, 23-24.
16. *Lucas* 3, 10-14.

chas. Estoy tentado de inferir de esto que los profetas, las plegarias y los sacrificios, no son un buen método para hacer feliz a un pueblo. Como buen pagano, pienso que el hombre mismo debe construir su felicidad, no el Cielo, y no es pretendiendo ser un pueblo elegido, a la manera de los judíos, o un pueblo superior, a la manera de los romanos, como los hombres pueden alcanzar la felicidad. Prefiero la actitud de Juan, que aconseja a los que vienen a escucharlo que moderen sus pasiones y vivan en armonía entre sí.

—Eso ya lo aconsejaba Moisés, cuando le recomendaba a su pueblo el respeto al otro: *"No conculcarás el derecho del extranjero o del huérfano... Recuerda que fuiste esclavo en Egipto".*[17]

—Y eso enseñaron todos los filósofos griegos, sin necesidad de referir su moral a ningún Dios.

—Decididamente, siempre serás un pagano, Marcelo.

—Soy un buen pagano, pero este hombre que come langostas me gusta... Escuchémoslo: creo que está por hablar: todo el mundo se calla.

En efecto, se hizo silencio en Betabara, y sólo se oía el susurrante roce de las aguas del Jordán que se deslizaban hacia el mar Muerto. Juan hablaba, blandiendo su bastón, y aunque estaba lejos de él, Marcelo alcanzó a oír fragmentos de su predicación. El hombre que gritaba en el desierto señalaba con su bastón las montañas que lo rodeaban, y se atrevía a decirles a esos pobres judíos que estaban allí, escuchándolo:

"Ralea de víboras, ¿quién les enseñó a escapar de la ira de Dios que se acerca? Produzcan los frutos de una sincera conversión, y no piensen: 'Tenemos por padre a Abraham'. Porque yo les digo que de estas piedras Dios puede hacer surgir hijos de Abraham. El hacha ya está puesta a la raíz de los árboles; el árbol que no produce buen fruto será cortado y arrojado al fuego".[18]

Marcelo se inclinó hacia Hiram y le dijo en voz baja:
—Si Juan, hijo de Zacarías, pronuncia esta clase de palabras en

17. *Deuteronomio* 24, 17-18.
18. *Lucas* 3, 7-9.

el atrio del Templo, aunque sea hijo de un sumo sacerdote, lo lapidarán en el acto, por burlarse así del pueblo elegido y amenazar con
serruchar su árbol.

Hiram asintió:

—Reconozco que el primo de Jesús no se anda con chiquitas. Es
evidente que estamos en Perea, y que no hay fariseos ni zelotes en
las inmediaciones. Si no, lo hubieran despedazado.

—Una declaración como ésta, si se hiciera en Jerusalén, desen-
cadenaría una sublevación que podría ser mucho más grave que la
sedición de Judas y Matías hace veinte años —confirmó el caballero—. Por otra parte, estoy seguro de que Pilato, que seguramente
conoce de alguna manera las ideas de Juan, ya que siempre manda
vigilar a los agitadores en potencia, ni siquiera lo dejaría entrar a Jerusalén: lo haría regresar inmediatamente a Betabara, a los territorios que se encuentran bajo la responsabilidad de Antipas. Es el le-
ma de Pilato: "Servicio, servicio y nada de represión en Judea". Son
las consignas que le dio Tiberio.

En ese momento, un gran movimiento de gente interrumpió las
reflexiones de Marcelo sobre las maneras de hacer reinar la paz civil
y religiosa en Palestina. El caballero se volvió hacia su compañero:

—¿Qué pasa, Hiram? ¿Terminó la predicación?

—La predicación sí. Ahora Juan procederá a bautizar a algunos
de sus fieles.

—¿Bautizar? ¿Como en el culto persa de Mitra o en el culto de
Isis, que se están poniendo de moda en Roma?

—El bautismo persa se hace mediante la inmersión de un neófito en la sangre de un toro, para conmemorar el milagro que, según dicen, realizó el dios del sol cuando mató a un toro sagrado cuya sangre fertilizó la tierra: por supuesto, eso no es más que un
invento mitológico y pagano. En cambio, entre algunos judíos, por
ejemplo entre los que pertenecen a la secta de los esenios, los baños
rituales y las abluciones purificadoras ocupan un lugar muy importante en su vida religiosa, igual que la plegaria o el ayuno del shabbat.
Algunos de nuestros profetas lo predicaron: *"Lávense, purifíquen-
se"*,[19] clama Isaías. *"Los rociaré con agua pura, y ustedes quedarán*

19. *Isaías* 1, 16.

purificados. Los purificaré de todas sus impurezas", promete Yahveh por boca del profeta Ezequiel. El cuerpo es el receptáculo del alma, y el creyente debe purificarlo al mismo tiempo que ella.

La erudición religiosa y bíblica del fenicio no dejaba de maravillar cada vez más a Marcelo: ese hombrecito que, treinta años atrás, se había presentado ante él en Damasco como simple guía y, en forma accesoria, como vendedor de piernas de cordero, se había vuelto más sabio que un rabino. Pero estaba cayendo la noche, demasiado pronto para su gusto, porque debería cabalgar bajo la luna para regresar a Jerusalén, y el caballero le formuló a su compañero una última pregunta, en tono de broma:

—¿Cómo procede Juan para administrar el bautismo, *rabí* Hiram? ¿Sumerge al fiel desnudo o cubierto por algún paño, para proteger su pudor? ¿O simplemente le derrama una jarra de agua en la cabeza? ¿Pronuncia alguna plegaria, alguna fórmula sagrada?

—Lo ignoro, señor caballero, lo ignoro. Nunca vi bautizar a Juan, porque hay demasiada gente cuando efectúa ese rito, como puedes comprobarlo por ti mismo. En este momento, seguramente está bautizando a una docena de fieles, y hay dos o tres mil personas a su alrededor: ¿cómo se puede ver lo que hace? Es imposible. Sólo podemos imaginarlo.

—¡Pues bien, lo imaginaremos en nuestro camino de regreso! A caballo, Hiram, que se hace tarde. Le dije a mi cocinero que cenaríamos hacia la medianoche, y me prometió que prepararía un pernil de gacela, que tengo prisa por comer.

—¿Un pernil *casher*?

—¡Pides demasiado, Hiram! Esta noche cenarás como un pagano, y entenderás lo que te pierdes.

Esa noche, Marcelo tuvo problemas para conciliar el sueño. Lo había emocionado el fervor de esa multitud de judíos demacrados que, apartándose del oro y el mármol del Templo, de la pompa y las campanillas de sus sacerdotes y de sus ritos milenarios, descubría de pronto una nueva manera de vivir y de amar a su Dios, a través de la voz de ese *nabi* diferente a los anteriores, que no les predicaba la obediencia ciega a la Torah ni el orgullo de ser un pequeño retoño del árbol de Abraham, sino que mostraran su fe con fervor mediante sus actos y sus obras, su caridad y su dulzura. ¡Qué bello mensaje, y qué revolución viviría nuestro mundo, judío o romano, pensaba, si pudiera difundirse! Pero ese Bautista es un iluso: diga lo que diga, y haga lo que haga, el hombre siempre será el lobo del hombre. Lo que hay que enseñarle, desde la cuna, no es el amor al prójimo, sino el amor a la patria y el temor al gendarme.

Y satisfecho con esta conclusión simplista, pero pragmática, se durmió por fin, prometiéndose retornar a Betabara al día siguiente y los demás días, para poder apreciar mejor lo que estaba ocurriendo a orillas del Jordán.

Al día siguiente, en Betabara, había menos gente alrededor del río. Las numerosas caravanas que, procedentes del país de los nabateos, tomaban los excelentes caminos romanos de Judea para llegar a la ruta marítima que llevaba de Gaza a Alejandría, habían partido, y los peregrinos que habían plantado sus tiendas —confeccionadas con pieles de camello cosidas y clavadas con estacas de madera— se habían dispersado entre las matas del desierto, en busca de langostas y bayas silvestres. Vistos de lejos, todos se parecían, con sus túnicas de lino o de piel de camello, sus *keffiehs* y sus bastones. Y aunque todos eran delgados y frágiles, ello no se debía a que hubieran hecho votos de abstinencia, a la manera de los gimnosofistas de la India, sino simplemente a que no tenían nada para comer en el desierto de Judea.

Apostado junto a la orilla del río, Marcelo contemplaba la actividad de Juan: desnudo en medio de un vado, con el agua hasta la cintura, rodeado de cinco o seis hombres, desvestidos como él, vertía lentamente sobre sus cabezas el agua del Jordán que había recogido en un improvisado recipiente, pronunciando palabras de bendición. Desde donde se encontraba, Marcelo no podía oír las palabras exactas, pero a juzgar por el fervor de las miradas, sin duda se dirigían a Dios.

—Decididamente —murmuró— la fe calienta los cuerpos tanto como los corazones: ¡bañarse así en enero!

Con curiosidad, se acercó al vado donde se encontraba el Bautista, y lo oyó decir en arameo, lenta y claramente, frente a cada nuevo fiel, después de que éste le confesaba sus pecados: *"Yo te bautizo con agua para que te conviertas"*. Luego, al terminar, Juan anunció con voz clara y fuerte a todos los hombres unidos por la misma emoción:

"Yo los bautizo con agua para que se conviertan; pero aquel que viene detrás de mí es más poderoso que yo, y yo ni siquiera soy digno de quitarle las sandalias. Él los bautizará en el Espíritu Santo y en el fuego. Tiene en su mano la horquilla y limpiará su era: recogerá su trigo en el granero y quemará la paja en un fuego inextinguible.[20]

Detrás de mí vendrá el que es más poderoso que yo, y yo ni siquiera soy digno de ponerme a sus pies para desatar la correa de sus sandalias. Yo los he bautizado a ustedes con agua, pero él los bautizará con el Espíritu Santo."[21]

Sólo al día siguiente entendería Marcelo el significado de esa última promesa, que Juan reiteró durante toda la jornada a los que acudían a él, en el río, para que los purificara de sus pecados por medio del agua del bautismo, y le preguntaban por qué él, Juan, que no era el Mesías, ni Elías, ni un profeta, los bautizaba. A todos les respondía:

"Yo bautizo con agua, pero en medio de ustedes hay alguien al que ustedes no conocen: él viene después de mí, y yo no soy digno de desatar la correa de su sandalia."[22]

El mismo ceremonial se repitió unas treinta veces ese día: en cada vado, los peregrinos, despojados de sus ropas, pero cubriendo púdicamente su desnudez con un trozo de tela, le suplicaban a Juan que les confiriera el bautismo con el agua que los absolvía de sus pecados. No había prisa ni gritos, como el día anterior: todos tenían la impresión, y hasta la convicción, de vivir un momento solemne, y el bautismo que les administraba el Bautista en las aguas del Jordán, fangosas pero purificadas por su presencia, constituía para ellos un nuevo nacimiento. Cuando cayó la noche sobre el desierto, al final de esa excitante jornada, Marcelo e Hiram no retornaron a Jerusalén: silenciosos y graves, pasaron la noche en Betabara, bajo las estrellas.

20. *Mateo* 3, 11-12.
21. *Marcos* 1, 7-8.
22. *Juan* 1, 26.

A la mañana siguiente, una mañana soleada y radiante, como suelen serlo habitualmente en enero en el Medio Oriente, Hiram, que se había despertado temprano, vio que entre las tiendas, en medio de los vapores que subían del río, avanzaba un hombre todavía joven, que no tenía ni belleza ni un brillo particular, cuyo aspecto no tenía nada especialmente atractivo,[23] envuelto en una túnica de lino con mangas y el tradicional *keffieh* en la cabeza, bajo el cual asomaban las puntas levemente rizadas de algunos mechones castaños. Su andar era seguro, pero a juzgar por su atuendo, no era ni un campesino, ni un levita, ni un sacerdote, y nada indicaba de dónde venía. Evidentemente, buscaba a alguien, a Juan, sin duda, porque, después de preguntar a varias personas, se dirigió a la tienda del Bautista. Cuando pasó cerca del fenicio, éste notó que llevaba, colgada en la oreja izquierda, una minúscula viruta, la marca distintiva de los artesanos de la madera de Palestina: Hiram llegó a la conclusión de que era un carpintero, o quizás un ebanista. El hombre saludó amablemente al fenicio y le preguntó con voz suave dónde podía encontrar a Juan el Bautista. Hablaba el arameo con un poco de acento, en el cual Hiram reconoció inmediatamente las inflexiones de la gente de Galilea. Cuando le preguntó su nombre, el otro le contestó que se llamaba Jesús, hijo de José, el carpintero, y que en su aldea lo llamaban "el Nazareno".

"¡Jesús! ¡Jesús!". La voz del fenicio se ahogaba de emoción. Corrió a despertar a Marcelo, que todavía estaba durmiendo en la tienda, y unos minutos más tarde, los tres lloraban con lágrimas de alegría, cada uno por sus propios recuerdos y esperanzas. Mientras intercambiaban confidencias, Marcelo reconstituyó, fragmento a fragmento, lo que pudo ser la vida anónima del niño a quien no había visto nacer ni crecer, pero al que se sentía irresistiblemente ligado desde el día en que había visto, en el camino de Jericó a Jerusalén, a María, que todavía lo llevaba en sus entrañas, sentada a la vera

---

23. Cf. Isaías 53, 2-4: *"No tenía forma ni hermosura que atrajera nuestras miradas, sin un aspecto que pudiera agradarnos. Despreciado, desechado por los hombres, abrumado de dolores y habituado al sufrimiento, como alguien ante quien se aparta el rostro, tan despreciado, que lo tuvimos por nada. Pero él soportaba nuestros sufrimientos y cargaba con nuestros dolores [...]".*

del camino, triste y apoyada sobre el hombro de José, ante los ojos entrecerrados de un pequeño asno gris. Con la imaginación de la amistad, se representaba la casita de Galilea, pobre y sin duda bien cerrada, en la que había crecido Jesús, junto a su dulce madre, atenta a todos sus deseos, y José, su padre adoptivo, que era al mismo tiempo carpintero, cortador de madera, y seguramente albañil en sus ratos libres, y que quizás habría exhalado su último suspiro contemplando el último cofre de roble confeccionado con sus propias manos, mientras su virginal esposa se vestía, según la costumbre, con el vestido angosto de las viudas, que nunca más abandonaría. Imaginaba al muchachito que, en la edad en que empieza a crecer la barba, habría tomado las herramientas bien ordenadas de José, para partir, con su bolso de carpintero a la espalda y el hacha al hombro, de aldea en aldea, a través de las montañas de Galilea. ¿Cómo lo recibirían esos aldeanos a quienes les serruchaba la madera, les reparaba las ventanas, les emparejaba las mesas, para los cuales confeccionaba sillas, bancos, artesas y cofres? Y él, Jesús, ¿en qué pensaría cuando, al irse solo de su pueblo, se detenía a contemplar, desde lo alto de las colinas que lo rodeaban, las brillantes aguas del mar de Galilea y la aldea animada y colorida que vivía a orillas de ese lago? Como montañés que era, seguramente la vería como una especie de paraíso prohibido: *Kefar Nahum* —"la aldea de Nahum"—, como se decía en ese arameo teñido de hebreo, con sus pescadores, sus barcas, sus redes y sus vendedores de pescado. De ese pequeño puerto de Cafarnaún había partido Jesús, a principios del invierno del año 781 de Roma, en la madurez de sus treinta años, hacia los vados de Betabara, con el alma colmada de todas las esperanzas, como un pionero que va hacia un nuevo mundo, dejando los recuerdos de su pasado en la ribera natal. A los amigos que lo rodeaban, tan numerosos que, para despedirse de ellos, debió sentarse en una barca amarrada a la costa, y que le preguntaron por qué los abandonaba, les respondió: *"Escuchen. El sembrador se va a sembrar"*.

Hiram llevó a Jesús a ver a Juan. Cuando el Galileo le pidió que lo bautizara, el Bautista tuvo un momento de indecisión, como si presintiera que ese rito purificador no era apropiado para aquel hombre predestinado a purificar al mundo, y ante la mirada atónita del fenicio, que creía estar presenciando una escena sobrenatural, se produjo el siguiente diálogo entre ellos:

"—Soy yo el que tiene necesidad de ser bautizado por ti —dijo Juan— ¡y eres tú el que viene a mi encuentro!

—Ahora déjame hacer esto —le respondió Jesús—, porque conviene que así cumplamos todo lo que es justo".[24]

Juan no pudo resistirse. Le alcanzaron un paño, con el que Jesús se cubrió el cuerpo antes de penetrar lentamente en las aguas del Jordán, y Marcelo, a quien la escena evidentemente no le interesaba, se retiró a su tienda. En cuanto al fenicio, emocionado, permaneció como petrificado al borde del río, donde Juan procedió al bautismo del Galileo, como lo hacía habitualmente con los demás peregrinos, y pronunció la fórmula ritual: *"Yo te bautizo con agua para que te conviertas"*.

Luego, Jesús salió del agua, dio algunos pasos por la orilla del río, y en ese momento, todos los peregrinos que se encontraban allí vieron una paloma blanca que descendía del cielo y se posaba sobre la cabeza del neófito. Eso es al menos lo que le contó, con palabras poéticas, el fenicio a Marcelo, cuando le describió con exaltación el bautismo de Jesús, al que acababa de asistir:

—Cuando Juan pronunció la fórmula del bautismo y Jesús salió del agua, se abrieron los cielos y el Espíritu de Dios descendió sobre él.

—¿Cómo que "descendió sobre él"? ¡Tuviste una visión, Hiram!

—Todos vimos, en el río, lo que tú llamas una visión, caballero. El cielo se abrió y una paloma blanca, inmaculada, descendió de los cielos y revoloteó alrededor de la cabeza de Jesús antes de posarse sobre ella, y luego cantó: todo el mundo pudo oír su canto. Luego se oyó una voz del cielo que decía: *"Éste es mi Hijo muy querido, en quien tengo puesta toda mi predilección"*.[25] Todos los que estaban presentes se llenaron de temor. Entonces la paloma batió sus alas, y todas las serpientes del desierto se murieron al mismo tiempo.

—¿Tú viste los cadáveres?

—No; porque yo me quedé cerca del Jordán, pero otros judíos

24. *Cf. Mateo* 3, 13-17.
25. *Mateo* 3, 15-17; *Marcos* 1, 10-11; *Lucas* 3, 21; *Juan* 1, 32-33.

me lo dijeron. En cuanto a la paloma blanca, puedo decirte que la vi con mis propios ojos.

—¡Hay miles de palomas blancas en el cielo, y la que tú viste es una paloma común y corriente, como las que hay alrededor de nosotros en este momento!

—¡Pero se posó sobre la cabeza de Jesús, caballero!

—Pura casualidad: pudo haberse parado en la tuya.

—¿Y la voz que vino del cielo?

—Tú la oíste porque eres supersticioso, y querías escucharla. Si tu Dios existe, tiene cosas más importantes que hacer, que ocuparse de algunos judíos que se sumergen en el Jordán.

—¡Incrédulo! ¡Blasfemo!

—Cálmate, Hiram. Quizá lo comprendas algún día. Pero de todos modos, la escena que me describiste me intriga...

—¿La de la paloma que bajó del cielo?

—No. Ése es un detalle sin importancia. Pienso en el encuentro entre Juan y Jesús. Es bastante probable que sea un acontecimiento importante.

—¿Qué quieres decir, Marcelo?

—Tal vez hayamos asistido al nacimiento de una quinta secta judía, Hiram. Hasta ahora estaban los saduceos, los fariseos, los esenios y los zelotes. Ahora quizás haya que agregarle la secta de los judíos que se bautizan con agua. Y todo eso, gracias a este Juan el Bautista, ¡que además nos anuncia que encontró su maestro en Jesús! Como los apodos están de moda, tengo uno para Juan.

—¿Cuál?

—El *Precursor*.

—Le sienta bien, Marcelo. Pero ¿precursor de quién?

—¡De Jesús, por supuesto! ¿Notaste la mirada de nuestro amigo? ¿Y ese extraño apodo de "Nazareno", o *Nazir*, que le pusieron en Galilea? Es inquietante.

—¿Jesús, inquietante? Con todo el respeto que te debo, caballero, creo que estás divagando.

—No son ni Jesús ni Juan quienes me inquietan. Al contrario: si todos los judíos, religiosos o no, fueran como ellos, Roma no tendría que preocuparse en absoluto por el orden público en Judea. Los que me preocupan son los judíos que le pusieron a Jesús el nombre de *Nazir*: en política, los que fabrican sobrenombres, pronto fabrican banderas y provocan disturbios, y los que provocan disturbios, provocan guerras... Y yo, mi querido Hiram, prefiero la paz. Juan y Jesús son corderos, pero cuando un cordero bala, atrae a los leones. Mi deber es hacer todo lo posible para que eso no se produzca, y cazar a los leones, si aparecen.

—Si piensas vigilar a todos los corderos que balan, tendrás bastante trabajo, Marcelo —le hizo notar Hiram con cierta impertinencia—. Palestina es la región de Oriente donde hay mayor cantidad de predicadores, y donde circulan las historias más inverosímiles... Pero a todo esto ¿dónde está Jesús? Hace dos o tres horas que desapareció de aquí.

—Debe de haber regresado a Galilea. A pie, incluso caminando rápido, tiene para cinco o seis horas.

—No creo que se haya ido de Betabara sin saludarnos, Marcelo, a menos que haya partido con la intención de hacer una excursión por el desierto...

—¿Qué clase de excursión, Hiram? No hay nada para ver en el desierto de Judá: ni una aldea, ni un santuario, ni siquiera la tumba de un santo...

—Exactamente, pero dicen que el Diablo suele aparecer por allí.

—¡Otra vez con esos cuentos! Que creas en la existencia de Dios, Hiram, lo acepto, y es muy razonable. Pero, por favor, no me vengas con esas historias de viejas sobre el Diablo.

—Creo en Satán como creo en Dios, Marcelo, porque considero que la historia del pecado de Adán que nos enseñan las Escrituras no es una fábula. Dios es demasiado bueno para haber creado el Mal, y sin embargo, el Mal está en todas partes: por lo tanto, el Diablo existe. Y creo sinceramente que Jesús fue llevado por el Espíritu Santo, que descendió sobre él, para ser tentado por el demonio y no sucumbir a la tentación.

¿Quién tenía razón? ¿El pagano racionalista e incrédulo que era Marcelo, o el buen hombre pragmático, animado por la ingenua fe del carbonero que era Hiram? Regresaron, pensativos, a su tienda, donde iniciaron una discusión apasionante. Hiram estaba transportado de emoción:

—Es conmovedora esa multitud fervorosa que se arrastra por el desierto para arrodillarse ante el Bautista y pedirle que absuelva sus pecados, y esa llegada inesperada de Jesús que multiplicó su fervor.

Estuve a punto de precipitarme dentro del río, yo también, y pedirle a Juan que me bautizara.

Marcelo no pudo evitar una sonrisa, imaginando a Hiram, calvo y barrigón, sin duda incapaz de nadar, sumergiéndose completamente desnudo en el Jordán frente a Juan, a quien el caballero siempre llamaba "el que come langostas", y que, por su barba, sus pómulos salientes y sus cejas levantadas le hacía recordar a un demonio gesticulador que había visto un día en una pintura etrusca. Sin embargo, evitó ironizar, y trató de moderar el entusiasmo de su amigo:

—¿Y si todo eso no fuera más que una comedia organizada? —sugirió—. Juan es, evidentemente, un predicador que tiene algo nuevo para decir, pero, desde la rebelión de los zelotes y de Judas el Galileo, ya no hay libertad de expresión en Judea, y menos aún para los galileos. Pilato, el procurador, y Caifás, el sumo sacerdote, caminan de la mano y con la misma consigna: si no hay novedades, no hay olas. Pero el mensaje de Juan socava la autoridad del Templo y, así, la de Caifás, porque pretende absolver a los que bautiza con agua de todos sus pecados, y por lo tanto, de todas las transgresiones a la Torah. Ésa es una puerta abierta a todas las herejías y, como consecuencia, a todos los desórdenes. De eso, por diferentes razones, ni Caifás, ni Pilato quieren oír hablar. Por otra parte, Juan es perfectamente consciente de que yo le envío informes con bastante regularidad al emperador Tiberio sobre la situación político-religiosa de Palestina, y que en Roma me consideran en cierto modo un especialista en la materia. Cuando supo que yo ya había venido una vez a Betabara, anteayer, para oírlo predicar, y luego, por segunda vez, ayer, para verlo bautizar y oírlo anunciar veladamente la llegada de un Mesías...

—¿Cómo veladamente?

—Sí, cuando declaró que vendrá alguien más poderoso que él, a quien él no es digno de desatarle las sandalias. Ese "alguien" es Jesús, evidentemente, y hoy, como por casualidad, llega Jesús a Betabara, en el mismo momento en que yo me encuentro allí. Son demasiadas coincidencias. Si yo quisiera crear un nuevo partido político, en Roma, a espaldas del emperador, actuaría de esa manera y me manifestaría abiertamente. Así a Tiberio le sería mucho más difícil hacerme callar que si hubiera creado un partido clandestino, porque debería tomar en cuenta a la opinión pública.

—¿Conclusión?

—Conclusión: tanto Juan como Jesús son galileos, sus madres están emparentadas, ambos son profundamente piadosos, no pueden soportar ni la hipocresía legalista de los fariseos ni el conservadurismo egoísta de los saduceos, además son sinceramente no violentos, y por lo tanto, se oponen a los excesos de los zelotes. Ambos quieren hacer la revolución, pero por medios pacíficos. Ésa es la razón de la institución del bautismo para todos, y por eso Juan se refirió a Jesús, que desde hace mucho tiempo se centra en esa materia, y que es tal vez el único hombre, en todo el Imperio, que está dispuesto a morir para salvar al género humano. Jesús y Juan comparten el anhelo de instaurar un nuevo tipo de relaciones entre los hombres, basado no ya en la riqueza, la fuerza, el linaje o la tradición, sino en el valor de cada ser humano en cuanto tal, en el amor a la persona humana. Juan entendió que, para eso, era necesario despertar la imaginación de las masas, y como un poeta trágico, puso en escena el acontecimiento del bautismo de Jesús. Piensa, Hiram, cómo pudo haber influido esto en esa buena gente: el hombre que los bautiza les anuncia la llegada de alguien a quien no conoce, pero que es incomparablemente superior a él, y de pronto, ese desconocido aparece en Betabara, se arrodilla frente a él, le pide que lo bautice, entra al agua con él, y a la vista de todos, se desarrolla la grandiosa escena del bautista bautizado.

—¿Eso quiere decir que Juan mintió al decir que no conocía a ese "superior"? —preguntó el fenicio.

—¿Cómo podían no conocerse si sus madres son primas? Sin embargo, creo que se encontraron hace poco tiempo, porque Jesús creció y vivió hasta ahora en Galilea, y sólo estuvo una vez en Jerusalén, cuando tenía doce años,[26] mientras que Juan creció en Judea...

—¿En la caverna mágica?

—¡Evidentemente, no! Esa caverna es otro cuento, fabricado, como la patraña de la matanza de los inocentes que inventaron los anti-herodianos que, por algún motivo, se dedican desde hace algún tiempo a destruir la imagen de Herodes el Grande. El padre de Juan

26. Véase p. 205.

era sumo sacerdote, Hiram, no lo olvides, y Juan sólo puede haberse educado en Judea. Sólo después de la muerte de Zacarías, su madre, Isabel, lo llevó a Perea. Dicen también que él vivió un tiempo en Gerasa, en el palacio de Aretas, el rey de los árabes nabateos.

—En resumen, ¿qué piensas de todo lo que vimos y oímos en estos tres días, Marcelo?

—Que este asunto del bautismo de Jesús fue inventado del principio al fin por los interesados, que se pusieron de acuerdo en este sentido, lo que no quita, por otro lado, que su fe sea totalmente sincera. Pero no tengo ninguna prueba de lo que digo... y los que sostienen lo contrario tampoco las tienen —declaró perentoriamente Marcelo.

—Si lo que dices es cierto, ¿en qué momento habrían organizado Juan y Jesús esta puesta en escena del bautismo?

—En mi opinión, hace muy poco tiempo. Juan empezó a bautizar en Betabara en el mes de diciembre pasado, hace tres o cuatro semanas a lo sumo. Antes, Jesús estaba en Galilea, donde trabajaba con su padre: no tuvieron ninguna oportunidad de encontrarse.

—¿Quién habrá tomado la iniciativa?

—Yo creo que fue Juan. Es un hombre de gran devoción, pero tiene fama de ser muy combativo y no soporta el reinado de Antipas, a quien considera un libertino de la peor especie.

—Dicho de otro modo —aclaró Hiram, que empezaba a perderse en los razonamientos de Marcelo—, Juan desearía que los judíos fueran más devotos, y que hubiera más moral en la corte de Antipas, a quien acusa de adúltero en casi todos sus sermones.

—Exactamente: no deja de clamar por la cólera divina sobre el tetrarca y es probable que uno de estos días tenga problemas.

—¿En qué sentido?

—Antipas tiene una idea fija: enviar a Juan a prisión. Pero no se atreve a hacerlo en forma arbitraria, porque la popularidad de Juan es muy grande. Entonces espera tener un pretexto válido para detenerlo, y éste no tardará en aparecer.

Los dos amigos habían llegado a esta conclusión pesimista sobre el destino de Juan, cuando el alboroto de una discusión en el exterior de su tienda atrajo su atención. Salieron, curiosos, y descubrieron inmediatamente la causa del escándalo: tres o cuatro adolescentes, todavía imberbes, interpelaban a un niño que tendría a lo sumo nueve años, y que se defendía con uñas y dientes contra sus adversarios. La llegada de los dos adultos cortó en seco sus gritos, y Marcelo les preguntó, con tono severo, cuál era el motivo de su disputa:

—Samuel y Jeremías me tratan de mentiroso —le contestó el niño—, porque les dije que fui al desierto y vi a Jesús.

—¿Viste a Jesús? ¿Estás seguro?

—¡Miente! ¡Miente, señor! —replicaron los otros—. El pequeño David es un mentiroso, como todos los niños. Dice que vio a Jesús hablando con el Diablo.

—¿Qué historia es ésta? —preguntó Marcelo, que había decidido conducir el interrogatorio.

—Cuando el señor alto y flaco salió del agua, envuelto en una tela, lo vi irse al desierto y lo seguí —aseguró el pequeño David—. Él me vio y no me dijo nada. No era malo como Samuel y Jeremías.

—¿Qué te hicieron estos dos?

—Me atraparon para hacerme volver aquí, pero yo me resistí y corrí detrás del señor flaco, que me sonrió y me dio un pedazo de pan diciendo: *"Toma, David, es para ti: yo no lo necesito"*. Entonces comí el pan y me quedé dormido.

—¿Y después? ¿Hasta dónde lo seguiste?

—Hasta el pie de la gran montaña, en el desierto, y allí me volví a dormir... de golpe, como si tuviera sueño, chupándome el pulgar.

—¿A tu edad? ¿No te da vergüenza?

—Tengo ocho años y tengo derecho a chuparme el pulgar. El señor alto y flaco me dijo: *"Puedes chuparte el pulgar, David, y quiera Dios que sea la peor acción de tu vida"*. Y cuando me desperté, estaba en el medio del desierto, y el señor alto me miraba dormir, y me dijo, riendo: "¿Sabes cuánto tiempo dormiste, David? — No, señor. — No me llames 'señor': llámame 'Jesús': es mi nombre... Pues bien, David, dormiste cuarenta días y cuarenta noches. — ¿Y tú, Jesús, también dormiste cuarenta días y cuarenta noches? — No. Mientras tú dormías, yo ayuné. — ¿Qué quiere decir 'ayunar'? — Quiere decir que no comí nada, ni bebí nada mientras tú dormías. Pero ahora tengo hambre". En ese momento, tuve mucho miedo, porque una voz terrible le gritó a mi amigo Jesús: *"Si tú eres Hijo de Dios, manda que estas piedras se conviertan en panes"*. Pero Jesús me dijo que no tuviera miedo y le contestó a ese Maligno. Le dijo: *"El hom-*

bre no vive solamente de pan, sino de toda palabra que sale de la boca de Dios",[27] y resistió la tentación de transformar las piedras en panes. Pero era horrible, ese Maligno: todo negro, con cuernos en la cabeza y grandes alas: Jesús me dijo que era el Diablo. Luego nos fuimos los tres, Jesús, el Maligno y yo, y llegamos a Jerusalén.

—¿Qué estás diciendo? —le preguntó Marcelo al niño, sonriendo—. ¿Cómo pudiste llegar a Jerusalén?

—Me colgué de las alas del Diablo.

—¿Y no tuviste miedo?

—No, no le tenía miedo a nada porque estaba con Jesús. En Jerusalén subimos a la parte más alta del Templo, al techo, y el Maligno le dijo a Jesús: "Si tú eres Hijo de Dios, tírate abajo, porque está escrito: Dios dará órdenes a sus ángeles, y ellos te llevarán en sus manos para que tu pie no tropiece con ninguna piedra".[28] Pero el Diablo no se salió con la suya, porque Jesús le contestó que también estaba escrito: "No tentarás al Señor, tu Dios".[29] Después el Maligno lo llevó a una montaña muy alta, le hizo ver todos los reinos del mundo, y le dijo: "Te daré todo esto, si te postras para adorarme". Eran hermosos todos esos reinos, con oro y diamantes, reyes y reinas, palacios y torres, y ejércitos, pero Jesús se enojó y le gritó al Diablo, llamándolo por su nombre: "Retírate, Satanás, porque está escrito: Adorarás al Señor, tu Dios, y a él solo rendirás culto". Entonces el Diablo se escapó, y unos ángeles blancos se acercaron a Jesús para servirlo.

Hiram escuchaba, admirado, el relato del niño, a quien Marcelo despidió regalándole un puñado de higos secos, después de reprender enérgicamente a sus compañeros. Luego se volvió hacia el fenicio:

—¿Entonces, amigo? ¿Qué piensas?

—Pienso que tengo razón en creer en el Diablo, Marcelo. El relato de ese niño es la prueba. ¿Y cuál es tu opinión?

—Bien sabes que no creo en ninguno de esos cuentos sobrenaturales, Hiram, y que seguramente moriré como un buen pagano. Mi opinión es que Jesús se retiró a dos o tres millas del campo de Betabara para meditar en soledad, y que tiene un verdadero mensaje para

27. Mateo 4, 4.
28. Mateo 4, 6.
29. Mateo 4, 7.

comunicar no sólo a los judíos, sus compatriotas, sino a quien quiera oírlo, como hacían antaño los rapsodas griegos que iban de ciudad en ciudad, o como Sócrates, que les hablaba a los que iban a verlo en el ágora. Él no duda del valor de ese mensaje, que evidentemente va a contramano de todo lo que han pensado los filósofos y, sobre todo, los políticos, antes de él. Pero es consciente de los obstáculos que tendrá que superar y, antes de lanzarse al ruedo, vacila, como cualquier hombre que retrocede ante una tarea difícil o importante, y a quien una voz interior le aconseja que abandone todo eso y piense simplemente en sus afanes del presente y sus anhelos para el futuro. A esa vacilación del alma se la llama, de manera figurada, la tentación del Diablo, y hoy, en este desierto de Judá, Jesús alejó los demonios de la pereza y la indiferencia, y decidió el camino de su vida. Ésta es mi opinión. Si ese hombre llega a cumplir su destino, como bien dices, Hiram, se hablará por mucho tiempo más de este Jesús, cuyo Precursor habrá sido Juan. Y empleo esta palabra a propósito. Desde hace un poco más de treinta años, más precisamente desde la muerte de Herodes, que gobernaba a su pueblo —el pueblo judío— con mano de hierro, por medio del terror y la fuerza de sus tropas, y con la colaboración de los sumos sacerdotes, Israel vivió una profunda crisis de conciencia, marcada por la eclosión de todas esas sectas cuya existencia descubrí en los primeros días de mi llegada a Jerusalén. Y esa crisis es mayor aún en Galilea, en Samaria y en Perea, donde los judíos no son tan numerosos y están en contacto con paganos y persas. Toda Canaán tiene necesidad de una nueva Luz, Hiram, que le traiga no otra Ley, judía o romana, sino una nueva *moral*, una nueva manera de vivir en la paz y el amor recíproco.

—¿Y en tu opinión, Juan sería esa Luz, señor caballero?

—No, no lo creo. Me parece que Juan es el que anuncia la venida de la verdadera Luz, la que iluminará a Canaán en primer lugar, y luego, por qué no, al mundo entero.[30] Esperemos que a Juan no le pase nada malo, Hiram.

---

30. Véase el comienzo del *Evangelio según san Juan* I, 5-9: *"La luz brilla en las tinieblas, y las tinieblas no la percibieron. Apareció un hombre enviado por Dios, que se llamaba Juan. Vino como testigo, para dar testimonio de la luz, para que todos creyeran por medio de él. Él no era la luz, sino el testigo de la luz. La Palabra era la luz verdadera que, al venir a este mundo, ilumina a todo hombre".*

—¿Qué podría pasarle de malo? No perturba el orden público, llama a los judíos a la justicia y la caridad, respeta la Torah, y además, al fin y al cabo es el hijo de un sumo sacerdote: no hay motivos para que nos preocupemos por él.

—Que tu Dios te oiga, fenicio.

—En cambio, Marcelo, me preocupa lo que pueda pasarle a Jesús: empieza a hacerse tarde, y todavía no regresó al campamento. Y, al igual que tú, no creí una sola palabra de lo que contó ese niño...

—Sin embargo, me pareció entender que tú creías en la existencia del Diablo, Hiram —dijo Marcelo, con un dejo de ironía en la voz.

—Creo que existe un principio del Mal, que existe en la naturaleza como la lluvia existe en las nubes, pero no creo en la existencia de un ser sobrenatural, dotado de poderes terroríficos, en una especie de brujo infernal capaz de transportar a alguien en un abrir y cerrar de ojos al pináculo del Templo o balancearlo sobre el barranco de Cedrón. Lo que me preocupa es que Jesús viene de Galilea, y eso es sospechoso en nuestros días para las autoridades políticas y religiosas, desde el incidente con los zelotes; y el hecho de que haya venido a hacerse bautizar por Juan en el Jordán, les resultará aún más sospechoso. Estoy convencido de que, en el entorno de Antipas, seguramente todo el mundo se pregunta qué vino a hacer a Perea este pequeño carpintero galileo sin fortuna ni nobleza, y por qué Juan, que es hijo de un sumo sacerdote, se inclina de este modo ante él. Y por si eso fuera poco, un niño nos viene a hablar del Diablo: para los policías de Antipas, caballero, Jesús es sólo un vagabundo, ni más ni menos, o, lo que es peor, un agitador. En estos momentos, hay grandes posibilidades de que lo hayan arrestado.

En realidad (pero esto no lo sabían ni Marcelo ni Hiram), después de su bautismo, Jesús se había retirado más allá de Jericó, a las laderas de una montaña del desierto de Judá, que, desde los tiempos más antiguos, servía como refugio a los eremitas que querían meditar, en soledad, lejos del sonido y la furia del mundo. Sólo descendería de allí cuando, en la llanura que rodeaba a Jericó, el trigo empezara a dorarse, en el siguiente mes de marzo.

10
Vengan y lo verán...

Marzo, año 781 de Roma
(28 d.C.)

Partida de Antipas (Herodes Antipas) hacia Roma, donde se convierte en amante de Herodías, la esposa de su hermano Herodes Filipo (marzo del año 28) – En Jerusalén: primera tormenta de primavera y partida de Marcelo hacia Betabara, en compañía de Hiram – Conversación de Marcelo con Pilato en Cesarea, donde reside este último (marzo del año 28) – Juan el Bautista predica y critica públicamente a Antipas (marzo del año 28) – Comienzo del ministerio de Jesús en Galilea.

Ya hacía más de dos meses que Jesús había desaparecido del Jordán. Marcelo, siempre acompañado por su fiel Hiram, había regresado a la sombra de los bosques de olivos que rodeaban su villa, a las puertas de Jerusalén. Se acercaba el equinoccio de primavera, los días eran más largos, las noches se hacían cada vez más cálidas, y el caballero había espaciado sus visitas a los vados de Betabara. En el valle, las emanaciones en el aire empezaban a ser insoportables, y el propio Juan pensaba en abandonar pronto la llanura y sus moscardones, el río y sus mosquitos, y se proponía seguir ejerciendo su apostolado bautismal en la montaña, cerca de algún manantial fresco y abundante.

Pero a pesar de los calores primaverales, la cantidad de fieles del Bautista no cesaba de aumentar. Todas las mañanas, nuevas multitudes provenientes de Galilea, de Perea, e incluso de Judea, se apiñaban en los vados de Betabara para escuchar al hombre que los exhortaba a abrazar la virtud, a vivir según la justicia y a bautizarse con el agua para purificar sus cuerpos y sus almas.

Esa efervescencia religiosa preocupaba a Herodes Antipas: el tetrarca temía que la influencia ejercida por Juan sobre sus oyentes los convirtiera en discípulos ciegos y dispuestos a todo, incluso a una sedición como la que había tenido lugar veinte años atrás en Jerusalén bajo el reinado de su hermano Arquelao. Sin embargo, como estaba a punto de partir hacia Roma, convocado por el emperador Tiberio, no podía actuar de inmediato: se limitó a dar a sus oficiales la consigna de vigilar atentamente las actividades del predicador durante su ausencia, que seguramente sería corta.

A principios del mes de febrero, el tetrarca se embarcó con rumbo a Italia, y cuando llegó a Roma, se instaló en casa de uno de sus hermanos, Filipo, que vivía allí, y cuya esposa Herodías tenía fama de ser la mujer más bella de la Ciudad. Esa fama era un poco exagerada, pues la princesa ya no estaba en su primera juventud: se había casado con su tío herodiano unos veinte años atrás, de modo que sería más exacto —aunque menos galante— decir que era la cuarentona mejor conservada de Roma. Tampoco Herodes Antipas era un jovenzuelo, ya que había pasado la cincuentena, pero Herodías estaba hastiada desde hacía mucho tiempo de su marido, el viejo Filipo I, que indudablemente no tenía ni ambición, ni encanto, ni sutileza (ella le reprochaba a menudo el no haber conseguido siquiera un título de etnarca, como sus dos hermanos, en la tripartición de Palestina), y... sucedió lo que tenía que suceder. Como en los vodeviles modernos, el tetrarca maduro se enamoró locamente de su cuñada, y ésta cayó en los brazos del guerrero oriental todavía atractivo que era Antipas. Él la exhortó a que se divorciara inmediatamente de Filipo, con la promesa de casarse con ella al regresar a Perea, después de repudiar a su mujer, una princesa nabatea cuyo padre, Aretas, gobernaba el reino árabe de Petra. Luego terminó sus asuntos en Roma, siguió viaje, y se dispuso a regresar a Palestina, donde empezaba a circular el rumor de su adulterio.

Mientras en Roma Antipas olvidaba a Galilea y sus profetas en brazos de Herodías, los adeptos y los discípulos de Juan empezaron a abandonar poco a poco los vados de Betabara, donde, desde el inicio del mes de marzo, el calor se había vuelto realmente insoportable. Ahora subían en pequeños grupos por el valle del Jordán, y se dirigían lentamente, en las horas frescas de la noche, hacia las alturas de Samaria, por encima del río, donde la temperatura era más clemente que en el llano, y las fuentes, numerosas y abundantes. En Jerusalén también se sufría el calor primaveral: las calles y las plazas se habían vaciado de los mercaderes, los transeúntes y los niños, que habitualmente corrían en todas direcciones, y hasta los bueyes estaban echados, agobiados y jadeantes, bajo las higueras de la ciudad. Los atrios del Templo, en general ruidosos y animados, estaban desiertos: los mendigos ya no mendigaban, y habían entrado a resguardarse de los rayos del sol al interior del santuario, de donde los levitas no se atrevían a expulsarlos.

Aquel día, hacía tanto calor que Marcelo debió renunciar a leer a sus poetas preferidos bajo los olivos, y se había refugiado en su *frigida lavatio* —la pequeña piscina de agua fría de sus termas privadas—, para leer a media voz y con deleite los encantadores versos de Ovidio. ¿Cuánto tiempo estuvo descansando allí? No lo sabía, pero de pronto lo sobresaltó un violento trueno que puso fin a su placidez, mientras dos jóvenes esclavos bajaban corriendo por la escalera que llevaba a su *frigidarium* y ponían sobre un banco toallas de lino para que se secara: por fin la lluvia caería del cielo en torrentes, pensó, y, desnudo como Adán, se dirigió rápidamente al jardín.

El cielo se había vuelto súbitamente negro como tinta, y un viento proveniente del golfo de Arabia sopló en forma de tornado, trayendo consigo una tormenta que se desencadenó en pocos segundos. El fragor de los truenos y el centelleo de los relámpagos parecían haber despertado a los murciélagos, que revoloteaban a lo lejos como locos sobre la maciza torre Antonia, negra como el cielo, que parecía incapaz de defender el santo lugar vecino contra la furia de los elementos. Marcelo dio algunos pasos fuera de la villa: la humedad del aire que lo rodeaba lo sorprendió. Luego, algunas gotas de lluvia comenzaron a caer a su alrededor, cada vez más rápido, cada vez más densas, mientras que de todas partes llegaban los rebuznos de los asnos de Jerusalén. Los relámpagos se sucedían, blancos, iluminando los caminos y los árboles para apagarse casi inmediatamente, y pronto el cielo no fue más que una inmensa catarata que se derramaba sobre la tierra con un estruendo semejante al de las aguas del Jordán cuando brotaban de la gruta de Paneas.

En medio de esa tormenta apocalíptica, la más violenta que había visto en su vida, cuyas trombas acribillaban su cuerpo desnudo con gotas heladas, Marcelo, en un brusco ataque de entusiasmo, se entregó a una danza solitaria. Esto dejó estupefacto a Hiram, cuando apareció en el jardín, envuelto de la cabeza a los pies en una piel de camello, y vio, a la luz de un relámpago, a un hombre desnudo bailando en la tempestad, y luego, gracias a otro relámpago, reconoció en ese alegre danzarín de vello gris al respetable caballero Marcelo, ex consejero del difunto emperador Augusto, y el pagano más impenitente de toda Palestina.

—¡Señor caballero! —le gritó—. ¿Qué estás haciendo?

Marcelo le hizo señas para que lo siguiera, y se dirigió prestamente a la veranda que había hecho construir en el fondo de la terraza de mármol rosado que adornaba la fachada de su casa. Luego, después de invitar a Hiram a tomar asiento, corrió a su habitación para secarse el agua que resbalaba por su cuerpo y vestirse decentemente. Cuando volvió a bajar, encontró al fenicio tiritando de frío y tratando de entrar en calor bebiendo un tazón de caldo que le había llevado un esclavo. Hiram le explicó las razones de su inesperada visita:

—Pude conseguir algunas informaciones sobre Juan el Bautista y sus fieles, señor caballero —le dijo—: todos se proponen pasar la temporada cálida en las montañas de Samaria.

—¿Dónde exactamente?

—En Enón, cerca de Salim, en las laderas de las colinas que bordean el valle del Jordán. Conozco bien el lugar: pasé cientos de veces por allí cuando vendía carne de cordero. Es un lugar de muy fácil acceso, rodeado de manantiales de agua fresca que corren desde la montaña, y que la gente del lugar llama "Manantiales de la paz". Juan podrá bautizar allí cuanto quiera a todos sus seguidores en una forma mucho más cómoda que en Betabara.

—Cuanto quiera, es una manera de decir, Hiram.

—¿Por qué, caballero? No hace nada que pueda perturbar el orden público.

—Es cierto: Juan no perturba el orden público mientras exalte la virtud, pero parece que se apresta a lanzar anatemas contra Antipas.

—¿Contra el rey? Es grave lo que me dices, Marcelo: correría el riesgo de ir a prisión de por vida. ¿De qué se trata?

—Al parecer, Antipas quiere repudiar a su esposa.

—¿A la nabatea, la hija del rey Aretas?

—Sí, no tiene otra, que yo sepa.

—¿Y por qué motivo, si puede saberse?

—¿Crees que son muchos los motivos que impulsan a un hombre a divorciarse, mi buen Hiram?

—¡Una mujer!

—Tú lo has dicho, fenicio. Me enteré por uno de mis amigos que acaba de llegar a Alejandría, que Antipas sedujo a Herodías, la esposa de su hermano Filipo, el que vive en Roma.

—¡Ay! Espero que Juan no se entere, porque se encolerizaría contra el rey, y en ese caso, ya no apostaría nada por su libertad.

—Yo también lo pensé —dijo Marcelo—. El problema con los predicadores judíos, sean aarónidas, levitas o independientes de cualquier facción, como Juan, es que pasan el tiempo denunciando las faltas de los demás. No comprenden que el pecado forma parte de la naturaleza humana, y son capaces de provocar masacres por cualquier pavada. Acuérdate de Judas el hijo de Sarifeo, y Matías, cuando Joazar era sumo sacerdote: provocaron la muerte de tres mil de sus seguidores por una cuestión banal de violación de la Ley sobre las imágenes. ¿Te parece normal eso? ¡Especialmente porque de todas maneras no se salieron con la suya! Y ahora está Juan, cuya doctrina me parece sana y humana, y que puede hacerle mucho bien a su pueblo predicándole el amor a Dios, la caridad y la justicia, pero que corre el riesgo de ser apresado porque el rey engaña a la reina con la mujer de su hermano. ¡Es lo más ridículo que vi en mi vida! ¡Que predique la paz entre los hombres de buena voluntad, como lo hace cuando bautiza con el agua, y no la guerra contra un rey que engaña a su esposa! No es procediendo así como hará triunfar su fe.

—Según tú, pagano Marcelo, ¿habría que dejar que todos los hombres vivan en el pecado, si les diera la gana?

—Creo, en efecto, que en la medida en que no moleste a los demás, cada ser humano debe poder vivir como le parezca, y que el objetivo de un predicador es predicar el amor y no el odio, el perdón de las ofensas, y no su castigo.

—¿Tú no crees en el Mal?

—Yo creo, como Sócrates, que el Mal es un error, y que nadie es malo en forma voluntaria. Por eso, yo no lanzaría un anatema contra Antipas, y, sobre todo, no haría de eso un asunto de Estado. Los seres humanos fueron creados para amarse, no para odiarse, y el predicador es como un pastor: su papel no es cazar al lobo, sino proteger a las ovejas. Lo que admiro en Juan es que dice a quienes lo siguen: *"Te purifico de tus pecados"*, y no *"Te castigo porque pecaste"*, y espero que siga actuando así durante mucho tiempo más.

—Si empieza a criticar la conducta del rey, corre el peligro de que pronto lo obliguen a callar.

—Por eso estoy contento de que hayas venido a verme a pesar de la tormenta, Hiram. Yo esperaba que refrescara para ir a Betabara, o incluso hasta las fuentes de Enón, si Juan ya se encuentra allí, para tratar de hacerlo entrar en razón... Y quién sabe, tal vez para volver a ver a Jesús y aclarar lo de su repentina desaparición a principios del mes de enero: tú podrías acompañarme.

—En ese caso, partamos inmediatamente —dijo Hiram—. La tormenta ya pasó, y no volverá a empezar tan pronto: aprovechemos esto, sobre todo porque tenemos luna llena esta noche, y la tormenta ahuyentó las nubes que la ocultaban.

Era más de medianoche cuando los dos jinetes tomaron la ruta a Jericó. En algunas horas, las lluvias habían transformado milagrosamente el paisaje. Había enormes charcos de barro en medio de los caminos, atravesados por corrientes torrenciales, y enormes gotas caían de las copas de los árboles. En los campos de trigo y cebada que se extendían a ambos lados de la ruta, brotaban de la tierra pequeños vástagos, nacidos gracias a ese riego celeste. Las maravillas, los cardos, las rosas de Jericó, las malvas róseas, se erguían como bajo el efecto de una varita mágica, y los espléndidos follajes de color verde oscuro de los mangos, rejuvenecidos por esa ducha tibia, parecían sombrerillos de hongos gigantes que esperaran ser cosechados después de la tormenta. También empezaban a aparecer las serpientes: las víboras, apostadas a los costados de la ruta, parecían acechar a sus presas, y largas culebras se acomodaban a los pies de los árboles inundados.

Cuando Hiram y Marcelo llegaron a Betabara, el río había crecido tanto que ya no se podía pasar por el vado, y los pocos peregrinos que todavía no habían partido hacia Samaria intentaban en vano recuperar sus tiendas deshechas, arrastradas por el Jordán. Interrogados por Marcelo, le contaron que Juan aún no había emprendido camino, y que su tienda había sido barrida por el huracán, y luego arrastrada por el río, como una brizna de paja. En ese momento, antes de partir hacia el norte, estaba descansando en Betania,[1] una pe-

---

1. Cf. Capítulo 9, nota 14, p. 226.

queña aldea al este del Jordán, donde estaba esperando a dos o tres discípulos que debían reunirse con él.

Después de pasar la noche bajo el cielo estrellado del desierto, Marcelo alcanzó a divisar un vado transitable que le permitió atravesar el río, y seguido de su fiel Hiram, se dirigió a Betania por caminos todavía fangosos que mostraban las cicatrices de la tormenta del día anterior. Allí vio a Juan, sentado sobre una gran piedra, rodeado de levitas que habían llegado desde Jerusalén y le hacían las preguntas que relatamos antes,[2] pero no encontró ninguna oportunidad para hablarle. Al día siguiente, siempre en Betania, volvió a ver al predicador, y sobre todo, saboreó la alegría de ver finalmente a Jesús, caminando a la luz del sol, que había vuelto a brillar. Juan también lo vio, y se interrumpió para decir a quienes lo rodeaban:

—Miren a ese hombre que viene hacia aquí: es el cordero de Dios que quita el pecado del mundo. A él me refería cuando dije en Betabara: *"Después de mí viene un hombre que me precede, porque existía antes que yo. Yo no lo conocía, pero he venido a bautizar con agua para que él fuera manifestado a Israel. He visto al Espíritu descender del cielo en forma de paloma y permanecer sobre él".*[3]

Mientras Jesús, siempre silencioso, seguía su camino, Marcelo, intrigado por lo que había dicho Juan, se acercó a éste y le preguntó el sentido de sus palabras:

—Dios me envió a bautizar en el agua —respondió Juan el Bautista, que parecía muy conmovido—. Es Él quien me dijo: *"Aquel sobre el que veas descender el Espíritu y permanecer sobre él, ese es el que bautiza en el Espíritu Santo. Yo lo he visto y doy testimonio de que él es el Hijo de Dios".*[4]

Después de este breve encuentro, Hiram le preguntó al caballero qué significaban las palabras del Bautista, que no había entendido, y Marcelo trató de explicárselas:

—Mira, Hiram, Juan está íntimamente convencido de que el Mesías que debe salvar a las almas humanas del pecado y del infierno eterno no es otro que el propio Hijo de Dios, con quien Él, Dios

2. Véase p. 227.
3. *Juan* 1, 30-32.
4. *Juan* 1, 33-34.

Padre, es uno. Y por otra parte, cree firmemente que el bautismo es el rito por medio del cual el alma divina, al que llama Espíritu Santo, impregna y purifica el alma del bautizado como el agua bautismal impregna y purifica su cuerpo.

—Cuando dices "Dios Padre", Marcelo, ¿quieres decir el Eterno que creó el Cielo y la Tierra, los hombres, los animales y las plantas, como nos enseñan los rabinos?

—Sí. Y ese Dios Padre —prosiguió Marcelo— se hizo Dios Hombre en la persona de Jesús para salvar a las almas humanas del infierno eterno.

—Es complicado, pero creo que entiendo.

—Y así entenderás también las palabras de Juan: *"Aquél"* que le dijo que bautizara en el agua, es Dios Padre, y el *"Hombre que lo precede"*, sobre cuya cabeza se posó la paloma cuando lo bautizó, es Dios Hijo, en cuya alma el bautismo infundió el alma de Dios Padre, el Espíritu Santo. En esto reside el misterio divino: Dios es único, pero es tres personas en una sola: el Padre, el Hijo y el Espíritu Santo.

Esa noche, Marcelo e Hiram no regresaron a Betabara, porque, por miedo a volver a perder de vista a Jesús, Marcelo decidió quedarse en Betania. Extenuados, ambos durmieron como pudieron, al pie de una higuera. Estaban tan cansados que la luz blanquecina del alba no los despertó, pero su sueño no resistió la luminosidad rosada de la aurora. Se despertaron lentamente, doloridos y hambrientos, estiraron sus miembros entumecidos y se pusieron a buscar a Juan, cada uno por su lado, aunque en vano: pasó toda la mañana sin que pudieran encontrar ni a Juan, ni a sus discípulos, ni a Jesús.

—Tal vez hayan regresado todos a Betabara, o a los manantiales de Enón —dijo Hiram.

—Para ellos, como para todos los que vinieron a escuchar a Juan a partir de diciembre último, no existe más Betabara —dijo Marcelo—: la tormenta se llevó sus frágiles instalaciones, y los terribles calores de la primavera, que está muy próxima, como los que vendrán en verano, harán el lugar absolutamente inhabitable. Pero si buscamos bien, deberíamos encontrar a Juan en los alrededores, intentando reagrupar a sus discípulos.

Fue Hiram quien lo descubrió, hacia las tres de la tarde, sentado en el mismo sitio que el día anterior, con dos discípulos. La pequeña escena a la que asistió el fenicio le pareció tan sorprendente que corrió a contársela a Marcelo, que se había quedado al pie de la higuera para curar a su caballo:

—Los vi a los dos, a Juan el Bautista y a Jesús, caballero —le dijo, casi sin aliento—. Juan miraba fijamente a Jesús, que avanzaba, silencioso, y les dijo a los dos hombres, que estaban sentados con él, las mismas palabras que ayer: *"Éste es el cordero de Dios que quita el pecado del mundo"*.5 Inmediatamente después, sin pronunciar una sola palabra, y como si se hubieran puesto de acuerdo, los dos discípulos del Bautista se pusieron de pie y comenzaron a caminar detrás de Jesús. Naturalmente, los seguí, y vi que Jesús dio algunos pasos más, luego se dio vuelta y les preguntó: *"¿Qué quieren?"*. Ellos le dijeron: *"Maestro, ¿dónde vives?"*. Y Jesús les respondió, simplemente: *"Vengan y lo verán"*.6

—¿Tú conoces a esos dos hombres, Hiram?

—El que se llama Andrés trabaja con su hermano Simón en la empresa de pesca familiar que creó su padre, Zebedeo,7 a orillas del mar de Galilea, en Betsaida;8 el otro es Juan de Zebedeo, también galileo, como Juan el Bautista.

—¿Y después qué pasó?

—Andrés salió corriendo de la casa a la que había entrado con Jesús y Juan de Zebedeo, y fue a buscar a su hermano Simón, que es un judío muy rigorista: algunos hasta piensan que pertenece o perteneció a la secta de los zelotes, cuyos miembros siempre tratan de conseguir adeptos en el valle del Jordán.

—Yo creía que habían sido exterminados por Arquelao.

—¡Error, grueso error, caballero! Los sectarios, y especialmente

5. *Juan* 1, 29.
6. *Juan* 1, 39.
7. En los *Evangelios*, Andrés y Simón Pedro son llamados "hijos de Zebedeo", mientras que a los hermanos Juan (el evangelista) y Santiago, se los llama "de Zebedeo". No se sabe si se trata del mismo Zebedeo. Si así fuera, los cuatro apóstoles serían hermanos. De lo contrario, serían dos parejas de hermanos. Hemos transcripto estos primeros encuentros según el *Evangelio según san Juan*. Los *Sinópticos* presentan una versión ligeramente diferente.
8. En Betsaida, y no en Cafarnaún, como dicen algunos autores imprudentes. Véase *Juan* 1, 44: *"...Betsaida, la ciudad de Andrés y de Pedro"*. Sin duda, ambos eran originarios de Betsaida, que se halla a unos quince kilómetros de Cafarnaún, donde trabajaban.

los zelotes, tienen una larga vida. Abandonaron Jerusalén porque no pueden vivir allí y quieren estar lejos del ruido de las ciudades, y se dispersaron, tanto los zelotes como los esenios, por las orillas del mar Muerto, en Perea, y sobre todo por las montañas de Galilea, donde, por otra parte, las sinagogas no son tan numerosas.

—Entonces, Hiram, si te entiendo bien, para vivir libre, hay que vivir en Galilea.

—En cierto modo, es verdad.

—Volvamos a nuestro tema, Hiram: ¿qué pasó en casa de ese Simón?

—Andrés le dijo a su hermano, repentinamente y muy conmovido: "Simón, hemos encontrado al Mesías". Luego lo llevó ante Jesús, que lo miró a los ojos y le preguntó: "¿Quién eres?". El otro le contestó que era Simón, hijo de Zebedeo. Entonces, siempre mirándolo directamente a los ojos, Jesús le dijo: "Tú eres Simón, el hijo de Juan, puesto que has escuchado a Juan antes de escucharme, y desde ahora te llamarás *Cefas*".

—¿*Cefas*? Pero eso no es un nombre —dijo Marcelo—: es una palabra aramea que significa "piedra" o "roca".

—Yo creo —repuso el fenicio— que con eso Jesús quiso decirle que esperaba poder apoyarse firmemente en él, como una casa se apoya sobre una roca, y que él sería la piedra sobre la cual edificaría su secta.

—Pues bien, mi viejo Hiram, el Bautista tenía razón cuando gritaba en el desierto que el profeta que vendría después de él sería más fuerte que él: es realmente muy fuerte, ese Jesús.

—¿Por qué lo dices, caballero?

—Porque en menos de una hora consiguió tres discípulos de peso, y que son, además, sus compatriotas: Andrés, Juan y Simón Pedro, sin contar a Juan el Bautista, que le era fiel incluso antes de conocerlo. Y para eso no necesitó predicar, ni hacer milagros, ni lanzar anatemas, ni bautizar, ni hacer ninguna otra cosa: le bastó con aparecer, con esa luz extraordinaria que tiene en los ojos. Sí, el Bautista tenía razón. Jesús es más poderoso que él.

—No es más poderoso, caballero. Ve más lejos que él.

—¿Ah, sí? ¿Y por qué, Hiram?

—Juan el Bautista partió de la nada. Transportado por algún impulso místico sin ninguna relación con la tradición judía, aunque

sea hijo de un sumo sacerdote, se fue a predicar completamente solo su palabra gritando en el desierto, como él mismo lo dice, sin
ninguna doctrina preconcebida. Me hace acordar al eremita Banos,
a quien tú visitaste en su colina, hace unos treinta años, y que tenía
cierta vinculación con los esenios. Él no quería cambiar las cosas, ni
siquiera las mentalidades, sino que daba consejos para llevar una vida contemplativa y feliz retirándose del mundo. Aunque todavía no
dio a conocer su mensaje, Jesús es mucho más ambicioso: ¡se dice
Hijo de Dios! ¿Te das cuenta, caballero? ¡Hijo de Dios! Eso significa que tiene la intención de revolucionar todo, y que reemplazará la
Torah por otra ley, la suya.

—Tú le atribuyes muchas intenciones, Hiram. Por mi parte,
pienso que es un hombre profundamente sensible a la miseria humana que tiene su origen en el orgullo de los poderosos, la avidez
de los ricos y la hipocresía de las leyes religiosas que los gobiernan
a ustedes, los judíos. Y creo que él querría instaurar un mundo en
el cual el justo no se encontrara en el abismo y el débil no estuviera a merced de las hambrunas y las guerras que provocan los poderosos que los gobiernan. Desde cierto punto de vista, me recuerda
a los Gracos, a quienes los senadores romanos hicieron morir por
haber intentado establecer en Roma una República justa y humana.

—Seguramente tienes razón, caballero. Es posible que ésas
sean sus intenciones, pero... hasta ahora nunca las manifestó.

—Está esperando su hora. Sin duda tiene un plan, tanto religioso como político. Con ese objetivo está formando su estado mayor:
Andrés, Simón Pedro, Juan hijo de Zebedeo, hoy, y mañana, otros,
ya verás. Comprendió que no sirve de nada gritar en el desierto, y
que sólo se corre el riesgo de hacerse notar y terminar en la cárcel,
como me temo que le ocurrirá uno de estos días al Bautista. ¿Quieres mi opinión, Hiram?

—Te escucho, caballero.

—Jesús nació en Galilea, vivió en Galilea, trabajó, primero con
su padre y después solo, en todas las ciudades y aldeas de Galilea, y
es bastante probable que haya expuesto ya algunas de sus ideas ante muchos galileos. No es en Jerusalén, Jericó, Sebaste o Cesarea la
Marítima donde fomentará su revolución: es en su región, Galilea,
alrededor de ese mar de Genesaret que ahora se llama lago de Tiberíades por voluntad de Antipas, es en las tierras altas del valle de

Jordán donde va a predicar una nueva manera de vivir, no violenta, basada sobre un principio que el Bautista todavía no descubrió...

—¿Cuál?

—Lo ignoro, pero no tardaremos en conocerlo. Démosle tiempo a Jesús para que organice su equipo. Por ahora, está compuesto de tres miembros solamente: Andrés, Simón Pedro y Juan, y no sabemos nada acerca de sus intenciones. Esperemos y veremos, como él les dijo a Juan y a Andrés.

Al día siguiente, y como dándole la razón a Marcelo, Jesús ya no estaba en Betania, de donde había partido sin hacérselo saber al caballero. Éste lo buscó en vano, con la ayuda del fenicio, por toda la aldea: no encontró rastros ni de Jesús, ni de sus tres discípulos, ni siquiera de Juan el Bautista, cosa que consideró aún más preocupante. Marcelo decidió regresar lo antes posible a su hogar jerosolimitano.

Una vez en Jerusalén, donde volvía a hacer un calor insoportable, Marcelo empezó por ir rápidamente a su *frigidarium* para refrescarse con una buena ducha fría. Luego se dirigió a Cesarea, donde se encontraban las oficinas de la administración romana en Palestina. Estaba impaciente por conversar con Pilato y ponerlo al corriente de lo que ocurría en Perea, sobre el Jordán, y en Galilea, aunque esos territorios no estaban bajo su control. El procurador de Judea —era su título oficial— tenía fama de ser un administrador concienzudo y riguroso: su opinión sobre la agitación religiosa de Juan el Bautista en los vados de Betabara durante los últimos tres meses le interesaba en el más alto grado al caballero, que escuchó con atención la profesión de fe del romano.

—La agitación que reina en el bajo valle del Jordán desde hace algunos meses —le dijo Pilato— muestra hasta qué punto el emperador Augusto, con todo el respeto que le debo a su memoria, procedió con ligereza en la partición de Palestina, hace veintidós años. Desde que hay procuradores en Judea-Samaria-Idumea, ya no sucede nada grave en esos territorios, y el orden reina en Jerusalén, así como en Sebaste, en Samaria. En cambio, en los territorios que dependen de Antipas, es decir, especialmente en Perea y Galilea, hay un permanente desorden. Volvieron a aparecer los bandidos en Galilea: de las caravanas que la atraviesan, una de cada tres es asaltada y saqueada, y aumentan las herejías en el valle del Jordán. En cuanto a Perea, hace tres meses que Juan, ese predicador de desgracias, trastoca completamente el mundo judío, mientras Antipas, que, por otra parte, está lejos de su primera juventud, se acuesta con su cuñada en Roma y se olvida de su reino. Si este reino estuviera en manos de un administrador romano, no habría asaltos a caravanas en Galilea, ni desórdenes en Betabara, y Caifás no me mandaría todos los meses un rollo de veinte pies de largo sobre el hereje que bautiza a esos judíos con agua y los desvía de la fe de sus mayores.

—Conozco a ese hereje, Pilato: es un hombre de gran valor, que predica la justicia y la caridad.

—Sí, lo sé, me lo informaron. Pero ataca públicamente al tetrarca, lo acusa de adulterio y lo rebaja ante su pueblo, y eso puede originar una sedición, o por lo menos, algunos disturbios. Por suerte, muy pronto todo volverá a la normalidad: en este momento, la nave que trae a Antipas debe de estar frente a Rodas. Pero te puedo asegurar que nuestro gobernador, en Damasco, no tolerará que en Perea pase lo que pasó en Jerusalén en tiempos de Arquelao.

—Si te refieres a la rebelión de los zelotes, no hay nada que temer: Judas y Matías predicaban la destrucción de los ídolos por medio de acciones violentas, mientras que Juan el Bautista sólo predica el amor y la justicia.

—Lo sé, y eso es lo que me hace temer lo peor: él no ataca al Templo, sino al poder político establecido de Perea. Antipas, que se considera a sí mismo el amo de sus territorios, no pedirá autorización a Roma para usar la fuerza; su pueblo se rebelará, sin duda, y Judea, a la que yo debo gobernar, puede sufrir las consecuencias: la gangrena revolucionaria es contagiosa, Marcelo.

—Entonces, ¿qué hay que hacer, Pilato?

—¿Quieres que te conteste sinceramente, caballero?

—Sí, procurador.

—Si yo fuera judío, te diría: hay que orar al Eterno. Pero como magistrado romano, te confieso que no tengo la menor idea. De todos modos, lo que pueda ocurrir en el desierto de Judá o en Galilea no me concierne a mí, sino a Antipas: dejemos, pues, que el destino se encargue. ¡Y quiera el cielo que no surja ningún otro predicador iluminado en Jerusalén! Mi carrera podría verse perjudicada. Adiós, Marcelo, que te vaya bien.

—¡Adiós, Pilato! Regresaré a mis poetas latinos.

Marcelo ya sabía lo que quería saber: en caso de sedición religiosa, el procurador de Judea no intervendría al este del Jordán. Por lo tanto, la suerte de Juan sólo estaba en manos de Herodes Antipas, y había que temer, con justa razón, por el Bautista, teniendo en cuenta el rencor que sentía el tetrarca hacia él: un sentimiento instigado por Herodías, principal objeto de la furia del predicador.

En cuanto a Jesús, que no atraía multitudes a su alrededor, que no predicaba, que no pronunciaba discursos subversivos, ni en el aspecto religioso ni en el político, y que hasta ese momento sólo podía considerarse sospechoso por haberse hecho bautizar por Juan, como tantos otros judíos, no tenía motivos para temer nada de nadie. Por el momento, había desaparecido con sus tres compañeros, a quienes Marcelo se resistía a llamar "discípulos" porque Jesús prácticamente no había abierto la boca, ni en Betabara ni en Betania, y todavía no había enseñado nada.

Pero ¿por qué había partido tan rápidamente y en secreto de Betania? ¿Y dónde se encontraba ahora? Esas dos preguntas no dejaron de atormentar al caballero durante todo el camino que lo llevó de Cesarea a Jerusalén.

La respuesta a la primera pregunta era obvia: por toda Perea y en el valle del Jordán, había circulado el rumor de que la nave real que traía a Antipas de regreso a Palestina ya había partido, o estaba a punto de partir del puerto de Ostia, y eso permitía presagiar su próximo arribo a Perea, y, por lo tanto, para el final de la primavera, represalias contra Juan el Bautista, que no dejaba de atacar al rey y a su amante, Herodías, y contra los diferentes predicadores que ejercían sus talentos en Perea y en Galilea, territorios colocados bajo la autoridad de Antipas. Frente a ese peligro potencial, Jesús y sus amigos habían optado por dejar el valle del Jordán y el desierto de Judá —donde el tetrarca no tendría ninguna dificultad en localizarlos y arrestarlos— e ir a ocultarse a las agrestes montañas de Galilea, refugio tradicional de los bandidos y los hombres que estaban fuera de la ley, y cuya topografía conocía muy bien.

Pero para la segunda pregunta, el caballero sólo encontraba respuestas muy vagas. Jesús y sus tres compatriotas seguramente estaban a salvo en alguna parte de Galilea, pero ¿dónde exactamente? ¿En las montañas próximas a la casa familiar en la que Jesús había pasado su infancia y su primera juventud? ¿A orillas del lago Tiberíades? ¿O en Fenicia, provincia limítrofe de Galilea? Marcelo se propuso hablar de esto con Hiram a su regreso a Jerusalén, porque el fenicio tenía a su disposición una red de corresponsales comerciales que conocían a todos los caravaneros de la región, y por su intermedio seguramente podría encontrar algún rastro de Jesús y sus compañeros.

Por eso, cuando Marcelo llegó a Jerusalén, tarde en la noche, se alegró mucho de encontrar a Hiram, que lo estaba esperando en el jardín de su villa, meditando, semidormido, bajo la débil luz de una lámpara de aceite.

—¿Hay novedades de Cesarea? —le preguntó enseguida el fenicio—. ¿El procurador tiene alguna idea de la fecha de regreso de Antipas?

—En principio, cuando el tetrarca partió hacia Roma, a comienzos del mes de febrero, había anunciado que estaría de regreso a fines de mayo. Pero ¿cómo prever los caprichos del Mediterráneo? También es posible que llegue a fines de junio.

—Entonces Juan y Jesús podrían estar seguros hasta un poco antes del comienzo del verano...

—Eres demasiado optimista, Hiram. Antipas dejó órdenes a sus lugartenientes, y si ellos actúan con celo, no les doy quince días a nuestros amigos para que descubran las alegrías y los placeres de las celdas de Livias[9] o de Tiberíades.[10] Es absolutamente necesario que encuentres a Juan y a Jesús lo más pronto posible: todo lo que sé, es que se esconden en Galilea, y Galilea es grande.

—No te preocupes, caballero, yo sé dónde están los dos.

—¿Cómo es eso?

—Tengo un equipo de representantes que circulan permanentemente entre Tiro y Jerusalén, pasando por las orillas del lago Tiberíades...

9. Ciudad de Perea, en la frontera de Judea, sobre el Jordán, edificada por Antipas y dedicada por éste a Livia, la madre del emperador Tiberio.

10. Ciudad de Galilea, sobre la ribera occidental del mar de Galilea, construida por Antipas y dedicada por éste al emperador Tiberio (el mar de Galilea tomó entonces el nombre de "mar —o lago— de Tiberíades"), que se encuentra en los *Evangelios*.

—Nunca me acostumbraré a esos cambios de nombres —dijo Marcelo—: siempre conocí ese lago como el mar de Galilea... Perdona que te haya interrumpido, mi querido Hiram. Entonces, ¿dónde están?

—Juan está en Salim, como yo pensaba: predica y bautiza como lo hacía en Betabara, pero no deja de invocar a la cólera divina sobre la cabeza de Herodías, a la que le reprocha el haber desviado a Antipas del camino de la virtud y llevarlo a violar la Torah cometiendo adulterio con ella a la vista de todo el pueblo. Todos los días repite, refiriéndose a Antipas: *"Rey, no te es lícito tener a Herodías como mujer"*.[11] En mi opinión, esto terminará mal, y cuando el tetrarca esté de regreso, hará detener a Juan, y luego lo encontrarán muerto en la celda.

—Yo no lo creo, Hiram —dijo Marcelo—. Conozco a Antipas, y siente una gran admiración por Juan. Además, está persuadido de que el Bautista es un profeta, y teme su popularidad: quizá lo arreste, para complacer a Herodías, pero jamás se atreverá a ejecutarlo.

—Yo no pondría las manos en el fuego.

—El futuro lo dirá, Hiram.

—No sabes cómo me gustaría estar equivocado, señor Marcelo.

—¿Y Jesús? ¿Pudiste obtener informaciones sobre él y sus tres compañeros?

El rostro del fenicio, hasta entonces marcado por la ansiedad, se iluminó súbitamente: con respecto a Jesús, las noticias no sólo eran menos graves, sino incluso francamente optimistas. Todo había sucedido muy rápidamente, desde aquel radiante día del mes de enero en que Jesús había sido bautizado por Juan en Betabara. Después de haber desaparecido para ocultarse en algún lugar desconocido durante seis o siete semanas, había regresado al Jordán, pero esta vez a Betania, y había afianzado discretamente los vínculos de amistad establecidos en un solo día con Simón, Andrés y Juan de Zebedeo, galileos como él, sin necesidad de predicar ni bautizar. Luego se había retirado con ellos tres a Galilea. En las aldeas que atravesaron, Jesús, a quien empezaban a llamar "el *Nazir*" —el Santo de Dios—, en arameo, y "el Nazareno", en

11. Cf. *Mateo* 14, 4.

latín o griego, enseñaba su doctrina del Dios en tres personas: el Padre, el Hijo y el Espíritu Santo. Los sencillos campesinos de Galilea no entendían demasiado, pero él los exhortaba también a amarse los unos a los otros, a ayudar a los débiles, a ser ante todo caritativos, y les anunciaba la Buena Noticia de que el reino de Dios se instauraría por fin en la tierra. En dos meses, sus palabras habían recorrido Galilea, dando a esas buenas gentes la esperanza de una vida mejor.

—Es extraordinario lo que me dices, Hiram: jamás un hombre predicó de esa manera.

—Yo creo que Jesús es más que un predicador, caballero. No grita en el desierto, como el Bautista, no denuncia a nadie, no da ninguna regla, ningún mandamiento. Simplemente les habla como hermanos a quienes lo escuchan, y todos lo entienden cuando les aconseja transformarse, ver la vida de un modo diferente: *"¡Conviértanse, el reino de los cielos está cerca!"*, les repite.

Marcelo se quedó pensando. ¿Qué estaría sucediendo en Galilea? ¿De dónde provenía el aura de ese hombre, que no tenía la prestancia de un *imperator*, ni la elocuencia de un orador, ni la vehemencia de un predicador, que no llamaba a la obediencia, ni a la guerra, ni a la sedición, sino al amor al prójimo y a la caridad?

—¿Más que un predicador? Quizá tengas razón, Hiram, pero... ¿qué podría ser, entonces?

—El futuro nos lo dirá, caballero, si Dios lo protege.

—Ahora que lo encontramos, no debemos perderlo de vista, Hiram.

—Nada más sencillo, caballero: tengo al hombre que necesitas. Conoce la Galilea como la palma de su mano, habla arameo, hebreo, el dialecto galileo, y por supuesto, latín y griego. Todas las semanas, me entrega un informe sobre el estado de los rebaños de corderos de mi hermano, que se crían en Galilea. Le pediré que me agregue un informe sobre las actividades de Jesús: así podremos seguirlo paso a paso, casi día por día.

—¡Bravo! ¿Cómo se llama ese polígloto?

—Agorastocles. El nombre es griego, pero el hombre es fenicio.

—¡No me llama la atención, Hiram!

11

Cafarnaún

Marzo-abril, año 781 de Roma
(28 d.C.)

Antipas sale de Roma junto con Herodías y la hija de ésta, Salomé – Fracaso de Jesús en Nazaret – Jesús en Cafarnaún: aparecen sus primeros discípulos: Pedro, Andrés, Juan y Santiago; Jesús se instala en Betsaida, en casa de Pedro – Predicación y milagros en Cafarnaún, y alrededor del mar de Galilea – Primeras críticas a la religión de Moisés ("el vino nuevo se pone en odres nuevos") y crítica al shabbat.

Cuando la Tetis mediterránea agitaba su cabellera, una buena nave, provista de un poderoso equipo, necesitaba entre dos y tres meses, o incluso más, para hacer el trayecto de Italia a Siria. Pero gracias a los relevos ecuestres instalados por los banqueros y por los servicios de espionaje del emperador a lo largo de toda la *via* romana que bordeaba el valle del Danubio y unía Aquilea, sobre el Adriático, con el Asia Menor, las noticias que llevaban los correos imperiales no tardaban más de un mes en llegar de Roma a Damasco o a Jerusalén, y una de esas noticias era ahora cierta: Antipas regresaba de Roma, y entre su equipaje se encontraba su cuñada Herodías y la hija de ésta, Salomé, de quien se decía que era tan bella como su madre a su edad.

En Tiberíades, la majestuosa capital que el tetrarca había edificado sobre la margen occidental del mar de Galilea, se preparaban ahora para recibirlo con alegría: los aduladores ya aguzaban sus lisonjas, los más ruines ya no se escondían para denunciar los anatemas lanzados contra el rey por el Bautista en el desierto, y algunos hasta se proponían hacerle saber al jefe de policía dónde se encontraba Juan, para que pudieran arrestarlo. Sin más tardanza, Agorastocles le envió un mensaje a Hiram: le explicó que, al enterarse de que Juan estaba a punto de ser entregado,[1] y que, por lo tanto, sería

---

1. *Mateo* 4, 12: *"Cuando Jesús se enteró de que Juan había sido arrestado, se retiró a Galilea. Y, dejando Nazaret, se estableció en Cafarnaún, a orillas del lago".* Véase también *Marcos* 1, 14.

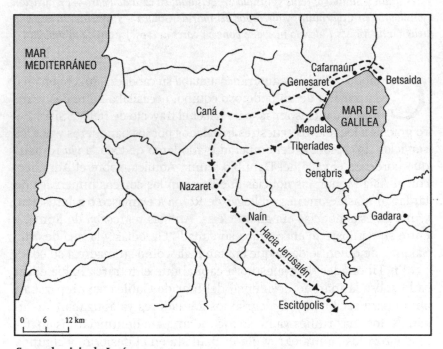

Segundo viaje de Jesús

Después de fracasar en Nazaret, Jesús se dirige hacia las orillas del mar de Galilea y recluta a sus primeros discípulos en Cafarnaún. Se instala en Betsaida, en la casa de Pedro, y circula por los alrededores del lago, predicando la Buena Noticia y, según dicen los evangelistas, efectuando curaciones y milagros, entre los cuales, el más famoso es el de las bodas de Caná.

arrestado en cuanto llegara Antipas, Jesús había considerado más prudente retirarse a sus montañas de Galilea, donde había vivido siempre, y por lo tanto, conocía todas sus grutas, todos sus escondites, para estar en condiciones de escapar a las persecuciones que sin duda se iniciarían contra los amigos de Juan. El fenicio se dirigió rápidamente a la casa de Marcelo con la carta de Agorastocles en la mano. Lo encontró dormitando en su jardín, bajo el cálido sol de marzo:

—¡Encontré a Jesús, caballero! —le gritó desde la verja de la entrada—. ¡Encontré a Jesús: está predicando en Galilea, en Nazaret!

Marcelo saltó de la hamaca donde estaba descansando:

—¿Está predicando? Espero que no actúe como Juan, y no ataque públicamente al tetrarca.

Hiram se acercó a él, sonriendo:

—No, no es su estilo —le dijo al caballero—: Jesús no tiene la costumbre de hablar mal de otro, aunque sea su peor enemigo. No ataca a ninguna persona en particular, y por donde pasa, sólo repite: *"El reino de Dios está cerca. Conviértanse y crean en la Buena Noticia".*[2]

—¿Y qué es lo que entiende por "reino de Dios"? —preguntó Marcelo intrigado.

—Me pides demasiado, caballero. No soy un doctor de la Ley: sólo soy un pobre pequeño comerciante de Sidón.

—Como dices que lees la Biblia con frecuencia, Hiram —le dijo Marcelo sonriendo—, supongo que encontraste esa expresión, en boca de tus profetas.

—Conozco de memoria casi todos los salmos y todas las profecías, pero ninguno de los textos sagrados judíos habla del reino de Dios. Creo que Jesús quiere decir que nuestro mundo actual es malo porque en él reina el mal, y que Dios descenderá de los cielos para hacer que reine el bien.

—¿Eso te parece cierto?

—Que el Mal reina en el mundo es una verdad evidente, no hay más que mirar alrededor. La pobreza, las enfermedades, el hambre, las guerras, las injusticias: éste es el destino de los seres humanos.

2. *Marcos* I, 15.

—¿Y lo encuentras normal?

—Sí: el primer hombre, Adán, pecó, desobedeció al Eterno, y la especie humana debe expiar hasta el fin de los tiempos esa infortunada falta. Ha sido expulsada del Jardín del Edén por toda la eternidad, y Dios colocó querubines al oriente de ese jardín, que agitan espadas flameantes para no dejar acercarse a los humanos.

—Como destino, no es nada alegre —dijo Marcelo—. Prefiero los Campos Elíseos de nuestros poetas. Pero dime, Hiram, al predicar la Buena Noticia, es decir, si entendí bien, la reconciliación de Dios con el hombre, tengo la impresión de que Jesús no está de acuerdo con las Escrituras.

—En cuanto a la unicidad, la omnipotencia y la eternidad de Dios, está de acuerdo con nuestras Escrituras, caballero, pero en lo que respecta al destino de las criaturas humanas antes y después de la muerte, dice exactamente lo contrario. Critica a la Torah, predica el perdón de las ofensas y anuncia la remisión del pecado de Adán. Nuestros sacerdotes no lo dejarán hablar así por mucho tiempo, créeme. Si persiste en su predicación, no serán ni Antipas ni Poncio Pilato quienes lo condenarán, sino Caifás y el Sanedrín en su conjunto: para un judío —y yo soy uno—, anunciar a los hombres que si se convierten, si cambian su manera de comportarse, se salvarán, es una blasfemia, una herejía. Y ya sabes lo que les costó a Judas y a Matías predicar una herejía en Jerusalén, hace veintidós años, y a los que los siguieron: la muerte y una verdadera masacre de buenas personas. Las guerras de religión son las más terribles y las más feroces de todas las guerras, porque los hombres que las ordenan y los que las hacen están convencidos de que su Dios es invencible, y que sus adversarios —que, sin embargo, son hombres como ellos— son la encarnación del Mal.

—¿De dónde saca Jesús sus nuevas doctrinas, él que nunca antes había hablado de esa manera? ¿De sus conversaciones con Juan, cuando estuvo en Betaraba?

—No lo creo, caballero: Juan no es un doctrinario, y no expone teorías. Es un profeta inspirado, que habla como lo siente, y no está en su carácter elaborar una doctrina. Pero no faltan doctrinarios en el desierto de Judá: entre Jericó y el mar Muerto, se estableció hace casi un siglo una comunidad de monjes, que se llaman a sí mismos *jasidim*, que significa "los piadosos" o "los santos" en hebreo: viven juntos, en una enorme casa que construyeron ellos mismos y a la que llaman *masada jasidim*,[3] es decir, "la fortaleza de los santos": es bastante probable que los cuarenta días que Jesús desapareció, en enero y febrero pasados, después de ser bautizado por Juan, los haya pasado con miembros de esa secta, que creen en la predestinación.

—¿Tu representante te da algunos detalles sobre cómo recibe la gente de su país la predicación de Jesús? No puedo imaginármelo hablando en público, e incluso en Betabara se mostró muy reservado...

—Prudente, más que reservado, señor Marcelo. Indudablemente, no ignoraba que el Templo vigilaba todas las manifestaciones religiosas de Judea, y Betabara no está lejos de Jerusalén. Pero en Galilea, se puede hablar y predicar con mayor libertad, y allí no hay que temer a los sacerdotes, sino a la opinión pública, porque esos montañeses no son muy listos. Por otra parte, según Agorastocles, Jesús no habría sido muy bien recibido en su propia región, y creo que hasta hubo algunos incidentes allí, y en Nazaret, las cosas tomaron un cariz tan peligroso, que tuvo que huir. Finalmente se instaló en Cafarnaún, sobre el mar de Galilea. ¿Te acuerdas de Cafarnaún, caballero? Allí hemos comido pescados asados con hinojos, hace treinta y tres años... cuando éramos jóvenes.

—¡Claro que me acuerdo! Era diciembre, y yo había llegado de Roma unos días antes, a fin de noviembre, si no me equivoco. Tiberíades no existía en esa época: había allí sólo un pequeño pueblo de pescadores, cuyo nombre no podía pronunciar correctamente... Genesaret, creo. En aquel momento, pensaba quedarme cinco o seis semanas en Palestina... ¡Y todavía estoy aquí!

Nazaret[4] —también llamada *Nazara*— era una localidad, como hay tantas en el campo, cerca de la cual se hallaba la casa de José,

---

3. Las ruinas de esa construcción fueron descubiertas entre 1946 y 1956, en el lugar llamado Kirbet Qumran, a 13 kilómetros al sur de Jericó, que ha sido excavado, así como otras grutas cercanas del Qumran: allí se descubrieron los famosos *Manuscritos del mar Muerto*.

4. El pueblito —*viculus*, dicen los autores latinos— que se denominó "Nazaret", seguramente surgió a fines del siglo II de nuestra era, en el lugar llamado Nazara, al que nos referimos aquí (véase Anexo n° 4).

donde vivía María con los hijos del carpintero, que había muerto hacía algunos años. Era el "país" de Jesús, donde había vivido siempre antes de aparecer en los vados de Betabara, en el mes de enero del año 781 de Roma. Conocía todos sus pueblitos, todas sus grutas, todos sus bosques, todos sus senderos y también a todos sus habitantes, que lo llamaban "el hijo del carpintero". No sería en las montañas de Nazaret donde los esbirros de Antipas podrían encontrarlo, si querían detenerlo. Imitando las costumbres de los bandidos de la región, que, cuando eran buscados, se refugiaban en los montes galileos, tan impenetrables como los montes corsos que eran el terror de los legionarios romanos, el hijo del carpintero volvió a Nazaret desde Betabara, a la espera de días mejores, y todas las semanas, en el día del shabbat, iba, como siempre, a la sinagoga de su infancia.

Pero el informe de Agorastocles mostraba a las claras que ya no se trataba del niño Jesús del pasado, tímido, de cabellos ensortijados, que iba a cumplir sus deberes religiosos a esa pequeña sinagoga de campaña: ahora era un hombre serio y seguro de sí mismo, en la plena madurez de sus treinta años, a quien el ayudante le entregaba, al entrar, uno de los rollos que contenía las Sagradas Escrituras. El primer sábado que entró a la sinagoga, le dio el *Libro del profeta Isaías*. Jesús lo desenrolló y leyó frente a todos el pasaje que decía:

> "El Espíritu del Señor está sobre mí,
> porque me ha consagrado por la unción.
> Él me envió a llevar la Buena Noticia a los pobres,
> a anunciar la liberación a los cautivos
> y la vista a los ciegos,
> a dar la libertad a los oprimidos
> y proclamar un año de gracia del Señor".[5]

"Luego", escribía Agorastocles, "enrolló el libro, se lo devolvió al ayudante y se sentó. Yo mismo estaba en la sinagoga, y puedo dar fe de que cuando terminó su lectura, se hizo un gran silencio, y todos los presentes tenían los ojos fijos en él, esperando que dijera al-

---

5. *Lucas* 4, 18-19.

go. Entonces, en medio de un silencio impresionante, todos oímos estas palabras, que salieron de su boca: *"Hoy se ha cumplido este pasaje de la Escritura que acaban de oír"*.

Durante dos o tres minutos, todos quedaron mudos de asombro, y de pronto, las lenguas se soltaron:

—¿No es éste el hijo de José, el carpintero? ¿Su madre no es là que llaman María? ¿Y no son hermanos suyos Santiago, José, Simón y Judas? ¿Y acaso no viven entre nosotros todas sus hermanas?[6]

—Sí, es él —dijo otro—. Hacía mucho tiempo que no lo veíamos.

—¿Cómo un simple hijo de carpintero puede hablar con tanta seguridad? Antes de darnos lecciones y decirnos que estamos ciegos u oprimidos, que se haga preguntas él mismo.

Según Agorastocles, Jesús habría quedado resentido por esa incomprensión de sus compatriotas y les habría dicho:

—Sin duda, ustedes me citarán el refrán: "Médico, cúrate a ti mismo". En verdad, puedo ver que un profeta es escuchado en todas partes, y solamente es despreciado en su pueblo y en su familia.[7]

Luego les habría citado los ejemplos de los profetas Elías y Eliseo, quienes también sufrieron esa clase de infortunio. Habían quedado muchas viudas en Israel, les dijo, cuando la hambruna había azotado hacía tiempo al país, y sin embargo, los mensajes de Elías no fueron recibidos en su país, sino en Fenicia y en Sidón. Del mismo modo, en tiempos del profeta Jeremías, había muchos leprosos en Israel, es decir, hombres impuros de cuerpo y de espíritu, pero el propio rey Josías arrojó al fuego el rollo que contenía sus profecías, y los leprosos de Israel no fueron curados: fue un sirio, de nombre Naamán, quien fue purificado.[8]

—Finalmente, ¿cómo terminó esa sesión en la sinagoga de Nazaret? —preguntó Marcelo.

---

6. *Mateo* 13, 56. Véase Anexo n° 5, sobre la compatibilidad entre la creencia en la virginidad de María y la existencia de hermanos y hermanas de Jesús.
7. *Mateo* 13, 57.
8. *Lucas* 4, 25-27.

—Muy mal. Al oír las palabras de Jesús, todos los que estaban en la sinagoga se enfurecieron y, levantándose, lo empujaron fuera. Algunos lo llevaron por la fuerza hasta un lugar escarpado de la colina sobre la que se levantaba la ciudad, con intención de despeñarlo.

—¿Y qué hizo Jesús? ¿Luchó contra ellos?

—De ninguna manera. Permaneció muy tranquilo, casi sonriente, y, sin decir una sola palabra, se abrió paso dignamente entre la multitud. Nadie se atrevió a tocarlo, y él siguió su camino, sin mirar hacia atrás.

—¿Dónde está ahora? —preguntó Marcelo—. ¿Crees que Agorastocles habrá podido seguirlo?

—Sí, lo hizo, pero con muchas dificultades, sin duda. Según lo que dice en su carta, Jesús partió precipitadamente, pero no hay que olvidar que Galilea no es Judea: no hay verdaderas rutas en ese país, a excepción de la que sigue el valle del Jordán. En cambio, hay muchos caminos, senderos y atajos, que permiten pasar de un lugar al otro. Y no debe de ser nada fácil para sus perseguidores encontrar el rastro de Jesús. Pero no tienes nada que temer, señor caballero: mi servicio de informaciones está bien organizado. En dos o tres días sabremos a qué atenernos. De todos modos, si le pasara algo grave a Jesús, por ejemplo, si alguien lo matara o si lo pusieran preso en alguna celda romana, se sabría de inmediato aquí, en Jerusalén: los sacrificadores del Templo, los levitas, y el mismo Caifás lo pregonarían en todas las calles, en todas las terrazas, y Pilato se enteraría en Cesarea quizás antes que el sumo sacerdote. Por ahora, el hecho de que no haya noticias de Jesús, es una buena señal: ¡la falta de noticias es una buena noticia!

—Sin embargo, yo preferiría saber dónde está y qué hace en este momento. No sé por qué, Hiram, pero ese hombre me sorprende y me interesa.

—¿Sigues mandándole informes al emperador, caballero?

—Cada vez menos. Desde que se recluyó en Capri,9 Tiberio só-

---

9. A la muerte de Augusto, en 767 de Roma (14 d.C.), el Imperio pasó sin conmociones a manos de su hijo adoptivo, Tiberio, que tenía en ese momento cincuenta y seis años. El pueblo romano y los pueblos de las provincias romanas, reorganizadas por Augusto, se adhirieron a ese nuevo régimen que ha-

lo gobierna de lejos, y le dejó las riendas del Imperio al prefecto del pretorio, Sejano, que, entre nosotros, es un crápula consumado: muchos romanos lo acusan de haber perpetrado el asesinato de Druso, el hijo del emperador, hace cuatro años. Ya ves, Hiram: desde la muerte del divino Augusto, digno heredero de César, Roma ha perdido sus virtudes, y lo que sucede en esta pequeña Palestina me interesa mucho más, por ahora, que las intrigas políticas criminales que se tejen en el Capitolio o en otras partes de nuestro inmenso Imperio. Y esos hombres, como Juan o Jesús, que cuestionan permanentemente la religión de sus antepasados, sean Judas el zelote, los predicadores del apocalipsis o los que, como Juan, exhortan a la purificación de las almas, aunque parezca ingenuo, me hacen recordar a los filósofos griegos antiguos, los que precedieron a Sócrates, que se alejaban de las cosas de la ciudad para ir en busca de lo que llamaban "la verdad". Por eso me interesa seguir sus aventuras, y confío en que no terminen con una lapidación, como entre los judíos, o con una crucifixión, como es la costumbre entre nosotros, los romanos.

—No te preocupes, caballero. Estamos a mediados de marzo: dentro de un mes, será el tiempo de la Pascua, y te prometo que antes de la inmolación de los corderos, tendrás un informe detallado sobre todo lo que hace Jesús.

Hiram cumplió su palabra: algunos días antes de la gran migración anual que lanzaría a las rutas de Palestina, con dirección a Je-

---

bía garantizado en todas partes la paz romana y la abundancia. En los primeros años de su reinado, de 14 a 26 d.C., Tiberio fue, al principio, un administrador honesto, pacífico y prudente, pero tras la muerte de su hijo Druso (en el año 23), que lo entristeció profundamente, dejó poco a poco que su favorito, Sejano, prefecto del pretorio, administrara el Imperio en su lugar. Éste fue revelando poco a poco su carácter de conspirador ambicioso (su objetivo era hacer desaparecer a toda la familia de César para llegar al trono). Entonces Tiberio se volvió loco y terminó por recluirse, en el año 27, en la isla de Capri (*Capreae*, "la isla de las cabras"), víctima de un sangriento delirio persecutorio. Desarrolló un odio violento contra la clase codiciosa y corrupta de los patricios, que apoyaba a Sejano, a quien condenó a muerte en el año 31, y ordenó muchas ejecuciones (a esto se debe la fama de crueldad que se vincula siempre con su nombre). Tiberio no regresó nunca más a Roma, y murió en Misena en 37 d.C.

rusalén, a decenas de miles de judíos provenientes de todas las ciudades y todas las aldeas de Judea, Samaria, Galilea, Perea e Idumea, para conmemorar la liberación de los Hijos de Israel de su servidumbre en tierra egipcia, el fenicio le entregó a Marcelo dos voluminosos rollos que contenían la narración de las aventuras del hijo de José el carpintero, desde los primeros días de marzo, entre Nazaret y el mar de Galilea, que ahora se llamaba "lago de Tiberíades", por la gracia cortesana del tetrarca Antipas.

El caballero pasó un día entero leyéndolos con atención, en su jardín, interrogando de vez en cuando a Hiram, para pedirle alguna aclaración sobre el texto, que había sido preparado para él, o para participarle sus comentarios.

Después del fracaso que había sufrido en la sinagoga de Nazaret, Jesús había huido dignamente, como pudo, seguido por las vociferaciones y los abucheos de los aldeanos. De roca en roca, de matorral en matorral, atravesó dos o tres pequeñas colinas, corriendo, más que caminando, en dirección al oriente, hacia el mar de Galilea, donde sabía, por experiencia, que podía encontrar la ayuda y el hospedaje que necesitaba: ¿acaso Andrés y Juan de Zebedeo, que le habían pedido en Betania que los dejara ir con él, y a quienes él les había dicho: *"Vengan y lo verán"*, no trabajaban a orillas de ese gran lago?

Necesitó cuatro o cinco horas para llegar al lago de Tiberíades, pasando por Gat-Hefer, Arbeles y Genesaret, lugares que traían a su memoria las proezas de los generales judíos de los tiempos antiguos, cuando el pueblo de Israel combatía a los filisteos. Finalmente llegó, exhausto y hambriento, a Cafarnaún —*Kefar-Nahum*, "la aldea de Nahum"—, donde le asombró no ver ninguna barca en el mar de Galilea, que, sin embargo, se veía inmóvil y brillante como un espejo.

—Es exactamente lo que observé cuando llegué contigo a Cafarnaún, hace veinte años —dijo Marcelo, interrumpiendo su lectura del informe de Hiram—: ¿siempre es así? ¿Los pescadores no se van al mar?

—Hay una buena razón para eso, caballero. Recordarás, sin duda, que este lago de agua salada está rodeado de una multitud de pequeñas colinas, separadas por valles, en los cuales se encajona el viento cuando sopla, para volver a salir con una enorme violencia, cosa que provoca con frecuencia grandes tempestades sobre Kineret...

—¿Kineret?

—Sí, Kineret. Recuerda: es el otro nombre del mar de Galilea. A causa de esas súbitas tempestades, los pescadores rara vez tienden sus redes allí, y atrapan los peces arrojando su *jaculum* desde la orilla.

—¿Qué es un *jaculum*, Hiram?

—Es una red de pesca en forma de cono, adornada con guijarros en su contorno, que se arroja al agua a mano, desde lejos, cuando se divisan bancos de peces, y se retira rápidamente. Con esa técnica, y si es hábil, un pescador puede capturar varios peces de una vez.

—Peces de agua dulce, naturalmente.

—No, caballero, peces de mar: las aguas que alimentan este hermoso lago son saladas, y provienen de las fuentes que lo rodean.

—¡Hace treinta años que vivo en Palestina, y sólo ahora me entero de la existencia de peces de mar en el lago de Tiberíades! Pero ahora que me lo dices, me acuerdo, en efecto, de que los pescados asados que comimos los dos hace veinte años eran de mar —dijo Marcelo, mientras reanudaba la lectura del informe de Hiram.

El texto se volvía cada vez más apasionante. Jesús se había detenido en Genesaret, donde había hablado frente a la multitud, apretada a su alrededor, cuando vio dos barcas junto a la orilla del lago. Los pescadores habían bajado para lavar sus redes en la ribera. Reconoció entre ellos a Simón, al que le había dicho, a principios del mes de marzo, en Betania, que se llamaría "Pedro". Subió a una de las barcas vacías, llamó a Simón, que pareció muy feliz de volver a encontrarlo, y le pidió que subiera con él a la barca y que se alejaran de la orilla. Simón obedeció sin hacerle ninguna pregunta. Jesús les había dicho, a él y a su hermano Andrés, cuando le preguntaron dónde vivía: *"Vengan y lo verán"*. Y ahora, era Jesús quien había venido. Jesús se sentó en la barca, guiada por Simón, y desde allí le enseñaba a la multitud que se había reunido en la orilla, diciéndoles, como a la de Nazaret: *"¡Conviértanse, el reino de los cielos está cerca!"*.

Cuando terminó de predicar, se volvió hacia Simón y le preguntó:

—¿Recogiste muchos peces hoy?

—Rabí Jesús —le respondió Simón—, hemos pasado toda la noche lanzando nuestro *jaculum* y no hemos sacado nada.

—¿Quieren intentarlo de nuevo conmigo, tú y tus amigos?

—Estamos todos exhaustos, rabí, pero si tú lo dices, echaremos una vez más nuestras redes.

—Llámalos, avanza hasta la mitad del lago y arroja tu red.

Simón hizo lo que había dicho Jesús y capturó, en poco tiempo, más peces que en el resto de su vida, y de todas las especies. Entonces les hizo señas a sus compañeros de la otra barca que estaba amarrada en la playa para que fueran a ayudarlo a vaciar el *jaculum*: ellos acudieron, y llenaron tanto las dos barcas, que casi se hundían. Al ver esto, Simón Pedro se echó a los pies de Jesús y le dijo:

—Aléjate de mí, Señor, porque no soy digno de que te acerques a mí: soy un pecador.

En la orilla, ante esa pesca milagrosa, el temor se había apoderado de todos, y especialmente de los compañeros de Simón, Santiago y Juan, los hijos de Zebedeo.

—No temas —le dijo Jesús a Simón—: de ahora en adelante serás pescador de hombres.[10]

Atracaron las barcas a la orilla y, cuando Jesús se alejó de la playa, todos lo siguieron.[11]

Después de terminar de leer esa parte del informe, Marcelo le dijo a Hiram:

—Dime, fenicio, ¿tú crees en esta fábula?

—Todos los pescadores cuentan historias de pescas presuntamente milagrosas, caballero. Me gustaría saber si mi corresponsal se encontraba en la playa de Cafarnaún ese día, porque o está mintiendo, o le mintieron los que le contaron la anécdota, o nadie miente, y simplemente Jesús hizo un pase de magia, y eso sería muy grave para él.

—¿Por qué muy grave?

—La Torah dice: *"Que no haya entre ustedes nadie que [...] practique la adivinación, la astrología, la magia o la hechicería. [...] Porque todo el que practica estas cosas es abominable al Señor".*[12] Mucho me temo que si Jesús realmente hizo eso, corra el riesgo de ser lapidado.

10. *Lucas* 5, 10.
11. Cf. *Lucas* 5, 1-11.
12. *Deuteronomio* 18, 10-12.

—No te preocupes, Hiram, no corre ningún riesgo, porque te aseguro que todo lo que te cuenta tu corresponsal no es más que una fabulación. En mi opinión, ese día Simón simplemente tuvo la suerte de hacer una buena pesca, mejor que todas las que había hecho antes, y todo el mundo exageró el asunto. ¡No hay gente más mentirosa que los pescadores, tú mismo lo dices! Sin embargo, creo que puedo sacar una conclusión de lo que acabo de leer: cuando Jesús pasa por algún lugar, no deja a nadie indiferente. En Betania, le produjo una gran impresión a Juan el Bautista, que fue el primero en señalárselo a sus propios discípulos, designándolo como el cordero de Dios a quien él simplemente le abría el camino. Desde que empezó a circular el rumor de que Juan sería apresado, ya no se oye hablar de él, aunque sigue estando en libertad, en algún lugar de Palestina, tal vez en Enón, cerca de Salim, donde continúa predicando y bautizando, mientras que Jesús aparece a plena luz, por primera vez, en la región de Nazaret, donde, también por primera vez, predica su propia doctrina.

—¿Adónde quieres llegar?

—A esto: Juan el Bautista es un moralista que enseña una moral de la pureza, como Sócrates era un moralista que basaba la moral sobre el conocimiento. El primero afirma que el Mal está en el hombre desde su nacimiento, como una especie de impureza hereditaria, y que el hombre sólo puede extirparlo de su alma purificándose a través del bautismo. El segundo sostenía que el Mal no era más que una de las formas de la ignorancia: el Mal, decía, es el Bien que se equivoca. En cuanto a Jesús, es un metafísico, un lejano descendiente de Parménides y de Platón. Lo poco que conozco de su doctrina por los informes de tus representantes, es que considera que el hombre está colocado, desde su nacimiento, en una *situación*, tironeado entre el Bien y el Mal, y que no puede salir solo de eso, ni por medio del conocimiento socrático, ni por medio de la purificación del bautismo. La salvación del hombre depende de él mismo, pero depende más aún de Dios, que debe involucrarse para salvar a su criatura.

—¿Involucrarse de qué manera? ¿Enviándole profetas, que le expliquen lo que debe hacer?

—No lo sé. Jesús no ha revelado todavía toda su doctrina al predicar en Nazaret, pero prometió hacerlo, puesto que anuncia que vino a traer la Buena Palabra, la Palabra de Dios.

—Lo que explicas, caballero, es lo contrario de lo que me enseñaron los rabinos cuando era joven.

—Exactamente lo contrario. Los rabinos te dijeron que, por ser
hombre, cargabas la responsabilidad del pecado de Adán, y que tu
deber era lisa y llanamente respetar la Ley entregada por Dios a
Moisés, la Torah. En cambio, Jesús sostiene que el amor a Dios es
más importante que el respeto a la Torah, y que el hombre necesita un intermediario para borrar el pecado de Adán. Lo que predica,
en definitiva, es verdaderamente una nueva religión, una nueva
concepción de las relaciones del hombre con Dios. Y créeme, Hiram, si no perece bajo los golpes del Templo, que pronto verá en él
a un peligroso hereje, o bajo los de los romanos, que podrían con-
siderarlo como un peligroso revolucionario, este hijo de carpintero
trastocará el orden del mundo. La Buena Noticia que anuncia es
simplemente una nueva religión, que será la de toda la humanidad,
y no la religión de un solo pueblo. Todo lo indica, por otra parte, en
su manera de actuar: es misterioso, se aísla de las multitudes, se va
rodeando poco a poco de una pequeña cantidad de auxiliares, como
Simón y Andrés, y también los hijos de Zebedeo. En verdad, te digo, Hiram, tenemos la extraordinaria e inesperada suerte de ser testigos, y tal vez, actores, del nacimiento de una nueva religión.

Después de este vigoroso discurso, que el fenicio escuchó sin
decir una palabra, Marcelo volvió a enfrascarse en la lectura de su
papiro.

Al llegar a Cafarnaún, leyó, Jesús fue recibido por Simón —al
que llamaba Pedro— en la casa donde vivía, en Betsaida, seguramente en comunidad con otros compañeros, entre ellos, algunas
mujeres, como María de Magdala (María Magdalena), de quien se
decía que era una prostituta arrepentida; Juana, esposa divorciada o
viuda de un administrador de Herodes Antipas; una tal Susana, y
otras más, que los ayudaban o asistían en la medida de sus posibilidades.[13] Jesús estaba vestido siempre de la misma manera que en
los vados de Betabara: la cabeza cubierta por el tradicional *keffieh* palestino, el cuerpo envuelto en una larga túnica de lino con mangas,
y un cinturón en la cadera, que le permitía levantar su ropa para ca-

13. *Lucas* 8, 1-3. María de Magdala no es otra que María Magdalena.

minar con mayor comodidad, y sobre los hombros, un manto de lana adornado con flecos o borlas, conforme a las prescripciones del
Deuteronomio (22, 12): *"Coloca unos flecos en las cuatro puntas del
manto con que te cubres"*. En los pies, llevaba sandalias comunes, es
decir, suelas gruesas atadas al empeine con cintas de cuero. Nunca
se desplazaba solo, sino acompañado por algunos compañeros y
dos o tres mujeres, y su pequeño grupo, y cuando aparecían en el
puerto de Cafarnaún, nunca dejaban de atraer a una numerosa muchedumbre, que iba a escuchar sus enseñanzas: él las impartía sentado, solo, dentro de una barca amarrada frente a la orilla donde se
reunían sus oyentes.

De pronto, Marcelo alzó la cabeza, le sonrió a Hiram y le preguntó si él había leído el rollo en su totalidad:

—No, caballero, simplemente le eché una ojeada —le respondió
el fenicio—. ¿Por qué me lo preguntas?

—Mejor permíteme leerte un pasaje, que encuentro particularmente interesante. Se trata del momento en que Jesús recluta a otros
dos discípulos, cuando estaba a punto de salir de Betania para ir a
Galilea, al día siguiente de que Andrés y Pedro se unieran a él:

"Al día siguiente, Jesús resolvió partir hacia Galilea. Encontró a
Felipe[14] y le dijo: 'Sígueme'. Felipe era de Betsaida,[15] la ciudad de Andrés y de Pedro. Felipe encontró a Natanael[16] y le dijo:

—Hemos hallado a aquel de quien se habla en la Ley de Moisés y
en los Profetas. Es Jesús, el hijo de José de Nazaret.

Natanael le preguntó:

—¿Acaso puede salir algo bueno de Nazaret?

—Ven y verás —le dijo Felipe.

14. Se ignora casi todo de este personaje, que fue uno de los doce apóstoles de Cristo, y que habría muerto como mártir en Frigia, bajo el reinado de
Domiciano (81-96).

15. Aldea de pescadores, al norte del mar de Galilea. No hay que confundirla con el lugar llamado Betsaida, en los vados de Betabara, donde predicaba Juan el Bautista.

16. Personaje que fue identificado con el nombre de Bartolomé, apóstol de
Cristo, que murió como mártir desollado vivo. Por este macabro motivo, es el
patrono de los curtidores y los carniceros.

Al ver llegar a Natanael, Jesús dijo:

—Este es un verdadero israelita, un hombre sin doblez.

—¿De dónde me conoces? —le preguntó Natanael.

Jesús le respondió:

—Yo te vi antes que Felipe te llamara, cuando estabas debajo de la higuera.[17]

Natanael le respondió:

—Maestro, tú eres el Hijo de Dios, tú eres el Rey de Israel.

Jesús continuó:

—Porque te dije: 'Te vi debajo de la higuera', crees. Verás cosas más grandes todavía."[18]

—¿Que ves de interesante en ese pasaje, caballero?

—Me permite entender la manera de proceder de Jesús. Es completamente diferente a la de los esenios y a la de Judas y los zelotes.

—¿En qué sentido?

—Los esenios no hacen proselitismo, no recorren los caminos para predicar y reclutar adeptos, como lo hacía Juan el Bautista, o como lo hace Jesús, que está absolutamente decidido a predicar la Buena Noticia y difundirla. Su manera de actuar no puede compararse a la de los demás.

—Hasta este punto te sigo. Pero ¿en qué se diferencia de Judas el zelote?

—En su método y en su objetivo. Judas quería imponer su ideología religiosa, es decir, el estricto respeto a la Torah, por medio de la violencia. No fue con argumentos al atrio del Templo para impedir que se violara la Ley sobre los ídolos: fue con hombres fornidos y con hachas. Y como el que siembra vientos, recoge tempestades, su predicación agresiva terminó derramando la sangre de los pobres jóvenes a quienes él había enardecido.

—¿Y Jesús?

---

17. Los judíos tenían la costumbre de refugiarse debajo de una higuera para orar, meditar o leer las Escrituras. "Estar bajo la higuera" significaba cumplir uno de esos actos piadosos, y especialmente, orar.

18. *Juan* 1, 43-50.

—El objetivo de Jesús es predicar una nueva doctrina de la fe. Propone adorar a un Dios que sería el Dios de toda la humanidad, y no sólo el del pueblo elegido. Un Dios de amor y de perdón, para quien el más vil de los hombres es igual al hombre más noble y generoso. Ese Dios accesible para todos no creó al hombre para castigarlo, sino para amarlo, y si permitió que Adán cometiera el Pecado original, fue para mostrar mejor su bondad perdonándolo.

—¿Qué relación existe entre lo que acabas de explicarme, caballero, y la anécdota de Natanael orando debajo de la higuera?

—La respuesta de Jesús es una manera irónica que encontró para responder a la orgullosa incredulidad de Natanael, Éste, que al principio se burlaba de sus orígenes porque los montañeses galileos tienen fama de ser más bien obtusos, y Galilea, la de ser una guarida de ladrones y paganos, fue hacia él porque se sintió halagado de que Jesús lo hubiera visto rezando bajo la higuera. Por eso me sonreí, mi querido Hiram. ¿El resto del informe es parecido a esto?

Hiram le señaló con el dedo el segundo rollo, que Marcelo todavía no había abierto, y que aún conservaba la cinta que lo cerraba:

—Lo que acabas de leer no es más que un anticipo de las sorpresas que te esperan...

El texto del segundo papiro comenzaba con una descripción de la ciudad de Cafarnaún y de los alrededores del lago de Tiberíades, donde Jesús se había instalado tras su fracaso en Nazaret:

"Es una pequeña aldea próspera que vive principalmente de la pesca, practicada en las aguas del mar de Galilea por muchos pescadores hábiles en arrojar el esparavel, que viven en Cafarnaún, pero también en las pequeñas poblaciones vecinas —pueblos, más que ciudades—, a orillas del mar, o sobre las colinas de los alrededores: Betsaida, Corazín y Gergesa, al este, Genesaret y Magdala (cuyo nombre griego es Tariquea),[19] al oeste. En el extremo sur del lago, sobre un promontorio, se levanta la pequeña ciudad griega de Senabris, de don-

19. Recordemos que Magdala era una pequeña aldea sobre la margen occidental del lago de Tiberíades.

de se puede ver salir las aguas del Jordán. La nueva capital política de
la tetrarquía de Herodes Antipas, Tiberíades, ha sido construida más
o menos en el medio de la ribera occidental del mar de Galilea: ya es
famosa por sus palacios y su templo, pero también por su industria de
conservación del pescado. Situada en la frontera de los territorios otor-
gados a Herodes Antipas y a Herodes Filipo en 759 de Roma, cuando
se dividió Palestina, la ciudad de Cafarnaún cuenta con una aduana y
una pequeña recaudación fiscal, así como con una guarnición, comandada por un centurión. Muchos caminos parten de allí: hacia Damasco, hacia las ciudades de la costa mediterránea (Tiro, Tolemais), y hacia las del sur (Sitópolis, Enón Salim, Jericó y Betabara)".

—¡Cuánta precisión! —le dijo Marcelo al fenicio—. ¡Cualquiera
creería que se trata de un informe proconsular! Yo nunca escribí
nada como esto cuando le enviaba mis informes desde Jerusalén al
divino Augusto. Veamos ahora qué hizo en Cafarnaún nuestro amigo Jesús:

"Jesús brilla en Cafarnaún: recorre las aldeas de los alrededores
enseñando. A la mañana, cuando todavía está oscuro, sale de la ciudad
y va a orar, solo, a un lugar desierto. Una de estas mañanas, al no encontrarlo en su lecho ni verlo regresar de su plegaria, sus compañeros
salieron a buscarlo, y lo encontraron rezando. Como se habían preocupado por su ausencia, lo amonestaron: '¿Qué haces aquí? Todos te
andan buscando', le dijeron. Él les respondió: 'Vayamos a otra parte,
para que pueda yo proclamar la Buena Noticia también en las poblaciones vecinas, porque para eso he salido'.[20] Él nunca se cansa, y fue
predicando en las sinagogas de toda la Galilea y expulsando demonios".[21]

—Pues bien, mi viejo Hiram, les hace llevar una vida dura a sus
discípulos nuestro amigo Jesús. ¡Qué energía! Pero ¿de qué se trata este asunto de demonios?
—Los demonios son espíritus impuros al servicio de Satán que,

20. Cf. *Marcos* 1, 35-38.
21. *Marcos* 1, 39.

cuando logran penetrar en un hombre o en una mujer, se apoderan de su cuerpo y lo enferman o lo cubren de pústulas y lepra, y de su alma, enloqueciéndolos: empiezan a sacudirse, a gritar y a aullar. Cuando están frente a un endemoniado, es decir, a alguien que está poseído por uno o varios demonios, los médicos no pueden hacer nada.

—¡Oh, manes de Hipócrates! ¿Oyen ustedes estas tonterías? —exclamó Marcelo riendo.

—¿Qué dices, caballero? —saltó Hiram, súbitamente aterrado—. No hay que hacer bromas con los demonios.

—Mejor escucha lo que piensa Jesús de esos cuentos demoníacos. Se trata de un incidente que tuvo lugar en una pequeña ciudad de Galilea, a la que había ido a predicar.

Y Marcelo le leyó a Hiram algunas líneas instructivas del informe que desenrolló cuidadosamente:

"Entonces se le acercó un leproso para pedirle ayuda y, cayendo de rodillas, le dijo: 'Si quieres, puedes purificarme'. Jesús, conmovido, extendió la mano y lo tocó, diciendo: 'Lo quiero, quedas purificado'. Enseguida la lepra desapareció y quedó purificado. Jesús lo despidió, advirtiéndole severamente: 'No le digas nada a nadie, pero ve a presentarte al sacerdote y entrega por tu purificación la ofrenda que ordenó Moisés, para que les sirva de testimonio'. Sin embargo, apenas se fue, empezó a proclamarlo a todo el mundo, divulgando lo sucedido, de tal manera que Jesús ya no podía entrar públicamente en ninguna ciudad, sino que debía quedarse afuera, en lugares desiertos. Y acudían a él de todas partes."[22]

—Creo que entiendes lo que quiere decir Jesús, al actuar de este modo: él no se niega a tocar al leproso, aunque sabe que la lepra no puede curarse con un simple contacto, y tiene una idea elevada de la fe, pero interpreta la comedia del hechicero que exorciza a un endemoniado porque siente piedad por ese pobre hombre. Desde el punto de vista de la Ley de Moisés, que prohíbe esas prácticas, pues las considera cercanas al satanismo, está en falta. Pero desde el

22. *Marcos* I, 40-45.

punto de vista de su corazón, que le ordena aliviar la desesperación de ese hombre enfermo e incurable, lleva a cabo los gestos que la Torah reprueba.

—Por mi parte, tengo otra idea, caballero —dijo Hiram—. ¿Me permites exponerla?

—Di lo que sientes: todo nos será útil para tratar de entender lo que está naciendo prácticamente ante nuestros ojos aquí, en Galilea.

—Tú, Marcelo, razonas como un filósofo. Yo razono como un comerciante, y llego a otra conclusión. Te concedo que Jesús tiene un mensaje para transmitir, y que es un mensaje generoso, pero ese mensaje no nació ayer en su cabeza, o en su corazón, como lo entiendes tú.

—Indudablemente.

—Entonces, ¿por qué no lo difundió antes, y esperó a tener más de treinta años para darlo a conocer?

—Lo ignoro.

—Yo también lo ignoro, pero creo que puedo imaginármelo: esperó una oportunidad favorable. No se predica una nueva religión como se lanza una nueva moda, y no se puede hacer ensayos, porque el fracaso significa la muerte, no del predicador —ya que él la enfrentaría con serenidad—, sino del mensaje. El ejemplo de Juan, que podría estar en una prisión a la espera del castigo supremo que no dejará de infligirle Antipas a su regreso, es ejemplar. Y como en materia religiosa todo mensaje nuevo es considerado una herejía por el poder religioso establecido, en este caso, por el Sanedrín, que pone a los herejes en manos de los romanos, quienes los entregan, a su vez, al verdugo, Jesús, por su propio interés, debe ser tan discreto como le sea posible. Por eso se niega a mostrarse como un taumaturgo, aunque la piedad que siente por los pobres enfermos sea inmensa. Eso explica su comportamiento con el leproso, a quien le prohibió hablar de su intervención. Pero ya has visto lo que ocurrió: el leproso habló, y nuestro informante nos dice que ahora Jesús ya no puede entrar abiertamente a las ciudades, y debe esconderse en lugares desiertos. ¿Qué opinas de mi punto de vista, caballero?

—Es muy justo, y también lo demuestran las reacciones provocadas por la otra curación que realizó recientemente Jesús, a juzgar por lo que dice tu informante, en el segundo rollo, sobre el paralítico de Cafarnaún.

Marcelo tomó el rollo y leyó en voz alta el informe de Agorastocles:

"Contrariamente a la curación del leproso, que se había hecho a escondidas, la del paralítico se realizó en Cafarnaún, a la vista de una multitud considerable, que al saber que Jesús acababa de volver de un viaje a la región de Gadara, había ido a escucharlo predicar la Buena Noticia a la casa que habitaba, en Betsaida. Había tanta gente, especialmente una gran cantidad de fariseos, escribas e incluso doctores de la Ley, que una parte de la asistencia no había podido entrar, y trataba de captar algunos fragmentos de su discurso. Llegaron entonces unas personas transportando a un paralítico sobre una camilla y buscaban el modo de entrar, para llevarlo ante Jesús. Como no sabían por dónde introducirlo a causa de la multitud, subieron a la terraza y, desde el techo, lo bajaron con su camilla en medio de la concurrencia y lo pusieron delante de Jesús. Conmovido al ver su fe, Jesús le dijo: *'Hijo mío, tus pecados te son perdonados'*. Los escribas y los fariseos que estaban presentes, asombrados y escandalizados, comenzaron a preguntarse: '¿Quién es este que blasfema? ¿Quién puede perdonar los pecados, sino sólo Dios?'. Pero Jesús, conociendo sus pensamientos, les dijo: '¿Qué es lo que están pensando? ¿Qué es más fácil decir: 'Tus pecados están perdonados', o 'Levántate y camina'? Pues bien, para que ustedes sepan que el Hijo del hombre tiene sobre la tierra el poder de perdonar los pecados —dijo al paralítico— yo te lo mando, levántate, toma tu camilla y vuelve a tu casa'.

Inmediatamente, el hombre se levantó a la vista de todos, tomó su camilla y se fue a su casa alabando a Dios. Todos quedaron llenos de asombro y glorificaban a Dios, diciendo con gran temor: 'Hoy hemos visto cosas maravillosas'".[23]

—Es una bella historia la que te cuenta mi informante, caballero —dijo Hiram—, y me parece que después de ese milagro dejarás de ser un incrédulo.

_____

23. Cf. *Mateo* 9, 1-8; *Marcos* 2, 1-12; *Lucas* 5, 17-26.

—No creo en milagros —repuso Marcelo—, y te lo repito: pienso que cuando se produce una cosa tan extraordinaria, tiene que tener una explicación. Tu informante vio que el paralítico se levantó y caminó, pero ¿se trataba de un verdadero paralítico? Podría ser un simulador, o una especie de enfermo imaginario a quien una emoción súbita le dio la posibilidad de caminar, o alguna otra cosa. Pero en mi opinión, no es eso lo importante.

—¿Y qué es lo importante?

—Es la doctrina que Jesús nos quiere enseñar, y que todavía ignoro, puesto que prácticamente nunca la expuso. Tú has visto cómo actuaba en Betabara, y tus informantes, que, estoy seguro, no mienten, vieron que un hombre presuntamente paralítico caminaba, pero lo esencial no es eso: lo importante es el nuevo mensaje religioso y moral que él nos quiere transmitir. Desde hace siete siglos, nosotros los romanos vivimos con un sistema de valores que no ha variado en sus principios: el amor a nuestra patria, el respeto a una ley que nos hemos dado y a nuestras tradiciones, el orgullo de nuestra fuerza. Pero ninguno de nuestros senadores, ninguno de nuestros cónsules, en la época de la República, ni Augusto ni Tiberio desde la fundación del Imperio, planteó nunca el problema fundamental de la vida humana: cómo pueden los hombres vivir en sociedad sin actuar como lobos entre sí. No sé por qué, pero tengo la impresión de que el mensaje que nos entregará Jesús algún día modificará todo esto, y eso es lo que me importa. Veamos cómo sigue el relato de tu informante...

La continuación no era tan pintoresca como las narraciones sobre la curación de un leproso y un paralítico, pero mucho más rica desde el punto de vista doctrinal, porque allí podían verse, diseñadas en filigrana, a través de algunos episodios de la vida cotidiana del nuevo profeta, las grandes líneas de la revolución religiosa que le interesaba a Marcelo, así como las primeras reacciones de los representantes del poder religioso establecido —todos más o menos ligados al partido de los fariseos— ante la conducta y las acciones de Jesús.

Dos o tres días después de la milagrosa curación del paralítico de Cafarnaún, Jesús partió de Betsaida y se dirigió hacia la orilla del mar de Galilea, seguramente con el objetivo de enseñar como lo hacía casi todos los días. Al pasar por la oficina de impuestos de Cafarnaún, vio al cobrador local, Leví hijo de Alfeo, que estaba haciendo cuentas. Según el sistema establecido por Augusto en las provincias procuratorianas o asimiladas, los impuestos indirectos, como las tasas portuarias o las tasas por la entrada o la salida de mercancías de un distrito fiscal determinado o de una pequeña ciudad como Cafarnaún, eran recaudadas por particulares del lugar, con los cuales los procuradores hacían contratos de arrendamiento. Leví de Alfeo era uno de esos arrendatarios a quienes se acusaba a menudo de abusar de sus cargos para enriquecerse, y de hacer componendas con el ocupante romano, razón por la cual se los consideraba pecadores que no observaban la Ley de Moisés.

Seguramente la ventana de la oficina de Leví estaba abierta, porque éste le oyó decir a Jesús: *"Sígueme"*. Leví cerró inmediatamente sus libros de cuentas, se puso de pie, salió de su oficina y lo siguió sin hacer ni una sola pregunta. Luego, organizó un banquete en su casa, al que invitó a recaudadores de impuestos y otros paganos de la misma clase, que fueron a sentarse junto a Jesús y los discípulos que lo acompañaban. Esto se supo, y provocó que los escribas y los fariseos le hicieran reproches a Jesús: "¿Por qué comen tú y tus discípulos con esos pecadores?", le preguntaron. Y Jesús les respondió: *"No son los sanos los que tienen necesidad del médico, sino los enfermos. Yo no he venido a llamar a los justos, sino a los pecadores"*.[24]

—¡Por fin! —exclamó Marcelo, dejando el rollo del papiro sobre la gran mesa de mármol de su jardín—. ¡Por fin!

—¿Qué quieres decir, caballero? —le preguntó Hiram.

—Quiero decir que por fin Jesús tocó el núcleo del asunto. ¡Se tomó su tiempo! Piensa, Hiram, que Jesús apareció por primera vez en Betabara hace apenas tres meses, en enero último; luego desapareció durante cuarenta días, no se sabe dónde, tras haber sido bautizado por Juan; se lo volvió a ver a principios de marzo en Betania, proclamó por primera vez que traería la Buena Noticia en Nazaret, en la sinagoga de la que lo echaron, no hace más de quince días, y sólo ahora, en la segunda quincena de marzo, se levanta suavemente el velo que cubría su doctrina.

—Explícate. Ardo en deseos de saber.

24. Cf. *Marcos* 2, 13-17.

—Esa frase que acabo de leer, que no son los sanos los que tienen necesidad del médico, es —ahora estoy persuadido de ello— la
clave de su doctrina. Se basa en algo que podemos comprobar todos
los días aquí, en Jerusalén: desde Caifás hasta el último mozo de
cuerda, todos vivimos despreciándonos unos a otros, en la sospecha; estamos metidos hasta el cuello en el pecado, y nos conforma-
mos con el estéril juego de las observancias. No violar el shabbat,
ayunar, celebrar las fiestas rituales, ir al Templo, respetar todas las
prohibiciones alimentarias, no llevar vestimentas tejidas con dos hilos diferentes, seguir el *Deuteronomio* al pie de la letra: a eso llamamos ser religioso. Pero el amor al prójimo, la generosidad, el perdón de las ofensas, y mil cosas más que deberían constituir nuestra
preocupación de todo momento, todo eso lo ignoramos. Sólo los
esenios tienen una vida espiritual. Nosotros no somos más que au-
tómatas. Pero hace cuatro o cinco días, en Cafarnaún, Jesús colocó
la primera piedra de su Buena Noticia cuando participó del banquete de Leví, el recaudador de impuestos: no lo despreció, ni criticó a
esos judíos que viven como romanos, y anunció formalmente que
iba a ellos como un médico va hacia los enfermos. Veamos si todas
las demás novedades de tu informante también son tan alentado-
ras, Hiram.

Seguramente lo eran, a juzgar por las exclamaciones de júbilo
de Marcelo a medida que avanzaba en la lectura del informe. Agorastocles se refería a la conducta de Jesús en cuanto al ayuno, una
práctica muy corriente entre los judíos, y que los fariseos se obliga-
ban a seguir por lo menos dos veces por semana. A un grupo de fariseos que estaba ayunando, y que habían ido a preguntarle por qué
sus discípulos no ayunaban, como lo hacían los discípulos de Juan
y los de los fariseos, Jesús les dio una respuesta tan inesperada en
su fondo, y tan original en su forma metafórica, que Marcelo no
puedo contenerse y se la leyó en voz alta a su compañero:

"¿Acaso los invitados de la boda pueden ayunar cuando el esposo
está con ellos? Es natural que no ayunen, mientras tienen consigo al
esposo. Llegará el momento en que el esposo les será quitado, y entonces ayunarán. Nadie usa un pedazo de género nuevo para remendar
un vestido viejo, porque el pedazo añadido tira del vestido viejo y la ro-
tura se hace más grande. Tampoco se pone vino nuevo en odres vie-

jos, porque hará reventar los odres, y ya no servirán más ni el vino ni los odres. ¡A vino nuevo, odres nuevos!".[25]

—¿Qué quiso decir con esas palabras?

—El "vestido viejo", los "odres viejos", representan a la vieja religión, la de Moisés. El "género nuevo" y el "vino nuevo" son imágenes de la nueva fe que se apresta a profesar, y que no será una especie de remiendo de la vieja.

—Es audaz, como imagen y como proyecto, caballero. Pero si no toma precauciones, corre el riesgo de seguir a Juan a la cárcel, o algo peor.

—Yo también tengo esa impresión, Hiram. Pero creo que nada podrá detener a Jesús: él está dispuesto a cargar todos los pecados del mundo para salvarlo. Y la continuación del informe te hará estremecer: critica el shabbat.

—¡El shabbat!

Hiram palideció de miedo.

—¿No quiere que se celebre el shabbat?

—No predicó eso exactamente, pero la semana pasada, en dos oportunidades, mostró que practicar sistemáticamente el shabbat podía llevar a realizar actos absurdos. Toma, léelo tú mismo.

Hiram tomó el rollo y leyó, estupefacto, en un silencio de muerte, el relato de las dos intervenciones de Jesús en el último sábado:

El tercer sábado del mes de marzo, año 781 de Roma,
en la llanura, al norte del mar de Galilea

"En aquel tiempo, Jesús atravesaba unos sembrados y era un día sábado. Como sus discípulos sintieron hambre, comenzaron a arrancar y a comer las espigas. Al ver esto, los fariseos le dijeron: 'Mira que tus discípulos hacen lo que no está permitido en sábado'. Pero él les respondió: '¿No han leído lo que hizo David, cuando él y sus compañeros tuvieron hambre, cómo entró en la Casa de Dios y comieron los panes de la ofrenda, que no les estaba permitido comer ni a él ni a sus compañeros, sino solamente a los sacerdotes? ¿Y no han leído tam-

25. *Marcos* 2, 18-22.

bién en la Ley, que los sacerdotes, en el Templo, violan el descanso del sábado, sin incurrir en falta? Ahora bien, yo les digo que aquí hay alguien más grande que el Templo. Si hubieran comprendido lo que significa: *Yo quiero misericordia y no sacrificios*, no condenarían a los inocentes. Porque el Hijo del hombre es dueño del sábado'".[26]

"De allí, Jesús fue a la sinagoga de los fariseos, donde se encontraba un hombre que tenía una mano paralizada. Para poder acusarlo, ellos le preguntaron: '¿Está permitido curar en sábado?'. Él les dijo: '¿Quién de ustedes, si tiene una sola oveja y ésta cae a un pozo en sábado, no la va a sacar? ¡Cuánto más vale un hombre que una oveja! Por lo tanto, está permitido hacer una buena acción en sábado'. Entonces dijo al hombre: 'Extiende tu mano'. Él la extendió, y la mano enferma quedó tan sana como la otra. En seguida los fariseos salieron y se confabularon para buscar la forma de acabar con él".[27]

La lectura de esas dos informaciones dejó mudo a Hiram, por dos razones contradictorias. Desde su circuncisión, a los quince o dieciséis años, se había convertido en un judío practicante muy religioso, y no tenía ningún recuerdo de haber violado un solo shabbat. Enterarse, a través de ese pergamino, de que el sábado anterior, Jesús, un judío de la casa de David, había transgredido dos veces el shabbat, después de comparar a la Torah con un odre viejo que no podía recibir el vino nuevo de la Buena Noticia, lo llenó de terror.

Por un lado, Hiram temía por la vida de Jesús. Los rumores sobre todo lo que hacía y decía atraía a las orillas del lago de Tiberíades a una gran multitud de personas provenientes de toda Galilea, pero también de Jerusalén y de Judea, de la ciudad de Hebrón, en Idumea, e incluso de Tiro y de los países que estaban más allá del Jordán, sobre los que reinaba Herodes Antipas, el tetrarca, que no tardaría en llegar desde Roma. Esos fieles se amontonaban en las márgenes del mar de Galilea, sentados sobre sus talones, frente a las barcas de los pescadores que se balanceaban en las amarras, entre las cuales siempre había una dispuesta para Jesús, que se hacía llevar lejos del muelle para predicar.

26. *Mateo* 12, 1-8.
27. *Mateo* 12, 9-14.

—¿En qué piensas, Hiram? —le preguntó Marcelo al fenicio, que se había quedado súbitamente silencioso después de dejar el segundo rollo.

—Pienso que estamos en el año 781[28] de Roma, en el decimosexto año del reinado de Tiberio, que nos acercamos al final de marzo, y que dentro de un mes y algunos días será el tiempo de la Pascua. Pienso también que Juan comenzó su predicación en diciembre último, hace apenas cuatro meses, y que seguramente será encerrado en la prisión al regreso del tetrarca. Por último, pienso que Jesús ha reclutado a sus primeros discípulos hace sólo tres semanas, y que, en tan poco tiempo, Cafarnaún se convirtió en su ciudad; que no deja de ir y venir todos los días alrededor del lago de Tiberíades, con un puñado de discípulos[29] y centenares, quizá miles de oyentes, y que ahora dice que subirá a Jerusalén para la Pascua, lo que significa, para un predicador como él, meterse en la boca del lobo. Espero, sin embargo, que, si es prudente en sus palabras, regrese aquí sano y salvo a fines de abril o principios de mayo.

—¿Y después?

—No soy adivino, caballero.

28. En 28 d.C.

29. *Lucas* 8, 1-3: "Jesús recorría las ciudades y los pueblos, predicando y anunciando la Buena Noticia del Reino de Dios. Lo acompañaban los Doce y también algunas mujeres que habían sido curadas de malos espíritus y enfermedades: María, llamada Magdalena, de la que habían salido siete demonios; Juana, esposa de Cusa, intendente de Herodes, Susana y muchas otras, que los ayudaban con sus bienes".

12

De Cafarnaún a Caná: el taumaturgo

Marzo-abril, año 781 de Roma
(28 d.C.)

Primer mensaje de Juan a Jesús (fin de marzo del año 28) – Primeros "signos" de la misión de Jesús: curación de un endemoniado; curación de la suegra de Simón; la tempestad aplacada; los endemoniados convertidos en cerdos, en el país de los gadarenos; curación del paralítico de Cafarnaún, a quien Jesús le dice: "¡Levántate y camina!" – Los informes de Agorastocles: el agua convertida en vino en las bodas de Caná y la resurrección de un muerto de Nain (principios de abril de 28) – Reflexiones de Hiram y Marcelo sobre la predicación de Jesús.

Se acercaba el tiempo de la Pascua. Bajo los árboles de su jardín, en Jerusalén, Marcelo había iniciado una larga controversia con Hiram sobre la cuestión de si Jesús y Juan el Bautista irían o no irían allí a celebrar la mayor fiesta judía del año, que conmemoraba el pasaje —*Pésaj*, en hebreo— de los hijos de Israel de las tierras de Egipto, donde habían estados sometidos a la servidumbre durante mucho tiempo, a la Tierra Santa que el Eterno había prometido a los descendientes de Abraham.

—En lo que respecta al Bautista, lo dudo —declaró Hiram—. La Pascua cae en la segunda parte del mes de abril, y en ese momento, Antipas, que ya habrá vuelto de Roma, lanzará a toda su policía sobre él: por lo tanto, Juan tiene interés en permanecer oculto. Pero en cuanto a Jesús, le resultará tentador: nunca tendrá un auditorio más grande que en Jerusalén. Todo dependerá de la estrategia que quiera seguir.

—¿Por qué? ¿Crees que tiene la intención de provocar alguna sedición?

—No. Es demasiado hábil para recurrir a esa clase de medios, y detesta la violencia. Creo que necesita un signo.

—¿Un signo? —preguntó Marcelo.

—No estamos en Roma, sino en Oriente, y lo que es peor, en Pa-

Alrededor del mar de Galilea

Desde marzo hasta mediados de abril del año 28 (fecha de su primera subida a Jerusalén, en el tiempo de la Pascua), Jesús ejerce su ministerio alrededor del mar de Galilea, también llamado mar de Kineret, antes de ser denominado lago de Tiberíades. 1) En Cafarnaúm, su "propia ciudad", Jesús realiza muchos milagros e instituye el colegio de sus doce apóstoles. 2) Sermón de la montaña. 3) Entre Betsaida y las orillas del lago, primera multiplicación de los panes; Jesús se dirige hacia donde se encuentran sus apóstoles caminando sobre las aguas. 4) Magdala: patria de María de Magdala (María Magdalena). 5) Tiberíades: nueva capital, fundada por Antipas. 6) Senabris, donde se ahogan los cerdos gadarenos. 7) En medio del lago: tempestad en el mar de Galilea, aplacada por Jesús.

lestina, el país de los profetas, caballero. Si, como tú dices, Jesús tiene la intención de predicar una Buena Noticia, para que le crean debe mostrar *signos* —prodigios y milagros— que constituyan la prueba de que en él reside una fuerza superior a las fuerzas humanas.

—¿Signos de qué tipo?

—Algo sobrenatural: una curación milagrosa, la resurrección de un muerto, la expulsión de un demonio del cuerpo de un poseso, un paralítico que empiece a caminar, algo así.

—Pero ésos son fenómenos completamente imposibles —objetó Marcelo—. A menos que se recurra a supercherías, o a engaños...

—O a menos que se interprete un fenómeno natural como producto de algo sobrenatural —repuso Hiram—. Imagina que un día de tempestad sobre el lago de Tiberíades, yo haga ademanes, pases, o pronuncie fórmulas sin ningún sentido, y la tempestad se detenga en forma natural en ese preciso momento: yo podría tratar de que me vean como el hombre que puso freno al furor de las olas. Hace poco, algunos discípulos de Juan fueron a preguntarle a Jesús si ya había realizado prodigios de ese tipo. Mejor escucha lo que me contó uno de mis informantes:

"Juan envió a dos de sus discípulos a decirle a Jesús: '¿Eres tú el que ha de venir o debemos esperar a otro?' [...] En esa ocasión, Jesús curó mucha gente de sus enfermedades, de sus dolencias y de los malos espíritus, y devolvió la vista a muchos ciegos. Entonces respondió a los enviados: *Vayan a contar a Juan lo que han visto y oído: los ciegos ven, los paralíticos caminan, los leprosos son purificados y los sordos oyen, los muertos resucitan, la Buena Noticia es anunciada a los pobres*".[1]

Los textos de nuestros profetas también están llenos de referencias a prodigios: conozco muchísimos. Todos los judíos recuerdan estas palabras de Isaías, que oyen con tanta frecuencia en el Templo:

"Entonces se abrirán los ojos de los ciegos
y se destaparán los oídos de los sordos;

1. *Lucas* 7, 18-22.

entonces el tullido saltará como un ciervo
y la lengua de los mudos gritará de júbilo.
Porque brotarán aguas en el desierto
y torrentes en la estepa."[2]

—Una vez más, te felicito por tu memoria, Hiram, pero, entre
nosotros, si hay que hacer esa clase de tonterías o trucar actos mágicos para imponer una doctrina religiosa, me pregunto adónde iremos a parar. Sócrates no tenía ninguna necesidad de hacer hablar a
los mudos para demostrar que era un filósofo: sólo tenía que hablar
con sus discípulos.

—Supongo que Jesús piensa lo mismo que tú, caballero. Recuerda ese día en que un leproso le suplicó que lo tocara para curarlo. Por piedad hacia aquel pobre hombre, lo tocó y le dijo *"Cúrate"*
o alguna fórmula parecida, pero también le recomendó que si se cu-
raba, no le contara a nadie que se lo debía a él, porque le molestaba
mezclar de ese modo la sinceridad de la fe y las supercherías de la
magia. Lamentablemente, si quiere que lo escuchen y que reciban
la Buena Noticia, tendrá que hacer algunos pases de prestidigitador.

—Lo que me dices sobre los milagros, Hiram, me recuerda la
anécdota del centurión de Cafarnaún, que leí en uno de los muchos
informes que me enviaron tus corresponsales. Sin duda tú sabes
mejor que yo que existe una guarnición local, en esta ciudad, al
mando de un centurión romano. Pues bien: éste tenía un esclavo, a
quien apreciaba mucho, pero que estaba muy enfermo, a punto de
morir. Había oído hablar de Jesús, como todo el mundo alrededor
del lago, y envió a algunos notables judíos a rogarle que fuera a salvar a su sirviente. Los notables en cuestión fueron a buscar a Jesús
a su casa de Betsaida, y le suplicaron insistentemente que accedie-
ra al deseo de ese oficial: "Él merece que le hagas este favor, porque
ama a nuestra nación y nos ha construido la sinagoga". Jesús partió
entonces con ellos hacia la casa del centurión, que era a la entrada
de Cafarnaún, y no se hallaba demasiado lejos de allí cuando vio correr a su encuentro a unos amigos del romano, que le llevaban el siguiente mensaje:

2. *Isaías* 35, 5-6.

"Señor, no te molestes, porque no soy digno de que entres en mi casa; por eso no me consideré digno de ir a verte personalmente. Basta que digas una palabra y mi sirviente se sanará".3

Jesús quedó lleno de admiración por ese centurión. Se volvió hacia la multitud que lo seguía, como de costumbre, y le dijo: *"Yo les aseguro que nunca he encontrado tanta fe"*. Y cuando los enviados regresaron a la casa, encontraron al sirviente completamente sano.

—Es hermosa la respuesta que les dio, caballero, y eso muestra que Jesús está realmente por encima de todos los demás. En las notas que me enviaron mis representantes, hay una que nos informa de la misma manera sobre la poca atención que le presta el hijo de José y María a todas esas supersticiones. Tú conoces ya el comienzo de esa nota: es la de los escribas y los fariseos que acusaban a Jesús de violar el shabbat porque había curado a un hombre que tenía la mano paralizada un sábado en la sinagoga...4

—Sí, me acuerdo muy bien.

—Aquí tengo la continuación de esa nota: se refiere precisamente a los milagros y los prodigios. Voy a leértela, caballero.

Hiram tomó el documento y se lo leyó a Marcelo:

"Entonces algunos escribas y fariseos le dijeron: 'Maestro, queremos que nos hagas ver un signo'. Jesús les respondió: 'Esta generación malvada y adúltera reclama un signo, pero no se le dará otro que el del profeta Jonás. Porque así como Jonás estuvo tres días y tres noches en el vientre del pez, así estará el Hijo del hombre en el seno de la tierra tres días y tres noches'".5

—¿Qué significa eso, Hiram?

—Al parecer, Jesús quiso decir: "No necesito hacer milagros para que me crean. Actúo como Jonás, cuando fue enviado por Dios a los habitantes de Nínive: hablo, les digo la verdad. Entonces ustedes actúen como los ninivitas que escuchaban a Jonás: ¡créanme!" Algo

3. *Lucas* 7, 6-8.
4. Véase *supra*, p. 288.
5. *Mateo* 12, 38-40.

así les debe de haber respondido a los enviados de Juan el Bautista cuando fueron a preguntarle qué señales había recibido del Eterno en testimonio de su misión.

—Creo haber entendido —afirmó el caballero—. Jesús cree en los milagros como lo hace todo el mundo en estos tiempos difíciles. Para él, las curaciones, los exorcismos, las visiones, son la manifestación del poder otorgado por Dios a sus elegidos. Y como está sinceramente convencido de ser uno de ellos, cree que puede hacer milagros y los hace, o al menos parece que los hace, pero no constituyen lo esencial de su actividad de predicador. A los incrédulos nos faltaría saber si se trata de verdaderos milagros o de felices coincidencias, o si son mistificaciones.

—Conozco tus ideas sobre lo que llamas nuestras "supersticiones", caballero, y por eso, en los informes que te leí o que te entregué, sólo mencioné principalmente los desplazamientos de Jesús, pero me guardé las notas de mis representantes sobre todos esos acontecimientos, y los transcribí en forma integral en rollos de papiro, por si pueden ser útiles.

—¿Te acuerdas de algunos hechos en apariencia milagrosos, más extraordinarios que otros?

—Bien sabes que tengo la mejor memoria de Jerusalén, caballero. ¿Quieres que te mencione algunos de los más llamativos, tomados de los informes de Agorastocles?

—Te escucho, Hiram. Tengo un barrilito de *schechar*[6] enfriándose en mi sótano. Le pediré a un esclavo que nos sirva una crátera, a menos que prefieras una cerveza de Media que acaba de ofrecerme un caravanero que venía de Damasco, y que es una maravilla.

A Hiram le gustaban las bebidas exóticas, de modo que eligió la cerveza de Media, y se embarcó en una larga enumeración de anécdotas, en las que lo sobrenatural y lo milagroso tenían un papel preponderante.

—El primer signo que mi informante vio personalmente—comenzó el fenicio— se produjo en Cafarnaún, adonde llegó Jesús después de ser expulsado del distrito de Nazaret. Era un sábado, primer día del shabbat, y Jesús estaba enseñando a los habitantes de la

6. Cerveza suave, a base de cebada y mijo.

ciudad y de los alrededores de la sinagoga. Todo el mundo estaba impresionado por su doctrina, y por la autoridad con la que la exponía. En la asamblea había una especie de loco, un endemoniado poseído por un espíritu impuro, que empezó a interrumpir su sermón y gritaba con voz fuerte: "¿Qué quieres de nosotros, Jesús Nazareno? ¿Has venido para acabar con nosotros? Ya sé quién eres: el *nazir*, el Santo de Dios". Pero Jesús lo increpó, ordenándole al demonio que poseía a ese hombre: *"Cállate y sal de este hombre"*. Entonces el demonio tiró al hombre al suelo y, en medio de la asamblea, salió de ese hombre, sin hacerle ningún daño. Todos quedaron asombrados y se decían unos a otros: "¿Qué es esto? ¡Enseña de una manera nueva, llena de autoridad; da órdenes a los espíritus impuros, y éstos le obedecen!". Y desde entonces, su fama se extendió rápidamente por todas partes, en toda la región de Galilea.[7]

—El segundo signo —prosiguió Hiram— fue la curación de la suegra de Simón, el que tú llamas Pedro. Estaba en cama, con una fiebre violenta, en casa de su yerno, en Betsaida. Jesús fue allí, al salir de la sinagoga, con Santiago y Juan de Zebedeo. Se inclinó sobre ella, amenazó al demonio de la fiebre que la habitaba, y la fiebre la abandonó: entonces ella se levantó de su cama y les sirvió la comida. Al anochecer, después de la puesta del sol, todos los que tenían en su familia enfermos de distintas dolencias, se los llevaron y le suplicaban. Jesús impuso sus manos sobre cada uno de ellos y los curó. Otros demonios también salieron de una gran cantidad de personas, aullando y gritando: "¡Tú eres el Hijo de Dios!". Pero él los amenazaba, no los dejaba hablar, y ellos le obedecieron, porque sabían que era el Mesías, el Cristo.[8]

—¿No crees que tu amigo Agorastocles agrega lo suyo? La fiebre de la suegra de Pedro que cede rápidamente debe tener alguna explicación razonable, eso puedo admitirlo, pero aquello de las decenas de enfermos que se sanan unos después de otros, me parece por lo menos extraño: ¡qué imaginación tiene tu informante!

—Quizás exagere un poco, pero en cuanto al fondo, es digno de fe, Marcelo: hay cosas que no se inventan.

---

7. *Marcos* 1, 23-28.
8. *Mateo* 8, 14-16

—¿Por ejemplo?

—Por ejemplo, la tempestad en el lago de Tiberíades.

—¿Qué tempestad?

—Jesús había partido de Cafarnaún en una barca con sus discípulos, para ir al país de los gadarenos,9 del otro lado del lago de Tiberíades. Mientras estaban en el mar, se levantó una tempestad, como ocurre muchas veces en el mar de Galilea. Las olas caían dentro de la barca, que estaba a punto de naufragar. Sin embargo, Jesús dormía, insensible al balanceo y las sacudidas de la embarcación. Sus discípulos lo despertaron, gritando: "¡Sálvanos, Señor, nos hundimos!". Él les respondió: *"¿Por qué tienen miedo, hombres de poca fe?"*. Y levantándose, increpó al viento y al mar, y sobrevino una gran calma. Los hombres se dijeron entonces, llenos de admiración: "¿Quién es este, que hasta el viento y el mar le obedecen?"10 Después de atravesar el mar, desembarcaron con dificultad en la orilla más escarpada del país, cerca de Senabris, y vieron que dos endemoniados que salían de los sepulcros iban a su encuentro. Eran tan feroces, que nadie podía pasar por ese camino. Y comenzaron a gritar: "¿Que quieres de nosotros, Hijo de Dios? ¿Has venido aquí para atormentarnos antes de tiempo?" A cierta distancia había una gran piara de cerdos paciendo. Los demonios suplicaron a Jesús: "Si vas a expulsarnos, envíanos a esa piara". Él les dijo: *"Vayan"*. Ellos entraron en los cerdos: éstos se precipitaron al mar desde lo alto del acantilado, y se ahogaron. Los cuidadores huyeron y fueron a la ciudad para llevar la noticia de todo lo que había sucedido con los endemoniados. Entonces los gadarenos salieron al encuentro de Jesús y, al verlo, le rogaron que se fuera de su territorio.11 Fue después de ese viaje agitado cuando Jesús curó al paralítico de Cafarnaún, diciéndole *"Levántate y camina"*. ¡Y podría citarte veinte anécdotas más del mismo tipo!... Los informes de Agorastocles están llenos de ellas. Pero tú, caballero, ¿nunca tuviste la oportunidad de presenciar esta clase de hechos?

9. Se trata de paganos que vivían en la aldea de Gadara y en la región circundante. Como no estaban obligados a obedecer a la Ley de Moisés, practicaban la cría de cerdos.

10. *Mateo* 8, 23-27.

11. *Mateo* 9, 28-34.

—En forma furtiva, y contigo, en los vados de Betabara. Aparte de eso, todo lo que yo sé sobre Jesús, Hiram, lo sé solamente por los rumores, y principalmente, a través de tus informantes, quienes a su vez incluyen muchas veces en sus informes hechos que otros les contaron. Si por casualidad Jesús llega a convertirse en el jefe de un nuevo partido político en Judea, o de algún movimiento religioso, los historiadores del futuro se verán en dificultades para describir sus primeros pasos en la nebulosa de profetas o en la maraña de políticos. Con él pasará lo mismo que con Rómulo, Numa Pompilio, Pitágoras o Moisés: se difundirán leyendas sobre su persona, imposibles de verificar. Hace poco, me encontré con el responsable romano del Tesoro para la Palestina: me contó riendo, evidentemente sin creer en ello, dos anécdotas de las que fue testigo indirecto en Cafarnaún, donde había ido para controlar las cuentas del recaudador de impuestos, Leví de Alfeo. ¿Lo conoces?

—¡Ah, Leví! Ya lo creo que lo conozco, caballero. Esquilmó completamente a mi corresponsal local.

—¿Tienes un corresponsal local en ese agujero perdido?

—Ese agujero perdido, como tú lo llamas, caballero, es el lugar por donde transitan casi en forma obligada las caravanas que circulan entre Damasco, Gaza y Egipto. Todos los importadores y exportadores que trabajan con el Oriente tienen una oficina en Cafarnaún, sobre todo después de la creación de Tiberíades, y Leví hizo una fortuna allí. Pero ¿qué tiene que ver él con Jesús?

—Se convirtió en uno de sus discípulos.

—¿Quieres decir que lo sigue por todas partes, como Simón Pedro, Santiago y Juan de Zebedeo, y todos los demás?

—No, no participa en su vida de predicador. Pero le contó a mi amigo, el inspector imperial, que invitó a Jesús a un gran banquete, y que ese mismo día, o al día siguiente, no me acuerdo muy bien, un notable de nombre Jairo, que era el jefe de la sinagoga, le suplicó a Jesús que fuera a su casa porque su hijita estaba a punto de morir. Jesús fue, rodeado por la multitud que lo sigue y se agolpa detrás de él, y un médico de mis amigos, que estaba presente, contó de esta manera lo que sucedió:

"Una mujer que padecía de hemorragias desde hacía doce años y que había gastado toda su fortuna y todas sus posesiones para pagar a los médicos, que no habían podido curarla, se acercó por detrás y tocó los flecos de su manto; inmediatamente cesó la hemorragia. Jesús preguntó: '¿Quién me ha tocado?'. Como todos lo negaban, Pedro y sus compañeros le dijeron: 'Maestro, es la multitud que te está apretujando'. Pero Jesús respondió: 'Alguien me ha tocado, porque he sentido que una fuerza[12] salía de mí'. Al verse descubierta, la mujer se acercó temblando, y echándose a sus pies, contó delante de todos por qué lo había tocado y cómo fue curada instantáneamente. Jesús le dijo entonces: 'Hija, tu fe te ha salvado, vete en paz'. Todavía estaba hablando, cuando llegó alguien de la casa de Jairo, el jefe de la sinagoga, y le dijo a este: 'Tu hija ha muerto, no molestes más al Maestro'. Pero Jesús, que había oído, respondió: 'No temas, basta que creas y se salvará'. Cuando llegó a la casa, no permitió que nadie entrara con él, sino Pedro, Juan y Santiago, junto con el padre y la madre de la niña. Todos lloraban y se lamentaban. 'No lloren, dijo Jesús, no está muerta, sino que duerme'. Los demás se burlaban de él, porque sabían —o creían saber— que la niña estaba muerta. Pero Jesús la tomó de la mano y la llamó, diciendo: 'Niña, levántate'. Ella recuperó el aliento y se levantó en el acto. Después Jesús ordenó que le dieran de comer. Sus padres se quedaron asombrados, pero él les prohibió contar lo que había sucedido".[13]

—¿Por qué esa recomendación, Hiram?

—No lo sé, caballero. Sin duda, Jesús quería que las personas se acercaran a él por amor a Dios, y no por interés. Después de eso, cuando volvió a Betsaida, Jesús curó también a dos ciegos, tocándoles los ojos.

—Ya ves, Hiram —le dijo Marcelo al fenicio, sonriendo—: nuestro pequeño niño Jesús se convirtió en un verdadero taumaturgo.

—No seas irónico, caballero. Hay momentos en los que me pregunto si el pequeño niño de Belén no será el Mesías, cuya venida esperan tantas personas en Palestina, paganos, persas, judíos, romanos, griegos, y hasta fenicios. ¡Ah, pensar que hace sólo pocas

12. El texto griego dice dynamis.
13. Lucas 8, 43-56.

semanas, Natanael decía que nada bueno podía salir nunca de Nazaret![14]

El mes de abril del año 781 de Roma había comenzado hacía casi dos semanas: Jesús tenía ahora treinta y un años (o estaba a punto de cumplirlos). Había vivido esos primeros treinta y un años de su vida en las montañas del distrito de Nazaret, en Galilea, a unos cuarenta kilómetros del lago de Tiberíades. Desde hacía cuatro o cinco meses, quizá seis, impulsado por su destino eterno o, más humanamente, por una extraordinaria crisis de conciencia, o incluso por el ejemplo y la influencia de su primo Juan el Bautista, que le llevaba algunos meses, había iniciado una existencia carismática de predicador, llevando, de acuerdo con las circunstancias o con su inspiración, la Buena Noticia de aldea en aldea, en el interior de un triángulo geográfico cuyos vértices era Cafarnaún, Nazaret y Gadara, y cuyo perímetro podía ser recorrido a buen paso en un día. Había elegido como base de su actividad predicadora la pequeña ciudad de Cafarnaún —a la que llamaba *"mi ciudad"*—, en la frontera de los territorios administrados por dos herederos de Herodes el Grande: Antipas, amo de Galilea y de las tierras que estaban al otro lado del Jordán, y Filipo, amo de los territorios del Norte.

De esa "carrera" estaban hablando nuestros dos amigos, el romano Marcelo y el fenicio Hiram, en la terraza de la suntuosa mansión edificada por este último en Sidón (la Saida libanesa moderna), sobre el promontorio que dominaba el puerto, entre los naranjos y los limoneros, y desde donde se podía percibir a lo lejos las orgullosas cumbres del monte Líbano. Habían escapado de Jerusalén y sus pesados calores primaverales, y sobre todo, de la marea humana que la invadiría muy pronto, cuando, en algunos días, comenzara el tiempo de la Pascua.

La nave que llevaba de regreso desde Roma a Herodes Antipas no tardaría en entrar al puerto de Sidón. Marcelo estaba preocupado por el destino que el tetrarca le tendría preparado a Juan el Bautista, y sobre todo, por la actitud que adoptaría con respecto a la activi-

14. Uno de los doce apóstoles, llamado Bartolomé.

dad predicadora de Jesús en torno al lago Tiberíades, cuando descu-
briera la irresistible popularidad que empezaba a tener en Galilea
ese hijo de carpintero que, hasta ese momento, era para él un perfecto desconocido.

—Antipas —le explicó el caballero a Hiram— tiene un solo objetivo: que reine el orden en la parte de Palestina que él administra.
Y por una desagradable suma de circunstancias, ese orden es ame-
nazado por Juan el Bautista en Perea y por Jesús en Galilea, dos territorios que están bajo su autoridad. El primero es peligroso porque ataca a su propia persona, y el segundo, porque amenaza
desencadenar un conflicto religioso en Galilea.

—Jesús es un no violento, no predica la revolución, ni contra el
tetrarca, ni contra el Templo, y por el momento, parece más un sanador que un reformador religioso.

—Jesús es, ante todo, un estratego, Hiram, y, en cuanto a mí,
no puedo dejar de admirar su habilidad: seduce a todo el mundo,
incluso al recaudador de impuestos de Cafarnaún. No excluye a nadie, no anatematiza a nadie, les anuncia a todos la bienaventuranza
eterna, nunca castiga, perdona siempre, ¡y además, hace milagros!
Hasta tiene mujeres entre sus pacíficos seguidores, con quienes se
pasea de una aldea a otra en Galilea.

—Sin embargo, fue expulsado de su propia tierra: los habitantes de Nazaret no quisieron escuchar sus enseñanzas, caballero.

—Pero Jesús sacó una sabia conclusión de ello: abandonó el lugar después de comprobar, aunque no sin amargura, que nadie es
profeta en su tierra, y en vez de obstinarse con Nazaret, corriendo
el riesgo de que lo lapidaran, fue a predicar su Buena Noticia a otras
partes, en torno al lago de Tiberíades, donde tiene el éxito que bien
conoces. Y es bastante probable que el Nazaret que ayer lo rechazó,
vaya a buscarlo mañana. Por otra parte, no hay que olvidar que los
judíos de la Tierra Santa, aunque estén sometidos a autoridades administrativas diferentes, están muy unidos espiritualmente: la más
pequeña ola religiosa que nazca en una de sus comunidades, ame-
nazaría sumergir a todas.

—Sin duda tienes razón, Marcelo, pero por ahora, tú mismo lo
has dicho: la Buena Noticia no es recibida en ninguna parte, salvo
en Galilea, e incluso en una parte muy pequeña de Galilea, alrededor del lago de Tiberíades.

—Piensa, fenicio: ¿dónde y cuándo comenzó el ministerio de Jesús?

—Hace apenas tres semanas, a mediados de marzo, en la sinagoga de Nazaret de donde lo expulsaron.

—Y desde ese fracaso en adelante, ¿tuvo otros en Galilea?

—Ni uno solo, caballero. En todas partes aplauden, reciben, llaman y hasta reclaman a Jesús y su grupo de discípulos. No son más de veinte, pero hacen tanto ruido como si fueran miles a través de los campos, las aldeas, las ciudades de Galilea. Y lo hacen sin exigir nada, sin hablar en contra de nadie, simplemente anunciando la llegada de una Buena Noticia, traída por aquel a quien llaman modestamente *rabí* Jesús.

—Estás trayendo agua para mi molino, Hiram. ¿Sabes qué me escribió tu corresponsal, Agorastocles, antes de que partiéramos de Jerusalén para venir a Sidón? Que Jesús tenía la intención de regresar a la región de Nazaret antes de la Pascua, es decir, dentro de diez o quince días, en cuanto tuviera la oportunidad de hacerlo. Me prometió hacerme un breve informe sobre los acontecimientos salientes de ese viaje — si se lleva a cabo— y enviármelo aquí, a tu casa, en Sidón.

—¿Cómo podía saber que vendrías a visitarme? No es un adivino, mi corresponsal.

—En su carta, Agorastocles me recordó que los almendros y los granados de Fenicia dan frutos extraordinarios que maduran a fines de abril... Y sabe que soy muy goloso. Además, yo le había escrito que pensaba venir a Sidón.

La anécdota referida por Agorastocles fue una boda campestre, a la que Jesús había sido invitado, en el pueblo de Caná, a unos doce kilómetros al norte de Nazaret. Ese viaje —que Jesús hizo a pie— proporcionó material para los siguientes dos informes, que fueron enviados al mismo tiempo a Hiram y a Marcelo por el concienzudo informante, y el caballero se los leyó en voz alta al fenicio:

PRIMER INFORME

"Hubo una boda en Caná, en las montañas de Galilea, a dos horas de marcha de Nazaret, y la madre de Jesús estaba allí. Jesús también fue invitado con sus discípulos. En un momento dado, faltó vino, y la madre de Jesús le dijo: 'Los invitados no tienen vino'. Jesús le respon-

dió: '*Mujer, ¿qué tenemos que ver nosotros? Mi hora no ha llegado todavía*'.[15] Pero su madre dijo a los sirvientes: 'Hagan todo lo que él les diga'. Había allí seis tinajas de piedra destinadas a los ritos de purificación de los judíos, que contenían unas dos o tres medidas cada una.[16]
Jesús dijo a los sirvientes: '*Llenen de agua estas tinajas*'. Y las llenaron
hasta el borde. Jesús agregó: '*Saquen ahora, y lleven al encargado del
banquete*'. Así lo hicieron. El encargado probó el agua cambiada en vino y como ignoraba su origen, aunque lo sabían los sirvientes que habían sacado el agua, llamó al esposo y le dijo: '*Siempre se sirve primero
el buen vino y, cuando todos han bebido bien, se trae el de inferior calidad.
Tú, en cambio, has guardado el buen vino hasta este momento*'".[17]

SEGUNDO INFORME

"Jesús se dirigió a una ciudad llamada Naím, cerca de Nazaret,
acompañado de sus discípulos y de una gran multitud. Justamente
cuando se acercaba a la puerta de la ciudad, llevaban a enterrar al hijo
único de una mujer viuda, y mucha gente del lugar la acompañaba. Al
verla, el Señor se conmovió y le dijo: '*No llores*'. Después se acercó y tocó el féretro. Los que lo llevaban se detuvieron y Jesús dijo: '*Joven, yo te
lo ordeno, levántate*'. El muerto se incorporó y empezó a hablar. Y Jesús
se lo entregó a su madre. Todos quedaron sobrecogidos de temor y alababan a Dios, diciendo: 'Un gran profeta ha aparecido en medio de nosotros y Dios ha visitado a su Pueblo'. El rumor de lo que Jesús acababa de hacer se difundió por toda la Judea y en toda la región vecina".[18]

15. Fórmula hebraica —traducida literalmente al griego en el *Evangelio de
Juan*, y que se encuentra en el *Nuevo Testamento*, empleada familiarmente para rechazar una intervención inoportuna. El apóstrofe "mujer" tampoco es
despectivo. La escena tiene lugar en Galilea, donde una buena parte de la población no era judía, pero vivía en excelentes términos con los judíos galileos,
que sin ser laxistas, no tenían las exigencias legalistas de los fariseos de Jerusalén y de Judea. Seguramente había también no judíos en la boda de Caná.

16. Una medida (*metretes* en el texto griego) correspondía a unos cuarenta litros: seguramente el encargado del banquete había previsto que en el
transcurso de la comida se beberían unos quinientos litros de vino.

17. *Juan* 2, 1-10. Las bodas de Caná sólo se describen en el *Evangelio de
Juan* (el *Cuarto Evangelio*). Los otros tres —los *Sinópticos*— no hacen ninguna
alusión a esto.

18. *Lucas* 7, 11-17.

—¿Cuál es tu opinión sobre todo esto, Hiram?

—La misma que la tuya, caballero. En tres semanas, Jesús literalmente metamorfoseó a Galilea, y salvo pocas excepciones, todos los galileos ven en él al hombre providencial que les traerá, no la paz —ya gozan de ella puesto que tienen la rara fortuna de ignorar las mortales divisiones que le infligen a Jerusalén la búsqueda del poder y las luchas políticas—, ni tampoco la prosperidad, pues sus campos, sus huertos y sus rebaños ya son suficientes, sino un bien mil veces más precioso.

—¿Cuál, fenicio?

—La tranquilidad del alma, caballero. Ignoro por qué medio, pero siento y creo que logrará hacerlo.

—Que tu colérico Yahveh y mis dioses fornicadores del Olimpo te oigan, Hiram. Mira, allí, mar adentro, esas naves que tienden sus velas, esos trirremes con sus remeros fatigados, y esas gaviotas serenas que bailan una caprichosa danza alrededor de sus proas: en una de esas naves, Herodes el Tetrarca, y su amante adúltera, Herodías, nos traen, mucho me temo, la sangre y la furia.

—Judea está en paz bajo la férula de Roma, caballero. Ya pasó el tiempo de los baños de sangre, los sicarios y los zelotes.

—Si te refieres a la paz civil, Hiram, tienes razón, pero no sé por qué, me intriga y me preocupa la brusca aparición de ese Juan en el desierto, en los vados de Betabara, y luego, unos días más tarde, la de Jesús en Galilea, dos hombres ya maduros de los que nadie había oído hablar hasta ese momento, y que —es evidente— atraen a las masas populares. Desde el comienzo del mes de marzo, no dejo de preguntarme qué significa todo esto.

En realidad, Marcelo había entendido confusamente que la inesperada aparición de Juan en las orillas del Jordán, el contenido de su predicación y el rito del bautismo que había instituido, se apartaban de la línea primigenia del profetismo judío, como un río que cambia su curso por medio de una sutil inflexión.

Mientras que todos los profetas, cuyos vaticinios y lamentos había conservado la Biblia, eran presentados, en las Sagradas Escrituras, como simples mortales inspirados por Dios, el rumor público le atribuía a Juan orígenes milagrosos: ¿no decían acaso que era hijo del sumo sacerdote Zacarías, que era demasiado viejo para engendrar, y de una mujer hasta ese momento estéril? Y el nacimiento de Jesús, hijo de un viejo carpintero y de una madre virgen, ¿no era también algo extraordinario? Los dos "profetas" que acababan de manifestarse, con pocas semanas de intervalo, el primero en el desierto de Judá y el segundo en Galilea, en torno al lago Tiberíades, parecían tener algo sobrenatural que no poseían los profetas bíblicos del pasado, como Isaías, Jeremías, Ezequiel o Daniel. Sólo la muerte de Elías, que se había erigido en campeón de Yahveh contra el Baal de los fenicios, ocho siglos atrás, había alimentado una leyenda milagrosa.[19]

El bautismo por inmersión también era algo novedoso, muy diferente al baño purificador preconizado por la Ley mosaica, referente a la purificación de las manchas corporales sexuales (pérdidas seminales o menstruales):[20] era un rito de purificación del alma del bautizado, semejante a las prácticas de los esenios que el eremita Banos le había explicado hacía muchos años al caballero, cuando éste había subido a su colina para visitarlo.

—El bautismo tal como lo concibe Juan no tiene nada que ver con la inmersión ritual aconsejada en el *Levítico* —le explicó Marcelo al fenicio—. Difiere de él en dos características que me parecen fundamentales: por un lado, se realiza sólo una vez en la vida de un hombre, y eso significa que purifica su alma de una vez para siempre, cualesquiera sean los pecados que cometa después, y no tiene ninguna relación con las manchas corporales de las que habla el *Levítico*; por otro lado, se administra a los judíos, y eso da a entender que la circuncisión, que es el signo de la Alianza de Dios con el pueblo de Abraham, no es un rito suficiente para la salvación de su alma.

19. Elías combatió el culto del Baal fenicio que favoreció Ahab, rey de Israel, aproximadamente entre 876 y 854 a.C., cuya esposa, la fenicia Jezabel, hija del rey de Tiro, era adepta a Baal. Una tradición dice que Elías fue llevado al Cielo en un carro de fuego cuando atravesaba el Jordán, y que un día regresará para restablecer el Reino de Dios en la tierra de Israel. Cuando Juan el Bautista empezó a predicar, algunos creyeron que era Elías, que había retornado a la tierra.

20. *Ley sobre las impurezas del hombre y de la mujer* 15, 2-31.

—Dicho de otro modo, caballero: el bautismo, tal como lo concibe Juan, ¿sería la condición que permite a los bautizados acceder al reino de Dios anunciado por los profetas?

—Tal vez no sea una condición suficiente, pero según Juan, es una condición previa y necesaria para la salvación del alma de los fieles: las prepara para el Gran Día que vendrá en el fin del mundo.

—Ahora entiendo por qué había una multitud tan grande en el Jordán, en el pasado mes de enero.

—Y sin duda entiendes por qué esa multitud sólo estaba compuesta por personas sencillas, muchas de las cuales son muy devotas, y a quienes las desdichas de la vida y la perspectiva de un fin del mundo apocalíptico atraen en torno a este nuevo profeta. Sería difícil imaginar que fariseos legalistas, saduceos conservadores o gente del Templo que desconfían de todos los que llaman, despectivamente, los "inspirados", fueran a pedirle a un eremita barbudo y apenas vestido, que se alimenta de langostas cocidas, y a quien consideran un borracho que no está en sus cabales, que los purificara por medio de un bautismo dudoso.[21]

—¿Qué conclusión sacas de todo esto, caballero?

Marcelo había llegado a la conclusión de que no era bueno desempeñar el papel de reformador o innovador religioso en un Estado en el cual la clase dirigente —en ese caso, el Templo y la aristocracia sacerdotal— estaba bien instalada en el poder. A juicio de los sacerdotes, los escribas y los fariseos, el Bautista, al proclamar que les abría las puertas del cielo a los judíos que bautizaba, era un peligroso hereje que desafiaba a ese poder, y, peor aún, un blasfemo, puesto que daba a entender que su bautismo era la condición indispensable de la salvación. Y como, además, no dejaba de criticar la conducta adúltera del tetrarca Antipas, bien podía esperarse que la espada de la justicia real se interpusiera en su camino. Pero eso no

21. Es la opinión del autor del *Evangelio según san Lucas*: "*Todo el pueblo que lo escuchaba, incluso los publicanos, reconocieron la justicia de Dios, recibiendo el bautismo de Juan. Pero los fariseos y los doctores de la Ley, al no hacerse bautizar por él, frustraron el designio de Dios para con ellos. ¿Con quién puedo comparar a los hombres de esta generación? ¿A quién se parecen? Se parecen a esos muchachos que están sentados en la plaza y se dicen entre ellos: '¡Les tocamos la flauta, y ustedes no bailaron! ¡Entonamos cantos fúnebres, y no lloraron!'.*" (Lucas 7, 29-32).

arreglaba nada: su actividad lo llevaba inevitablemente al fracaso, incluso a la muerte.

Pero ¿qué ocurriría con Jesús? ¿Estaría ligado su destino a la suerte fatal de Juan, después de su encuentro con ese vehemente predicador en los vados de Betabara? ¿Se coligarían el Templo y Herodes el Tetrarca, y lo considerarían su cómplice? Algunos sostenían que ambos hombres se habían conocido antes de la memorable escena del bautismo de Jesús: al pedirle éste el bautismo a Juan ¿no le había respondido acaso el Bautista, como si lo conociera bien, *"Soy yo el que tiene necesidad de ser bautizado por ti, ¡y eres tú el que viene a mi encuentro!"*? Esto daba a entender que se consideraba como su subordinado. Es posible incluso que ambos predicadores pertenecieran a la misma secta.

—Entonces, caballero: ¿crees que entre ellos había algún acuerdo?

—Podría ser. Incluso elaboré una teoría sobre este asunto, que me parece muy importante.

—¿Cuál es?

—Tengo la impresión de que en Galilea está a punto de nacer una quinta secta, y que si logra salir a la luz y propagarse hasta Jerusalén, puede llegar a trastornar completamente la política de Roma en Oriente.

—Explícate, caballero.

—¿Te acuerdas de la sedición que sumergió a toda Judea en un baño de sangre, hace veintidós años?

—¿La de los zelotes? Por supuesto que me acuerdo: ¡los negocios nunca anduvieron tan mal como ese año! Fue un galileo quien la desencadenó, creo...

—Sí. Un tal Judas de Gamala. Debes saber, Hiram, que el movimiento iniciado por él todavía tiene seguidores: ésa es la cuarta secta judía, además de los saduceos, los fariseos y los esenios. Pues bien, en mi opinión, Jesús está creando una quinta secta, Hiram, y si consigue hacerlo, no será solamente dentro del pequeño mundo judío donde hará adeptos, porque él no predica la Ley de Moisés: él clama a través de toda Galilea que se aproxima el reino de Dios, y exhorta a todos los judíos y a los no judíos, que son muchos en Palestina, a transformarse moralmente, a arrepentirse de sus pecados para agradar a Dios, que entonces los acogerá en su reino: un reino que no sólo está abierto a la descendencia de Abraham, sino a todos los pueblos de la tierra, circuncisos e incircuncisos, poderosos y miserables. En todos los lugares donde predica, proclama:

"El tiempo se ha cumplido: el Reino de Dios está cerca. Conviértanse y crean en el *Evangelio*."[22]

—Hay algo de verdad en lo que dices, caballero, y admiro tu demostración, pero todavía queda un punto oscuro en esta aparición de Jesús que, según dices, puede haber sido concertada: ¿qué pasó después de su bautismo?

—Tú lo sabes tan bien como yo, Hiram: se fue al desierto y no se volvió a saber de él hasta que reapareció a principios del mes de marzo en Galilea, primero en Nazaret, luego en Cafarnaún, y ahora en Caná. Pero todo eso sucedió muy rápido: en unos diez días apenas.

—¿Y cómo explicas esa desaparición, caballero?

—No creo en la historia de la tentación del Diablo en el desierto: es un rumor que seguramente circuló en Betabara cuando desapareció, como siempre hay rumores en esas circunstancias. Comparémoslo con los persas: ellos también tuvieron su profeta, hace alrededor de seiscientos años: se llamaba Zoroastro. Fue iluminado por el descenso del Pensamiento divino en él, dice la leyenda, y casi al mismo tiempo, fue tentado por la divinidad del Mal, Ahra Mainyu, a quien los persas también llaman Ahriman, que le habría ofrecido dominar al mundo si aceptaba ponerse a su servicio.

—Lo que me dices, caballero, me hace recordar otra leyenda del mismo tipo que me relató uno de mis representantes al regresar de la India: los indios creen que su profeta, cuyo nombre no recuerdo,[23] que buscaba una solución al problema del sufrimiento huma-

22. *Marcos* I, 15. Tal vez sea útil recordar aquí que la palabra "Evangelio" es la forma moderna de la palabra griega *Euaggelion*, empleada por los primeros discípulos ilustrados de Cristo con el significado de la "Buena Noticia" —la que era traída por Jesús y personificada por él— de que el Reino de Dios estaba cerca.

23. Se trata del Buda Sakiamuni, que vivió de 560 a 480 a.C., en los confines del Nepal.

no, resistió a las tentaciones de Mara, el "Malo", antes de conocer la plena iluminación al cabo de tres noches de meditación.

—Eso no me extraña, mi querido Hiram: he vivido lo suficiente en Oriente como para entender la trayectoria de esos profetas, que es prácticamente la misma en todos los casos. Para mí, un profeta es un hombre igual a los demás, que se diferencia de sus semejantes por la intensidad de lo que yo llamaría su inquietud metafísica frente a la condición humana, y en particular, frente a la naturaleza mortal del hombre. Esa inquietud es bastante fuerte como para hacer nacer en él la idea de una solución en cierto modo sobrenatural a ese tormento. Es lo que ha sucedido también, a mi juicio, en el caso de nuestro amigo Jesús. La fama de Juan el Bautista seguramente lo hizo salir de su aldea natal de Galilea, y lo llevó, movido por una secreta impaciencia, hasta Betabara, donde el bautismo que recibió de Juan produjo en él una suerte de choque emocional que le habría revelado su propia vocación, como te diste cuenta por ti mismo cuando viniste a contarme el episodio de la paloma blanca que se habría posado sobre su cabeza. Pero en esa etapa de su aventura interior, seguramente Jesús seguía vacilando. Luego, poco tiempo después, Juan desapareció. ¿Habrá ido realmente a las fuentes de Enón, como lo pensábamos, o habrá sido arrestado por algunos esbirros y arrojado a la prisión antes de que volviera Antipas, cuya llegada era inminente? No se sabe, pero esa desaparición —o ese arresto, como dicen algunos—[24] puso fin a las vacilaciones de Jesús y lo impulsó a recoger la antorcha de la predicación que había caído de las manos de Juan, y a continuar, solo, la obra del Precursor.

—Ésa es una hermosa teoría, caballero, pero a juzgar por la conducta de Jesús tras la desaparición de Juan, la continuó de un modo diferente: en lugar de esperar, a orillas del Jordán, que los desdichados y los inquietos fueran a él —como lo hacía Juan, que aseguraba estar gritando en el desierto—, cambió de tono y de método.

—Tienes mucha razón, Hiram: él partió a despertar las conciencias, abandonando el desierto y circulando a través de las al-

---

24. *Mateo* 4, 12; *Marcos* 1, 14; *Lucas* 3, 20.

deas de Galilea. Él se mezcla en la vida cotidiana de aquellos a quienes anuncia la Buena Noticia, deja de lado las prácticas ascéticas de Juan y hasta renuncia al rito espectacular del bautismo: para los habitantes de Cafarnaún, Betania, Tiberíades o Gadara que lo han escuchado, él no es un profeta, sino un consolador y un moralista.

—¿Y cómo explicas las curaciones milagrosas, caballero?

—Antes de explicarlas, me gustaría poder verlas. Pero hasta el presente, sólo conozco su existencia a través de los relatos de tus informantes que, con mucha frecuencia, narran hechos que no han comprobado, sino que les fueron contados. ¿Cómo quieres que tenga una opinión seria sobre ese tema? Sólo estoy bastante convencido de una cosa.

—¿Cuál, Marcelo?

—En todos los lugares donde se presenta, Jesús parece causar una profunda impresión sobre sus oyentes, sean ricos o pobres, poderosos o miserables, y a juzgar por los relatos de tus informantes, su discurso no es ni violento, ni revolucionario, sino que, por el contrario, muestra una gran dulzura, y eso lo distingue de Juan y de los antiguos profetas. Jesús no amenaza a nadie, no juzga a nadie, su predicación no tiene la violencia de los sermones de Juan, que ataca la vida disipada de Herodes Antipas, y tampoco tiene el tono vengativo de los antiguos profetas, que hablaban contra los opresores de Israel.

—¿Cómo puedes saberlo, si nunca lo oíste predicar?

—Porque si hablara de ese modo, si llamara a sublevarse contra el orden establecido, como lo hizo Judas hijo de Sarifeo, poco antes de la muerte de Herodes el Grande, y luego Judas el Galileo, en la sedición de los zelotes, o si adoptara el tono vehemente de los agitadores religiosos, las autoridades públicas, judías o romanas, ya habrían intervenido. Pero hasta el momento, lo han dejado predicar en paz, porque Jesús no perturba para nada el orden público ni el orden religioso. Comparte la vida de la gente sencilla, y sus primeros discípulos, como lo vimos en el Jordán, no pertenecen a los grandes de este mundo. ¿Sabes qué les dice cuando los envía a algún lugar?

—No, no lo sé.

—Les ordena que no lleven nada para el camino, salvo un bastón, y como calzado, simples sandalias:[25] ni pan, ni alforja, ni dinero, les recomienda. Y los exhorta a permanecer calmos y apacibles en todas las circunstancias. Sin embargo, el Nazareno desconfía de las reacciones del poder, que pueden volverse más severas ahora que se anuncia la próxima llegada del tetrarca: la prueba de esto es el permanente desplazamiento del pequeño grupo de los discípulos que lo acompaña alrededor del lago de Tiberíades, y sobre todo, el hecho de que haya ido recientemente a tierra pagana, al corazón de tu país, mi buen Hiram, a la región de Tiro y de Sidón.

—¿Jesús fue a Fenicia?[26] No me había enterado.

—Es muy normal: tus informantes circulan lejos de tu tierra, en Palestina, Sira, Persia y otros lugares, pero tú no los necesitas en Fenicia.

—¿Cuándo y por qué fue Jesús a Fenicia, señor caballero?

—Después de las bodas de Caná, regresó a Cafarnaún, donde se enteró de la inminente llegada de Herodes Antipas. Entonces pensó refugiarse en Fenicia: acto seguido, reunió a sus discípulos y a las mujeres que lo acompañan habitualmente, María de Magdala, María de Betania y Marta, y se retiró con su pequeña comitiva a la región de Tiro, pero no entró a la ciudad porque no era prudente, y se dirigió inmediatamente a Sidón. Dicen que en el camino, fue abordado por una siriofenicia,[27] y se produjo el siguiente incidente:

"La mujer comenzó a gritar: '¡Señor, Hijo de David, ten piedad de mí! Mi hija está terriblemente atormentada por un demonio'. Pero Jesús no le respondió nada. Sus discípulos se acercaron y le pidieron: 'Señor, atiéndela, porque nos persigue con sus gritos'. Jesús respondió: *'Yo he sido enviado solamente a las ovejas perdidas del pueblo de Israel'*. Pero la mujer fue a postrarse ante él y le dijo: '¡Señor, socórreme!'. Jesús le dijo: *'No está bien tomar el pan de los hijos, para tirárselo a los cachorros'*. Ella respondió: '¡Y sin embargo, Señor, los cachorros comen las migas que caen de la mesa de sus dueños!'. Entonces Jesús le

25. Cf. *Marcos* 6, 8.
26. El Líbano actual.
27. Una fenicia de cultura helénica.

dijo: *'Mujer, ¡qué grande es tu fe! ¡Que se cumpla tu deseo!'*. Y en ese momento su hija quedó curada".[28]

—Me gusta la manera de hablar de Jesús —dijo el fenicio—, y reconozco en sus palabras su bondad y su delicadeza. De modo que se fue a Sidón. ¿Y después?

—Después dio la vuelta y regresó a Tiro, y luego partió otra vez hacia el mar de Galilea dando un gran rodeo por Paneas, Dion y Gadara. Así volvió a Betsaida, donde sin duda le pareció que corría menos peligro que en Cafarnaún, siempre con sus discípulos, sobre los cuales he podido reunir algunas informaciones pidiéndole a tu informante preferido, Hiram, que realizara una investigación en Betsaida...

—¿A Agorastocles?

—Al mismo. Me asombra la cantidad de informaciones que me proporcionó sobre personas humildes que no tienen ninguna notoriedad.

—¿Y qué resultó de su investigación, caballero?

—Que el núcleo de la comitiva que sigue a Jesús en todos sus desplazamientos por Galilea está integrado por unas quince personas: doce hombres y tres mujeres. Tomaron la costumbre de designar a esos hombres como los *enviados* de Jesús, como sus *apóstoles*.[29] Tú y yo hemos sido testigos del llamado a los cuatro primeros, cuando estuvimos en los vados de Betabara: los hermanos Simón (a quien Jesús llamó Pedro) y Andrés, ambos pescadores de su estado, y luego los dos hijos de Zebedeo, Juan —que es un letrado— y Santiago. Los demás se llaman Felipe, Bartolomé (Natanael), Mateo (el recaudador de impuestos de Cafarnaún), Tomás, Santiago hijo de Alfeo, Judas Tadeo, Simón el Zelote y Judas Iscariote. No tengo ninguna información precisa sobre ellos: lo único que sé, es que todos ellos son oriundos de Galilea.

—¿Y las tres mujeres?

—Son todas galileas: María, natural de Magdala, a quien por ese

28. *Mateo* 15, 22-28.
29. El término griego para "enviado" es *apostolos*. De ahí *apostolus* en latín, *apôtre* en francés, y *apóstol* en castellano.

motivo llaman María Magdalena, es una prostituta arrepentida, de cuyo cuerpo fueron expulsados siete demonios; Juana, esposa de un tal Chuzas, funcionario de Herodes Antipas; y de la tercera, sólo sé su nombre: Susana.

—En tu opinión, caballero, ¿cómo seguirá esta aventura de Jesús?

—Confieso que lo ignoro, Hiram. Hace un poco más de cuatro meses que comenzó, y si exceptuamos la escena del bautismo en los vados de Betabara y un comienzo de predicación alrededor del lago de Tiberíades, no sucedió nada excepcional, fuera de algunos milagros que me despiertan mucho escepticismo, y el anuncio, sin comentarios, del próximo advenimiento del Reino de Dios en la tierra. Por el momento, Jesús no tiene nada de un agitador mesiánico o político: en sus sermones no lanza invectivas contra el Templo, ni contra Herodes Antipas, ni contra el ocupante romano, no llama a ninguna sublevación: se limita a dar a las personas sencillas que lo escuchan recomendaciones de moral o de piedad. Por eso, los poderes públicos, sean romanos o herodianos, no se preocupan demasiado por ese predicador prudente ni por el pequeño grupo que lo acompaña en Galilea, de pueblo en pueblo, y lo dejan tranquilo. Pero créeme, Hiram, esta tranquilidad no durará mucho tiempo: dentro de algunos días, Herodes Antipas se encontrará nuevamente en su palacio de Tiberíades, Jesús partirá hacia Jerusalén con sus apóstoles y sus mujeres, porque está por llegar el tiempo de la Pascua, y tendrá que salir de su reserva.

—¿Por qué, Marcelo?

—Por mil razones. En primer lugar, porque está convencido, hasta el fondo de su ser, de que su misión es hacer conocer y triunfar la Buena Noticia, y que no es suficiente difundirla en Galilea: es en Jerusalén, ante los fieles y la gente del Templo, donde debe anunciarla, afirmando su mesianidad y, en cierto sentido, su ruptura con el judaísmo. De éste conserva el monoteísmo y los mandamientos principales, pero rechaza la teoría del pueblo elegido y del fariseísmo, es decir, la reducción de la fe a la estricta observancia de la Torah. A los fariseos, que se burlaban de él, les dijo:

"Ustedes aparentan rectitud ante los hombres, pero Dios conoce sus corazones. Porque lo que es estimable a los ojos de los hombres, resulta despreciable para Dios. La Ley y los Profetas llegan hasta Juan.

Desde entonces se proclama el Reino de Dios, y todos tienen que esforzarse para entrar en él".³⁰

—Al decir esto —continuó Marcelo—, no predica la abolición de la Ley mosaica, sino su cumplimiento, como asegura, es decir, su perfeccionamiento:

> "No piensen que vine para abolir la Ley o los Profetas: yo no he venido a abolir, sino a dar cumplimiento. [...] Les aseguro que si la justicia de ustedes no es superior a la de los escribas y fariseos, no entrarán en el Reino de los Cielos".³¹

—Confieso que no te entiendo muy bien, caballero. Nosotros los judíos, tanto los que pertenecen por nacimiento a una de las doce tribus de Israel, como los otros, los que son como yo, basamos nuestra fe en nuestra Ley y en la enseñanza de los profetas. Y tengo la impresión de que Jesús pretende predicar otra ley, diferente a la Ley de Moisés. ¿Acaso no les respondió a los fariseos de Cafarnaún, que reprochaban a sus discípulos no respetar el ayuno del shabbat: *El vino nuevo se pone en odres nuevos*,³² que es una manera sutil de decir que la Buena Noticia que él anuncia, a la que compara con vino nuevo, no tiene nada que ver con la "antigua" Ley de los judíos?

—Tu impresión es falsa, Hiram. Jesús cree en el valor absoluto de los principales mandamientos de la Ley, que son los mandamientos de Dios. Simplemente rechaza las aplicaciones absurdas de la Ley y la doctrina de los fariseos, que creen que la obediencia a la Ley es superior a la fe. Él considera que los fariseos que siguen al pie de la letra todos los preceptos del *Levítico*, pero por otro lado cometen diariamente todos los pecados del mundo —aunque sólo fuera el adulterio—, injurian a Dios. En este sentido, adhiere a la máxima de un antiguo sabio hebreo, Jesús hijo de Sirá:³³ "No digas:

30. *Lucas* 16, 15-16.
31. *Mateo* 5, 17-20.
32. Véase *supra*, p. 287.
33. Se le atribuye a este sabio, que vivió en el siglo II a.C., un libro de máximas (también llamado *Sirácida*), que forma parte de los Libros del Antiguo Testamento con el título de *Eclesiástico*, y que anuncia, por su espíritu, la moral evangélica.

'El Señor apreciará la multitud de mis dones; cuando los presente al Dios Altísimo, él los aceptará'. No dejes de orar confiadamente ni te olvides de dar limosna".

—Esa máxima se parece a la que leí ayer en el *Libro de Judith* —le dijo Hiram al caballero—. Me emocionó tanto que la aprendí de memoria:

> "Poco vale un sacrificio de aroma agradable y menos aún toda la grasa ofrecida en holocausto, pero el que teme al Señor será grande para siempre".34

—Eso es más o menos lo que predicará Jesús en Jerusalén, estoy seguro, durante la Pascua, si logra que lo escuchen. Y eso va a sobresaltar a las autoridades del Templo: Caifás no dudará en hacerlo detener y llevarlo ante el Sanedrín, por insultar a la religión.

—¿Hacerlo detener por quién, caballero? ¿Por las autoridades judías o por las autoridades romanas?

—En materia religiosa, sólo el Sanedrín es competente, y es el único que tiene autoridad para arrestar al culpable y juzgarlo: nosotros, los romanos, no tenemos derecho a hacerlo, sobre todo porque Jesús, al ser galileo, es súbdito de Herodes Antipas, y no de Roma, de la que dependen los judíos de Judea y de Samaria. Pero si Jesús se comporta como generador de disturbios en Jerusalén, lo hará el procurador de Judea, Poncio Pilato, quien es jurídicamente competente y tiene autoridad para actuar. Además, en el caso de un proceso religioso, si bien la iniciativa de las demandas y de la condena le corresponde al Sanedrín, la sanción final está a cargo del procurador de Judea si hubo alteración del orden público. Por último, en todos los casos, la aplicación de la sanción —se trate de una simple multa, una pena de prisión o la pena capital— le corresponde a las autoridades romanas. Así lo exige nuestro procedimiento penal aplicado a una procuraduría.

—Es bastante complicado el procedimiento penal romano...

—Es posible, Hiram, pero garantiza tanto los derechos de la acusación como los de la defensa, y protege a los interesados contra

34. *Judith* 16, 16.

toda decisión arbitraria. De todos modos, nada de eso ha sucedido todavía: por ahora, Jesús es libre en sus ideas, sus acciones y sus movimientos, y su destino está en sus propias manos...

—O en las de Dios, señor caballero.

—¡Ah, tienes razón, fenicio! Perdóname: ¡había olvidado que creías en Él!

13
La alborada de los nuevos tiempos

Abril, año 781 de Roma
(28 d.C.)

Marcelo e Hiram deciden ir a Tiberíades, a orillas del mar de Galilea (abril del año 28, día J) – El anuncio de la llegada del Mesías por los profetas (Amós, Daniel, Zacarías) – En Tiberíades: Jesús, seguido por una multitud de fieles y de curiosos, parte hacia la montaña (día J + 2).

Desde el comienzo del mes de abril de ese año 781 de Roma, Marcelo, que se preocupaba por lo que pudiera ocurrirle a Jesús, había tomado la decisión de partir hacia Cafarnaún, para ver personalmente, y en el lugar, qué se estaba tramando a orillas del lago de Tiberíades, como se llamaba ahora al mar de Galilea, y había logrado convencer a Hiram, aunque no sin trabajo, de que lo acompañara. Éste, después de haber hecho fortuna en los negocios, tenía una sola pasión, la pesca con palangre en las aguas cálidas y colmadas de peces del Mediterráneo, y detestaba aventurarse, como en el pasado, por los caminos de Palestina. Sin embargo, terminó por ceder a la insistencia de su viejo amigo, aunque, como buen judío converso, puso como condición para realizar ese viaje no pisar el suelo impuro de Tiberíades, la ciudad dedicada por Herodes Antipas al emperador Tiberio.

—El sitio que eligió el tetrarca para edificar su nueva capital —le había explicado el fenicio a Marcelo— está ubicado en el corazón de uno de los territorios más fértiles de Galilea, y cerca de las fuentes de aguas calientes de Emaús, pero los judíos evitan ese lugar, a pesar de los privilegios que se otorgaban a los que se instalaban allí. El problema es que la ciudad fue construida sobre el terreno de un antiguo cementerio, y según nuestra Ley, un judío queda impuro durante siete días cuando permanece aunque sea una hora en un lugar como ése.

—Entonces ¿quiénes son sus habitantes? Porque dicen que Tiberíades es una ciudad muy poblada y muy próspera.

—Está habitada en parte por extranjeros —romanos, griegos, armenios, persas y otros— y en parte por galileos.

—Pero los galileos son judíos...

—Ése es un error, caballero. Recuerda lo que te dije hace treinta años: antiguamente, se llamaba a Galilea "el Círculo de los paganos". Después del cautiverio de Babilonia, la mayoría de los judíos que retornaron se instalaron en Judea, y los que optaron por vivir en Galilea rompieron con el Templo de Jerusalén: los habitantes de Judea los consideran más bien como una especie de mestizos.

—Y Jesús, que es galileo, ¿cómo será recibido por los de Judea si sube a Jerusalén?

—Él proviene de las montañas de la Alta Galilea, y hasta ahora, circuló únicamente entre el distrito de Nazaret y pueblos como Caná, Genesaret o Betsaida. La ciudad de Galilea en la que predica habitualmente es Cafarnaún, y jamás puso los pies en Tiberíades: en él, nada es impuro.

—En él, nada es impuro, Hiram, pero todo es sospechoso para los judíos tradicionalistas. Acuérdate de la manera en que lo recibieron en Nazaret cuando predicó allí por primera vez: en la sinagoga, empezó con una cita del profeta Isaías y declaró que el Eterno le había conferido la unción para anunciar la Buena Noticia. Los habitantes del lugar, que son judíos muy creyentes, lo echaron a la calle, y algunos hasta quisieron matarlo. Acuérdate también de sus discusiones con los fariseos de Cafarnaún, el año pasado, a propósito de lo que estaba permitido o prohibido en el tiempo del shabbat, cuando participó de la fiesta de Leví, el publicano. A partir de ese día, el Nazareno se hizo una gran fama de revolucionario entre los tradicionalistas y los fariseos: no tenía nada que hacer allí ese hijo de carpintero, decían, que no es sacerdote, ni levita, ni doctor de la Ley, y se permite comparar la religión de Moisés con un "odre viejo"...

—Pero no hay que olvidar que Jesús realizó milagros, caballero: el paralítico de Cafarnaún que tomó su camilla y echó a andar, el leproso al que curó diciéndole simplemente: *Lo quiero: quedas purificado*, y tantos otros, y hace muy poco, transformó el agua en vino en Caná. Esos son signos indiscutibles.

—Lamento decirte esto, fenicio, pero yo no creo en los milagros. Como buen pagano racionalista, me niego a admitir que un hecho extraordinario que no presencié haya tenido lugar, aunque sea tu informante Agorastocles quien me lo relate. Es más: aunque viera uno de esos milagros con mis propios ojos, tendería a pensar que sólo se trata de un pase mágico, como los que hacen los prestidigitadores, o de una superchería. Los doctores de la Ley, los escribas y los sumos sacerdotes tienen la misma opinión que yo, y desconfían de todo lo que se supone "sobrenatural": cuantos más milagros haga Jesús, más armas les da a sus enemigos, que lo tratarán de agente de Satán, hechicero o, peor aún, de charlatán que pone en riesgo la santa religión de Israel.

—Entonces ¿cómo debería actuar Jesús, en tu opinión?

—En Galilea, simplemente debe respetar la leyes promulgadas por su rey, Herodes Antipas, pero en Judea y en Jerusalén debe comportarse como un ciudadano de religión judía protegido por Roma y respetuoso de nuestra tradición republicana...

—Una República cuyo cónsul es un emperador, y que se parece bastante a una dictadura, Marcelo...

—Ésa no es la cuestión, Hiram. En Roma, ayer bajo Augusto, como hoy bajo Tiberio, cada ciudadano tiene el derecho de expresar sus ideas o sus doctrinas, siempre que no perturbe el orden público y no insulte ni al emperador ni a nuestros valores tradicionales. Como desde la tripartición de Palestina efectuada por Augusto, Judea se convirtió en una tierra romana, Jesús puede ejercer ese derecho en Jerusalén. Puede predicar su Buena Noticia en todas partes, sobre todo porque, si es verdad lo que me contaron, habla de amor y ternura. Pero el ejercicio de ese derecho está sometido a dos condiciones: la primera, que no llame a la revolución contra el orden establecido, como lo hizo hace veintidós años Judas de Gamala, llamado el Galileo, bajo el reinado de Arquelao el tetrarca, y la segunda, que respete las doctrinas de los demás. En síntesis: yo le recomendaría que actuara como un predicador —o como un profeta, si lo prefieres— y no como un agitador político-religioso. Y como me siento extrañamente atraído por el fervor interior que anima a ese hijo de carpintero, me gustaría saber más sobre su manera de actuar y predicar. Querría oír sus sermones, conocer todo lo que hace, apreciar su grado de popularidad, las cualidades y el papel de sus discípulos más cercanos como de sus adeptos: en una palabra, evaluar al hombre y su proyecto, y, por último, aconsejarle seguir con la obra iniciada o bien disuadirlo. Por eso te propongo, querido Hiram, que emprendamos mañana mismo el camino que bordea la costa, desde Sidón hasta Tiro, desde donde nos dirigiremos, a través de las montañas de la Alta Galilea, hacia el lago de Tiberíades, pasando por Caná:[1] sin apresurarnos demasiado, tendremos apenas dos días de viaje.

—¿Crees que es prudente, para hombres de nuestra edad, internarnos en esas montañas, que están infestadas de bandidos? —objetó el fenicio.

—Haremos el viaje en carro. Le pediré una escolta armada al gobernador de Sidón, y nos uniremos a una de las caravanas que parten todos los días de Sidón, Tiro o Cesarea con destino a Tiberíades.

Y así fue como, cuarenta y ocho horas más tarde, los dos hombres estaban en Cafarnaún saboreando deliciosos pescados fritos en las orillas del gran lago, que estaban colmadas de gente. Los habitantes de Galilea y los judíos de las montañas del norte que iban a celebrar la Pascua a Jerusalén se agolpaban alrededor de Jesús, tratando de verlo o de oírlo. Los más osados, que habían logrado abrirse paso entre la multitud, se arrojaban a sus pies y le gritaban, conmovidos y felices: "¡Tú eres el Hijo de Dios! ¡Danos tu bendición y tu protección, cúranos de nuestras enfermedades y de nuestros pecados!" El fervor de esas personas, que querían acercarse y tocarlo, era tan grande que, para evitar ser arrastrado y aplastado por esa marea humana,[2] Jesús tuvo que correr a refugiarse a una barca que sus discípulos habían preparado cerca de la orilla. Marcelo contemplaba, asombrado, ese entusiasmo colectivo, tan diferente, según le pareció, del fervor que animaba a los peregrinos de Betabara cuando iban a hacerse bautizar por Juan en las aguas del Jordán, y tan grande que no le permitió acercarse al hijo del carpintero de Nazaret.

—Los discípulos del Bautista —le señaló a su amigo fenicio— simplemente estaban en busca de una purificación del alma por medio del bautismo. En cambio, los de Jesús evidentemente buscan algo más definitivo...

—Aspiran a la salvación eterna después de la muerte, caballero,

1. Véase mapa p. 15.
2. *Marcos* 3, 9; *Mateo* 4, 25.

algo que la religión de Moisés no les promete. Esa buena gente, a la que muchos predicadores surgidos no se sabe de dónde, le anuncian desde hace siglos el fin apocalíptico del mundo, tiene pánico de lo que el profeta Amós[3] llamaba "el día de Yahveh", que no traerá el triunfo definitivo del pueblo de Israel sobre las naciones que lo persiguen, sino el triunfo de la justicia divina, el Juicio Final que el propio Israel también deberá padecer, aunque sea el pueblo elegido de Dios.

Después de decir esto, ante la mirada curiosa de Marcelo, Hiram sacó de su equipaje un voluminoso rollo de papiro bastante deteriorado, que empezó a abrir con lentitud.

—Desde hace dos o tres años, me falla la memoria —le explicó al caballero—, y por eso les pedí a mis secretarios que copiaran las palabras de todos nuestros profetas, desde Isaías hasta Malaquías, de acuerdo con la versión de los setenta y dos doctores de Alejandría, y todos los días medito algunos fragmentos. Déjame leerte cómo anunciaba Amós a los judíos del reino de Israel, hace ocho siglos, el día del Juicio Final.

Hiram desenrolló con respeto su papiro y comenzó a leer ante Marcelo:

"¡Ay de los que suspiran por el Día del señor!
¿Qué será para ustedes el Día del Señor?
¡Será tinieblas y no luz!
Como cuando alguien huye de un león
y se topa con un oso;
o al entrar en su casa, apoya su mano contra la pared
y lo muerde una serpiente...
¡El Día del Señor será tinieblas y no luz,
será oscuro, sin ningún resplandor!
Yo aborrezco, desprecio sus fiestas,
y me repugnan sus asambleas.
Cuando ustedes me ofrecen holocaustos,
no me complazco en sus ofrendas

3. Amós es el más antiguo de los profetas hebreos. Vivió alrededor del año 760 a.C., y ejerció su ministerio en el reino de Israel y en el de Judá.

ni miro sus sacrificios de terneros cebados.
Aleja de mí el bullicio de tus cantos,
no quiero oír el sonido de tus arpas.
Que el derecho corra como el agua,
y la justicia como un torrente inagotable".4

—¿Quién era ese Amós? —preguntó el caballero, que había escuchado con atención la lectura de su amigo.

—Un simple pastor que criaba ovejas en Teqoa, al sur de Belén. Abandonó sus rebaños para ir a profetizar al reino del norte —el reino de Israel—, donde reinaba el rey Jeroboam II. En esa época, Judá e Israel vivían en paz y prosperidad, pero Amós proclamaba que en poco tiempo, los pecados del pueblo judío despertarían la cólera de Yahveh, que castigaría no sólo a los pueblos idólatras como los moabitas, los amonitas, los filisteos y los otros, sino también a los mismos judíos, que habían traicionado la Alianza que había hecho Él, Dios, con la descendencia de Abraham. Más o menos en esa época, Isaías, que ejercía su ministerio de Jerusalén, anunciaba en el mismo tono que los judíos recibirían pronto el castigo que merecían por su idolatría, su inmoralidad y su desprecio hacia la Torah: el instrumento del castigo divino serían los ejércitos de los reyes mesopotámicos.5 Sin embargo, profetizaba Isaías, sólo los "malvados" serían castigados, y una parte del pueblo elegido sobreviviría, del mismo modo que siempre quedan algunas olivas sobre las ramas de un olivo después de sacudirlo.6

—Ya entendí, Hiram: los profetas no predijeron la desaparición total de Israel, y después del Día de Yahveh, subsistirá una pequeña minoría de justos. Esos sobrevivientes constituirán la matriz de una nueva generación de judíos, con la que el Eterno hará una nueva Alianza, definitiva. Pero ¿qué ocurrirá con los demás pueblos, según tus profetas?

4. *Amós* 5, 18-24.
5. El rey asirio Sargón II puso fin al reino de Israel en 722-721 a.C. El rey neo-babilónico Nabucodonosor se apoderó de Jerusalén en 586 a.C., y deportó a los judíos de Judea a Babilonia.
6. *Isaías* 17, 6-9.

—Sufrirán las peores calamidades, se aniquilarán unos a otros, y algunos profetas incluso anuncian que Israel hostigará a su vez a quienes lo hostigaron.

—Lo que me dices de los judíos oprimidos por los asirios y los babilonios es muy interesante, Hiram, pero es historia antigua, de muchos siglos atrás. No sucede lo mismo en la actualidad: el Templo fue reconstruido, Herodes el Grande le devolvió al pueblo judío su independencia y su gloria, y Roma no le impuso su ley a Judea a ultranza. Por el contrario, los procuradores tienen la misión de aplicar las decisiones del Sanedrín, y los demás territorios judíos forman una tetrarquía independiente gobernada por Herodes Antipas.

—Pero sin embargo existen, incluso en Judea, judíos que secretamente desean la partida de los romanos. Acuérdate de la rebelión de los zelotes,[7] hace veintidós años, caballero.

—Ése fue un episodio aislado.

—No te engañes, caballero. Sigue habiendo judíos —pocos, lo admito— que abrigan la esperanza de una restauración de la realeza davídica en Palestina.

—Eso es técnica y humanamente imposible, Hiram: Roma es invencible.

—Cierto, pero a los predicadores mesiánicos no les importa: piensa en la exaltación casi mística de los peregrinos que iban a escuchar a Juan a Betabara. ¿Y sabes cuál es el libro profético que tiene más éxito en las clases populares?

—No tengo la menor idea.

—*El Libro de Daniel.* Lo comentan en todas las plazas públicas de Samaria y Judea.

—Debo confesar que no sé quién es ese tal Daniel ni qué dice ese *Libro*: ¡no soy más que un pagano ignorante, fenicio!

—Ese texto apareció antes de la instalación del poder romano en Oriente, hace un par de siglos.[8] En aquel entonces, Palestina era una provincia del reino seléucida de Siria, sobre el que reinaba Antíoco IV Epífanes, un lejano sucesor de Seleucos, el lugarteniente de Alejandro. Ese rey tenía el propósito de helenizar completamen-

7. Véase p. 198 ss.
8. Este libro bíblico fue escrito en Jerusalén cuatro siglos después del Exilio a Babilonia, hacia 165 a.C.

te a su pueblo, y eso provocó la protesta del sumo sacerdote judío de aquella época, Matatías, y de sus hijos, el mayor de los cuales, Judas —llamado *Macabeo*—9 enarboló el primer estandarte de la rebelión contra el seléucida, quien debió inclinarse ante el fervor de los insurgentes. La insurrección victoriosa de los Macabeos alentó a los judíos piadosos a depositar todas sus esperanzas en una acción directa, sobrenatural, del Eterno en favor de su pueblo.10

—¿Qué relación existe entre la sublevación de los Macabeos y el *Libro de Daniel?*

—Ese libro fue compuesto unos quince años después de la victoria de los sacerdotes, que representaban al poder religioso, sobre el poder civil e idólatra del seléucida. Desarrolla el tema de la esperanza mesiánica.

—Es un libro de profecías?

—No, de ninguna manera. Es una especie de cuento en el cual un joven judío de Jerusalén, Daniel, relata visiones que, al parecer, tuvo durante su exilio en Babilonia, donde, en virtud de su sabiduría sobrenatural, y gracias a sus dones de vidente, habría ganado la confianza de los reyes que se sucedieron entonces en esa ciudad, y, de ese modo, llegó a ser su ministro y su sabio más grande. La primera de esas visiones es la de los cuatro gigantescos y pavorosos monstruos marinos que comparecen ante "el Anciano" (Dios), lo insultan y lo amenazan.

Mientras hablaba, Hiram había desenrollado otra vez su papiro, y dio comienzo a la lectura de las visiones de Daniel:

"Yo estuve mirando hasta que fueron colocados unos tronos, y un Anciano se sentó. Su vestidura era blanca como la nieve y los cabellos de su cabeza como la lana pura; su trono, llamas de fuego, con ruedas de fuego ardiente. Un río de fuego brotaba y corría delante de él. Miles de millares lo servían, y centenares de miles estaban de pie en su presencia. El tribunal se sentó y fueron abiertos unos libros. Yo miraba a

9. Este apodo deriva de una raíz hebrea que significa "martillo". También llamaban así a los hermanos de Judas y sus descendientes.

10. La rebelión tuvo lugar hacia 180 a.C., y tuvo como consecuencia la instauración en Jerusalén de la dinastía sacerdotal de los asmoneos, con cuyo poder terminó Herodes el Grande en 38 a.C.

causa de las insolencias que decía el monstruo: estuve mirando hasta que el animal fue muerto, y su cuerpo destrozado y entregado al ardor del fuego. También a los otros animales les fue retirado el dominio, pero se les permitió seguir viviendo por un momento y un tiempo.

Yo estaba mirando, en las visiones nocturnas, y vi que venía sobre las nubes del cielo como un Hijo de hombre; él avanzó hacia el Anciano y lo hicieron acercar hasta él. Y le fue dado el dominio, la gloria y el reino, y lo sirvieron todos los pueblos, naciones y lenguas. Su dominio es un dominio eterno que no pasará, y su reino no será destruido.

Yo, Daniel, quedé profundamente turbado en mi espíritu, y las visiones de mi imaginación me llenaron de espanto. Me acerqué a uno de los que estaban de pie y le pregunté la verdad acerca de todo aquello. Él me habló y me hizo conocer la interpretación de las cosas: esos cuatro monstruos son cuatro reyes[11] que se alzarán de la tierra; y los Santos del Altísimo recibirán la realeza, y la poseerán para siempre, por los siglos de los siglos".[12]

—Lo que acabas de leerme es muy bello, muy conmovedor, mi querido Hiram, pero ¿qué conclusión podemos sacar de ello?
—Esa visión de Daniel expresa la nostalgia que sienten algunos judíos por lo que fue la edad de oro de Israel, los tiempos de los reyes David y Salomón. Es un sentimiento muy difundido, tanto entre los judíos de las clases dirigentes de Jerusalén, como entre la gente sencilla de las aldeas de Judea, Samaria o Galilea. Pero lo viven en forma diferente. Los sumos sacerdotes y los jefes de las grandes familias de Judea no soportan el hecho de tener que obedecer a Roma, y añoran en cierto modo el tiempo de Herodes el Grande, quien, aunque no pertenecía a ninguna de las doce tribus de Israel, era tan judío como ellos, y hasta era gran sacerdote. La gente común de Jerusalén y los campesinos, que son muy piadosos, soportan aún menos la ocupación extranjera, aunque no se haga sentir demasiado, y le atribuyen todas sus desgracias materiales. Los judíos de las clases superiores esperan la venida de un Salvador de

11. Simbolizan los cuatro imperios que dominaron sucesivamente al Medio Oriente (y por lo tanto, a Palestina) entre 586 y 165 a.C: el imperio babilónico, el imperio medo, el imperio persa y el imperio macedonio.
12. *Libro de Daniel* 7, 9-18.

Israel, y entre ellos, los más profundamente religiosos lo imaginan como un enviado del Eterno, un Mesías del Señor, que restablecerá el reino de David. En cuanto a los campesinos y la gente sencilla, esperan que además ese Salvador les traiga seguridad en este mundo, por supuesto, pero también en el más allá, después de su muerte. Estas buenas personas, que tienen la fe del carbonero, temen mucho más al *sheol* que les prometen los rabinos. Por eso, el tema del Mesías salvador se propaga cada vez más.

—¿De dónde crees que vendrá ese Mesías, mi buen amigo?

—La opinión común es que no hay que buscarlo entre los grandes de este mundo. Yo también creo, caballero, que algún día surgirá un Mesías, pero creo que saldrá más bien de los hombres de Dios, como Juan o Jesús, que arden con la misma fe que animaba a los profetas. Hasta me inclino a pensar que aparecerá montado en un asno, como nos lo anuncia el profeta Zacarías,[13] y no transportado por las nubes del cielo:

> "Él es justo y victorioso,
> es humilde y está montado sobre un asno,
> sobre la cría de un asna.
> [...]
> Proclamará la paz a las naciones.
> Su dominio se extenderá de un mar hasta el otro,
> y desde el Río hasta los confines de la tierra".[14]

—Tu Zacarías me parece bastante exaltado, fenicio. ¿A qué naciones se refería? Sólo conozco dos capaces de instaurar la paz universal, y en cierta medida, ya lo han logrado: el imperio romano y el imperio persa.

—Te lo admito, caballero, pero lo hicieron por la fuerza, avasallando los derechos de los pueblos pequeños.

—¿Cómo podían hacerlo de otro modo? Fíjate en el ejemplo del mundo griego: durante siglos, las innumerables pequeñas naciones

---

13. Pequeño profeta, nacido entre los hebreos en el exilio en Babilonia, que formó parte del grupo de judíos que fueron convocados a Jerusalén por el gobernador persa de Judea, hacia 520 a.C., para reconstruir el Templo.

15. *Zacarías* 9, 9-10.

que lo constituían no dejaron de hacerse la guerra, y la paz universal a la que aspiraban los helenos sólo pudo ser instaurada por Filipo de Macedonia, que sin embargo no redujo a la esclavitud a las
ciudades griegas. Del mismo modo, la conquista romana del Oriente impuso, con inteligencia, una *pax romana* que protege de las
guerras y las deportaciones a todos los pueblos que viven allí, por
pequeños que sean, incluyendo al pueblo judío, sin afectar sus tradiciones ni sus religiones.

Hiram se aprestaba a discutir ese argumento del romano, cuando la conversación entre ambos hombres fue interrumpida por un
brusco movimiento de la multitud, cuya razón no se entendió inmediatamente: Jesús, protegido por sus discípulos, que lo rodeaban, había podido escapar del entusiasmo de la muchedumbre y se
dirigía ahora a grandes pasos hacia un sendero pedregoso que serpenteaba entre las colinas de laderas redondeadas, llenas de gamo-
nes blancuzcos y anémonas púrpuras, que se alzaban al norte del
lago de Tiberíades.

14

El Sermón de la Montaña

Abril, año 781 de Roma[1]
(28 d.C.)

Jesús llega a la cima de una colina, donde pasa la noche en una gruta (día J + 2,
al anochecer) – Designación de los doce apóstoles, comentario de Marcelo sobre el
mesianismo y comienzo del sermón (día J + 3, al amanecer) – Fin del sermón (día
J + 3 al final del día) – Regreso y noche en Betsaida; Marcelo e Hiram vuelven a
Tiberíades para dormir (día J + 3, de noche).

El camino que había tomado Jesús, escapando de la multitud de
sus admiradores, llevaba a una especie de meseta agreste, donde se veían algunos olivos, a cuya sombra pudo por fin respirar: mientras que en las orillas del lago y en la planicie, la atmósfera
era cálida y pesada, en la altura se volvía más fresca, más liviana, y la
brisa del crepúsculo agitaba suavemente su larga cabellera castaña.
El Nazareno se volvió para mirar hacia el valle: vio correr hacia él por
las laderas al pequeño grupo de sus fieles habituales que solían ro-

---

1. Sobre los cuatro *Evangelios* y sus divergencias, véase el Anexo n° 1. En
razón de esas divergencias, el lugar cronológico del Sermón de la Montaña,
que es el estatuto moral de la futura Iglesia cristiana, ha sido muy discutido.
Sin embargo, la mayoría de los autores, que se basan en los tres *Sinópticos*, lo
sitúan sea al final del año 28, sea a principios del año 29 (aunque no dan argumentos definitivos), y ubican el primer viaje de Jesús a Jerusalén (durante
el cual echa a los mercaderes del Templo) en la Pascua del año 29. De este modo, los tres rechazan de plano, por razones más eclesiásticas y teológicas que
históricas, la cronología joánica, que menciona cuatro viajes del Nazareno a Jerusalén, y no habla del Sermón de la Montaña. Al optar por un estilo "novelado", y no "eclesiástico", hemos conservado por un lado las cuatro subidas de
Jesús al Templo (siguiendo a *Juan*), y el Sermón de la Montaña (siguiendo a
los *Sinópticos*, y en especial, a *Mateo*). Una vez admitida la cronología de *Juan*,
era preciso situar este último episodio *antes* del primer viaje de Jesús a Jerusalén, que sólo puede haber tenido lugar, como máximo, a fines de abril del
año 28, teniendo en cuenta el calendario religioso judío de ese año.

dearlo en Betsaida y frecuentaban la casa de Pedro, donde él solía quedarse cuando no iba a predicar de pueblo en pueblo a través de Galilea. Más lejos, al pie de la colina, una multitud indiscernible y abigarrada de hombres y mujeres se aprestaba a seguirlos.

Un gran cansancio se había apoderado de él. Sus piernas apenas lo sostenían, gotas de sudor perlaban su frente, su respiración se había vuelto dificultosa y jadeante, y sentía que su corazón palpitaba cada vez más rápido dentro de su pecho. Tuvo la tentación de interrumpir su recorrido y descansar unos instantes en el pequeño olivar que había encontrado, pero temía que pronto lo alcanzara la multitud cariñosamente despiadada de esos desdichados por los que le gustaba orar, a solas y en silencio. Entonces hizo un último esfuerzo y, alzando la mirada al cielo, encontró en él algunas fuerzas para continuar su escalada y subir, de roca en roca, a través de las zarzas y las malezas, hasta la cumbre redondeada de la colina.

El sol terminó su rojiza trayectoria hacia el oeste y acababa de desaparecer detrás de las montañas de Fenicia, cuando, en la penumbra del anochecer, Jesús divisó por fin, delante de él, perdida en medio de los matorrales, una gruta de la que brotaba débilmente una fuente de agua pura. Se precipitó hacia ella, con las fuerzas que le quedaban, se arrodilló temblando y le rezó a Dios toda la noche, hasta que despuntó el día. Se durmió al amanecer murmurando: "¡Dios mío! ¡Dios mío!".

Ya era bien entrada la mañana cuando fue arrancado de su sueño por los gritos y los cantos del pequeño grupo que lo seguía pacientemente por los caminos de Galilea desde hacía dos meses, desde Betsaida.[2] Murmuró una última plegaria, luego salió de la gruta y se detuvo frente a ella con los brazos cruzados y su túnica flotando al viento de la mañana. Sus seguidores, que habían pasado la no-

2. Recordemos aquí que, según la cronología "media" que hemos adoptado (véanse capítulos 9 a 12), la primera fase del ministerio de Jesús empezó en los primeros días de marzo de 28 con un fracaso en la región de Nazaret. Más tarde, se desarrolló únicamente en Galilea, alrededor del lago de Tiberíades (mar de Galilea), entre Betsaida, Cafarnaún y Caná —con una breve escapada al territorio fenicio—, hasta la Pascua judía, a fin de abril del año 28. Luego se desarrolló entre Jerusalén y la Galilea hasta su muerte, el 7 de abril del año 30 (fecha tradicional).

che en las proximidades, se alegraron de verlo y quisieron ir hacia él, pero Jesús detuvo su impulso con un gesto tranquilo, esperó pacientemente que se hiciera silencio y anunció solemnemente, con voz clara, que llamaría a doce de ellos para que se acercaran a él:

—Aquellos que nombre dentro de algunos instantes —les dijo— serán mis *enviados*,3 y yo los nombro mis *apóstoles*. Ellos irán a predicar la Buena Noticia que yo les traigo a los hombres de buena voluntad, y les daré el poder de expulsar a los demonios que envenenan el cuerpo de las criaturas de Dios.

Desde que habían vuelto a encontrar a Jesús, Marcelo e Hiram habían decidido no perderlo de vista: subieron a la pequeña montaña con la multitud y, como ella, pasaron la noche en el terreno plano adornado de olivos donde se habían reunido todos sus fieles. Esas palabras del Nazareno eran las primeras que oían de su propia boca, sin ningún intermediario. Marcelo reaccionó de inmediato:

—Como sorpresa, Hiram, es realmente una sorpresa: yo creía que Jesús predicaba una nueva religión o una nueva manera de conducirse en la vida, pero las palabras que acaba de pronunciar no son las de un predicador: son dignas del jefe de un partido político.

—¿Por qué dices eso?

—Lo que acaba de hacer, frente a todas estas personas que subieron con él hasta aquí, es lisa y llanamente una delegación de poder, meditada con madurez, en favor de aquellos a quienes denomina "mis enviados", confiriéndoles el título de *apóstoles*. "Crean lo que les digan mis apóstoles como creen en lo que yo les digo, y hagan lo que ellos les manden hacer como si fuera yo quien lo ordenara": éste es el sentido de su primera proclamación.

—¿No crees que exageras atribuyéndole a Jesús esas intenciones?

—No tienen nada de extravagante ni de inverosímil. Jesús es un hombre maduro, que pasó la treintena, y sin duda reflexiona sobre el problema del destino humano desde su primera juventud. Se tomó su tiempo para elaborar su doctrina de la Buena Noticia, y ahora toma las medidas necesarias para difundirla.

---

3. En griego, idioma en que llegaron hasta nosotros los cuatro Evangelios, la palabra que significa "enviado", "delegado" es *apostolos* (plural: *apostoloi*).

—Yo no creo que haya creado esa doctrina por sí mismo, caballero. Si la doctrina tiene tanto éxito entre la gente del pueblo, si los fariseos —que son los judíos más puntillosos con respecto a la ortodoxia— la critican tan abiertamente en Cafarnaún, si los campesinos de Galilea entre los cuales pasó su infancia y su juventud lo echaron de la región de Nazaret donde vivía su familia, y sobre todo, si el Templo ordenó que se lleve a cabo una investigación sobre él, es porque sus enseñanzas son inspiradas por algún poder sobrenatural.

—¿El Templo ordenó una investigación sobre Jesús? ¿Cómo lo sabes?

—Por una carta que recibí antes de que partiéramos de Sidón, de uno de mis mercaderes, que está instalado en Jerusalén. En este mismo momento, un grupo de escribas, debidamente aleccionados por Caifás, el sumo sacerdote, está en camino a Betsaida: tienen la misión de investigar sobre Jesús, ya que las autoridades del Templo creen que está inspirado, no por Dios, como él dice, sino por el mismísimo Satán o por Baal-Zebub.

—¿Baal-Zebub? ¿Quién es ése?

—*Baal* significa "príncipe" en fenicio, y también "señor divino". Es el título que dan mis compatriotas a sus dioses, que son innumerables: en Fenicia hay un *baal* en cada ciudad y en cada región, y cada uno de ellos tiene un nombre diferente. El más terrible de ellos es el *baal* de la pequeña ciudad de Ekron: la gente de mi país lo llama *Baal-Zebub*, y también "el Maligno", y afirman que es el príncipe de los demonios.

—Puedo imaginarme que el Templo sea hostil a la predicación de Jesús, pero lo que me parece fundamental y grave a la vez, es que éste quiera difundirla, y que a medida que avanza en su predicación por Galilea, ponga en funcionamiento una especie de organización para hacerlo. Se dio cuenta de que un predicador aislado y solitario como Juan el Bautista no tenía ninguna posibilidad de triunfar, porque no tenía ni doctrina, ni mensaje ni mensajeros. En cambio, estoy seguro de que Jesús elaboró un programa, y no sólo piensa enseñarlo él mismo, sino que también lo hará conocer en toda Palestina por intermedio de sus apóstoles. Desde hace un poco más de un año, a partir del mes de marzo del año pasado, está predicando solo, acompañado por su pequeña banda de discípulos, en los alrededores del lago de Tiberíades. Durante ese tiempo, pudo apreciar las calidades y los defectos de todos ellos, y actuó como cualquier general romano: constituyó un estado mayor y puso a punto un plan de lucha. La única diferencia entre un *imperator* romano y Jesús, es que el propósito de nuestro amigo no son las conquistas territoriales, sino las conquistas morales, y piensa triunfar por medio de la persuasión y la dulzura, no por medio de la fuerza o el terror. Sólo conozco tres ejemplos similares en la historia de la humanidad, mi querido Hiram...

—¿Cuáles?

—Los dos profetas orientales de los que hablamos el mes pasado en tu jardín, en Sidón: el indio cuyo nombre no recuerdo,[4] el persa Zoroastro, y Sócrates.

—Lo sé, caballero. Pero el único que consiguió basar un poder político sobre una doctrina religiosa, después de Moisés, fue Zoroastro. Y no veo a Jesús en ese papel. Lo compararía más bien con Sócrates, pero tú sabes mejor que yo cómo terminó: los atenienses lo condenaron a muerte. Y ése es también el destino que le espera a Jesús si intenta modificar las reglas religiosas de los judíos: no se detendrán hasta lograr que el procurador de Judea lo ejecute, pues sólo él tiene el poder de hacerlo.

Mientras los dos amigos conversaban de este modo, la multitud que se había reunido al pie de la gruta se había callado, y en un silencio impresionante, Jesús empezó a llamar, uno a uno, a sus futuros apóstoles, que debían constituir lo que luego se denominó "el grupo de los Doce".

—El primero de mis apóstoles —dijo Jesús— será Andrés, el pescador, y el segundo, su hermano Simón, a quien yo llamé *Cefas* cuando lo recluté, porque es sólido como una roca, y yo construiré sobre esa roca.

—En hebreo, esa palabra quiere decir "piedra" —le comentó en voz baja Hiram a Marcelo—, y desde aquel momento, en el entorno de Jesús, sólo llaman así a Simón. ¿Te acuerdas de esa primera vez, caballero? Fue hace unos dos meses, en Betania, cerca de los vados de Betabara.

—Me acuerdo como si hubiera sido ayer. Habíamos dormido a

4. El buda.

la intemperie, debajo de una higuera, y tú te habías ido al pueblo en busca de Juan el Bautista, a quien encontraste conversando con dos discípulos de Jesús, Simón y Andrés. Cuando Jesús pasó delante de ellos, calmo y silencioso, el Bautista les dijo: *"Ése es el cordero de Dios"*. Ambos hermanos se levantaron de inmediato, y comenzaron a seguirlo. Le preguntaron dónde vivía y Jesús les respondió: *"Vengan y lo verán"*. También a esos dos hermanos les prometió, cuando los encontró a orillas del lago de Tiberíades hace unas dos semanas, después de huir de Nazaret, de donde lo habían expulsado: *"Síganme, y yo los haré pescadores de hombres"*.5

Después de Simón Pedro y Andrés, Jesús llamó a Juan y Santiago de Zebedeo,6 sobre quienes Hiram le comentó a Marcelo que los habían apodado "los hijos del trueno". Luego llamó a Felipe y a Bartolomé. Marcelo dijo que nunca había oído hablar de ellos, pero Hiram se encargó de refrescarle la memoria:

—Antes de salir de Jerusalén, a principios de marzo, cuando no teníamos ninguna novedad de Jesús desde hacía varias semanas, recibí un papiro de Agorastocles, y fui a tu casa a leértelo... Acuérdate: cuando llegué, estabas recostado en una hamaca en tu jardín.

—Tienes razón: viniste a anunciarme que habías recibido un papiro de tu corresponsal, quien te decía que había encontrado a Jesús predicando una doctrina que llamaba "la Buena Noticia" en las sinagogas de la Alta Galilea, de donde lo habían expulsado.

—Pues bien, en ese mismo papiro, Agorastocles me refería una conversación que había tenido Jesús con dos habitantes de Betsaida, donde él mismo vivía: uno de ellos era un pescador que, según mi informante, se llamaba Felipe, y el otro, un tal Bartolomé, también llamado Natanael.

—¡Ah, ahora lo recuerdo! Si mi memoria no me falla, cuando Felipe le habló de Jesús de Nazaret, Bartolomé le replicó, escéptico: *"¿Acaso puede salir algo bueno de Nazaret?"*. Ya veo que cambió de opinión, puesto que Jesús acaba de nombrarlo su apóstol... ¿Qué oficio ejerce en Betsaida? ¿También es un pescador?

—No tengo la menor idea. Creo que el Nazareno eligió a sus enviados, en un caso, entre sus amigos cercanos, como Simón o Ma-

5. Recordemos que Simón y Andrés ejercían el oficio de pescadores.
6. Véase capítulo 10, nota 7, p. 253.

teo, pues conoce su sinceridad y su fidelidad, y en otro, entre sus vecinos, o entre amigos de sus amigos. Veamos quiénes son los otros
elegidos.

El séptimo apóstol que nombró Jesús fue Leví, hijo de Alfeo,
que ahora había tomado el nombre de Mateo:

—A éste también lo conoces, caballero: Agorastocles mencionó
varias veces su nombre en las notas que me mandó sobre las actividades de Jesús en Palestina.

—¿Él era el responsable de cobrar los impuestos de Galilea por
cuenta de Herodes Antipas? ¿El que organizó un banquete al que
asistió Jesús, que por esta razón fue criticado por los fariseos de Cafarnaún?

—Es él.

A medida que sus nombres eran pronunciados, los futuros
apóstoles salían del grupo de los fieles, trepaban en silencio las pocas rocas que los separaban de la gruta frente a la cual estaba Jesús, y se ubicaban a su lado, emocionados y radiantes. Más abajo,
entre los olivos, la multitud de fieles empezaba a impacientarse:
"¿Cuándo bajará a hablarnos el Nazareno?", se oía decir por todas
partes.

Pero Jesús seguía llamando a sus apóstoles. Después de Leví,
llamado Mateo, fue designado Tomás, quien subió a la gruta, que
empezó a inundarse de sol.

—De éste no encontré ninguna referencia en los relatos de tus
informantes —le dijo Marcelo a Hiram.

—Yo tampoco —le respondió el fenicio—. Sé vagamente que es
un pescador, pero no sé nada más sobre él. Dicen que es galileo, pero no se sabe de qué aldea proviene. Ciertamente no de Betsaida ni
de Cafarnaún, porque Agorastocles, que conoce a todo el mundo en
esos dos lugares, nunca me habló de él. Tal vez viva en las otras orillas del lago, en Senabris o en Gergesa... Mira cómo habla mucho
con Jesús, mientras que todos los demás permanecen prácticamente mudos ante él: quizá sea un intelectual este Tomás.

El noveno apóstol se llamaba Santiago, hijo de Alfeo.

—Prepárate para saludarlo con mucha humildad, caballero: este Santiago es primo hermano de Jesús, porque su madre es la hermana de María la Virgen, la que trajo al mundo a Jesús en Belén...

—Esto me hace sentir viejo, querido Hiram: teníamos treinta y dos años menos en esa época, y yo podía mantenerme veinte horas seguidas sobre un caballo sin cansarme...

—¡... y yo no tenía esta barriga!

—¿No lo encuentras diferente a los demás apóstoles? Parece sentirse más cómodo con su primo, y tiene cierta elegancia en sus movimientos.

—Es muy normal: él no es un pescador como los demás. Es un hombre de ciudad y un letrado: vive en Jerusalén.

—Lo mismo se puede decir del décimo apóstol, al que acaba de convocar Jesús —observó Marcelo.

—Es el hermano del anterior, Judas, apodado Tadeo, es decir, el Valiente...

—¿A qué se dedica? Su voz se oye desde lejos, como la de los criadores de caballos, y se ve que tiene carácter.

—Parece que sabe usar su lengua. Mira cómo se enardece discutiendo con Jesús, caballero. Si nos acercamos hasta el pie de la gruta, podremos oír lo que dice.

—Vamos, Hiram, estoy impaciente por saber de qué hablan.

La curiosidad de Marcelo fue satisfecha muy pronto. Cuando llegó al pie de la gruta, Tadeo, que más que hablar, vociferaba, le estaba haciendo a su primo una extraña pregunta: *"Señor,* le preguntaba, *¿por qué motivo nos llamas y te manifiestas solamente ante nosotros y no ante el mundo entero?"* Jesús le respondió, sereno: *"Los he elegido como mis apóstoles para que hagan conocer al mundo entero las palabras de Dios, mi padre".*

—Todo se explica, Hiram —le dijo entonces Marcelo a su compañero—, y estas últimas palabras de Jesús confirman lo que yo te decía hace un momento: él no intenta, como Juan o los demás predicadores comunes, tranquilizar o exhortar a los galileos que están cerca de él, sino que desea que su palabra se transforme en una palabra universal. No quiere convencer de su mensaje a Galilea, ni siquiera a Palestina, sino a todo nuestro Imperio. Quizá quiera difundirlo también entre los persas. Su objetivo —lo percibo sin entenderlo del todo— es más ambicioso que el de Alejandro, el de César o el de Augusto: consiste tal vez en colocar por encima de todos los reyes de la tierra, la autoridad pacífica y eterna de Dios. Su ambición es muy bella, muy conmovedora, pero creo que está destinada al fracaso: no podrá triunfar con una docena de apóstoles allí donde los ejércitos de Alejandro y las legiones de Roma fracasaron. Por otra parte, estoy seguro de que lo sabe, y por ahora actúa simplemente como fundador de una secta, como lo hizo Judas de Gamala[7] hace unos veinte años. Pero su empresa tiene todas las probabilidades de morir antes de nacer, porque el Templo está alerta para que no se repita la sangrienta aventura de los zelotes, y en este sentido, puede contar con la ayuda del procurador de Judea, que no admitirá ningún desorden, ni civil, ni menos aún religioso, por temor a que se entrometan las dinastías partas[8] que reinan en la antigua Persia.

Mientras Tadeo se ubicaba junto a los otros enviados de Jesús, éste llamó a los últimos dos apóstoles:

—Para terminar —dijo el hijo del carpintero— llamo a mi lado a Simón el Zelote y Judas el Iscariote.

—¡Ay! —murmuró Marcelo al oído de Hiram, que estaba tan aterrado como él—. Esperaba cualquier cosa menos esto.

—¿Es el llamado a Judas lo que te sorprende, caballero?

—No, en absoluto. Ni siquiera sé quién es ese Judas, que, según dicen, es originario de Kariot, en Galilea. Pero tiemblo de inquietud cuando oigo anunciar a Jesús que ha elegido a un zelote entre sus apóstoles. Peor aún: realmente tengo la impresión de que acaba de anunciar abiertamente que fundó una quinta secta,[9] y lo hizo a pocos días de la Pascua. En mi opinión, no cabe la menor duda de que cometerá la imprudencia de ir a predicar a Jerusalén en los próximos días.

En efecto, había motivos para preocuparse. Los zelotes representaban la fracción revolucionaria y mesiánica del partido nacionalista de los fariseos.[10] En la época de Jesús, pregonaban el establecimiento, por la fuerza, del reino de un Mesías —es decir, de un Hijo de hombre *ungido* por el Eterno—,[11] y su movimiento había ensan-

---

7. Iniciador del movimiento nacionalista y revolucionario judío de los zelotes. Véase p. 198 ss.

8. Se trata de la dinastía de los Arsácidas, que estuvieron en el poder en Persia a partir de 250 a.C., y que tomó una parte de Siria en 53 a.C., después de vencer a Craso en Carres.

9. Véase cap. 5.

10. Véase p. 198 ss.

11. El arameo *meshiha*, "mesías", significa "ungido" (del verbo hebreo *mashaha*, "ungir").

grentado a Palestina en el pasado. Por ese motivo, la presencia de un zelote entre los apóstoles de Jesús amenazaba poner en su contra al procurador de Judea, responsable de la paz civil en su provincia, y le daba la razón al caballero, que empezaba a entender la estrategia de ese profeta de los tiempos nuevos que, según él, era el Nazareno.

—Te diré algo, Hiram —le explicó a su compañero—: hace treinta años que vivo en Palestina, y sólo hoy acabo de entender que la característica fundamental del judaísmo no es el monoteísmo, como dicen los romanos sin reflexionar demasiado, sino el yahvismo.

—¿Qué diferencia hay entre el hecho de creer que hay un solo Dios, eterno y omnipotente, del que depende el destino de los hombres y del universo, y el de decir que Yahveh es el único Dios?

—En primer lugar, los judíos no conciben a Yahveh como un dios abstracto, sino como una *persona*. En segundo lugar, como persona, establece una Alianza con Israel, y sólo con Israel. Por último, esa Persona divina es un Dios colérico que castiga a ese pueblo por haber faltado a la Alianza, como fue castigado Adán tras desobedecer al Eterno.

—Todas las desgracias que atravesó Israel en su historia hasta el presente, desde su deportación a Babilonia hasta la conquista romana ¿no fueron suficiente castigo?

—Ésos fueron castigos terrenales, Hiram: Yahveh castigó a su pueblo abandonándolo a la espada de sus enemigos, como un padre castiga con la vara a su hijo que lo desobedeció. Pero los profetas de ustedes anunciaron en el pasado un castigo mucho más terrible, que será aplicado en el Día del Juicio de Yahveh, como me lo recordaste tú mismo ayer cuando discutíamos a orillas del lago: un castigo al que no escaparán las almas de los muertos y los vivos, a menos que Dios renueve su Alianza con Israel. En ese caso, como dicen Amós, Miqueas, Zacarías, Daniel y los otros profetas, la Ley del Eterno iluminará a todos los hombres, toda la tierra será fecunda, las bestias feroces y los animales peligrosos desaparecerán, y quizás hasta perezca la misma Muerte...

—Recuerdo haber leído eso en las profecías de Isaías, cuyos versículos conozco de memoria desde mi juventud:

"El Señor de los ejércitos ofrecerá a todos los pueblos sobre esta
[montaña
un banquete de manjares suculentos,
un banquete de vinos añejados,
de manjares suculentos, medulosos,
de vinos añejados, decantados.
Él arrancará sobre esta montaña el velo que cubre a todos los
[pueblos, el paño tendido sobre todas las naciones.
Destruirá la Muerte para siempre;
el Señor enjugará las lágrimas de todos los rostros,
y borrará sobre toda la tierra el oprobio de su pueblo,
porque lo ha dicho él, el Señor.
Y se dirá en aquel día:
'Ahí está nuestro Dios, de quien esperábamos la salvación:
es el Señor, en quien nosotros confiamos;
¡alegrémonos y regocijémonos de su salvación!".[12]

—Gracias por haberme recordado ese antiguo texto, Hiram, porque corresponde exactamente a lo que quería demostrarte: lo que Isaías promete a los judíos, no es el fin de sus sufrimientos, sino la bienaventuranza eterna y el establecimiento definitivo del Reino de Dios sobre la tierra, que se convertirá en el jardín eterno de Israel, y sólo de Israel. Este acontecimiento se producirá el día que Yahveh lo decida, según un programa de tres tiempos que puede resumirse de esta manera: restauración del reinado de Dios sobre el mundo, restauración del pueblo elegido, y para gobernarlo, restauración de la casa de David. El profeta Oseas lo anunció en estos términos: *"Después los israelitas volverán y buscarán al Señor, su Dios, y a David, su rey; y acudirán con temor al Señor y a sus bienes, en los días futuros".*[13] Dicho de otro modo, Hiram, el futuro de Israel depende de una sola persona divina: Yahveh, y por eso prefiero hablar de yahvismo para caracterizar a la religión judía, más que de monoteísmo. No obstante, está claro que ese yahvismo implica un monoteísmo absoluto, teológicamente incompatible con el mesianismo, que

12. *Isaías* 25, 6-9.
13. *Oseas* 3, 5.

apela a la intervención de un Mesías, intermediario entre Dios y el
hombre, para borrar el Pecado de Adán y restablecer la edad de oro
bajo el mando de un rey davídico, prometido por el Eterno a la descendencia de Abraham. El cumplimiento terrenal de esta antigua
promesa será realizado por el propio Yahveh, que lo decidirá por sí
mismo, y no por medio de uno de sus enviados a quien le haya conferido una unción.

—¡Bueno, caballero, hablas como el difunto rabí Hillel![14] ¿Y cómo se cumplirá ese advenimiento del Paraíso en la tierra?

—No tengo la menor idea, Hiram. Pero en Palestina están circulando desde hace muchos años algunas leyendas, difundidas por
charlatanes que anuncian que ese reinado de Dios sobre la tierra será precedido por un terrible apocalipsis, tras el cual vendrá un Mesías
que primero deberá combatir contra los Malignos, conducidos por un
jefe demoníaco, y luego se instalará en la tierra la paz y la alegría por
toda la eternidad. Por supuesto, todas las autoridades religiosas de Palestina, desde los sumos sacerdotes hasta el más insignificante levita,
condenan esas doctrinas, y si mañana algún atolondrado viniera a
presentarse como el Mesías, no apostaría nada por su pellejo.

—¿Tú crees que Jesús se considera a sí mismo un Mesías, caballero?

—Hasta el momento, nunca hizo alusión a nada de ese tipo.
Por lo que yo sé, en sus predicaciones se limitó a consolar a los
desdichados y curar a los enfermos. Si se hubiera presentado como el Mesías o como un nuevo Toheb,[15] incluso en Galilea habría
sufrido persecuciones por parte de las autoridades de Jerusalén.

—Sin embargo, cuando predicó en la sinagoga de Nazaret, declaró que había sido "ungido" —es decir, designado como Mesías
por el Señor— para predicar la Buena Noticia.

—Sí, es cierto, pero no pretendió atacar la Torah ni la enseñan-

---

14. Famoso rabino (*ca.* 70 a.C.-*ca.* 10 d.C.), nacido en Babilonia, que se estableció hacia el año 40 a.C. en Jerusalén, donde Herodes el Grande lo nombró Gran Presidente del Sanedrín. Era conocido por su gran tolerancia.

15. Nombre del Mesías entre los samaritanos. En esa época, Samaria formaba parte administrativamente de los territorios gobernados por el procurador de Judea, pero tenía su propio Templo, y las doctrinas mesiánicas pudieron difundirse allí sin dificultad.

za de las Escrituras. Se presentó como inspirado por Dios, como lo han hecho muchos otros profetas antes que él. En cuanto a los demás puntos de su doctrina, pronto los conoceremos, puesto que ya instituyó una especie de estado mayor, al que seguramente dará instrucciones para la predicación. ¿Quieres que te dé mi opinión, Hiram?

—¡Por supuesto!

—Verás, Hiram: hasta ahora, me limité a observar a Jesús a través de testigos interpuestos, en este caso, por medio de tus observadores. Pero ayer, frente al lago de Tiberíades, pude comprobar con mis propios ojos y oídos la tranquila convicción que lo animaba, y la extraordinaria impresión que causaba sobre la masa de sus oyentes. Yo lo imaginaba como un predicador de pueblo, que llevaba una palabra bondadosa a algunos campesinos o algunos pescadores, y lo vi —sin oírlo, ya que estábamos demasiado lejos de él— provocar emoción en centenares de personas de todas las condiciones, que se apretujaban en silencio para recoger las palabras que salían de su boca. Me pareció que ese hombre era, evidentemente, un orador diferente, como nunca había visto actuar en Roma ni en Oriente. El sonido de su voz no llegaba hasta mí, pero pude percibir el silencio de su auditorio, y me dije a mí mismo que él se dirigía a las almas de esas personas sencillas, y no a sus oídos.

—Ahora podremos saber más de él, caballero, pues está descendiendo hacia nosotros.

En efecto, Jesús, acompañado por los doce apóstoles que acababa de designar, estaba bajando lentamente hacia la "llanura",[16] donde estaba reunida la multitud que lo seguía desde el día anterior. Había allí gente que venía de toda Palestina: de Perea, de Galilea, de Jerusalén, del litoral de Tiro y de Sidón, y de otros lugares. Habían llegado para escucharlo, por supuesto, pero también para que los curara de sus enfermedades, porque su fama de taumaturgo había sido difundida por los viajeros en Fenicia, Samaria y Judea: todos querían tocarlo, recibir su bendición, oírlo pronunciar algunas palabras. Él permanecía de pie, inmóvil, entre los negros bloques de las rocas abruptas, las aguas del lago de Tiberíades sobre las

16. Así se designa ese lugar en *Lucas* 6, 17.

que flotaban algunas barcas de pescadores y, a lo lejos, los montes de Fenicia y de la Alta Galilea.

Poco a poco, los murmullos de la muchedumbre se apagaron y se hizo el silencio. Jesús se volvió, miró a sus apóstoles, que estaban detrás de él, y su voz se elevó, límpida y clara, en el silencio de la montaña: las primeras palabras de ese sermón[17] dejaron estupefactos a todos los hombres y todas las mujeres que estaban reunidos en esa planicie sembrada de olivos, cedros, olmos, pinos y abedules:

"¡Felices ustedes, los pobres, porque el Reino de Dios les pertenece! ¡Felices ustedes, los que ahora tienen hambre, porque serán saciados! ¡Felices ustedes, los que ahora lloran, porque reirán!

¡Felices ustedes, cuando los hombres los odien, los excluyan, los insulten y los proscriban, considerándolos infames [*los difamen*] a causa del Hijo del hombre![18] ¡Alégrense y llénense de gozo en ese día, porque la recompensa de ustedes será grande en el cielo. De la misma manera los padres de ellos [*los antepasados de los judíos de hoy*] trataban a los profetas!

Pero ¡ay de ustedes los ricos, porque ya tienen su consuelo!

¡Ay de ustedes, los que ahora están satisfechos, porque tendrán hambre!

17. Este sermón se llama tradicionalmente "el Sermón de la Montaña". Se lo transcribe, con algunas variantes, en *Mateo* (5, 1-7, 28 = III versículos) y en *Lucas* (6, 17-49 = 33 versículos). Los primeros versículos, que comienzan con "*Felices...*" (o "*Bienaventurados*"), son llamados clásicamente las "Bienaventuranzas", y los que los siguen, que empiezan con "*Ay de ustedes...*", son las "Maldiciones". En *Mateo*, hay nueve Bienaventuranzas; en *Lucas*, cuatro Bienaventuranzas y cuatro Maldiciones. La versión de *Mateo* es más espiritualizada ("*Felices los pobres de corazón [...], Felices los que tienen hambre y sed de justicia...*", etcétera), mientras que la de *Lucas*, que citamos aquí, parece aproximarse más a la doctrina inicial de la caridad cristiana.

18. Expresión por medio de la cual Jesús —y, en los *Evangelios*, sólo Jesús— se designa a sí mismo: en algunos casos, se refiere a su debilidad y a los sufrimientos que deberá atravesar en su calidad de Mesías, y en otros casos, hace alusión a un personaje que vendrá, y será el Juez del final de los tiempos. En algunos pasajes (seis en total en los cuatro *Evangelios*), se combinan los dos empleos de esa expresión.

¡Ay de ustedes, los que ahora ríen, porque conocerán la aflicción y las lágrimas!

¡Ay de ustedes cuando todos los elogien! ¡De la misma manera los padres de ellos [*los antepasados de los judíos de hoy*] trataban a los falsos profetas!".[19]

Un silencio de muerte siguió a estas primeras palabras de Jesús. Hiram estaba como petrificado:

—¡Se volvió loco! ¿Cómo puede proclamar delante de toda esta pobre gente que lo hace feliz que ellos sean pobres, que sean desdichados, que los odien y los insulten? ¿Cómo puede burlarse de los ricos, los saciados, y la gente de bien? ¡Está buscando que lo lapiden!

Marcelo calmó a su alterado compañero:

—No has entendido nada, Hiram. Jesús actúa como Sócrates, que a menudo comenzaba las conversaciones con sus adversarios paralizándolos con paradojas, como algunos animales paralizan a sus presas. Lo que está diciendo, al pronunciar estas Bienaventuranzas y estas Maldiciones que te parecen escandalosas falsedades, es que llegó el momento de revertir el sistema de valores sobre el que está construida nuestra sociedad humana, tanto la judía como la romana o la persa, un sistema basado en la fuerza, la riqueza y el poder, que es falso e inhumano, está perimido, y será revertido por el Reino de Dios que él anuncia. Las verdaderas riquezas, quiere decir, no son las monedas de oro ni los palacios, ni tampoco el poder y la gloria, sino el amor a Dios, el amor al prójimo y la práctica de la virtud: por eso, los ricos son pobres. La verdadera felicidad es el amor que Dios prodiga a sus criaturas, y no la fortuna o la fama, y por eso vale más ser difamado por los hombres, pero amado por Dios. Las riquezas de los poderosos son efímeras, pero el amor que Dios le promete al pobre que cree en él será eterno, y por eso los pobres son más felices que los ricos, y los que hoy tienen hambre, serán saciados para la eternidad: el reino de Dios restablecerá la verdadera justicia, recompensando hasta el fin de los tiempos a los que fueron desdichados en este mundo pero creyeron en él, y castigando a los

19. *Lucas* 6, 20-26.

hombres injustos que creen ser felices en este mundo acumulando riquezas. El que hoy ríe, mañana estará de duelo y llorará.

—No estoy convencido, Marcelo. En un sentido, entiendo lo que hace Jesús: quiere dar esperanzas a los que llamé en Betabara los "condenados de la tierra", pero yo prefería la manera de actuar de Juan.

—¿Qué manera de actuar?

—Él daba aliento a los desdichados, los pobres y los oprimidos que iban a verlo al Jordán, pero les proponía un remedio inmediato a su angustia sumergiéndoles en el agua del río y diciéndoles: *"Yo te bautizo en el agua para que te conviertas"*. Los desesperados creían en las virtudes de esa agua viva, aunque pudieran sentirse decepcionados y nuevamente desesperados al cabo de un tiempo. Pero Jesús no hace esos gestos mágicos: simplemente les promete la felicidad eterna después de su muerte. No es demasiado atractivo.

—Hace más que eso, Hiram. Escucha lo que predica.

El tono de Jesús había cambiado bruscamente. Parecía haber entendido de pronto que para transmitirle a esa pobre gente fuerza para soportar la angustia y deseos de vivir, no podía limitarse a comparar sus infortunios cotidianos con los de los profetas del pasado, y que la simple promesa de una dicha eterna después de la muerte no sería suficiente para fortalecer en esos desgraciados el coraje moral de perseverar en su desdicha terrenal. Entonces, empezó a interpelarlos directamente, haciéndoles ver lo valiosa que era su existencia, aunque fuera miserable. Les gritó desde lo alto de su colina:

"Ustedes son la sal de la tierra. Pero si la sal pierde su sabor, ¿con qué se la volverá a salar? Ya no sirve para nada, sino para ser tirada y pisada por los hombres. Ustedes son la luz del mundo. No se puede ocultar una ciudad situada en la cima de una montaña. Y no se enciende una lámpara para meterla debajo de un cajón, sino que se la pone sobre el candelero para que ilumine a todos los que están en la casa.[20] Así debe brillar ante los ojos de los hombres la luz que hay en ustedes,

20. Las "casas" de la gente sencilla, como la que menciona Jesús, tenían una sola habitación.

a fin de que ellos vean sus buenas obras y glorifiquen al Padre que está en el cielo".[21]

Un murmullo de aprobación recorrió la masa de fieles, que hasta ese momento habían permanecido mudos e inmóviles, como fascinados por el discurso de ese hombre sereno, pero cuyos ojos brillaban febriles, que les decía lo que deseaban oír hacía tanto tiempo.

—No es ése el tono habitual de los predicadores, caballero, y yo mismo, aunque soy un judío fielmente practicante, me siento absolutamente conmovido. Sin embargo, formo parte de esos ricos sobre los cuales lanzó una de sus Maldiciones, y confieso que a veces, cuando veo a un mendigo o a un leproso, me avergüenzo de mi riqueza y de mi buena salud, y medito con angustia en la fragilidad de las felicidades de este mundo. Y resulta que esta mañana oigo que este Nazareno me revela que, aunque yo fuera pobre, paralítico o ciego, de todos modos sería la sal de la tierra: nunca un rabino me dijo esta clase de cosas.

—¿Esas palabras pueden ser contrarias a la Torah, Hiram?

—¿Cuáles?

—Las de Jesús sobre la sal de la tierra, las Bienaventuranzas, las Maldiciones...

—Yo soy creyente y respeto las observancias, pero no soy especialista en teología, caballero. Sin embargo, *a priori,* y aunque jamás oí un lenguaje semejante en boca de un escriba o de un rabino, no me choca. Llegaría a creer que tampoco le chocarían a un fariseo o a un saduceo, aunque esas dos categorías de judíos sean muy puntillosos en lo que concierne a la Ley...

El fenicio se interrumpió porque, como para darle la razón, Jesús había empezado a hablar precisamente de la Ley:

"No piensen que vine para abolir la Ley o los Profetas: yo no he venido a abolir, sino a dar cumplimiento. Les aseguro que no desaparecerá ni una *iota,*[22] ni una tilde de la Ley, antes que desaparezcan el cielo y la tierra, hasta que todo se realice. El que no cumpla el más

21. *Mateo* 5, 13-16.
22. La letra más pequeña del alfabeto griego, que corresponde a nuestra *i.*

pequeño de estos mandamientos, y enseñe a los otros a hacer lo mismo, será considerado el menor en el Reino de los Cielos. En cambio, el que los cumpla y enseñe, será considerado grande en el Reino de los Cielos. Les aseguro que si la justicia de ustedes no es superior a la de los escribas y fariseos, no entrarán en el Reino de los Cielos".[23]

—Ya oíste, caballero: Jesús no quiere cambiarle ni una *iota* a tu Ley.

—Es menos peligroso para su futuro, Hiram, y si mantiene su discurso en Jerusalén, no chocará con el Templo. Pero ¿qué quiso decir al hablar de una justicia que debe superar a la Ley?

—Que se puede superar la Ley mejorándola, haciéndola más fuerte, más general que la que cumplen los fariseos, que siguen al pie de la letra todas sus prescripciones pero olvidan su espíritu, y no sacan de ella todas las aplicaciones que contiene. Por eso Jesús tuvo problemas con los fariseos en Cafarnaún. Para él, "cumplir" la Ley es "completarla", perfeccionarla y ampliarla, siempre respetando su espíritu.

—Pues bien, mi querido Hiram, ahora se nos informará sobre ese punto: ¿oíste lo que acaba de anunciar?

—No, estaba demasiado ocupado haciéndote una demostración de teología, y, lo confieso, ése no es mi fuerte. ¿Qué es lo que anunció?

—Que daría algunos ejemplos sobre el cumplimiento del espíritu de la Ley.

—¡Si hay fariseos en el público, puede producirse una gresca!

—Ya veremos. Por ahora, escuchemos.

Jesús se había sentado apoyando la espalda contra un talud cubierto de musgo. Estaba rodeado por sus doce apóstoles, que se habían ubicado en semicírculo a su alrededor. También sus fieles amigos de Betsaida se habían acercado, y el resto de la multitud se mantenía a distancia, silenciosa y atenta al sermón del Nazareno, que les enseñaba. Él habló durante varias horas, y todos lo escu-

23. *Mateo* 5, 17-20.

chaban sin decir una palabra, impresionados por su enseñanza, porque, como lo señaló en voz baja uno de sus oyentes, lo que decía era simple, y parecía predicar por su propia autoridad, y no como los escribas y los legistas de las sinagogas y del Templo, que en general reducían su predicación a la lectura o a las citas de las Escrituras.

Después de todo el tiempo vivido en Palestina —más de treinta años—, Marcelo hablaba el arameo con fluidez. A medida que Jesús predicaba, el romano transcribía sus palabras al latín sobre tablillas de cera. Su escritura, fina y ágil, provocó la admiración de Hiram, el fenicio:

—Eres más veloz para tomar notas que mis secretarios más experimentados, caballero. ¿Para quién escribes?

—Para Pilato, fenicio.

—¿Para Pilato? ¿Por qué crees que puede interesarle?

—Cuando me encontré con el procurador en Perea, a principios de marzo, para hablarle de la presencia de Juan en el Jordán, me dijo claramente que lo que más lo preocupaba era garantizar el mantenimiento del orden en Judea. Ahora bien: no cabe duda de que Jesús subirá a Jerusalén en los próximos días, porque el tiempo de la Pascua es una oportunidad única para predicar su doctrina ante miles de judíos. Si decide hacer el viaje, les recitará el sermón que acabamos de oír, y temo que no sea del agrado de los judíos rigoristas, como los fariseos, por ejemplo.

—¿Entonces tienes la intención de transcribirle ese sermón palabra por palabra?

—No: Pilato no tiene tiempo de leerlo. Le escribiré lo que me parezca esencial.

—¿Y dónde se encuentra en este momento el procurador? ¿En Cesarea?[24]

—No, seguro que no. Cuando se aproxima una fiesta religiosa, se traslada con sus colaboradores y las fuerzas del orden a Jerusalén, a la torre Antonia, la fortaleza construida por Herodes el Grande, que vigila el Templo. Por eso, cuando Jesús termine de hablar, redactaré mi informe y partiremos hacia Judea mañana mismo, al

24. Cesarea la Marítima, ciudad ubicada en el litoral mediterráneo, donde se encontraban la residencia y los servicios administrativos del procurador romano.

amanecer. Y ahora, escuchemos al Nazareno. ¿De qué nos hablará? ¿Del shabbat, de la limosna, de la bondad de Dios hacia los hijos de Israel? ¿De la fiesta pascual que se acerca?

Para su gran sorpresa, y la del auditorio, el discurso de Jesús fue completamente diferente; fue una exhortación al amor y al respeto por el otro:

> "Ustedes han oído que se dijo a los antepasados: *No matarás*, y el que mata, debe ser llevado ante el tribunal. Pero yo les digo que todo aquel que se irrita contra su hermano, merece ser condenado por un tribunal. Y todo aquel que lo insulta, merece ser castigado por el Sanedrín. Y el que lo maldice, merece el fuego de la Gehena.[25] Por lo tanto, si al presentar tu ofrenda en el altar, te acuerdas de que tu hermano tiene alguna queja contra ti, deja tu ofrenda ante el altar, ve a reconciliarte con tu hermano, y sólo entonces vuelve a presentar tu ofrenda. Trata de llegar en seguida a un acuerdo con tu adversario, mientras vas caminando con él, no sea que el adversario te entregue al juez, y el juez al guardia, y te pongan preso. Te aseguro que no saldrás de allí hasta que hayas pagado el último céntimo".[26]

—¡Nunca oí a un rabino predicar esta clase de cosas! —dijo Hiram—. En general, en la sinagoga, sólo nos hablan del Eterno, de sus cóleras contra los que no respetan las observancias o violan el shabbat, pero nunca de nuestro comportamiento hacia nuestros hermanos. ¡Eso no está en la Torah!

El asombro de Hiram fue mayor aún cuando Jesús empezó a hablar del adulterio:

> "Ustedes han oído que se dijo: *No cometerás adulterio*. Pero yo les digo: El que mira a una mujer deseándola, ya cometió adulterio con ella en su corazón".[27]

---

25. Valle próximo a Jerusalén, donde, según la tradición, se practicaban antiguamente sacrificios de niños y se celebraban cultos idolátricos, que se convirtió en sinónimo de "lugar de maldición".
26. *Mateo* 5, 21-26.
27. *Mateo* 5, 27-28.

—Eso no tiene nada de raro, Hiram —le explicó Marcelo a su amigo—: Jesús enseña simplemente que las malas intenciones o los malos pensamientos son tan condenables como las malas acciones. Eso no es nuevo: ya lo enseñaba Sócrates hace más de cuatro siglos.

Sin embargo, Jesús fue más lejos que Sócrates en su discurso moralizador:

"Si tu ojo derecho es para ti una ocasión de pecado, arráncalo y arrójalo lejos de ti: es preferible que se pierda uno solo de tus miembros, y no que todo tu cuerpo sea arrojado a la Gehena. Y si tu mano derecha es para ti una ocasión de pecado, córtala y arrójala lejos de ti".[28]

Luego alertó contra el divorcio y alabó la institución del matrimonio:

"Moisés permitió redactar una declaración de divorcio, pero fue debido a la dureza del corazón de ustedes. Mas desde el principio de la creación, Dios los hizo varón y mujer. Por eso, el hombre dejará a su padre y a su madre, y los dos no serán sino una sola carne. De manera que ya no son dos, sino una sola carne. Que el hombre no separe lo que Dios ha unido. [...] El que se divorcia de su mujer y se casa con otra, comete adulterio contra aquella; y si una mujer se divorcia de su marido y se casa con otro, también comete adulterio".[29]

—Bueno —dijo Hiram—, aunque anunció que no tenía la intención de abolir la Ley y los Profetas, no se atiene mucho a la Torah.
—¿Por qué?
—Porque la Ley de Moisés permite el divorcio. Está escrito en el *Deuteronomio*:

"Si un hombre se casa con una mujer, pero después le toma aversión porque descubre en ella algo que le desagrada, y por eso escribe

28. *Mateo* 5, 29-30.
29. *Marcos* 10, 4-12.

un acta de divorcio, se la entregará y la despedirá de su casa. Una vez
que esté fuera de su casa, la mujer puede desposarse con otro".[30]

—Si entiendo bien, Hiram, al prohibir el divorcio, Jesús se opone en ese punto a la Ley mosaica, y por lo tanto comete una especie
de pecado mortal, desde el punto de vista de los judíos: si predica
así en Jerusalén, terminará por lo menos en prisión por blasfemar
contra la Torah.

La continuación del sermón también fue escandaloso: se refería
a los juramentos, permitidos por Moisés, y Jesús los prohibía:

> "Ustedes han oído también que se dijo a los antepasados: *No jura-
> rás falsamente, y cumplirás los juramentos hechos al Señor*. Pero yo les di-
> go que no juren de ningún modo: ni por el cielo, porque es el trono de
> Dios, ni por la tierra, porque es el estrado de sus pies; ni por Jerusa-
> lén, porque es la Ciudad del gran Rey. No jures tampoco por tu cabe-
> za, porque no puedes convertir en blanco o negro uno solo de tus ca-
> bellos".[31]

—Estas prescripciones —le señaló Marcelo a Hiram— ilustran
muy bien lo que quiso decir Jesús con "cumplir la Ley": él propone
en realidad extender el dominio de su aplicación, completarla, en
cierto modo, sin cambiar su orientación general. Cuando la Ley dice: *"No matarás"*, Jesús agrega: *"Y no tendrás el deseo de matar"*;
cuando ella dice: *"No cometerás adulterio"*, el Nazareno remata esta
prohibición de la Torah con otra: *"Y no desearás la mujer del prójimo"*. Y lo mismo con otras: la Ley que predica el Nazareno incita a
los hombres no sólo a no cometer malas acciones, sino a no tener
el deseo o la intención de cometerlas. De acuerdo con su enseñanza, pecar por acción o pecar por intención, es siempre pecar. Para
hablar como mis queridos filósofos griegos, la moral que pregona
Jesús es una moral de la intención pura y del amor al otro: supera
la ley de Moisés, que es una moral de interdicciones. Nunca nadie
predicó de esta manera. Escucha, Hiram, escucha predicar a Jesús:

30. Cf. *Deuteronomio* 24, 1-3.
31. *Mateo* 5, 33-36.

La Anunciación (1435-1445), por Giovanni da Fiesoli (Fra Angélico) *Museo del Prado, Madrid.*

La Visitación (1394-1399),
por Melchior de Broederlam.
Detalle. Musée des Beaux-Arts, Dijon.

Adoración con el Niño Bautista y san Bernardo (*ca.*1459), por Fra Filippo Lippi.
Staatliche Museen, Berlín.

Huida a Egipto (siglo XIV), por Melchior de Broederlam.
Musée des Beaux-Arts, Dijon.

Cristo en casa de sus padres (1850), por Sir John Everett Millais. *Tate Gallery, Londres.*

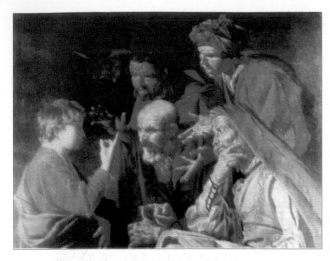

Cristo entre los doctores
(s. XVII), por Mathias Stomer.
Detalle. Alte Pinakothek, Munich.

El bautismo de Cristo (*ca.*1478-1480), por Andrea del Verrocchio.
Galleria degli Uffizi, Florencia.

Cristo expulsa del Templo a los mercaderes (*ca.*1645-1650), por Pietro Cavallini.
National Gallery, Londres.

Las bodas de Canaán (s.XVI), por Juan de Flandes.
Detalle. Metropolitan Museum of Art, Nueva York.

La Última Cena (1464-1467), por Dieric Bouts. *Sankt Peter, Lovaina.*

Oración de Cristo en el huerto (*ca.*1485), por Andrea Mantegna. *Musée des Beaux-Arts, Tours.*

El Expolio
(*ca.* 1577-1579), por
Domenikos Theotokopulos
(El Greco).
Detalle. Catedral de Toledo, España.

**La caída en el camino
del Calvario** (s. XVI),
por Rafael Sanzio.
Museo del Prado, Madrid.

Crucifixión (*ca.*1307), por Giotto di Bondone (Giotto). *Fresco de la capilla de los Scrovegni, Padua.*

La resurrección de Cristo
(*ca.*1463),
por Piero della Francesca.
Museo Civico, Sansepolcro.

el día en que los hombres pongan en práctica sus consejos, el mundo cambiará su rostro y se convertirá en un mundo *bueno*, digno del Dios único y perfecto que lo creó, y en el cual tú crees.

Las imágenes, las fórmulas y las exhortaciones se sucedían ahora en el sermón del Nazareno:

"Ustedes han oído que se dijo: *Ojo por ojo y diente por diente.*[32] Pero yo les digo que no hagan frente al que les hace mal: al contrario, si alguien te da una bofetada en la mejilla derecha, preséntale también la otra. Al que quiere hacerte un juicio para quitarte la túnica, déjale también el manto; y si te exige que lo acompañes un kilómetro, camina dos con él. Da al que te pide, y no le vuelvas la espalda al que quiere pedirte algo prestado.

Ustedes han oído que se dijo: *Amarás a tu prójimo y odiarás a tu enemigo.* Pero yo les digo: Amen a sus enemigos, rueguen por sus perseguidores; así serán hijos del Padre que está en el cielo, porque él hace salir el sol sobre malos y buenos y hace caer la lluvia sobre justos e injustos. Si ustedes aman solamente a quienes los aman, ¿qué recompensa merecen? ¿No hacen lo mismo los publicanos? Y si saludan solamente a sus hermanos, ¿qué hacen de extraordinario? ¿No hacen lo mismo los paganos? Por lo tanto, sean perfectos como es perfecto el Padre que está en el cielo.

[...] Por lo tanto, cuando des limosna, no lo vayas pregonando delante de ti, como hacen los hipócritas en las sinagogas y en las calles, para ser honrados por los hombres. [...] Cuando tú des limosna, que tu mano izquierda ignore lo que hace la derecha, para que tu limosna quede en secreto; y tu Padre, que ve en lo secreto, te recompensará".[33]

Jesús siguió predicando de este modo hasta una hora avanzada del día, ante una multitud atenta y silenciosa, deteniéndose de vez en cuando para retomar el aliento y beber agua. Marcelo aprovecha-

---

32. Es la famosa y siniestra fórmula de la ley bíblica del talión (*Levítico* 24, 19-20), que en realidad se remonta al *Código de Amurabi*, mil años anterior a él: "Si alguien lesiona a su prójimo, lo mismo que él hizo se le hará a él: fractura por fractura, ojo por ojo, diente por diente".

33. *Mateo* 5, 38 y 6, 4.

ba esas interrupciones para corregir sus notas o releerlas, comentándoselas en voz alta a su compañero.

—Al final, Jesús actúa exactamente de la misma manera que los antiguos profetas judíos: no anuncia nada nuevo ni terrible a sus oyentes, no predice nada, y ni siquiera habla de la próxima venida del Reino de Dios. Se limita a *enseñar*, a proponer formas de conducta: no perjuren, eviten no sólo las malas acciones —que, por otra parte, son condenadas por la Torah—, sino también las malas intenciones, den limosna sin ostentación, no traten de vengar las ofensas que les hacen, y, en cambio, perdonen a los que los ofenden. Y les recuerda, como les decía Sócrates a sus discípulos hace varios siglos, que es preferible sufrir una injusticia que cometerla. En una palabra: Jesús no tiene nada de revolucionario, y Pilato puede dormir el sueño de los justos: el Nazareno es un hombre tranquilo que enuncia frases sencillas, sin comentarios, y recomienda algunas reglas elementales a sus fieles, a quienes aconseja vivir sin ostentación y en el respeto al otro. Cuando predica como lo está haciendo en este momento, en esta montaña, no parece un profeta exaltado, como lo eran Jeremías o Isaías, ni un profeta místico, como me pareció Juan cuando lo vi predicando en el Jordán: su discurso me hace pensar más en el estilo de los *Proverbios* que la Biblia de los judíos le atribuye a Salomón...

—¿Tú has leído nuestra Biblia, caballero?

—Más de una vez, Hiram: es la mejor manera de entender la mentalidad de los palestinos de Judea, Samaria o Galilea. Pues bien, mientras escuchaba hoy hablar a Jesús, comprobé que no hablaba como un orador: su Sermón de la Montaña no es un discurso organizado, sino una sucesión de sentencias breves y llenas de imágenes, sin comentarios, que presenta como afirmaciones indiscutibles: *"Amen a sus enemigos"*, *"Si tu ojo es motivo de pecado, arráncalo"*, *"A quien quiera quitarte la túnica, déjale también el manto"*, etcétera. Jesús no demuestra, no argumenta: afirma. Todo lo que hemos oído esta mañana, es sólo una sucesión de afirmaciones.

—Es lo que le gusta a la gente común, caballero, que huye de los razonamientos rebuscados que no comprende, y los mira con el recelo de un gato que acecha una ratonera. Pero esta manera de predicar con sentencias es novedosa en Jesús: en Cafarnaún, cuando discutía con los fariseos, procedía en forma diferente.

—¿Cómo?

—Acuérdate del papiro de Agorastocles que leímos juntos en tu jardín, en Jerusalén, a principios de marzo.

—¿Cuál, fenicio? ¿El primero o el segundo?

—El segundo papiro, caballero, en el cual mi informante me contaba lo que había pasado en Cafarnaún.

—¡Ah, ahora me acuerdo! Hablaba de una discusión que había tenido Jesús con los fariseos sobre el ayuno.

—Exactamente, caballero. Esos fariseos le habían preguntado por qué él y sus discípulos no ayunaban al menos dos veces por semana, como lo hacían ellos mismos, y Jesús les había contestado: *"¿Acaso los invitados a la boda pueden ayunar cuando el esposo está con ellos? Llegará el momento en que el esposo les será quitado, y entonces ayunarán"*. Y agregó: *"No se pone vino nuevo en odres viejos"*.

—¿Adónde quieres llegar, Hiram?

—A esto: esa manera de responder a una objeción no es una simple sentencia, sino una especie de comparación con imágenes, de las que se encuentran a menudo en la Biblia: se llama *maschal* en hebreo. Esta palabra fue traducida por los setenta y dos doctores de la Ley de Alejandría que tradujeron la Biblia al griego hace tres siglos,[34] como *parábola*.[35] La frase de Jesús sobre el vino nuevo no es una simple sentencia: es un *maschal*, una parábola, y él usa este procedimiento con frecuencia. Por ejemplo, cuando esos mismos escribas fariseos le reprocharon, siempre en Cafarnaún, el hecho de asistir al banquete organizado por el recaudador de impuestos, donde había otros publicanos que infringían la Ley colaborando con los paganos romanos y gente de mala vida, él les respondió con una parábola, comparando a los paganos con enfermos, y a sí mismo con un médico: *"No son los sanos los que tienen necesidad del médico, sino los enfermos. Yo no he venido a llamar a los justos, sino a los pecadores"*.[36] En las sinagogas, los doctores y los escribas suelen usar pa-

34. Esta versión griega de la Biblia, llamada "Biblia de los Setenta", fue terminada en 285 a.C.

35. "Parábola" proviene de la palabra griega *parabole*, que significa "comparación".

36. *Marcos* 2, 17.

rábolas en sus prédicas como un medio pedagógico, para explicarles a los creyentes la importancia de la Ley.

—Hasta este momento, en el sermón que está pronunciando, Jesús no usó ese procedimiento —observó Marcelo.

—No necesitó hacerlo, caballero, porque por ahora sólo enunció sentencias simples y precisas. Empleó sólo algunas imágenes, por ejemplo cuando comentó la ley del talión o se refirió a la manera de dar limosna... Pero creo que no tardará en utilizarlas, cuando trate de explicarle con mayor claridad a la gente sencilla aquí reunida algunos preceptos, que entenderán mejor si les habla a través de parábolas que si usa términos abstractos. Escuchemos cómo sigue su sermón.

Por la expresión seria y pensativa que ahora tenía Jesús, Marcelo comprendió que el Nazareno abordaría temas más religiosos que las reglas de vida social que había tratado hasta ese momento, y su predicación tomaría un carácter más teológico. Su voz se hizo más grave y más firme:

"Cuando ustedes oren, no hagan como los hipócritas: a ellos les gusta orar de pie en las sinagogas y en las esquinas de las calles, para ser vistos.37 Les aseguro que ellos ya tienen su recompensa. Tú, en cambio, cuando ores, retírate a tu habitación, cierra la puerta y ora a tu Padre que está en lo secreto; y tu Padre, que ve en lo secreto, te recompensará. Cuando oren, no hablen mucho, como hacen los paganos: ellos creen que por mucho hablar serán escuchados. No hagan como ellos, porque el Padre que está en el cielo sabe bien qué es lo que les hace falta, antes de que se lo pidan. Ustedes oren de esta manera:

Padre nuestro, que estás en el cielo,
santificado sea tu Nombre,
que venga tu Reino,
que se haga tu voluntad en la tierra como en el cielo.
Danos hoy nuestro pan de cada día.
Perdona nuestras ofensas,

37. La plegaria debía decirse a horas fijas, y por lo tanto, muchas veces se hacía en lugares públicos. Algunos aprovechaban la oportunidad para hacer ostentación de su devoción.

como nosotros perdonamos a los que nos han ofendido.
No nos dejes caer en la tentación,
sino líbranos del mal.[38]

—Todo esto es muy conmovedor, Hiram, y es evidente que Jesús ha cambiado de tono. Hasta ahora, consoló a los desdichados, invitó a quienes lo escuchaban a hacer el bien, habló por medio de sentencias, resumió las reglas morales fundamentales, y se las recomendó a sus seguidores en esta bellísima plegaria, que, hay que reconocerlo, es más fácil de recordar y de entender que los innumerables artículos del *Levítico* y del *Deuteronomio*. Pero ahora deberá entrar en el meollo del tema y anunciar por fin su famosa Buena Noticia, es decir, deberá transformarse en teólogo.

—¿Qué quieres decir?

—Que no basta decirles a los hombres qué hay que hacer y qué no hay que hacer para ser feliz en la vida, fenicio: también hay que hablarles sobre el destino que les aguarda después de su muerte. Porque eso es lo que nos quita el sueño a los pobres mortales. Hasta los paganos más paganos de África se plantearon la misma pregunta, e inventaron teorías rudimentarias para responder a ella. Y nosotros, por ejemplo, los romanos o los griegos, pensamos que cada hombre tiene en su cuerpo un alma inmortal que, a su muerte, abandonará su envoltura carnal para vivir eternamente en la Morada de los Muertos, es decir, en los Infiernos. Pero no tenemos ninguna idea de lo que será de ella y de qué manera vivirá allí: lo sabremos cuando estemos allí. Y ustedes, los judíos, ¿qué doctrina tienen al respecto?

—Tú la conoces, caballero: rabí Samuel te la explicó cuando estuvimos en Samaria, en Siquem,[39] hace más de treinta años, y después, tú mismo hablaste mil veces de ella, conmigo, con sacerdotes y con eremitas. Para los judíos, el hombre y la mujer fueron hechos del limo de la tierra, y Yahveh, al soplar en sus narices, los dotó de un alma inmortal que se separa del cuerpo cuando éste muere, y que vegetará por toda la eternidad en el *sheol*, donde olvidará lo que

38. *Mateo* 6, 5-13.
39. Véase p. 73.

ha sido, y los vivos también la olvidarán a ella. Al menos, ésa es la doctrina tradicional. Más tarde, se agregaron diversas variantes, que hablan de la resurrección de los muertos en un plazo no conocido. Las doctrinas que están de moda ahora sobre el fin del mundo, el apocalipsis y otras cantilenas, le dan un lugar importante a la resurrección de los muertos, pero son completamente fantasiosas. La más elaborada es la de los esenios,[40] que tú conoces, y estoy convencido de que pronto descubriremos la de Jesús.

—Si lo que me dices sobre el empleo de parábolas es cierto, mi querido Hiram, éste será el momento oportuno para que nuestro amigo las use: el tema de la inmortalidad del alma es tan abstracto que sólo Platón logró tratarlo con alguna claridad. Él también tuvo que apelar a lo que tú llamas una "parábola", y él denominaba un "mito".

—Escuchemos a Jesús, caballero, y veamos si se las arregla mejor que tu Platón.

La voz del Nazareno resonaba en el atardecer y tomaba un inesperado relieve:

"No acumulen tesoros en la tierra, donde la polilla y la herrumbre los consumen, y los ladrones perforan las paredes y los roban. Acumulen, en cambio, tesoros en el cielo, donde no hay polilla ni herrumbre que los consuma, ni ladrones que perforen y roben. Allí donde esté tu tesoro, estará también tu corazón".[41]

—¡Aquí está su primera parábola! —exclamó Marcelo al oír estas palabras—. Si hay un estado imposible de describir en términos realistas, es el de nuestra alma cuando hayamos dejado esta tierra... si es que tenemos un alma, cosa que nuestro Nazareno no nos dice.

—Nos lo da a entender, caballero, ya que en esta parábola contrapone la vida terrenal a la vida celestial.

—Pero no nos da ninguna razón, ninguna prueba de la realidad de esa vida celestial.

—Lamentablemente no. Al parecer, simplemente hay que creer

---

40. Véase p. 107 y ss.
41. *Mateo* 6, 19-21.

en ella: ésa es la virtud de la fe. Hay que creer en la Noticia de que existe un Reino de Dios sin polilla ni herrumbre, donde nuestra alma vivirá por toda la eternidad, si lo merece. Aunque no sé nada acerca de mi destino, ni sobre la existencia de un alma en mi interior, que sobreviva a la decadencia de mi cuerpo, te confieso, Marcelo, que oír hablar a Jesús del Reino de Dios aplaca todas mis angustias, mientras que ningún sermón de ningún rabino calmó nunca mi inquietud.

Marcelo también se estaba dejando mecer, poco a poco, sin darse cuenta, por la suave y persuasiva voz del Nazareno, que desgranaba sus parábolas reconfortantes y generosas:

"No se inquieten por su vida, pensando qué van a comer, ni por su cuerpo, pensando con qué se van a vestir. ¿No vale acaso más la vida que la comida y el cuerpo más que el vestido? Miren los pájaros del cielo: ellos no siembran ni cosechan, ni acumulan en graneros, y sin embargo, el Padre que está en el cielo los alimenta. ¿No valen ustedes acaso más que ellos? [...] Miren los lirios del campo, cómo van creciendo sin fatigarse ni tejer. Yo les aseguro que ni Salomón, en el esplendor de su gloria, se vistió como uno de ellos. [...] No se inquieten entonces, diciendo: '¿Qué comeremos, qué beberemos, o con qué nos vestiremos?'. El Padre que está en el cielo sabe bien que ustedes necesitan todas esas cosas. Busquen primero el Reino y su justicia, y todo lo demás se les dará por añadidura. No se inquieten por el día de mañana; el mañana se inquietará por sí mismo. A cada día le basta su aflicción".[42]

"Sean misericordiosos, como el Padre de ustedes es misericordioso. No juzguen y no serán juzgados; no condenen y no serán condenados; perdonen y serán perdonados. Den, y se les dará. Les volcarán sobre el regazo una buena medida, apretada, sacudida y desbordante. Porque la medida con que ustedes midan también se usará para ustedes.

[...]

¿Por qué miras la paja que hay en el ojo de tu hermano y no ves la viga que está en el tuyo? ¿Cómo puedes decir a tu hermano: 'Herma-

42. *Mateo* 6, 25-34.

no, deja que te saque la paja de tu ojo', tú, que no ves la viga que tienes en el tuyo? ¡Hipócrita!, saca primero la viga de tu ojo, y entonces verás claro para sacar la paja del ojo de tu hermano.43

Todo lo que deseen que los demás hagan por ustedes, háganlo por ellos: en esto consiste la Ley y los Profetas.

Entren por la puerta estrecha, porque es ancha la puerta y espacioso el camino que lleva a la perdición, y son muchos los que van por allí. Pero es angosta la puerta y estrecho el camino que lleva a la Vida, y son pocos los que lo encuentran.

Tengan cuidado de los falsos profetas, que se presentan cubiertos con pieles de ovejas, pero por dentro son lobos rapaces. Por sus frutos los reconocerán. ¿Acaso se recogen uvas de los espinos o higos de los cardos?

[...] No son los que me dicen: 'Señor, Señor', los que entrarán en el Reino de los Cielos, sino los que cumplen la voluntad de mi Padre que está en el cielo. Muchos me dirán en aquel día: 'Señor, Señor, ¿acaso no profetizamos en tu Nombre? ¿No expulsamos a los demonios e hicimos muchos milagros en tu Nombre?'. Entonces yo les manifestaré: 'Jamás los conocí; apártense de mí, ustedes, los que hacen el mal'.

Así, todo el que escucha las palabras que acabo de decir y las pone en práctica, puede compararse a un hombre sensato que edificó su casa sobre roca. Cayeron las lluvias, se precipitaron los torrentes, soplaron los vientos y sacudieron la casa; pero esta no se derrumbó porque estaba construida sobre roca. Al contrario, el que escucha mis palabras y no las practica, puede compararse a un hombre insensato, que edificó su casa sobre arena. Cayeron las lluvias, se precipitaron los torrentes, soplaron los vientos y sacudieron la casa: ésta se derrumbó, y su ruina fue grande".44

Jesús se había callado. De pie, inmóvil bajo la luz de la luna que inundaba el valle hacia donde empezaba a descender la multitud, secaba con su *keffieh* la transpiración de su frente y las lágrimas que corrían por sus mejillas. Sabía que había convencido a

43. *Lucas* 6, 36-42.
44. *Mateo* 7, 12-27.

esos hombres y esas mujeres que creían en él, y que sus últimas parábolas, con las que había terminado el Sermón de la Montaña, la autoridad con la que las había presentado, habían impactado a su auditorio. Entonces, bajó a su vez, a grandes pasos, hacia el lago de Tiberíades, atravesó Cafarnaún, donde se cruzó con el centurión cuyo sirviente había curado unos días atrás, y llegó hasta la casa de Simón Pedro, en Betsaida, donde se hospedó, agotado y feliz como un navegante que hubiera escapado de un peligroso naufragio.

Mucho antes de haber sido reclutado por Jesús, Simón —a quien de ahora en adelante llamaremos "Pedro", como lo había llamado Jesús en Betabara— era un personaje importante en Betsaida. Propietario de una gran empresa pesquera, poseía una de las casas más hermosas del pueblo, que, vista desde el exterior, tenía la apariencia de todas las viviendas campesinas de Galilea, como un gran cubo blanqueado a la cal. Sin embargo, se distinguía de las demás casitas de la aldea por su tamaño, y sobre todo por su patio central, que se parecía a un *atrium* en miniatura, como los de las mansiones romanas, y por su techo, que era, en realidad, una terraza plana, levemente inclinada, para que las gotas de lluvia pudieran correr hacia los canalones, y estaba rodeada por una baranda, como lo exigía la Torah.45 El cuerpo principal de la construcción estaba constituido por una única pieza grande, que servía al mismo tiempo de comedor y de dormitorio. La cocina estaba instalada en el patio, debajo de un cobertizo, y en la terraza se había levantado otra habitación, tendiendo un toldo sobre algunos tablones: se la llamaba la "habitación alta", y se utilizaba a veces como dormitorio extra para los huéspedes de paso, y a veces como comedor, cuando había muchos comensales en la casa. Se llegaba a la terraza y a la habitación alta por medio de una especie de escalera de molino.

Aquella noche, había mucha gente en la casa de Pedro. Frente a ella se agolpaban muchos pescadores del lago de Tiberíades, que habían acudido por amistad hacia los apóstoles; las mujeres que se

45. "Cuando construyas una casa nueva, pondrás una baranda alrededor de la terraza. Así no harás a tu casa responsable de derramamiento de sangre, en el caso de que alguien se caiga de allí" (*Deuteronomio* 22, 8).

ocupaban de la casa y solían acompañar a Jesús en sus giras de predicación en Galilea; curiosos llegados de Cafarnaún o de otras partes, y escribas, que seguramente habían sido enviados por Jerusalén
para investigar sobre el Nazareno. Marcelo e Hiram, que habían bajado de la montaña con Jesús, también estaban presentes.

—No quiero alejarme de Jesús en este momento —le dijo el caballero a su amigo fenicio—. Puede necesitarme y, en caso de peligro, le ofreceré mi protección: después de todo, sigo siendo el representante del emperador. Herodes el Tetrarca, que ya debe de haber
llegado a su palacio de Tiberíades, está ahora en cierto modo bajo
mis órdenes.

Alrededor de la pequeña casa de Betsaida, toda esa gente se mo-
vía, hablaba, interrogaba, lloraba. Los escribas, que estaban informados sobre el contenido del Sermón de la Montaña, mostraban
una expresión severa.

—Está habitado por Belzebul, el príncipe de los demonios, no
cabe ninguna duda —dijo uno de ellos.

—¡Pero sin embargo —objetó un pescador— yo vi a Jesús expulsando demonios del cuerpo de un hombre enfermo!

—Expulsa a los demonios por medio del príncipe de los demonios que habita en él —respondió el escriba.

Le fueron a contar esto a Jesús, que se defendió de esa acusación por medio de parábolas.[46]

—Un reino donde hay luchas internas —dijo— no puede subsistir. Y una familia dividida tampoco puede subsistir. ¿Cómo Satanás
va a expulsar a Satanás? Si Satanás se levantó contra sí mismo, expulsando un demonio, entonces, al igual que una familia, ya no
puede subsistir. Escuchen también esta parábola: nadie puede entrar en la casa de un hombre fuerte y saquear sus bienes, si primero no lo ata.

Los escribas se dieron por enterados. En ese momento llegaron
la madre y los hermanos de Jesús —Santiago, José y Judas—, que
no se atrevieron a entrar a la casa de Simón donde vivía Jesús. Un
discípulo solícito le fue a avisar sobre su presencia:

—Jesús, tu madre y tus hermanos te buscan ahí afuera.

---

46. Cf. *Marcos* 3, 22-27.

Jesús, que estaba conversando con algunos de sus fieles, hombres y mujeres, que lo habían seguido hasta la montaña, le respondió, recorriendo con la mirada a los que estaban sentados alrededor de él:

—¿Quién es mi madre y quiénes son mis hermanos? Éstos son mi madre y mis hermanos. Porque el que hace la voluntad de Dios, ése es mi hermano, mi hermana y mi madre.

Hablaron durante horas, aquella noche, a la luz de algunas lámparas de aceite, sobre la jornada que habían pasado en la montaña donde Jesús había predicado. Luego, uno a uno, los pescadores, los discípulos y los curiosos se dispersaron, y los escribas partieron hacia Jerusalén. En cuanto a Marcelo e Hiram, optaron por pernoctar en Tiberíades, en la casa de estilo romano de un rico negociante griego, que gozaba del favor de Herodes Antipas. Éste había regresado finalmente de Roma, se había instalado definitivamente en su suntuoso palacio de mármol al borde del lago, y dormía con el sueño tranquilo de los poderosos, entre los rollizos brazos de Herodías...

15

Velar las armas

Abril, año 781 de Roma
(28 d.C., antes de la Pascua)

En Tiberíades: Marcelo e Hiram se preguntan sobre la Buena Noticia (J + 4, a la mañana, en la piscina) – En Cafarnaún, Jesús predica por medio de parábolas, sentado en una barca (J + 4, una hora más tarde), y al anochecer, parte hacia las montañas de Galilea – En Magdala, Galilea: en un cobertizo, Jesús da sus instrucciones a los Doce, y los envía a predicar la Buena Noticia: "Conviértanse y crean en la Buena Noticia" (J + 6).

Marcelo se despertó con el canto del gallo y los gritos de los pescadores que se llamaban de un peñasco a otro, en la ribera septentrional del lago de Tiberíades. Apenas había abierto los ojos cuando oyó que alguien rascaba la puerta de una sola hoja, que los romanos llamaban *foris*, y que separaba su habitación de la galería que llevaba a las termas privadas de la confortable villa romana en la que había dormido. El "rascador" no era otro que Hiram, a quien encontró algunos minutos más tarde, chapoteando feliz en la piscina del *frigidarium*.

—¡Ven aquí! —le gritó el fenicio—. Después de la jornada de ayer en la montaña, y antes de la de hoy, que será bastante movida, nada mejor que un buen baño helado.

Ésa también era la opinión de Marcelo, que no se hizo repetir la invitación: se desvistió rápidamente, se arrojó de cabeza al agua en un movimiento que habría causado la admiración de los pescadores de corales del mar Rojo, y en pocas brazadas, alcanzó a su amigo, que hacía perezosamente la plancha en la mitad de la piscina.

—¿Cuál es el programa de hoy de Jesús, caballero? ¿Sabes a qué lugar piensa llevarnos?

—Pedro me dijo que tenía la intención de ir a predicar al borde del lago, como lo hace a menudo, sentado en una barca, frente a la multitud que se reúne habitualmente en la orilla.

—¿El apóstol te dijo cuál sería el tema del sermón?

—Él tampoco lo sabe. Cuando le hice la pregunta, anoche, antes de despedirme, me contestó: "Nuestro maestro jamás prepara sus sermones: obedece a la inspiración del momento". Y cuando le pregunté de dónde sacaba esa inspiración, si de sus propias reflexiones sobre la condición humana o de la lectura de los Libros sagrados, pareció escandalizado, como si yo hubiera dicho algo improcedente o una blasfemia...

—Pero tú tienes alguna idea, caballero...

—Sí. Creo que Jesús repetirá, a orillas del mar de Galilea, lo que predica desde hace tres semanas en los pueblos y las aldeas de la Alta Galilea, y que se puede resumir en una fórmula muy sencilla: *"Ésta es la Buena Noticia: conviértanse"*...

—¿Qué entiende Jesús por "Buena Noticia"?

—En la antigüedad, en la época de Moisés, por ejemplo, los judíos consideraban que Yahveh sólo era el dios del pueblo de Abraham, y admitían que los demás pueblos tuvieran sus propios dioses. Esa época pasó hace mucho tiempo. Ahora, los teólogos judíos afirman que Yahveh es el Dios único que gobierna el mundo que ha creado, y que los demás dioses, los de las naciones paganas, son falsos dioses, nacidos de la imaginación de los pueblos que no tienen la suerte de pertenecer a la descendencia de Abraham.

—¿Y qué razones dan esos teólogos para el hecho de que sólo el minúsculo pueblo judío haya encontrado gracia ante los ojos de ese Dios único, creador y gobernador del mundo, del que están tan orgullosos?

—Es una excelente pregunta, Hiram, pero no es nueva: hace siglos que nuestros doctores se la plantean. Poco a poco, especialmente después del cautiverio en Babilonia, se abrió camino la idea de que los otros pueblos, además del pueblo judío, podían gozar de la benevolencia de Yahveh, y muchos predicadores judíos de la diáspora se propusieron entonces iluminar a los paganos entre los cuales vivían, y apartarlos de sus ídolos de mármol o de piedra, para llevarlos al culto del verdadero Dios de Abraham. Es la tesis del *universalismo* de la religión de Yahveh, que ya enunció hace mil años un salmo de David:

"Todos los confines de la tierra se acordarán y volverán al
[Señor;
todas las familias de los pueblos se postrarán en su presencia.

Porque sólo el Señor es rey y él gobierna a las naciones.
Ante él se postrarán todos los poderosos de la tierra;
ante él se doblarán cuantos bajan al polvo".[1]

Y aparece en otro salmo, en una forma aún más explícita:

"Aplaudan, todos los pueblos,
aclamen al Señor con gritos de alegría;
porque el Señor, el Altísimo, es temible,
es el soberano de toda la tierra.
Él puso a los pueblos bajo nuestro yugo,
y a las naciones bajo nuestros pies;
Él eligió para nosotros una herencia,
que es el orgullo de Jacob, su predilecto.
El Señor asciende entre aclamaciones,
asciende al sonido de trompetas.
Canten, canten a nuestro Dios,
canten, canten a nuestro Rey:
el Señor es el Rey de toda la tierra,
cántenle un hermoso himno.
El Señor reina sobre las naciones".[2]

—Ésa es la Buena Noticia: todos los hombres y todas las mujeres, sean o no judíos, serán salvados después de su muerte, porque
Dios les enviará un Mesías, es decir, su representante en la tierra, y
ellos deben convertirse, es decir, cambiar de vida, dejar de hacer el
mal, respetar la Ley que Yahveh le dio a Moisés, para ser salvados.
—Eso es un poco diferente a lo que predicó Jesús ayer en la
montaña, Marcelo...
—Sí. Si entiendo bien su forma de proceder, Jesús enunció reglas
sencillas concernientes a la moral cotidiana: que la manera de dar vale más que lo que se da, que si te golpean en la mejilla izquierda debes responder ofreciendo la mejilla derecha, etcétera. En mi opinión,
hoy revelará por qué es necesario comportarse de esa manera.

1. *Salmos* 22, 28-31.
2. *Salmos* 47, 2-9.

—Entonces, ¡salgamos rápido de este *frigidarium* y corramos a Cafarnaún, caballero! Él siempre predica allí cuando va al lago, desde el final del año pasado. Tú lo sabes bien.

Una hora más tarde, recién afeitados, a la manera romana, y vestidos con ropa liviana, los dos amigos lograban abrirse paso entre la multitud reunida en la pequeña rada de Cafarnaún, frente al mar, para escuchar a Jesús. Éste predicaba, sentado en el banco de una barca que se balanceaba a merced del viento. El chapoteo de las pequeñas olas que golpeaban suavemente el casco de su esquife marcaba un contrapunto con sus palabras, y sus fieles, inmóviles y mudos, las recibían con una suerte de alegría interior que se podía adivinar en el brillo de sus miradas.

"¡Escuchen! El sembrador salió a sembrar. Mientras sembraba, parte de la semilla cayó al borde del camino, y vinieron los pájaros y se la comieron. Otra parte cayó en terreno rocoso, donde no tenía mucha tierra, y brotó en seguida porque la tierra era poco profunda; pero cuando salió el sol, se quemó y, por falta de raíz, se secó. Otra cayó entre las espinas; éstas crecieron, la sofocaron, y no dio fruto. Otros granos cayeron en buena tierra y dieron fruto: fueron creciendo y desarrollándose, y rindieron ya el treinta, ya el sesenta, ya el ciento por uno. ¡El que tenga oídos para oír, que oiga!".[3]

Después de estas palabras, se hizo un gran silencio. Hiram, perplejo, le preguntó a Marcelo cuál era el significado del comienzo de esa prédica:

—Es una parábola, estoy seguro —le dijo—, pero ¿cómo hay que interpretarla?

—No eres el único que no entiende. Mira a los apóstoles, que están discutiendo con Jesús: es evidente que le están pidiendo que les explique. Acerquémonos, pues, a su barca: vale la pena mojarse los pies para oír lo que les dice.

Los dos hombres se quitaron las sandalias, se recogieron las túnicas y entraron en el agua tibia del mar de Galilea. La embarcación en la que se encontraba Jesús estaba a unos diez metros de la orilla.

3. *Marcos* 4, 3-9.

Cuando Marcelo e Hiram llegaron hasta ella, el Nazareno les estaba explicando a los Doce —que estaban de pie rodeando la barca con los pies en el agua— por qué había decidido hablar en parábolas:

—Para ustedes, el advenimiento del Reino de Dios ya no es un misterio: yo se los revelé, y hemos hablado muchas veces de eso. Pero para todas esas personas que están allá, en la playa, todavía es un enigma. Sólo puedo descifrarles ese enigma empleando parábolas, comparaciones: podrán tener ojos y oídos, pero cuando miran, no ven, y cuando oyen, no entienden. La parábola del sembrador, en cambio, se explica por sí misma. El sembrador es el predicador que siembra la palabra de Dios, la Buena Noticia. Cuando esta palabra cae en los oídos de quienes están "en el borde del camino", llega Satán y les arranca la Palabra que ha sido sembrada en ellos, para que no la entiendan. Del mismo modo, quienes están "en terrenos rocosos" son los hombres y las mujeres que primero la reciben con alegría, cuando la oyen, pero que no tienen suficiente constancia, no tienen suficientes recursos dentro de ellos mismos, no tienen bastante perseverancia. En cuanto tienen alguna tribulación o son perseguidos por regocijarse en la Palabra, renuncian, porque son hombres y mujeres de un momento. Otros están "entre las espinas": oyen la Palabra, pero las preocupaciones del mundo, la seducción de las riquezas y otros apetitos ahogan en ellos la Palabra de Dios, que entonces no da fruto. Por último, están los que recibieron la semilla de la Palabra en una "buena tierra": ésos la oyeron claramente y la acogieron con alegría, de manera que en ellos la Palabra fructifica con provecho. Ése es el significado de la Parábola del Sembrador.4

Marcelo había escuchado atentamente las palabras de Jesús. Éste, después de pedirles a sus apóstoles que se alejaran, se había incorporado en la barca para enunciar otras parábolas frente a la multitud que, cada vez más densa, se apretujaba en la orilla escarpada del lago:

"¿Acaso se trae una lámpara para ponerla debajo de un cajón o debajo de la cama? ¿No es más bien para colocarla sobre el candelero?

---

4. *Marcos* 4, 14-20.

Porque no hay nada oculto que no deba ser revelado y nada secreto que no deba manifestarse. ¡Si alguien tiene oídos para oír, que oiga! ¡Presten atención a lo que oyen! La medida con que midan se usará para ustedes, y les darán más todavía. Porque al que tiene, se le dará, pero al que no tiene, se le quitará aun lo que tiene.

El Reino de Dios es como un hombre que echa la semilla en la tierra: sea que duerma o se levante, de noche y de día, la semilla germina y va creciendo, sin que él sepa cómo. La tierra por sí misma produce primero un tallo, luego una espiga, y al fin grano abundante en la espiga. Cuando el fruto está a punto, él aplica en seguida la hoz, porque ha llegado el tiempo de la cosecha.

¿Con qué podríamos comparar el Reino de Dios? ¿Qué parábola nos servirá para representarlo? Se parece a un grano de mostaza. Cuando se la siembra, es la más pequeña de todas las semillas de la tierra, pero, una vez sembrada, crece y llega a ser la más grande de todas las hortalizas, y extiende tanto sus ramas que los pájaros del cielo anidan a su sombra".[5]

Estas palabras parecían haber conmovido al fenicio.

—Tú que conoces los sermones de los antiguos profetas y escuchaste a muchos de esos predicadores de hoy que anuncian a quien quiera escucharlos el fin del mundo o la venida del Mesías —le dijo Marcelo—, puedes comprobar, igual que yo, que, al hablarle a la gente común, Jesús no usa el lenguaje del mesianismo clásico. No parece interesarle el destino terrenal de Israel, no llama a las armas contra sus enemigos, presentes o futuros, predica la resignación, y no la rebelión: *"¡Transfórmense,* les dice a quienes lo escuchan, *que el Reino de Dios está cerca!"* No hay nada aquí que pueda entusiasmar a las masas...

—¿Y todos esos hombres y todas esas mujeres que lo escuchan en todos los lugares donde habla?

—No te hagas ilusiones, Hiram: hace apenas uno o dos meses que predica, y sólo logró convencer a poca gente, algunas decenas de personas solamente, quizás un centenar, que en general son personas desdichadas. Si exceptuamos a algunos hombres piadosos,

5. *Marcos* 4, 21-32.

conmovidos por su palabra, como Mateo, que abandonó sus funciones de recaudador de impuestos de Cafarnaún, o algunos enfermos a quienes devolvió la esperanza, Jesús, a decir verdad, no alcanzó todavía ni remotamente la fama de Juan el Bautista.

—Te encuentro muy pesimista, caballero.

—No soy pesimista, sino realista. Todos los días aparecen, en el Jordán y en otras partes, predicadores que anuncian que el fin del mundo ocurrirá pronto y que es hora de que los habitantes de este país se transformen interiormente en previsión del reino de Dios que se establecerá después del Apocalipsis. Porque —y esto no lo ignora nadie entre los judíos— el Espíritu divino sopla donde quiere. Pero en ese caso habría que creer que tocó a Jesús, para que sea escuchado por los escribas o los judíos prudentes. Por otra parte, el Nazareno entiende esto perfectamente: confrontado al recelo de los judíos muy instalados, que temen la aventura —y es comprensible cuando se piensa en la larvada guerra civil que desencadenaron hace años los zelotes—, optó por buscar apoyo en el entusiasmo de los humildes.

—¿Por eso es que limitó su campo de acción a Galilea, caballero?

—Cuando uno lo ve vagar de aquí para allá —y fracasar—, desde hace dos o tres meses, alrededor del mar de Galilea, sea en Nazaret, sea en Cafarnaún, sea en Caná, o en Naín o Gadara, parece evidente. ¡Y ahora incorporó a doce apóstoles!

—¿Qué ves de malo en ello?

—Hiram, ¿no entiendes que los va a enviar a través de toda Palestina: Galilea, Samaria, Judea, tal vez? Y mucho me temo que él mismo, con la fuerza de la desesperación y jugándose el todo por el todo, se irá a predicar a Jerusalén, lo que significa meterse en la boca del lobo, porque ni el Templo, ni los fariseos lo dejarán tranquilo. En el mejor de los casos, terminará como Juan el Bautista, en prisión, y en el peor, lapidado en el atrio del Templo. Incluso me pregunto si no se sentirá ya perseguido...

—¿Qué te hace decir eso?

—Desde hace varias semanas, nunca se queda en un solo lugar, y se desplaza sin cesar. Aparece cuando no se lo espera y desaparece subrepticiamente, sin avisar.

—Es muy normal, caballero: va a predicar la Palabra a los pueblos y las aldeas.

—Va a predicar, es cierto, pero casi en forma clandestina, sin anunciarlo antes, y nunca se sabe dónde se encuentra exactamente.

—Sin embargo, reunió abiertamente una gran cantidad de personas en la montaña.

—No anunció que daría un sermón... Se fue casi corriendo hacia arriba, la gente lo siguió y todo el mundo se sorprendió, yo en primer lugar, al verlo designar una docena de enviados en cierto modo oficiales, y oírlo predicar como lo hizo.

—Pero hoy está aquí, a orillas del lago, con sus apóstoles, caballero...

—Sí, pero ya verás que no permanecerá mucho tiempo: Jesús sabe que la policía de Herodes Antipas vigila sus acciones, y te apuesto a que esta noche habrá desaparecido de la región de Tiberíades.

A pesar de su fama de jugador, Hiram no apostó, e hizo bien: al anochecer, Jesús y sus apóstoles —"los Doce", como empezaban a llamarlos— habían desaparecido, después de que el Nazareno anunciara a quienes desearan seguirlo, que se iba a enseñar la Buena Noticia a las aldeas circundantes, y que pronto regresaría a las orillas del lago.

Pero no regresó. Uno de los informantes que tenía todavía el fenicio en Galilea, lo encontró por casualidad, cuarenta y ocho horas más tarde, en el montañoso pueblito perdido de Magdala, de donde era oriunda su discípula preferida, María Magdalena,[6] y descendió rápidamente hasta Tiberíades, para informar de ello a Marcelo.

—Jesús reunió a los Doce en un cobertizo que pertenece a los padres de María Magdalena —le dijo—, y los envió en misión, de a dos, con consignas extremadamente precisas que les detalló en un discurso improvisado.

—¿Qué decían esas consignas?

—Encargué que tomaran nota y transcribieran su discurso para ti en este papiro, señor caballero.

Marcelo miró sonriendo a Hiram:

—¡Tu servicio de informaciones es siempre perfecto, mi buen amigo! En otros tiempos, habrías podido hacer una carrera brillante en Roma como dirigente de nuestros servicios de espionaje...

6. Véase p. 313.

—Gracias por el cumplido, Marcelo. Pero estoy impaciente, seguramente como tú, por saber lo que contiene este informe. ¿Quieres que te lo lea en voz alta?

El romano, cuya vista declinaba con la edad, aceptó con gusto el ofrecimiento de su amigo, que desenrolló el precioso papiro y comenzó inmediatamente su lectura:

"No vayan a regiones paganas, ni entren en ninguna ciudad de los samaritanos (*Samaria tenía una población combinada de judíos considerados heréticos y no judíos*). Vayan, en cambio, a las ovejas perdidas del pueblo de Israel. Por el camino, proclamen que el Reino de los Cielos está cerca. Curen a los enfermos, resuciten a los muertos, purifiquen a los leprosos, expulsen a los demonios. Ustedes han recibido gratuitamente, den también gratuitamente. No lleven encima oro ni plata, ni monedas, ni provisiones para el camino, ni dos túnicas, ni calzado, ni bastón; porque el que trabaja merece su sustento.

Cuando entren en una ciudad o en un pueblo, busquen a alguna persona respetable y permanezcan en su casa hasta el momento de partir. Al entrar en la casa, salúdenla invocando la paz sobre ella. Si esa casa lo merece, que la paz descienda sobre ella; pero si es indigna, que esa paz vuelva a ustedes. Y si no los reciben ni quieren escuchar sus palabras, al irse de esa casa o de esa ciudad, sacudan hasta el polvo de sus pies. Les aseguro que, en el día del Juicio, Sodoma y Gomorra serán tratadas menos rigurosamente que esa ciudad.

Yo los envío como a ovejas en medio de lobos: sean entonces astutos como serpientes y sencillos como palomas. Cuídense de los hombres, porque los entregarán a los tribunales y los azotarán en las sinagogas. A causa de mí, serán llevados ante gobernadores y reyes, para dar testimonio delante de ellos y de los paganos. Cuando los entreguen, no se preocupen de cómo van a hablar o qué van a decir: lo que deban decir se les dará a conocer en ese momento, porque no serán ustedes los que hablarán, sino que el Espíritu de su Padre hablará en ustedes.

El hermano entregará a su hermano para que sea condenado a muerte, y el padre a su hijo; los hijos se rebelarán contra sus padres y los harán morir. Ustedes serán odiados por todos a causa de mi Nombre, pero aquel que persevere hasta el fin se salvará. Cuando los persigan en una ciudad, huyan a otra, y si los persiguen en ésta, huyan a una tercera. Les aseguro que no acabarán de recorrer las ciudades de Israel, antes de que llegue el Hijo del hombre.

El discípulo no es más que el maestro ni el servidor más que su dueño. Al discípulo le basta ser como su maestro y al servidor como su dueño. Si al dueño de casa lo llamaron Belzebul, ¡cuánto más a los de su casa!

No les teman. No hay nada oculto que no deba ser revelado, y nada secreto que no deba ser conocido. Lo que yo les digo en la oscuridad, repítanlo en pleno día; y lo que escuchen al oído, proclámenlo desde lo alto de las casas. No teman a los que matan el cuerpo, pero no pueden matar el alma. Teman más bien a aquel que puede arrojar el alma y el cuerpo a la Gehena. ¿Acaso no se vende un par de pájaros por unas monedas? Sin embargo, ni uno solo de ellos cae en tierra, sin el consentimiento del Padre que está en el cielo. Ustedes tienen contados todos sus cabellos. No teman entonces, porque valen más que muchos pájaros.

Al que me reconozca abiertamente ante los hombres, yo lo reconoceré ante mi Padre que está en el cielo. Pero yo renegaré ante mi Padre que está en el cielo de aquel que reniegue de mí ante los hombres".[7]

—¡Qué formidable profesión de fe! —exclamó Marcelo—. Con esto se pueden mover montañas... a condición de creer que existe un Padre en los cielos.

—No cambiarás nunca, caballero: seguirás siendo un pagano hasta tu último aliento. Pero ¿pensaste alguna vez en lo que serás después de ese último aliento?

—Un poco de polvo, o algo que no tiene nombre en ningún idioma, Hiram. Qué quieres, sólo creo en aquello que mi razón concibe o comprende, y confieso que ella es incapaz de adherir a lo que acabas de leerme, aunque sin duda ese discurso tiene clase. Pero puedo imaginarme el sobresalto que causará en el primer escriba o el primer fariseo que lo conozca: simplemente descarta a la Torah. ¡Esta profesión de fe producirá un gran impacto!

—Comparto tu opinión, Marcelo, y las últimas líneas de su dis-

---

7. *Mateo* 10, 5-33.

curso a sus apóstoles me preocupan. Escucha: les anuncia, no la paz, sino la espada:

"No piensen que he venido a traer la paz sobre la tierra. No vine a traer la paz, sino la espada. Porque he venido a enfrentar al hijo con su padre, a la hija con su madre y a la nuera con su suegra; y así, el hombre tendrá como enemigos a los de su propia casa.

El que ama a su padre o a su madre más que a mí, no es digno de mí; y el que ama a su hijo o a su hija más que a mí, no es digno de mí. El que no toma su cruz y me sigue, no es digno de mí. El que encuentre su vida, la perderá; y el que pierda su vida por mí, la encontrará."[8]

"[...] ¿Quién de ustedes, si quiere edificar una torre, no se sienta primero a calcular los gastos, para ver si tiene con qué terminarla? No sea que una vez puestos los cimientos, no pueda acabar y todos los que lo vean se rían de él, diciendo: 'Éste comenzó a edificar y no pudo terminar'.

¿Y qué rey, cuando sale en campaña contra otro, no se sienta antes a considerar si con diez mil hombres puede enfrentar al que viene contra él con veinte mil? Y si no, mientras el otro rey está todavía lejos, envía una embajada para negociar la paz.

De la misma manera, cualquiera de ustedes que no renuncie a todo lo que posee, no puede ser mi discípulo.

La sal es una cosa excelente, pero si pierde su sabor, ¿con qué se la volverá a salar? Ya no sirve ni para la tierra ni para abono: hay que tirarla. ¡El que tenga oídos para oír, que oiga!".[9]

—¿Terminaste, Hiram?

—Todavía no, caballero, pero ¿qué piensas de lo que acabo de leer?

—Mi primera impresión es que Jesús habla a la manera de los antiguos profetas de Israel, como un hombre iluminado por Dios que viene a anunciar a sus semejantes el cumplimiento de las promesas de Yahveh a su pueblo.

—No eres el único que piensa así, caballero. Oí decir que Hero-

8. *Mateo* 10, 34-39.
9. *Lucas* 14, 28-35.

des,[10] a quien le llegaron los rumores sobre la fama de Jesús, lo compara con Elías. Por otra parte, el mismo Jesús se ha presentado como un profeta cuando empezó a predicar en Galilea y sus oyentes dudaban de él: *"Un profeta es despreciado solamente en su pueblo, en su familia y en su casa"*, dijo.[11]

—Sin embargo, Hiram, tengo la impresión de que en apenas un mes, la actitud de Jesús ha cambiado. En el discurso que acabas de leerme, me parece que se presenta como un personaje absolutamente distinto a un profeta. Por ejemplo, cuando amenaza renegar ante *"su Padre que está en el cielo"* de los que no lo sigan o a quienes no son dignos de él. Incluso cuando se refiere a Dios como a su "Padre".

—Es cierto que ese discurso a sus apóstoles no suena como el sermón que pronunció en la montaña. Ahora Jesús parece mucho más seguro de sí mismo, pero cuando dice *"mi Padre"*, al referirse a Dios, creo que es sólo una manera de hablar. Porque al fin de cuentas, ¿acaso Dios no es el Padre de todos nosotros? Puedes dormir tranquilo, caballero: con ideas como ésas no atraerá las iras del Templo, te lo digo como buen judío practicante que soy. Sin embargo...

—¿Sin embargo?

—Bueno, creo que Jesús tendrá interés en mostrar más severidad con respecto a los paganos y los que viven en el pecado.

—¿Qué quieres decir con eso, Hiram?

—Haría mejor en moderar sus palabras si predica en Jerusalén, y no criticar la Ley de Moisés.

—Pero no la critica, Hiram. Él mismo lo dijo en la montaña: *"No vine para abolir la Ley, sino a cumplirla"*.

—Es precisamente este último verbo lo que puede hacer estallar de ira a los doctores de la Ley, caballero: al pretender "cumplir" la Ley, da a entender que no está completa, y esto es una verdadera blasfemia para todo buen judío. Y no hablo de todos los comentarios que acostumbra hacer sobre el talión, el adulterio, la repudiación o la observancia del shabbat. Piensa, Marcelo, que el respeto

---

10. Se trata, por supuesto, de Herodes Antipas, tetrarca de Perea y Galilea.
11. *Marcos* 6, 4.

al shabbat es una prescripción tan importante para los judíos, que algunos pasajes de la Biblia mencionan la pena de muerte como castigo para quienes no la cumplen: *"Observarán el sábado, porque es sagrado para ustedes. El que lo profane, será castigado con la muerte"*, puede leerse en las Escrituras.[12] Entonces, ¿cómo quieres que reciban los escribas escrupulosos las palabras de Jesús a los fariseos cuando les dijo que *"El sábado ha sido hecho para el hombre, y no el hombre para el sábado"*?[13] No hay un solo judío que se atreva a afirmar eso en Jerusalén, pues sería lapidado en el acto o, por lo menos, llevado ante el Sanedrín. Y como estamos a pocos días de la Pascua, temo que, si sube a Jerusalén, Jesús provoque un escándalo, a pesar de la promesa que hizo de no cambiarle ni una *iota* a la Ley.

—Debo admitir que experimento los mismos temores que tú, Hiram. La constitución del grupo de los Doce y la misión que acaba de confiarles son la prueba de la determinación de Jesús: si llega a predicar en Jerusalén, podría suceder cualquier cosa, y el futuro del hijo del carpintero de Nazaret estaría en peligro. Porque los acontecimientos que hemos vivido esta semana, desde el Sermón de la Montaña hasta las instrucciones de Jesús a sus apóstoles, representan una verdadera vela de armas. Para él, llegó la hora de anunciar solemnemente, frente al mundo, y al mundo judío en particular, lo que viene proclamando desde el comienzo mismo de su predicación en Galilea, hace casi tres meses: [14] *"El tiempo se ha cumplido: el Reino de Dios está cerca. Conviértanse y crean en la Buena Noticia"*. Y para que este anuncio se propague como él lo desea a través del mundo, debe hacerlo en Jerusalén en el día de la Pascua, la fiesta más sagrada de los judíos.

12. *Éxodo* 31, 14.
13. *Marcos* 2, 27.
14. Véase *Marcos* 1, 15.

16
Primera subida de Jesús a Jerusalén

Fin de abril-principios de mayo, año 781 de Roma
(28 d.C.)

En Tiberíades: discusión entre Marcelo e Hiram sobre la naturaleza del Reino de Dios y de la Buena Noticia (J+ 4, a la noche) – Mensaje de Juan (en prisión en Maqueronte) a Jesús – Jesús parte hacia Jerusalén; Marcelo e Hiram parten hacia allí dos días después (alrededor de J + 8) – Jesús expulsa a los mercaderes del Templo (¿J + 12?) – Conversación entre Jesús y Nicodemo (¿J + 14?)– Muerte de Juan, decapitado en prisión (?) – Jesús regresa a Galilea por Samaria (fin de abril de 28) – En Sicar: diálogo de Jesús con una samaritana (principios de mayo de 28) – Nueva exposición de su doctrina y nuevo cuestionamiento de la Torah (principios de mayo de 28).

Ya no se podía negar que el anuncio del advenimiento del Reinado de Dios — del "Reino", como decían los allegados a Jesús— ocupaba un lugar central en la enseñanza del Nazareno. Ésa era la "Buena Noticia", el *Euaggelion* ("el Evangelio"), sobre la que Marcelo e Hiram estaban discutiendo, a altas horas de la noche, mientras tomaban el fresco en la terraza de su villa, en Tiberíades, después de la partida del informante del fenicio hacia Galilea.

—¿Cómo ves ese Reino que nos promete Jesús, caballero? ¿Como un verdadero reino, que ocuparía una parte de la tierra, e incluso toda la tierra, instaurado después de algún gigantesco conflicto o de una fabulosa predicación, y que reemplazaría al mismo tiempo al imperio romano, al imperio persa y a todos los demás reinos particulares?

—No creo que Jesús imagine de esa manera el advenimiento del Reino. Si él cree profundamente en la existencia de un Dios omnipotente, y si por "Reino de Dios" entiende una especie de Estado material, territorial diría, sería absurdo creer que el Eterno tuviera necesidad de luchar para instaurarlo. Lo haría surgir en un instante, a través del milagro de un cataclismo cósmico que se tra-

gara este mundo de iniquidad, miseria e ignorancia en el que viven los hombres, para reemplazarlo, mediante un acto de voluntad
semejante al que ejerció cuando dijo *"Fiat Lux"*, por un universo
de justicia y felicidad, del que Satán sería excluido por toda la eternidad.

—¿Y qué pasaría con los hombres?

—Los que hubieran llevado a cabo su conversión tendrían su lugar en ese mundo de alegría, y los demás serían excluidos, como Satán. Dicho de otro modo, Hiram, la Buena Noticia es en cierto modo como la invitación a un banquete eterno.

—¿Estás seguro de lo que me dices, caballero? ¿Es eso lo que
realmente ocurrirá?

—No estoy muy seguro. Es sólo una hipótesis.

—¿Podrían imaginarse otras hipótesis?

—Yo no tengo una imaginación delirante en la materia, pero
creo que, en efecto, podría aventurarse otra hipótesis.

—¿Cuál, Marcelo?

—La de considerar que Jesús llame Reino de Dios al simple producto de una transformación interior de los seres humanos, de generación en generación, una suerte de lenta mutación, que llevaría
al triunfo progresivo, dentro de sus corazones, de la justicia, del
amor a Dios y al prójimo. Entonces Jesús sería el fundador y el artífice de ese progreso, que se haría por etapas, sin cataclismos, y que
terminaría, en un futuro muy lejano, en el florecimiento del Reino
por toda la eternidad.

—Sea como sea, caballero, lo que Jesús enseña no es demasiado nuevo. Hace siglos que los judíos confían en la venida de un Mesías que restablecerá el Reino de Dios en la tierra...

—Hasta ahora, Hiram, Jesús nunca se presentó como el Mesías
o el Salvador de una humanidad que está a la deriva, pero no es imposible que lo haga. Veremos cómo se comporta en Jerusalén... si
sube allí.

—No estoy de acuerdo contigo, caballero —respondió Hiram—.
Cuando está solo con sus apóstoles, Jesús habla del Reino con palabras veladas o por medio de parábolas, como la parábola del sembrador que utilizó esta tarde.

—¿Por qué rodear de semejante misterio un tema con el cual
los predicadores baratos, los fabricantes de apocalipsis o los adivi-

nos de aldea hacen su negocio desde hace tantos años en Galilea o en Samaria?

—Justamente, porque Jesús no quiere que lo confundan con esos bufones, Marcelo. Y por esa misma razón, les recomendó a sus discípulos que se mostraran en todas partes discretos y reservados. No olvides tampoco que no estamos en Judea, sino en Galilea, y que el lago de Tiberíades, en cuya ribera predica nuestro amigo, está en el corazón de los territorios controlados por el tetrarca Herodes Antipas, que ya hizo encarcelar a Juan el Bautista. Jesús no quiere que lo acusen de connivencia con Juan, ni desea seguir la misma suerte, especialmente cuando Juan, que se enteró en su celda de la fama que rodea a Jesús, envió a uno de sus discípulos a hacerle la siguiente pregunta: *"¿Eres tú el que ha de venir o debemos esperar a otro?"*.[1]

—¡Extraña pregunta!

—No es tan extraña, caballero: en el lenguaje más o menos secreto de los predicadores de moda, *"el que ha de venir"* es una manera discreta de designar al Mesías que, según los apocalipsis y las tradiciones que se difunden en las plazas públicas, debería instaurar el Reino de Dios o preparar su advenimiento. Para Antipas, que no es muy religioso pero cree ver conspiraciones en todas partes, esa pregunta del Bautista convierte a Jesús en un sospechoso. A eso se debe la hábil respuesta que les dio este último a los enviados de Juan, antes de dejar Tiberíades después de su prédica de esta tarde, y que seguramente dejará perplejo a Herodes Antipas cuando la conozca mañana a la mañana:

"Vayan a contarle a Juan lo que han visto y oído: los ciegos ven, los paralíticos caminan, los leprosos son purificados y los sordos oyen, los muertos resucitan, la Buena Noticia es anunciada a los pobres. ¡Y feliz aquel para quien yo no sea motivo de tropiezo!".[2]

—¡Sabes muchas cosas, Hiram! —se extasió Marcelo—. ¿De dónde sacas todas esas informaciones?

1. *Mateo* 11, 3; *Lucas* 7, 20.
2. *Lucas* 7, 22-23.

—Todo se sabe en Tiberíades, caballero. Desde que esta ciudad se convirtió en la capital del reino de Antipas, está atestada de personalidades oficiales, mensajeros, mercaderes ambulantes, traficantes e incluso espías. Basta tener los oídos abiertos y repartir algunos sestercios, incluso algunos denarios,3 para conseguir todas las informaciones que uno quiera.

—¿No les dijo nada más Jesús a los enviados de Juan?

—Absolutamente nada más. Seguramente para que no pudieran informar a Herodes, si llegaban a interrogarlos. Pero cuando los enviados de Juan partieron, ante la multitud que seguía allí reunida a su alrededor, Jesús tuvo palabras elogiosas para Juan, y habló sin ambages sobre el Reino de Dios... Hasta creo que es la primera vez que se refiere públicamente a ese tema:

"¿Qué salieron a ver en el desierto? ¿Una caña agitada por el viento? ¿Qué salieron a ver? ¿Un hombre vestido con refinamiento? Los que llevan suntuosas vestiduras y viven en la opulencia, están en los palacios de los reyes. ¿Qué salieron a ver entonces? ¿Un profeta? Les aseguro que sí, y más que un profeta. Él es aquel de quien está escrito: *He aquí que envío a mi mensajero delante de ti para prepararte el camino.* Les aseguro que entre los nacidos de mujer no hay ningún hombre más grande que Juan, y sin embargo, el más pequeño en el Reino de Dios es más grande que él".4

—¿No se extendió más al respecto?

—Simplemente añadió una observación sarcástica sobre lo que opinan los fariseos y sus partidarios sobre Juan y sobre él mismo: *"Llegó el Bautista, dijo, se comporta como un asceta, no come, no bebe, y sus adversarios se burlan de él, dicen que ha perdido la cabeza y está loco. ¡Y a mí, que me comporto como los demás seres humanos, como y bebo como todo el mundo, me tratan de glotón, borracho, y me reprochan por frecuentar a los publicanos,5 a los pecadores y a las pecadoras!".*

3. Monedas romanas de plata: 1 denario (alrededor de 4,5 g. de plata) = 4 sestercios.

4. *Lucas* 7, 24-28.

5. Recaudadores de impuestos por cuenta de la administración romana.

—¿A qué se refería Jesús con estas palabras?

—A una comida a la que asistió en casa de Mateo, que luego se convirtió en uno de sus discípulos, y que en aquella época, era recaudador de impuestos en esa ciudad;[6] a las mujeres de Betsaida, que forman parte de su grupo de discípulos, y sobre todo, a un incidente que se produjo en Cafarnaún, a principios del mes de marzo último. Habían invitado a Jesús a comer a casa de un fariseo llamado Simón: él aceptó su invitación, fue a su casa y se sentó a la mesa con él. Apenas empezaron a comer, apareció una mujer de la ciudad, que tenía fama de ser una pecadora...

—¿Era una prostituta?

—¡Oh, no! Era simplemente una judía bella, coqueta, soltera y que cambiaba a menudo de amante. Se había enterado de la presencia de Jesús en la casa de ese fariseo, se conmovió y fue a darle una sorpresa. Con un frasco de perfume de alabastro, se puso de rodillas ante él, bañada en lágrimas, empapó sus pies con sus lágrimas y luego, cubriéndolos de besos, los ungió con el perfume.

—Me imagino la cara del fariseo —dijo Marcelo—: se preguntaría por qué Jesús permitía que una pecadora tocara sus pies y no despedía a la intrusa.

—Seguramente. Pero Jesús se anticipó a sus palabras y le dijo:

"'Simón, tengo algo que decirte'. '¡Di, Maestro!', respondió él. 'Un prestamista tenía dos deudores: uno le debía quinientos denarios, el otro cincuenta. Como no tenían con qué pagar, perdonó a ambos la deuda. ¿Cuál de los dos lo amará más?'. Simón contestó: 'Pienso que aquel a quien perdonó más'. Jesús le dijo: 'Has juzgado bien'. Y volviéndose hacia la mujer, dijo a Simón: '¿Ves a esta mujer? Entré a tu casa y tú no derramaste agua sobre mis pies; en cambio, ella los bañó con sus lágrimas y los secó con sus cabellos. Tú no me besaste; ella, en cambio, desde que entré, no cesó de besar mis pies. Tú no ungiste mi cabeza; ella derramó perfume sobre mis pies. Por eso te digo que sus pecados, sus numerosos pecados, le han sido perdonados, porque ha demostrado mucho amor'. [...] Después dijo a la mujer: 'Tus pecados te son perdonados'. Los invitados pensaron: '¿Quién es este hom-

6. Véase p. 299.

bre, que llega hasta perdonar los pecados?'. Pero Jesús dijo a la mujer: 'Tu fe te ha salvado, vete en paz'."[7]

—Ya que pareces saberlo todo, Hiram, ¿tienes idea de cuándo partirá Jesús hacia Jerusalén?

—En mi opinión, en estos momentos ya abandonó Tiberíades y se encuentra en camino a Jerusalén.[8]

—Entonces no hay un minuto que perder: partamos ahora mismo hacia Jerusalén. ¿Qué ruta tomó Jesús?

—Según me han dicho, la misma que tomó el año pasado para ir a hacerse bautizar por Juan en el desierto: la que pasa por Escitópolis y Betabara, y luego sigue por Jericó y Betania.

—Haz enganchar los caballos a un carro de inmediato, Hiram. Jesús y sus apóstoles van a pie, y no nos llevan más de dos horas de ventaja. Si nos ponemos en marcha ahora mismo, llegaremos a Jerusalén antes que él y podremos empezar a vigilar: ¡no se sabe qué puede llegar a ocurrir!

—Hay luna llena, la noche está templada y mi carro estará listo en una hora, Marcelo.

En ese tiempo de Pascua, la gran ruta del Jordán estaba invadida, tanto de día como de noche, por miles de peregrinos que subían a Jerusalén, algunos con sinceros sentimientos de nutrir su espiritualidad, otros por tradición, y otros, porque aprovechaban la oportunidad de la Pascua para tratar en Jerusalén asuntos de política o de comercio. A pie, a caballo, a lomo de burro o en carro, los fieles acudían no sólo desde todos los cantones de Judea, Galilea, Perea y la Decápolis, sino también desde las grandes ciudades del imperio

---

7. Según *Lucas* 7, 40-50.

8. En el Evangelio de *Juan*, cuya cronología seguimos aquí, después de las bodas de Caná (a principios de abril del año 28), Jesús descendió en primer lugar a Cafarnaún con su madre y sus hermanos: con esta estadía en el lago de Tiberíades relacionamos el Sermón de la Montaña. *Juan* (2, 13) nos dice: *"Se acercaba la Pascua de los judíos. Jesús subió a Jerusalén"*. Y según el mismo *Evangelio*, el Nazareno hizo otros tres viajes a Jerusalén: entre estos cuatro viajes hemos distribuido todos los hechos de la vida de Jesús, que se sitúan entre abril del año 28 (primer viaje) y el domingo 9 de abril del año 30 (el domingo de la Resurrección, que sigue a la muerte de Jesús en la cruz el viernes 7 de abril del año 30, durante su último viaje).

romano y del imperio persa donde había comunidades judías (especialmente Babilonia y Alejandría), y durante todo el mes de Nisan,9 había gran animación en la ciudad.10 Al cabo de un agotador viaje en carro que les llevó dos días enteros, Hiram y Marcelo se encontraron por fin frente a las murallas de Jerusalén. Después de atravesar el pestífero valle de Cedrón, ingresaron a la ciudad por la puerta Dorada, donde terminaba la ruta de Jericó,11 y casi inmediatamente se hallaron en la parte más populosa y agitada de la ciudad, la colina de Moriah, donde se alzaba el fastuoso Templo construido por Herodes el Grande. Tenía 750 metros de altura, y estaba enmarcado por dos colinas un poco menos elevadas: el monte Bezeta, al norte, y el monte Ofel al sur. Orientado de este a oeste, el santuario, al que se llegaba por una monumental escalera de quince escalones, dominaba la vasta explanada de quinientos codos de largo,12 sobre la que se levantaba lo que se solía llamar el "atrio de los gentiles", porque los paganos, hombres y mujeres, tenían acceso a él, y también los herejes, las personas que estaban de duelo y las legalmente "impuras", como las mujeres que tenían su regla, por ejemplo, o los enterradores y los que manipulaban cadáveres. Ese atrio tenía dos pórticos a los costados: uno, al este, era llamado "de Salomón", con doscientas sesenta y ocho columnas, y el otro al sur, llamado "Pórtico Real", imponente y majestuoso, frente al cual se agolpaba una muchedumbre abigarrada y oriental, que había ido a celebrar en común la Pascua judía.

9. Séptimo mes del año civil entre los hebreos (cuyo calendario es lunar). La Pascua se celebraba en el decimocuarto día de ese mes, que caía entre el 22 de marzo y el 24 de abril del año solar romano.

10. El único dato numérico que tenemos sobre la afluencia pascual a Jerusalén en tiempos de Jesús nos es provisto por el historiador judío Flavio Josefo (37-100 d.C.), que escribió su obra histórica en Roma a partir del año 70 d.C. En ella menciona que en la Pascua del año 69 d.C. se inmolaron allí 255.600 corderos. A razón de dos animales por familia de diez peregrinos, podría calcularse una afluencia de alrededor de 1.200.000 peregrinos durante unos diez días. Como la superficie interior de Jerusalén era, en esa época, de aproximadamente 1 km^2 (100 hectáreas), debe suponerse que la mayor parte de los peregrinos acampaban en los alrededores de la ciudad, y no dentro de la misma Jerusalén.

11. Véase mapa, p. 82.

12. Alrededor de 225 metros.

Durante ese período de fiesta religiosa, la explanada de los paganos se parecía más a un inmenso mercado, poblado por los gritos de los mercaderes, que al atrio de un lugar sagrado. Allí no sólo se oían los susurros de los sacerdotes y las plegarias de los fieles, sino la verborrea de los carniceros, los gritos de los vendedores ambulantes, la cantinela de los mendigos y la vocinglería de los artesanos o de los comerciantes de todo tipo.

—¡Vean este hermoso cordero! ¡Dos sestercios por este hermoso cordero de Galilea, que ninguna mano impura tocó jamás! ¡Vean estos corderos, hermosos y gordos! —gritaban los campesinos, que iban a vender sus animales a los judíos poco previsores que todavía no habían organizado su cena pascual.

Pero a intervalos regulares, sus voces eran ahogadas por la trompeta chillona de un esquilador de burras, que dejaba de tocar de vez en cuando para llamar la atención de los clientes:

—¡Pom-pom-pom! ¡Esquilo, corto el pelo a las burras! ¡Corto, corto, corto a los burros!... ¿Quién quiere mis cintas rosadas? ¡Pom-pom-pom!

—¡Cuchillos, cuchillos! —le replicaba el afilador—. ¡Cuchillos, cuchillos, cuchillos!

Y el alfarero de manos ágiles, sentado ante su torno, que accionaba con sus pies descalzos, y comprimía entre sus dedos la arcilla destinada a convertirse en cántaro, le hacía un contrapunto cantando un estribillo interminable, acompañado por los mazazos de un tallador de piedras, mientras que a su lado, dos bataneros alababan la blancura de las telas que salían de sus cubas.

El alboroto de los artesanos tapaba los sonidos más agradables del piar de los pajarillos que ofrecía con una sonrisa a los transeúntes un pajarero persa, y el castañeteo de los collares y los anillos de oro que agitaban los orfebres ambulantes, provenientes de Fenicia o de otros lugares. Los levitas y los sacristanes del Templo participaban silenciosamente de esa feria pagana con sus puestos de incienso y aceite destinados a las ofrendas de harina, vino y sal para las comidas familiares y palomas para algún sacrificio. Los más visibles y molestos eran los mercaderes del ganado en pie destinados a las inmolaciones: sus cabras, sus carneros, sus terneros y sus toros, todos mezclados, balaban y mugían a más no poder: quienes los vendían eran los mismos sacerdotes, y hacían su propaganda como si fueran vendedores profesionales. Por todos lados había mercadería expuesta, regateos y vociferaciones.

Este ambiente de compraventa y mercantilismo era aún más evidente alrededor de los puestos de los cambistas, que cambiaban por monedas judías las dracmas griegas y los dinares romanos que eran considerados impuros porque en su anverso o en su reverso mostraban efigies de seres humanos o de animales, algo que estaba formalmente prohibido por la Ley de Moisés.[13] El campesino galileo o el negociante judío de la diáspora que llegaba a Jerusalén con monedas paganas, y quería comprar un cordero para la cena pascual, debía pasar por las horcas caudinas de los pesadores de monedas, que aplicaban el coeficiente de cambio según su propia conveniencia: esto daba lugar a interminables discusiones, gritos, y a veces se llegaba a los puñetazos.

—Nunca entenderé a los judíos, Hiram —dijo el caballero—: ¿cómo puede aceptar este pueblo, indiscutiblemente muy religioso, incluso a veces hasta el exceso, este ambiente de rapiña, esta exhibición profana junto al lugar más sagrado, más respetado de toda Palestina?

—Ésos son los misterios y las contradicciones del alma judía, caballero, y hay más ejemplos: la historia de los judíos está llena de estas cosas, y quizá sea eso lo que la hace tan atractiva.

—Explícate, fenicio. Porque vengo estudiando esa historia desde hace treinta años, la leí y la releí en la Biblia, y sigo sin entenderla.

—¿Qué es lo que no entendiste, caballero?

—Nada. Empezando por el destino de Adán. Explícame por qué Yahveh, que es un Dios infinitamente perfecto e infinitamente poderoso, creó un primer hombre imperfecto.

—¿Qué quieres decir con "imperfecto"?

—Es evidente que el padre Adán es imperfecto, ya que sucumbe a la tentación del conocimiento, muerde la manzana y lo expulsan del Jardín del Edén. Tu Señor, omnisciente y omnipotente,

13. "No te harás ninguna escultura y ninguna imagen de lo que hay arriba, en el cielo, o abajo, en la tierra, o debajo de la tierra, en las aguas." (*Deuteronomio* 5,8).

podía haber creado un primer hombre que nunca cometiese el Pecado.

—Fue Eva quien lo impulsó a cometerlo.

—Entonces, ¿por qué creó Yahveh a esa primera mujer imperfecta? ¿Por qué no la creó incapaz de sucumbir a la tentación de Satán y arrastrar a Adán y a todos sus descendientes a la Caída? Cuando se lee la Biblia, se ve que el Dios de los judíos no es tan poderoso, ¡puesto que es vencido por el diablo!

—¿Cómo quieres que te conteste, caballero? No soy un rabino.

—Ningún rabino, ningún sacerdote puede responder a esta pregunta: el primer acto que realizó Dios, es decir, la Creación, cuyo fin es el nacimiento de Adán, resultó un fracaso. Yo desconfío de un dios que fracasa. Sobre todo porque la continuación de la historia no es nada brillante: después de comprobar que el hombre que creó y puso en el mundo se reproduce, y surge un género humano sanguinario y malvado, Yahveh decide destruirlo, y es lo que hace al provocar el Diluvio. Dicho de otro modo: entiende que cometió un error al crear a Adán y, como un escultor que hace añicos la estatua que modeló porque la encuentra imperfecta, Yahveh destruye lo que ha creado.

—¿Qué le ves de censurable a esto?

—Nada censurable, salvo esto: ¿por qué Dios, que había fracasado con la especie de Adán, volvió a empezar con Noé? Porque los descendientes de Noé no fueron mejores que los de Adán, y desagradaron al Señor, que sólo pudo librarse de ellos provocando la confusión de lenguas de todos los seres humanos en Babel. Es como para dudar de Él y de su eficacia.

—Pero después de Noé, vino Abraham, caballero, y luego Jacob, y luego Moisés...

—¡Tercer fracaso de tu Dios, Hiram! Leí, como tú, en la Biblia que Yahveh le prometió a ese patriarca que haría nacer de él una gran nación, un pueblo elegido. ¿Y qué pasó con esa gran nación? Tuvo que luchar durante generaciones y generaciones para encontrar un pequeño pedazo de tierra —Palestina—, y luego vivió permanentemente en el pecado, se desgarró a sí misma, no conoció más que la espada, la sangre y el fuego, para ser finalmente despachada a Babilonia por un tal Nabucodonosor, que no necesitaba para nada a Yahveh, quien, a su vez, parecía haberse desentendido de

Israel. Te diré algo, Hiram: no puedo entender por qué, tras dos mil años de fracasos y sufrimientos, los judíos todavía creen en su Dios.

—¿Y cuál es tu conclusión, caballero?

—Mi conclusión es que no sorprende en absoluto que algunos de ellos, como Jesús y sus discípulos, hayan emprendido otra búsqueda.

—¿Crees que ustedes, los paganos, están mejor dotados? ¡Sus cuentos mitológicos no son más que historias de viejas!

—Yo estoy tan convencido de ello como tú, Hiram. Y nuestros sacerdotes también. ¿Sabes lo que dijo Cicerón sobre nuestros adivinos?

—No.

—Que no pueden caminar por las calles de Roma sin reírse...

—¿Reírse de qué, de quién?

—De la estupidez de los romanos y las romanas que creen en sus charlatanerías. Y te confieso que cuando veo a esos levitas que, en el atrio de los gentiles, invocan la Ley de Moisés para timar a toda esa buena gente que dejó sus aldeas para venir a festejar la Pascua, que confunden la religión del corazón con la de su monedero, ¡tengo ganas de darles patadas en el trasero!

—Tú nunca serás más que un impío, caballero. En cambio yo, un pobre pequeño comerciante fenicio...

—¿Pobre? ¡Primera noticia!

—Es una manera de hablar... Yo, que no leí a los filósofos, y me limité a creer serenamente en que existe un Dios único que creó el cielo, la tierra, los animales, los vegetales y el género humano, independientemente de la manera en que se comporten los rabinos, los sacerdotes, los levitas y todos los demás, creo en ese Eterno, y trato de respetar sus mandamientos lo mejor que puedo... aunque a veces me parezcan extraños o absurdos. Diré más: creo *porque* me parece absurdo y me supera. ¡Y adiós a tus Sócrates, tus Platón y tus Aristóteles, caballero!

Marcelo se aprestaba a defender los manes de sus maestros de pensamiento, cuando de pronto vio a Jesús, que atravesaba la puerta Dorada con paso decidido, rodeado de sus apóstoles. Después de abrirse paso dificultosamente entre la marea humana que obstruía el pórtico de Salomón, con Pedro a su derecha y Simón a su izquierda, el Nazareno consiguió llegar hasta el atrio de los gentiles y se detuvo un instante, desconcertado, para contemplar con una mirada de indignación el espectáculo que descubría por primera vez: los mercaderes de bueyes, ovejas y palomas, los levitas que tenían puestos de sal, vino y harina, los sacerdotes que, revestidos con sus hábitos sacerdotales, vendían terneros y toros, y sobre todo los cambistas, que manipulaban piezas de oro y plata con efigies humanas.

—¡Mira lo que está haciendo Jesús! —le gritó Marcelo a Hiram—. ¡Míralo!

La dulce mirada de Jesús se había endurecido. Echó la cabeza hacia atrás, tomó algunas sogas que había sobre las mesas, las anudó, hizo con ellas un látigo, y empezó a golpear con él a todos esos negociantes inescrupulosos, esos mercachifles que mancillaban con su presencia el santuario que se alzaba en medio del atrio. Los echó a latigazos hacia la puerta Dorada, así como también a sus ovejas y sus bueyes.

—¡Salgan de la casa de mi Padre! —les gritó, y su voz, más fuerte que el alboroto, sonó como un trueno.

Luego se dirigió rápidamente a la zona del atrio, donde estaban los cambistas, y derribó sus mesas y sus caballetes, desparramando sus monedas, mientras gritaba:

—¡Saquen todo esto de aquí y no hagan de la casa de mi Padre una casa de comercio!

El desorden duró sólo unos pocos minutos. Se oyó que uno de los apóstoles, desesperado por el giro que tomaban los acontecimientos, le gritaba a Jesús:

—¡El celo por tu Casa me devorará![14]

Estupefacto, Marcelo se volvió hacia Hiram:

—Se volvió loco: lo acuchillarán o lo lapidarán —le dijo.

—Confieso que no conocía este aspecto del temperamento de Jesús, caballero. Creía que era un ángel de dulzura, y esta crisis de ira me sorprende. Pero ¿es verdaderamente una crisis de ira?

—¿Qué quieres decir, fenicio?

—Quiero decir que Jesús, como tú y yo sabemos, nunca actúa a la ligera. Ya oíste las palabras de su discípulo mientras echaba a los mercaderes de la explanada del Templo. Gritó que estaba escrito: *"¡El celo por tu Casa me devorará!"*.

14. *Juan 2, 17.*

—Sí, lo oí, pero confieso que no entendí la alusión.

—Es porque no conoces nuestras Escrituras, caballero. Se trata de un versículo extraído de los *Salmos* de David, escritos hace mil años por ese ilustre rey:

> "Que no queden humillados por mi causa los que te buscan,
> [Dios de Israel.
> Por ti he soportado afrentas
> y la vergüenza cubrió mi rostro;
> me convertí en un extraño para mis hermanos,
> fui un extranjero para los hijos de mi madre:
> porque el celo de tu Casa me devora".[15]

Y no olvides las profecías que circulaban cuando Jesús vino al mundo, hace treinta años: que nacería alguien de la casa de David, que restablecería el esplendor de Israel. Y las que circulan ahora sobre la venida de un Mesías también anuncian que será de la casa de David. Y se supone justamente que Jesús pertenece a la casa de David, aunque nadie lo mencionó todavía, y tal vez se refirió a eso el apóstol al hablar del celo de su casa. Muchas otras profecías habían anunciado también que llegaría un día en que el Templo sería purificado por un Mensajero de Dios, un Mesías. Por ejemplo, la que figura en este otro salmo:

> "Cumpliré mis votos al Señor,
> en presencia de todo su pueblo,
> en los atrios de la Casa del Señor,
> en medio de ti, Jerusalén".[16]

O la del profeta Zacarías, que anunció que llegaría un día en que *"ya no habrá más traficantes en la Casa del Señor"*.[17]

—¿Y tú crees, Hiram, que las autoridades del Templo se conformarán con esas afirmaciones más o menos gratuitas, y dejarán que Jesús siga rompiendo todo?

15. *Salmos* 69, 7-10.
16. *Salmos* 116, 18-19.
17. *Zacarías* 14, 21.

—¿Qué quieres decir con eso, caballero?

—Que le pedirán pruebas de los que afirma, *"signos"*, como dicen ellos. Jesús no es el primero en actuar de manera brutal contra las autoridades religiosas, ni en afirmar que está predestinado: el último de esa clase fue Juan el Bautista... y terminó en prisión. Acuérdate: en la época en que bautizaba en el Jordán, los rabinos del Templo le enviaron sacerdotes, levitas y fariseos para interrogarlo.[18]

Confirmando las palabras de Marcelo, un grupo de sacerdotes y escribas se había acercado a Jesús.

—¿Con qué derecho actúas así? —le preguntaron—. ¿Y qué signo nos das para obrar de este modo?[19]

Jesús no se turbó por tan poca cosa, y el caballero oyó que les respondía con voz alta y clara:

—Destruyan este Templo que edificó Herodes el Grande, y en tres días lo volveré a levantar.

—Han sido necesarios cuarenta y seis años para construir este Templo, ¿y tú lo vas a levantar en tres días? ¿Te burlas de nosotros, Nazareno?

Jesús no les contestó. Los sacerdotes se encogieron de hombros y se fueron, bajo la mirada fría e irónica de Jesús, que llamó a sus apóstoles, abandonó dignamente el atrio de los gentiles por la misma puerta Dorada por la que había entrado y se alejó con ellos de las murallas de la ciudad.

—¿Hacia dónde crees que se dirigen ahora? —le preguntó el caballero a Hiram—. ¿Permanecerán en Jerusalén, después de este escándalo, o regresarán a Galilea?

—En el aspecto judicial, Jesús no tiene nada que temer, porque altercados como el que acaba de provocar se producen todos los días en Jerusalén en la época de la Pascua. En el aspecto político y religioso, está perfectamente limpio: no predicó, no arengó a nadie, ni contra las autoridades judías oficiales, ni contra las autoridades romanas, ni contra el partido de los fariseos, que tiene una posición importante en Judea. Desde cierto punto de vista, Jesús incluso es-

18. Véase p. 226.
19. Cf. *Juan* 2, 18.

tá de su lado en este caso: los fariseos, cuyo rigorismo conoces, están literalmente indignados por la actuación de los cambistas, porque todo el año manejan, en el atrio del Templo, cantidades importantes de monedas, griegas o romanas, que llevan las efigies de Tiberio, César o Alejandro, que para ellos son impuras por el solo hecho de ser imágenes. En una palabra: Jesús no tiene ningún motivo para abandonar precipitadamente Jerusalén. Por el contrario, quizá tenga sobradas razones para quedarse un tiempo más.

—Comparto tu opinión, Hiram. Jesús no subió a Jerusalén para hacer un simple escándalo en la vía pública: vino con una intención bien determinada.

—¿Cuál crees que es su intención?

—Tantear el terreno, como se dice. Hasta ahora, sólo se presentó en las aldeas de Galilea o en las márgenes del lago de Tiberíades, y en general habló ante un público poco cultivado: campesinos, pescadores, gente sencilla. Seguramente quiere ver las reacciones de un público más preparado ante sus mensajes concernientes a la Buena Noticia y a sus ideas morales, aunque sea para poder afinarlos. Tampoco me sorprendería que intente discutirlos con alguna personalidad religiosa más o menos oficial. El fervor que le demuestra la multitud lo conmueve, pero Jesús no necesita ese testimonio popular porque él sabe que tiene la verdad.[20] A mi juicio, lo que desea ahora es tener una conversación sincera con una autoridad en la materia.

El hombre que eligió Jesús para conversar era un notable judío, un fariseo riquísimo[21] llamado Nicodemo, miembro del Sanedrín. Éste había oído decir que un nuevo profeta, que anunciaba el inminente advenimiento del Reino de Dios, estaba actuando en Jerusalén, y tomó la iniciativa de ir a su encuentro, en secreto, de noche, para informarse mejor sobre su doctrina, acompañado por su secretario sagaz y discreto, encargado de tomar nota taquigráfica[22] de su

---

20. *"Jesús no tenía necesidad de que se le diera testimonio sobre el hombre, pues él conocía lo que hay dentro del hombre."* (Cf. *Juan* 2, 25).

21. El Talmud afirma que con su fortuna, habría podido alimentar durante diez días a todo el pueblo de Israel.

22. La taquigrafía fue inventada por un liberto de Cicerón, llamado Tirón: los romanos llamaban a ese procedimiento "escritura tironiana".

conversación, y entregarle una copia a Marcelo, en su calidad de representante del emperador:

CONVERSACIÓN QUE TUVO EL SENADOR NICODEMO CON JESÚS, LLAMADO DE NAZARET,
después de la Pascua del año 781 de Roma

"NICODEMO: Rabí, sabemos que tú has venido de parte de Dios para enseñar, porque nadie puede realizar los signos que tú haces, si Dios no está con él.

JESÚS: Te aseguro que el que no renace de lo alto no puede ver el Reino de Dios.

NICODEMO: ¿Cómo un hombre puede nacer cuando ya es viejo? ¿Acaso puede entrar por segunda vez en el seno de su madre y volver a nacer?

JESÚS: Te aseguro que el que no nace del agua y del Espíritu, no puede entrar en el Reino de Dios. Lo que nace de la carne es carne, lo que nace del Espíritu es espíritu. No te extrañes de que te haya dicho: 'Ustedes tienen que renacer de lo alto'... o de nuevo, que es lo mismo. El viento sopla donde quiere: tú oyes su voz, pero no sabes de dónde viene ni adónde va. Lo mismo sucede con todo el que ha nacido del Espíritu.

NICODEMO: ¿Cómo es posible todo eso?

JESÚS: ¿Tú, que eres maestro en Israel, no sabes estas cosas? Te aseguro que nosotros hablamos de lo que sabemos y damos testimonio de lo que hemos visto, pero ustedes no aceptan nuestro testimonio. Si no creen cuando les hablo de las cosas de la tierra, ¿cómo creerán cuando les hable de las cosas del cielo? Nadie ha subido al cielo, sino el que descendió del cielo, el Hijo del hombre.[23] De la misma manera que Moisés levantó en alto la serpiente en el desierto,[24] tam-

---

23. Dicho de esta manera por Jesús, la expresión *Hijo del hombre* designa, en el Evangelio de *Juan*, con toda evidencia, al mismo Jesús. Sin embargo, en los *Sinópticos* se refiere sea a la autoridad de un personaje que vendrá, sea a la debilidad y los sufrimientos de Jesús, que los asume en el lugar del género humano.

24. Cf. *Números* 21, 9.

bién es necesario que el Hijo del hombre sea levantado en alto, para que todos los que creen en él tengan Vida eterna. Sí, Dios amó tanto al mundo, que entregó a su Hijo único para que todo el que cree en él no muera, sino que tenga Vida eterna. Porque Dios no envió a su Hijo para juzgar al mundo, sino para que el mundo se salve por él. El que cree en él, no es condenado; el que no cree, ya está condenado, porque no ha creído en el nombre del Hijo único de Dios. En esto consiste el juicio: la luz vino al mundo, y los hombres prefirieron las tinieblas a la luz, porque sus obras eran malas. Todo el que obra mal odia la luz y no se acerca a ella, por temor de que sus obras sean descubiertas. En cambio, el que obra conforme a la verdad se acerca a la luz, para que se ponga de manifiesto que sus obras han sido hechas en Dios."[25]

—¿Qué piensas de estas palabras, Hiram? —le preguntó Marcelo a su compañero, pues valoraba su inteligencia y su competencia en materia de religión, mientras le tendía el documento que le había entregado el secretario de Nicodemo.

Hiram se tomó su tiempo para leer y releer el texto, y tras un largo silencio, respondió a su pregunta:

—Creo, caballero, que el problema fundamental es el de la legitimidad de Jesús.

—¿Qué quieres decir?

—Jesús, que para casi todo el mundo, es un galileo desconocido, afirma que posee una verdad. Por ahora, incluso antes de escuchar esa verdad, hay una pregunta que se plantean tanto Nicodemo como todos los que escuchan a este desconocido: "¿A título de qué pretende enseñar?"

—A primera vista, Hiram, de acuerdo con lo que predica, parece un descendiente de los antiguos profetas de Israel —dijo el caballero—. Como ellos, dice que vino a anunciar, de parte de Yahveh, la realización de las promesas que Él le hizo en el pasado a su pueblo. Entre los que lo escuchan, seguramente hay algunos que se preguntan si no será Elías que bajó del cielo, como se lo preguntaron a Juan hace algunos meses.[26] Cuando lo expulsaron de Naza-

25. Cf. *Juan* 3, 1-21.
26. Véase p. 227.

ret, donde había intentado predicar, ¿no dijo acaso que nadie podía ser "profeta" en su tierra?

—La verdad es que para la mayoría de esa buena gente que lo escucha, Jesús aparece como un profeta, como Juan el Bautista.

—Sin embargo, he observado que en algunos casos él se presenta como algo más que un profeta —señaló Marcelo.

—¿En qué lo notas, caballero?

—En cierta manera de hablar que tiene, como si fuera de una esencia superior a la de los hombres comunes que son los profetas. Por ejemplo, cuando dice *"Mi Padre"* al hablar de Dios, o cuando les da a entender a sus fieles que él ocupará un lugar preponderante en el Reino de Dios. Según lo que dice, habría entre él y Dios una especie de vínculo de filiación que no existe para los demás hombres. A medida que progresa en su predicación, deja de mostrarse como un profeta y se presenta como el Hijo de Dios.

—¿Por ejemplo?

—Así es como lo anunció Juan el Bautista, en Betabara, cuando encontramos a Jesús por primera vez: "He visto y doy testimonio de que él es el Hijo de Dios", dijo después de bautizarlo. Y estoy seguro de que en las semanas y los meses que vienen, insistirá en esa filiación, a medida que su auditorio vaya aumentando en Jerusalén.

—¿Por qué en Jerusalén, caballero? ¿Crees que Jesús se quedará aquí?

—No. En el punto en el que se encuentra, Jesús debe afinar su doctrina sobre el Reino de Dios: es lo que le dio a entender a Nicodemo cuando le dijo que hay que renacer para ver el Reino de Dios.

—¿Qué significado le da a eso?

—*"Renacer"* no es resucitar. Para él, significa experimentar una transformación esencial, total, que convierta al que renace en un hombre nuevo. Jesús piensa que él nació la primera vez de una mujer, como todos los humanos, y en ese sentido es hijo de José y de María. Pero lo que él llama un "segundo nacimiento" es una transformación total, espiritual de su alma, que lo convierte en un ser de esencia divina, el Hijo del espíritu divino: *"Lo que nace de la carne es sólo carne, lo que nace del Espíritu es espíritu"*, dice Jesús.

—No es fácil de entender, caballero.

—¡No hay nada que entender, Hiram! Simplemente hay que *creer*, sin plantearse preguntas, tener fe. Escucha estas palabras que pronunció un día en que denostó a las ciudades de Galilea que no se habían convertido a su fe:

"Te alabo, Padre, Señor del cielo y de la tierra, por haber ocultado estas cosas a los sabios y a los prudentes y haberlas revelado a los pequeños. Sí, Padre, porque así lo has querido.

Todo me ha sido dado por mi Padre, y nadie conoce al Hijo sino el Padre, así como nadie conoce al Padre sino el Hijo y aquel a quien el Hijo se lo quiera revelar".

—¿Cómo explicas estas afirmaciones, en el plano práctico?

—Estoy totalmente incapacitado para responderte, fenicio. Me he alimentado durante demasiado tiempo con la leche de la diosa Razón, para ser capaz de entender las contradicciones de las creencias religiosas orientales, sean judías o persas. Simplemente tengo la impresión de que Jesús quiere proponer a los hombres una nueva manera de vivir en sociedad, basada en el amor y la comprensión, y no en ritos, y le parece tan novedosa que sinceramente cree que le fue inspirada por un misterioso Espíritu. Lo que predica me parece extraordinariamente bello, pero el origen que le atribuye a su inspiración tiene algo de grandioso y de irracional. No se puede demostrar que sea verdad: sólo se puede creer en ello.

—Admitamos que ese concepto de Hijo de Dios sea confuso y más intuitivo, por así decir, que racional, pero ¿qué podemos decir de su mesianismo? Porque en la tradición judía, y de eso estoy seguro porque me lo enseñaron todos los rabinos, el Mesías será un hombre que deberá descender de David, conforme a la promesa divina que recuerda el profeta Isaías: *Saldrá una rama del tronco de Jesé, el padre de David"*. Pero hasta este momento, Jesús nunca se presentó como un descendiente de David.

—Tienes razón, Hiram, yo también lo había notado.

—En tu opinión, caballero, y para volver a lo más importante: Jesús, que no dice pertenecer a la casa de David, ¿tiene conciencia de ser el tan esperado Mesías?

—Sólo Jesús podría responder esa pregunta, que nadie le hizo hasta ahora, Hiram. Yo creo que es consciente de su papel de renovador, y actúa como tal, pero decir que se considera a sí mismo el Mesías que anunciaron los profetas es ir un poco lejos. Hasta hoy, nunca dijo *"Yo soy el Mesías"*, ni *"Yo soy el que debe venir"*, ni *"Yo les traigo el Reino de Dios"*. Si lo hubiera dicho, aunque fuera una sola vez, estoy seguro de que se sabría. Yo diría simplemente que por el momento, Jesús se limitó a anunciar la Buena Noticia, repitiendo frente a todos: *"El tiempo se ha cumplido: el Reino de Dios está cerca"*.[27] Pero estoy persuadido de que quienes lo oyen, y especialmente sus apóstoles, lo creen sinceramente y se lo repiten a quien quiera escucharlos.

—Entonces, si no es el Hijo de Dios ni el Mesías ¿quién te parece que es, caballero?

—Simplemente un profeta sincero, un heraldo que proclama la venida del Reino de Dios, si quieres, pero no el que lo cumplirá. Él no predica una doctrina particular: predica para atraer a quienes lo escuchan y hacerles compartir la esperanza que lo anima.

—¿Crees que se limitará a eso?

—¿Cómo puedo saberlo? Pero todo es posible en este país. Dejemos que el tiempo se encargue, y vayámonos a dormir, fenicio: a cada día le basta su propio afán.

—¿Y cuál será nuestro "afán" mañana?

—Me gustaría saber qué fue de Juan, en su prisión de Maqueronte.[28]

—Por lo que dicen, no es exactamente una prisión: es una fortaleza, en la que Juan recibe a veces a sus discípulos... Incluso me dijeron que Antipas siente admiración y respeto por él, y lo autoriza a salir, algunas veces, para ir a bautizar fieles a las fuentes de Salim, cerca de Escitópolis...

—No hay que creer todo lo que se dice, Hiram. Sin duda, Herodes Antipas respeta enormemente al Bautista, pero Herodías le tiene un odio tenaz, porque él la insultó de todas las maneras imaginables en sus sermones: mujer adúltera, prostituta, y otros calificativos... Y temo lo peor.

—Mañana mismo empezaré a hacer investigaciones, Marcelo, te

27. *Marcos* 1, 15.
28. Ciudad al este del mar Muerto, en Perea, próxima a la frontera que separaba los territorios controlados por Antipas, del país de los árabes nabateos, cuyo rey, Aretas, era el padre de Herodías, y por lo tanto, el suegro de Herodes Antipas.

lo prometo. Conozco a cuatro o cinco de los más importantes caravaneros de Petra, la capital en la que reina Aretas el Árabe, el padre
de Herodías. Suelen subir a Jerusalén en el tiempo de la Pascua...

—¿Por qué? ¿Son judíos?

—No, Marcelo, son abominables paganos como tú —dijo el fenicio, sonriendo—, pero excelentes comerciantes, como todos los
árabes... ¡Y se pueden hacer buenos negocios en Jerusalén en la
época de la Pascua! Y ahora, buenas noches, caballero, porque me
muero de sueño.

—Buenas noches, fenicio... Una última pregunta, sin embargo:
¿qué idioma hablan esos nabateos?

—El árabe, caballero, pero también arameo, griego, latín y persa. Una vez más, buenas noches, y que tengas felices sueños.

A Marcelo le costó mucho dormirse esa noche, y tuvo un sueño
agitado: se vio a sí mismo aferrado al cuello de un dromedario, siguiendo al galope a una anciana de cabellos blancos llamada Herodías, bajo la mirada irónica y furiosa de Herodes el Tetrarca y tres
mil guerreros árabes de dientes blancos. Cuando se despertó, el sol
ya estaba muy alto, en su cuarto reinaba un calor infernal, y vio a
los pies de su cama, sentado sobre una pila de almohadones a su
amigo Hiram, que esperaba que abriera los ojos para darle la triste
noticia de la muerte del Bautista.

—¿Qué mosca venenosa le picó a Herodes? —gritó Marcelo,
conmocionado—. Le gustaba Juan, incluso le temía, porque lo consideraba un hombre justo y santo. Cuando tenía que resolver algún
problema político, o superar alguna dificultad, iba a visitarlo a la
fortaleza de Maqueronte, lo escuchaba hablar, y después de oírlo, se
quedaba allí algunos instantes, desconcertado, y finalmente actuaba como le había aconsejado Juan. ¿Cómo pudo matarlo el tetrarca?
¿Y cuándo lo hizo? Ni Pilato, a quien vi ayer en el atrio de los gentiles, ni yo mismo, sabíamos nada.

—Sucedió hace muy poco, el día del cumpleaños de Herodes. El
tetrarca había ofrecido un banquete a sus dignatarios, sus oficiales
y los diferentes administradores y altos funcionarios de Perea, Galilea y Gaulanítida, así como a los principales notables de esas provincias. Al final de la cena, la hija de Herodías, la hermosa Salomé,
ejecutó una danza en honor a su padrastro. ¿Llevaba, como se dijo,
pantalones negros sembrados de mandrágoras, pequeñas chinelas

de colibrí y un chal de seda tornasolado sobre los hombros? Lo ignoro. Tal vez canturreó de una manera lasciva unos versos eróticos, ondulando alrededor del tetrarca, diciéndole al oído:

> "Mi amado es para mí una bolsita de mirra
> que descansa entre mis pechos.
> Mi amado es para mí un racimo de alheña
> en las viñas de Engadí.
> Qué hermoso eres, amado mío, realmente eres digno de ser
> [amado".[29]

La hija de Herodías bailó y cantó tan bien que le gustó mucho a Herodes, y él le dijo: "Pídeme lo que quieras y te lo daré, aunque sea la mitad de mi reino". Salomé salió de la sala del banquete y le preguntó a su madre: "¿Qué voy a pedir?" Herodías respondió sin vacilar: "La cabeza de Juan el Bautista". Entonces, la muchacha corrió adonde estaba el rey y le pidió: "Quiero que ahora mismo me des la cabeza de Juan el Bautista en una bandeja de oro". Este pedido contrarió al rey, que se llenó de tristeza. Pero había hecho la promesa delante de todos los invitados, y no podía echarse atrás. Llamó a un guardia y lo envió a ejecutar la terrible orden. El guardia salió, decapitó a Juan en la prisión, que estaba cerca, y regresó para entregarle la cabeza del Bautista en una bandeja de oro a Salomé, quien a su vez se la dio a su madre. Cuando los discípulos de Juan se enteraron, fueron a recoger el cadáver y le dieron sepultura.[30]

—Lo que acabas de contarme es abominable, Hiram —dijo el caballero—. No creí que Herodes Antipas fuera capaz de semejante cobardía. Pensar que hace apenas unos días, se produjo una discusión entre un judío rigorista y un discípulo de Juan sobre los ritos de purificación que Jesús quería abolir, o al menos reducir, y los dos adversarios, acompañados por tres o cuatro escribas, fueron a Maqueronte para pedirle al Bautista que zanjara su conflicto... Le dijeron: "¡Rabí, el que estaba contigo en el Jordán y del que diste

---

29. Cf. *Cantar de los Cantares* I, 13-16.
30. Cf. *Marcos* 6, 20-29.

testimonio [Jesús], ahora se puso a bautizar, y todos van a él!" Y Juan les dio esta respuesta llena de inteligencia y modestia:

"Nadie puede atribuirse nada que no haya recibido del cielo. Ustedes mismos son testigos de que he dicho: 'Yo no soy el Mesías, sino que he sido enviado delante de él'. En las bodas, el que se casa es el esposo; pero el amigo del esposo, que está allí y lo escucha, se llena de alegría al oír su voz. Por eso mi gozo es ahora perfecto. Es necesario que él crezca y que yo disminuya. El que viene de lo alto está por encima de todos. El que es de la tierra pertenece a la tierra y habla de la tierra".[31]

—Es como si Juan hubiera presentido su muerte, caballero. ¡Disminuyó tanto Juan el Bautista, que ahora ya no existe!

—Es muy triste, Hiram. En esta aventura que al parecer se inicia, Juan es la primera víctima que debemos lamentar: ¡quiera el cielo que sea la última! Si tenemos la oportunidad de pasar por Maqueronte, uno de estos días, iremos a orar ante su tumba.

Pero en Jerusalén, las festividades de la Pascua llegaban a su fin. La ciudad se fue vaciando poco a poco de sus multitudes pascuales, y durante la primera quincena de mayo, los caminos de Palestina fueron atravesados por innumerables familias de peregrinos que, a pie o a caballo, montados en asnos o apretujados en carros, regresaban a sus ciudades o a sus aldeas de Judea, Idumea, Samaria, Perea, Galilea, la Decápolis o Iturea,[32] y se aprestaban a poner en condiciones sus graneros, sus bodegas y sus cobertizos como previsión para el tiempo de las cosechas del verano que ya se anunciaba. Muy pronto, Jerusalén oiría también los primeros truenos, que anunciarían las tormentas del mes de junio, antes de aletargarse en el sopor del verano palestino. Sus calles ya estaban desiertas, el atrio del Templo sólo era frecuentado por los sacerdotes y los levitas, que conversaban a la sombra de los pórticos, y por los sanedristas que lo atravesaban a grandes pasos, muy atareados, para di-

32. *Juan* 3, 27-31.
33. Véase el mapa de Palestina, p.15.

rigirse a la famosa *sala de las piedras talladas*, donde se reunía el Sanedrín.

En cuanto a Marcelo, había vuelto a su villa romana, a la salida de Jerusalén, bajo la sombra del bosque de cedros que la rodeaba. Hiram había expresado su intención de regresar al borde del mar, a su villa de Sidón, para entregarse a sus dos actividades favoritas, el ocio y la pesca al palangre, pero el caballero lo disuadió:

—Esperemos unos días más, Hiram. Partiremos cuando Jesús vuelva a sus montañas de Galilea.

—Si es que vuelve, caballero.

—¿Por qué dices eso?

—Después de la gresca en el atrio de los gentiles, Jesús preocupa a las autoridades de Jerusalén. Los miembros más activos del partido fariseo, que ya estaban muy indignados con Juan cuando bautizaba en el Jordán, pudieron comprobar que Jesús conseguía en Jerusalén más discípulos que Juan.

—¿Él también bautiza?

—A decir verdad, Jesús es muy discreto, y él mismo no bautiza. Pero sus apóstoles lo hacen, y esa clase de conducta es muy mal vista en Judea.

—¿Por qué en Judea y no en otra parte, Hiram?

—Porque en Judea, y muy especialmente en Jerusalén, el poder le pertenece al partido ultraconservador de los fariseos, que se apoya en la clase rica y en el Sanedrín, que tiene poder en el país en materia de religión y de justicia.

—¡Ah, entiendo! Nosotros tuvimos eso en Roma, en tiempos de los Gracos. Hace unos ciento cincuenta años.

—¿Los Gracos?

—En esa época, la política guerrera de la República había transformado a la sociedad romana. La aristocracia, es decir, los patricios y los caballeros —como ya lo eran mis antepasados— se habían enriquecido desmesuradamente, mientras que el pueblo sencillo se había empobrecido, y la clase media de los pequeños agricultores había desaparecido, arruinada por la importación de trigo a bajos precios, provisto por las provincias conquistadas. El resultado no se hizo esperar: en una generación, los campesinos perdieron sus tierras, que fueron compradas a bajos precios por la aristocracia senatorial. Tuvieron que emigrar a Roma, donde pasa-

ron a engrosar las filas de la plebe, que no tenía casi ningún derecho político. En ese momento, dos hermanos, Tiberio y Cayo Graco —a quienes llamamos "los Gracos"— se pusieron generosa-
mente del lado de los pobres y los desheredados, cuya miseria
ponía a Roma en peligro.

—¿De dónde salieron? ¿Eran gente del pueblo?

—De ninguna manera. Pertenecían a una de las más importantes familias romanas: su madre, Cornelia, era hija de Escipión el
Africano... Tú que eres fenicio, seguramente oíste hablar de él...

—¡Claro que sí! Él fue quien, aliado a los númidas, aplastó en
Zama al ejército de Aníbal el cartaginense, nuestro héroe nacional.
Entonces ¿qué hicieron los Gracos?

—Trataron de hacer la revolución y otorgarle derechos y tierras
al pueblo, a la plebe, como se decía en Roma...

—¿Y lo lograron?

—No. El Senado —el equivalente, en Roma, del Sanedrín—
los hizo masacrar por la masa romana, cuyos bajos instintos sabía
incitar.

—¿Qué relación existe entre la acción política de los Gracos y la
predicación de Jesús, caballero? Él no ataca las riquezas de la clase
dominante.

—No ataca sus riquezas materiales, es cierto, pero sí sus prerrogativas religiosas y sociales: para Jesús, un leproso, un miserable, una prostituta, tienen el mismo valor humano que el más
acaudalado de los fariseos. Y eso, ni el Templo, ni los fariseos
pueden admitirlo, del mismo modo en que esa ramera de Herodías no admitía los sermones de Juan el Bautista. ¿Me entiendes,
Hiram?

—Sí, perfectamente, y también entiendo que dude entre permanecer en Judea para continuar y prolongar la obra de Juan, o retornar a Galilea para ponerse a resguardo de las persecuciones de los
fariseos.

—Yo creo que no dudará mucho tiempo más, Hiram. Jesús es
un hombre tranquilo y un sabio. Es cierto que manifestó con bastante violencia su cólera cuando vio con sus propios ojos hasta qué
punto eran profanados los alrededores del Templo por los mercaderes que acampaban allí, pero tal vez esté lamentando ahora sus arre-
batos, que no sirven en nada a la causa divina que quiere defender.

Su conversación nocturna con Nicodemo seguramente dio sus frutos, y en estos momentos, debe de estar en camino a Galilea, donde podrá meditar en paz sobre el futuro de su predicación. ¿Tienes informantes en Samaria?

—Los tengo en todas las ciudades de Palestina, Marcelo. ¿Por qué me hablas de Samaria?

—Porque estoy seguro de que no tomará la ruta del Jordán para volver a Galilea, y que pasará por Sicar y por Sebaste, en Samaria: las creencias mesiánicas están muy difundidas entre los samaritanos.

—Pero, caballero, ¡Jesús nunca pretendió ser el Mesías del que nos hablan las sectas y los iluminados!

—No lo hizo hasta ahora. Pero va en esa dirección, Hiram. Entonces, envía de inmediato un mensajero a Sebaste, para alertar a tus servicios de informaciones: ¡nunca se sabe!

Unos días más tarde, Marcelo se felicitó por su iniciativa: el fenicio recibió, procedente de la lujosa capital moderna de Samaria, fundada por Herodes treinta y cinco años atrás, un informe muy interesante y significativo que se apresuró a entregar al caballero. Éste se apoderó del rollo de papiro que le tendía su amigo y empezó a leer en voz alta, lenta y cuidadosamente, meneando la cabeza o expresando sorpresa a medida que leía, mientras el fenicio, aunque intrigado por la reacción del romano, permanecía inmóvil y silencioso, a la espera de sus comentarios:

AL SEÑOR HIRAM, SU DEVOTO SECRETARIO,
SALUD Y PROSPERIDAD

"Jesús pasó por Samaria, pero evitó pasar por Sebaste, y se detuvo en Sicar, la capital histórica de la provincia, que no es más que una gran aldea, construida sobre el territorio que, según la tradición, Jacob le dio a su hijo José. Todavía puede verse allí el famoso pozo inagotable de Jacob, al que las mujeres de la región van a buscar agua. Jesús, fatigado del camino, se sentó simplemente en el brocal del pozo, mientras el sol se hallaba en su punto más alto en el cielo, después de enviar a sus apóstoles al pueblo para comprar pan y frutas.

Llegó una mujer del lugar, una samaritana, que sumergió su cántaro en el pozo y lo sacó lleno de agua fresca y clara. Se aprestaba a colocarlo sobre su cabeza, cuando, ante su gran sorpresa, Jesús le dirigió la palabra y le dijo dulcemente:

—Dame de beber, mujer.

La samaritana quedó paralizada de asombro, y le respondió:

—¡Cómo! ¿Tú, que eres judío, me pides de beber a mí, que soy samaritana? Yo creía que los judíos nos despreciaban, que nos consideraban herejes y decían que el solo hecho de dirigirnos la palabra era suficiente para volverlos impuros durante varios días y que, por todas estas razones, no querían tener nada que ver con los samaritanos.33

Entonces, entre Jesús y la samaritana se produjo el siguiente diálogo, que transcribo aquí.

JESÚS: Si conocieras el don de Dios y quién es el que te dice: *Dame de beber*, tú le habrías pedido a él, y él te habría dado agua viva, la que da la vida.

LA MUJER: Señor, no tienes nada para sacar el agua y el pozo es profundo. ¿De dónde sacas esa agua viva? ¿Eres acaso más grande que nuestro padre Jacob, que nos ha dado este pozo, donde él bebió, lo mismo que sus hijos y sus animales?

JESÚS: El que beba de esta agua tendrá nuevamente sed, pero el que beba del agua que yo le daré, nunca más volverá a tener sed. El agua que yo le daré se convertirá en él en manantial que brotará para la Vida eterna.

LA MUJER: Señor, dame de esa agua para que no tenga más sed y no necesite venir hasta aquí a sacarla.

JESÚS: Ve, llama a tu marido y vuelve aquí.

LA MUJER: No tengo marido.

JESÚS: Tienes razón al decir que no tienes marido, porque has tenido cinco y el que ahora tienes no es tu marido; en eso has dicho la verdad.

LA MUJER: Señor, veo que eres un profeta. Nuestros padres adoraron a Dios en esta montaña, el monte Garizim,34 y ustedes, los ju-

---

33. Los judíos tradicionales de Judea, y particularmente los fariseos, consideraban que los samaritanos eran descendientes de los antiguos ocupantes babilonios o, peor, mestizos.

34. Alusión al templo edificado antiguamente sobre el monte Garizim por los samaritanos.

díos de Judea y sus sacerdotes, dicen que es en Jerusalén donde se debe adorar a Dios.

JESÚS: Créeme, mujer, llega la hora en que ni en esta montaña Garizim ni en Jerusalén se adorará al Padre. Ustedes adoran lo que no conocen; nosotros adoramos lo que conocemos, porque la salvación viene de los judíos. Pero la hora se acerca, y ya ha llegado, en que los verdaderos adoradores adorarán al Padre en espíritu y en verdad, porque esos son los adoradores que quiere el Padre. Dios es espíritu, y los que lo adoran deben hacerlo en espíritu y en verdad.

LA MUJER: Yo sé que debe venir el Mesías,[35] llamado Cristo. Cuando él venga, nos anunciará todas las cosas.

JESÚS: Soy yo, el que habla contigo.

En ese momento llegaron sus discípulos del pueblo, con pan y ciruelas bien maduras, y quedaron sorprendidos al verlo hablar con una samaritana, pero ninguno de ellos le preguntó nada. En cuanto a la mujer, dejando allí su cántaro, corrió a Sicar y contó su aventura: 'Vengan al pozo de Jacob, a ver a un hombre que me ha dicho todo lo que hice. ¿No será el ungido del Señor, el Mesías?' Entonces los samaritanos salieron de la ciudad y fueron a ver a Jesús".[36]

—Esta vez, la suerte está echada, mi buen Hiram, y debemos esperar lo peor. Si Jesús dice eso mismo en público, será llevado de inmediato ante el Sanedrín. Fíjate en lo que dice: que Dios es puro Espíritu, que hay que adorarlo como tal, mediante una especie de acto de adoración individual, y no en el marco de los ritos seculares del Templo, sea el de Garizim o el de Jerusalén.

—Pero lo que me estás diciendo es terrible, caballero: los ritos del Templo están escritos en nuestra Ley, fueron instituidos por Moisés bajo el dictado del Eterno. ¿Cómo puede decir Jesús que no es en Jerusalén donde hay que adorar a Dios? ¿Y a quiénes se refiere cuando habla de los "verdaderos adoradores" de Dios?

—Pues bien, Hiram: yo creo entender que Jesús concibe a Dios como el Padre universal de todo el género humano, y no únicamen-

35. Los samaritanos creían tradicionalmente en la venida de un Mesías, a quien llamaban Toheb. El Mesías al que se refiere la samaritana es Cristo, como lo dice ella misma.
36. Según *Juan* 4, 4-31.

te de la descendencia de Abraham. Eso ya lo predicaba Jeremías cuando decía: *"Ya no tendrán que enseñarse mutuamente, diciéndose el uno al otro: 'Conozcan al Señor'. Porque todos me conocerán"*.[37] Hablamos de esto recientemente, antes de partir de Tiberíades, a propósito del universalismo de la religión de Yahveh. Sin embargo, no creo que los escribas lo ataquen sobre ese punto: después de todo, decir que Yahveh no está solamente para la salvación del pueblo de Israel, sino también para la de todo el género humano, es una tesis que pueden admitir, porque en el fondo significa el triunfo definitivo de Israel. En cambio, si Jesús se presenta a sí mismo como el Mesías que debe reparar las imperfecciones de la Creación, cuando le dice a la mujer samaritana: *"Yo, el que te habla, soy el Mesías"*, lleva a cabo un ataque frontal al mismo tiempo contra las Escrituras, la Torah, las autoridades del Templo, la memoria de David e Israel. Aparece como un blasfemo ante las autoridades religiosas y como un agitador político ante las autoridades civiles. Además, escucha el final del relato de tu informante:

"Mientras Jesús recibía a los samaritanos, sus discípulos le insistían para que comiera: 'Come, Maestro'. Pero él les dijo: 'Yo tengo para comer un alimento que ustedes no conocen'. Los discípulos se preguntaban entre sí: '¿Alguien le habrá traído de comer?'. Jesús les respondió: 'Mi comida es hacer la voluntad de aquel que me envió y llevar a cabo su obra. Ustedes dicen que aún faltan cuatro meses para la cosecha. Pero yo les digo: Levanten los ojos y miren los campos: ya están madurando para la siega. Ya el segador recibe su salario y recoge el grano para la Vida eterna; así el que siembra y el que cosecha comparten una misma alegría. Porque en esto se cumple el proverbio: *uno siembra y otro cosecha*. Yo los envié a cosechar adonde ustedes no han trabajado; otros han trabajado, y ustedes recogen el fruto de sus esfuerzos'.

Muchos samaritanos de esta ciudad habían creído en él por la palabra de la mujer, que atestiguaba: 'Me ha dicho todo lo que hice'. Por eso, cuando los samaritanos se acercaron a Jesús, le rogaban que se quedara con ellos, y él permaneció allí dos días. Muchos más creyeron

---

37. *Jeremías* 31, 34.

en él, a causa de su palabra. Y decían a la mujer: 'Ya no creemos por
lo que tú has dicho; nosotros mismos lo hemos oído y sabemos que él
es verdaderamente el Salvador del mundo'".[38]

Después de terminar su lectura, Marcelo enrolló delicadamente
el papiro y se volvió hacia Hiram:

—Ahora las cosas están claras —dijo—: dentro de algunos
días, el Templo conocerá las verdaderas pretensiones de Jesús. Faltaría saber si el partido fariseo, Caifás y el Sanedrín lo tomarán en
serio y reaccionarán, en cuyo caso, nuestro amigo no tendrá interés en salir de sus montañas de Galilea y dejará que se olviden de
él; o bien archivarán todo el asunto y convertirán el altercado con
los mercaderes del Templo en un tema sin importancia. En este
caso, de aquí hasta la fiesta de las *Semanas*[39] o la de las *Tiendas*,[40]
todo el mundo habrá olvidado a Jesús en Jerusalén, salvo, quizá, la
samaritana de Sicar. En el futuro, cuando sea muy anciana, por las
noches, a la luz de las velas, les contará a sus nietos cómo, en los
primeros días del mes de mayo del año 781 de Roma, bajo el reinado del emperador Tiberio, en la época en que Pilato era el procurador de Judea, ella le dio de beber a Toheb, el Mesías de los samaritanos.

---

38. *Juan* 4, 31-42.
39. Fiesta judía que se celebra el quincuagésimo día después de la Pascua
(y por lo tanto, en la víspera del comienzo del verano en el hemisferio norte),
también llamada "Pentecostés" (del griego *pentecoste*, quincuagésimo), y que
conmemora la Alianza del pueblo judío con Dios. Es la fiesta de la cosecha del
trigo, ordenada por el Eterno a Moisés en el Sinaí: *"Celebrarás también la fiesta de las Semanas, la de los primeros frutos de la cosecha del trigo, al término del
año"* (*Éxodo* 34, 22).
40. Fiesta judía que se celebra generalmente en septiembre, después de
la recolección de las olivas y de los frutos.

17
Segunda subida de Jesús a Jerusalén

Fin de mayo-fin de julio, año 781 de Roma
(28 d.C.)

En Caná, al regreso de Jerusalén: el funcionario real de Cafarnaún (fin de abril
o principios de mayo del año 28) – Marcelo e Hiram analizan la conversación
de Jesús con Nicodemo (junio de 28) – Segunda subida de Jesús a Jerusalén, en
la fiesta judía de las Semanas (fin de junio de 28) – Curación del paralítico de
la piscina de Betsata en shabbat; disputa con los fariseos (principios de julio
de 28) – Sermón de Jesús en la escalinata del Templo: se anuncia como Hijo de
Dios y Mesías (principios de julio de 28) – Jesús desaparece (julio de 28).

En Jerusalén, el sol de junio estaba más caliente que nunca. En pocos días, la ciudad se había vaciado de sus habitantes, que habían partido en busca de un poco de aire fresco a las laderas de la vecina montaña de Efraim, o a las de los montes de Judá. Hiram estaba impaciente por emprender camino a Sidón para encontrar la benéfica sombra de los cipreses que protegían del ardor del sol a su villa fenicia, cuyas terrazas y arcadas dominaban el Mediterráneo, y también su barca de pesca, sus redes, sus palangres y los sabrosos tomates de su jardín. En cuanto a Marcelo, estaba muy preocupado por la suerte de Jesús, de quien no tenía ninguna novedad desde su encuentro con los samaritanos, y su inquietud aumentaba día a día.

—Espero que no se quede demasiado tiempo en Samaria, y que vaya lo más rápido posible a Galilea —le confió al fenicio—: estaré más tranquilo cuando sepa que está de vuelta en Betsaida o en el lago de Tiberíades.

—¿Por qué, caballero? La autoridad del Templo se hace sentir allí de la misma manera que en Judea o en Samaria.

—No es así, Hiram. Tú sabes muy bien que Judea y Samaria no tienen el mismo estatus político y religioso que Galilea. Tanto en Jerusalén como en Sebaste, el sumo sacerdote y el procurador de Judea caminan del brazo y hacen causa común contra todos los agitadores, sean religiosos o políticos, puesto que ambos lugares son territorios del Imperio. Caifás, que desconfía de todas las innovaciones, no puede permitirse poner en su contra a los judíos conservadores, y menos aún al partido fariseo, y Pilato, que no quiere oír hablar de alteraciones del orden público ni de rebelión, puso su espada a sus órdenes, y sabe que, llegado el caso, puede contar con la fuerza armada local, es decir, con unos dos o tres mil hombres, griegos, sirios o samaritanos, que están acantonados en las fronteras de la Palestina romana. En cambio, en Galilea, tanto en Tiberíades como en Cafarnaún, el partido fariseo es muy minoritario. Además, es un territorio herodiano, que tiene un solo amo, Herodes Antipas el tetrarca: éste es mucho menos susceptible que los escribas de Jerusalén y los fariseos con respecto a la Ley mosaica, que, por otra parte, violó alegremente cuando se divorció para casarse con la mujer de su propio hermano. Por otra parte, las montañas y los matorrales de Galilea constituyen un refugio impenetrable que, desde hace siglos, acoge tradicionalmente a todas las personas de Palestina que están fuera de la ley.

—Pero los galileos fueron los primeros en rechazar la predicación de Jesús, cuando inició su ministerio. Hasta estuvieron a punto de arrojarlo a un barranco, si mal no recuerdo, caballero.

—Eso sucedió en la región de Nazaret, hace alrededor de cuatro años, pero ya es historia antigua. Cuando, después de su primera prédica, se dio cuenta de que le era imposible, como lo dijo él mismo, ser un profeta creíble en la tierra de su infancia, Jesús descendió a las orillas del mar de Galilea, y allí, en Genesaret, en Betsaida, en Cafarnaún, en Tiberíades, reclutó a sus primeros discípulos. Los galileos fueron a escucharlo a la montaña, y en pocas semanas, se convirtió en un ejemplo y un consuelo para todo el mundo. Son incontables los desdichados a los que les devolvió la esperanza. Ahora que está en peligro, y que, sin duda, los guardias del Templo lo están buscando por toda Judea, es natural que busque ayuda y amparo entre los galileos.

El Nazareno —Marcelo se enteraría de esto unos días más tarde por medio de sus informantes locales— había regresado, en efecto, a Galilea con un grupo de peregrinos de esa provincia que habían subido a Jerusalén para la Pascua, y que habían sido testigos de sus hazañas en la Ciudad Santa. Algunos admiraban la valentía que había mostrado al luchar contra los mercaderes en el atrio de los gentiles, otros se habían enterado de la conversación nocturna y secreta que había mantenido con el influyente sanedrista Nicodemo, y por último, otros habían empezado a creer seriamente que el Nazareno estaba dotado de facultades sobrenaturales. Por otro lado, especialmente en Cafarnaún, nadie olvidaba los milagros que había realizado desde su llegada, a principios del último mes de marzo: los paralíticos y los leprosos que había curado, los demonios que había expulsado del cuerpo de los posesos, y el agua que había transformado en vino en Caná, durante un memorable banquete de bodas al que había asistido, poco antes de partir hacia Jerusalén, un milagro que habían presenciado todos los asistentes, quienes habían visto en él un primer *signo* revelador de sus relaciones con Dios.

Precisamente hacia Caná se dirigió Jesús en primer lugar, después de atravesar la Samaria, a su regreso de Judea: esa pequeña localidad perdida entre las montañas de la Baja Galilea, a un día de marcha del lago de Tiberíades, era un lugar ideal para refugiarse. Sin embargo, allí lo encontró, tres o cuatro días después de su llegada, un funcionario al servicio del rey Herodes Antipas, en las siguientes condiciones, que le relató a Hiram uno de sus informantes:

"Cuando supo que Jesús había llegado de Judea y se encontraba en Galilea, fue a verlo y le suplicó que bajara a curar a su hijo moribundo.

Jesús le dijo:

—Decididamente, ustedes necesitan milagros para creer: si no ven signos y prodigios, no creen.

El funcionario le respondió:

—Señor, te lo suplico, baja antes de que mi hijo se muera.

—Vuelve a tu casa, tu hijo vive —le dijo Jesús.

El hombre creyó en la palabra que Jesús le había dicho y se puso en camino. Mientras descendía, le salieron al encuentro sus servidores y le anunciaron que su hijo vivía. Él les preguntó a qué hora se había sentido mejor. 'Ayer, a la hora séptima,[1] se le fue la fiebre', le res-

---

1. Entre las 12 y las 12.44, según Carcopino, *Rome à l'apogée de l'Empire*, Hachette-Livre, 1994, p.191.

pondieron. El padre recordó que era la misma hora en que Jesús le había dicho: 'Tu hijo vive'. Y entonces creyó él y toda su familia.

Éste fue el segundo signo[2] [*milagro*] que hizo Jesús cuando volvió de Judea a Galilea".[3]

—Y bien, pagano Marcelo, ¿qué piensas de este nuevo milagro que acaba de realizar Jesús en Galilea? ¿Sigues siendo tan escéptico como antes? —le preguntó el fenicio a su amigo, después de leer el informe que le había sido enviado sobre este asunto.

—Ya te dije lo que pienso de los milagros, Hiram: no creo en ellos en absoluto. En este caso, evidentemente se trata de una simple coincidencia: al ver la conmoción del funcionario real que había ido a rogarle a Caná, sin duda Jesús dijo: "Tu hijo vive" para calmarlo, para consolarlo, y luego resultó que la enfermedad que tenía el hijo no era tan grave como se pensaba, y el niño sobrevivió. Punto. Pero es preciso admitir que la reacción serena y casi indiferente de Jesús frente a la ansiedad del funcionario real, no carece de interés: está claro que todas esas pruebas, todos esos "signos" que le pide todo el mundo para dar testimonio de su misión, le parecen superfluos. Para él, lo realmente importante es el contenido del anuncio que quiere ofrecer a sus semejantes...

—¿Te refieres al sermón que pronunció en la montaña, a principios del mes de abril último, antes de partir hacia Jerusalén?

—No, Hiram, no es un mensaje doctrinal propiamente dicho lo que entregó Jesús a sus oyentes ese día: simplemente les enunció reglas de conducta en la vida, relativas a las ofensas, al adulterio, al divorcio, al amor al prójimo y otros temas de ese tipo. En realidad, todavía no reveló expresamente la verdad que lleva en él, ni frente a las multitudes, ni en privado. La única persona a la cual se lo confió, y más por medio de alusiones que de manera explícita, es Nicodemo, el sanedrista.

—Leí y releí varias veces el relato taquigráfico de su conversación, Marcelo, y me pareció muy oscuro: ¿qué quiso decir Jesús, en definitiva?

2. Según *Juan*, el primer "signo" habría sido la transformación del agua en vino, en Caná, en el mes de marzo anterior, antes de la Pascua.
3. Cf. *Juan* 4, 47-54.

—Yo también leí y releí cien veces ese informe: creo haberlo entendido, pero no estoy completamente seguro de ello, y espero que, en los próximos días o meses, Jesús nos ilumine sobre su doctrina profunda.

—Explícame lo que crees haber entendido, caballero.

—La idea clave de Jesús es, según creo, que existen dos realidades, dos sustancias en el hombre: una es nuestra carne, nuestro cuerpo, y es lo que le dio a entender a Nicodemo cuando le dijo: *"Lo que nace de la carne es carne".* Nuestro cuerpo, que sale del vientre de nuestra madre cuando nacemos, no es más que carne, como la carne de un potrillo o de un gatito, y por ser carne, somos perecederos: cuando morimos, esa carne se pudre, nuestro cuerpo ya no es nada, y con el tiempo, nos convertimos en polvo.

—¿Y la otra sustancia?

—La otra realidad de toda criatura humana es lo que habitualmente se llama nuestra "alma", que no está hecha de carne, sino de espíritu. Lo que caracteriza a la persona de Dios, para Jesús, si capté correctamente su enseñanza, es que no se trata de un ser de carne: Dios es puro Espíritu, y todos nosotros, los seres humanos, tenemos un poco de esa sustancia espiritual dentro de nosotros. Eso es lo que quiso expresarle Jesús a Nicodemo al decirle que no nacimos solamente de la carne, sino también del Espíritu, y que lo que nace del Espíritu es espíritu. Entonces, aunque la carne —nuestro cuerpo— sea perecedera, nuestro espíritu, que es la imagen del Espíritu divino, es inmortal y no puede perecer.

—¿Se limita a eso la doctrina de Jesús?

—De ninguna manera, Hiram, de ninguna manera. Estas consideraciones, con las que se abre la conversación con Nicodemo, permiten comprender sus palabras siguientes, las que se refieren al advenimiento del Reino de Dios, es decir, al destino último de la Creación: llegará un día, nos anuncia Jesús, en que no veremos simplemente la resurrección de nuestros cuerpos, sino también la de nuestras almas, de nuestros espíritus. Eso constituirá, para cada ser humano, un segundo nacimiento, un *re-nacimiento*, pero esta vez, en lugar de nacer de la carne, naceremos únicamente del Espíritu, y el Reino de Dios será instaurado.

—¿A través de qué medios?

—Si entendí bien su discurso, Hiram, cada uno de nosotros va a *re*-nacer, no entrando nuevamente al vientre de su madre para volver a salir, sino directamente del Espíritu divino. Es lo que quiere decir Jesús cuando afirma que para entrar al Reino de Dios es preciso nacer "de lo alto", es decir, del Espíritu, y no de la carne. El fondo de su doctrina es, justamente, que él y sólo él nació "de lo alto", que él es al mismo tiempo un ser de carne, un *Hijo del hombre*, y un ser de espíritu, el *Hijo de Dios*: "Dios amó tanto al mundo", le enseñó a Nicodemo, "que entregó a su *Hijo único* para que todo el que cree en él no muera, sino que tenga Vida eterna".4 Ése es su mensaje, que ningún razonamiento humano puede demostrar, y que se dirige a los judíos y a los no judíos, más allá de la Torah y las observancias: el Hijo de Dios, que es también Hijo del hombre, no viene para juzgar, para condenar, sino para salvar las almas y asegurarles la vida eterna. El Dios de los judíos era un Dios de cólera: el de Jesús es un Dios de misericordia. Si relees la última frase de su conversación con Nicodemo, verás que es muy explícita: Jesús afirma que él viene a la luz para que se cumplan las obras misericordiosas de Dios, es decir, para que se instaure el Reino de Dios. Y la curación milagrosa, a distancia, del hijo del funcionario real de Cafarnaún, es un *signo* de esa venida, en el mismo sentido que el milagro de las bodas de Caná.

—Te agradezco tus explicaciones, caballero. Son muy luminosas, ¡pero perturbarán mis vacaciones!

—¿Por qué, amigo mío?

—Tenía planeado pasar el verano al borde del mar, regalarme con pageles, salmonetes y langostas, vigilando, mientras tanto, mis cosechas, pero tengo la impresión de que deberé renunciar a todo eso y que pasaremos el verano en Jerusalén, Marcelo.

—¿Por qué, Hiram?

—Porque Jesús seguirá adelante. Si cree sinceramente que es el Hijo de Dios y que su destino es revelar la Buena Noticia a los seres humanos, no se limitará a propagarla en esos agujeros perdidos que son las aldeas de las montañas galileas, caballero. Ahora que lo empiezo a conocer, sé que querrá proclamarla aquí, en Jerusalén.

—¿Crees que regresará a Judea al comenzar el verano, para la fiesta de la cosecha, la que ustedes llaman la fiesta de las Semanas?

4. *Juan* 3, 16.

—Es probable, caballero, y para mí, es indudable. Después de la Pascua, es la más importante de las festividades judías, y también atrae a mucha gente a Jerusalén: conmemora la Alianza de Yahveh con el pueblo de Israel, renovada por intermedio de Moisés. Cada jefe de familia trae de su casa dos panes, elaborados con dos décimos de flor de harina y cocidos con levadura: son las primicias de la cosecha, que los creyentes le ofrecen al Eterno. Además de esos panes, sacrifican en holocausto siete corderos de un año, sin defecto, un novillo y dos carneros, más un chivo como sacrificio de expiación y dos corderos de un año como acción de gracias.

—¡Correrá bastante sangre bajo los festones de los pórticos, Hiram! ¿Y qué hacen después con los animales que matan?

—No matan animales, hombre impío, los sacrifica ritualmente el sacerdote sacrificador, que los agita delante del Eterno y se los lleva a su casa.

—¿Por qué?

—Porque está escrito en el *Levítico* que le pertenecen después de ser sacrificados.

—¡Estaba seguro de que esa carne no se perdía, fenicio! ¿De modo que tú crees que Jesús volverá para la fiesta de las Semanas?

—Sí, caballero.

—¿En qué fecha tiene lugar la celebración este año?

—El Templo lo anunció hace poco: en el primer shabbat de julio. Comenzará la noche del primer viernes de ese mes, a la caída del sol, y terminará al día siguiente a la misma hora. Pero seguramente no convocará a tanta gente a Jerusalén como la Pascua.

—¿Por qué?

—La mayor parte del pueblo judío está compuesta, como tú sabes tan bien como yo, por campesinos y criadores de ganado. Al final del mes de junio, todas esas personas están demasiado preocupadas por las cosechas y las recolecciones como para venir a Jerusalén: suelen celebrar la fiesta de las Semanas en sus campos. Sin embargo, puedes estar seguro de que todos los levitas[5] y todos los

5. Descendientes de Leví, tercer hijo de Jacob, que tenían a su cargo la función sacerdotal. En tiempos de Jesús, esa expresión se usaba para designar a los sacerdotes auxiliares o a los auxiliares de los sacerdotes.

aarónidas[6] de Palestina estarán presentes en Jerusalén, es decir, toda la clase sacerdotal, desde Caifás y los grandes sacrificadores hasta el último de los ayudantes, tanto los de Judea y Samaria como los de Galilea, Perea y otros territorios situados al este del Jordán. Ellos constituyen un público ideal para Jesús, que hasta el momento habló la mayor parte del tiempo ante masas populares, que sólo quieren que las convenzan, o ante fariseos, que son ante todo políticos conservadores, disgustados por el éxito de Jesús.

Marcelo había entendido. Durante la fiesta de las Semanas, no había ningún peligro de que el enfrentamiento —si realmente era inevitable que hubiera un enfrentamiento— entre Jesús y sus eventuales adversarios degenerara en una lucha callejera, como había ocurrido en el atrio de los gentiles durante la Pascua. El Nazareno podría exponer su doctrina, no ya frente a las masas ignorantes y ciegas que hasta ese momento lo habían acogido favorablemente porque él les prometía aliviar sus sufrimientos y sus angustias, sino frente a hombres de discursos y discusiones, capaces de contradecirlo, llegado el caso. Para el Nazareno, había llegado el momento de salir al ruedo: Jesús, en quien el caballero empezaba a adivinar una gran determinación y un intenso fuego interior, no podía desperdiciar esa oportunidad de poner a prueba el mensaje que traía.

Tal como lo había dicho el fenicio, poco tiempo después del solsticio de verano del año 781 de Roma,[7] al acercarse la fiesta judía de las Semanas, Jesús, acompañado por sus doce apóstoles y algunas mujeres que lo seguían habitualmente en sus peregrinaciones, partió hacia Jerusalén. Entró por una pequeña puerta que se abría al noreste de la ciudad, llamada puerta de las Ovejas, porque por allí ingresaban las ovejas destinadas a las ofrendas. Hiram, que había ubicado esclavos en todas las entradas de la ciudad, fue informado

---

6. Descendientes de Aarón, el hermano de Moisés, entre quienes se reclutaba a los sumos sacerdotes.

7. Recordemos que en el hemisferio norte, el solsticio de verano tiene lugar el 21 de junio de cada año: por lo tanto, Jesús habría partido hacia Jerusalén en la última semana de junio del año 28.

de ello de inmediato, y, acompañado por Marcelo, fue allí tan pronto como pudo.

Cerca de la puerta de las Ovejas, en el barrio llamado Betsata, había —desde la noche de los tiempos, según decían— una piscina rectangular de alrededor de noventa metros de largo por cuarenta de ancho, rodeada por cuatro pórticos. Un quinto pórtico se alzaba en la parte media de la piscina.[8] A la sombra de esas columnatas, yacía una gran cantidad de enfermos, tendidos sobre camillas: ciegos, rengos, paralíticos, mancos, hombres sin piernas y lisiados de todo tipo. Todos esos desdichados estaban allí, gimiendo, durmiendo o conversando: esperaban que el agua se agitara —cosa que se producía varias veces por día— para lanzarse a ella (o hacerse sumergir, si no podían hacerlo solos), porque, según decían, el primero que penetrara a la piscina cuando se agitaba el agua sería curado inmediatamente del mal que sufría: los ciegos veían, los que no tenían piernas las recuperaban, los mancos recobraban sus brazos y los escrofulosos perdían sus costras y su piel volvía a ser rosada y lisa.

Allí, bajo los pórticos de la piscina, Marcelo e Hiram encontraron a Jesús. Estaba inclinado sobre un lisiado tendido en el piso, que, según le habían dicho, se encontraba en ese estado desde hacía treinta y ocho años. Marcelo lo vio y oyó que le decía:

—¿Quieres curarte?

—Señor, no tengo a nadie que me sumerja en la piscina cuando el agua comienza a agitarse; mientras yo voy, otro desciende antes. Hace casi cuarenta años que sucede esto.

—Levántate, toma tu camilla y camina.

Enseguida el hombre se levantó, tomó su camilla sobre su espalda y empezó a caminar.[9]

—¿No es esto un milagro, un *signo*? —le dijo Hiram a Marcelo—. ¿Este hombre paralítico desde hace tanto tiempo y que, súbitamente, comienza a caminar porque Jesús se lo ordenó?

—No me hagas reír, fenicio. Nunca me harás creer que durante cuarenta años, ese paralítico no encontró una sola persona que lo

8. Recientes excavaciones arqueológicas han encontrado las ruinas de ese establecimiento termal.

9. Anécdota tomada de *Juan* 5, 1-9.

sumergiera en la piscina antes que los demás... ¡suponiendo que esta piscina tenga virtudes mágicas! Personalmente creo que se trata de un simulador, trastornado por las enérgicas palabras de Jesús, que prefirió caminar y huir, antes que verse descubierto. En cambio, me preocupa mucho más la actitud de esos tres o cuatro fariseos que al parecer han seguido discretamente a Jesús. Escuchemos lo que dicen, ya que están a sólo dos pasos de nosotros...

Los fariseos habían llevado aparte al hombre que acababa de ser curado, y lo sermonearon con acritud:

—¡Desgraciado! ¿No sabes que el shabbat acaba de comenzar y no te está permitido llevar tu camilla?

—Pero es el hombre que me devolvió la salud, es él quien me dijo: "Toma tu camilla". ¡Yo no hice más que obedecerle y me curé!

—¿Y quién es ese hombre? ¿Lo conoces? —le preguntaron severamente.

—No sé quién es, no lo conozco, salió de la piscina y se alejó —dijo el hombre—. Ahora déjenme, porque debo ir al Templo, para orar y agradecerle a Dios por haberme curado.

—Vamos a seguirlo —le dijo Marcelo a Hiram—: la actitud de esos fariseos me da mala espina.

Unos momentos más tarde, el caballero y su amigo pudieron ver al que había sido curado milagrosamente en Betsata, solo en un rincón del Templo y envuelto en su *talith*, el manto de plegarias ritual de los judíos, recitando lentamente y en voz alta, el *Schemone Esre*, la gran plegaria que glorifica al Eterno. También vieron a Jesús que, al encontrarlo, le dijo:

—Has sido curado; no vuelvas a pecar, de lo contrario te ocurrirán peores cosas todavía.

El hombre no le contestó, salió corriendo del Templo y fue a ver a los fariseos, que estaban en el atrio de los sacerdotes,[10] para con-

---

10. Después de atravesar la amplia explanada llamada "atrio de los gentiles", abierta a todos, para llegar a los edificios sagrados había que atravesar un primer atrio, llamado "atrio de las mujeres", reservado a las mujeres "puras" (las que no estaban en el período de su regla), y luego un "atrio de los sacerdotes", donde estaban los sacerdotes y los sumos sacerdotes cuando predicaban o realizaban algún sacrificio. Esos dos atrios estaban separados por un muro que tenía una puerta: la puerta Nicanor.

tarles que había reconocido al que lo había curado diciéndole que cargara su camilla: "Es Jesús, el Nazareno", les reveló. Entonces, ante los ojos de Marcelo, que les pisaba los talones, los fariseos corrieron hacia donde estaba Jesús y lo atacaron, reprochándole por haber trabajado cuando el shabbat ya había comenzado. El caballero oyó que Jesús les respondía: *"Mi Padre es el dueño del sábado. Él trabaja siempre, y yo, su Hijo, también trabajo".* Marcelo se volvió hacia Hiram y le dijo:

—Me temo que Jesús acaba de firmar su sentencia de muerte. De ahora en adelante, no sólo los fariseos rigoristas, sino todos los judíos, por poco religiosos que sean, no descansarán hasta matarlo.

—¿Por qué dices eso? ¿Porque dijo que violó el shabbat con conocimiento de causa?

—Pronunció una blasfemia mucho más grave.

—¿Cuál, Marcelo?

—Proclamó que Dios es su propio Padre, haciéndose así igual a Dios.[11] ¡Para un judío religioso, es el mayor de todos los crímenes! Y tengo la impresión de que irá aún más lejos, porque ahora va a predicar. Los fariseos entendieron la gravedad de este momento y permanecieron en silencio: descubrirán por fin a quién tienen que combatir.

En efecto, Jesús se dirigió hacia el exterior del Templo, se detuvo en el escalón más alto, y adoptó la clásica postura del predicador: erguido, inmóvil y silencioso, con las manos cruzadas sobre su pecho, aguardó pacientemente que sus oyentes se reunieran al pie de la monumental escalinata. Luego, después de meditar unos instantes, empezó a hablar:

"Les aseguro que el Hijo no puede hacer nada por sí mismo, sino solamente lo que ve hacer al Padre; lo que hace el Padre, lo hace igualmente el Hijo. Porque el Padre ama al Hijo y le muestra todo lo que hace. Y le mostrará obras más grandes aún, para que ustedes queden maravillados. Así como el Padre resucita a los muertos y les da vida, del mismo modo el Hijo da vida al que él quiere. Porque el Padre no juzga a nadie: él ha puesto todo juicio en manos de su Hijo, para que

11. *Juan* 5, 17-18.

todos honren al Hijo como honran al Padre. El que no honra al Hijo, no honra al Padre que lo envió. Les aseguro que el que escucha mi palabra y cree en aquel que me ha enviado, tiene Vida eterna y no está sometido al juicio, sino que ya ha pasado de la muerte a la Vida.

Les aseguro que la hora se acerca, y ya ha llegado, en que los muertos oirán la voz del Hijo de Dios; y los que la oigan, vivirán. Así como el Padre dispone de la Vida, del mismo modo ha concedido a su Hijo disponer de ella, y le dio autoridad para juzgar porque él es el Hijo del hombre.

No se asombren: se acerca la hora en que todos los que están en las tumbas oirán su voz y saldrán de ellas: los que hayan hecho el bien, resucitarán para la Vida; los que hayan hecho el mal, resucitarán para el juicio. Nada puedo hacer por mí mismo. Yo juzgo de acuerdo con lo que oigo, y mi juicio es justo, porque lo que yo busco no es hacer mi voluntad, sino la de aquel que me envió".[12]

—Ya está —le murmuró Marcelo al oído a Hiram—: lo dijo, y ningún grito salió de la boca de quienes lo escuchan. Hasta los fariseos se quedaron mudos.

—¿Qué dijo de extraordinario, caballero?

—Que era el Hijo que Dios, su Padre, envió a la tierra para sus criaturas, para cumplir su Creación e instaurar el Reino de Dios, es decir, para prometer la resurrección de los muertos después del final de este mundo imperfecto. Es exactamente el programa que le presentó a Nicodemo hace dos meses, durante la Pascua: sólo los términos son diferentes. Acaba de presentarse como el Salvador, el Enviado de Dios, que no viene para juzgar sino para hacer renacer. En pocas palabras, acaba de socavar todos los axiomas de la teología judía, salvo los de la Creación: ya no se trata del pueblo elegido que dominará a los que lo dominaron en el pasado, ni del *sheol* adonde irán a pudrirse las almas de los muertos, ni de la Ley y las observancias, ni de un terrible Juicio Final. Dios Padre es todo bondad, todo misericordia, y Dios Hijo —es decir, Jesús— es él mismo toda la humanidad: es Hijo de Dios, y por lo tanto, también Hijo del hombre.

12. *Juan* 5, 19-30.

—Eso es lo que él dice, caballero. Pero ¿cómo demostrará la verdad de lo que dice? ¿Con los milagros que realizó hasta este momento?

—Sabes perfectamente que a Jesús no le gusta que le pidan signos ni milagros, Hiram, aunque para consolar a algunos desdichados, a veces parezca que hace milagros, como cuando curó a distancia al hijo del funcionario real, según cuentan. Pero escuchémoslo, porque parece que todavía no terminó de hablar:

"Si yo diera testimonio de mí mismo, mi testimonio no valdría. Pero hay otro que da testimonio de mí, y yo sé que ese testimonio es verdadero.

Ustedes mismos mandaron preguntar a Juan,[13] y él ha dado testimonio de la verdad. No es que yo dependa del testimonio de un hombre; si digo esto es para la salvación de ustedes. Juan era la lámpara que arde y resplandece, y ustedes han querido gozar un instante de su luz.

Pero el testimonio que yo tengo es mayor que el de Juan: son las obras que el Padre me encargó llevar a cabo. Estas obras que yo realizo atestiguan que mi Padre me ha enviado.

El Padre que me envió ha dado testimonio de mí. Ustedes nunca han escuchado su voz ni han visto su rostro, y su palabra no permanece en ustedes, porque no creen al que él envió.

Ustedes sondean las Escrituras, porque en ellas piensan encontrar Vida eterna:[14] ellas dan testimonio de mí, y sin embargo, ustedes no quieren venir a mí para tener Vida.

Mi gloria no viene de los hombres. Además, yo los conozco: el amor de Dios no está en ustedes. He venido en nombre de mi Padre y ustedes no me reciben, pero si otro viene en su propio nombre, a ese sí

---

13. Se trata de Juan el Bautista, por supuesto, y no del apóstol Juan. Aquí hay una alusión a los acontecimientos que se desarrollaron en Betabara en el mes de marzo del año 28: véase pp. 234-235 y *Juan* 1, 19-28.

14. El adjetivo "eterno" significa aquí una vida de una calidad *diferente* a la vida ordinaria: la que tiene lugar en el Reino de Dios, que es también la calidad de vida de Dios mismo y de Cristo, y que puede convertirse en la calidad de la vida humana (*Juan* 3, 16: *"Dios amó tanto al mundo, que entregó a su Hijo único para que todo el que cree en él [...] tenga Vida eterna"*).

lo van a recibir. ¿Cómo es posible que crean, ustedes que se glorifican unos a otros y no se preocupan por la gloria que sólo viene de Dios?

No piensen que soy yo el que los acusaré ante el Padre; el que los acusará será Moisés, en el que ustedes han puesto su esperanza. Si creyeran en Moisés, también creerían en mí, porque él ha escrito acerca de mí.[15] Pero si no creen lo que él ha escrito, ¿cómo creerán lo que yo les digo?".[16]

Un pesado silencio siguió a estas palabras. Entre los fieles, amontonados al pie de la escalinata, y los sacerdotes y los escribas que habían salido del Templo para escuchar a ese predicador de una nueva clase, nadie lo interrogó, lo aclamó ni lo abucheó, y la multitud se dispersó en silencio.

—Y ahora, Hiram, ¿qué piensas de esta prédica? —dijo finalmente Marcelo—: no anda con chiquitas nuestro amigo Jesús. En mi opinión, al hablar en esta forma se está jugando la cabeza.

—¿Por qué? ¿Porque enumera las cuatro razones principales por las cuales los judíos deben creer en su misión?

—Creo que no captaste el alcance y la gravedad de las palabras de Jesús, fenicio. La primera parte de su discurso es sin duda audaz, pero no es blasfema. En cambio, los "testimonios" invocados por Jesús para apoyar su predicación pueden ser interpretados en su contra, y algunos hasta pueden llevarlo ante el Sanedrín.

—Me gustaría que me explicaras por qué, caballero.

—El primero recurre a la autoridad de Juan el Bautista: es un testigo póstumo e incierto, porque acaba de ser decapitado por orden de Herodes Antipas.

—Bueno, te lo acepto, pero la segunda razón que dio Jesús, cuando presentó como prueba del origen divino de su inspiración los actos extraordinarios que realizó, como algunos milagros o la calidad de sus sermones, me parece muy sólida, Marcelo.

—Para los judíos, una afirmación como ésa es una blasfemia, y el Sanedrín persigue a todos los predicadores que pretenden ser Mesías, enviados de Dios. ¡Y la tercera razón es aún más escanda-

15. Entiéndase: "... ha escrito el *Pentateuco*": en esa época, los judíos creían que Moisés era el autor de los cinco primeros Libros de la Biblia.
16. *Juan* 5, 31-47.

losa para ellos! En cuanto al hecho de pretender que Moisés escribió el *Pentateuco* especialmente en honor a él, para anunciar su venida, es la peor blasfemia: piensa que Jesús acaba de declarar fríamente frente a los judíos, y en particular frente a los sacerdotes que escucharon su sermón, ¡que hay que creer en él del mismo modo, e incluso más, que en Moisés!

—Debo admitir, caballero, que predicar así en Jerusalén, en la escalinata del Templo, parece una provocación: hace dos meses, durante la Pascua, Jesús sólo había echado a los mercaderes del Templo, y eso de ninguna manera podía chocar a los judíos sinceramente religiosos, pero hoy atacó frontalmente los fundamentos mismos de nuestra religión, y al mismo Moisés... Esto puede terminar muy mal.

—Es lo que yo temo. Esperemos que Jesús tome conciencia de esto y abandone lo más pronto posible Jerusalén y Judea, donde ya no está seguro desde que se proclamó Hijo de Dios. Y ahora volvamos a casa, pues el día está caluroso y tengo un hambre feroz.

El sermón en la escalinata del Templo durante la fiesta de las Semanas, a principios del mes de julio, fue la última manifestación pública de Jesús en Jerusalén en el año 781 de Roma.[17] Sólo después de haber adquirido la certeza de que el Nazareno había salido de Judea para regresar a su Galilea natal, Marcelo terminó por ceder ante la insistencia de Hiram, y aceptó partir con él hacia Sidón, donde, hasta el comienzo del otoño, el caballero pasó el tiempo leyendo a los antiguos poetas griegos y pelando las langostas, los salmonetes y los erizos de mar que su amigo fenicio le traía todas las mañanas de sus partidas de pesca, cuyas peripecias le contaba con lujo de detalles.

De tanto en tanto, se hacía anunciar un jinete cubierto de polvo, proveniente de Jerusalén, Cesarea, Damasco o Alejandría, y le entregaba al dueño de casa las informaciones que había podido conseguir a cambio de dracmas griegas o denarios romanos, sobre las conmociones políticas que agitaban a Siria o Egipto, los últimos escándalos de la corte de Herodes Antipas que provocaban burlas en Tiberíades, la apatía del procurador, o las iras de Caifás, el sumo sa-

17. 28 d.C.

cerdote, contra los profanadores. Pero a las preguntas que hacía regularmente Marcelo sobre la vida de Jesús y sus desplazamientos, sobre si predicaba, sobre cómo lo recibían los habitantes de las aldeas que visitaba, todos los informantes respondían invariablemente que no sabían nada.

—Deja de preocuparte, caballero: ya volveremos a ver a tu amigo Jesús. Apostaría a que lo veremos aparecer dentro de algunas semanas, para la fiesta de las Tiendas, después de la vendimia de septiembre, o para la fiesta de la *Dedicación*,[18] a fin de año.

—¡Dios te oiga, Hiram!

Al parecer, Dios no lo oyó, porque pasaron las Tiendas y la Dedicación, y Jesús no regresó hasta la primavera del año siguiente.

18. Véase cap. 6, nota 2, p. 119.

18

En Cafarnaún: el pan del cielo

Septiembre, año 781-abril, año 782 de Roma
(Septiembre, 28 d.C.-abril, 29 d.C.)

La vendimia de Hiram en Sidón (septiembre del año 28) – En Cesarea la Marítima, Marcelo visita a Pilato, que ni siquiera conoce la existencia de Jesús – Reaparición de Jesús (desaparecido desde julio de 28) a orillas del lago de Tiberíades (marzo de 29) – Primera multiplicación de los panes; Jesús se reúne con sus discípulos en Genesaret caminando sobre las aguas del lago (fin de marzo de 29) – Marcelo e Hiram parten hacia Cafarnaún (fin de marzo de 29) – Sermón de Jesús en Cafarnaún: el "pan del cielo"; cuestionamiento de la tradición: qué hace impuro al hombre (fin de marzo-principios de abril de 29) – Por prudencia, Jesús renuncia a recorrer Judea en el momento de la Pascua (principios de abril de 29).

Junto con el indispensable trigo, base de la alimentación de todo el mundo mediterráneo, la vid era, con el olivo y la higuera, uno de los tres cultivos reales de Palestina.

La leyenda bíblica relata que los hombres enviados por Moisés para explorar el país de Canaán habían descubierto, en un valle cercano a Hebrón, una planta desconocida de cuyas ramas colgaban racimos de frutos deliciosos. Cortaron una rama de vid con un racimo de uvas, con ayuda de una pequeña podadera, pero la rama era tan grande y pesada que se vieron obligados a transportarla entre dos, sostenida con una vara.[1] La belleza de ese racimo y sus suculentos frutos habrían sido una de las razones que decidieron a Moisés a lanzar al pueblo errante que él conducía sobre Canaán, y el valle en el cual sus exploradores habían encontrado las uvas fue llamado "valle del racimo".[2]

---

1. *Números* 13, 23.
2. *Escheol* en hebreo.

Más adelante, cuando el pueblo de Israel se instaló en Palestina, las viñas se desarrollaron libremente allí en todas partes y el pueblo elegido se aficionó a ellas. El profeta Isaías la celebraría en algunos versos líricos:

"Voy a cantar en nombre de mi amigo
el canto de mi amado a su viña.
Mi amigo tenía una viña
en una loma fértil.
La cavó, la limpió de piedras y la plantó con cepas escogidas;
edificó una torre en medio de ella
y también excavó un lagar.
Él esperaba que diera uvas,
pero dio frutos agrios.
Y ahora, habitantes de Jerusalén y hombres de Judá,
sean ustedes los jueces entre mi viña y yo.
¿Qué más se podía hacer por mi viña
que yo no lo haya hecho?".3

Las vendimias, que se llevaban a cabo después de la recolección de la fruta y antes de la de las olivas, se realizaban en septiembre y daban lugar a una fiesta ritual —la fiesta de las Tiendas—4 que duraba una semana, y cuyo desarrollo había sido fijado, según decían, por el propio Moisés, bajo el dictado de Dios:

"El Señor dijo a Moisés: [...]'El día quince de este séptimo mes [*el séptimo mes lunar del año del calendario israelita, que tiene doce meses*] se celebrará la fiesta de las Tiendas en honor del Señor, durante siete días. El primer día habrá una asamblea litúrgica, y ustedes no harán ningún trabajo servil. Durante siete días presentarán una ofrenda que se quema para el Señor. Al octavo día, celebrarán una asamblea litúr-

---

3. *Isaías* 5, 1-4. En esa época, la viña se cultivaba como planta trepadora, enredada en el suelo, entre los árboles.
4. Los judíos celebraban esta fiesta de noche, durante una semana. En esa oportunidad, se alojaban en cabañas improvisadas, construidas en medio de los viñedos con ramas y hojas: de ahí que también se llamara a esa fiesta religiosa *"fiesta de las cabañas"* o *"fiesta de los Tabernáculos"*.

gica y presentarán una ofrenda que se quema para el Señor: es una asamblea solemne y ustedes no harán ningún trabajo servil".5

En ese año 781 de Roma, el sol brilló durante todo el verano, y la vendimia había sido abundante. Hiram se frotaba las manos de gusto cuando veía trabajar en sus viñedos a los jóvenes viñadores. Armados con una pequeña podadera bien filosa, cortaban los pesados racimos de granos carnosos, y llenaban los canastos de mimbre, que luego vaciaban en la gran cuba de madera de su lagar, donde luego las pisaban con sus pies descalzos, al ritmo de los cantos y los palmeos de las mujeres, hasta la caída de la noche. Luego se iban a dormir, embriagados por los vapores del vino prensado, a cabañas improvisadas levantadas en medio de los viñedos.

—¡Siempre recordaré esta fiesta de las Tiendas del año 781 de Roma! —le decía el fenicio a quien quisiera oírlo—. ¡Dentro de tres meses, para la fiesta de la Dedicación, beberemos un vino nuevo como no se ha bebido en Fenicia desde hace por lo menos diez años!

—Esperemos que Jesús esté con nosotros para brindar... ¡Es un gran aficionado al vino! —dijo Marcelo.

—Hagamos votos por eso, caballero. No conocía ese aspecto del personaje, ¡pero hace que simpatice aún más con él! ¿Por dónde andará en estos momentos? El silencio de mis informantes me preocupa.

La desaparición de Jesús también intrigaba a Marcelo, que había aprovechado su estadía en Sidón para ir a Cesarea a saludar a Pilato. Lo había interrogado acerca de Jesús, pero el procurador no fue demasiado locuaz y el diálogo entre ambos hombres fue escueto:

—¿Jesús? ¿Qué Jesús? —le preguntó Pilato a modo de respuesta.

—Jesús de Nazaret.

—No conozco a nadie con ese nombre. ¿Y Nazaret? ¿Dónde queda Nazaret?

—Es una región de Galilea, donde nació Jesús, un hijo de carpintero que se convirtió en predicador. Subió a Jerusalén en el pasado mes de abril y provocó un bonito escándalo en el atrio de los gentiles.

5. *Levítico* 23, 33-36.

—¡En el tiempo de la Pascua, hay un escándalo por día en Jerusalén! Lo siento, caballero, pero no estoy al tanto de ese tema. Si tuviera que vigilar a todos los agitadores que aparecen en Judea, necesitaría por lo menos un centenar de policías, y no tengo más que una veintena a mi disposición en Cesarea.[6]

Ofendido y preocupado, Marcelo regresó a Sidón, donde Hiram, que estaba tan inquieto como él, le informó que le había encargado a Agorastocles que recorriera todas las aldeas de Galilea:

—No tardaremos en tener noticias suyas, ya verás —le prometió al caballero.

Hiram pecaba de optimista. Durante nueve meses, no le llegó ninguna información referente a Jesús. El fenicio recibió la primera información sobre Jesús en el mes de marzo del año 782 de Roma,[7] cuando, un poco antes de la Pascua, le llegó un largo mensaje de su informante, en el que le contaba en qué circunstancias, tras ocho meses de investigaciones, había encontrado a Jesús, en la orilla sur del mar de Galilea.

—Según Agorastocles, que es muy sagaz, y que, como tú sabes, conoce muy bien a Jesús, y tiene un voluminoso expediente sobre él, el Nazareno habría vuelto decepcionado de Jerusalén, en septiembre último.

—¿Decepcionado por qué, por quién, fenicio?

—Por la absoluta incomprensión hacia él de parte de los escribas y los sacerdotes de Judea. La única autoridad que aceptó escucharlo fue el sanedrista Nicodemo, y hasta esa entrevista debió ser clandestina. En cuanto a su prédica en las escalinatas del Templo, Jesús tuvo la clara impresión de que se salvó por un pelo de que lo lapidaran por blasfemia.

—Yo también me había dado cuenta de eso, Hiram, y te lo dije en aquel momento. Pero ¿por qué no nos dio ninguna señal de vida en los últimos nueve meses?

—Yo creo —aunque no estoy seguro— que Jesús temía que lo

6. Recordemos que el procurador de Judea tenía su sede en Cesarea la Marítima, en la costa mediterránea, cuyas ruinas se han encontrado a un centenar de kilómetros al sur de la moderna ciudad libanesa de Saida, la antigua Sidón.
7. 29 d.C.

siguiera la policía de Herodes Antipas por haber reivindicado públicamente a Juan el Bautista en una prédica, y por haberle reprocha-
do al tetrarca que ordenara su muerte: Galilea es una tierra herodiana, Marcelo, y no romana, y Antipas es su amo todopoderoso. Por
eso, durante estos últimos meses, Jesús consideró prudente ser discreto, y se internó en los matorrales para que se olvidaran de él.
Ahora salió de su escondite, y otra vez va de aldea en aldea, dando
esperanzas a los enfermos, consolando a los desdichados y predicando en todas partes la Buena Noticia. Tuvo la buena idea de refugiarse a bordo de una barca de pescador e internarse en el mar de
Galilea, frente a Genesaret y Cafarnaún: allí se siente protegido contra un arresto sorpresivo. Y últimamente, desde hace varios días,
circula con sus apóstoles por las montañas de la región, alrededor
del lago.

—¡Ya estamos, entonces! —dijo Marcelo con tono triunfante.

—¿Qué quieres decir?

—Quiero decir que Jesús está a punto de dar un gran golpe:
durante los nueve meses pasados, sus enviados y él deben de haber hecho un gran trabajo de predicación, pero un trabajo subte-
rráneo. El Nazareno comprendió que con manifestaciones violentas y espectaculares, como la de echar a los mercaderes del
Templo, no lograría difundir e imponer su doctrina en todos los
rincones de Palestina. Optó por convencer en primer lugar a aquellos a quienes llamó, hace apenas un año, en la montaña, *"la sal de
la tierra"*, es decir, los humildes, los pequeños, los oscuros. Hacia
ellos envió a sus apóstoles, a quienes había reunido en Magdala,
en mayo del año pasado. Y ahora, después de todos estos meses de
silencio, durante los cuales seguramente Jesús ha debido meditar
mucho, a cinco semanas de la Pascua, sabremos por fin, así lo espero, gracias a tu informante, qué pasó y qué fue de él durante todo este tiempo.

—Aquí está el informe de Agorastocles, caballero. ¿Quieres leerlo tú mismo? —le dijo Hiram mientras le tendía un rollo de papiro.

—Ardo de impaciencia —respondió Marcelo, que tomó rápidamente el papiro, lo desenrolló y empezó a leerlo en voz alta para su
compañero, interrumpiendo de vez en cuando su lectura para inter-
calar sus propios comentarios:

INFORME DE AGORASTOCLES SOBRE JESÚS EL NAZARENO
(fecha: poco antes de la Pascua del año 782 de Roma)

"A mi amo, Hiram el Fenicio, ¡salud!

Los apóstoles, a quienes ahora sólo llaman "los Doce" en Galilea, se reunieron con Jesús y le informaron sobre todo lo que habían hecho y lo que habían enseñado después de dispersarse al salir de Jerusalén...".

—Esta observación trae agua a mi molino —le hizo notar Marcelo a Hiram—. Agorastocles nos aclara que los Doce fueron a rendirle cuentas a Jesús sobre su actividad. Acuérdate de lo que te dije el día que Jesús pronunció el Sermón de la Montaña, hace diez u once meses: que se comportaba como si fuera el jefe de un partido político que envía a sus militantes a propagar su doctrina a través del país. Luego, en Magdala, dos o tres días más tarde, si no me equivoco, les dio consignas estrictas, y sin duda, misiones a cumplir. Pues bien, ahora, un año después, los Doce fueron a verlo para hacer un balance, casi día por día, de su acción. No cabe ninguna duda: éste es un método de jefe político. César actuaba de la misma manera cuando hacía campaña en la Galia.

Después de este breve comentario, el caballero reanudó su lectura:

"Había una gran multitud alrededor de ellos, gente que iba y venía, y ellos mismos no habían tenido tiempo ni para comer. Entonces, Jesús les dijo: 'Vengan ustedes solos conmigo a un lugar desierto, para descansar un poco'. Entonces se fueron solos en la barca, y la gente los vio alejarse hacia el extremo sur del lago de Tiberíades. Algunos los reconocieron, y los siguieron a pie, bordeando la orilla del lago. Corrieron hasta el lugar donde Jesús había decidido ir con los suyos y llegaron antes que ellos. Al desembarcar, el Nazareno vio a todos esos hombres y todas esas mujeres que lo aguardaban, tuvo piedad de ellos, porque eran como ovejas sin pastor, y estuvo enseñándoles largo rato".

—Permíteme interrumpirte, caballero —dijo en ese momento Hiram—. ¿Dónde transcurre esta escena exactamente, según Agorastocles?

—En el informe dice que Jesús y sus apóstoles estaban rodea-
dos por una densa multitud, que pudieron alejarse de ella y partieron en barca hacia el extremo del lago. Por lo tanto, supongo —y seguramente tú también— que Jesús se encontraba en la orilla norte
del lago de Tiberíades, sin duda cerca de Betsaida, donde se hospedaba habitualmente, y partió con sus discípulos hacia Senabris, la
pequeña aldea que se encuentra en la punta meridional del lago.[8]

—¿En qué tipo de embarcación partieron, Marcelo? ¿En una
barca o en una nave de pesca? Jesús, más los Doce, más dos o tres
mujeres que siempre los siguen, como María de Magdala, suman
quince o dieciséis personas, o tal vez más, si contamos también uno
o dos marineros...

—En mi opinión, habrán tomado uno de los barcos de pesca ama-
rrados en la rada de Cafarnaún o en la de Genesaret. Seguramente no
encontraron mayores dificultades para manejarlo: entre los apóstoles
hay tres o cuatro pilotos, y especialmente Pedro y Andrés.

—Sin duda tienes razón, caballero. ¿Qué más dice el informe?

—Dice que la multitud caminó por el borde del lago y se reunió
con Jesús y los Doce en el extremo del lago, y al caer la noche, los
apóstoles le dijeron a Jesús:

"Éste es un lugar desierto, y ya es muy tarde. Despide a la gente,
para que vaya a las poblaciones cercanas a comprar algo para comer.

—Denles de comer ustedes mismos —les respondió Jesús.

El apóstol Felipe dijo:

—Doscientos denarios no alcanzarían para que cada uno recibie-
ra dos o tres bocados de pan.

Entonces Jesús les pidió que fueran a ver cuántos panes de reserva tenía esa gente que los había seguido. Después de averiguarlo, Andrés, el hermano de Pedro, le dijo:

—Entre ellos hay un niño que tiene cinco panes de cebada y dos
pescados pequeños. Pero ¿qué es eso, en comparación con la cantidad
de bocas para alimentar?

---

8. Esta travesía por el mar de Galilea está relatada en *Juan* 6, 1: *"Después
de esto* [su regreso desde Jerusalén], *Jesús atravesó el mar de Galilea, llamado Tiberíades".*

Jesús les ordenó que hicieran sentar a todos en grupos, sobre la hierba verde, y la gente se sentó en cincuenta grupos de cien personas cada uno. Eran cinco mil en total. Entonces Jesús tomó los cinco panes y los dos pescados, y levantando los ojos al cielo, pronunció la bendición, partió los panes y los fue entregando a sus discípulos para que los distribuyeran. También repartió los dos pescados entre la gente, y cada una de las cinco mil personas obtuvo su ración. Todos comieron hasta saciarse, y se recogieron doce canastas llenas de sobras de pan y de restos de pescado".9

—¿Y qué dices ahora, incrédulo? —le dijo Hiram a Marcelo en tono triunfante—. ¿No es un milagro esto? ¡Trasformar cinco panes de cebada en cinco mil panes, frente a cinco mil testigos que no pueden haber tenido una alucinación al mismo tiempo!

—¿Tu informante estuvo presente, Hiram, cuando se produjo ese "milagro", como tú dices? —le preguntó Marcelo.

—No, caballero. Agorastocles se quedó al pie de la montaña: empieza a envejecer, y no se sintió capaz de trepar junto con la multitud.

—¿Él vio y contó a las cinco mil personas que menciona?

—No, eso hubiera sido imposible.

—Evidentemente. ¿Y cómo se enteró de ese milagro?

—Por lo que le contaron, caballero.

—¿Y a eso llamas una "información controlada por un observador que está por encima de toda sospecha", Hiram? Permíteme que desconfíe de esa clase de chismes. Seguramente Jesús distribuyó algunos trozos de pan a una pequeña cantidad de gente, pero nada más, y el rumor público transformó esa distribución en un milagro. El informe de Agorastocles me recuerda a esos relatos que hacen las delicias de algunos cazadores. Personalmente, rescataría una sola cosa.

—¿Cuál, caballero?

—Que Jesús está con vida y en libertad, y que ahora se desplaza con sus apóstoles en torno al lago de Tiberíades. La montaña desierta que menciona Agorastocles en su informe, donde supuesta-

9. Según *Marcos* 6, 30-43.

mente tuvo lugar esa milagrosa multiplicación de los panes, debe de ser una de esas colinas agrestes de los alrededores de Betsaida. Pero, finalmente ¿qué fue de esos presuntos cinco mil fieles?

—¿Por qué dices "presuntos", Marcelo?

—Porque de acuerdo con los últimos censos locales realizados por el gobernador de Siria, la población total de las zonas que rodean al lago de Tiberíades no supera las diez mil personas, si se exceptúan los habitantes de la misma Tiberíades, naturalmente.

—Ignoraba ese detalle —dijo Hiram, mientras examinaba el papiro de Agorastocles, que había recuperado de manos de Marcelo—. Pero volvamos a tu pregunta: según este informe, los "presuntos" cinco mil fieles se dispersaron por los campos circundantes.

—¿Y los apóstoles, Hiram?

—Jesús hizo que volvieran a cruzar el lago en barca, en dirección a Betsaida, y él mismo regresó a pie.

—A pie, sí, pero de una manera muy extraña, fenicio: ¡caminando sobre las aguas del lago! —señaló Marcelo, sonriendo.

—¿Qué estás diciendo? ¿Es una broma?

—No es ninguna broma, Hiram: está escrito en el reverso de tu papiro.

Hiram dio vuelta el informe y leyó, en efecto, estas líneas sorprendentes, que lo dejaron estupefacto:

"Al caer la tarde, la barca estaba en medio del mar y él permanecía solo en tierra. Al ver que remaban muy penosamente, porque tenían viento en contra, cerca de la madrugada fue hacia ellos caminando sobre el mar, e hizo como si pasara de largo. Ellos, al verlo caminar sobre el mar, pensaron que era un fantasma y se pusieron a gritar, porque todos lo habían visto y estaban sobresaltados. Pero él les habló enseguida y les dijo: 'Tranquilícense, soy yo; no teman'. Luego subió a la barca con ellos y el viento se calmó. Así llegaron al colmo de su estupor, porque no habían comprendido el milagro de los panes pues su mente estaba enceguecida. Después de atravesar el lago, llegaron a Genesaret y atracaron allí".[10]

10. *Marcos* 6, 47-53.

—Una cosa así es difícil de creer, lo admito —dijo Hiram—, pero tiene que haber una explicación. Es posible que Jesús haya nadado, de noche, hacia la barca, y cuando estuvo cerca de los apóstoles, éstos seguramente creyeron que había caminado sobre las aguas: no hay que olvidar que son personas sencillas, Marcelo, y las Escrituras, que los rabinos les leen desde su más tierna infancia, están llenas de hechos milagrosos.

—¿En qué momento tuvieron lugar los acontecimientos que relata tu informante, Hiram?

—Se sitúan entre el regreso de Jesús de Jerusalén, en el mes de julio del año pasado, después del incidente con los mercaderes del Templo, y, como el propio Agorastocles escribe en su informe, *"poco antes de la Pascua"*,[11] es decir, hace apenas algunos días. En mi humilde opinión, Jesús todavía se encuentra en alguna parte entre Betsaida y Cafarnaún.

—Es más que probable, fenicio, y no tenemos un minuto que perder: debemos partir inmediatamente hacia el lago de Tiberíades. ¡Con un buen carro y un buen cochero, estaremos allí en cuarenta y ocho horas!

El regreso de Jesús y sus apóstoles a las orillas del mar de Galilea, a fines de marzo del año 782 de Roma,[12] provocó una gran conmoción en las poblaciones de la región. En cuanto desembarcaron en la llanura de Genesaret, los lugareños pusieron a sus enfermos y sus lisiados en camillas y los llevaron a las plazas, en todos los pueblos y aldeas que recorrieron Jesús y sus discípulos. Todos suplicaban a Jesús que les permitiera tocar el borde de su túnica:[13] los que lograran rozarla siquiera una vez eran curados de inmediato, le dijo más tarde un testigo —un campesino— a Marcelo, cuando éste llegó al lugar acompañado por su amigo Hiram.

—¿Dónde está Jesús ahora? —le preguntó Marcelo a ese labriego.

11. La información se encuentra en *Juan* 6, 4: se trata de la Pascua del año 29, por supuesto.
12. 29 d.C.
13. Este borde con flecos, que lleva una cinta azul, adorna la parte inferior de los mantos o las túnicas que usan los judíos piadosos, y les recuerdan los mandamientos del Eterno.

—No se quedó mucho tiempo en Genesaret: apenas dos o tres días tal vez, señor —contestó el campesino—. En este momento está en Cafarnaún, hasta donde lo siguieron casi todas las personas sanas de la región, y todos los que comieron los panes, la noche del milagro. Parece que va a predicar, y creo que...

El caballero ya no lo escuchaba: saltó a su carro, donde lo esperaba pacientemente Hiram, y gritó, gozoso:

—¡Rápido, cochero! ¡A Cafarnaún!

Luego se volvió hacia el fenicio y le dijo:

—Esta vez, la suerte está echada, como hubiera dicho César: Jesús saldrá de su silencio. Hace diez meses que espero este momento, desde que salimos de Jerusalén, en julio del año pasado, después de su último sermón sobre las escalinatas del Templo.

—Por mi parte, caballero, espero este momento desde hace un poco más que tú: doce meses exactamente.

—¿Cómo es eso?

—Desde el primer sermón que pronunció en Cafarnaún, después del Sermón de la Montaña, en el último mes de abril, cuando comparó el Reino de Dios con un grano de mostaza...

En la pequeña rada de Cafarnaún, nada había cambiado desde aquel día memorable. Las barcas de los pescadores que estaban amarradas allí, se balanceaban suavemente a merced de las pequeñas olas que levantaba en el lago la brisa del mediodía. La multitud se había apiñado sobre la arena y los guijarros de la orilla, así como sobre la pequeña escollera de piedra que cerraba la rada, mientras Jesús, sentado en su barca como el año anterior, aguardaba que se hiciera silencio para comenzar a hablar, con su voz suave y firme, que Hiram y Marcelo se alegraron de volver a oír.

—Ahora oiremos el cuarto gran sermón de Jesús en un año, Hiram —dijo el caballero.

—Mandé caligrafiar los tres primeros por mis escribas, Marcelo: los dos que pronunció aquí hace un año, uno en la montaña y el otro en esta misma rada, y el de julio último, en Jerusalén. ¿Has observado lo diferentes que son?

—El que más me interesa es el sermón de Jerusalén, en el que se presenta como el Hijo de Dios. Pero me pregunto si un tema doctrinal como ése, que estaba adaptado al público del Templo, compuesto por escribas, doctores de la Ley y fariseos, podrá ser entendido por las personas sencillas que están aquí para escucharlo, y que en su mayoría, ni siquiera saben leer.

—Jesús es muy hábil, caballero, y sabe ponerse a la altura de la gente más sencilla: les hablará simplemente por medio de esas parábolas que compone con tanto talento.

—Efectivamente, necesitará mucho talento. Porque tendrá que enunciar tesis abstractas sobre la Buena Noticia y sobre la Vida eterna. Escuchemos, y luego juzgaremos. Y recomiéndale a tu taquígrafo que esté atento y que anote todo, para que yo pueda reflexionar después sobre este sermón con la mente despejada, cuando estemos de regreso en Sidón.

SERMÓN PRONUNCIADO POR JESÚS EN CAFARNAÚN
en los últimos días del mes de marzo del año 782 de Roma
(taquigrafiado por Estenón, secretario del señor Hiram)

"Les aseguro que ustedes me buscan, no porque vieron signos [*que indican la intervención de Dios*], sino porque han comido pan hasta saciarse [*alusión a la multiplicación de los panes, unos días antes*]. Trabajen, no por el alimento perecedero, sino por el que permanece hasta la Vida eterna [*vida cualitativamente diferente a la vida común, y que es la de Dios y su Mesías, pero que puede llegar a ser la del hombre*], el que les dará el Hijo del hombre; porque es él a quien Dios, el Padre, marcó con su sello.[14]

En la multitud, alguien le preguntó a Jesús: '*¿Qué debemos hacer para realizar las obras de Dios?*'. Y se produjo un diálogo entre Jesús y los que lo escuchaban:

—Realizar la obra de Dios es creer en aquel que él ha enviado —respondió Jesús.

—¿Pero qué signos haces tú para que veamos y creamos en ti? ¿Qué obra realizas? En tiempos de Moisés, nuestros padres comieron el maná en el desierto. Y tú, ¿qué nos das?

—Les aseguro que no es Moisés el que les dio el pan del cielo

14. *Juan* 6, 26-27.

—respondió Jesús—: mi Padre les da el verdadero pan del cielo, porque el pan de Dios es el que desciende del cielo y da Vida eterna al mundo de los hombres.

Entonces le dijeron:

—Señor, danos siempre de ese pan.

—Yo soy el pan de Vida —les dijo Jesús—. El que viene a mí jamás tendrá hambre; el que cree en mí jamás tendrá sed. Pero ya les he dicho: ustedes me han visto y sin embargo no creen. Todo lo que me da el Padre viene a mí, y al que venga a mí yo no lo rechazaré, porque he bajado del cielo, no para hacer mi voluntad, sino la de aquel que me envió. La voluntad del que me ha enviado es que yo no pierda nada de lo que él me dio, sino que lo resucite en el último día. Ésta es la voluntad de mi Padre: que el que ve al Hijo y cree en él, tenga Vida eterna y que yo lo resucite en el último día".[15]

—Es verdaderamente muy bello lo que acaba de decir Jesús —le hizo notar Marcelo a su compañero—, pero no parece que les haya gustado a todos.

En efecto, entre los presentes, muchas personas murmuraban:

—¿Acaso éste no es Jesús de Nazaret, el hijo de José? Nosotros conocimos a su padre y a su madre. ¿Cómo tiene la osadía de decir ahora que bajó del cielo?

Pero el Nazareno había percibido las reacciones de su auditorio, del que rápidamente se encargó otra vez, y Estenón apenas tuvo tiempo de volver a tomar sus tablillas y su estilete para anotar las últimas palabras de Jesús:

"No murmuren entre ustedes. Nadie puede venir a mí, si no lo atrae el Padre que me envió; y yo lo resucitaré en el último día. Está escrito en el libro de los *Profetas*: *Todos serán instruidos por Dios*. Todo el que oyó al Padre y recibe su enseñanza, viene a mí. Nadie ha visto nunca al Padre, sino el que viene de Dios: sólo él ha visto al Padre. Les aseguro que el que cree, tiene Vida eterna. Yo soy el pan de Vida. Sus padres, en el desierto, comieron el maná y murieron. Pero este es el pan que desciende del cielo, para que aquel que lo coma no muera.

15. Cf. *Juan* 6, 26-40.

Yo soy el pan vivo bajado del cielo. El que coma de este pan vivirá eternamente, y el pan que yo daré es mi carne para la Vida del mundo. [...] Les aseguro que si no comen la carne del Hijo del hombre y no beben su sangre, no tendrán Vida en ustedes. El que come mi carne y bebe mi sangre tiene Vida eterna, y yo lo resucitaré en el último día. Porque mi carne es la verdadera comida, y mi sangre, la verdadera bebida. El que come mi carne y bebe mi sangre permanece en mí y yo en él. Así como yo, que he sido enviado por el Padre que tiene Vida, vivo por el Padre, de la misma manera, el que me come vivirá por mí".[16]

—¿Qué quiso decir con eso, caballero?

—Creo que habla simbólicamente, Hiram, y cuando oigo los murmullos de las personas que nos rodean y que dicen, estúpidamente: "¿Cómo puede darnos a comer su carne?", realmente tengo la impresión de que no lo entendieron. Lo que él reclama de sus fieles es una adhesión total a sus ideas: el pan del cielo que dice representar, no es un alimento terrenal, sino el alimento espiritual de nuestra alma.

—Ese simbolismo no es demasiado claro, Marcelo, y es difícil que sus oyentes puedan entender lo que dice.

—Es exactamente lo que acabo de oír de boca de uno de sus apóstoles: *"¡Es duro este lenguaje! ¿Quién puede escucharlo?"*.[17]

Jesús dejó de hablar. Muchos de los que lo seguían desde hacía muchos meses, en vez de rodearlo como lo hacían antes, cada vez que predicaba, ahora se alejaron de él. Marcelo oyó que Jesús les preguntaba a los Doce: *"¿También ustedes quieren irse, amigos?"*. Simón, el apóstol a quien Jesús había atribuido el nombre de "Pedro" cuando lo encontró por primera vez en los vados de Betabara, un año antes,[18] le respondió:

—Señor, ¿a quién iremos? Tú has pronunciado las palabras de la Vida eterna, y nosotros, tus apóstoles, hemos creído y hemos reconocido que eres Cristo, el Santo de Dios. ¿Por qué te abandonaríamos?

16. *Juan* 6, 43-57.
17. *Juan* 6, 60.
18. Véase p. 254.

—¿No soy yo, acaso, el que los eligió a ustedes, los Doce? Sin embargo, uno de ustedes es un demonio y me traicionará.

Hiram tenía el oído fino. Oyó esta réplica del Nazareno y le preguntó al caballero:

—¿A qué apóstol se refiere, Marcelo?

—No lo sé, fenicio, pero el sermón que acaba de pronunciar Jesús seguramente permite presagiar un futuro que no será demasiado fácil para sus discípulos. Tendrán que enfrentar a muchos adversarios, y es de temer que algunos de ellos lleguen al punto de abandonarlo, e incluso de traicionarlo si la situación se pone tensa. El Nazareno es consciente de esto, y sus últimas palabras suenan como una advertencia, dirigidas a un traidor en potencia.

—¿Por qué dices "si la situación se pone tensa", caballero? ¿Temes que el tetrarca le haga correr a Jesús la misma suerte que al Bautista?

—¿Por qué razones crees que Herodes podría desconfiar tanto de Jesús como para hacerlo encarcelar? Juan era un predicador agresivo, que atacaba al tetrarca en todos sus sermones. Jesús no ataca a nadie, no critica a nadie, no lanza afrentas contra nadie, y predica una moral de perdón y no de castigo. No, no es el tetrarca quien se enfrentará a Jesús, mi querido Hiram, sino el Templo, los escribas, los doctores de la Ley, los fariseos, porque lo que él pone en tela de juicio no es la conducta de Herodes Antipas, sino la tradición de Moisés. Por otra parte, ¿quiénes fueron sus primeros acusadores, cuando todavía era un desconocido?

—No lo sé, caballero.

—Fueron los fariseos y los escribas de Cafarnaún, que le reprochaban el hecho de haber asistido a una cena en casa de Leví, el recaudador de impuestos, considerado impuro porque frecuentaba a los paganos, y también otros que lo criticaron por haber curado a un inválido el día de shabbat. Y ahora, Jesús la emprende contra Moisés y la Ley: *"No es Moisés el que alimentó a sus padres en el desierto, sino Dios"*, predica. Y los mismos escribas, los mismos fariseos no han dejado de acusarlo, a él y a sus discípulos, por comer con las manos impuras, sin haberlas purificado previamente, por no proceder al lavado ritual de las copas, las jarras y las fuentes: *"¿Por qué tus discípulos no proceden de acuerdo con la tradición de nuestros antepasados, sino que comen con las manos impu-*

ras?", le preguntaron recientemente. ¿Y sabes, Hiram, qué les contestó Jesús?

—No.

—Citó una profecía de Isaías, que recordaba la palabra del Eterno a propósito de los habitantes de Jerusalén:

> "Este pueblo se acerca a mí
> con la boca y me honra con los labios,
> pero su corazón está lejos de mí,
> y el temor que me tiene
> no es más que un precepto, aprendido por tradición humana".[19]

—¿Jesús tuvo la audacia de decirles eso a los escribas?

—Sí, Hiram, y no vacila en provocarlos. Cuando les habla, no se anda con rodeos, y hace apenas unos instantes, le oí decir a la multitud, después de terminar su sermón:

> "Escúchenme todos y entiéndanlo bien. Ninguna cosa externa que entra en el hombre puede mancharlo; lo que lo hace impuro es aquello que sale del hombre".

—¿Qué quiso decir, caballero?

—Lo sabrás dentro de algunos minutos: está a punto de explicarlo a los apóstoles que vienen a hacerle la misma pregunta.

En efecto, Jesús había llevado a sus discípulos lejos de la multitud para explicarles el significado de esas enigmáticas palabras:

> "¿Ni siquiera ustedes son capaces de comprender? ¿No saben que nada de lo que entra de afuera en el hombre puede mancharlo, porque eso no va al corazón sino al vientre, y después se elimina en lugares retirados? Todos los alimentos son puros todos. Lo que sale del hombre es lo que lo hace impuro. Porque es del interior, del corazón de los hombres, de donde provienen las malas intenciones, las fornicaciones, los robos, los homicidios, los adulterios, la avaricia, la maldad, los engaños, las deshonestidades, la envidia, la difamación, el orgullo, el

19. *Isaías* 29, 13-14.

desatino. Todas estas cosas malas proceden del interior y son las que manchan al hombre".[20]

—¿Ahora estás convencido, fenicio? —le preguntó Marcelo a su amigo—. La posición de Jesús es muy clara: el valor moral de un ser humano reside en las intenciones que guarda en su corazón y no en los gestos exteriores que realiza. No basta con purificar ritualmente el cuerpo o respetar las prescripciones de la Torah. Para ser amado por Dios, hay que ser, en primer lugar, puro en las intenciones, en el alma. No importa que tus manos estén sucias, dijo Jesús, si tu corazón es puro. Todo el resto no es más que hipocresía. Un leproso que ama a Dios y hace el bien es más puro que un fariseo que practica todas las abluciones rituales pero tiene el alma negra. Seguramente eso es lo que Jesús está a punto de explicarles a la media docena de fariseos que gesticulan alrededor de él en este momento en la escollera. La discusión parece muy animada. ¿Por qué no vas a ver de qué se trata?

—Vayamos los dos, caballero.

—No, de ninguna manera: delante de un romano se callarían.

Hiram obedeció. Se acercó al pequeño grupo de hombres que seguía hablando con Jesús, y volvió unos minutos después para informarle al caballero:

—Tenías razón, Marcelo: son fariseos. Le pidieron a Jesús que les diera un signo para probar que estaba inspirado por Dios, como asegura.

—¿Y qué les contestó?

—Lanzó un profundo suspiro y les dijo: *"¿Por qué todos los de esta generación piden un signo? Les aseguro que no se les dará ningún signo"*. Y de inmediato volvió a subir a su barca y se internó en el lago, en dirección a Betsaida.

—¿Qué piensas que hará ahora? ¿Volverá a subir pronto a Jerusalén, para la Pascua, como lo hizo el año pasado, cuando peleó contra los mercaderes del Templo?

—No lo creo, caballero.

—¿Por qué?

---

20. *Marcos* 7, 18-23.

—Porque no sería prudente. Cuando subió a Jerusalén por primera vez, en abril último, era prácticamente un desconocido.

—Sin embargo, ya había predicado en la montaña, antes de la Pascua.

—Lo sé, caballero, pero ese sermón, pronunciado lejos del Templo, en Galilea, frente a gentes sencillas, no tenía nada de doctrinal, y Jesús no se había declarado todavía abiertamente como el Mesías. Por otra parte, cuando apareció en el atrio de los gentiles y atacó a los mercaderes del Templo, sorprendió a todo el mundo, es cierto, pero mucho más como agitador que como un doctrinario herético. Durante esa primera subida a Jerusalén, sólo le comentó su doctrina a Nicodemo, en el mayor de los secretos, y sin cuestionar la tradición mosaica...

—...En cambio, durante la fiesta de las Semanas, cuando volvió a Jerusalén, cuatro meses más tarde, levantó el velo.

—Exactamente, caballero: su sermón en la escalinata del Templo, en julio último, tuvo el efecto de un trueno en los medios religiosos de Judea y en el seno del partido fariseo. Por eso Jesús creyó que era mejor ir a refugiarse a Galilea: en Tiberíades y Cafarnaún, no son los religiosos quienes tienen el poder, sino Herodes Antipas, y el partido fariseo no está en primer plano, como sí lo está en Jerusalén, donde Jesús nunca habría podido pronunciar este último sermón. Pero dentro de unos días, una semana a lo sumo, las palabras que acaba de pronunciar en esta rada de Cafarnaún habrán sido transmitidas a las autoridades del Templo, y cuando los miembros del Sanedrín tengan en sus manos el texto o el resumen de su sermón, harán todo lo posible para echarle mano.

—¿Eso quiere decir que no hay libertad de pensamiento en Judea?

—Como tampoco la hay en Roma, Marcelo: ¿te imaginas que un ciudadano romano proclamara, en el Foro, que las leyes del Imperio son malas y que hay que cambiarlas por otras? En cuarenta y ocho horas, el pobre hombre estaría en prisión. Y tampoco existía la libertad de pensamiento en la democracia ateniense, más bárbara todavía. ¿Acaso los *heliastas*[21] no condenaron a muerte a Sócrates por el delito de "impiedad"?

21. Los seis mil ciudadanos atenienses sorteados que constituían el tribunal de la Heliea, en la época de la "democracia" ateniense.

—Me veo en la obligación de admitir que tienes razón, Hiram: no hay un solo Estado en el mundo, tenga el régimen que tenga, que tolere a los innovadores: sean éstos griegos, romanos, persas, etíopes, chinos o judíos, tarde o temprano todos están destinados a la cicuta, a la crucifixión, al empalamiento o a la hoguera. Y si persiste en su mensaje, Jesús terminará como Sócrates, los Gracos o la mayoría de los profetas: inmolado por el orden establecido.

—Por eso, caballero, creo que este año, Jesús no se manifestará en Jerusalén en la Pascua, que ya está cerca, y preferirá recorrer la Galilea antes que Judea, por temor a las autoridades religiosas que tal vez estén tratando ya de llevarlo a la muerte:[22] el año pasado, sólo era un peregrino anónimo que se manifestó en dos oportunidades en el atrio del Templo, en la Pascua y en la fiesta de las Semanas. Este año, en cuanto atraviese la frontera de Judea, lo arrestarán y lo llevarán ante el Sanedrín.

—Pero deberá regresar a Jerusalén algún día, fenicio.

—Por supuesto, caballero, pero para hacerlo elegirá un momento más propicio para sus proyectos que la Pascua. En septiembre próximo, después de la vendimia, quizá, para la fiesta de las Tiendas del año 782 de Roma.

—De manera que si queremos tener una oportunidad de volverlo a ver antes de esa fecha, deberíamos pasar los próximos meses en Sidón, fenicio, hasta la próxima fiesta de las Tiendas...

—Nada me dará más placer, Marcelo. Aprovecharé para limpiar mis viñedos, controlar la fermentación y la puesta en ánforas de mi vino, y efectuar algunas buenas partidas de pesca.

22. *Juan* 7, 1.

19

Tercera subida de Jesús a Jerusalén

Septiembre-principios de noviembre, año 782 de Roma
(29 d.C.)

Se prolonga la desaparición de Jesús (abril-septiembre del año 29) – Jesús, convencido por sus hermanos, sube a Jerusalén en secreto para la fiesta de las Tiendas (septiembre de 29) – Marcelo e Hiram se van de Sidón para dirigirse a Jerusalén (septiembre de 29) – En el Templo, en el atrio de los sacerdotes: Jesús cuestiona el shabbat y se presenta como alguien que habla en el nombre de Dios (septiembre de 29)– En las montañas del norte: confesión de Pedro, que declara que Jesús es el Mesías; Jesús anuncia su muerte y su resurrección (septiembre de 29) – Transfiguración de Jesús (septiembre de 29) – Jesús sube a Jerusalén en secreto: las autoridades judías lo buscan y la multitud está perpleja (septiembre de 29) – En Jerusalén: último día de la fiesta de las Tiendas: Jesús predica y los guardias no lo arrestan; Nicodemo habla en su favor (octubre de 29) – La mujer adúltera juzgada por Jesús, que dice ser la luz del mundo; la posteridad de Abraham; intentan lapidar a Jesús y éste se retira al monte de los Olivos (octubre de 29) – Jesús cura a un ciego de nacimiento el día de shabbat; primera investigación de los fariseos sobre este asunto (noviembre de 29).

Hiram tenía razón.

A partir del mes de marzo del año 782 de Roma,[1] en el cual Jesús se había anunciado, una vez más, como el enviado de Dios sobre la tierra para salvar el mundo, y hasta el otoño siguiente, es decir, durante seis meses, en Palestina nadie oyó hablar más del Nazareno, ni en las montañas de Galilea, ni en torno al lago de Tiberíades, ni mucho menos en Judea, donde era buscado por las autoridades religiosas locales. Tampoco se lo vio en Jerusalén en la época de la Pascua, durante el mes de abril. Pero en el verano, se observó su presencia en el territorio de Tiro[2] y

---

1. 29 d.C.
2. *Marcos* 7, 24.

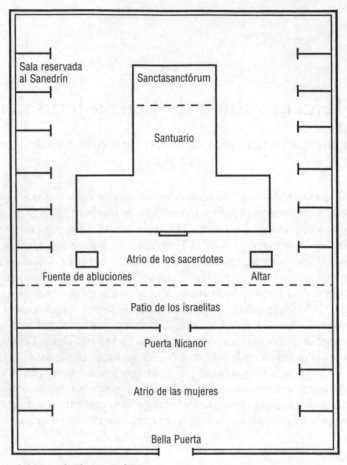

Esquema del Templo de Jerusalén

El Templo que hizo construir en Jerusalén Herodes el Grande era el monumento más bello de la ciudad. Se alzaba en el centro de un amplio atrio rectangular de 225 m por 100 m aproximadamente: el atrio de los paganos, rodeado de pórticos que servían como lugares de paseo y de reunión, e incluso como refugio contra el sol y las tormentas. Se entraba allí a través de la *Bella Puerta,* ricamente ornamentada, que se abría sobre un amplio patio de 60 m por 20 m, el *atrio de las mujeres,* donde éstas se ubicaban durante las ceremonias religiosas, detrás de una pared que las separaba de los hombres, quienes ocupaban, a su vez, el atrio de los hombres, o *patio de los israelitas* (se entraba allí a través de una pesada puerta de bronce, la *puerta Nicanor*). Este patio –en realidad, un corredor angosto de apenas 5 m de ancho– estaba separado por una simple baranda del lugar sagrado propiamente dicho. Éste se componía de tres zonas: *el atrio de los sacerdotes,* flanqueado por un altar para los sacrificios y una fuente de abluciones, el *Santuario,* donde los sacerdotes oficiaban en público, y el *Sanctasanctórum,* separado de la zona anterior por un velo, y reservado al sumo sacerdote. A ambos lados del santuario se alineaban dos series de salas pequeñas, destinadas a los sumos sacerdotes y a las autoridades del Templo: una de esas salas era la sede del Sanedrín.

en la Decápolis,3 donde según uno de los informantes del fenicio, Jesús había curado a un sordomudo simplemente poniéndole un dedo en las orejas y tocando su lengua. Los habitantes de la región, que no lo conocían, preguntaban: *"¿Quién es este hombre que hace oír a los sordos y hablar a los mudos?".*

Luego llegó el tiempo de la vendimia, en septiembre del año 782 de Roma.4 En esos momentos, circuló el rumor de que Jesús estaba de regreso en Galilea, y que iba discretamente de aldea en aldea, arengando a las multitudes, curando a los enfermos y consolando a los desdichados. Este rumor llegó a Sidón, a oídos de Hiram, que despachó varios mensajeros e informantes hacia el norte de Palestina. Pero fue en vano: el Nazareno, que con o sin razón, temía a los esbirros y los espías del Templo, nunca se quedaba más de dos o tres días en un mismo lugar: cambiaba permanentemente de residencia, y los enviados de Hiram siempre regresaban con las manos vacías.

Al acercarse la fiesta de las Tiendas, mientras los viñedos del fenicio se hallaban en plena vendimia, finalmente llegó a Sidón el rumor de que Jesús estaba a punto de partir hacia Jerusalén, en secreto y de incógnito. Gracias a su insistencia, sus allegados, y especialmente sus hermanos, habían logrado que el Nazareno saliera de la clandestinidad en la que se había encerrado por temor a las persecuciones que las autoridades judías podían iniciar contra él. En la época en que familias enteras de galileos emprendían con alegría el camino a Jerusalén para celebrar allí la fiesta de la recolección y la vendimia, los parientes de Jesús habían ido a buscarlo a su escondite —una gruta en las colinas, más arriba de Betsaida— y le dijeron más o menos estas palabras:

—Jesús, no puedes seguir escondiéndote aquí, en Galilea, como lo haces desde hace seis meses, desde el extraordinario sermón que pronunciaste en Cafarnaún. Es necesario que tus discípulos y todos los que te admiran, aun sin conocerte, puedan oír tus palabras y ver

---

3. Conjunto de diez ciudades (y sus territorios) autónomas, situadas al sudeste del lago de Tiberíades, cuyo estatus había sido anteriormente definido por Pompeyo: Gadara, Gerasa, Escitópolis formaban parte de él.

4. 29 d.C.

los milagros que haces. Vete de Galilea y parte hacia Judea: cuando uno quiere hacerse conocer, no actúa en secreto. Ya que tú haces estas cosas, llegó el momento de que te manifiestes al mundo.[5]

—¿Y qué les contestó Jesús a sus hermanos? —le preguntó Hiram al mensajero que le había llevado esa información.

—Fue categórico, señor fenicio: *"Mi tiempo no ha llegado todavía, mientras que para ustedes cualquier tiempo es bueno. El mundo no tiene por qué odiarlos a ustedes; me odia a mí, porque atestiguo contra él que sus obras son malas. Suban ustedes para la fiesta. Yo no subo a esa fiesta, porque mi tiempo no se ha cumplido todavía".*[6]

—¿Qué hizo entonces? ¿Volvió a su escondite?

—Nada de eso, señor fenicio. Después de decirles a sus hermanos que se quedaría en Galilea, él también se puso en camino hacia Jerusalén, pero solo y en forma discreta. Nadie de su entorno se enteró de ello, ni tampoco, por supuesto, los esbirros y los espías del Templo.

—¿Y ahora?

—En estos momentos, señor, lo más probable es que Jesús haya subido a Jerusalén por tercera vez.

Hiram miró a Marcelo, que había escuchado en silencio el breve relato del mensajero.

—¿Qué piensas sobre esto, caballero?

—Parece que el asunto se complica, fenicio.

—¿Por qué lo dices?

—Todo el problema de Jesús consiste ahora en hacer conocer su mensaje a la mayor cantidad posible de judíos —o de romanos, por qué no—, y sólo puede hacer eso en Jerusalén. El sermón de Cafarnaúm fue para él una especie de ensayo general. Pero ahora Jesús debe elegir entre dos cosas: o se presenta en el atrio del Templo y triunfa, y en ese caso, asistiremos a la constitución de un cuarto partido religioso en Judea, además de los partidos de los fariseos, los saduceos y los esenios, y todo sigue adelante viento en popa, o fracasa completamente, y en ese caso puede volver a cuidar ovejas a Galilea, u obstinarse en seguir predicando, y to-

5. *Juan 7, 3-4.*
6. *Juan 7, 6-8.*

do esto se transforma en un asunto político. Por eso digo que se complica.

—¿Entonces qué hacemos, caballero?

—Deja que tus obreros terminen la vendimia sin ti y vayamos a Jerusalén... ¡No se sabe qué puede pasar!

—¿Cuándo partimos?

—Hoy mismo: viajaremos de noche, no hará tanto calor.

Cuando los dos amigos llegaron a Jerusalén, tres o cuatro días más tarde, la fiesta de la vendimia estaba a punto de finalizar, y encontraron la ciudad particularmente animada, no sólo por los alegres ecos de las festividades que terminaban, sino también por la presencia latente de Jesús, a quien todos recordaban por el sermón mesiánico que había pronunciado el año anterior en la escalinata del Templo. Todavía no se había presentado bajo los pórticos, pero ya todos los sacerdotes, los escribas y los judíos tradicionalistas lo buscaban.

—Pero ¿dónde está? —preguntaban algunos de ellos—. Dicen que se encuentra en la ciudad, pero no lo hemos visto ni una sola vez desde el comienzo de la fiesta. ¿Qué nuevo acto público estará preparando?

—Es un hombre de calidad —decían otros—. Tiene ideas nuevas, interesantes, y atrae a las masas: quizá valga la pena escucharlo.

—Parece que va a enseñar en el santuario.

—¿Cómo podría hacerlo? Dicen que es un sabio, pero no es más que un artesano sin ningún estudio: ¿cómo puede conocer las Escrituras?

Finalmente, empezó a correr el rumor de que predicaría al terminar el día, en el atrio de los sacerdotes. Hacia allí se dirigieron Marcelo e Hiram, siguiendo a la multitud. Cuando llegaron al Templo, Jesús estaba terminando su prédica, frente a un auditorio compacto, atento y —cosa rara en ese período de festividades— silencioso:

—Mi enseñanza no es mía —estaba diciendo— sino de aquel que me envió. El que quiere hacer la voluntad de Dios conocerá si esta enseñanza es de Dios o si yo hablo por mi cuenta. El que habla por su cuenta busca su propia gloria, pero el que busca la gloria de aquel que lo envió, ese dice la verdad y no hay nada de falso en él. ¿Acaso Moisés no les dio la Ley? Pero ninguno de ustedes la cumple. ¿Por qué quieren matarme?

Estas palabras cayeron como una piedra, y de la multitud salieron diversas protestas:

—¿Quién quiere matarte? Seguramente estás poseído por el demonio para decir esas cosas. Además, ¿no transgrediste el shabbat la última vez que subiste a Jerusalén?

—Yo no transgredí el shabbat la última vez que subí a Jerusalén...

—¡Estabas poseído por el demonio! —gritaban entre la multitud.

—No estaba poseído por ningún demonio: simplemente ayudé a un paralítico a entrar en la piscina de Betsata,[7] un día de shabbat, y todos ustedes se asombraron por ello. Pero Moisés les dio la circuncisión —aunque ella no viene de Moisés, sino de los patriarcas— y ustedes la practican también en sábado. Si se circuncida a un hombre en sábado sin quebrantar la Ley de Moisés, ¿cómo ustedes se enojan conmigo porque he curado completamente a un hombre en sábado? No juzguen según las apariencias, sino conforme a la justicia.[8] Y también les digo: el que tenga sed, que venga a mí; y beba el que cree en mí. Como dice la Escritura: *De su seno brotarán manantiales de agua viva.*[9]

Marcelo escuchaba con atención y contemplaba, asombrado, las reacciones de los escribas y los sacerdotes que lo escuchaban, que eran cada vez más numerosos. Se inclinó hacia Hiram para transmitirle sus impresiones:

—Jamás entenderé a los judíos, fenicio. Cuando Jesús curó al paralítico en sábado, los escribas hicieron un escándalo. Hoy lo proclama abiertamente en este atrio sagrado,[10] y nadie dice nada. ¿Cuál es el motivo?

—Tal vez Caifás o el Sanedrín dieron esa orden. Quizá llegaron a la conclusión de que para no provocar una discusión sobre la legitimidad del shabbat en la plaza pública o en el atrio de los gentiles, era preferible actuar con moderación y echar tierra sobre el asunto.

7. Véase p. 416 ss.
8. Cf. *Juan* 7, 21-24.
9. *Juan* 7, 37.
10. El atrio de los sacerdotes se encontraba exactamente frente a la puerta del santuario propiamente dicho: era un lugar sagrado (Véase mapa p. 446).

—Yo creo que hay otra explicación posible, fenicio. En mi opinión, las autoridades religiosas tomaron conciencia del peligro que representaban algunos aspectos de la predicación de Jesús, y están dejando que se comprometa más para poder atacarlo mejor después.

—No entiendo.

—Es el abecé de la política, fenicio, y hace siglos que nosotros, los romanos, lo practicamos. Te lo explicaré en pocas palabras.

—Te escucho, Marcelo.

—Supongamos que Caifás mande arrestar a Jesús y lo lleve ante el Sanedrín —dicho sea de paso, es su presidente— con el pretexto de que violó el shabbat. ¿Qué podría resultar de ello? Poca cosa, porque en materia de sanciones, el procurador tiene siempre la última palabra, y no veo a Pilato ordenando la ejecución de una sentencia grave por una falta que no perturba el orden público, del que es responsable frente al emperador. En cambio, si dejan que Jesús se siga expresando públicamente, puede suceder una de estas dos cosas: o termina por proferir blasfemias y comete actos de consecuencias más graves que las de un simple delito de opinión, y cae bajo la espada de Pilato, o no sigue adelante por falta de medios, y regresa a predicar a sus montañas de Galilea.

—Pero la ley de Moisés prescribe la pena de muerte para el que viola el shabbat.

—La *prescribía*, en los tiempos antiguos, Hiram, pero hace mucho tiempo que evolucionó.

—Dicho de otro modo, ¿a tu juicio, Jesús no debe temer por su persona?

—Por el momento, no.

—¿Aunque proclame, como lo está haciendo en este momento, que es enviado por Dios y que es el Cristo, el ungido del Señor?

—Aunque diga eso... Pero siempre que no lo repita demasiado a menudo y que no fomente ningún complot contra la autoridad del Templo o la del Sanedrín. De hecho, el asunto es complicado porque cada uno vela por sus propios intereses.

—¿En qué sentido?

—Estamos en territorio romano, y Pilato tiene un solo objetivo: garantizar el orden público y controlar las fronteras de Palestina. Mientras Jesús no predique la rebelión contra el orden romano, y mientras su predicación no provoque desórdenes en las calles de Jerusalén, o una guerra civil, como hace treinta años, tras la muerte de Herodes el Grande, Pilato no interviene. Por otra parte, estamos en un país judío, con un pueblo que vive desde hace siglos bajo la Ley de Moisés, y que tiene como garantía a las autoridades del Templo —especialmente Caifás y el Sanedrín— y al partido de los fariseos como apoyo. En cuanto a Jesús, sin duda predica contra el orden judío o, por lo menos, contra algunos puntos muy precisos de la Torah: si llega demasiado lejos, inevitablemente será condenado por esas autoridades, pero —en virtud del estatus de la procuración de Judea— el procurador será el encargado de aplicar o no la sentencia. Por último, está el temperamento de Jesús, animado por un fervor realmente místico, que sólo reconoce la autoridad de Dios, quien según dice, es su Padre.

—Entiendo todo eso, caballero, pero ¿cuáles serían las conclusiones?

—Hay dos conclusiones. La primera es que si la predicación de Jesús llega a convencer a una gran cantidad de fieles, puede generar un conflicto tripartito entre sus partidarios, el Templo y la administración romana. La segunda es que ese conflicto sólo estallará verdaderamente el día en que Jesús tenga miles de fieles: mientras sus "tropas" se limiten a una docena de apóstoles, una veintena de simpatizantes y algunos centenares de campesinos, se extinguirá por sí mismo.

—¿Cómo?

—Mediante la eliminación de los "jesuitas", o si prefieres que lo diga en latín, los *"christi"*, es decir, los que están convencidos de que Jesús es realmente el Cristo que dice ser.

—¿Qué clase de eliminación?

—La eliminación física de los jefes y los irreductibles... Los demás entrarían en razón. Es lo que sucedió en el caso de Sócrates: él fue condenado a muerte por los heliastas, y sus discípulos desaparecieron. Lo mismo ocurrió con los Gracos en Roma, en la época de la República.

—Sin embargo, se sigue hablando de Sócrates cuatrocientos años después. Se lo venera, mientras que nadie recuerda el nombre de sus jueces.

—Eran demasiados: ¡había seis mil heliastas!

—¿Qué posibilidades tiene Jesús, en tu opinión?

—Prácticamente ninguna. No cuenta ni con el número, ni con

la fuerza, ni con la tradición... Está exactamente en la posición de Sócrates hace cinco siglos.

—Y sin embargo, Marcelo, aunque yo soy judío, sinceramente tengo la impresión de que es Jesús quien tiene razón.

—Sócrates también tenía razón. Lamentablemente, en la historia de los hombres, no es muy frecuente que triunfe la razón: se dan cuenta cuando ya es tarde, demasiado tarde.

—¿Y qué sucederá hoy, caballero?

—Hoy es el último día de la fiesta de las Cabañas. Escucha lo que dice la gente a nuestro alrededor, a propósito de Jesús: están perplejos. Para algunos, el Nazareno es un verdadero profeta, como Isaías o Ezequiel. Para otros, es el Mesías anunciado en las Escrituras, aunque aparentemente Jesús no sea de la estirpe de David.

—No me esperaba esta clase de reacciones, caballero —dijo el fenicio, después de escuchar las opiniones de la gente—. Las cosas se desarrollan de una manera muy extraña: no hay gritos, no se ve ningún guardia, cuando sería normal que hubiera un gran despliegue de fuerzas...

—Observa las reacciones de la multitud: está dividida con respecto a Jesús. Algunos dicen que habría que arrestarlo, pero nadie puso todavía las manos sobre él. Las autoridades del Templo enviaron guardias, pero mira, Hiram: se están yendo.

Más tarde, hacia la noche, Marcelo encontró una explicación para el retiro de los guardias. Habían ido a ver a los sumos sacerdotes y a los fariseos, y cuando éstos les preguntaron por qué no habían arrestado al Galileo, los guardias respondieron: "Nadie habló jamás como este hombre". Los fariseos respondieron: "¿También ustedes se dejaron engañar?"[11]

—Yo creo que los sacerdotes, los sacrificadores y los miembros del Sanedrín no están de acuerdo entre ellos en cuanto a la decisión que deben tomar —le explicó luego Marcelo al fenicio—. Al parecer, Nicodemo —que tiene una gran autoridad dentro del Sanedrín y fue el primero en descubrir las doctrinas de Jesús, la primera vez que éste subió a Jerusalén, cuando echó a los mercaderes del atrio de los gentiles— les dijo a sus colegas: "¿Acaso nuestra Ley permite

11. *Juan* 4, 45-46.

juzgar a un hombre sin escucharlo antes para saber lo que hizo?". Los otros le respondieron: "¿Tú también eres galileo? Examina las Escrituras y verás que de Galilea no surge ningún profeta".

A la noche de esa fatigosa jornada, Marcelo regresó a su villa y su bosque de cedros, a la salida de Jerusalén, en compañía de Hiram, que no dejaba de rumiar su decepción:

—¡Cuando pienso que abandoné mis viñedos de Sidón y a mis viñadores, que renuncié a celebrar con ellos la vendimia y la fiesta de las Tiendas, para venir a perderme en medio de los guardias, los fariseos y los alcornoques del Templo, sin tener siquiera el placer de conversar unos minutos con Jesús! ¡Qué huidizo e imprevisible es ese hombre, Marcelo! A decir verdad, Jesús me decepcionó: el hombre que oí hoy no es el mismo que predicó tan bien en Cafarnaún el año pasado. A propósito, ya que vamos a tu casa, ¿sigues teniendo esa cerveza de Media que me diste a beber antes de la Pascua del año pasado?

—No creo que me quede: seguramente mi administrador se la bebió en mi ausencia. Pero como le escribí antes de partir de Sidón, seguramente nos preparó ese pernil de gacela que tan bien cocina y que ya has saboreado un día que volvíamos de Betabara, después de oír predicar a Juan.

—Fue en diciembre o en enero del año 781 de Roma, si mi recuerdo es exacto.

—Sí, fue hace un año, Hiram, un año lleno de acontecimientos: el regreso de Antipas, la muerte de Juan, la aparición pública de Jesús, nuestras aventuras alrededor del lago de Tiberíades, y ahora, el posible nacimiento de una nueva secta judía que le da la espalda a la tradición de Moisés. ¡Quién lo hubiera creído, fenicio, quién lo hubiera creído!

La actividad desarrollada por Jesús estaba cada vez más en el centro de las conversaciones. Porque si bien la pelea con los mercaderes del Templo que había marcado su primera subida a Jerusalén, durante la Pascua del año 781 de Roma, pudo haber sido interpretada por la opinión pública local como un incidente provocado por un campesino galileo exaltado, las palabras que había pronunciado durante sus otras dos estadías en la Ciudad Santa —en la escalinata del Templo, durante la fiesta de las Semanas, en julio de 781 de Roma, y ahora, en la fiesta de las Tiendas, en septiembre de 782—, aunque breves, habían logrado inquietar bastante a los partidarios del tradicionalismo judío.

Los grandes sacrificadores, los sacerdotes, los sanedristas, los escribas, los doctores de la Ley, los rabinos, los fariseos, los saduceos, confrontados a la creciente popularidad de Jesús —bien apoyada por el discurso de los apóstoles—, no perdían ninguna oportunidad de comentar su doctrina y señalar su carácter herético. Transgredir el shabbat para curar a un paralítico, como lo había hecho Jesús en la piscina de Betsata, a fines del año anterior, y luego proclamar abiertamente, desde lo alto de las escaleras del templo, que tenía razones para hacerlo, y que incluso había que poner en tela de juicio a la Torah, eran actos y palabras intolerables para un judío piadoso. Y por último, el hecho de sostener desde hacía meses, tanto en Galilea como en Jerusalén, que era el Hijo que Dios había enviado a la tierra para salvar a la humanidad sufriente, y retomar el mismo discurso unos meses más tarde en el atrio de los sacerdotes como acababa de hacerlo, todo eso era directamente una blasfemia.

Durante los días siguientes, las palabras de los apóstoles y las acciones de Jesús agravaron aún más la situación, y los relatos de los informantes de Hiram que se acumulaban sobre la mesa de trabajo de Marcelo, en su villa ubicada en medio de los cedros, en las afueras de Jerusalén, no eran nada alentadores.

—Temo que suceda lo peor —le dijo el caballero a su amigo, una mañana—: lee este mensaje de Agorastocles que me acaba de llegar de Cesarea.

—¿De Cesarea? ¿Qué hace Agorastocles en casa de Poncio Pilato? —preguntó Hiram, mientras desenrollaba el papiro que le tendía Marcelo.

—No me refiero a Cesarea la Marítima, fenicio, y Pilato no tiene nada que ver con este mensaje que llega de Cesarea de Filipo[12]

---

12. Recordemos que en Palestina había dos ciudades que llevaban el nombre de Cesarea: una en las montañas, cerca de Siria, que era la antigua Paneas y había sido reconstruida por Filipo, el hijo de Herodes el Grande, y a la que se llamó Cesarea de Filipo. La otra, Cesarea la Marítima, sobre el mar Mediterráneo, era la sede de la administración romana en Palestina, donde residía Poncio Pilato.

—aclaró Marcelo—. Tu honorable corresponsal me dice que Jesús
va de aldea en aldea por esa región, con los apóstoles, y me informa
sobre una conversación que tuvo lugar en una de esas aldeas:

CONVERSACIÓN DE JESÚS CON SUS APÓSTOLES,
EN LA REGIÓN DE CESAREA DE FILIPO,
transcripta por Agorastocles.

"Al llegar a la región de Cesarea de Filipo, Jesús preguntó a sus
discípulos: '¿Qué dice la gente sobre el Hijo del hombre? ¿Quién dicen que es?' Ellos le respondieron: 'Unos dicen que es Juan el Bautista; otros, Elías; y otros, Jeremías o alguno de los profetas'. 'Y ustedes',
les preguntó, '¿quién dicen que soy?'. Tomando la palabra, Simón Pedro[13] respondió: 'Tú eres el Mesías, el Hijo de Dios vivo'. Y Jesús le dijo: 'Feliz de ti, Simón, hijo de Jonás, porque esto no te lo ha revelado
ni la carne ni la sangre, sino mi Padre que está en el cielo. Y yo te digo:
Tú eres Pedro, y sobre esta piedra edificaré mi Iglesia, y el poder de la
Muerte no prevalecerá contra ella. Yo te daré las llaves del Reino de los
Cielos. Todo lo que ates en la tierra, quedará atado en el cielo, y todo
lo que desates en la tierra, quedará desatado en el cielo'. Entonces ordenó severamente a sus discípulos que no dijeran a nadie que él era el
Mesías".[14]

—¿Por qué te preocupa este mensaje, caballero? —le preguntó
Hiram a su amigo—. Me parece bastante anodino.
—Me preocupa el hecho de que Jesús no haya comentado la pequeña frase por medio de la cual Pedro confiesa que, para él, Jesús
es el enviado de Dios, el Cristo. Si Jesús no refuta esa confesión, es
tan culpable como si él mismo hubiera dicho: "Yo soy el enviado de
Dios", y esta afirmación es una blasfemia —y por lo tanto un crimen que es castigado por la Ley—, desde el punto de vista de la religión judía, como bien lo sabes. Por otra parte, esta confesión también inquieta a Jesús, que por ahora no quiere verse en la obligación

13. Recordemos que la primera vez que Jesús encontró a Simón, el hermano de Andrés, le dio el nombre, o si se prefiere, el apodo de *Cefas*.
14. *Mateo* 16, 13-20; *Marcos* 8, 27-30; *Lucas* 9, 18-20.

de afrontar tal acusación. Él espera que llegue el momento oportuno para revelar lo que sinceramente piensa que es: el Mesías.

—Pero él mismo lo declaró expresamente, el año pasado, en su sermón en la escalinata del Templo, caballero, y lo repitió en público en Cafarnaún.

—Es cierto, pero inmediatamente se dio cuenta de que ese mensaje no era bien recibido por las autoridades judías, y no quiere pudrirse en el fondo de un calabozo: necesita seguir en libertad y con vida para propagar su doctrina. Por eso les prohíbe prudentemente a sus apóstoles que hablen de él en esos términos, al menos por ahora. Pero por otro lado, enseña abiertamente, cada vez que tiene la oportunidad de hacerlo, y principalmente a sus apóstoles, que después de la muerte terrenal, habrá otra vida para los seres humanos...

—Los judíos también sostienen esto: todos terminaremos en el *sheol*.[15] Pero es desesperante pensar así.

—La doctrina de Jesús es diferente, y la expuso varias veces en estos últimos tiempos.

—¿Cuál es, caballero?

—Por lo que pude entender, Jesús cree, como todos los judíos, que después de la vida terrenal de un ser humano, hay otra vida, pero, y en esto reside su originalidad, él no cree que se trate de un simple retorno al triste *sheol*.

—Explícate con mayor claridad, Marcelo.

—Según lo que me informaron, Jesús enseña que el primer hombre, Adán, cometió un pecado grave al desobedecer a Dios, su Creador, y que por esa razón fue expulsado del Paraíso...

—Eso nos lo dicen las Escrituras, y hasta el último rabino de pueblo: el Eterno, nuestro Dios, expulsó a Adán del Jardín del Edén y puso al oriente del jardín a los querubines, y la llama de la espada zigzagueante, para custodiar el acceso al árbol de la vida.[16]

—Sí, pero ellos no enseñan que un día Dios perdonará ese Pecado original, y dicen que a todos les espera el *sheol*. Por el contrario, Jesús sostiene una doctrina más optimista: Dios, que ama al hombre, quiere salvarlo del *sheol*, y abrirle nuevamente las puertas

15. Véase p. 70.
16. *Génesis* 3, 24.

del Paraíso. Pero para eso, es preciso borrar el Pecado por medio de un sacrificio, una inmolación, y Él eligió inmolar a su propio Hijo, es decir, a Jesús, cuya muerte, que Él mismo ha querido, borrará el pecado original.

—Si sigo bien tu razonamiento, Marcelo, ¿Dios permitirá que maten a Jesús, que es inocente, para que su muerte le asegure una vida eterna feliz a todos los hombres después de la muerte?

—Es más o menos eso lo que entendí, fenicio.

—Pero si Jesús es inmolado —por los romanos o por los judíos, no importa—, ¿cuál será el signo divino que anunciará a la humanidad que será salvada por toda la eternidad?

—Acaba de revelárselo a sus apóstoles, fenicio: será su resurrección. Agorastocles lo escribe exactamente así en la segunda parte de su informe:

"Jesús comenzó a enseñarles que el Hijo del hombre debía sufrir mucho y ser rechazado por los ancianos, los sumos sacerdotes y los escribas; que debía ser condenado a muerte y resucitar después de tres días".[17]

—Ya entiendo, caballero: el sufrimiento y el sacrificio de Jesús otorgan la salvación eterna a la humanidad después de la muerte, y el signo de esa salvación futura será que él reaparecerá, resucitado, tres días después de haber sido inmolado. Una doctrina maravillosa, que hasta despierta entusiasmo... pero es difícil de creer. ¿Cómo reaccionaron los apóstoles ante estas palabras de su maestro?

—Según Agorastocles, Pedro llevó aparte a Jesús y le dijo: *"Dios te proteja, Señor! ¡No, eso no te sucederá!"*. Pero Jesús lo reprendió, diciendo: *"¡Retírate, vé detrás de mí, Satanás! Porque tus pensamientos no son los de Dios, sino los de los hombres"*.[18] Luego, llamó a la multitud, junto con sus discípulos, y les explicó a todos de qué manera debían seguirlo. Tu informante transcribe sus palabras:

17. *Marcos* 8, 31.
18. *Marcos* 8, 33.

"El que quiera venir detrás de mí, que renuncie a sí mismo, que cargue con su cruz y me siga. Porque el que quiera salvar su vida, la perderá; y el que pierda su vida por mí y por la Buena Noticia, la salvará. ¿De qué le servirá al hombre ganar el mundo entero, si arruina su vida? ¿Y qué podrá dar el hombre a cambio de su vida? Porque si alguien se avergüenza de mí y de mis palabras en esta generación adúltera y pecadora, también el Hijo del hombre se avergonzará de él cuando venga en la gloria de su Padre con sus santos ángeles. Les aseguro que algunos de los que están aquí presentes no morirán antes de haber visto que el Reino de Dios ha llegado con poder."[19]

Un tiempo después, Marcelo recibió de parte de Agorastocles, que circulaba por la Baja Galilea, un nuevo informe que lo hizo reflexionar.

Seis días después de haberle explicado a Pedro qué disposición de espíritu había que tener para seguirlo, Jesús, que había regresado para proclamar la Buena Noticia —el Evangelio— en las márgenes del mar de Galilea, había ido con Pedro, Santiago y Juan a una montaña,[20] lejos de las aldeas y de los hombres, a unos treinta kilómetros de Cafarnaún, y se puso a rezar, mientras sus apóstoles, muertos de cansancio, dormitaban junto a él.

De pronto, Pedro fue despertado por una extraña luz, abrió los ojos y quedó paralizado de admiración: no se trataba de un fuego ni de una lámpara, sino de la deslumbrante blancura del manto que llevaba Jesús, cuyo rostro también resplandecía de luz. Luego aparecieron dos hombres, que se pusieron a conversar con su maestro, y Pedro adivinó —más que reconoció— que eran Moisés y Elías. Juan y Santiago, los hijos de Zebedeo, también abrieron los ojos, y los tres contemplaron esa escena alucinante, sin saber qué decir, mudos de temor y de asombro ante la persona de Jesús transfigurada de ese modo. Según Agorastocles, Pedro propuso que instalaran

---

19. *Marcos* 8, 34 y 9, 1.
20. El nombre de esta montaña no se menciona en los *Evangelios*, pero la tradición vincula el acontecimiento que tendrá lugar con el monte Tabor. Por su configuración y su posición aislada, esa montaña es visible desde toda la Baja Galilea.

sobre la montaña tres tiendas, una para Jesús, una para Moisés y una para Elías, pero de pronto una nube los cubrió con su sombra, y de ella salió una voz que dijo: *"Éste es mi Hijo muy querido, escúchenlo".* Enseguida miraron a su alrededor y no vieron a nadie, sino sólo a Jesús, que había recuperado su apariencia normal, y les prohibió contar lo que habían visto, hasta que el Hijo del hombre resucitara de entre los muertos.[21]

—¿Qué piensas tú de esta transfiguración de Jesús, caballero? Yo te confieso que me parece una fábula.

—No seré yo quien te diga lo contrario, fenicio. Y estoy seguro de que circulan muchas anécdotas maravillosas de esta clase en los campos, a propósito de Jesús. Sin embargo, muchas veces sucede que la leyenda más inverosímil tiene una base de verdad.

—¿Cuál sería, en este caso?

—Creo que los ojos de Pedro vieron a un Jesús normal, pero él, que apenas se había despertado, vio —aunque sólo fuera por un instante— al Jesús simbólico con el que soñaba, y sin duda estaba demasiado dormido todavía como para entender lo extraño de las últimas palabras de la aparición, que hacen alusión a su muerte cercana y a su resurrección.

—¿Qué conclusiones sacas de todos los acontecimientos que hemos vivido en este mes de septiembre, caballero?

—Si los consideramos en forma aislada, parecen no tener relación y, a veces, son contradictorios entre sí. Aparentemente, Jesús actúa sin un plan preconcebido, en función de las circunstancias: por ejemplo, él no tenía la intención de subir a Jerusalén, sino que fueron sus hermanos quienes lo convencieron. Una vez que llega a Jerusalén, se esconde, no se sabe en casa de quién, pero ni el Sanedrín ni los guardias lo buscan, y puede pasearse con total impunidad alrededor del Templo, aunque no se lo ve actuar, ni hablar, ni siquiera orar. Luego, en el último día de la fiesta de las Tiendas, cuando ya nadie lo espera, Jesús comienza a predicar —durante algunos minutos apenas— en el atrio reservado a los sacerdotes, sin que nadie lo arreste: provoca a los escribas a propósito de la trasgre-

21. Este episodio de la Transfiguración de Jesús aparece en *Marcos* (9, 2-10); *Mateo* (17, 1-9) y *Lucas* (9, 28-36).

sión del shabbat, y hasta les recuerda que no fue Moisés quien les dio su Ley a los hebreos, sino los patriarcas. Él, que predicó durante horas hasta quedarse sin aliento en la montaña o en la rada de Cafarnaún, él, cuyos sermones siempre fueron muy largos, aquí, bajo los pórticos, habló sólo unos minutos, como si tuviera prisa, y no dijo nada nuevo, este otoño, en Jerusalén. Reservó las novedades de su enseñanza para sus discípulos, a quienes llevó consigo a Cesarea de Filipo para hablarles de la vida eterna, de su muerte más o menos próxima, de su resurrección: ¡no necesitaba venir a Jerusalén para eso! En una palabra, Hiram, no entiendo cómo se maneja: ¿qué quiere decir o hacer, en definitiva? ¿Qué quiere demostrar? Por ahora, si me permites ser trivial, creo que nuestro amigo Jesús da vueltas en círculo. Da la impresión de que no sabe adónde va, de que, más que saber, siente que lleva en él una verdad que querría comunicar a todos, pero vacila sobre la estrategia que debe adoptar. Después de la pelea con los mercaderes del Templo, hace ya un año, en el tiempo de la Pascua, renunció a imponerse por medio de la acción violenta. Después del escándalo de la piscina de Betsata y el sermón pronunciado en la escalinata del Templo, abandonó el argumento teológico que consistía en presentarse como Hijo de Dios y su Enviado. Ahora le agregó agua a su vino, podría decirse, y emplea una estrategia dialéctica, la del razonamiento: es menos brutal, menos chocante, y la prueba está en que llega a una gran parte de su auditorio, ya que hasta los guardias se negaron a detenerlo. Sin embargo, él está obligado a reconocer que no abrió ninguna brecha en la fortaleza religiosa del Templo: aparte de Nicodemo, que es el único que aceptó oírlo, aunque no esté de acuerdo con él, ninguna autoridad religiosa, ningún sumo sacerdote, ningún doctor de la Ley de renombre aceptó escucharlo.

—¿Qué debería hacer ahora, según tu opinión?

—Renunciar completamente al judaísmo y fundar su propia religión.

—¿Qué clase de religión?

—Se desprende de todas sus palabras. En el plano teológico, Jesús predica una religión monoteísta, como el judaísmo, cuyas Escrituras conserva: sigue creyendo en Yahveh, creador único del cielo, la tierra, el género humano y todos los seres vivos; cree en el Pecado original, causa de todas las miserias del hombre, y del horrible destino de las almas en el *sheol* después de la muerte del cuerpo, y en el Juicio Final. Pero es innovador con respecto al judaísmo tradicional al completarlo con la esperanza —de la que ya hablaron algunos profetas— en la venida de un Mesías que salvará las almas de la condenación eterna. Por último, y en esto reside la originalidad de las concepciones religiosas de Jesús, asegura que él es ese enviado de Dios que restaurará su Reinado sobre la tierra.

—¿Y qué hace con la Torah? ¿Piensa abolirla?

—No, la modera y la reemplaza por una moral basada en la sinceridad y el amor al prójimo, y no en los ritos, las prohibiciones sin matices y la observancia ciega hasta el absurdo de una Ley anticuada.

—¿Y qué deberían hacer todas esas personas que llenan el atrio todos los días, y discuten permanentemente bajo los pórticos, que no son ni profetas, ni fariseos, ni escribas, sino habitantes comunes de Judea?

—Ellos ya tomaron partido, Hiram.

—¿Qué partido?

—El de la indiferencia. La última noche de la fiesta, todos volvieron a sus casas, y el propio Jesús abandonó los atrios ya desiertos. Tú mismo lo viste atravesar el Cedrón y dirigirse a grandes pasos hacia el monte de los Olivos.[22]

—¿Qué va a hacer allí?

—Va a esconderse, sin duda, con sus apóstoles, que se reunirán con él por la noche. No sería prudente que anduviera de noche por las calles de la ciudad, y no tiene ningún pariente, ningún amigo en Judea en cuya casa pueda hospedarse. Sólo podría refugiarse en Betania, en los suburbios de Jerusalén, en el camino a Jericó, en casa de un tal Lázaro, que vive con sus dos hermanas, María y Marta. A veces los va a visitar, pero en el mayor secreto, porque no los quiere comprometer.

—¿No pasa la noche a la intemperie?

—Cuando todavía no hace demasiado frío, como en esta época del año, se envuelve en su manto y duerme debajo de un olivo. Pero ya se acerca el invierno, y entonces irá a pernoctar a casa de ese Lázaro, cuyas hermanas son muy hospitalarias.

22. Véase p. 93.

—En tu opinión, caballero, ¿cuánto tiempo permanecerá en Jerusalén?

—No lo sé. El hecho de que haya podido hablar sin que los guardias del Templo lo arrestaran de inmediato puede haberlo alentado a quedarse algunos días en Jerusalén, para reunir adeptos. Está íntimamente convencido de que posee una verdad —que él considera *la* Verdad—, y quiere enseñarla contra viento y marea. Jesús tiene alma de profeta, fenicio, y ni la amenaza de un arresto, ni siquiera la de una condena a muerte, lo apartará del camino al que se siente predestinado.

—Pero la fiesta de los *Tabernáculos*[23] ya terminó, según nuestro calendario.

—Ni una fecha de calendario ni el miedo a los gendarmes impedirá predicar o actuar a un hombre como Jesús, que ni siquiera se siente intimidado por el shabbat.

A la mañana siguiente, al alba, cuando Marcelo e Hiram ingresaron al atrio de los gentiles, no vieron inmediatamente a Jesús. Éste se encontraba ya en el atrio de los sacerdotes,[24] donde se había sentado solo, sin sus apóstoles, y había empezado a enseñar a algunas personas que estaban allí la Buena Noticia y el amor al prójimo. Mientras lo buscaban con la mirada, Hiram y Marcelo fueron empujados por un grupo de hombres que vociferaban y arrastraban, algunos de los brazos y otros de los cabellos, a una mujer que se debatía gritando y llorando. Marcelo hizo un gesto para interponerse, pero el fenicio lo contuvo enérgicamente:

—No estamos en Roma, sino en Jerusalén, caballero, y por si fuera poco, en la explanada del Templo.

—¿Y qué? ¿Por eso tenemos que dejar que una banda de salvajes maltrate a una pobre mujer?

—No son salvajes, Marcelo, mira sus flecos: son escribas y fariseos, y la mujer a la que llevan de ese modo va a ser juzgada.

—¿Qué crimen puede haber cometido? ¿Habrá robado o blasfe-

23. Otro nombre de la fiesta de las Tiendas.
24. Véase nota 10, capítulo 17.

mado? Y aunque lo hubiese hecho, ¿en nombre de qué ley bárbara la tratan tan brutalmente? ¿Y por qué no son los guardias del Templo quienes la llevan ante los jueces, Hiram?

—Porque al parecer esa mujer ha sido sorprendida en flagrante delito de adulterio, Marcelo. Mira: todavía está en camisón y tiene los cabellos en desorden. Nuestra Ley es clara: debe morir, porque está escrito en el *Levítico* que si un hombre comete un adulterio con una mujer casada, el hombre y la mujer serán castigados con la muerte.[25]

—Bueno, si se aplicara la misma ley en Roma, ¡no quedaría mucha gente en las calles de la Ciudad! Pero ¿por qué sólo detuvieron a la mujer?

—Porque seguramente el hombre era joven y pudo huir antes de que esos viejos escribas miserables pudieran atraparlo.

—Está bien, admitámoslo. Pero supongo que esa mujer a la que acaban de arrestar no será condenada a muerte sin que la juzguen...

—Será juzgada, caballero.

—¿Por quién? ¿Por un tribunal judío o por un tribunal romano?

—Me estás planteando un problema muy complejo, caballero. En otros tiempos, en la época de los reinos independientes de Israel y Judá, había un solo tribunal competente, el Sanedrín, que juzgaba según la Ley de Moisés. En consecuencia, esa mujer y su cómplice habrían sido juzgados por el Sanedrín, los habrían condenado a muerte de acuerdo con nuestro código penal, y los habrían ejecutado.

—¿En qué forma?

—Según nuestra Ley, el Sanedrín tiene el derecho de elegir, como forma de ejecución, la hoguera, el estrangulamiento, la decapitación o la muerte por lapidación. Pero en la época de Herodes el Grande y de sus herederos, el Sanedrín sólo juzgaba sobre la culpabilidad de los acusados, y era el rey quien decidía el castigo, que generalmente era la pena de muerte cuando se trataba de una infracción a la Ley religiosa.

—¿Y desde la muerte de Herodes y el dominio de los romanos sobre Palestina?

---

25. *Levítico* 20, 10.

—En Perea y Galilea, territorios sobre los que reina Herodes Antipas, siempre es el rey quien juzga y decide la pena: un ejemplo reciente es la ejecución de Juan el Bautista.

—¿Y en Judea?

—Es más complicado. En principio, es el Sanedrín el que juzga, después de deliberar, y tiene toda la libertad para elegir tal o cual castigo, incluso la pena de muerte. Pero si se trata de un crimen no religioso —por ejemplo, un robo o un asesinato—, su sanción debe ser confirmada por el procurador de Judea para ser aplicada.

—¿Y si se trata de un crimen castigado por la ley religiosa, como en el caso de esta mujer adúltera?

—El procurador no tiene competencia para decidir: por ejemplo, si el Sanedrín condena a esta mujer a la lapidación, será lapidada, sin consultar a Pilato.

—Yo creía que los acuerdos firmados con Roma le impedían al Sanedrín usar libremente la pena capital contra los judíos culpables de crímenes religiosos, y que era el procurador de Judea quien decidía finalmente si la aplicaba o no...

—Pues estabas equivocado, Marcelo.[26] Claro que evidentemente ningún sumo sacerdote se atrevería a dictar una condena capital —aunque tenga derecho a hacerlo— sin el acuerdo, tácito o explícito, del procurador.

—Volvamos al caso de esta pobre mujer, Hiram. ¿Quiere decir que comparecerá ante el Sanedrín y será condenada, aunque presente una buena defensa?

—Sin duda: hay una violación flagrante de la Ley de Moisés, y debe morir.

—Vayamos a ver entonces cómo la juzgan. ¿Crees que me permitirán entrar al atrio de los sacerdotes, a pesar de ser pagano, fenicio?

26. En la práctica, hasta alrededor del año 70 d.C., el Sanedrín tenía el poder de aplicar libremente la pena capital en materia religiosa: esto se desprende de la crítica de Guignebert (*Le monde juif vers le temps de Jésus*, París 1935) y del análisis de los textos talmúdicos realizado por Jean Juster (*Les juifs dans l'Empire romain, leur condition juridique, économique et sociale*, 2 vol., París, Geuthner, 1914). Las estupideces más o menos infames de los autores antisemitas franceses y de otros países han contribuido a deformar esta realidad.

—En nuestros días, sobre todo en Jerusalén, un romano representante del emperador no es un pagano como los demás... Ven conmigo, y sobre todo, guarda silencio. Nos quedaremos cerca de la puerta Nicanor.

—¿La puerta Nicanor?

—Es la puerta que separa el atrio de las mujeres del atrio de los hombres, y hay que atravesarla para llegar al atrio de los sacerdotes, donde esa mujer será juzgada.

Hiram y Marcelo entraron a los lugares sagrados y vieron a la mujer adúltera, de pie, en medio de un grupo de fariseos que la presentaban ante Jesús, que estaba sentado en medio de un grupo.

—*Rabí* —le dijeron—, esta mujer fue sorprendida en flagrante delito de adulterio. Moisés, en la Ley, nos ordenó apedrear a esta clase de mujeres. Y tú, ¿qué dices?

Marcelo se inclinó hacia Hiram:

—¿Por qué los fariseos que la juzgan la llevan ante Jesús y lo llaman *rabí*, como si fuera un legista?

—Esos hipócritas le hablan así a Jesús para tenderle una trampa, para ponerlo a prueba, y para poder acusarlo mejor después por hacerse llamar ilegítimamente *rabí* y por no aplicar la Ley. Pero mira a nuestro amigo Jesús: en vez de contestarles, o de fingir que reflexiona, se entretiene escribiendo en la tierra con los dedos.

Durante algunos minutos, se hizo un silencio sepulcral, mientras Jesús seguía dibujando. Luego, cuando le repitieron la pregunta, les dijo con un brillo irónico en la mirada:

—Señores fariseos y ustedes, respetados escribas: aquel de ustedes que no tenga pecado, que arroje la primera piedra.

E inclinándose nuevamente, siguió escribiendo en el suelo, como si nada hubiera pasado. Los fariseos estaban verdes de rabia, pero no se animaron a protestar y se retiraron en silencio, unos tras otros, empezando por los más ancianos. Jesús se quedó solo, silencioso, frente a la mujer, que permanecía allí, con los ojos húmedos y los labios temblorosos. Dejó de garabatear en el suelo, se incorporó lentamente y le preguntó, con aire inocente:

—Mujer, ¿dónde están tus acusadores? ¿Alguien te ha condenado?

—Nadie, señor.

—Yo tampoco te condeno —le dijo Jesús—. Vete, y en adelante no peques más.

La mujer salió del atrio de los sacerdotes en silencio, con lágrimas en los ojos. Atravesó el atrio de las mujeres, luego todo el atrio de los gentiles, y salió de la explanada del Templo por la puerta Dorada, bajo la mirada de la multitud que se había aglutinado en el atrio de los sacerdotes para oír las ásperas palabras que intercambiaban los fariseos con Jesús.

—Ustedes no entendieron todavía que yo soy la luz del mundo —dijo Jesús—. El que me sigue no andará en tinieblas, sino que tendrá la luz de la Vida.

—Tú das testimonio de ti mismo, Nazareno: tu testimonio no vale.

Jesús les respondió:

—Aunque yo doy testimonio de mí, mi testimonio vale porque sé de dónde vine y adónde voy; pero ustedes no saben de dónde vengo ni adónde voy. Ustedes juzgan de manera puramente humana; yo no juzgo a nadie, y si lo hago, mi juicio vale porque no soy yo solo el que juzga, sino yo y el Padre que me envió. En la Ley de ustedes está escrito que el testimonio de dos personas es válido. Yo doy testimonio de mí mismo, y también el Padre que me envió da testimonio de mí.

—¿Dónde está tu Padre? —gritaron los fariseos.

—Ustedes no me conocen a mí ni conocen a mi Padre —les respondió gravemente Jesús—: si me conocieran a mí, conocerían también a mi Padre.

Marcelo contenía la respiración. De pronto tuvo la sensación de que Jesús estaba a punto de revelarles su secreto a los escribas, los sacerdotes y los fariseos. Le pidió a Hiram que le diera una tablilla y un estilo, y anotó el final del discurso del Nazareno, para no olvidar ni una sílaba cuando más tarde intentara reflexionar sobre ello con la mente y el corazón tranquilos:

"Yo me voy, y ustedes me buscarán y morirán en su pecado. Adonde yo voy, ustedes no pueden ir. [...] Ustedes son de aquí abajo, yo soy de lo alto. Ustedes son de este mundo, yo no soy de este mundo. Por eso les he dicho: 'Ustedes morirán en sus pecados'. Porque si no creen que Yo Soy, morirán en sus pecados. [...] De ustedes, tengo mucho que decir, mucho que juzgar. Pero aquel que me envió es veraz, y lo que aprendí de él es lo que digo al mundo. [...] Cuando ustedes hayan levantado en alto al Hijo del hombre, entonces sabrán que Yo Soy y que no hago nada por mí mismo, sino que digo lo que el Padre me enseñó. El que me envió está conmigo y no me ha dejado solo, porque yo hago siempre lo que le agrada".[27]

En ese momento, Hiram le hizo notar al caballero que Jesús se hallaba en el centro del Templo, cerca del lugar en el cual los sumos sacerdotes guardaban las ofrendas de los fieles y el tesoro, y le dijo:

—Es curioso, caballero: el discurso de Jesús exasperó a todos los miembros del partido fariseo que lo rodean: no hay más que verles la cara que ponen cuando llama a Dios *"mi Padre"*: para ellos, tan puntillosos, tan formalistas, es el colmo de la blasfemia, y nada les sería más fácil que arrestarlo para que deje de predicar y de molestar. Sin embargo, hasta ahora, nadie trató de hacerlo, ni siquiera esta mañana.

—Nadie puso la mano sobre él —dijo el caballero— porque aún no llegó su hora.[28]

—¿A qué llamas "su hora"? Ahora hablas por enigmas, como él...

—Recuerda lo que te dije, el otro día, cuando recibí el informe de Agorastocles sobre la nueva manera de predicar de Jesús: revela un misticismo latente, una necesidad —que espero sea pasajera— de sacrificarse para salvar a la humanidad, y por nada del mundo quiere fracasar en su misión. Por eso, avanza lenta y metódicamente, como un general que pone en ejecución un plan de batalla. Pero él no busca una miserable victoria guerrera, sino la paz universal entre todos los hombres de buena voluntad. Estamos muy lejos del Jesús impetuoso de hace un año y medio que peleaba contra los mercaderes del Templo para expulsarlos de allí. Sin duda, su imagen ha progresado en el espíritu de la gente, desde aquellos tiempos. La primera vez que subió a Jerusalén, en abril del año 781 de Roma,[29] sólo se quedó el tiempo suficiente para hacer conocer su existencia a las multitudes a través de una manifestación violenta en el atrio de los gentiles, y sobre todo, para confiarle secretamente

---

27. *Juan* 8, 21-29.
28. Todo este pasaje, según *Juan* 8, 12-20.
29. 28 d.C.

lo esencial de su Buena Noticia al señor Nicodemo, uno de los sanedristas más influyentes de la ciudad. La segunda vez, a principios del mes de julio del mismo año, hizo conocer su existencia a los fariseos, por medio de otra manifestación, menos brutal, es cierto, pero mucho más espectacular: violó abiertamente el shabbat en la piscina de Betsata, se lo hizo transgredir al paralítico que curó en esa misma piscina, y se presentó en cierto modo oficialmente ante los fariseos como el Hijo de Dios, en un sermón que dio en la escalinata del Templo, sin que su discurso fuera interrumpido por las fuerzas del orden. Después de esto, durante dieciocho meses no se lo vio más en Jerusalén, donde ahora volvió a manifestarse, más combativo que nunca, enseñando en el atrio de los sacerdotes, e invitado por los mismos fariseos a juzgar a una mujer adúltera, contrariando otra vez la Ley, llegando al punto de proclamarse la luz del mundo frente a los teólogos judíos más rigoristas. Y a pesar de esto, sigue en libertad y hasta es respetado. ¡Se puede decir que el Galileo recorrió un largo camino desde el día en que echó a los mercaderes del Templo! Pero cuidado con las trampas que no tardarán en tenderle los fariseos: su partido no permitirá que lo sigan escarneciendo sin reaccionar, y tendrá que eliminar a Jesús de una u otra manera si quiere conservar el poder político, económico y religioso que posee desde la muerte de Herodes el Grande.

—Tu análisis es apasionante, caballero —le dijo Hiram a su compañero— y me parece que Jesús está muy solo, muy aislado frente a sus adversarios. Pero ¿a qué trampas te refieres? ¿A una emboscada o un asesinato, como en la época de los sicarios?[30]

—No, ése no es el estilo de los fariseos. Pero no sería imposible que montaran contra él un proceso de herejía o brujería, sobre todo porque las sentencias de esos crímenes le corresponden al Sanedrín, y casi todos sus miembros pertenecen al partido fariseo... Esa clase de procesos casi siempre terminan en una hoguera.

—Si Pilato está de acuerdo, caballero.

—En materia religiosa, el Sanedrín es soberano. Está escrito en el Talmud, como bien sabes, Hiram.

—¡Oh, a Pilato no le importa en absoluto el Talmud! Claro que

30. Véase p. 199.

si le presentan a Jesús como un peligroso revolucionario, secundará al Sanedrín.

—Para eso, Jesús debería prestarse al juego de sus adversarios y cometer alguna torpeza. Pero es demasiado fino para eso. En cambio, es muy capaz de ir místicamente hacia la muerte para salvar al mundo: cree en su misión y tiene alma de redentor. En realidad, todas esas cadenas causales podrían darse al mismo tiempo: Jesús puede perecer como víctima de los fariseos o porque se ofrezca en holocausto por la salvación eterna de la humanidad. En el primer caso, las generaciones futuras lo convertirán en una víctima de los judíos, y en el segundo caso, lo celebrarán como el Salvador, el Redentor del género humano, cuyo sacrificio borrará el Pecado de Adán, un Pecado feliz, en definitiva, puesto que habrá tenido como efecto mostrar la infinita bondad de Dios.

—¡Bueno, bueno, caballero! Para ser un pagano, no razonas tan mal.

—Gracias por el cumplido, Hiram. Pero ya que soy un pagano, permíteme volver a la tierra: ¿sabes adónde fue Jesús? No lo veo.

—Sigue estando en el recinto del Templo. Después de hablar con tanta autoridad para liberar, por su sola palabra, a la mujer adúltera, empezó a predicar.

—¿De veras? ¿Tan temprano?

—Predicar es servir a Dios, y no hay horarios para servir al Eterno, Marcelo.

—Entonces, vayamos a escuchar al Nazareno, Hiram. Las cosas parecen haberse calmado ahora: aunque los sacerdotes no estén de acuerdo con él, lo aceptan, o al menos lo toleran entre ellos, y ya no lo harán detener ni lapidar. Esperemos que él sepa moderar sus dichos y que los judíos piadosos que van a escucharlo no sean sordos a sus palabras.

Los dos hombres ingresaron al lugar sagrado en el mismo momento en que Jesús empezaba a hablarles a los sacerdotes, a los escribas y a los doctores que estaban presentes en el Templo a esa hora temprana de la mañana, y que lo habían aceptado entre ellos:

—Como ustedes están aquí y me escuchan —les dijo— son verdaderamente mis discípulos. Conocerán, entonces, la verdad, y esta verdad los liberará y los transformará en hombres libres.

A esto, ellos replicaron con vivacidad y orgullo, como ofendidos por sus palabras:

—Nosotros somos descendientes de Abraham, Nazareno, y desde que nuestro pueblo abandonó Caldea hace dos mil años, jamás hemos sido esclavos de nadie. ¿Cómo puedes decir entonces: "Ustedes serán libres", si siempre lo hemos sido?

Jesús les respondió:

—Les aseguro que todo el que peca es esclavo del pecado. Y ustedes saben perfectamente que son pecadores. El esclavo no permanece para siempre en la casa; puede ser vendido, o echado. En cambio, el hijo del amo de la casa permanece para siempre. Y yo soy el Hijo del Amo, que es Dios, y si yo, el Hijo, los libero, ustedes serán realmente libres. Yo sé que ustedes son descendientes de Abraham, pero tratan de matarme porque mi palabra no penetra en ustedes. Yo digo lo que he visto junto a mi Padre, y ustedes hacen solamente lo que han aprendido de su padre.

Los sacerdotes y los otros judíos que estaban allí respondieron: "Nuestro padre es Abraham". Pero Jesús les dijo:

—Si ustedes fueran hijos de Abraham obrarían como él. Pero ahora quieren matarme a mí, al hombre que les dice la verdad que ha oído de Dios. Abraham no hizo eso. Pero ustedes obran como el padre que los engendró.[31]

—¡Nosotros no hemos nacido de la prostitución! Tenemos un solo Padre, que es Dios.

—Si Dios fuera su padre, ustedes me amarían, porque yo he salido de Dios y vengo de él. No he venido por mí mismo, sino que Él me envió. ¿Por qué ustedes no comprenden mi lenguaje? Es porque no pueden escuchar mi palabra. Ustedes tienen por padre al demonio y quieren cumplir los deseos de su padre. Desde el comienzo él fue homicida y no tiene nada que ver con la verdad, porque no hay verdad en él. Cuando miente, habla conforme a lo que es, porque es mentiroso y padre de la mentira. Pero a mí no me creen, porque les digo la verdad. ¿Quién de ustedes probará que tengo pecado? Y si les digo la verdad, ¿por qué no me creen? El que es de Dios escucha las palabras de Dios; si ustedes no las escuchan, es porque no son de Dios.[32]

31. El padre biológico, por oposición a Abraham, el padre místico.
32. Según *Juan* 8, *passim*.

El intercambio de palabras entre Jesús y los judíos rigoristas parecía un diálogo entre sordos, y el fenicio le hizo notar a su amigo Marcelo que los dos bandos estaban igualmente convencidos de poseer la verdad:

—Jesús les grita que están en el error —le dijo en voz baja—, y ellos consideran que él está poseído por el demonio: nunca podrán entenderse. Esta historia terminará con la derrota, y mucho me temo, la condena a muerte de Jesús.

De hecho, la disputa teológica entre Jesús y sus adversarios se hacía cada vez más punzante, y ya empezaban a aparecer los primeros insultos. Los religiosos presentes y los fariseos llamaron a Jesús "samaritano"[33] y "endemoniado", y Jesús les respondió fríamente:

—Yo no estoy endemoniado, sino que honro a mi Padre, y ustedes me deshonran a mí. Yo no busco mi gloria; hay alguien que la busca, y es él el que juzga. Les aseguro que el que escucha sinceramente mi palabra y es fiel a ella, no morirá jamás.

—¿Quién pretendes ser tú? —respondieron los judíos—.[34] Abraham murió, los profetas también, y tú dices: "El que es fiel a mi palabra, no morirá jamás". ¿Acaso eres más grande que nuestro padre Abraham, que no pudo evitar la muerte? Los profetas también murieron.[35]

A esta última objeción, Jesús respondió con la breve profesión de fe siguiente, que enunció con voz grave en el silencio del santuario:

"Si yo me glorificara a mí mismo, mi gloria no valdría nada. Es mi Padre el que me glorifica, el mismo al que ustedes llaman 'nuestro Dios', y al que, sin embargo, no conocen. Yo lo conozco y si dijera: 'No lo conozco', sería, como ustedes, un mentiroso. Pero yo lo conozco y soy fiel a su palabra. Abraham, el padre de ustedes, se estremeció de

33. Desde el retorno del exilio, los samaritanos constituían una población mixta, en parte pagana, en parte herética, que los judíos mantenían apartados.
34. En los *Evangelios*, la expresión "los judíos" no se refiere al pueblo de Israel, sino a las autoridades religiosas oficiales de Judea y los judíos rigoristas, como los fariseos, por ejemplo, o los escribas.
35. El concepto de la vida de las almas después de la muerte no forma parte de la escatología judaica, que en esa materia, se atiene al concepto de *sheol*.

gozo, esperando ver mi Día: lo vio y se llenó de alegría. Les aseguro que desde antes que naciera Abraham, Yo Soy".[36]

—¿Cómo crees que reaccionarán los sacerdotes y los escribas ante esta declaración, fenicio? —susurró Marcelo al oído de su compañero.

—Temo lo peor, caballero. Míralos: se están poniendo de acuerdo. En mi opinión, están maquinando algo contra Jesús, porque hoy, por primera vez, e insisto sobre este punto, Jesús declaró sin ambages ante las autoridades religiosas judías de Jerusalén que él es el Hijo de Dios, enviado a la tierra para salvar al mundo. Hasta ahora, su enseñanza era ambigua, indirecta, como te lo hice notar a menudo. Ahora ya no deja lugar a dudas: Jesús está absolutamente convencido de que es el enviado de Dios Padre, y que él es su Hijo consustancial, el Mesías en sentido absoluto, gracias al cual nosotros, los seres humanos, viviremos eternamente... Pero ¿adónde se fue? Lo perdí de vista.

El Nazareno, después de dejar a los judíos deliberando entre ellos, había salido del edificio sagrado, y ahora estaba en el atrio de los sacerdotes. Tuvo que hacerse a un lado para dejar pasar a tres jóvenes escribas, que, después de atravesar la puerta Nicanor y el atrio de las mujeres, se fueron corriendo en dirección a la torre Antonia, cuya estructura dominaba el ángulo noroeste del atrio de los gentiles. Jesús también avanzó hacia el atrio de las mujeres, pero una media docena de sacerdotes se había apostado frente a la puerta Nicanor, y el Nazareno comprendió que estaban allí para impedirle salir.

—¿Qué ocurre? —le preguntó Marcelo a Hiram, súbitamente inquieto—. ¿Quieren hacerle algún daño? ¿O mantenerlo prisionero?

—No, no lo creo. Además ya están volviendo los escribas, cargando grandes bolsos a la espalda... ¿Qué querrán hacer, caballero?

No tardaron mucho en saberlo. Las cosas se sucedieron con gran rapidez, en pocos minutos. Los jóvenes sacaron grandes piedras de sus bolsos y simplemente empezaron a arrojarlas contra Jesús, quien, encerrado en el atrio de los sacerdotes como un ani-

36. *Juan* 8, 54-58.

mal en una jaula, intentaba esquivar los proyectiles corriendo y sal-
tando. La lapidación duró diez largos minutos, tras los cuales los
sacerdotes, los escribas y los fariseos se alejaron de prisa, dejando
detrás de ellos, sobre la hierba rala del atrio, el cuerpo inanimado
de Jesús. Éste murmuró débilmente una plegaria en dirección al
cielo, se puso de pie, atravesó la explanada del Templo, salió como
de costumbre por la puerta Dorada y partió hacia su refugio del
monte de los Olivos, que ya estaba envuelto en las primeras nebli-
nas del mes de octubre. Lo seguían sus apóstoles, que, alertados,
habían ido a buscarlo, y, a cierta distancia, Marcelo e Hiram: preocupados por el giro violento que estaban tomando los acontecimientos, querían asegurarse de que el regreso de Jesús se desarro-
llara sin inconvenientes.

A la mañana siguiente, día de shabbat, al pie de la colina de los
Olivos, donde había pasado la noche, Jesús, acompañado por sus
apóstoles, vio un mendigo ciego sentado sobre una piedra, que tendía su escudilla a los que pasaban. Uno de sus seguidores le dijo a
Jesús que ese pobre hombre era ciego de nacimiento, y entonces los
demás discípulos le preguntaron:

—Rabí, ¿quién ha pecado, él o sus padres, para que haya nacido
ciego?

—Ni él ni sus padres —contestó Jesús—. Ese hombre nació ciego para que se manifestaran en él las obras de Dios, los signos y los
milagros que Él envía a los humanos: yo llevaré a cabo esa obra.

Después de los incidentes del día anterior, en el atrio de los sacerdotes, Hiram y Marcelo habían decidido seguir —discretamente— los pasos de Jesús hasta que éste se fuera de Jerusalén. Permanecieron debajo de una higuera, sobre el camino que descendía de
Betania y se unía, en la llanura, con el que llevaba a Jerusalén, y así
pudieron oír la respuesta de Jesús. Marcelo le preguntó al fenicio
por su significado.

—La ceguera de ese mendigo es una oportunidad para que Dios
se manifieste, permitiendo que Jesús lo cure, caballero... Por otra
parte, es lo que está haciendo. Mira.

Jesús escupió al suelo, hizo una especie de barro con su saliva y
lo aplicó sobre los ojos del ciego, mientras le decía: *"Vé a lavarte a*

*la piscina de Siloé".*37 El ciego se puso de pie, tomó su bastón e hizo lo que le había ordenado Jesús. Cuando regresó de Siloé, había recobrado la vista, ante el gran asombro de los campesinos de la vecindad, que se habían acostumbrado a verlo pidiendo limosna, siempre en el mismo lugar. Ellos le preguntaron:

—¿Cómo se te han abierto los ojos?

—Ese hombre que se llama Jesús hizo barro, lo puso sobre mis ojos y me dijo: 'Vé a lavarte a Siloé'. Yo fui, me lavé y vi.

Esta cura milagrosa produjo un gran revuelo en Jerusalén, y los fariseos llamaron al que había sido curado para preguntarle cómo había recuperado la vista. Él les dio la misma respuesta que a los campesinos:

—Jesús me aplicó barro sobre los ojos, me lavé en la piscina de Siloé, y ahora veo —les explicó.

—¿Cuándo te curó?

—Ayer, sábado, señores.

—¡El día de shabbat! —exclamó un fariseo—. Este hombre no viene de Dios, porque no observa el sábado.

—¿Cómo un pecador puede hacer semejantes signos? —preguntó otro.

—Y tú, ciego, ¿qué dices del que te abrió los ojos?

El hombre respondió:

—Es un profeta.

Estas respuestas no fueron consideradas satisfactorias por los fariseos, que llegaron a la conclusión de que se trataba de una superchería, y que el hombre que Jesús pretendía haber curado no era ciego de nacimiento. Para saber a qué atenerse, convocaron a los padres del hombre que se suponía curado milagrosamente para someterlos al siguiente interrogatorio:

—¿Es éste el hijo de ustedes, el que dicen que nació ciego? ¿Cómo es que ahora ve?

—Sabemos que es nuestro hijo y juramos que nació ciego, señores.

—¿Qué ocurrió entonces?

37. Piscina situada en el interior de Jerusalén, sobre la colina de Sión. Véase mapa p. 82.

—Ignoramos quién le abrió los ojos, no lo sabemos. Pregúntenle a él: tiene edad para responder por su cuenta.

Hiram, que había asistido al interrogatorio, se asombró de esa respuesta de los padres del ciego, y se lo comentó a Marcelo.

—Aquí hay gato encerrado —le respondió éste—. En la ciudad me dijeron que excluirían de la sinagoga a cualquiera que confesara que Jesús es el Mesías: los padres del ciego hablaron de esta manera porque tienen miedo.

—Esa amenaza de exclusión de la sinagoga es significativa, caballero. Gracias a sus servicios de informaciones, seguramente, las autoridades religiosas se enteraron de que Jesús tiene cada vez más adeptos, en Jerusalén y en Judea, y quizá teman una rebelión religiosa, como la que organizaron los zelotes hace treinta años.

—En ese caso, Hiram, ¿por qué no ordenan de inmediato la detención de Jesús y le hacen un proceso por herejía?

—Porque la conducta de Jesús no es suficientemente "herética" como para dar motivo a un proceso, caballero. Además, entre los miembros del Sanedrín hay jueces que son favorables a él, como Nicodemo, por ejemplo. Lo ideal, para sus adversarios, y especialmente para los fariseos, sería que Jesús regresara a Galilea y que no se hablara más de él en Jerusalén. Seguramente esperan obligarlo a partir hostigándolo como lo están haciendo desde el último día de la fiesta de las Tiendas.

—Teniendo en cuenta su temperamento, fenicio, no será actuando en esta forma como lograrán desalentarlo, sino todo lo contrario. No pasa un solo día sin que el Nazareno intervenga en los asuntos de la ciudad, sea paralizando la acción de la justicia, como en el incidente de la mujer adúltera, sea inmiscuyéndose en las deliberaciones del Templo con sus doctrinas mesiánicas sobre la vida eterna. He escrito una lista ordenada de los principales incidentes que protagonizó desde que subió a Jerusalén para la fiesta de las Tiendas, en septiembre último, hasta hoy, y te diré que es bastante impresionante. En menos de tres meses, he registrado cinco graves cuestionamientos a la Ley mosaica, cuatro críticas serias al orden establecido, tres anuncios de una crisis social sin precedentes, y en cinco oportunidades predijo que su muerte era inminente y que sería seguida por su resurrección, por el bien de la humanidad. Todo esto, sin contar los altercados, los pequeños milagros, las alusiones y otros incidentes. No pasa un día sin que Jesús haga hablar de él, en el Moriah o en otras partes.

—¿Llevas esa lista contigo?

—No, es demasiado grande, y temo que algún guardia me la saque. Está en el gabinete de trabajo que tan amablemente has puesto a mi disposición en tu villa, cuidadosamente guardada. La haré copiar en varios ejemplares, y le enviaré uno a Pilato para que pueda eventualmente tomar sus disposiciones. ¿Quieres que te la dé a leer?

—Ardo en deseos de leerla, caballero. Si necesitas copistas para hacer varios ejemplares, puedes pedirme a mí: dispongo de todo el personal necesario en Sidón. Y ahora, regresemos: presiento que tendremos una velada apasionante.

20
La lista de Marcelo

Redactada entre septiembre y diciembre, año 782 de Roma
(29 d.C.)

Cuestionamiento a los escribas y fariseos (octubre del año 29)– Trampa tendi-
da a Jesús por los fariseos sobre el tema del divorcio (diciembre de 29) – Tram-
pa tendida a Jesús por los fariseos sobre el tema del impuesto debido al César (fi-
nes de 29) – Jesús descubre la sociedad urbana: los niños, los ricos, la ofrenda
de la viuda (octubre-noviembre de 29) – Juicio de Jesús sobre las riquezas ma-
teriales: parábola del administrador sagaz y parábola del pobre Lázaro (no-
viembre de 29) – Jesús anuncia la Crisis (noviembre de 29) – Da a entender,
sin afirmarlo explícitamente, que él es el Mesías anunciado por los profetas; la
confesión de Pedro (diciembre de 29) – El pedido de los hijos de Zebedeo – El
tema de la resurrección (septiembre-octubre-diciembre de 29) – El tema del Jui-
cio Final (noviembre de 29).

Hacía mucho tiempo —desde que había decidido quedarse a vivir en Palestina por el resto de su vida— que las opciones políticas de Marcelo ya no eran dirigidas ni por sus orígenes patricios, ni por ninguna ambición. Pero en ese Oriente desordenado donde los profetas de aldea atraían en todas partes a algunos magros rebaños de discípulos, como antaño lo habían hecho los sofistas o Sócrates en Atenas, el caballero había sido seducido por ese Galileo secreto que perturbaba el orden burgués y religioso de Jerusalén dejando que fueran hacia él los niños, las mujeres adúlteras, los pobres y los enfermos, incluso las prostitutas, y —según decían— a veces los ladrones, mientras fustigaba a los sacerdotes engalanados y a los complicados doctores de una Ley anticuada. Además, el caballero tenía una mente ágil y un temperamento generoso: era uno de los pocos romanos de Jerusalén, si no el único, que había tomado en serio la audaz e inesperada aventura de Jesús.

—¿Ves, Hiram? —le había dicho a su compañero mientras desplegaba sus papiros sobre su mesa de trabajo—. Seguramente Jesús nunca logrará curar a los ciegos, a los leprosos y a todos los endemoniados de Judea, ni crear ninguna secta, ni mucho menos extirpar el Mal del mundo, pero su mensaje es un bálsamo para el corazón de quienes lo escuchan y lo reciben, y a todos les da esperanzas. Despierta más entusiasmo que el discurso de un *imperator*, que sólo puede prometerles a sus legionarios los horrores de la guerra y el oro ilegítimo de los saqueos. Por lo que yo sé, es la primera vez en la historia de la humanidad que un hombre les propone a sus semejantes que se amen los unos a los otros, y no que se venzan mutuamente. Por supuesto, sé que sólo son palabras, pero son agradables de oír, y desearía entender mejor lo que quiere Jesús y desentrañar la situación que creó en Jerusalén. Porque tú habrás notado igual que yo que Jesús —a quien la mayoría de los habitantes de esta ciudad consideraba, hace sólo un año, como un agitador y un destructor de puestos de comerciantes— se convirtió ahora en un predicador escuchado, tolerado, e incluso admitido por el Templo en el atrio de los sacerdotes, y los saduceos y los fariseos aceptan debatir con él. Por mi parte, estoy cada vez más interesado en su trayectoria, y hace dos meses, desde la última fiesta de las Tiendas, lo hago seguir por Agorastocles y por Estenón, mi taquígrafo. Esto me permitió elaborar un pequeño expediente sobre él: consigné en una lista todo lo que se dice sobre él, todos los sermones que oí, todos los testimonios que pude recoger en su favor, y otras informaciones, para hacerme una idea clara del movimiento que está naciendo en torno a Jesús, y poder intervenir ante Pilato, si fuera necesario. Aquí está la lista, Hiram —dijo el caballero, desplegando un papiro cubierto por la escritura fina y regular de su copista habitual—: leámosla juntos.

INFORME DEL CABALLERO MARCELO
SOBRE LAS ACTIVIDADES DE JESÚS EN JERUSALÉN
desde la fiesta de las Tiendas (septiembre) hasta cerca de la
fiesta de la Dedicación (diciembre) del año 782 de Roma

Si se exceptúa su primera y breve estadía en Jerusalén del año pasado, en el tiempo de la Pascua, y la breve pelea que se produjo con los mercaderes del Templo, Jesús nunca alteró realmente el orden público de la ciudad, y nunca llamó ni a la gente sencilla ni a los jóvenes al desorden o a la violencia, como sucedió en el pasado con algunos agitadores, por ejemplo, con los zelotes,[1] o con esos fariseos que, en la época de Herodes el Grande, destrozaron a hachazos el Águila de oro que adornaba la gran puerta del Templo,[2] en nombre de la Ley de Moisés contra los ídolos.

Por el contrario, desde hace dos o tres meses, sus prédicas, sus sermones y sus intervenciones en el Templo se centran cada vez más en puntos doctrinales o de derecho. Esta actividad no dejó de despertar las sospechas de las autoridades religiosas, a quienes Jesús ataca de frente, y de provocar algunos incidentes. Los principales están escritos en esta lista.

I. CUESTIONAMIENTO A LAS AUTORIDADES JUDÍAS Y A LA LEY

1. *Sobre los escribas y los legistas*

Jesús prácticamente no ataca a los sacerdotes: los respeta, y muchos de ellos también lo respetan a él y aceptan mantener con él conversaciones privadas, generalmente secretas (la única que trascendió fue su conversación con el sanedrista Nicodemo, el año pasado, durante la Pascua). En cambio, discute a menudo con los especialistas de las Escrituras, es decir, con los *legistas*, a quienes también se llama *escribas*, cuya tarea es enseñar y explicar la Ley.

Las dos querellas públicas más importantes que debió sostener Jesús contra ellos, en el transcurso de los dos últimos años, fueron el incidente de la mujer adúltera (los legistas la querían condenar, y Jesús la sacó de entre sus garras en la forma que se conoce), y un altercado que tuvo lugar en el Templo entre ellos, dos o tres días más tarde, frente a una inmensa multitud de fieles, sobre los orígenes del Mesías anunciado por los profetas antiguos.

El Nazareno sabía que los escribas, interesados en refutar sus pretensiones de ser el Mesías, decían que era un impostor, porque, según su lectura de las Escrituras, el futuro Salvador de la humanidad debía pertenecer a la descendencia de David (y ése no es el caso de Jesús, que es hijo de un carpintero de Galilea). Jesús, que es astuto como un

1. Véase p. 198 ss.
2. Véase p. 141 ss.

zorro cuando se trata de confundir a un adversario de mala fe en un punto de doctrina o de historia, les planteó ingeniosamente la siguiente pregunta: *"¿De quién es hijo el Mesías, cuya venida anunciaron los Profetas?"*. Los escribas le respondieron con erudición: *"De David"*. Entonces Jesús citó un salmo de David, en el que éste, inspirado por el Espíritu Santo, canta:3

> *Dijo el Señor a mi Señor [el Mesías]:*
> *Siéntate a mi derecha, mientras yo pongo*
> *a tus enemigos como estrado de tus pies.*

Y llegó a la siguiente conclusión, para disgusto de sus adversarios:

—¿Cómo pueden afirmar que el Mesías es el hijo de David, cuando éste lo llama *"mi Señor"*? ¡Si el Mesías es su señor, no puede ser su hijo!

La multitud, que era numerosa, aprobó esta réplica, y los escribas, ridiculizados, bajaron la cabeza y fruncieron la nariz, mientras Jesús disfrutaba de esta victoria dialéctica para alertar contra ellos:

—Cuídense de los escribas, a quienes les gusta pasearse bajo los pórticos del Templo con largas vestiduras, que hablan con voz grave y tono sentencioso, citan todo el tiempo a los profetas, exigen los primeros asientos en las sinagogas y los banquetes; obligan a que los saluden en las plazas públicas llamándolos "maestro", devoran los bienes de las viudas y los huérfanos. Cuídense de los legistas: son hipócritas que parecen sepulcros blanqueados: hermosos por fuera, pero por dentro llenos de huesos de muertos y de podredumbre; por fuera parecen justos delante de los hombres, pero por dentro están llenos de hipocresía y de iniquidad. Legistas, sus padres mataron a los profetas. ¡Y ustedes colman la medida de sus padres! ¡Serpientes, raza de víboras! No escaparán a la Gehena, donde perecerán sus almas por haber matado, perseguido, flagelado, a tantos justos, cuya sangre caerá sobre sus cabezas.4

3. *Salmos* 110, 1.
4. Cf. *Marcos* 12, 38-39; *Mateo* 23, 1-22; *Lucas* 20, 45-47.

2. Sobre los fariseos y la Ley

Las querellas con los miembros del partido fariseo son cotidianas. Éstos, como se sabe, están particularmente apegados al formalismo de la Ley. Jesús no deja pasar ninguna oportunidad de señalar su hipocresía y estigmatizarla. Aquí hay un ejemplo de esa clase de controversias.

Un día, un fariseo invitó a Jesús a almorzar en su casa. Éste fue allí y se sentó inmediatamente a la mesa, sin proceder a las abluciones rituales que, según la Torah, deben hacerse antes de tomar alimentos. El fariseo se sorprendió, y Jesús le respondió:

> Ustedes, los fariseos, purifican por fuera la copa y el plato, y por dentro están llenos de voracidad y perfidia. ¡Insensatos! El que hizo lo de afuera, ¿no hizo también lo de adentro? Den más bien como limosna lo que tienen y todo será puro. Pero ¡ay de ustedes, fariseos, que pagan el impuesto de la menta, de la ruda y de todas las legumbres, y descuidan la justicia y el amor de Dios! [...] ¡Ay de ustedes, porque son como esos sepulcros que no se ven y sobre los cuales se camina sin saber![5]

Esta disputa provocó un gran escándalo en la ciudad y, por supuesto, no sirvió para mejorar las relaciones entre el Nazareno y aquellos a quienes él acababa de definir concretamente como sus enemigos.

3. Sobre el fundamento de su propia autoridad

Cuando Jesús apareció en el atrio del Templo y pronunció su sermón criticando la Ley,[6] el último día de la fiesta de las Tiendas, sorprendió a todo el mundo, pero las autoridades religiosas —sacerdotes, sumos sacerdotes[7] y escribas— no trataron de hacer que lo expulsaran o lo arrestaran, y lo dejaron predicar,[8] y sólo le preguntaron por qué actuaba así. Él les respondió con otra pregunta: "El bautismo de Juan,

5. *Lucas* 11, 39-44.
6. Véase p. 449 ss.
7. La expresión designa aquí al sumo sacerdote en funciones, Caifás, y a los miembros de las familias entre las cuales se elegían a los sumos sacerdotes.
8. Véase p. 449 ss.

¿venía de Dios o de los hombres, en virtud de quién lo administraba?" La pregunta era terriblemente embarazosa para los sumos sacerdotes, porque si contestaban "de Dios", Jesús diría: *"Entonces, ¿por qué no creyeron en él?".* Y si contestaban: "de los hombres", esa respuesta, deshonrosa para Juan, habría desencadenado una avalancha de protestas, porque entre la gente del pueblo, todos consideraban que Juan había sido realmente un profeta.

Para salir de ese atolladero, los sacerdotes y los legistas simplemente le respondieron a Jesús: "No sabemos". Y él tuvo la última palabra, cuando les dijo, provocando aplausos en la asistencia: *"Yo tampoco les diré con qué autoridad hago estas cosas".*9 Y sus adversarios, ante la indignación de la multitud, que ya estaba por lanzarles piedras, corrieron a refugiarse dentro del santuario.

4. Trampa tendida a Jesús sobre el tema del impuesto debido al César

Era evidente que a los enemigos religiosos de Jesús les interesaba que éste cometiera algún error para llevarlo ante la justicia civil, es decir, ante los jueces romanos. Por lo tanto, los fariseos trataron de atacarlo, pérfidamente, en el aspecto fiscal, y le enviaron a algunos de los suyos y algunos partidarios de Herodes Antipas para hacerlo caer en una trampa haciéndolo hablar con desconsideración. Le plantearon hipócritamente la siguiente pregunta: *"Maestro, sabemos que eres sincero y no tienes en cuenta la condición de las personas, porque no te fijas en la categoría de nadie, sino que enseñas con toda fidelidad el camino de Dios. ¿Está permitido pagar el impuesto al César o no?*10 *¿Debemos pagarlo o no?"*11

La trampa era doble, civil y religiosa, porque el impuesto no solamente era obligatorio, sino que debía ser pagado en denarios romanos, es decir, con monedas que llevaban en su anverso la efigie del emperador, y esto era un sacrilegio para los judíos.12 Por lo tanto, si Jesús contestaba que había que pagar, violaba la prohibición mosaica de las imágenes, y si contestaba que no había que pagar, trasgredía la ley

9. Cf. *Marcos* 11, 29-33.

10. El impuesto directo, que se agregaba a las cargas indirectas, como los peajes y las diversas tasas que pagaban los judíos de Judea y de los demás territorios bajo el control del procurador de Judea.

11. Cf. *Marcos* 12, 13-17.

romana. Pero, como conocía la hipocresía de los fariseos, les respondió hábilmente: *"¿Por qué me tienden una trampa? Muéstrenme un denario"*. Cuando se lo mostraron, preguntó: *"¿De quién es esta figura y esta inscripción?"*. Ellos respondieron: "Del César".[13] Entonces Jesús les dijo: *"Den al César lo que es del César, y a Dios, lo que es de Dios"*. Sus adversarios quedaron sorprendidos por la sagacidad de esa respuesta, que lo dejaba en regla con la ley mosaica y con la ley romana.

II. DESCUBRIMIENTO DE LA SOCIEDAD URBANA

Hasta el presente, con la excepción de dos o tres breves estadías en Jerusalén, el año pasado, Jesús había conocido un solo medio social, el ambiente pueblerino o semipueblerino de Galilea de pequeños campesinos y pastores, entre los que no había, hablando con propiedad, ni "pobres" ni "ricos", donde todos se ayudaban mutuamente y el trueque era la base de las relaciones económicas y sociales. En esa región, donde, hasta la fundación de Tiberíades por parte de Antipas, la única verdadera ciudad era Cafarnaún, que tenía a lo sumo, dos o tres mil habitantes, nadie conocía ni la riqueza ni la pobreza, y las únicas calamidades que afligían a los campesinos y a los pescadores que allí vivían eran las enfermedades, la vejez y la muerte, que todos consideraban naturales e inevitables, como lejanas consecuencias del Pecado de Adán. El Eterno le había dicho a Adán, al expulsarlo del Jardín del Edén:

> *Porque hiciste caso a tu mujer y comiste del árbol que yo te prohibí, maldito sea el suelo por tu culpa. Con fatiga sacarás de él tu alimento todos los días de tu vida. Él te producirá cardos y espinas y comerás la hierba del campo. Ganarás el pan con el sudor de tu frente, hasta que vuelvas a la tierra, de donde fuiste sacado. ¡Porque eres polvo y al polvo volverás!*[14]

12. En la Palestina judía, la pequeña moneda en circulación que usaba el pueblo, se acuñaba en Judea: llevaba en su anverso el nombre del emperador, pero no su imagen. En cambio, los impuestos y las tasas se pagaban con la moneda romana de curso legal: los judíos piadosos, para no ensuciarse con la manipulación de esa moneda, hacían que la manipularan los cambistas no judíos.

13. Del emperador Tiberio.

14. *Génesis* 3, 17-19.

Todo lo que sabemos de la vida de Jesús desde que lo conocemos, es decir, desde hace apenas dos años, es que la dedicó a aliviar a sus semejantes de esos males, tratando de curar a algunos enfermos, hacer caminar a dos o tres paralíticos, devolver la vista a cinco o seis ciegos e incluso devolverle la vida a un niño a quien se creía muerto. Todo esto le valió una gran popularidad en el campo, y permite comprender por qué los dos grandes sermones que pronunció en Galilea —en la montaña y en la rada de Cafarnaún— atrajeron a tantas multitudes y obtuvieron tanto éxito, aunque su contenido, muy elevado en el aspecto religioso, incluso metafísico, no tuviera relación con los "milagros" que dieron origen a esa popularidad rural.

En el transcurso de los dos meses que pasó en Jerusalén, Jesús se ganó una popularidad muy diferente a la que tenía en el campo, por las virtudes de su predicación y no por las de los milagros. Los habitantes de la Ciudad santa, experimentados en las lides políticas y religiosas, bien instalados en la comodidad metafísica y legalista que alimentaban los dos partidos religiosos notablemente organizados que son el de los fariseos y el de los saduceos, indiscutiblemente fueron mucho más conmovidos por su arte de la oratoria, simple y directo —en el que las imágenes, las comparaciones en forma de fábulas, que él llama "parábolas", ocupan un lugar tan importante como el de las referencias a las Escrituras— que por la trabajosa dialéctica de los escribas o la dudosa producción de milagros, que las mismas autoridades religiosas cuestionaban. Por otra parte, Jesús descubrió en Jerusalén otros males, además de los de la vejez y la enfermedad, y que el ambiente rural solidario del que proviene ignoraba: la pobreza, las injusticias, las desigualdades sociales. En una palabra, el Nazareno nos mostró en esa oportunidad un aspecto de su temperamento que ni Hiram ni yo conocíamos, y que lo convirtió, en muy poco tiempo, en un adversario no sólo de las religiones tradicionalistas, sino también de las clases pudientes, como lo ilustran algunos incidentes que reproduzco aquí.

1. Actitud de Jesús con respecto a los niños

En Jerusalén se propagó ampliamente el rumor de la presencia de un predicador galileo, en el atrio del Templo, que se dignaba interesarse por los humildes, y es muy posible que la indulgencia que mostró hacia la mujer adúltera haya contribuido a esa fama. Así fue como al atrio de los gentiles y al atrio de las mujeres llegaron madres de familia que le llevaban a sus hijos para que los tocara y los bendijera. Los escribas permitían que hicieran eso, que consideraban algo inocente e incluso un poco ridículo, pero los apóstoles, que rodeaban a Jesús y lo protegían como podían de los inoportunos, apartaban a esos admiradores de corta edad, pues suponían que lo molestaban. Al ver eso, Jesús montó en cólera y les dijo a sus discípulos: *"Dejen que los niños se acerquen a mí y no se lo impidan, porque el Reino de Dios pertenece a los que son como ellos"*.[15]

Es preciso destacar que este incidente, que introdujo un poco de frescura y de inocencia en la querella entre Jesús y el Templo, no dio lugar a ninguna observación malévola ni agresiva por parte de los fariseos que vigilaban de cerca todo lo que hacía Jesús.

2. Actitud de Jesús con respecto a los ricos

Cuando predicaba en las colinas de Galilea, Jesús no había tenido muchas oportunidades de enfrentarse con "ricos", porque había muy pocos en esa región de pastores, pescadores y pequeños agricultores. Pero una vez, uno o dos meses antes de su primera subida a Jerusalén, es decir, en el mes de marzo del año 781 de Roma,[16] nos contaron que había comido en casa de un rico fariseo, un tal Simón,[17] en Cafarnaún, junto con otros invitados, y que había sorprendido a su anfitrión al aceptar que una prostituta le lavara los pies.

En cambio, en Jerusalén, no faltan ricos, y no es raro que vayan a escuchar sus enseñanzas o a pedirle consejo, como ese joven rico que un día, seguramente en medio de una crisis metafísica, fue corriendo hacia él cuando salía de la explanada del Templo para retirarse al monte de los Olivos, y le preguntó: "Maestro bueno, ¿qué debo hacer para heredar la Vida eterna?". Jesús le respondió con amabilidad, pero sin rodeos:

¿Por qué me llamas bueno? Sólo Dios es bueno. Tú conoces los mandamientos dictados por Dios a Moisés en el desierto: No matarás, no come-

15. *Marcos* 10, 13-16.
16. 28 d.C.
17. Véase p. 383.

terás adulterio, no robarás, no darás falso testimonio, no perjudicarás a nadie, honra a tu padre y a tu madre.[18]

El joven le dijo que siempre había cumplido esas reglas de moral, desde su primera juventud. Entonces Jesús lo miró, sintió afecto por él y le dio este consejo: *"Una cosa te falta todavía: vende todo lo que tienes y distribúyelo entre los pobres, y tendrás un tesoro en el cielo. Después ven y sígueme".* Al oír estas palabras, la mirada del joven se oscureció y se fue, muy triste, porque era extremadamente rico y seguramente dudaba en abandonar todo lo que poseía. Jesús dijo a sus apóstoles: *"¡Qué difícil será para los ricos entrar en el Reino de Dios! Sí, es más fácil que un camello pase por el ojo de una aguja, que un rico entre en el Reino de Dios".*

Muy impresionados por estas palabras, los discípulos de Jesús le preguntaron quién podía obtener la salvación eterna. Él les respondió, mirándolos fijamente: *"Todo es posible para Dios".* Sin embargo, Pedro quería saber más, y le preguntó qué sería de ellos, los apóstoles, que habían abandonado todo, padre, madre, hijos, familia y casa, para seguirlo. Jesús les contestó que aquellos que hubieran dejado todo por su causa y por la causa de la Buena Noticia, recibirían cien veces más en el mundo celestial y obtendrían como herencia la Vida eterna. *"Muchos de los que aquí son primeros serán los últimos, y muchos de los últimos serán los primeros",* dijo.[19]

Me gustaría relacionar esta anécdota —cuya conclusión, así formulada, me parece que se acerca al proverbio de la sabiduría popular, en el sentido de que el dinero no hace la felicidad— con un incidente que tuvo lugar en el recinto sagrado del Templo, donde Jesús estaba sentado frente al tronco en el cual los ricos depositaban ostensiblemente monedas de oro y de plata como ofrendas. Hasta allí se acercó a pequeños pasos una mujer vestida de negro, humilde y tímida, que deslizó con torpeza en la hendidura del tronco dos pequeñas monedas de bronce —con las que se podía comprar apenas la mitad de un pan—, bajo las miradas irónicas y condescendientes de los escribas y los fariseos que se encontraban allí. Jesús llamó a sus discípulos, les señaló con un gesto a la pobre anciana y les dijo en voz baja: *"Les ase-*

18. *Éxodo 20, 12-17.*
19. *Marcos 10, 17-31; Mateo 19, 16-30; Lucas 18, 18-30.*

guro que esta pobre viuda ha puesto más que cualquiera de los otros, porque todos han dado de lo que les sobraba, pero ella, de su indigencia, dio todo lo que poseía, todo lo que tenía para vivir".[20]

En Jerusalén, evidentemente Jesús tomó partido por los pobres y los desdichados: eso fue lo que en cierto modo lo hizo famoso en las aldeas de las montañas de Galilea y alrededor del lago de Tiberíades, como ocurrió con Juan el Bautista en el desierto, que predicaba, como me lo había dicho Hiram, para los condenados de la tierra.[21] Tal vez sea esto lo que lo haga fracasar en Jerusalén, donde algunos rinden sin duda un culto sincero a Yahveh, pero donde el partido dominante de los fariseos, al que pertenecen casi todos los jefes de las grandes familias de la ciudad, celebra las sesiones del Sanedrín junto a la aristocracia sacerdotal de los saduceos,[22] y, como estos últimos, practica abiertamente el culto al becerro de oro.

3. Juicio de Jesús sobre las riquezas materiales

A medida que pasan los días, Jesús se muestra más seguro, y, del mismo modo en que formula cada vez con mayor precisión su mensaje, habla, desde sus primeras predicaciones en Galilea, de "la Buena Noticia", al tiempo que critica cada vez con mayor frecuencia el amor por las riquezas materiales, que aleja del amor a Dios. Aquí van algunos ejemplos de la forma severa en que trata este tema, que despierta los aplausos de la masa desdichada de la gente sencilla, y hace nacer progresivamente un verdadero odio contra él en el ánimo de los pudientes, que en su mayoría son sacerdotes, escribas y fariseos, y todos hacen coro.

Primer ejemplo: la parábola del administrador sagaz

Jesús pronunció esta parábola sobre lo que él llama "el dinero engañoso", o también "las riquezas injustas", bajo los pórticos del Templo, en público, y estaba destinada a sus apóstoles. Pero todos la oyeron, y en particular, los fariseos. Aquí está la primera parte, en forma integral, taquigrafiada por Estenón:

20. *Marcos* 12, 41-44; *Lucas* 21, 1-4.
21. Véase p. 255.
22. Sobre estos dos partidos, véase p. 27.

"*Había un hombre rico que tenía un administrador, al cual acusaron de malgastar sus bienes. Lo llamó y le dijo: '¿Qué es lo que me han contado de ti? Dame cuenta de tu administración, porque ya no ocuparás más ese puesto'. El administrador pensó entonces: '¿Qué voy a hacer ahora que mi señor me quita el cargo? ¿Cavar? No tengo fuerzas. ¿Pedir limosna? Me da vergüenza. ¡Ya sé lo que voy a hacer para que, al dejar el puesto, haya quienes me reciban en su casa!'. Llamó uno por uno a los deudores de su señor y preguntó al primero: '¿Cuánto debes a mi señor?'. 'Veinte barriles de aceite', le respondió. El administrador le dijo: 'Toma tu recibo, siéntate en seguida, y anota diez'. Después preguntó a otro: 'Y tú, ¿cuánto debes?'. 'Cuatrocientos quintales de trigo', le respondió. El administrador le dijo: 'Toma tu recibo y anota trescientos'. Y el señor alabó a este administrador deshonesto, por haber obrado tan hábilmente. Porque los hijos de este mundo son más astutos en su trato con los demás que los hijos de la luz. [...] Pero Dios conoce sus corazones, porque lo que es estimable a los ojos de los hombres, resulta despreciable para Dios*".[23]

Con estas últimas palabras, destinadas a los fariseos que lo escuchaban, Jesús estigmatizaba la actitud de los fariseos que, al felicitar al administrador infiel, consideraban inteligencia y prudencia lo que en realidad no era otra cosa que deshonestidad, y no podían engañar a Dios. Terminó con las siguientes sentencias:

Ningún servidor puede servir a dos señores,
porque aborrecerá a uno y amará al otro,
o bien se interesará por el primero y menospreciará al segundo.
No se puede servir a Dios y a Mamón.[24]

Después de hablar de este modo, Jesús se despidió de los fariseos, que se reían burlonamente, y de sus demás oyentes, con una breve observación, cargada de sentido, cuyo significado sólo entenderían varios días más tarde: "*La Ley y los Profetas llegan hasta Juan. Desde entonces se proclama el Reino de Dios, y todos tienen que esforzarse por entrar en él*". Los fariseos abandonaron el Templo preguntándose qué había querido decir con eso el Nazareno. Pronto lo comprenderían: en efecto, fue

---

23. *Lucas* 16, 1-15.
24. *Lucas* 16, 13 y *Mateo* 6, 24. Mamón era el dios sirio de la riqueza y la codicia.

la primera vez, por lo que yo sé, que Jesús les dijo abiertamente, tanto a ellos como a los escribas y a los sacerdotes que estaban presentes, que la Torah había cumplido su tiempo.

Segundo ejemplo: la parábola del pobre Lázaro

Unos días después, Jesús atacó nuevamente a los fariseos contándoles otra parábola sobre los errores de los ricos. Pero esta vez no se limitó a señalar su carácter odioso, sino que les hizo ver también el castigo que les esperaba. Para apreciar correctamente esta parábola, no hay que perder de vista que la religión judía nunca tuvo una verdadera doctrina coherente sobre el destino del alma después de la muerte.[25] Los saduceos, por ejemplo, enseñan que las almas humanas mueren al mismo tiempo que su cuerpo. En cambio, los fariseos les atribuyen cierta forma de inmortalidad, y creen que existen castigos bajo la tierra para las almas que vivieron en el vicio, y recompensas para las que actuaron con virtud. Sólo estas últimas tendrían la facultad de retornar a la tierra para vivir otra vida, después del Juicio Final, mientras que las almas malas se quedarían corrompiéndose en la Gehena. Estas teorías son confusas y no son compartidas por todos. La única secta que presenta una doctrina positiva sobre el alma, semejante a la de Platón, es la de los esenios,[26] pero sólo tiene un número muy pequeño de adeptos, que viven en ermitas, a orillas del mar Muerto.[27]

PARÁBOLA DEL POBRE LÁZARO
(taquigrafiada por Estenón)

"Había un hombre rico que se vestía de púrpura y lino finísimo y cada día hacía espléndidos banquetes. A su puerta, cubierto de llagas, yacía un pobre llamado Lázaro, que ansiaba saciarse con lo que caía de la mesa del rico; y hasta los perros iban a lamer sus llagas.

El pobre murió y fue llevado por los ángeles al seno de Abraham. El rico también murió y fue sepultado. En la morada de los muertos, en medio de los tormentos, éste levantó los ojos y vio de lejos a Abraham, y a Lázaro junto a él. Entonces exclamó: 'Padre Abraham, ten piedad de mí y envía

25. Véase p. 72 ss.
26. Véase p. 110 ss.
27. Véase p. 111.

a Lázaro para que moje la punta de su dedo en el agua y refresque mi len-
gua, porque estas llamas me atormentan'. 'Hijo mío', respondió Abraham,
'recuerda que has recibido tus bienes en vida y Lázaro, en cambio, recibió
males; ahora él encuentra aquí su consuelo, y tú, el tormento. Además, en-
tre ustedes y nosotros se abre un gran abismo. De manera que los que quie-
ren pasar de aquí hasta allí no pueden hacerlo, y tampoco se puede pasar
de allí hasta aquí'.

El rico contestó: 'Te ruego entonces, padre Abraham, que envíes a Lá-
zaro a la casa de mi padre, porque tengo cinco hermanos: que él los preven-
ga, no sea que ellos también caigan en este lugar de tormento'. Abraham
respondió: 'Tienen a Moisés y a los Profetas; que los escuchen'. 'No, padre
Abraham', insistió el rico. 'Pero si alguno de los muertos va a verlos, se
arrepentirán'. Y Abraham respondió: 'Si no escuchan a Moisés y a los Pro-
fetas, aunque resucite alguno de entre los muertos, tampoco se convence-
rán'".[28]

De modo que casi no pasa un solo día sin que Jesús aparezca en
el Templo, sea en el atrio, sea en el interior del santuario, y denuncie,
con obstinación y energía, las doctrinas y las costumbres de los fariseos, los escribas y los ricos. Hay mucha gente que lo aprueba, principalmente entre la gente sencilla y los pobres, pero también en las filas
de aquellos a quienes critica, porque la manera en que conversa cor-
dialmente con algunos fariseos o algunos doctores de la Ley muestra
que no todos tienen intenciones de condenarlo. En resumen, en lo que
respecta al discurso social, es verdad que Jesús molesta un poco al orden establecido y que ese discurso le trae enemigos entre los poderosos, especialmente entre los fariseos, y adeptos entre la gente común
y los pobres. Pero eso no tendría consecuencias graves si no agregara
a ello un discurso religioso revolucionario que le da completamente la
espalda al judaísmo del Templo y al de Moisés, y que, en razón de
la popularidad que adquirió entre el pueblo de Jerusalén por su presencia casi constante en los atrios y sus repetidas intervenciones públicas, corre el riesgo de molestar a las autoridades religiosas: éstas
pueden tratar de iniciarle un proceso de herejía, y en ese caso, la vida
de Jesús estaría realmente en peligro.

28. *Lucas* 16, 19-31.

III. EL ANUNCIO DE LA CRISIS Y DE LA BUENA NOTICIA

Después de las innumerables conversaciones teológicas que he tenido con judíos piadosos, sacerdotes y escribas, sin contar a mi querido Hiram, durante los treinta años que vivo en Jerusalén, he llegado a la conclusión de que se puede definir a la religión judía como una gigantesca batalla entre el Bien y el Mal, en la que está en juego el hombre. El Bien es el Eterno, que se expresó a través de Moisés transmitiéndole la Torah, y el Mal es Satán, el príncipe de las Tinieblas, el adversario del Dios de la Luz y el padre de la Muerte. Es él, en efecto, quien causó la desobediencia de Adán, por intermedio de Eva, un pecado que le quitó al hombre la inmortalidad que le había conferido Yahveh: "Dios creó al hombre para que fuera incorruptible [...] pero por la envidia del demonio entró la muerte en el mundo", nos revela el *Libro de la Sabiduría*,[29] y cuando muere el cuerpo que habita, su alma se convierte en una *sombra* que se duerme por toda la eternidad en el *sheol*.

1. *El tema de la supervivencia de las almas*

Fue hace relativamente poco tiempo, en la época en que Nabucodonosor tomó Jerusalén y llevó a los judíos al exilio en Babilonia,[30] cuando nació entre ellos una nueva tradición, inspirada, según creo, por algunos sacerdotes babilonios u otros: la de una futura supervivencia de las almas que están en el *sheol*. En el Libro de su profeta Daniel, quien fue llevado, precisamente, en cautiverio, dice que *"muchos de los que duermen en el suelo polvoriento se despertarán, unos para la vida eterna, y otros para la ignominia, para el horror eterno"*.[31] Desde aquellos tiempos, la idea siguió avanzando, sin duda bajo la influencia de los griegos de Alejandría, que fueron los dueños de Palestina tras la muerte de Alejandro Magno, y un nuevo tema comenzó a difundirse entre los teólogos judíos, hace dos o tres siglos: las almas de los justos que duermen en el *sheol* serán arrancadas al olvido y revivirán,[32]

---

29. *Sabiduría* 2, 23-24.
30. En 586 a.C.
31. *Daniel* 12, 2-3.
32. Véase p. 70 y ss.

mientras que las otras permanecerán allí o serán sometidas a tormentos eternos.

Pero ¿*cuándo* revivirán esas almas? Dios fijará la fecha: será el famoso "Día de Yahveh", del que tan a menudo me habló Hiram.[33] Después de ese día habrá una nueva Alianza entre el Eterno y el pueblo elegido, y se instaurará el Reino de Dios en la tierra, por intermedio de un Enviado a quien Él le habría conferido su unción, y que por esta razón algunos llaman "Mesías",[34] un término que Jesús nunca usa para designarse a sí mismo. Cuando se refiere a la misión de la cual se siente portador, se atribuye el título nuevo y misterioso, que nadie empleó nunca antes que él, de "Hijo del hombre". Desconozco la razón: seguramente porque la palabra "Mesías" es utilizada por muchos charlatanes en nuestra época, o porque teme ser acusado de blasfemo por los fariseos.

Lo que Jesús predicó en Cafarnaún, y lo que predica ahora en Jerusalén, es precisamente el próximo advenimiento de ese Día de Yahveh, en el que él será, según deja entender, el Mesías, aunque nunca emplea esa expresión. Ésta es la Buena Noticia que le confió casi en secreto a Nicodemo cuando subió a Jerusalén por primera vez, en la Pascua del año 781 de Roma,[35] que predicó en la escalinata del Templo el verano siguiente, después de curar al paralítico de Betsata,[36] y que es ahora, en estos últimos meses, el tema de todas sus prédicas y de todas sus discusiones. Resumo aquí sus principales declaraciones entre septiembre y diciembre de este año 782 de Roma, a propósito de las cuales haré dos observaciones.

En primer lugar, esas declaraciones se refieren únicamente a cinco temas, todos mesiánicos: 1) el fin, no del mundo, sino de la civilización humana actual; 2) la venida de un Mesías anunciado en el pasado por los profetas, que permitirá el establecimiento del Reino de Dios sobre todos los hombres (y no solamente sobre el pueblo de Israel); 3) que él, Jesús, es el esperado Mesías, en cuanto Hijo del hombre (*muy pocas veces* se llama a sí mismo Mesías, pero lo da a entender);

33. Véase p. 323.

34. Recordemos que la palabra "mesías" proviene del hebreo bíblico *masah* ("ungir"), término aplicado en las Escrituras a todos los hombres investidos de una misión divina, como por ejemplo, los profetas, los sacerdotes y los reyes de Israel, como Salomón.

35. En abril-mayo de 28 d.C.

36. Véase p. 417 ss.

4) que él traerá el perdón del Pecado original por medio de su inmolación; 5) que el signo de ese perdón, que permitirá la instauración del Reino de Dios en la tierra, será la resurrección del Hijo del hombre después de su muerte.

En segundo lugar, esas declaraciones nunca formaron parte de los sermones públicos, si se exceptúa el sermón en las escalinatas del Templo, el verano pasado, después del incidente en la piscina de Betsata, y el gran sermón pronunciado en Cafarnaún tras la multiplicación de los panes. Es como si Jesús hubiera entendido que si bien la opinión pública de Jerusalén y las autoridades religiosas toleraban ahora su predicación sobre temas referentes a la moral personal o incluso la moral social (pienso, por ejemplo, en el episodio de la mujer adúltera o en sus diatribas contra los fariseos), no estaban preparadas, ni lo suficientemente evolucionadas en el aspecto religioso, como para recibir su predicación mesiánica.

Por último, al actuar de esta forma, Jesús tiene conciencia del peligroso juego que está llevando a cabo, y del hecho de que, si llega demasiado lejos en el sentido del mesianismo reformador, terminará o en la hoguera de los judíos, o en la cruz de los romanos. Sin embargo, afronta ese destino con inefable gozo.

2. ¿Es Jesús el Mesías?

Entre los judíos, hay una antigua convicción de que, después de vencer y castigar al enemigo asirio, nacería un retoño de una rama salida del tronco de Jesé, el padre del rey David, que juzgaría con rectitud a los pobres y a los postergados, e instauraría un régimen de caridad y honestidad:

"Con el soplo de sus labios hará morir al malvado.
La justicia ceñirá su cintura
y la fidelidad ceñirá sus caderas.
El lobo habitará con el cordero
y el leopardo se recostará junto al cabrito;
el ternero y el cachorro de león pacerán juntos,
y un niño pequeño los conducirá.
[...]
Las naciones lo buscarán
y la gloria será su morada.

[...]

Aquel día, el Señor alzará otra vez su mano [la primera vez, el Eterno instaló a la humanidad naciente —Adán y Eva— en el Jardín del Edén] *para rescatar al resto de su pueblo".*37

Esta profecía es explícita, y hay muchas otras del mismo tipo en las Escrituras. Como pagano de ideas amplias, las interpreto en este sentido: el Eterno, al comprobar que la humanidad que puso en la tierra después de crear el mundo se conduce de una manera abominable, decidió enviar un Mesías para "reparar" su Creación, y como ese Mesías será un descendiente de Jesé, será entonces un descendiente del rey David, su hijo.

Pero ¿y Jesús? Al dar a entender, en diversas oportunidades, aunque sin afirmarlo expresamente, que es el Mesías, el Ungido del Señor, debería ser un davidiano. Pero el Nazareno nunca se presenta como tal en sus discusiones con los fariseos: dice ser "hijo de Dios", algo que puede sonar muy presuntuoso, tanto para un pagano como para un judío, y cada vez que habla de Dios, lo llama "mi Padre". En este embrollo genealógico hay una fuente de interminables discusiones, y me sorprende que los fariseos hayan planteado el problema una sola vez, cuando le dijeron, mientras enseñaba en el Templo, que no podía pretender ser el Mesías, porque, según las Escrituras, el Mesías debía ser descendiente de David.38

Sea como fuere, la manera en que Jesús anuncia la Crisis que amenaza no solamente al pueblo de Israel, sino a todo el mundo, hace pensar que él se considera ese Mesías, aunque nunca lo afirme explícitamente y se atribuya el título mucho más orgulloso de "hijo de Dios". De hecho, después de analizar todas las notas que he tomado mientras lo seguía en su recorrido de predicador, y todas las informaciones que me han hecho llegar, he comprobado, y lo subrayo una vez más, que nunca, *en ningún momento*, Jesús proclamó ser el Mesías, y sin duda les prohibió a sus apóstoles llamarlo así. En mi opinión, esta discreción que se impone y les impone es política: se debe al hecho de que teme la reacción del Templo sobre ese tema, que podría poner en riesgo el futuro de su predicación.

37. *Isaías* 11, 4-11.
38. Véase p. 391 ss.

No obstante, una sola y única vez, uno de los apóstoles lo confesó públicamente: fue Pedro, un día que Jesús se había ido a predicar con sus discípulos a los pueblos vecinos de Cesarea de Filipo.39 En el camino, Jesús les preguntó a sus discípulos: *"¿Quién dice la gente que soy?"* Ellos respondieron que algunos creían que era Juan el Bautista, otros decían que era el profeta Elías que habría regresado a la tierra, y otros, algún profeta de los tiempos antiguos. Entonces el Nazareno les preguntó: *"Y ustedes, ¿quién dicen que soy?".* Entonces Pedro respondió, sin vacilar: *"Tú eres Cristo".* Al parecer, esta confesión irritó a Jesús, que reprendió a sus discípulos y les ordenó severamente no hablar de él a nadie. Esta interdicción confirma mi tesis, que sin embargo es rechazada por Hiram, mi amigo fenicio: Jesús está persuadido de ser el Mesías anunciado por la Biblia, pero también sabe que proclamarlo públicamente levantaría una montaña de imprecaciones entre los sacerdotes y los legistas, que son los únicos que tienen el privilegio de interpretar las oscuridades de las Escrituras, y lo llevaría directamente ante los jueces del Sanedrín, quienes pondrían fin a su misión, encarcelándolo, por ejemplo. Pero yo estoy seguro de que Jesús no está representando la comedia del "profeta inspirado": él cree intensamente, místicamente, en su misión, y por nada del mundo la pondría en peligro expresando palabras intempestivas o dejando correr el rumor de que él es el Cristo, el Mesías.

Otro pequeño hecho, aparentemente sin importancia, y que Hiram presenció recientemente, confirma lo que acabo de escribir respecto de su misión. Una noche, Jesús estaba a punto de abandonar el atrio de los gentiles con su grupo de apóstoles, para ir a cenar. Santiago y Juan, los dos hijos de Zebedeo, fueron hacia él y le dijeron, discretamente: "Maestro, desearíamos pedirte un favor". Jesús les preguntó qué querían que hiciera por ellos, y ellos le contestaron: "Concédenos sentarnos uno a tu derecha y el otro a tu izquierda cuando estés en tu Gloria". Jesús les dio una respuesta extraña y profunda, que Hiram oyó y anotó de inmediato para mí, así como el diálogo que siguió, combinado con algunos comentarios:

"No saben lo que piden. ¿Pueden beber el cáliz que yo beberé y recibir el bautismo que yo recibiré?

39. Véase p. 456 ss.

—Podemos —le respondieron Santiago y Juan.

—Ustedes beberán el cáliz que yo beberé y recibirán el mismo bautismo que yo. En cuanto a sentarse a mi derecha o a mi izquierda, no me toca a mí concederlo, sino que esos puestos son para quienes han sido destinados.

Los otros diez, que habían oído a Santiago y a Juan, se indignaron contra ellos. Jesús los llamó y les dijo:

—Ustedes saben que aquellos a quienes se considera gobernantes, dominan a las naciones como si fueran sus dueños, y los poderosos les hacen sentir su autoridad. Entre ustedes no debe suceder así. Al contrario, el que quiera ser grande, que se haga servidor de ustedes; y el que quiera ser el primero, que se haga servidor de todos. Porque el mismo Hijo del hombre no vino para ser servido, sino para servir y dar su vida en rescate por una multitud".[40]

¿A qué conclusión podemos llegar con estas informaciones? Confieso que estoy perplejo. Jesús cree que es el Mesías, eso me parece evidente, pero no lo proclama, e incluso desea callarlo por el momento. ¿Por qué esa voluntad de secreto? ¿Porque teme que lo pongan en prisión antes de haber podido revelar esa Buena Noticia y la totalidad de su doctrina a la mayor cantidad posible de judíos? ¿Porque considera que no es el momento oportuno para hacerlo, y que sería mejor esperar el tiempo de la Pascua, en abril próximo,[41] cuando casi todas las familias judías de Palestina y las de la diáspora tengan por lo menos un representante en Jerusalén? ¿Porque Jesús todavía no está demasiado seguro de su doctrina, y querría afinarla o ponerla a prueba en algunas discusiones con adversarios calificados?

Todas estas razones son igualmente válidas. En cambio, lo que, en mi humilde opinión, no tiene sentido, es esta pregunta: "¿Por qué Jesús nunca se proclamó como Mesías en sus sermones y en su predicación?" Basta considerar las dificultades que debió enfrentar en sus predicaciones durante los dos últimos años, para entender que por el momento prefiera jugar la carta de la clandestinidad. Sabremos más sobre todo esto en el próximo mes de abril, pero desde ya podemos eliminar la absurda hipótesis, sostenida por algunos, según la cual Jesús sería un agitador religioso, a quien los judíos ultranacionalistas le ha-

40. *Marcos* 10, 35-45; *Mateo* 20, 20-28; *Lucas* 22, 25-26.
41. Abril del año 30 d.C.

brían encargado sublevar a Jerusalén contra los romanos. Por mi posición, puedo saber perfectamente que no se está preparando ningún movimiento de esa clase. Por otra parte, si surgiera alguno, sería desbaratado en cuarenta y ocho horas.

3. El tema de la resurrección

La doctrina según la cual los muertos resucitarán, en cuerpo y alma, en el final de los tiempos, aparece en algunos profetas judíos como Isaías o Ezequiel, y en nuestros días está muy difundida entre los fariseos, vinculada con la del Juicio de Yahveh. En los últimos dos meses, desde que Jesús está en Jerusalén, hay un tema que se repite a menudo en las palabras que dirige a sus discípulos, y es el de su muerte próxima, tras la cual, según predice, tendrá lugar su resurrección, un acontecimiento milagroso y misterioso que él considera un signo divino que dará testimonio de su misión salvadora. Ya les habló sobre esto en tres oportunidades: la primera vez, en septiembre del año pasado, en Cesarea de Filipo; la segunda, en septiembre último, cuando atravesaban en secreto la Galilea para ir a Jerusalén, y la tercera, muy recientemente, poco antes de entrar a ella. Caminaba delante de sus discípulos, apoyándose en un bastón, y como ellos tenían miedo de lo que pudiera ocurrirles en la Ciudad santa, trató de tranquilizarlos prediciéndoles que sólo él debería enfrentar la muerte, pero que luego resucitaría:

> Ahora subimos a Jerusalén; allí el Hijo del hombre será entregado a los sumos sacerdotes y a los escribas. Lo condenarán a muerte y lo entregarán a los paganos: ellos se burlarán de él, lo escupirán, lo azotarán y lo matarán. Y tres días después, resucitará.[42]

Esta clase de palabras evidentemente no pueden escandalizar a los fariseos, que creen en la vida después de la muerte, pero no agrada a los saduceos, que se atienen estrictamente a la teoría mosaica del *sheol*. Esto produjo ya algunos altercados bastante fuertes en los atrios. Estenón, mi taquígrafo, estuvo presente por casualidad en uno de ellos, que tuvo lugar en el atrio de los sacerdotes, y me hizo un relato minucioso de la respuesta de Jesús a una pregunta sobre la resurrección

42. *Marcos* 10, 32-34; *Mateo* 20, 17-19; *Lucas* 18, 31-34.

que le formuló un saduceo en nombre de un grupo de sacerdotes, todos miembros del mismo partido, que es también, no hay que olvidarlo, el partido del orden, y a otra sobre los mandamientos de Dios que le hizo luego un doctor de la Ley del partido fariseo, que es, tampoco lo olvidemos, al mismo tiempo el partido del dinero y el partido popular de Jerusalén.

LA CUESTIÓN DE LA RESURRECCIÓN
DEBATIDA ENTRE JESÚS Y LOS SADUCEOS
(taquigrafiada por Estenón a principios del mes de diciembre del año 782 de Roma, antes de la fiesta de la Dedicación)

"Maestro, dijo el saduceo, Moisés nos ha ordenado lo siguiente: 'Si alguien está casado y muere sin tener hijos, que su hermano, para darle descendencia, se case con la viuda'.[43] *Ahora bien, había siete hermanos. El primero se casó y murió sin tener hijos. El segundo se casó con la viuda y también murió sin tener hijos; lo mismo ocurrió con el tercero; y así ninguno de los siete dejó descendencia. Después de todos ellos, murió la mujer. Cuando resuciten los muertos, ¿de quién será esposa, ya que los siete la tuvieron por mujer?'.*

Jesús les dijo: '¿No será que ustedes están equivocados por no comprender las Escrituras ni el poder de Dios? Cuando resuciten los muertos, ni los hombres ni las mujeres se casarán, sino que serán como ángeles en el cielo. Y con respecto a la resurrección de los muertos, ¿no han leído en el Libro de Moisés, en el pasaje de la zarza, lo que Dios le dijo: Yo soy el Dios de Abraham, el Dios de Isaac y el Dios de Jacob? Él no es un Dios de muertos, sino de vivientes. Ustedes están en un grave error'".*[44]

En su informe, Estenón añade que la multitud que asistía, respetuosamente, a la discusión, quedó asombrada por la sencillez y la claridad de esa respuesta de Jesús. Incluso hubo algunas discretas aclamaciones, y los saduceos, ofendidos, abandonaron el atrio. Inmediatamente entró un grupo de fariseos, sus adversarios políticos y religiosos de siempre, que habían asistido, encantados, a la derrota dialéctica de los saduceos frente al Nazareno.

De su grupo salió un legista, que se acercó a Jesús. Como buen or-

43. *Deuteronomio* 25, 5-6.
44. *Marcos* 12, 18-27; *Mateo* 22, 23-33; *Lucas* 20, 39-40.

febre, había apreciado la sutileza de su respuesta a los saduceos, y a su vez, en su calidad de sagaz doctor de la Ley, le planteó otra pregunta para ponerlo a prueba: "¿Cuál es el mandamiento más grande de la Ley?" Jesús le respondió citando el *Deuteronomio*:

—El primer mandamiento de Dios es: *"Escucha, Israel: el Señor, nuestro Dios, es el único Señor. Amarás al Señor, tu Dios, con todo tu corazón, con toda tu alma y con todas tus fuerzas".*[45] Y el segundo: *"Amarás a tu prójimo como a ti mismo".*[46] No hay mandamiento más grande que esos dos.

El legista le dijo a Jesús que estaba en lo cierto, y que amar a ese Dios único con todo el corazón y toda la inteligencia tenía más valor que todos los holocaustos y todos los sacrificios. En su informe, Estenón agregó que fue Jesús quien tuvo la última palabra. Cuando vio que el fariseo le había respondido con sabiduría, le dijo serenamente: *"No estás lejos del Reino de Dios".*

Al releer el informe de Estenón, veo que las relaciones entre Jesús y las autoridades religiosas han mejorado: los sacerdotes y los legistas no acusaron a Jesús, como lo habían hecho anteriormente a propósito de la trasgresión del shabbat. Simplemente conversaron con él en un tono de disputa teórica, sin pasión, sin amenazas, sobre el tema clásico de la resurrección, y Jesús no hizo ninguna alusión a sus ambiciones mesiánicas; esto me tranquiliza en cuanto a lo que pueda pasarle, al menos en este aspecto.

4. El tema del Juicio Final

La interpretación que hace Jesús del tema de la resurrección plantea tres preguntas fundamentales, cuya respuesta no pude encontrar en los informes que he recibido.

La primera es: ¿cómo concibe Jesús la resurrección? ¿Es el renacimiento total del cuerpo (*"de la carne"*, según su expresión) y del alma del resucitado, o sólo la resurrección de su alma? Cuando anuncia que los resucitados serán "como ángeles en el cielo", parece querer decir que sólo saldrán de la tierra en el Día de Yahveh las almas de los muer-

---

45. Es el mandamiento mosaico que figura textualmente en el *Deuteronomio* 6, 5 y 10, 12.
46. Es el mandamiento mosaico que figura textualmente en el *Levítico* 19, 18.

tos, o, al menos, el alma de un cuerpo parecido al de los ángeles, un cuerpo glorificado, en cierta forma.

La segunda puede enunciarse así: ¿resucitarán todos los muertos, desde Adán hasta los muertos actuales, o se hará una selección entre ellos? De acuerdo con lo que se me informó, Jesús habría declarado que sólo se beneficiarán con la resurrección *"los que se consideren dignos de tener parte en el mundo futuro"*, es decir, los justos, mientras que los demás muertos, los que hayan sido injustos o malos en su vida terrenal, seguirán sufriendo su miserable destino por toda la eternidad. Sin embargo, en el caso de la mujer de los siete maridos, el ejemplo que dio el mismo Jesús, no se trata de ningún juicio, de ninguna clasificación entre justos e injustos, y todos resucitarán. Pero en ese caso, ¿por qué, cuando les anunció a sus apóstoles en el Monte de los Olivos que un día el Templo sería destruido piedra por piedra, y mencionó al *"odioso devastador"*, habló de un "Juicio Final"? Si tiene lugar un Juicio de esa naturaleza, Dios deberá necesariamente efectuar una elección entre los muertos y, en ese caso, la "Buena Noticia" que Jesús pretende anunciar, sólo sería "buena" para algunos muertos —los justos—, y "mala" para los demás, los que fueron injustos en su vida pasada. En cambio, para los hombres actuales, que todavía están vivos, la Buena Noticia sonará como una advertencia: si quieren salvarse de la Gehena, les dirá a todos los seres humanos, sean justos, y para su vida futura, podrán contar con la justicia y la clemencia divinas.

En cuanto a la tercera interpretación, se relaciona con las modalidades del Juicio Final: ¿cómo se desarrollará? ¿Dios será el único Juez supremo? Jesús nunca fue demasiado explícito sobre este tema, y con justa razón: Hiram me llamará una vez más "pagano inveterado", pero la manera en que algunos de sus discípulos más cercanos describen esa famosa presentación de las almas frente al Tribunal divino, de la que habla desde hace varios meses, se parece muchísimo a los cuentos de Eaco[47] y los Infiernos de nuestra mitología. He aquí una de esas descripciones, realizada por Leví, el recaudador de impuestos de Cafarnaún:

---

47. Héroe de la mitología griega (Hesíodo, *Teogonía*), que juzgaba a las almas de los muertos en los Infiernos.

"Cuando el Hijo del hombre venga en su gloria rodeado de todos los ángeles, se sentará en su trono glorioso. Todas las naciones serán reunidas en su presencia, y él separará a unos de otros, como el pastor separa las ovejas de los cabritos, y pondrá a aquellas a su derecha y a estos a su izquierda. Entonces el Rey dirá a los que tenga a su derecha: 'Vengan, benditos de mi Padre, y reciban en herencia el Reino que les fue preparado desde el comienzo del mundo, porque tuve hambre, y ustedes me dieron de comer; tuve sed, y me dieron de beber; estaba de paso, y me alojaron; desnudo, y me vistieron; enfermo, y me visitaron; preso, y me vinieron a ver'.

Los justos le responderán: 'Señor, ¿cuándo te vimos hambriento, y te dimos de comer; sediento, y te dimos de beber? ¿Cuándo te vimos de paso, y te alojamos; desnudo, y te vestimos? ¿Cuándo te vimos enfermo o preso, y fuimos a verte?'. Y el Rey les responderá: 'Les aseguro que cada vez que lo hicieron con el más pequeño de mis hermanos, lo hicieron conmigo'.

Luego dirá a los de su izquierda: 'Aléjense de mí, malditos; vayan al fuego eterno que fue preparado para el demonio y sus ángeles, porque tuve hambre, y ustedes no me dieron de comer; tuve sed, y no me dieron de beber; estaba de paso, y no me alojaron; desnudo, y no me vistieron; enfermo y preso, y no me visitaron'.

Éstos, a su vez, le preguntarán: 'Señor, ¿cuándo te vimos hambriento o sediento, de paso o desnudo, enfermo o preso, y no te hemos socorrido?'. Y él les responderá: 'Les aseguro que cada vez que no lo hicieron con el más pequeño de mis hermanos, tampoco lo hicieron conmigo'. Éstos irán al castigo eterno, y los justos a la Vida eterna".[48]

En realidad, creo que Jesús no es solamente un predicador iluminado y místico: en él hay un político, aunque él mismo no lo sepa (o lo disimule). La manera en que logró hacer conocer poco a poco sus ideas sobre la situación del hombre en esta tierra, sobre el destino humano y también sobre las relaciones humanas de todos los días, es muy hábil y única en su género, sobre todo porque lo hizo sin recurrir nunca ni a la violencia, ni a la intolerancia (salvo la primera vez que subió a Jerusalén, hace más de un año y medio, cuando se enfrentó violentamente con los mercaderes del Templo).

Seguramente el Nazareno tiene conciencia de que, en la sociedad humana ideal con la que sin duda sueña, no basta con ser bueno para vivir feliz: también es preciso que esa sociedad no sea perturbada por

48. Mateo 25, 31-46.

los "malos", expresión que se puede aplicar tanto a los ladrones y a los sicarios, como a los príncipes indignos, a los tiranos y a los conquistadores despiadados. Y como el miedo al gendarme le parece ineficaz, lo sustituye por el miedo a la Gehena, al *sheol*, y el aliciente de la vida eterna. Esto implica prometer a los muertos y a los vivos, que son también futuros muertos, un juicio a los muertos, un *Juicio Final*. Ése sería el verdadero Día de Yahveh, en el que todos los muertos serán llamados a comparecer ante el trono de Dios, un Día que no será de ira, como repiten los apocalipsis de moda, sino que será un Día de liberación para unos y un Día de justo castigo para otros.

Todavía no hemos oído esto de boca de Jesús en los atrios del Templo, a los que al parecer no ha vuelto: seguramente lo expulsó de allí el *cadim* de noviembre que sopla sobre el Moriah.49 Dejemos entonces que pase el invierno, y esperemos la próxima Pascua: en ese momento seguramente entenderemos con más claridad lo que los colaboradores cercanos de Pilato llaman ya "el caso Jesús".

---

49. La meseta sobre la que se halla la explanada del Templo, a 750 metros de altitud, entre las alturas de Betsata al norte y el monte Ofel al sur. El *cadim* es un viento frío y seco que sopla a partir del mes de noviembre.

21
El velo se rasga sobre el Hijo del hombre

Noviembre de 782-fin de marzo del año 783 de Roma (29-30 d.C.)

Jesús se anuncia como el Hijo del hombre ante el ciego al que había curado un día de shabbat (noviembre del año 29) – Sermón de Jesús en el interior del Templo: parábola del buen pastor y enojo de los fariseos (principios de diciembre de 29) – Fiesta de la Dedicación (diciembre de 29)– Preguntas de los fariseos a Jesús: éste declara ser el Mesías, consustancial al Padre; comienzo de lapidación en los atrios (diciembre de 29) – Los primeros serán los últimos (diciembre de 29) – Parábola de los invitados (diciembre de 29)– Jesús se refugia en Perea (enero de 30) – Jesús es interrogado por los fariseos sobre el tema del divorcio (enero de 30) – Parábolas de la oveja perdida y de la moneda perdida (enero de 30) – Parábola del hijo pródigo (enero de 30) – Tras dos meses de silencio, resurrección de Lázaro en Betania (fin de marzo del año 30) – Jesús y sus discípulos simulan partir hacia Jerusalén, pero en realidad van a Efraín (fin de marzo de 30).

No era el *cadim* lo que había alejado a Jesús y a sus discípulos de los alrededores del Templo, como ahora lo hacía con las hojas muertas, sino el temor a los gendarmes, o más exactamente, a los fariseos que habían interrogado al Nazareno sobre el ciego al que había curado un día de shabbat, al pie del monte de los Olivos, a fines del mes de octubre. Decepcionados por los resultados de la primera investigación que habían realizado, convocaron una vez más al ciego milagrosamente curado para interrogarlo. Gracias a una cantidad de denarios romanos, Marcelo había podido conseguir un informe de ese interrogatorio:

"Los fariseos llamaron por segunda vez al que había sido ciego y le dijeron:

—Glorifica a Dios. Nosotros sabemos que ese hombre es un pecador.

—Yo no sé si es un pecador —respondió—: lo que sé es que antes yo era ciego y ahora veo.

—¿Qué te ha hecho? ¿Cómo te abrió los ojos?´—le preguntaron. Él les respondió:

—Ya se lo dije y ustedes no me han escuchado. ¿Por qué quieren oírlo de nuevo? ¿También ustedes quieren hacerse discípulos suyos?

Ellos lo injuriaron y le dijeron:

—Tú serás discípulo de ese hombre; ¡nosotros somos discípulos de Moisés![1] Sabemos que Dios habló a Moisés, pero no sabemos de dónde es éste.

El hombre les respondió:

—Esto es lo asombroso: que ustedes no sepan de dónde es, a pesar de que me ha abierto los ojos. Sabemos que Dios no escucha a los pecadores, pero sí al que lo honra y cumple su voluntad. Nunca se oyó decir que alguien haya abierto los ojos a un ciego de nacimiento. Si este hombre no viniera de Dios, no podría hacer nada.

Los fariseos, irritados, lo arrojaron fuera y le dijeron con severidad:

—Tú naciste lleno de pecado, por eso naciste ciego. ¿Y quieres darnos lecciones?".[2]

Jesús, que en ese tiempo evitaba aparecer en la ciudad, y se ocultaba en alguna parte entre el monte de los Olivos y Jericó, se enteró de que los fariseos habían interrogado y amonestado duramente al ciego de nacimiento a quien él había curado. Cuando el hombre regresó al pie del monte de los Olivos, al lugar donde solía mendigar, el Nazareno fue a su encuentro en secreto, al caer la noche, y le preguntó: "¿Crees en el Hijo del hombre?". El hombre respondió: "¿Quién es, Señor, para que crea en él?". Entonces Jesús le dijo: "Tú lo has visto: es el que te está hablando". Ante estas palabras, el hombre, que había reconocido a su benefactor a pesar de la oscuridad, exclamó: "¡Creo, Señor, creo!", y se postró ante él.[3] Bajo la pálida luz

---

1. Alusión al hecho de que Jesús, al curar al ciego en un día de shabbat, había violado la Ley de Moisés, convirtiendo de ese modo al mismo ciego en cómplice de ese crimen, que en algunos casos era pasible de la pena de muerte, según la Torah.
2. Cf. *Juan* 9, 24-34.
3. Cf. *Juan* 9, 35-38.

de las estrellas, Jesús partió hacia Betania por la ruta de Jericó, tan silenciosamente como había llegado.

La acción de Jesús, aunque secreta y nocturna, no escapó a la vigilancia de Hiram, quien, a cambio de unas pequeñas monedas, hizo que un joven pastor de cabras vigilara al antiguo ciego. Cuando aquél fue a decirle, al amanecer, que Jesús había declarado, en palabras muy claras y precisas, que era el Hijo del hombre, Hiram entró inmediatamente a la habitación de Marcelo, que todavía dormía, para anunciarle la noticia. El caballero la recibió con la mayor seriedad.

—Por fin Jesús dio ese paso —dijo—: esta vez reveló sin ambages que él es el Mesías. El velo se ha rasgado: es de esperar que hoy haya un fuerte altercado en el Templo.

En realidad, la insistencia del partido fariseo, los legistas y los sacerdotes, no solamente en querer apartarlo de los atrios, sino también en separar de él a sus partidarios amenazándolos, como acababan de hacerlo en el caso del ciego que había sido curado en sábado, más que preocupar a Jesús, lo molestaba, y al día siguiente se dirigió al Templo para enfrentarse en forma directa con sus detractores. Por su parte, los saduceos y los fariseos no soportaban ser cuestionados y ridiculizados públicamente por esa nueva especie de Sócrates que arrastraba sus sandalias por la explanada del monte Moriah, siempre seguido por su docena de apóstoles, y cuya enseñanza, incluso cuando no era magistral y sólo consistía en simples conversaciones bajo los pórticos, atraía a las multitudes, entusiasmadas en alto grado por su manera de discutir violentamente con las autoridades del Templo. En cuanto a sus adversarios, no apreciaban esto, y preparaban alguna réplica, incluso alguna venganza. Jesús era consciente de todo eso y desde hacía tiempo le decía a menudo a su amigo Lázaro, en cuya casa se hospedaba:

—Debo ir a enfrentarme cara a cara con las autoridades religiosas de Jerusalén una vez más, antes de la fiesta de la Dedicación.

Es lo que hizo, de improviso, una mañana glacial de noviembre, en el interior del santuario, atestado de sacerdotes, escribas, fariseos, saduceos, pero también de una gran cantidad de judíos llegados de toda Judea, de Samaria y de Galilea, para celebrar la última gran fiesta religiosa del año. Como, por ser *goi*, Marcelo no estaba autorizado a ingresar al recinto sagrado, Hiram le informó luego sobre el discurso de Jesús: había llevado especialmente consigo un secretario, para que tomara notas, en arameo. Al anochecer, en su villa, a la luz de una luminaria que no tenía menos de ocho lámparas de aceite, en compañía de su amigo fenicio, el caballero se deleitó con la lectura del sermón que Jesús había pronunciado frente a los miembros del partido fariseo —sacerdotes, legistas o simples ciudadanos—, que habían constituido la mayor parte de su auditorio.

Según el relato de Hiram, la sesión había comenzado con un incidente. Jesús les anunció a quienes habían ido a escucharlo que había sido enviado a la tierra para un juicio, para que vieran los que no veían antes de su llegada, y para que los que veían quedaran ciegos. Entonces los fariseos lo interrumpieron para decirle con ironía: "¿Acaso estás diciendo que todos nosotros somos ciegos de nacimiento?". Según el fenicio, la respuesta de Jesús se abatió sobre ellos con tanta fuerza como el *cadim* que se oía silbar en el exterior del Templo:

—Si ustedes fueran ciegos, no tendrían pecado, pero como dicen: "Vemos", su pecado permanece. Porque ustedes creen ver, cuando en realidad no ven la Verdad: ¡ustedes son los verdaderos ciegos!

Después de esta primera escaramuza, se hizo silencio, y la voz de Jesús se elevó en el Templo para relatar a quienes lo escuchaban la Parábola del buen pastor y su rebaño:

PARÁBOLA DEL BUEN PASTOR Y SU REBAÑO
enunciada por Jesús antes de la fiesta
de la Dedicación, en el año 782 de Roma
(aproximadamente tres meses antes del tiempo de la Pascua)

"Les aseguro que el que no entra por la puerta en el corral de las ovejas, sino por otro lado, es un ladrón y un asaltante. El que entra por la puerta es el pastor de las ovejas. El guardián le abre y las ovejas escuchan su voz. Él llama a cada una por su nombre y las hace salir. Cuando las ha sacado a todas, va delante de ellas y las ovejas lo siguen, porque conocen su voz. Nunca seguirán a un extraño, sino que huirán de él, porque no conocen su voz.

Les aseguro que yo soy la puerta de las ovejas. Todos aquellos que han venido antes de mí son ladrones y asaltantes, pero las ovejas no los han escuchado. Yo soy la puerta. El que entra por mí se salvará; podrá entrar y salir, y encontrará su alimento. El ladrón no viene sino para robar, matar y destruir. Pero yo he venido para que las ovejas tengan Vida, y la tengan en abundancia.

Yo soy el buen Pastor. El buen Pastor da su vida por las ovejas. El asalariado, en cambio, que no es el pastor y al que no pertenecen las ovejas, cuando ve venir al lobo las abandona y huye, y el lobo las arrebata y las dispersa. Como es asalariado, no se preocupa por las ovejas. Yo soy el buen Pastor: conozco a mis ovejas, y mis ovejas me conocen a mí —como el Padre me conoce a mí y yo conozco al Padre— y doy mi vida por las ovejas.

Tengo, además, otras ovejas que no son de este corral y a las que debo también conducir: ellas oirán mi voz, y así habrá un solo rebaño y un solo pastor. El Padre me ama porque yo doy mi vida para recobrarla. Nadie me la quita, sino que la doy por mí mismo. Tengo el poder de darla y de recobrarla: éste es el mandato que recibí de mi Padre".4

Al terminar su lectura, Marcelo se volvió hacia Hiram para preguntarle cómo había sido recibida esta parábola.

—Produjo un gran asombro entre la asistencia, que no la entendió —le contestó el fenicio—. Era previsible, e incluso me pregunto si Jesús no la pronunció a propósito. Para los judíos de Jerusalén, un sermón en el santuario consiste en leer un pasaje de las Escrituras y comentarlo. En vez de eso, Jesús les contó una fábula incomprensible que trata sobre un pastor y sus ovejas: la mayoría de esos judíos lo tomaron por loco y creyeron que estaba poseído por algún demonio. Pero otros, más sagaces, se interrogaban: "Ésas no son palabras de un endemoniado", decían. "¿Cómo podría un demonio abrirles los ojos a los ciegos como él lo hace?"5

—¿No hubo otros comentarios?

—Ninguno. Todos regresaron a sus casas precipitadamente, porque hacía mucho frío.

—¿Estás seguro, Hiram?

4. *Juan* 10, 1-18.
5. *Juan* 10, 19-21.

—Casi seguro. Sólo oí a algunos fariseos refunfuñar cuando Jesús habló del "mandamiento recibido de su padre".

—Y según tu opinión, ¿por qué refunfuñaron?

—Porque los fariseos creen firmemente en la resurrección y en la venida del Mesías, y eso los opone, entre otras cosas, a los saduceos. Cuando Jesús habló de "su padre", implícitamente se presentó como el Enviado de Dios a la tierra. Es como si de alguna manera hubiera ido a cazar al mismo territorio que los fariseos, cosa que los irritó profundamente.

—No entiendo por qué.

—Mira, caballero. Los fariseos y Jesús son como hermanos enemigos. En el plano metafísico, tienen opiniones parecidas: creen en la inmortalidad del alma, en la vida después de la muerte, en el Mesías, y están hechos para entenderse. Pero en el plano moral y político, sus posiciones son diametralmente opuestas. En primer lugar, los fariseos se atienen rigurosamente a la observancia minuciosa y formal de la Ley de Moisés, y juzgan ante todo las acciones de los hombres en referencia a ella, mientras que a Jesús —como a tu viejo amigo Sócrates— sólo le interesan las intenciones, y sostiene que en el fondo todos los hombres son buenos y dignos de ser amados. En segundo lugar, son ferozmente nacionalistas, mientras que Jesús predica que todos los hombres son hermanos, sea cual fuere su nacionalidad, su lengua, el color de su piel, su riqueza o su pobreza, su posición social. Por último, los fariseos son gente de dinero, y Jesús desprecia la fortuna, ama a los pobres: la manera en que actuó con los mercaderes del Templo, la primera vez que subió a Jerusalén, es característica en este aspecto. Ésos son los motivos por los cuales los fariseos refunfuñan cuando habla Jesús.

—Como buen pagano racionalista, jamás entenderé nada del Oriente, Hiram. Nosotros, los griegos o los romanos, nunca disimulamos: llamamos al pan, pan, y al vino, vino. Si un tirano nos desagrada, lo asesinamos. Cuando nuestras leyes nos molestan, cuando dejan de servir o nos parecen absurdas, las cambiamos, y nos gusta proclamar nuestras ambiciones. Ustedes, los orientales, no se atreven a llamar a las cosas por su nombre, les encanta el misterio, lo que no se dice, respetan al pie de la letra sus supersticiones aunque no tengan ninguna razón de ser, pero pocas veces cumplen sus promesas. Incluso nuestro amigo Jesús, que está convencido de ser el Mesías anunciado por los profetas, no se atreve a proclamarlo abiertamente.

—Jesús sabe que en Oriente, como en Occidente, cuando el mensaje de un hombre molesta, lo asesinan, y entonces su mensaje se pierde. Para protegerse del veneno o de la espada de sus adversarios, que están dispuestos a todo, utiliza la estrategia oriental del disimulo.

—Hiram, acabas de hablar como el difunto Cicerón, y ni siquiera él pudo evitar que los sicarios de los triunviros le cortaran el cuello. Quiera el cielo que el destino de Jesús sea más feliz.

—Yo no me preocupo por él, caballero. Es prudente, a pesar de sus extravagancias.

—¿Sigue hospedándose en la casa de Lázaro, en Betania?

—Regresó allí por la noche, después de su sermón frente a los fariseos, pero oí decir que se disponía a atravesar el Jordán para refugiarse en Perea, en las tierras de Herodes Antipas, donde está a salvo tanto de los guardias del Templo como de las iras de Pilato... ¡si llegara a provocarlas!

—¡Oh, Pilato no asusta a nadie! La última vez que lo vi fue hace más de un año, un poco antes de la Pascua, mientras todavía estábamos en tu casa, en Sidón:[6] cuando le hablé de un galileo llamado Jesús de Nazaret, me hizo sólo dos preguntas. Jamás adivinarías cuáles.

—Te escucho, caballero.

—Me preguntó: "¿Quién es ese Jesús?" y "¿Dónde queda Nazaret?". El procurador ni siquiera sabía que Jesús había provocado una trifulca con los mercaderes del Templo el año anterior. Dicho de otro modo: en aquella época, no existía ningún expediente "Jesús" en Cesarea, y menos aún en la torre Antonia, la fortaleza que cuida al Templo y donde se aloja una guarnición romana.

—No existía en aquel momento, pero ahora, después del episodio de la mujer adúltera y la escaramuza que se produjo a continuación, es casi seguro que las autoridades romanas habrán ordenado una instrucción, ya que, como bien sabes, Marcelo, no dejan pasar

6. Véase p. 427.

nada. Por otra parte, como a Pilato le interesa que reine la calma en Jerusalén, seguramente había un espía pagado por él aquella tarde en el Templo.

—Pilato es demasiado "romano" para captar el alcance de un conflicto religioso en Oriente, y especialmente en Judea, fenicio. De este lado del Mediterráneo, no es como en Roma: aquí la pasión religiosa se parece a la pasión amorosa, y puede provocar las muertes más horribles, los más espantosos desórdenes. Si la cantidad de discípulos de Jesús aumenta, no podrá reinar la calma en Jerusalén por mucho tiempo, y existe el peligro de que los judíos revivan los peores momentos de las rebeliones de otros tiempos, como las que estallaron tras la muerte de Herodes el Grande: cada vez que aparece en Judea un reformador religioso, el asunto termina en un baño de sangre. Las consignas que Tiberio le dio a Pilato desde Caprea, donde vive retirado, son claras: ¡ni una gota de sangre en Jerusalén!

—Pero no será la predicación de Jesús lo que provoque una guerra civil, caballero.

—¿Cómo lo sabes, Hiram? Por el momento, el partido del Templo y el partido fariseo vigilan todos sus movimientos, todas sus palabras, hasta el punto de que, si ataca a la Torah en algunos temas importantes, y si los campesinos de Galilea y de Samaria se ponen de su lado, las cosas pueden tomar un cariz muy desagradable en Palestina. Entonces sería demasiado tarde para que Pilato pudiera actuar, y lo aprovecharían los persas, que no esperan más que eso para invadir Siria y Judea, y partir a la reconquista de Egipto.

—¿Cómo evolucionará la situación, en tu opinión, caballero? ¿Qué estrategia utilizará Jesús para divulgar su mensaje y convencer a las masas?

—Yo no creo que Jesús sea un calculador, y la palabra "estrategia" no le cuadra. Es un hombre profundamente convencido de que hay demasiada miseria en el mundo, y que su misión —que él considera sobrenatural— consiste en salvarlo instaurando un nuevo modo de relaciones entre los hombres, basado en el amor y no ya en la fuerza o el poder. Cree sinceramente que, si les dice a los hombres que es el Hijo de Dios, y si ellos lo imitan a él, al Mesías, y ponen en práctica las reglas de moral que él les enseña por medio de parábolas, la sociedad de este mundo se volverá más justa y más bondadosa.

—¿No decían eso ya Moisés y los profetas?

—¡Es completamente diferente! Moisés ordena y amenaza: no comas alimentos impuros, respeta el shabbat, o de lo contrario serás castigado con latigazos, con prisión, ¡incluso, en algunos casos, con la muerte! Jesús quiere abolir todas esas prohibiciones, a las que considera supersticiones de épocas pasadas: "Ámense verdaderamente, sinceramente, los unos a los otros, y serán felices en esta vida y eternamente felices después de la muerte": eso es lo que predica. No importa que uno esté o no circuncidado, que trabaje o no durante el shabbat, que sea rico o pobre, que sea leproso, prostituta, judío, romano, griego, persa o árabe: todos serán salvados por el sacrificio del Hijo de Dios. Basta con amar.

—¿Qué dices, caballero? ¡Un judío que predicara la décima parte de lo que acabas de decir sería llevado ante el Sanedrín en menos de lo que canta un gallo, y los jueces se lo enviarían al verdugo de Pilato!

—Acabas de responder tú mismo a la pregunta que me hiciste, amigo mío. La situación evolucionará por sí misma: en cada fiesta que atrae multitudes a Jerusalén, Jesús seguirá predicando su Buena Noticia en los atrios. Los fariseos, los legistas y los sacerdotes estarán al acecho de la menor de sus palabras, de su menor infracción a la Ley para hacerlo arrestar por los guardias y llevarlo ante el Sanedrín. Por su parte, Jesús predicará cada vez que le sea posible, preferentemente ante multitudes. Se ocultará entre dos prédicas y cambiará continuamente de residencia para que no lo sorprendan... o lo asesinen. Tengo mucho miedo de que Caifás termine por detenerlo y lo haga juzgar y condenar, a menos que se exilie en Perea o entre los persas...

Se acercaba el solsticio de invierno del año 782 de Roma y, con él, la fiesta de la Dedicación, última ceremonia religiosa del año civil, que conmemoraba, hacia el final del mes de diciembre, un gran momento de la historia del pueblo de Israel, de la época en que Palestina formaba parte del Imperio de los seléucidas: la consagración y la purificación del Templo de Jerusalén, reconquistado de manos de los seléucidas y reconstruido por Judas Macabeo,7 que las Escrituras relatan de esta manera:8

> "Cuando vieron el Santuario desolado, el altar profanado, las puertas completamente quemadas, las malezas crecidas en los atrios como en un bosque o en la montaña, y las salas destruidas, rasgaron sus vestiduras, hicieron un gran duelo, se cubrieron la cabeza con ceniza y cayeron con el rostro en tierra. Luego, a una señal dada por las trompetas, alzaron sus gritos al cielo.
>
> Judas ordenó a unos hombres que combatieran a los que estaban en la Ciudadela hasta terminar la purificación del Santuario. Después eligió sacerdotes irreprochables, fieles a la Ley, que purificaron el Santuario y llevaron las piedras contaminadas a un lugar impuro. Luego deliberaron sobre lo que debía hacerse con el altar de los holocaustos que había sido profanado. Tuvieron la feliz idea de demolerlo para que no fuera un motivo de oprobio, ya que los paganos lo habían contaminado. Lo demolieron, y depositaron sus piedras sobre la montaña del Templo, en un lugar conveniente, hasta que surgiera un profeta y resolviera lo que había que hacer con ellas.

7. El imperio conquistado por Alejandro Magno no era un Estado unificado, cuyo soberano era el conquistador, sino un mosaico heterogéneo de territorios que se extendía desde la Hélade y Egipto hasta el golfo Pérsico y el Indo. Sus generales se lo repartieron. Egipto le tocó a Ptolomeo Lago, que dio su nombre a la dinastía greco-macedonia de los Lágidas, cuyo último representante en tiempos de César y de Antonio, fue la reina Cleopatra. El Asia (Persia, Mesopotamia y Siria, de la que ahora formaba parte Palestina) le correspondió a Seleucos, antepasado epónimo de la dinastía greco-macedonia de los Seléucidas. Más adelante, hacia 250 a.C., Persia y una gran parte de la Mesopotamia cayeron en manos de la dinastía parta de los Arsácidas. En cuanto a la Palestina, que era un territorio frontera entre la provincia de Asia y Egipto, fue disputada durante mucho tiempo entre los Lágidas y los Seléucidas, quienes la tomaron en 198 a.C. bajo el reinado de un rey a quien se comparó con Alejandro: Antíoco III el Grande. El hijo de este último, Antíoco IV Epífanes (que reinó entre 175 y164 a.C.), demostró ser un político torpe, que destruyó y saqueó el Templo, provocando así la gran rebelión de los judíos conducida por el sacerdote Matatías y sus dos hijos, Juan y Judas Macabeos, a cuyo término, en 164 a.C., los Macabeos restablecieron y purificaron el Templo que había sido mancillado. La fiesta de la Dedicación conmemora esta purificación.

8. *Macabeos* I, 4, 38-60.

Después recogieron piedras sin tallar, como lo prescribe la Ley, y erigieron un nuevo altar, igual que el anterior. También repararon el Santuario y el interior del Templo, y consagraron los atrios. Hicieron nuevos objetos sagrados y colocaron dentro del Templo el candelabro,9 el altar de los perfumes y la mesa. Quemaron incienso sobre el altar, y encendieron las lámparas del candelabro, que comenzaron a brillar en el Templo. Además, pusieron los panes sobre la mesa, colgaron las cortinas y concluyeron la obra que habían emprendido. El día veinticinco del noveno mes del año,10 se levantaron al despuntar el alba y ofrecieron un sacrificio conforme a la Ley, sobre el nuevo altar de los holocaustos11 que habían erigido".

El altar así consagrado fue inaugurado según los ritos prescriptos, al son de las liras, los címbalos y las cítaras. La fachada del Templo fue adornada con guirnaldas y coronas de oro, como lo estaba antes de la llegada de las tropas de Antíoco. Pusieron puertas en las salas y los atrios interiores, y una gran alegría reinó entre el pueblo. Para perpetuar ese momento, Judas, de acuerdo con sus hermanos y con toda la asamblea de Israel, determinó que cada año, a su debido tiempo y durante ocho días a partir del veinticinco del mes de Kislev, se celebrara con júbilo y regocijo el aniversario de la dedicación del altar.

Sin embargo, en ese año 782 de Roma, cuando llegó el 25 de Kislev, se pudo observar que la cantidad de guardias apostados bajo las arcadas del Templo, era más importante que otros años, mientras que los fieles parecían menos numerosos. Los fariseos, reconocibles por sus atuendos, se mantenían en grupos, silenciosos e inquietos, en el atrio de los gentiles, observando con insistencia a

9. El candelabro de oro de siete brazos, *Menorah*, en hebreo. Simboliza la presencia de Dios.

10. Los judíos utilizaban, como muchos pueblos de la Antigüedad, un calendario lunar con 12 meses de 29 o 30 días, que agregaba, de vez en cuando, y en forma irregular, un mes suplementario, para adaptarse a la trayectoria del sol. Por lo tanto, es imposible encontrar el equivalente solar exacto de una fecha lunar. El noveno mes del año judío se llama *Kislev*.

11. El holocausto consistía en ofrecer a Dios un animal que se quemaba vivo en su totalidad sobre el altar.

todos los judíos ajenos a Jerusalén que entraban allí por la puerta Dorada. En cuanto a los saduceos, ya habían ocupado sus lugares en el interior del santuario, y Caifás, el gran sacerdote, se había retirado a orar en el sanctasanctórum, detrás del velo tejido hacía tantos años por las manos de las ocho jóvenes vírgenes más puras de Israel, entre las que figuraba María, la madre de Jesús.

En cuanto al Nazareno, iba y venía, pensativo y silencioso, bajo las arcadas del pórtico de Salomón, rodeado por un grupo de legistas y de sacerdotes que le hacían preguntas sobre el significado de la Parábola del buen pastor, que los había sumido en la inquietud. Su actitud no parecía agresiva: esos hombres de tradición no consideraban en realidad a Jesús como un peligroso hereje al que había que impedir que siguiera molestando, sino más bien como un reformador político de ideas peligrosamente avanzadas.

—Si se pusieran en práctica sus consejos —le decía un fariseo a un saduceo—, si no se castigara a las mujeres adúlteras, si se perdonaran las ofensas, si no se mantuviera al pueblo, que en su mayoría no sabe leer ni escribir, en la estricta observancia de la Ley, no es la felicidad lo que primaría en Jerusalén, sino la anarquía.

—No es eso lo que me molesta en Jesús —le respondió el saduceo—. Incluso estoy de acuerdo con él en el hecho de que hay que interpretar la Ley en una forma inteligente. En cambio, desconfío de los que hacen discursos —religiosos o políticos—, de los que se dicen enviados de Dios para salvar al mundo. ¿Qué quiere, exactamente?

—Vayamos a preguntárselo: está a dos pasos de nosotros.

—¡Es una buena idea, fariseo! Sobre todo porque bajo los pórticos siempre es posible hacerlo callar si transforma su respuesta en un discurso de propaganda.

Unos minutos más tarde, Jesús estaba rodeado por un círculo de religiosos y legistas, agitados e impacientes, que lo presionaban con preguntas:[12]

—¿Hasta cuándo nos tendrás en suspenso, Jesús? ¿Quién eres? ¿Qué quieres?

—Si eres el Mesías, dilo abiertamente.

12. Cf. *Juan* 10, 24-30.

—¿No creerás que eres Dios, por casualidad?

—Cállense. Déjenlo hablar: ¡terminará por descubrirse!

Jesús, subido a una piedra para abarcar mejor con la mirada a su auditorio, comenzó a hablar, y a juzgar por las expresiones de las caras de los judíos, era evidente que lo que decía los escandalizaba:

"Me preguntan si soy el Mesías. Ya se lo dije, pero ustedes no lo creen. Las obras que hago en nombre de mi Padre —las curaciones, por ejemplo— dan testimonio de mí, pero ustedes no creen, porque no son de mis ovejas. Mis ovejas escuchan mi voz, yo las conozco y ellas me siguen. Yo les doy Vida eterna: ellas no perecerán jamás y nadie las arrebatará de mis manos. Mi Padre, que me las ha dado, es superior a todos y nadie puede arrebatar nada de las manos de mi Padre. El Padre y yo somos una sola cosa".[13]

Marcelo e Hiram, que acababan de entrar a la explanada del monte Moriah, oyeron, con estupor, esta breve declaración. Luego vieron que muchos judíos se agachaban, recogían piedras y las lanzaban en dirección a Jesús.

—Es la segunda vez en dos meses que intentan lapidarlo, caballero[14] —señaló el fenicio—. La última vez, escapó. Ahora adquirió confianza en sí mismo y, en vez de darles la espalda, les hace frente.

En efecto, Jesús, de pie, imperturbable frente a las piedras y los guijarros que le llovían, se dirigió a los judíos coléricos y les gritó:

—Yo les hice ver las bellas obras que realicé y que llevaban la marca de mi Padre. ¿Por cuál de ellas quieren lapidarme? ¿Por devolverle la vista a los ciegos? ¿Por consolar a los desdichados?

Los judíos le respondieron:

—No queremos lapidarte por tus buenas obras, sino por tus blasfemias: ¡tú eres un hombre, y tienes la pretensión de hacerte Dios!

A esta acusación, Jesús replicó con las siguientes palabras, que Estenón tuvo la presencia de ánimo de taquigrafiar:

13. *Juan* 10, 25-30.
14. Véase p. 473 ss.

"¿No está escrito en su Ley: *Yo dije: Ustedes son dioses?*[15]

Si la Ley llama dioses a los que Dios dirigió su Palabra —y la Escritura no puede ser anulada— ¿cómo dicen: 'Tú blasfemas', a quien el Padre santificó y envió al mundo, porque dijo: 'Yo soy Hijo de Dios'? Si no hago las obras de mi Padre, no me crean; pero si las hago, crean en las obras, aunque no me crean a mí. Así reconocerán y sabrán que el Padre está en mí y yo en el Padre".[16]

La agitación alcanzó su punto máximo. La multitud se acercaba corriendo por toda la explanada, atraída por el ruido de la disputa. Como precaución, los guardias habían tomado posición y vigilaban todos los accesos al área del Templo.

—Esta vez, fenicio, la suerte está echada —declaró gravemente Marcelo.

—¿Qué quieres decir, caballero?

—Jesús terminó con las alusiones, los misterios y las evasivas que se vio forzado a usar hasta ahora por temor a ser arrestado por orden del Templo, y ser lapidado en público, como casi sucedió hoy. Hasta ahora, solía hablar en voz alta de *"la Ley y los profetas"*. Hoy acaba de anunciarles a todas las autoridades religiosas judías reunidas que rompía con la Ley, a la que llama *"su Ley"*, y proclama: *"Dios, el Padre, y yo, el Hijo, somos una sola y misma sustancia"*: en cierto modo se acaba de divinizar a sí mismo. Para un judío, no hay peor blasfemia, y su referencia a la Ley que llama "dioses" a todos aquellos a quienes se dirige la palabra de Dios, es un sofisma. A partir de ahora, sólo veo dos destinos posibles para nuestro amigo, querido Hiram: o Jesús logra convencer al Templo y a los judíos de lo que dice, es decir, que hay dos personas en Dios, el Padre y el Hijo, y que son consustanciales uno al otro, o bien no lo logra. En el primer caso, ése es el fin del judaísmo, que será reemplazado por otro monoteísmo, el de Cristo consustancial al Padre. En el segundo caso, cada uno se encerrará en su posición: el judaísmo seguirá siendo la religión de Yahveh, y Jesús será considerado, en el mejor de los casos, el fundador de una nueva secta judía, o, en el peor, como un hereje que será llevado ante el Sanedrín.

15. *Salmos* 82, 6.
16. *Juan* 10, 34-38.

—¿Cuál es tu pronóstico, Marcelo?

—Yo estoy convencido de que Jesús no volverá atrás en su posición: el Templo lo llevará ante el Sanedrín por blasfemia y por herejía, y será condenado a muerte...

—¿Y ejecutado?

—Ya te lo expliqué:[17] es el procurador de Judea quien posee el *jus gladii*, y por lo tanto, en principio será Pilato quien decida aplicar, llegado el caso, la decisión del Sanedrín... Pero aún no estamos en ese punto, fenicio, y creo que todo es posible todavía... Pero ¿dónde está Jesús? —dijo de pronto Marcelo—: ya no lo veo bajo el pórtico de Salomón. ¿Lo habrán arrestado sin que nos diéramos cuenta?

—No te muevas de aquí, caballero. Iré a recorrer los atrios, el santuario y la explanada: estoy seguro de que lo encontraré.

El fenicio partió en busca de Jesús. Hizo registrar minuciosamente el atrio de los gentiles por cinco o seis de sus hombres, envió a Estenón a inspeccionar el atrio de los sacerdotes y el interior del santuario, encontró por casualidad a la mujer adúltera a la que Jesús había salvado y le encargó que fuera a ver si Jesús se hallaba en el atrio de las mujeres, y hasta interrogó personalmente a los guardias de la torre Antonia. Pero todas sus búsquedas, que se prolongaron hasta el anochecer, fueron infructuosas. Hiram y Marcelo debieron rendirse ante la evidencia: una vez más, el Nazareno había desaparecido.

—Jesús tiene una asombrosa facultad de desaparecer en pocos minutos y volver a aparecer en el momento y en el lugar en que nadie lo esperaría —dijo el caballero—. Todavía recuerdo el espanto de sus apóstoles, cuando lo perdieron a orillas del lago de Tiberíades y, al final de la noche, lo vieron llegar hasta su barca presumiblemente caminando sobre las aguas... Regresemos a la villa: quizá lo encontremos esperándonos bajo los olivos: le encantan los olivares.

Regresaron entonces, y al salir de Jerusalén para dirigirse a la famosa villa, se encontraron con un mozo de cuerda, que abordó a Hiram, y le dijo en lengua fenicia:

—Señor Hiram, tengo un mensaje para ti de parte de Jesús el

17. Véase p. 196.

Nazareno. Me encargó que te dijera que partió, de noche, hacia el Jordán, para refugiarse al otro lado del río, en Perea, en la región donde Juan comenzó a bautizar, y que se quedará allí hasta que las cosas se calmen en Jerusalén.[18]

Hiram se volvió hacia Marcelo, con alivio:

—¡Quién hubiera pensado que fue a ocultarse a los vados de Betabara, caballero! Es un verdadero retorno a las fuentes, y me tranquiliza.

—A mí también me tranquiliza, fenicio. Nadie irá a buscarlo a esos desiertos, sobre todo porque ahora Jesús ya no está en Judea: está en los territorios de Herodes Antipas, donde la autoridad del Templo no se puede ejercer, y ya no corre ningún peligro. Es probable que permanezca allí meditando hasta el próximo mes de marzo, cuando llegue el tiempo de la Pascua, época en la cual seguramente lo volveremos a ver en Jerusalén.

—En ese momento hará dos años que lo seguimos, día por día, Marcelo. ¡Quién hubiera dicho en aquel entonces que este hombre, a quien hemos visto por primera vez en esos mismos vados de Betabara, caminando entre los vapores y las tiendas, con su *keffieh* en la cabeza, y una minúscula viruta colgando de su oreja izquierda, daría hoy tanta esperanza a algunas pobres gentes y tantas preocupaciones a los judíos de Jerusalén! ¿Sabes qué me contó el amigo que me entregó su mensaje?

—No. ¿Qué te dijo?

—Que en Betabara, muchas personas van a ver a Jesús: se acuerdan de su bautismo en el río, así como de la paloma que se posó sobre su frente aquel día, y le hablan con emoción del Bautista. Al parecer, todos dicen: "Juan no ha hecho ningún milagro, no curó a ningún enfermo ni mostró ningún signo, pero todo lo que dijo de este hombre que se llama Jesús era verdad".[19]

Jesús había comprendido, en efecto, que las posibilidades que tenía de entenderse con las autoridades religiosas y los judíos de Jerusalén eran mínimas, y que lo mejor que podía hacer, mientras esperaba poder predicar la Buena Noticia en la Ciudad Santa, ante mi-

18. *Juan* 10, 40-41 es la única fuente para esta información.
19. Cf. *Juan* 10, 41.

les o tal vez decenas de miles de judíos en el tiempo de la Pascua, era, por el momento, dejar que se olvidaran de él los guaridas del Templo, los saduceos y los fariseos.

Los saduceos no eran peligrosos: sólo actuaban bajo órdenes y no tomaban ninguna iniciativa. No creían en la venida de un Mesías, y los vericuetos de la Ley mosaica prácticamente no les concernía, porque eran partidarios de la romanización de Judea y de la colaboración con los romanos. En cambio, los fariseos eran más virulentos, porque se oponían a Jesús en dos puntos: por un lado, creían, como muchos judíos, en la venida de un Mesías, pero algunos de ellos consideraban las pretensiones del Nazareno —que aseguraba ser el Hijo de Dios— como una tontería, y otros, como una blasfemia; por otro lado, eran feroces y puntillosos defensores de la Ley y de las observancias. Los más conciliadores esperaban que el Nazareno volviera lo más pronto posible a sus montañas de Galilea, y que no se oyera hablar más de él ni en Jerusalén ni en Judea, pero la mayoría deseaba que lo llevaran ante el Sanedrín por el delito de blasfemia, y eso significaba para Jesús una previsible condena a muerte. En consecuencia, después de haber aprovechado la enorme afluencia provocada por la conmemoración de la Dedicación para anunciar públicamente su misión y su unidad con Dios Padre, Jesús, ante la creciente hostilidad del Templo que ahora lo estaba haciendo buscar por sus guardias, había considerado que era mejor poner el Jordán y las fronteras de Perea entre él y sus perseguidores, a la espera del nuevo tiempo de Pascua,[20] cuando podría volver a predicar en Jerusalén ante multitudes numerosas y protectoras. Por eso, en los últimos días de diciembre, tal como lo había previsto Marcelo, se exilió en Perea.

Durante cinco o seis semanas, las pocas informaciones referentes al Nazareno que Hiram pudo transmitirle a Marcelo le habían llegado por intermedio de los caravaneros árabes que iban de Perea a Petra. Así fue como se enteró de que los fariseos de Jerusalén ha-

---

20. Según nuestra cronología imaginaria, compatible, en sus grandes líneas, con las de *Marcos* y *Juan*, la Dedicación fue conmemorada en diciembre del año 29. Por lo tanto, la Pascua que aquí se menciona es la de abril del año 30, durante la cual tendrían lugar el proceso, la muerte y la resurrección de Jesús.

bían encontrado a Jesús a la entrada del desierto de Judá, hacia fines del mes de enero, y lo habían interrogado sobre el tema del divorcio.[21] Ellos sabían que en ese punto, él se apartaba de la tradición mosaica, pero que su manera de hablar tocaba el corazón de la gente sencilla, y por eso se pusieron de acuerdo para provocarlo públicamente, y obligarlo a manifestarse de una forma que constituyera una flagrante violación a la Ley, cosa que, según ellos, lo desacreditaría ante los judíos de Perea atraídos por su enseñanza. De modo que los fariseos dejaron que Jesús hiciera su sermón frente a sus oyentes, y luego, para ponerlo en aprietos, le preguntaron insidiosamente: "¿Un hombre tiene derecho a repudiar a su mujer por cualquier motivo, según su capricho, en cierto modo?". Entonces se desarrolló entre Jesús y los fariseos el siguiente diálogo:

—Está escrito en la Biblia —dijo Jesús— que *"el hombre dejará a su padre y a su madre para unirse a su mujer, y los dos no serán sino una sola carne"*.[22] Por lo tanto, *"que el hombre no separe lo que Dios ha unido"*.[23]

—Entonces —le replicaron los fariseos—, ¿por qué Moisés prescribió: *"Si un hombre se casa con una mujer, pero después le toma aversión porque descubre en ella algo que le desagrada, por eso escribe un acta de divorcio, se la entregará y la despedirá de su casa"*?.[24]

—Moisés les permitió divorciarse de su mujer, debido a la dureza del corazón de ustedes, pero al principio no era así. Por lo tanto, yo les digo: El que se divorcia de su mujer, a no ser en caso de unión ilegal, y se casa con otra, comete adulterio.

La estrategia de los fariseos era aviesa: al oponerse al divorcio, Jesús recusaba la Ley de Moisés que lo autorizaba, y entonces había que juzgarlo como hereje. Pero en Judea no corría el riesgo de ser condenado, porque muchos de los sanedristas y los tradicionalistas eran, como Jesús, adversarios del divorcio, en nombre de la interdicción que figuraba en el *Génesis*, mientras que en Perea, la situación era diferente porque el mismo tetrarca había dado el ejem-

---

21. *Mateo* 19, 1-9 y *Marcos* 10, 2-5.
22. *Génesis* 2, 24.
23. *Marcos* 10, 6-9.
24. *Deuteronomio* 24, 1-2.

plo de repudiar a su esposa para volver a casarse con Herodías. Por lo tanto, pensaban con justa razón sus adversarios, al predicar contra el divorcio, Jesús atacaba implícitamente a Herodes Antipas, aunque no lo nombrara, y eso podía llevarlo a prisión.

—¡Esos fariseos son unos zorros siniestros! —exclamó Marcelo cuando le llegó esa información—. Para ellos, todos los medios son buenos cuando se trata de destruir a un adversario. Es repugnante.

—En Perea, Jesús no tiene nada que temer, caballero: no hay Sanedrín, y el tetrarca, que en ese aspecto se parece a su extinto padre,[25] tiene ideas amplias. Mientras Jesús no lo ataque a él, puede predicar todo lo que quiera, especialmente porque sus sermones se refieren a temas políticamente anodinos, al menos de acuerdo con lo que me dicen mis informantes: tratan sobre la manera en que todos puedan vivir en armonía, sobre la caridad y la pureza, y de sus parábolas se desprende una moral sencilla basada en una fórmula que repite constantemente: "Ama a tu prójimo como a ti mismo".

—Debo decir que la fórmula es novedosa, fenicio. Me jacto de conocer a todos los moralistas griegos y sus aforismos, pero ninguno de ellos, ni siquiera Sócrates, dijo nunca nada parecido.

—Eso es porque los sabios de la antigua Grecia eran intelectuales puros, caballero, y ponían el conocimiento y la ciencia por encima de todo. Hasta el gran Platón, cuando escribe la palabra "amor", aclara que se trata de un amor a la Belleza, al Bien o a la Verdad, es decir, de un amor cuyo objeto es un valor abstracto. Mientras que el amor al que se refiere Jesús tiene como objeto a personas reales, con sus cualidades y sus defectos, sus virtudes y sus vicios, su pasado y su futuro...

—No te sabía tan versado en filosofía, Hiram...

—Frecuento a muchos griegos en mis negocios, caballero: cuando se trabaja con extranjeros, hay que conocer su mentalidad, y la mejor manera de entenderla es leer a sus filósofos.

—Volvamos a Jesús: ¿lo oyeron predicar tus corresponsales de Perea?

—Hicieron más que oírlo, Marcelo: transcribieron sus palabras

25. Recordemos que Herodes Antipas era hijo de Herodes el Grande.

y me enviaron extractos de sus mejores discursos. Están a tu disposición en este rollo.

—¿Por qué no me lo dijiste antes? ¿De qué tratan?

—En Jerusalén, donde tenía que combatir principalmente a los legistas y a los fariseos, Jesús criticó la Ley de Moisés. En Perea, no dudó en presentarse como anunciador del Reino de Dios. He reunido los principales pasajes de esta clase de sermones para ti, caballero. Aquí están...

Y uniendo el gesto a la palabra, Hiram desenrolló frente al caballero un papiro, que éste comenzó a leer con entusiasmo.

EXTRACTOS DE PRÉDICAS

pronunciadas en Perea, a orillas del Jordán,
por Jesús el Nazareno, en diciembre de 782 y en enero de 783
de Roma[26]

1. ¿Quién entrará en el Reino de Dios?

"Una persona le preguntó: 'Señor, ¿es verdad que son pocos los que se salvan?' Él respondió: 'Traten de entrar por la puerta estrecha, porque les aseguro que muchos querrán entrar y no lo conseguirán.

En cuanto el dueño de casa se levante y cierre la puerta, ustedes, desde afuera, se pondrán a golpear la puerta, diciendo: 'Señor, ábrenos'. Y él les responderá: 'No sé de dónde son ustedes'. Entonces comenzarán a decir: 'Hemos comido y bebido contigo, y tú enseñaste en nuestras plazas'. Pero él les dirá: 'No sé de dónde son ustedes; ¡apártense de mí todos los que hacen el mal!'.

Allí habrá llantos y rechinar de dientes, cuando vean a Abraham, a Isaac, a Jacob y a todos los profetas en el Reino de Dios, y ustedes sean arrojados afuera. Y vendrán muchos de Oriente y de Occidente, del Norte y del Sur, a ocupar su lugar en el banquete del Reino de Dios.

Hay algunos que son los últimos y serán los primeros, y hay otros que son los primeros y serán los últimos'."[27]

26. 30 d.C.
27. *Lucas* 13, 23-30.

2. Instrucciones sobre la humildad

"Y al notar cómo los invitados buscaban los primeros puestos, les dijo esta parábola: 'Si te invitan a un banquete de bodas, no te coloques en el primer lugar, porque puede suceder que haya sido invitada otra persona más importante que tú, y cuando llegue el que los invitó a los dos, tenga que decirte: 'Déjale el sitio', y así, lleno de vergüenza, tengas que ponerte en el último lugar. Al contrario, cuando te inviten, ve a colocarte en el último sitio, de manera que cuando llegue el que te invitó, te diga: 'Amigo, acércate más', y así quedarás bien delante de todos los invitados. Porque todo el que se ensalza será humillado, y el que se humilla será ensalzado'.

Después dijo al que lo había invitado: 'Cuando des un almuerzo o una cena, no invites a tus amigos, ni a tus hermanos, ni a tus parientes, ni a los vecinos ricos, no sea que ellos te inviten a su vez, y así tengas tu recompensa. Al contrario, cuando des un banquete, invita a los pobres, a los lisiados, a los paralíticos, a los ciegos. ¡Feliz de ti, porque ellos no tienen cómo retribuirte, y así tendrás tu recompensa en la resurrección de los justos!'."[28]

3. Parábola de los invitados

"Al oír estas palabras, uno de los invitados le dijo: '¡Feliz el que se sienta a la mesa en el Reino de Dios!'. Jesús le respondió: 'Un hombre preparó un gran banquete y convidó a mucha gente. A la hora de cenar, mandó a su sirviente que dijera a los invitados: 'Vengan, todo está preparado'. Pero todos, sin excepción, empezaron a excusarse. El primero le dijo: 'Acabo de comprar un campo y tengo que ir a verlo. Te ruego me disculpes'. El segundo dijo: 'He comprado cinco yuntas de bueyes y voy a probarlos. Te ruego me disculpes'. Y un tercero respondió: 'Acabo de casarme y por esa razón no puedo ir'. A su regreso, el sirviente contó todo esto al dueño de casa, y éste, irritado, le dijo: 'Recorre enseguida las plazas y las calles de la ciudad, y trae aquí a los pobres, a los lisiados, a los ciegos y a los paralíticos'. Volvió el sirviente y dijo: 'Señor, tus órdenes se han cumplido y aún sobra lugar'. El se-

28. *Lucas* 14, 7-14.

ñor le respondió: 'Vé a los caminos y a lo largo de los cercos, e insiste a la gente para que entre, de manera que se llene mi casa. Porque les aseguro que ninguno de los que antes fueron invitados ha de probar mi cena'."[29]

4. Parábolas de la oveja perdida y de la moneda perdida

"Si alguien tiene cien ovejas y pierde una, ¿no deja acaso las noventa y nueve en el campo y va a buscar la que se había perdido, hasta encontrarla? Y cuando la encuentra, la carga sobre sus hombros, lleno de alegría, y al llegar a su casa llama a sus amigos y vecinos, y les dice: 'Alégrense conmigo, porque encontré la oveja que se me había perdido'. Les aseguro que, de la misma manera, habrá más alegría en el cielo por un solo pecador que se convierta, que por noventa y nueve justos que no necesitan convertirse.

Si una mujer tiene diez dracmas y pierde una, ¿no enciende acaso la lámpara, barre la casa y busca con cuidado hasta encontrarla? Y cuando la encuentra, llama a sus amigas y vecinas, y les dice: 'Alégrense conmigo, porque encontré la dracma que se me había perdido'. Les aseguro que de la misma manera se alegran los ángeles de Dios por un solo pecador que se convierte."[30]

5. Parábola del hijo pródigo

"Un hombre tenía dos hijos. El menor de ellos dijo a su padre: 'Padre, dame la parte de herencia que me corresponde'. Y el padre les repartió sus bienes. Pocos días después, el hijo menor recogió todo lo que tenía y se fue a un país lejano, donde malgastó sus bienes en una vida licenciosa. Ya había gastado todo, cuando sobrevino mucha miseria en aquel país, y comenzó a sufrir privaciones. Entonces se puso al servicio de uno de los habitantes de esa región, que lo envió a su campo para cuidar cerdos.[31] Él hubiera deseado calmar su hambre con las algarro-

29. *Lucas* 14, 15-24.
30. *Lucas* 15, 3-10.
31. Según la Ley mosaica, el cerdo es un animal impuro: esta aclaración nos indica que el hijo arruinado emigró a un país pagano.

bas[32] que comían los cerdos, pero nadie se las daba. Entonces recapacitó y dijo: '¡Cuántos jornaleros de mi padre tienen pan en abundancia, y yo estoy aquí muriéndome de hambre! Ahora mismo iré a la casa de mi padre y le diré: Padre, pequé contra el Cielo y contra ti; ya no merezco ser llamado hijo tuyo, trátame como a uno de tus jornaleros'. Entonces partió y volvió a la casa de su padre. Cuando todavía estaba lejos, su padre lo vio y se conmovió profundamente; corrió a su encuentro, lo abrazó y lo besó. El joven le dijo: 'Padre, pequé contra el Cielo y contra ti; no merezco ser llamado hijo tuyo'. Pero el padre dijo a sus servidores: 'Traigan en seguida la mejor ropa y vístanlo, pónganle un anillo[33] en el dedo y sandalias en los pies. Traigan el ternero engordado y mátenlo. Comamos y festejemos, porque mi hijo estaba muerto y ha vuelto a la vida, estaba perdido y fue encontrado'."[34]

Después de terminar la lectura de esos fragmentos de prédicas, Marcelo alzó los ojos hacia Hiram, que se había quedado sentado todo el tiempo frente a él, mudo e inmóvil:

—Fenicio —le dijo—, no sé dónde encuentra Jesús su inspiración, pero jamás he leído nada igual... y hay en esto algo que no me explico.

—¿De qué se trata, caballero?

—La primera vez que vimos a Jesús, fue en los vados de Betabara, hace apenas dos años, en enero del año 781 de Roma, si no me equivoco. En esa época, él era todavía un artesano carpintero, llevaba, además, la insignia de su oficio en la oreja. No hablaba, no predicaba, y simplemente se hizo bautizar en el agua del Jordán por Juan, antes de partir hacia algún lugar desconocido.

—Te olvidas de la paloma blanca que se posó sobre su frente, caballero.

—Simple coincidencia: hay miles de palomas de plumaje claro en esa región... Entonces, Jesús desaparece, y lo volvemos a ver en marzo, dos meses más tarde, pero esta vez ya no lleva la insignia de carpintero, y sin discursos, sin sermones, sin siquiera algunas pala-

32. Fruto del algarrobo.
33. Símbolo de la autoridad.
34. *Lucas* 15, 11-24.

bras amistosas, recluta a sus primeros apóstoles. Al parecer, Juan el Bautista había tenido algunas conversaciones con él, ya que, al verlo pasar, dice: "Éste es el cordero de Dios", y esa misma noche, o a la mañana siguiente, Jesús vuelve a partir hacia Galilea y comienza a predicar lo que él llama la Buena Noticia, aunque sin éxito...

—¿Qué es lo que no entiendes, caballero?

—No entiendo cómo este hombre, que aparentemente no sabía leer ni escribir, que tenía toda la apariencia de un simple sanador de aldea, de pronto se convirtió en un predicador, en un profeta incluso, y anunció que el Reino de Dios está cerca y que él será su instaurador. ¿Qué sucedió dentro de él entre enero y marzo del año pasado? Ciertamente algo importante, puesto que desde entonces está desplegando una actividad extraordinaria: anda por todas partes, todos lo llaman y hasta lo reclaman, y aunque al principio algunos pocos fariseos de Cafarnaún lo criticaron y hasta lo amenazaron, los de Jerusalén no atacaron inmediatamente su enseñanza. En Jerusalén, Jesús pudo hablar con autoridad en el Templo, los sacerdotes no se atrevieron a levantar una queja contra él y lo dejaron actuar, los legistas incluso recurrieron a él para juzgar a una mujer adúltera, y luego se puso a predicar abiertamente esa teoría —incomprensible para mí— del Dios Padre consustancial al Dios Hijo. ¡Y ahora, en Perea, habla como un moralista con una indiscutible maestría! No, no, francamente, juro que no entiendo. ¿De dónde saca esa fuerza, esa energía?

—¡No trates de entender, pedazo de pagano racionalista! Haz como yo, abandónate: Jesús está inspirado, misteriosamente inspirado, eso es todo.

—Lamento tener que contradecirte, Hiram, pero yo no creo ni en pitonisas, ni en sibilas, ni en profetas inspirados: sólo creo lo que veo; por ejemplo, que todos los hombres son mortales, y por lo tanto, Jesús también lo es, por ser un hombre; creo que dos más dos son cuatro y que el movimiento de los astros en el cielo es de una regularidad perfecta. Pero de todos modos, no me explico la súbita transformación de la personalidad de Jesús, y tengo mucho miedo de que tampoco la entiendan —ni la admitan— los del Templo. Por su propio bien, espero que se quede en Perea para que todos lo olviden, que esté a resguardo de las cóleras de los escribas y el odio de algunos judíos de Judea, y que tenga la prudencia de no subir a Jerusalén por cuarta vez, en el tiempo de la Pascua: correría peligro no sólo su libertad, sino su vida.

El azar, que muchas veces hace mal las cosas, se encargó de precipitar los acontecimientos.

En el mes de febrero, Jesús recibió el siguiente mensaje de parte de Marta y María, las dos hermanas de su amigo Lázaro, en cuya casa de Betania solía dormir a veces: *"Señor —le decían—, el que tú amas, está enfermo".*[35] Jesús comprendió sin duda que su amigo estaba moribundo y le dijo al mensajero, quien más tarde le transmitiría estas palabras a Marcelo: *"Esta enfermedad no es mortal; es para gloria de Dios, para que el Hijo de Dios sea glorificado por ella".*[36]

Pero permaneció todavía dos días más en el Jordán, antes de decirles a sus apóstoles: "Volvamos a Judea", y como ellos trataban de disuadirlo, recordándole que los judíos[37] querían apedrearlo, les contestó simplemente: *"Nuestro amigo Lázaro duerme, debo ir a despertarlo".* Los discípulos, sin entender que su maestro había expresado una imagen, le dijeron que si su amigo simplemente se había dormido, se despertaría por sí mismo. Entonces Jesús les dijo abiertamente que Lázaro estaba muerto, y que debía ir a revivirlo, para la mayor gloria de Dios, que permitiría ese milagro. Entonces el apóstol Tomás, que no se hacía ilusiones sobre el destino que les aguardaba si regresaban a Judea, dijo las palabras finales: *"Vayamos también nosotros a morir con él".*[38]

Lázaro pertenecía a una familia modesta, pero tenía muchos amigos en Jerusalén, que sólo estaba a unos quince estadios[39] de Betania: la noticia de su muerte inminente se había difundido allí en las primeras horas del día. En cuanto se enteró, Hiram envió a casa de Lázaro a uno de los muchos cuidadores de cabras que se ocupaban de sus rebaños en la región, con la misión de tenerlo al

---

35. *Juan* 11, 1-3.
36. *Juan* 11, 4.
37. Recordemos que en los *Evangelios*, este término designa a las autoridades judías, y no al pueblo judío.
38. *Juan* 11, 16.
39. Alrededor de 3 km.

corriente, cada dos horas, de lo que sucedía en Betania. Sabía que Jesús estaba muy ligado a Lázaro y a sus hermanas, y que seguramente cometería la imprudencia de volver a Judea para intentar salvar a su amigo.

Jesús volvió allí, en efecto, pero demasiado tarde. Al llegar a Betania, Lázaro había muerto hacía cuatro días y descansaba en su tumba. Estaba lleno de gente en casa de Marta y María. Habían llegado muchos amigos desde Jerusalén para consolarlas por la muerte de su hermano. Todos fueron testigos del milagro que realizó ese día Jesús, y el pastor de cabras se lo informó esa misma noche a su amo y a Marcelo, quien consignó inmediatamente su relato por escrito:

CÓMO LÁZARO FUE DEVUELTO A LA VIDA

"Al enterarse de que Jesús llegaba, Marta salió a su encuentro, mientras María permanecía en la casa. Marta le dijo a Jesús:

—Señor, si hubieras estado aquí, mi hermano no habría muerto. Pero yo sé que aun ahora, Dios te concederá todo lo que le pidas.

Jesús le dijo:

—Tu hermano resucitará.

—Sé que resucitará en la resurrección del último día.

Jesús le dijo:

—Yo soy la Resurrección y la Vida. El que cree en mí, aunque muera, vivirá; y todo el que vive y cree en mí, no morirá jamás. ¿Crees esto?

—Sí, Señor —respondió ella—, creo que tú eres el Mesías, el Hijo de Dios, el que debía venir al mundo.

Después fue a llamar a María, su hermana, y le dijo en voz baja: 'El Maestro está aquí y te llama'.

Al oír esto, ella se levantó rápidamente y fue a su encuentro. Jesús no había llegado todavía al pueblo, sino que estaba en el mismo sitio donde Marta lo había encontrado. Los judíos que estaban en la casa consolando a María, al ver que ésta se levantaba de repente y salía, la siguieron, pensando que iba al sepulcro para llorar allí.

María llegó hasta donde estaba Jesús y, al verlo, se postró a sus pies y le dijo:

—Señor, si hubieras estado aquí, mi hermano no habría muerto.

Jesús, al verla llorar, y también a los judíos que la acompañaban, conmovido y turbado, preguntó:

—¿Dónde lo pusieron?

—Ven, Señor, y lo verás.

Y Jesús lloró. Los judíos dijeron: '¡Cómo lo amaba!'. Pero algunos decían:

—Este que abrió los ojos del ciego de nacimiento, ¿no podía impedir que Lázaro muriera?

Jesús, conmoviéndose nuevamente, llegó al sepulcro, que era una cueva con una piedra encima, y dijo:

—Quiten la piedra.

Marta, la hermana del difunto, le respondió:

—Señor, huele mal; ya hace cuatro días que está muerto.

Jesús le dijo:

—¿No te he dicho que si crees, verás la gloria de Dios?

Entonces quitaron la piedra, y Jesús, levantando los ojos al cielo, dijo:

—Padre, te doy gracias porque me oíste. Yo sé que siempre me oyes, pero lo he dicho por esta gente que me rodea, para que crean que tú me has enviado.

Después de decir esto, gritó con voz fuerte: '¡Lázaro, ven afuera!'. Y el muerto salió con los pies y las manos atados con vendas, y el rostro envuelto en un sudario. Jesús dijo a los presentes: 'Desátenlo para que pueda caminar'."[40]

Hiram estaba rojo de emoción. No dejaba de pararse y sentarse, y golpear con las manos:

—Entonces, señor caballero que estás por encima de las creencias religiosas, ¿crees en Dios ahora, después de este testimonio? ¿Hacer revivir a un muerto cuatro días después de ponerlo en su tumba no es un milagro?

El caballero se encogió de hombros:

—Me gusta Jesús, Hiram, me parece fascinante, y hasta patético cuando se erige en campeón de los pobres, los oprimidos, los desdichados y las desdichadas, pero nunca aceptaré tu cuento del muerto que resucita. Cuando uno está muerto, está muerto.

—En ese caso, ¿cómo explicas lo que acaba de contarnos mi pastor de cabras?

40. *Juan* 11, 17-44.

—¿Desde cuándo un pastor de cabras tiene competencia para garantizar que un hombre reducido al estado de cadáver desde hace cuatro días salió de su sepulcro, con sus vendas, como si no hubiera pasado nada? Para mí, no es más que una fábula. Partamos inmediatamente hacia Betania, y veamos de qué se trata.

Una hora más tarde, el romano y el fenicio estaban en la plaza de ese pequeño pueblo, que era en realidad más un suburbio de Jerusalén que una localidad por sí misma. Preguntaron por la casa de Lázaro, golpearon a su puerta, pero nadie salió a abrirles. Un vecino que pasaba por allí les dijo solamente que Lázaro y sus hermanas habían partido con Jesús y sus apóstoles en dirección a Jericó, pero no sabía que Lázaro había estado enfermo, y nadie había oído decir nada sobre su presunta muerte o su presunta resurrección.

—¡Bueno, caballero! —le dijo triunfante Hiram a Marcelo—. ¿Estás convencido ahora? ¡Lázaro resucitó!

—Está vivo, sí, pero nada nos demuestra que haya estado muerto y sepultado. Y aunque me enterara ahora, de fuente segura, que así ocurrió, primero trataría de encontrarle una explicación médica a ese fenómeno, en vez de adherir a un relato fantástico.

—¿Y si no encontraras tal explicación?

—Me diría que no fui capaz de descubrirla, pero que debe existir en alguna parte. Aunque, antes que nada, trataría de asegurarme de que el hecho realmente ocurrió: por el momento, sólo tengo el relato de tu cabrero...

—¿Y tienes alguna idea, caballero?

—Sí, por supuesto: la que me parece más admisible es que Lázaro quizás haya estado enfermo unos días, hasta el punto de que sus hermanas creyeron que moriría, luego le bajó la fiebre y todo el mundo se fue, porque se acerca la Pascua y, dentro de poco tiempo, miles de familias judías de Perea, Galilea, Samaria y otras partes acudirán en masa a Jerusalén y sus alrededores para celebrarla... Y estoy seguro de que, contrariamente a lo que nos dijeron en Betania, Jesús no está en Jericó.

—¿Acaso eres una pitonisa, caballero? ¿Por qué entonces Lázaro, sus hermanas, Jesús y los demás habrían tomado el camino a Jericó?

—Para despistar a eventuales perseguidores a sueldo del Templo o del partido fariseo, pues Jesús teme que le jueguen alguna mala pasada.

—¿Qué mala pasada?

—Para los judíos, la palabra "Pascua" es sinónimo de "migración", Hiram. Tú lo sabes, puesto que eres practicante. Dentro de dos o tres semanas, todos los fariseos de Palestina que no viven en Jerusalén o en sus alrededores, acamparán por aquí, y esos judíos de provincia son más intransigentes que los de la capital, y mucho más expeditivos: ¡acuérdate de la época de los sicarios![41] Yo mismo, si fuera un adepto o un discípulo de Jesús, me iría de la Ciudad Santa y sus suburbios y me escondería en algún desierto antes de que ellos llegaran... Eso es lo que seguramente hicieron Lázaro y sus hermanas.

—¿Y Jesús dónde está?

—Por ahora, se oculta, y pronto sabremos en qué lugar. Pero tiene una misión que cumplir: predicar la Buena Noticia en Jerusalén durante la semana pascual, no ya a los legistas o los fariseos, a quienes sabe que jamás logrará convencer, sino a todos esos judíos anónimos de las montañas, las aldeas y las campiñas de Judea, Samaria y Galilea, que subirán al Templo en esa oportunidad, y que nunca oyeron sus revelaciones. Está tan convencido de que debe hacerlo, que está dispuesto a enfrentar la prisión, e incluso los suplicios y la muerte para llevar a todas partes lo que considera la Palabra de Dios, su Padre, sobre todo porque según su doctrina, debe morir para resucitar luego y salvar al mundo a través de su resurrección. Ya subió tres veces a Jerusalén, y subirá una cuarta vez en abril próximo, dentro de unos doce días: ¡esperemos que no sea la última vez! Y ahora regresemos, fenicio, porque tenemos que conspirar.

—¿A qué te refieres?

—La única información seria que obtuvimos hoy en Betania es que Jesús, sus apóstoles y su pequeño grupo habitual de discípulos, del que forma parte Lázaro, "tu" resucitado, así como sus hermanas, se encuentran en alguna parte entre Jericó y Jerusalén. Pero es evidente que Jesús está tramando algo.

41. Véase p. 200.

—¿Qué, Marcelo?

—Lo ignoro: un sermón brillante, un escándalo público, por qué no una manifestación con sus apóstoles y la gran cantidad de discípulos que ganó para su causa desde hace algún tiempo. No hay que olvidar que ya no es un predicador anónimo, como el año pasado.

—La verdad es que recorrió un largo camino, caballero. Hace dos años, durante la Pascua, apareció ante los judíos como un alborotador que destrozaba los puestos de los mercaderes y los cambistas en la explanada de los gentiles, y sólo Nicodemo lo tomó en serio. Luego, tres meses más tarde, en la fiesta de las Semanas, se presentó como un adversario doctrinal de los fariseos, criticó la Torah y dio a entender que se consideraba el Mesías. Después no se oyó hablar de él en Jerusalén durante más de un año, pero cuando regresó en septiembre último para la fiesta de las Tiendas, se convirtió en un maestro, que enseñaba en el interior del Templo. Lo empezaron a llamar "rabí Jesús", los fariseos lo definieron como su principal adversario, y en cierto modo lo consideraron como un hombre al que deben destruir, y por eso se refugió en Perea, donde ahora se esconde.

—Es un buen análisis, fenicio —dijo Marcelo—. Y ahora ya termina el mes de marzo del año 783 de Roma.[42] Jesús hizo una espectacular reaparición en la escena religiosa con ese asunto de Lázaro, que, en mi opinión, fue inventado del principio al fin, sin quererlo él mismo, y prepara su cuarta subida a Jerusalén en su papel de profeta mesiánico y reformador del judaísmo. Esta aparición será decisiva.

—¿Por qué dices "decisiva", caballero?

—Porque pueden suceder dos cosas: o bien el Templo y los dos partidos que lo sostienen, aunque sean hermanos enemigos, es decir, los saduceos y los fariseos, aceptan la entrada de Jesús y de sus partidarios a la escena político-religiosa de Jerusalén, y en ese caso, le deseo suerte a Poncio Pilato, que deberá conducir esa triga[43] para gobernar a Judea, o bien se oponen a ello y el conflicto termina ante el Sanedrín judío, y quizás al pie de la cruz romana.

---

42. 30 d.C.
43. Especie de carro tirado por tres caballos.

22

La unción de Betania

26-27 de marzo-1º de abril, año 783 de Roma
(30 d.C.)

Jesús y sus discípulos en Efraín (hacia 25-30 de marzo del año 30 d.C.) —Descenso hacia Jerusalén (jueves 30 de marzo del año 30) – Llegada de Jesús a Jericó (viernes 31 de marzo) – En Jericó: cena (antes del inicio del shabbat) en casa del publicano Zaqueo, donde Jesús pasa la noche; parábolas durante la comida (viernes 31 de marzo) – Conspiración contra Jesús propuesta por Caifás y las autoridades del Templo, pero no decidida (jueves 30 de marzo del año 30)– Traición premeditada de Judas (viernes 31 de marzo) – Jesús regresa a Betania, donde está invitado a la cena de ruptura del ayuno en casa del publicano Simón el Leproso: María lo unge con un valioso perfume (sábado 1º de abril del año 30).

Marcelo tenía razón. Jesús había dejado que Marta y María se regocijaran en el reencuentro con su hermano, y se había ido en secreto con los suyos a una pequeña aldea perdida en las montañas que antiguamente se llamaba Ofra, pero que ahora se llamaba Efraín, a unos cuarenta kilómetros al norte de Betania. El apóstol Pedro, que pensaba en todo, tuvo la idea de agregar al pequeño grupo... un rebaño de cabras, conducidas por el cabrero de Hiram, el mismo que había recibido el encargo del fenicio de vigilar al ciego de nacimiento al que había curado recientemente Jesús.

El Nazareno, que temía las emboscadas de los fariseos, no había tomado la antigua ruta de Ofra, que pasaba por los suburbios de Jerusalén. Al salir de Betania, sin duda con el fin de despistar a sus adversarios que intentaban impedirle el acceso a Jerusalén en el tiempo de la Pascua, había partido en la dirección opuesta a la de la Ciudad Santa, y había tomado ostensiblemente el camino a Jericó. Luego atravesó el Jordán, volvió a subir por el valle, quedándose sin duda en su margen izquierda, a través de un territorio que estaba bajo la autoridad de Antipas, y sobre el cual ni el Templo ni Roma tenían derecho de fiscalización, y volvió a cruzar el río en sentido contrario, un poco más al norte, para dirigirse rápidamente a Efraín, donde él y sus discípulos sólo permanecerían pocos días.

Jesús aprovechó las escasas horas que pasó en la montaña de Efraín para descansar un poco, después de haber pasado días enteros en los caminos de Perea y Judea, pero también para dar a sus apóstoles y al puñado de discípulos que lo habían seguido, algunas instrucciones elementales sobre la manera de practicar la religión como él entendía que debía hacerse, y que hasta el cuidador de cabras, que se las transmitió a Marcelo y a Hiram, se dio cuenta de que era verdaderamente nueva.

INSTRUCCIONES DE JESÚS A LOS APÓSTOLES
DADAS EN LA MONTAÑA DE EFRAÍN
a fines de marzo del año 783 de Roma

1. *Preceptos sobre la manera de dar*

"Tengan cuidado de no practicar su justicia delante de los hombres para ser vistos por ellos: de lo contrario, no recibirán ninguna recompensa del Padre que está en el cielo. Por lo tanto, cuando des limosna, no lo vayas pregonando delante de ti, como hacen los hipócritas en las sinagogas y en las calles, para ser honrados por los hombres. Les aseguro que ellos ya tienen su recompensa. Cuando tú des limosna, que tu mano izquierda ignore lo que hace la derecha, para que tu limosna quede en secreto; y tu Padre, que ve en lo secreto, te recompensará."[1]

2. *Preceptos sobre la manera de orar*

"Cuando oren, no hablen mucho, como hacen los paganos: ellos creen que por mucho hablar serán escuchados. No hagan como ellos, porque el Padre que está en el cielo sabe bien qué es lo que les hace falta, antes de que se lo pidan."[2]

1. *Mateo* 6, 1-4.
2. *Mateo* 6, 5-8.

Jesús, sus apóstoles y el cuidador de cabras que los seguía, sólo se quedaron dos o tres días en Efraín, porque los preparativos de la Pascua empezaban el domingo 2 de abril, y, como se ha dicho, el Nazareno quería asistir a ellos. Por eso, el penúltimo día de marzo,3 dio a su pequeño séquito la orden de partir. Por cuarta vez, "subiría" a Jerusalén, pero no ya como el hijo del carpintero José, sino como Hijo de Dios.

—Jesús caminaba a la cabeza de nuestro pequeño cortejo —les diría unos días después el guardián de cabras a Marcelo y a su amigo Hiram, a quienes les relató lo extraño que había sido el final de ese viaje—. El camino era difícil, y varias veces, algunos de nosotros nos resbalamos en la tierra húmeda, tropezamos contra grandes guijarros y estuvimos a punto de caer por los precipicios hasta el pie de la montaña, cuyas laderas descendían progresivamente, en gradas, hasta la planicie. Desde donde estábamos, podíamos percibir, abajo, la pequeña localidad de Jericó, y luego, más lejos de nosotros, a nuestra derecha, las colinas de Jerusalén, cubiertas de construcciones, dominadas por la torre Antonia y el Templo, y hacia el norte, el mar Muerto, cuyas aguas inmóviles brillaban bajo el sol de la primavera. Descendimos, pues, con precaución, siempre encabezados por Jesús. A veces, uno de nosotros daba un paso en falso, resbalaba unos metros hacia abajo, luego se incorporaba, cubierto de tierra y pedregullo, y todos protestábamos contra las dificultades de ese camino. De pronto, Jesús alzó su bastón, se detuvo, y volviéndose hacia sus apóstoles, les dijo estas palabras que nos intrigaron a todos:

"Ahora subimos a Jerusalén, donde se cumplirá todo lo que anunciaron los profetas sobre el Hijo del hombre. Será entregado a los paganos, se burlarán de él, lo insultarán, lo escupirán y, después de azotarlo, lo matarán. Pero al tercer día resucitará."4

—¿Qué quiso decir? —preguntó Marcelo.
—Tiene todo el aspecto de ser una profecía, caballero. ¿Se la explicó a ustedes? —le preguntó Hiram al cuidador de cabras.

3. El jueves 30 de marzo del año juliano. El shabbat comenzaba al día siguiente, el viernes 31 de marzo, un poco antes de la puesta del sol.
4. *Lucas* 18, 31-33.

—Al principio creí que era una manera de decirnos, en broma, que tuviéramos cuidado —respondió el hombre— porque el terreno estaba muy resbaladizo. Pero oí que el apóstol Pedro le decía a su hermano Andrés que no era la primera vez que Jesús predecía su próxima muerte, aunque nunca antes había hablado de los insultos y los suplicios que le infligirían. Sin embargo, tras dos días de marcha,5 cuando llegamos a la planicie y Jericó estaba ya a la vista, todo el mundo se calló, sobre todo porque muchos curiosos empezaban a reunirse al borde de la ruta para mirarnos pasar, a Jesús con sus discípulos, y a mí, con mis cabras. No estaríamos a más de dos o tres estadios6 de las murallas de la ciudad, cuando vimos a un ciego sentado a la vera del camino, pidiendo limosna. Al oír el ruido de la multitud que se estaba reuniendo, preguntó qué ocurría. Le contestaron que Jesús de Nazaret pasaba por allí. Inmediatamente el ciego se puso a gritar: "¡Jesús, Hijo de David, ten compasión de mí!". Los que iban delante lo reprendían para que se callara, pero él gritaba más fuerte: "¡Hijo de David, ten compasión de mí!".

—Si lo que quería Jesús era una entrada discreta, no lo consiguió —comentó Marcelo, sonriendo—. ¿Cómo reaccionó?

—Se detuvo, señor caballero, y ordenó que le trajeran al hombre. Entonces le preguntó: "¿Qué quieres que haga por ti?". El mendigo respondió: "Señor, haz que yo vea otra vez". Y Jesús le dijo: *"Recupera la vista, tu fe te ha salvado"*. En el mismo momento, el ciego recuperó la vista. Se frotó los ojos húmedos de lágrimas de alegría, y se unió al cortejo que acompañaba al Nazareno, glorificando a Dios. Lo mismo hizo la multitud que se encontraba allí.7

Hiram interrumpió un instante el relato del cuidador de cabras para preguntarle a Marcelo, con un tono triunfante, si seguía siendo tan incrédulo en cuanto a los poderes milagrosos de Jesús, pero el caballero alzó los hombros y le dijo, con una sonrisa escéptica:

—Hay centenares de falsos ciegos que mendigan en Judea. Éste encontró una buena oportunidad de cambiar de oficio. De ahora

---

5. Por lo tanto, el viernes 31 de marzo, al final de la tarde, según nuestra incierta cronología convencional.

6. 1 estadio = 185 m (unidad griega de longitud).

7. Según *Lucas* 18, 35-43.

en adelante, en vez de mendigar gritando: "¡Tengan compasión de este pobre ciego!", se ganará la vida contando en las plazas públicas cómo recuperó la vista gracias a un nazareno que pasaba por aquí, y cuyo nombre habrá olvidado, y para pedir dinero, reemplazará su escudilla por una gorra.

Para el fenicio, semejante incredulidad rozaba la blasfemia, pero no acusó recibo de las palabras de su amigo y le pidió al cabrero que continuara con su informe.

—Jesús y sus discípulos entraron a Jericó, adonde los seguí —prosiguió el pastor de cabras— en medio de una agitación indescriptible: era como si todos los habitantes de la ciudad hubieran salido de su casa para ver pasar al Nazareno. Al mirar hacia arriba, éste vio, encaramado a un árbol, a un hombre que no había tenido mejor idea que subirse a un sicomoro para poder verlo, porque era de corta estatura. Llamándolo por su nombre, Jesús le dijo: "*Zaqueo, baja pronto, porque hoy tengo que alojarme en tu casa*". Al ser interpelado de este modo, el hombre bajó rápidamente de su árbol y recibió a Jesús con alegría. Estaba ricamente vestido, porque era el jefe de los publicanos[8] de la región, y la multitud, asombrada, murmuraba: "Se ha ido a alojar en casa de un pecador".[9] Entonces Jesús atravesó la puerta de la casa del publicano, se volvió hacia la multitud y dijo: "*Hoy ha llegado la salvación a esta casa, ya que también este hombre es un hijo de Abraham, porque el Hijo del hombre vino a buscar y a salvar lo que estaba perdido*".[10]

La cena en la casa de Zaqueo tuvo lugar muy temprano, porque era viernes, y debía terminar antes del inicio del shabbat, que comenzaba a la puesta del sol. De modo que la comida fue breve, pero copiosa, ya que Zaqueo era muy rico. Luego, después de la cena, y hasta una hora muy avanzada de la noche, seguramente discutieron sobre el gran tema de moda en Jerusalén, en esa víspera de Pascua: ¿volverían a ver a Jesús en los atrios? ¿Predicaría? ¿Hablaría más, esta vez, sobre el Reino de Dios cuya venida pretendía anun-

8. Los publicanos, recaudadores de impuestos por cuenta de las autoridades romanas, tenían mala fama por su codicia.

9. Así designaban los escribas y los fariseos a los judíos que colaboraban con la administración romana.

10. *Lucas* 19, 1-10.

ciar, con palabras veladas? ¿Cuándo llegaría ese Reino?, le preguntó Zaqueo, y Jesús le había respondido misteriosamente que llegaría *a su hora*, por medio de parábolas que luego circularon por toda la ciudad y que también provocaron la inquietud y la cólera del sumo sacerdote Caifás, de los legistas y de los fariseos de Jerusalén cuando llegaron a sus oídos. Aquí van algunos extractos:

EXTRACTOS DE PARÁBOLAS DICHAS POR JESÚS
DURANTE EL BANQUETE OFRECIDO POR ZAQUEO
el 31 de marzo al atardecer y en la noche que siguió

1. *Parábola del servidor fiel*

"[...] Feliz aquel servidor a quien su señor, al llegar, encuentre ocupado en este trabajo. [...] Pero si es un mal servidor, que piensa: 'Mi señor tardará', y se dedica a golpear a sus compañeros, a comer y a beber con los borrachos, su señor llegará el día y la hora menos pensada, y lo castigará. Entonces él correrá la misma suerte que los hipócritas. Allí habrá llanto y rechinar de dientes."[11]

2. *Parábola de las diez vírgenes*

"El Reino de los Cielos será semejante a diez jóvenes que fueron con sus lámparas al encuentro del esposo. Cinco de ellas eran necias y cinco, prudentes. Las necias tomaron sus lámparas, pero sin proveerse de aceite, mientras que las prudentes tomaron sus lámparas y llenaron de aceite sus frascos. Como el esposo se hacía esperar, les entró sueño a todas y se quedaron dormidas. Pero a medianoche se oyó un grito: 'Ya viene el esposo, salgan a su encuentro'. Entonces las jóvenes se despertaron y prepararon sus lámparas. Las necias dijeron a las prudentes: '¿Podrían darnos un poco de aceite, porque nuestras lámparas se apagan?'. Pero éstas les respondieron: 'No va a alcanzar para todas. Es mejor que vayan a comprarlo al mercado'. Mientras tanto, llegó el esposo: las que estaban preparadas entraron con él en la sala nupcial y se cerró la puerta. Después llegaron las otras jóvenes y di-

---

11. *Mateo* 24, 46-51.

jeron: 'Señor, señor, ábrenos', pero él respondió: 'Les aseguro que no las conozco. Estén atentas, porque no saben el día ni la hora'."[12]

Después de la cena, cada uno volvió a su casa para dormir, salvo Jesús, que aceptó la hospitalidad que le ofreció Zaqueo. Esa noche que pasó en casa de un antiguo publicano escandalizó al extremo a los legistas y los fariseos de Jericó, que inmediatamente dieron aviso a sus colegas de Jerusalén. Por eso, a pesar de la impaciencia que tenía por llegar a la Ciudad Santa, Jesús consideró más prudente pasar el fin del shabbat en casa de su amigo Lázaro en Betania, hacia donde se dirigió en la mañana del sábado 31 de marzo.

Jesús sabía perfectamente que en esa cuarta subida a Jerusalén no estaría seguro, y que el Sanedrín no cejaría hasta echarle mano: justamente por esa razón, había hecho ese rodeo imprevisible por Efraín y Jericó al dejar Betania después de la resurrección de Lázaro, había aceptado la hospitalidad de Zaqueo, y esperó hasta el primer día de Pascua, es decir, el domingo 2 de abril, para hacer su entrada a la ciudad.

También sabía, y se lo había predicho varias veces a sus discípulos, que tras su captura debería sufrir, física y moralmente, y que moriría ajusticiado. Pero ignoraba la fecha de ese final, y antes de que sucediera, quería celebrar la Pascua dignamente, en Jerusalén, donde nunca la había festejado realmente, y como preconiza la Torah, quería organizar allí, al menos una vez en su vida, la comida ritual durante la cual compartiría el cordero pascual con su verdadera familia, es decir, con sus apóstoles.

Partió de la casa de Zaqueo en Jericó al atardecer del sábado, poco antes de la caída del sol, que marcaba el fin del shabbat. El Nazareno, seguido por sus discípulos, caminaba alegremente por el camino que llevaba a la Ciudad Santa, y que estaba colmado de gente. En vísperas de esa Pascua del año 783 de Roma, una gran cantidad de habitantes de Judea, y también de Galilea y de Samaria, subían a Jerusalén para purificarse, por supuesto, pero también para intentar ver a ese nuevo profeta del que tanto se hablaba ya en las provincias y en los campos. Todos se preguntaban: ¿vendrá o no vendrá? Los

---

12. *Mateo* 25, 1-13.

sumos sacerdotes y los fariseos había dado órdenes de que si alguno conocía el lugar donde él se encontraba, debía avisar de inmediato a las autoridades locales, para detenerlo.[13] Por su parte, Hiram y Marcelo suponían que Jesús estaría presente en los atrios para las ceremonias preliminares de la Pascua judía, que comenzaban al día siguiente, domingo, por la mañana, y estaban seguros de que pasaría las últimas horas del shabbat en Betania, en casa de su amigo Lázaro. Entonces decidieron ir a su encuentro y se mezclaron con la multitud que estaba reunida a la entrada de esa pequeña aldea.

Los dos compañeros, el romano y el fenicio, estuvieron, pues, entre los primeros en presenciar la llegada del Nazareno. Volver a ver su esbelta silueta, su *keffieh* que flotaba en la brisa del atardecer, sus largos cabellos y su marcha ágil, reconfortó los corazones de los dos amigos, que sin embargo no pudieron acercarse a él porque la multitud era demasiado densa. Lo habían visto por última vez en diciembre, bajo las arcadas del pórtico de Salomón: de pie sobre una piedra, Jesús enfrentaba ese día a un grupo de sacerdotes y legistas, frente a quienes dijo que era el Mesías anunciado por los profetas, y estuvo a punto de ser lapidado.

Procedente de Jericó, sin hacer caso de las aclamaciones y las manos tendidas hacia él, Jesús avanzaba ahora a grandes pasos hacia el centro de Betania. Allí fue abordado por un mensajero obsequioso que fue a decirle que un rico fariseo de su país, Simón el Leproso,[14] a quien llamaban así porque había sido curado hacía un tiempo de una lepra que le había dejado algunas cicatrices en el rostro, lo invitaba a cenar en su casa, con sus discípulos. Como empezaba a tener hambre, y sus discípulos estaban muy fatigados, el Nazareno aceptó con gusto la hospitalidad que le ofrecía ese hombre, a quien no conocía, le agradeció al mensajero y lo siguió.

—¡Por Zeus —rezongó Marcelo—, hace cuatro meses que corremos detrás de Jesús, y cuando lo encontramos, se nos escapa!

13. *Juan* 11, 53-57.
14. Recordemos que, en el Antiguo y en el Nuevo Testamento, la palabra "lepra" designa, además de la lepra propiamente dicha —por lo demás, no muy frecuente— a las diversas enfermedades de la piel, y que un hombre a quien se llamaba *leproso*, era considerado impuro y se lo marginaba, en principio, de la vida comunitaria de la aldea o de la ciudad.

—Eso no tiene por qué detenernos, caballero. Invitémonos al banquete del Leproso.

—¿Cómo?

—Conozco la reputación de ese hombre: amasó una verdadera fortuna cobrando impuestos por cuenta de Pilato, exactamente como Zaqueo en Jericó, y ahora tiene siempre su mesa abierta y recibe a todas las personalidades que pasan por Betania... ¡Tú eres una personalidad, caballero!

Algunos minutos más tarde, Hiram y Marcelo se habían ubicado en el suntuoso comedor del publicano, amoblado al estilo romano, es decir, con divanes individuales[15] para los comensales, y pudieron ver a Jesús con comodidad. Éste parecía particularmente contento de volver a encontrar no sólo a su amigo Lázaro entre los numerosos invitados que había reunido Simón, sino también a sus dos hermanas, Marta y María, más hermosas que nunca con sus túnicas de delicado lino, con pasamanería de hilos de oro, sus trenzas bien anudadas, su gracia y sus encantadoras sonrisas. Marta ayudaba a servir a los numerosos invitados que saboreaban la cena: controlaba que las fuentes de plata y los vasos de oro estuvieran permanentemente llenos y bien presentados para los huéspedes del Leproso. En cuanto a María, pálida, tímida y discreta, entró a la sala del banquete con un frasco de perfume de nardo[16] puro y se dirigió hacia el diván donde estaba tendido Jesús. Rompió el cuello del frasco, primero derramó perfume sobre la cabeza de aquel, y luego, arrodillándose, le ungió los pies con el resto del frasco y los secó con sus cabellos, como había hecho la pecadora de Cafarnaún[17] dos años atrás, en casa de Simón el Fariseo. Toda la casa se impregnó con la fragancia del perfume.

—¡Qué lujo! —le comentó Hiram al caballero.

—En efecto, qué lujo. Parece que no todo el mundo lo aprueba: mira el gesto adusto de Judas el Iscariote, el tesorero de los apóstoles.

---

15. Como se sabe, los romanos comían reclinados en divanes o lechos dispuestos alrededor de una o varias mesas. Bajo la República, se ponía un lecho de mesa para recibir a tres comensales reclinados: de ahí la expresión *lectus triclinaris*. Durante el Imperio, se lo reemplazó por el diván individual, llamado *accubitum*.

16. El *nardo* era un perfume muy costoso a causa de su origen: se extraía de una valerianácea, *Nardostachys jatamansi*, que crece en el Nepal.

17. Véase p. 383.

En efecto, a Judas no parecía gustarle todo ese exceso de fuentes, vinos y perfumes, y murmuró como para sí mismo:

—¿Por qué desperdiciar ese perfume? ¿No se podía haber vendido en trescientos denarios para dárselos a los pobres?

Marcelo se inclinó hacia Hiram y le deslizó al oído:

—Los pobres tienen buenas espaldas... Judas lleva las cuentas de los apóstoles, y dicen que lo utiliza en su provecho: tiene alma de ladrón. Pero mira a Jesús: se dispone a contestarle.

La réplica de Jesús no se hizo esperar. Miró a Judas con severidad y le dijo:

—Deja a María en paz. ¿Por qué la molestas? Ha hecho una buena obra conmigo. A los pobres los tendrán siempre con ustedes y podrán hacerles bien cuando quieran, pero a mí no me tendrán siempre. Ella hizo lo que podía: ungió mi cuerpo anticipadamente para la sepultura. Les aseguro que allí donde se proclame la Buena Noticia, en todo el mundo, se contará también en su memoria lo que ella hizo.[18]

Estas palabras sorprendieron a Hiram.

—No entiendo la alusión: ¿por qué es tan excepcional María? —le preguntó a Marcelo.

Éste le respondió:

—Desde que leo y analizo las palabras de Jesús, y especialmente sus parábolas, empiezo a entender su manera de expresarse. Me recuerdan, en varios aspectos, a las de los pitagóricos, cuando dicen que Sócrates revivirá, y también las de los órficos. Todo lo que dice Jesús cuando habla de Dios o de la vida eterna, debe tomarse en sentido simbólico. Cómo él considera que su muerte es la condición necesaria para salvar a la humanidad, la unción que acaba de administrarle María, con su perfume de nardo, es como un adorno supremo que esta tímida muchacha vino a ofrecerle: hasta el final de los tiempos, anuncia Jesús, su recuerdo permanecerá en la memoria de los hombres, mientras que las obras orgullosas de éstos, como el Templo, con todo su oro y su mármol, perecerán.

—Un homenaje un poco fúnebre, pero ¿con qué caballero más hermoso que éste podría soñar una mujer?

18. *Marcos* 14, 3-9; *Juan* 12, 1-8. Este episodio de la vida de Jesús se conoce con el nombre de "unción de Betania".

23
Cuarta subida de Jesús a Jerusalén

Domingo 2-martes 4 de abril, año 783 de Roma
(30 d.C.)

Domingo 2 de abril: el fariseísmo de Jesús; su entrada a Jerusalén montado en un asno; se anuncia como el Mesías; conversación con griegos; la turbación de su alma: "Yo soy la luz del mundo" – Lunes 3 de abril: Jesús maldice a la higuera sin higos; en el Templo, en el atrio de los sacerdotes: parábola de los dos hijos y parábola de los viñadores homicidas; su significado simbólico: el rechazo de Israel – Martes 4 de abril: lección para aprender de la higuera maldita; requisitoria contra los escribas y los fariseos; el papel de Herodes Antipas; el apocalipsis de Jerusalén; anuncio del Juicio Final.

La primavera se anunciaba radiante en Jerusalén. Ese año, la ciudad no sufriría ni las terribles tormentas primaverales, ni los calores caniculares precoces del mes de junio, como suele suceder a menudo en esa región de Oriente.

Aquel domingo 2 de abril, acababa de despuntar la aurora, y despreocupadamente tendido sobre un mullido *lectulus*[1] instalado en la terraza de su jardín, Marcelo había iniciado una animada discusión con su amigo Hiram, quien, como buen comerciante oriental, estaba sentado con las piernas cruzadas debajo de su cuerpo, sobre tres o cuatro mantas superpuestas, de lana de colores brillantes, rodeado de una gran cantidad de pequeños almohadones que había hecho traer desde Alejandría para su comodidad.

—Tú que eres versado en el judaísmo, Hiram, y que además, no tienes la mente estrecha como algunos fariseos que conozco, ¿puedes decirme si existen diferencias irreductibles entre la enseñanza de Jesús y el fariseísmo de los escribas?

---

1. En Roma, especie de sofá con un colchón y un respaldo, sobre el cual es posible recostarse para leer o sentarse para escribir sobre tablillas de cera apoyadas en las rodillas.

—Eso depende de los escribas, caballero. El maestro del pensamiento, el modelo de los fariseos sinceros —y yo agregaría, inteligentes— es el rabí Hillel.[2] Él predica, por ejemplo, la devoción verdadera, no la falsa; el amor sincero por las criaturas de Dios, y no el legalismo estéril de Caifás. Si Hillel aún viviera, no me cabe duda de que estaría en perfecta comunión con Jesús. Él enseñaba que el Día de Yahveh estaba cerca, y que el Reino que Él establecería en la tierra, una vez que la raza humana estuviera regenerada por la piedad de los predicadores, haría reinar la perfecta *justicia* divina: ¿no es acaso lo mismo que enseña Jesús? Rabí Hillel exhortaba, en sus sermones y en sus escritos, a la caridad, al amor hacia el prójimo: ¿no es acaso lo mismo que enseña Jesús? Los verdaderos fariseos, Marcelo, los que fueron formados por el maestro Hillel, aplaudirían todo lo que predica Jesús.

—¿Y ya no existen verdaderos fariseos, Hiram?

—Sí, todavía existen, Marcelo, y Nicodemo es un ejemplo, pero la verdad es que cada vez son menos, porque muchos de ellos han sido corrompidos por el amor al dinero y al poder. Y además, Jesús no es demasiado hábil con ellos...

—¿En qué sentido?

—Su manera de ser, de hablar, las personas que frecuenta, todo eso lo convierte en un hombre especial: es mucho más tolerante, mucho más sensible con respecto a los pecadores, mucho más bondadoso también que los fariseos mejor dispuestos.

—Entiendo —dijo Marcelo—. Jesús no es el producto de una escuela, pero, sin saberlo, ha tomado sus ideas morales, y también religiosas, de la enseñanza de los fariseos: la creencia en una vida de ultratumba, en el castigo de los malos después de su muerte, en la venida de un Mesías regenerador, y muchas otras cosas. Pero de todos modos, es evidente que el partido que combate la enseñanza de Jesús con mayor virulencia, desde que apareció en la escena de Jerusalén, es el de los fariseos.

—Yo creo que su oposición es de orden social y político, no religioso. En la época de rabí Hillel, hace más de medio siglo, sólo había dos grandes ciudades en Palestina: Jerusalén, evidentemente, y

---

2. Famoso rabino. Véase cap. 14, nota 14, p. 342.

Sebaste, construida por Herodes el Grande en Samaria. La casi totalidad de los judíos ricos vivían entonces en esas dos ciudades, y como en Samaria prácticamente no había fariseos, podría decirse incluso que casi todos vivían en Jerusalén.

—¿Cuál es tu conclusión, Hiram?

—Mi conclusión, caballero, es que aunque sus doctrinas teológicas son muy semejantes, Jesús y los fariseos no hablan el mismo idioma. El primero es el profeta de los humildes y de los desamparados, los otros son representantes de los ricos y los poderosos, y por esta razón elemental, son incapaces de oírse y entenderse. ¿Cómo quieres que el partido fariseo, que es el de los ricos y la gente de la ciudad, se ponga de acuerdo ideológicamente con el de Jesús, que es el partido de la gente sencilla, los pobres y los campesinos?

—¡Bravo, Hiram! Tu demostración es magistral: las líneas de fuerza esenciales del fariseísmo son efectivamente las mismas que las de la doctrina que sostiene Jesús. Y completaré tu información diciendo que él y los fariseos tienen un enemigo común en el plano político: los saduceos.

—¿Cómo es eso, caballero?

—Los saduceos, en cuyas filas pueden encontrarse a los jefes de las principales grandes familias aristocráticas de Israel, son oportunistas que se esfuerzan por entenderse, e incluso aliarse, con las naciones circundantes. En particular, se acomodan perfectamente a la dominación romana, y eso los convierte en enemigos de los fariseos, que son, como sabes, terriblemente nacionalistas, y hasta serían antirromanos... ¡si pudieran! Además, como no admiten ni la posibilidad de una vida después de la muerte, ni el mesianismo, los saduceos se oponen en el plano religioso a los partidarios de Jesús.

—Ahora soy yo quien te dice ¡bravo!, caballero. Pero ¡pobre Palestina! Veo que ingresa dificultosamente en la historia, con sus contradicciones religiosas y políticas. ¿Qué pasaría con ella si no estuviera el poder romano para mantenerla en paz?

—Habría una guerra civil permanente, a la que se superpondrían guerras de religión internas, también permanentes... Pero volvamos a Jesús. Como te decía, no es producto de una escuela ni de una secta. Creo que es más bien, si se puede decir, producto de sí mismo. Su principal originalidad, según lo que pude comprobar en su predicación de los últimos dos años, se resume en dos palabras: *fariseísmo y conversión.*

—Yo no soy un brillante intelectual como tú, Marcelo: sólo soy un pequeño comerciante curioso, todo me interesa, y me gustaría que me explicaras lo que acabas de decir.

—Es muy sencillo. El primer rasgo original de la personalidad religiosa de Jesús, es haber entendido instintivamente que lo que caracteriza esencialmente al fariseísmo no es un legalismo árido, sino la creencia en la venida de un Mesías regenerador, instaurador del Reino de Dios, es decir, de un mundo del que se erradicará la muerte, gracias a la vida eterna prometida por Dios a sus criaturas después de su muerte. Se trata de una vida cuya injusticia sería excluida gracias al Juicio Final, que recompensaría a los justos y castigaría a los malvados por toda la eternidad, y cuyo valor supremo sería el amor a Dios Padre y a sus criaturas.

—¿Y el segundo?

—El segundo es estar profundamente persuadido de que para ser admitido en la vida eterna, cada hombre y cada mujer, independientemente del pueblo al que pertenezca, debe llevar a cabo una *conversión* inmediata y total en los umbrales del Reino de Dios, una conversión cuyo agente es el Mesías, el Hijo de Dios, que es uno con su Padre: su muerte dolorosa y física redimirá a toda la humanidad, pasada, presente y futura. Así es como interpreto, con mis pobres facultades intelectuales de pagano, la venida y el éxito de Jesús, mi querido Hiram.

—Pero ¿cómo pudo idear todo eso?

—No lo sé.

—¿Crees que puede haber sido inspirado directamente por Dios, como los profetas? ¿Crees que es el Hijo de Dios, o incluso Dios mismo, bajo el aspecto del Mesías?

—No, Hiram, yo no creo eso. Y me limito a admirar la extraordinaria conversión de los corazones que podría producir su enseñanza, si la imparte a todos los hombres.

—¿Incluso a los no judíos?

—El Dios único que predica Jesús, Hiram, no es el de un solo pueblo, aunque sea el de Abraham: es el Dios de todos los pueblos y de todos los hombres. Los fariseos tampoco admiten esto, y quizá sea ésa la razón principal por la que combaten a Jesús.

—Confieso que todo esto me confunde, caballero. Como fenicio judío, creo en la religión de Moisés y la practico, pero a veces temo a la muerte, cuando pienso en ella, y mucho más al *sheol*... En esos momentos, no haría falta mucho para que yo también me hiciera discípulo del Nazareno. ¿Crees que lo veremos en los atrios, durante la Pascua? ¿Qué le podría pasar si sube nuevamente a Jerusalén, después de los catastróficos resultados de su última visita, a fines del año pasado? Lo lapidaron dos veces, la primera en octubre, por la indulgencia que mostró hacia una mujer adúltera, y la segunda a fines de diciembre, en la fiesta de la Dedicación, bajo los pórticos, cuando, claramente y sin ninguna reticencia, proclamó que era el Mesías ante un grupo de sacerdotes y legistas.

—Yo estoy tan preocupado como tú, Hiram. Casi todos los dignatarios del Templo son saduceos, antimesiánicos furiosos, sacerdotes o sumos sacerdotes, y tienen a su disposición a la temible fuerza policial, cuyos efectivos seguramente fueron aumentados para esta circunstancia. Además, tienen una amplia mayoría en el Sanedrín que, en principio, es hostil a todos los iluminados, y en particular, al nuestro, que se puso demasiado al descubierto a través de sus discursos y sus milagros, o presuntos milagros. Jesús viene a Jerusalén para predicar: esta vez, apenas abra la boca, lo arrestarán.

—¿Y si en vez de interpelar a los sacerdotes del Templo, Jesús fuera a llevar su palabra a la ciudad? ¿Qué crees que sucedería, caballero? Jerusalén está atestada de peregrinos que llegaron para celebrar la Pascua, y sería una buena oportunidad para que él diera a conocer su doctrina a la gente de las provincias.

—En la ciudad sería peor que en el Templo, fenicio, donde los sacerdotes actúan de una manera determinada, según un procedimiento estricto: pululan las escuelas religiosas, los lugares de reunión, las casas para rabinos, y los burgueses de Jerusalén son gente muy presumida. Se mofarían de ese campesino galileo que pretende ser un *nabí*,3 que se pasea con una cohorte de apóstoles, fieles, pecadores y mujeres que lo rodean permanentemente, y que, según ellos piensan, son personas de mala vida. Sin contar con que en Judea, los galileos no son bien considerados. Además, las fuerzas poli-

3. Profeta.

ciales son más numerosas en la ciudad que en el Templo, y Pilato salió de Cesarea la Marítima para manejarlas personalmente.

—Pilato no es muy peligroso para Jesús, Marcelo, y ni siquiera es capaz de distinguir entre un buen judío y un judío herético. Por aquí se cuentan muchas anécdotas sobre él. Por ejemplo, dicen que tomó "prestada" una suma de dinero del tesoro sagrado del Templo para construir un acueducto de doscientos estadios. El pueblo se conmocionó al enterarse, y fue, en masa, a enfrentarlo, pidiéndole que no perseverara en sus intenciones: Pilato ordenó que los soldados rodearan a los manifestantes y los dispersaran a bastonazos, y esa represión provocó varios muertos. En otra oportunidad, envió tropas de Cesarea a Jerusalén para que se acantonaran durante el invierno, con estandartes que llevaban la imagen del emperador Tiberio. Sus legiones entraron a la ciudad de noche, y a la mañana siguiente, los judíos vieron horrorizados[4] cómo los estandartes se paseaban por las calles y sobre las murallas. Durante varios días, le pidieron a Pilato que se llevara esos estandartes a otra parte. El procurador se negó a hacerlo, diciendo que eso sería ofender al emperador, y cansado de esos incidentes, hizo traer de la torre Antonia a una legión para dispersar a los manifestantes, amenazándolos de muerte si no se iban. Ante estas palabras, los judíos se echaron al suelo y le presentaron sus gargantas para que se las cortaran. Este gesto heroico, que tenía algo de romano, provocó el asombro y la admiración de Pilato, que impartió la orden de llevar los estandartes de vuelta a Cesarea.

—Esto demuestra que a Pilato le importa mucho la disciplina, pero también sabe reconocer la valentía, fenicio. Es muy meticuloso: es probable que haya solicitado informes sobre los últimos incidentes provocados por Jesús en Jerusalén, y seguramente lo hace vigilar, sobre todo en este período pascual. Impedirá, por la fuerza si es necesario, cualquier manifestación colectiva o individual que pueda degenerar en algún disturbio.

---

4. Recordemos que la Ley mosaica prohíbe las representaciones gráficas de animales o seres humanos. *"No te harás ninguna escultura y ninguna imagen de lo que hay arriba, en el cielo, o abajo, en la tierra, o debajo de la tierra, en las aguas"*, ordena el *Deuteronomio*.

—Dicho de otro modo, caballero: al subir a Jerusalén en el tiempo de la Pascua, Jesús eligió el peor momento para predicar, y se encamina a un fracaso seguro.

—Prudente y receloso como es, lo sabe perfectamente, y hasta me pregunto si no lo está buscando.

—¿Por qué lo dices?

—Es una idea que se me ocurrió en Betania, cuando el Nazareno dijo que María, al perfumarlo con el nardo, lo había ungido anticipadamente para la sepultura. En aquel momento me pregunté si Jesús no habría querido decir, con palabras veladas, que iría a morir a Jerusalén en la Pascua.

—Pero en ese caso ¿por qué va a Jerusalén? ¡Nadie lo obliga!

—Hay algo que lo obliga, Hiram: su misión, que lo obsesiona. Cada vez que habla de eso con sus discípulos, les anuncia que *debe* sufrir y morir, para salvar al mundo y establecer el Reino de Dios, y luego resucitar para confirmárselo a los hombres, por medio de ese signo. Al subir hoy o mañana a Jerusalén, ya presiente que morirá, no porque lo haya leído en los astros, sino porque está inmerso, si puedo decirlo así, en el misticismo de su misión. Ya cuando descendía de Efraín, súbitamente les dijo a sus discípulos, como si acabara de recibir una iluminación, que el destino del Hijo del hombre se cumpliría como lo habían anunciado los profetas, y seguramente hará todo lo posible para que ese cumplimiento tenga lugar.

—¿Qué piensas sobre su actitud frente a ese peligro, Marcelo? ¿No se puede hacer algo, intervenir de alguna manera, para no dejarlo ir de ese modo hacia la muerte?

—No se puede hacer nada, fenicio. Aunque lo ataran a la cama en la que está durmiendo ahora, en la casa de Lázaro, encontraría la manera de correr al Templo otro día, para que lo arresten y lo condenen. La razón es impotente contra el ardor de semejante fe.

—Entonces partamos inmediatamente hacia Betania, caballero. Si lo que dices es verdad, el Nazareno emprenderá enseguida el camino a Jerusalén: si no podemos hacer nada para impedirle ir al Templo, por lo menos tratemos de protegerlo sin que él lo sepa, si fuera posible. Es temprano: seguramente Jesús aún no partió. De todas maneras, mi pastor de cabras lo sigue paso a paso, y le agregué a uno de mis secretarios, que habla y escribe griego y arameo, con la consigna de anotar todo en el camino, hasta los detalles que puedan parecer insignificantes, y que me entregue un informe escrito. En cuanto a nosotros dos, Marcelo, nos bastará con apostarnos en la puerta Dorada de Jerusalén, donde termina el camino que viene de Betania y del monte de los Olivos. Allí recibiremos a Jesús... ¡y sin duda no seremos los únicos!

Mientras Marcelo e Hiram conversaban de este modo, Jesús, acompañado por sus apóstoles, de algunos adeptos, y de Lázaro y sus dos hermanas, había salido de Betania, donde había pasado la noche, y caminaba ahora por la pedregosa senda que llevaba a Jerusalén.

Al principio, el camino subía suavemente, en zigzag, por la ladera oriental del pequeño monte de los Olivos, hasta un desfiladero, que el camino bordeaba por la derecha, para volver a bajar, siempre en zigzag, por la ladera occidental. Desde allí se tenía una hermosa vista hacia abajo del Templo y de las colinas de la Ciudad Santa de los judíos, cuyas murallas se alzaban al oeste del valle de Cedrón. Un poco antes de llegar al desfiladero, la ruta atravesaba el pequeño pueblo de Betfagé, donde se veían siete u ocho casitas de adobe, y una veintena de higueras, de donde derivaba su extraño nombre.[5]

Hacía mucho calor, a pesar de la hora matinal, y, al llegar a Betfagé, Jesús hizo detener a su pequeño séquito en un manantial que brotaba en el borde del camino, para que todos pudieran calmar su sed y descansar un poco. De acuerdo con el informe que el secretario de Hiram le entregó más tarde a su amo, el Nazareno les dijo en ese momento a dos de sus discípulos:

—Vayan al pueblo que está enfrente y, al entrar, encontrarán un asno atado, que nadie ha montado todavía. Desátenlo y tráiganlo; y si alguien les pregunta: "¿Qué están haciendo?", respondan: "El Señor lo necesita y lo va a devolver enseguida".[6]

Los dos hombres partieron inmediatamente, encontraron un asno atado cerca de una puerta, en la calle, y lo desataron. Algunos de los que estaban allí les preguntaron: "¿Qué hacen? ¿Por qué desatan ese asno?". Ellos respondieron como Jesús les había dicho y nadie los molestó.

5. *Betfagé* significa, en arameo, "la casa de los higos".
6. *Marcos* 11, 1-3.

Entonces le llevaron el asno a Jesús, que los esperaba cerca del manantial, pusieron sus mantos sobre el lomo del animal y Jesús se montó. Muchos otros extendían sus mantos sobre el camino; otros, lo cubrían con ramas de olivos o follajes que cortaban en el campo. Luego, después de atravesar el desfiladero, Jesús se detuvo un instante para contemplar de lejos la bella ciudad blanca que había reconstruido Herodes el Grande, con sus altas murallas almenadas. Al ver el Templo con el oro de su fachada que brillaba bajo el sol, se puso a llorar, al menos según el relato del informante de Hiram.

—¿Se puso a llorar?

—Sí, sollozaba incluso —aclaró el secretario de Hiram—. Anoté en una tablilla las palabras que pronunció en ese momento en arameo, y las traduje al griego para ti, caballero. Te las leeré, y creo que percibirás que son muy conmovedoras:

LAMENTACIÓN DE JESÚS SOBRE JERUSALÉN

"¡Jerusalén! ¡Si tú también hubieras comprendido en este día el mensaje de paz! Pero ahora está oculto a tus ojos. Vendrán días desastrosos para ti, en que tus enemigos te cercarán con empalizadas, te sitiarán y te atacarán por todas partes. Te arrasarán junto con tus hijos, que están dentro de ti, y no dejarán en ti piedra sobre piedra, porque no has sabido reconocer el tiempo en que fuiste visitada por Dios."7

—Me pregunto quién diablos podría destruir a Jerusalén,8 ahora que Palestina es romana —dijo Marcelo—. ¡Nuestro amigo Jesús delira!

—No hay que tomar sus palabras al pie de la letra, caballero: yo creo que Jesús alude a la perversión del pueblo de Israel, que, en vez de adorar sinceramente y con humildad al Eterno, se limita, desde hace siglos, al respeto artificial y formal de la Ley.

---

7. *Lucas* 19, 41-44 (estas lamentaciones no figuran en los demás *Evangelios*).

8. Tras la revuelta judía del año 66, Jerusalén fue destruida y su santuario fue incendiado en 70 d.C. por el emperador Tito. Fue ocupada nuevamente por un tiempo, después de la segunda revuelta judía de Bar Kojba (132-135), y completamente arrasada por orden del emperador Adriano, que hizo construir en ese lugar una ciudad vedada para los judíos.

—Entiendo —repuso Marcelo—. Y si me permites ser vulgar, creo que Jesús le otorga mucho más valor a un *goi* que come cerdo y trabaja el sábado, pero es justo, que a un judío que respeta integralmente y en sus menores detalles la Torah, pero es injusto. Oí decirles a los sacerdotes en el Templo, no me acuerdo cuándo, que los pecadores que crean en él y se arrepientan, serán recibidos con mayor seguridad en el Reino de Dios, que los que se limitan a seguir las observancias y no tienen fe.

—Supongo que después de ese intermedio, habrá seguido su camino...

—Sí, señor caballero —dijo el secretario del fenicio—. Jesús secó sus lágrimas, y descendió con sus seguidores hacia el valle del Cedrón, que separa el monte de los Olivos de las colinas de Jerusalén, cantando: *"¡Hosana! ¡Bendito el que viene en nombre del Señor! ¡Bendito sea el Reino que ya viene, el Reino de nuestro padre David! ¡Hosana en las alturas!"* Luego todos subieron cantando hacia la puerta Dorada, que da acceso a la explanada del Templo. Por esa puerta, Jesús, sentado en su asno, junto con los Doce y todos los que lo seguían, hizo su entrada a Jerusalén. ¡Una verdadera entrada real, señor caballero, te lo aseguro! Por último, después de observarlo todo, el santuario y el paisaje, como ya era tarde, el Nazareno salió hacia Betania con sus apóstoles.9

Marcelo había escuchado, sin interrumpirlo, el relato del secretario. No parecía muy satisfecho, y cuando el hombre se fue, después de terminar su informe, le dijo a Hiram:

—En general, tus informantes son claros y precisos, fenicio, pero el de hoy no lo fue. Ese informe no parece demasiado serio: es un relato fantasioso que nos presenta a Jesús entrando a Jerusalén montado en su asno, como César entrando a Roma, ¡como si fuera el acontecimiento del siglo!

—Pero es un gran acontecimiento, caballero —intentó objetar Hiram.

—En tu imaginación, tal vez, pero no es la primera vez que el Nazareno sube a Jerusalén, sino la cuarta.

—Lo sé, Marcelo, lo sé. Pero las otras tres veces vino en forma

9. *Marcos* 11, 9-11.

anónima, hasta clandestina, mientras que esta vez hizo una entrada verdaderamente triunfal...

—¡Montado en un asno! No veo qué tiene de triunfal. El futuro dirá si me equivoco, Hiram, pero considero sinceramente que el "asunto Jesús", como dicen en las oficinas de la torre Antonia, sólo es un suceso más en la historia político-religiosa de Israel, y hasta agregaría que es un suceso aislado, sin futuro. Es la acción de una especie de autodidacta de la teología, que intentó crear, con bastante torpeza, un nuevo partido religioso tomando algunos dogmas del fariseísmo, como ya te lo he explicado, y cuya única originalidad reside en su moral, simple y reconfortante, y por lo tanto, popular. ¡Un asno! Por lo menos hubiera elegido un caballo... Me extraña de él, aunque si mal no recuerdo...

—¿Qué más vas a buscar, caballero? Admitamos que le haya surgido, como en un sueño, la idea de anunciarse públicamente como Hijo de Dios, o Mesías. Ahora está realizando en la práctica ese sueño, y, por decirlo así, lo pone en escena. Aunque sólo fuera por sus discípulos, tiene la obligación de entrar a Jerusalén sobre una cabalgadura, como un príncipe de leyenda o un guerrero de la *Ilíada*, y no a pie, como un peregrino cualquiera o un harapiento. Y como no cuenta con los medios para comprarse un caballo, pide prestado un asno. Eso es todo: no es tan complicado.

—Sin embargo, mi querido Hiram, a mí me parece que es más complicado que lo que tú dices, y que nuestro amigo Jesús se trae algo entre manos, al hacer su entrada en Jerusalén montado en un asno. Como pretende ser el instaurador del Reino de Dios, se ve en la obligación de proporcionarles a sus discípulos, para apoyar su pretensión, un testimonio proveniente de los profetas: debe presentar sus cartas credenciales, como hacen los embajadores cuando visitan a los soberanos extranjeros. Yo, que he leído y releído a los profetas judíos, en los treinta años que vivo en Jerusalén, encontré en el *Libro de Zacarías* la patente de profeta de Jesús. Hasta puedo recitártela. Escucha las palabras de Zacarías:

"¡Alégrate mucho, hija de Sión!
¡Grita de júbilo, hija de Jerusalén!
Mira que tu Rey viene hacia ti;
él es justo y victorioso,

es humilde y está montado sobre un asno,
sobre la cría de un asna."[10]

Para Marcelo, la elección, en apariencia muy humilde, de una cabalgadura poco prestigiosa, no era, pues, un producto del azar: al actuar de ese modo, Jesús se ubicaba en la línea recta de la tradición profética.

Aquel día, en Jerusalén, nacía una nueva religión, pero quizá nadie se había dado cuenta de ello, salvo los niños, que, espontáneamente y sin pensarlo, batían sus palmas alrededor del Nazareno. Éste, como cuando había entrado por primera vez al atrio de los gentiles, dos años antes, empezó a echar a los cambistas de monedas griegas,[11] acusándolos de haber convertido la casa de oración en una "cueva de ladrones". Los escribas y los sumos sacerdotes que se encontraban allí se indignaron por el tumulto y el escándalo que hacían esos niños que gritaban: *"¡Hosana al Hijo de David!"*, y le dijeron: "¿Oyes lo que dicen estos?". Jesús les respondió:

"Sí, pero ¿nunca han leído este pasaje: *De la boca de las criaturas y de los niños de pecho, has hecho brotar una alabanza?".*[12]

Ya la noche envolvía suavemente a Jerusalén. El atrio de los gentiles seguía estando lleno de gente. La enorme multitud de peregrinos que había subido a Jerusalén para festejar la Pascua, intrigada por la llegada de Jesús y sus apóstoles, los gritos de los niños, el ir y venir de los sumos sacerdotes que atravesaban a toda prisa el atrio para ir a deliberar a una sala reservada a tal efecto en el interior del santuario, estaba reunida al pie de los quince escalones que había que atravesar para ir a la *Bella Puerta,*[13] vigilada por

10. *Zacarías* 9, 9. Véase también *Mateo* 21, 5.
11. *Mateo* 21, 12-13. Este episodio debe diferenciarse, a nuestro juicio, del relatado en *Juan* 2, 13-16, citado en el capítulo 16. Sin embargo, los exegetas tradicionales tienden a unir los dos incidentes en uno, bajo el nombre *"Purificación del Templo"*, acontecimiento que inauguraría entonces dignamente la "Semana Santa".
12. Mateo 21, 16.
13. Gran puerta, ricamente ornamentada, que cerraba el muro exterior que rodeaba al santuario.

unos veinte guardias armados. Se formaban grupos bajo los pórticos, y no se hablaba de otra cosa que de la probable aparición de un nuevo profeta, de la resurrección de Lázaro, que había tenido lugar unos días antes, y de ese misterioso Nazareno, autor de tal milagro.

Muchos escribas y fariseos, que ya sabían a qué atenerse con respecto a Jesús, pero que todavía dudaban sobre la manera de proseguir con el complot que habían urdido el 30 de marzo, instigados por el sumo sacerdote, se decían entre ellos: "¿Ven que no adelantamos nada? Todo el mundo lo sigue".[14] Se referían, sin duda, a unos prosélitos[15] griegos que habían subido a Jerusalén para la Pascua, y que se acercaron al apóstol Felipe, para ser presentados a Jesús.[16] Felipe fue a decírselo a Andrés, el hermano de Pedro, y ambos fueron a transmitirle a Jesús el pedido de los griegos. Marcelo tuvo la dicha de oír la respuesta que les dio. Al principio, fue alegre y triunfante:

> "Ha llegado la hora en que el Hijo del hombre va a ser glorificado. Les aseguro que si el grano de trigo que cae en la tierra no muere, queda solo; pero si muere, da mucho fruto. El que tiene apego a su vida la perderá; y el que no está apegado a su vida en este mundo, la conservará para la Vida eterna. El que quiera servirme que me siga, y donde yo esté, estará también mi servidor. El que quiera servirme, será honrado por mi Padre".[17]

Pero Jesús se turbó, tal vez pensando en sus sufrimientos y en la hora de su muerte cercana, que tantas veces les había anunciado a sus discípulos:

> "Mi alma ahora está turbada. ¿Y por qué diré: 'Padre, líbrame de esta hora'? ¡Si para eso he llegado a esta hora! ¡Padre, glorifica tu Nombre!"[18]

---

14. *Juan* 12, 19.
15. Paganos que no pertenecían al pueblo de Israel, convertidos a la religión judía o a punto de convertirse (Hiram es un prosélito).
16. *Juan* 12, 20-22.
17. *Juan* 12, 23-26.
18. *Juan* 12, 27-28.

Entonces, Marcelo oyó —o creyó oír— estas palabras que parecían provenir del cielo: "Ya lo he glorificado y lo volveré a glorificar".[19] La multitud que estaba allí y había oído, creyó que había sido un trueno que anunciaba una tormenta. Pero otros decían: "Le ha hablado un ángel". Jesús les dijo inmediatamente:

> "Esta voz no se oyó por mí, sino por ustedes. Ahora ha llegado el juicio de este mundo, ahora el Príncipe de este mundo será arrojado afuera; y cuando yo sea levantado en alto[20] sobre la tierra, atraeré a todos hacia mí."[21]

—¿Qué quiso decir? —le preguntó Marcelo a Hiram, que estaba a su lado.

—Creo que se refiere a su papel mesiánico. Después de su muerte terrenal, irá al Padre, con quien es uno, y todos los justos vivirán eternamente en el Reino de Dios.

—¿En qué forma? ¿Como viejos o como jóvenes? ¿En forma corporal o como espíritus?

—¿Cómo quieres que te responda, caballero? No soy Jesús. Sólo soy un pobre comerciante fenicio de religión judía, y no entiendo absolutamente nada de todo esto. Me limito a creer.

—Pero todo esto es contrario a los principios elementales de la razón, Hiram. ¡Es literalmente absurdo!

—Es por eso que creo, caballero: creo porque es absurdo.

—¡En cambio yo soy incapaz de hacerlo! Y, a juzgar por lo que murmura la multitud, no soy el único.

De hecho, los que escuchaban, atentos, las palabras de aquel en quien veían ya al Mesías, a Cristo, no entendían nada. Un hombre le dijo a Jesús:

—Sabemos por la Ley que el Mesías permanecerá para siempre. ¿Cómo puedes decir: "Es necesario que el Hijo del hombre sea levantado en alto"? ¿Quién es ese Hijo del hombre?

19. *Juan* 12, 28.
20. Debe entenderse: "elevado corporalmente en la cruz" y "elevado místicamente al cielo".
21. *Juan* 12, 31-32.

—La luz está todavía entre ustedes, pero por poco tiempo —les respondió Jesús—. Caminen mientras tengan la luz, no sea que las tinieblas los sorprendan: porque el que camina en tinieblas no sabe adónde va. Mientras tengan luz, crean en la luz y serán hijos de la luz.[22]

—Esta vez, el Nazareno nos reveló todo —dijo Marcelo—, y su mensaje no es fácil de transmitir en medio de todos estos fariseos que lo rodean.

—Yo también entendí todo, caballero —le respondió Hiram—. Jesús declaró, sin ninguna clase de ambigüedad, que él era el Mesías, el Ungido del Señor anunciado por los profetas, y que su destino es morir por todos los pecados de los hombres y asegurarles así la vida eterna...

—Es lo que le había prohibido divulgar a Pedro, cuando estaban en Cesarea de Filipo, en septiembre último, hace algo más de seis meses. Si ahora empieza a gritarlo en voz alta, sus relaciones con el Templo se volverán aún más tensas...

El silencio de la noche se extendía sobre la explanada del Moriah, y los atrios se iban vaciando poco a poco, uno después de otro. Los sacerdotes se dirigían al santuario para decir sus oraciones vespertinas, y Jesús caminaba a grandes pasos, como era su costumbre, hacia la puerta Dorada. Seguido por los Doce y algunos fieles, volvió a emprender el camino a Betania, donde, en la casa de Lázaro, Marta y María aguardaban el regreso de su hermano, acompañado por el Hijo de Dios.

Durante mucho tiempo, cuando era joven, en Roma, Marcelo se había levantado temprano. ¿Cómo no hacerlo, además, en esa ciudad donde, antes del amanecer, los equipos de esclavos de voces atronadoras, encargados de las tareas de la casa, irrumpían en los aposentos y los corredores de las casas patricias, mientras en las calles y en las plazas de la *urbs* atronaban ya los martillos de los caldereros, los cantos agudos y los gritos de los escolares y las vociferaciones de los carreteros?

22. Cf. *Juan* 12, 34-36.

En Jerusalén, Marcelo había conservado esos hábitos matutinos, a pesar del silencio que reinaba en los bosques de olivos que protegían su villa, pero el día anterior, en el atrio de los gentiles, lo había agotado, y el sol ya estaba alto cuando ingresó a la explanada del Templo, en la mañana de aquel lunes 3 de abril.

El caballero no encontró allí a Jesús: según decían, se había retirado a un pequeño atrio reservado a los sacerdotes, donde al parecer estaba discutiendo con un saduceo o un sumo sacerdote. Pero Hiram encontró a su cabrero, que se había resguardado de los primeros rayos del sol bajo el pórtico de Salomón, y, sentado sobre una banqueta, se pavoneaba en medio de un círculo de curiosos, a los que seguramente les estaba contando alguna anécdota apasionante, a juzgar por la expresión atenta y las exclamaciones de sus oyentes. El fenicio se acercó, seguido por Marcelo, y así los dos amigos se enteraron, al mismo tiempo que los demás, de que en el amanecer de ese lunes, Jesús había regresado al Templo, sin tener en cuenta los peligros que corría.

El Nazareno había pasado la noche en casa de su amigo Lázaro, y en las primeras horas de la mañana partió de Betania, siempre seguido por su pequeño séquito de discípulos y fieles, para regresar a Jerusalén, les explicó el pastor de cabras. Después de atravesar el monte de los Olivos, al llegar a la planicie, el Hijo de Dios experimentó una muy humana sensación de hambre, y como vio a lo lejos una higuera ya cubierta de follaje, aunque estaban a comienzos de la primavera, se acercó a ella para recoger algunos frutos. Pero sólo encontró hojas, porque no era la época de los higos. Decepcionado, lanzó una maldición al árbol: "¡Higuera", gritó, "nadie volverá a comer jamás tus frutos, porque nunca los tendrás!". De inmediato, la higuera perdió todas sus hojas y se secó, como madera muerta.

Los oyentes del cuidador de cabras, escépticos, lo interrumpieron:

—¿Qué estás diciendo, camarada? ¡Nadie vio nunca que un árbol se muriera en tan poco tiempo!

—Eso mismo le dijeron los discípulos, llenos de asombro, a Jesús —replicó el hombre—: "¿Cómo se ha secado la higuera tan repentinamente, ante nuestros ojos?", le preguntaron. Y el Nazareno les respondió, señalándoles el monte de los Olivos que estaba detrás de él:

"Les aseguro que si tienen fe y no dudan, no sólo harán lo que yo acabo de hacer con la higuera, sino que podrán decir a esta montaña: 'Retírate de ahí y arrójate al mar', y así lo hará. Todo lo que pidan en la oración con fe, lo alcanzarán".[23]

El incrédulo Marcelo se encogió de hombros y le dio su propia explicación a Hiram:

—¿Por qué buscar siempre el misterio donde no lo hay? O bien tu pastor de cabras inventó el incidente del principio al fin, para hacerse el interesante, o bien la higuera, que de lejos le pareció a Jesús que tenía frutos, ya estaba muerta y seca, y él la maldijo en un arranque de ira. ¡La fe no tiene nada que ver con esta historia!

—A menos que la verdad esté en otra parte, caballero —sugirió Hiram.

—¿En otra parte? ¿Qué quieres decir, fenicio?

—Como Jesús se expresa a menudo a través de parábolas, es posible que en esta oportunidad haya hablado en forma simbólica. ¡Él no subió a Jerusalén con el único objeto de comer un cordero asado en compañía de sus apóstoles, o de cantar a coro el *Hallel*![24] Su intención es completar la predicación que comenzó oficialmente, en cierto modo, con el sermón de Cafarnaún, hace dos años, es decir, para convencer al pueblo de Israel de dos verdades esenciales: la primera, simbolizada por la desecación de esa higuera frondosa que en un instante se convirtió en un pedazo de madera muerta, que la religión de Moisés ha sido terriblemente pervertida por los vicios y los pecados de Israel; la segunda, que él, Jesús, es portador de un nuevo mensaje de parte del mismo Dios, un mensaje más universal que el de Moisés, que es la Buena Noticia de que su sacrificio redimirá a la raza de Adán, que decepcionó al Eterno.

—Adhiero plenamente a tus palabras, fenicio, y el símbolo de la higuera maldita tiene relación con las lágrimas que derramó ayer el Nazareno sobre Jerusalén. Lo que constituyó la fuerza de Israel en los tiempos de Moisés y de David, fue sin duda su Ley, y so-

23. *Mateo* 21, 18-22; *Marcos* 11, 12-14.
24. Véase p. 205 ss.

bre todo, el hecho de que Israel la respetaba. Pero al igual que la higuera, se volvió caduca y ya no da frutos... Sobre todo porque, desde la época de Moisés, el mundo de las naciones ha cambiado. La nueva energía que debe nutrir y salvar no sólo a Israel, sino a todos los pueblos de la tierra, será desde ahora la *fe*, que puede mover montañas, mientras que la *Ley* no puede hacerlo.

—Me encanta que estemos de acuerdo, caballero. Esta historia de la higuera maldecida circulará por todos los atrios. Espero con impaciencia que aparezca el Nazareno, para que nos aclare mejor las cosas: tengo la impresión de que pasaremos todo este día hablando de la descomposición de Israel.

—¿Qué quieres decir? ¿Tú también hablas por medio de enigmas? ¡Llama a las cosas por su nombre y explícate!

—No quiero decir que el pueblo de Israel vaya a morir o desaparecer: lejos de mí esa idea. Lo que pienso es que Jesús está obsesionado por el carácter anticuado de la religión y del sistema político del pueblo al que pertenece. Quiere regenerarlo predicando un nuevo ideal. Pero para eso debe mostrarle las insuficiencias e incluso los absurdos del antiguo, y prefiere hacerlo por medio de símbolos y fábulas... Parábolas, si quieres.

—Hablando de Jesús, mira quién viene —dijo sonriendo Marcelo.

En efecto, Jesús acababa de atravesar la puerta Dorada, seguido por sus apóstoles y una cohorte de admiradores de aspecto más plebeyo que fariseo, y se dirigía hacia el atrio de los sacerdotes. Esto le hizo decir al caballero:

—Tendremos una jornada movida, Hiram: seguramente el Nazareno se va a pelear con los doctores obstinados y los fariseos rigoristas, sobre todo si ataca los fundamentos de Israel, su Ley, sus tradiciones, y el dogma de que Israel es el único pueblo elegido por Dios. Ven, sigámoslo: éste puede ser un día histórico para el mundo de las ideas religiosas, tal vez semejante a aquella noche ateniense en la que el padre Sócrates disertó sobre el amor en casa de Agatón, hace más de cuatro siglos.

Tras estas palabras, los dos compañeros se apresuraron a ingresar al atrio de los sacerdotes. Allí, frente a una asamblea de Ancianos, sumos sacerdotes, escribas, fariseos y saduceos, Jesús pronunció su primer sermón para la Pascua: la parábola de los dos hijos.

PARÁBOLA DE LOS DOS HIJOS
(taquigrafiada por Estenón, para el caballero Marcelo)

"¿Qué les parece? Un hombre tenía dos hijos y, dirigiéndose al primero, le dijo: 'Hijo, quiero que hoy vayas a trabajar a mi viña'. Él respondió: 'No quiero'. Pero después se arrepintió y fue. Dirigiéndose al segundo, le dijo lo mismo y éste le respondió: 'Voy, Señor', pero no fue. ¿Cuál de los dos cumplió la voluntad de su padre?

Los sacerdotes y los escribas allí presentes le respondieron al unísono: 'El primero'. Entonces Jesús les dijo: 'Les aseguro que los publicanos y las prostitutas llegan antes que ustedes al Reino de Dios. Porque Juan vino a ustedes por el camino de la justicia y no creyeron en él; en cambio, los publicanos y las prostitutas creyeron en él. Pero ustedes, ni siquiera al ver este ejemplo se han arrepentido ni han creído en él."[25]

Un pesado silencio siguió a las palabras del Nazareno. Marcelo aprovechó para murmurar al oído de Hiram:

—¿Te acuerdas, fenicio? En diciembre pasado, durante la fiesta de la Dedicación, Jesús ya había hablado de la decadencia de Israel y del papel del buen pastor que le había confiado su Padre: los fariseos protestaron, y luego lo interrogaron sobre el Mesías, e intentaron apedrearlo bajo los pórticos cuando declaró que él y "su" Padre eran uno.[26] Hoy no dijeron ni una palabra, y ni siquiera se sobresaltaron ante la palabra "prostituta".

—¿Crees que empiezan a admitir su discurso?

—No, en absoluto. En realidad, dejan que se hunda en lo que ellos consideran como la mayor blasfemia, la de pretender ser Hijo de Dios, para poder atacarlo mejor después, cuando Caifás lo convoque ante el Sanedrín. Es una estrategia clásica entre los juristas, que los fariseos dominan. Pero Jesús, ya te lo dije, es astuto, y no ha nacido todavía el hombre que pueda hacerlo caer en una trampa dialéctica.

—Sobre todo porque suele hablar en parábolas —añadió el fe-

25. Cf. *Mateo* 21, 28-32.
26. Véase p. 420 ss.

nicio—, y siempre puede alegar que sus adversarios no las entendieron...

—En eso no estoy de acuerdo contigo, Hiram: las imágenes
que emplea cuando quiere encubrir sus ideas no tienen nada de
nuevo. La viña, por ejemplo, es el símbolo de Israel desde los profetas. Isaías declamaba:

"La viña del Señor de los ejércitos es la casa de Israel,
y los hombres de Judá son su plantación predilecta."[27]

—Sí, entiendo: Dios esperaba de su viña un vino delicioso, y no
obtiene más que un vinagre deplorable. La viña lo decepciona, y del
mismo modo lo decepcionó Israel.

Como para darle la razón al fenicio, Jesús comenzó a exponer
ante la ferviente multitud que lo rodeaba, la parábola de los viñadores homicidas.[28]

PARÁBOLA DE LOS VIÑADORES HOMICIDAS
pronunciada en el Templo, el lunes 3 de abril
del año 783 de Roma, por Jesús de Nazaret
(taquigrafiada por Estenón, para el caballero Marcelo)

"Un hombre plantó una viña, la cercó, cavó un lagar y construyó
una torre de vigilancia. Después la arrendó a unos viñadores y se fue
al extranjero. A su debido tiempo, envió a un servidor para percibir de
los viñadores la parte de los frutos que le correspondía. Pero ellos lo
tomaron, lo golpearon y lo echaron con las manos vacías. De nuevo les
envió a otro servidor, y a éste también lo maltrataron y lo llenaron de
ultrajes. Envió a un tercero, y a éste lo mataron. Y también golpearon
o mataron a muchos otros. Todavía le quedaba alguien, su hijo, a
quien quería mucho, y lo mandó en último término, pensando: 'Respetarán a mi hijo'. Pero los viñadores se dijeron: 'Éste es el heredero:
vamos a matarlo y la herencia será nuestra'. Y apoderándose de él, lo
mataron y lo arrojaron fuera de la viña. ¿Qué hará el dueño de la viña?

27. *Isaías* 5, 7.
28. *Marcos* 12, 1-11.

Vendrá, acabará con los viñadores y entregará la viña a otros. Como dice la Escritura:

La piedra que los constructores rechazaron
ha llegado a ser la piedra angular:
Ésta es la obra del Señor,
admirable a nuestros ojos."[29]

Jesús parecía haber terminado su sermón, y ya los escribas y los sumos sacerdotes se levantaban para interpelarlo, cuando, para aclarar su pensamiento, él añadió, mirándolos de frente: *"Por eso les digo que el Reino de Dios les será quitado a ustedes, para ser entregado a un pueblo que le hará producir sus frutos. El que caiga sobre esta piedra quedará destrozado, y aquel sobre quien ella caiga, será aplastado".*[30]

En el pesado silencio que siguió a esta amenaza, mientras el predicador retomaba su aliento, y los escribas y los fariseos enarbolaban una sonrisa burlona de satisfacción, Marcelo le dijo a Hiram en voz baja:

—El significado de esta parábola no puede ser más claro, fenicio: la viña es el símbolo del Reino de Dios, y los viñadores representan a los fariseos, los sacerdotes y los escribas que rechazan a Jesús, la piedra angular de ese Reino. Esta defensa de su propia causa y la amonestación que profirió contra ellos sólo puede hacerlos sonreír, como lo están haciendo, por otra parte. Pero en mi opinión, muy pronto reirán de dientes afuera... Mira el aspecto de esos judíos que, desde hace algunos minutos, están entrando a este atrio de los sacerdotes,[31] donde hay tanta gente que casi no cabemos: no son ni fariseos ricos, celosos de sus derechos y de su posición, ni sacerdotes escrupulosos, ni escribas: son lo que en Roma llamaríamos, los *populares.*

—Los conozco, caballero, los conozco: representan el ochenta por ciento de la población de Jerusalén, y prácticamente la totalidad de la población rural de Judea y de Samaria. Son campesinos, arte-

---

29. *Salmos* 118, 22-24.
30. *Mateo* 21, 43-44.
31. Véase el plano del Templo y sus atrios, p. 446.

sanos, pequeños comerciantes, permanentemente hostigados por sus acreedores y por los publicanos. Estoy seguro de que a ellos los conmoverán las palabras de Jesús, como conmovieron a los campesinos y los pastores de los alrededores del lago de Tiberíades.

—Por eso te digo que los fariseos pronto se verán obligados a tragarse su desprecio, Hiram.

—¿Crees que Jesús sería capaz de desencadenar una revuelta, aquí, en el Templo?

—¡De ninguna manera! Jesús no llama a nadie a la rebelión contra nadie: si lo hiciera, los guardias del Templo y los legionarios de Pilato acantonados en la torre Antonia pondrían fin al movimiento de inmediato, como ya ocurrió en el pasado. Pero su predicación puede despertar ideas en otras personas... Acuérdate de la Parábola de los invitados,[32] que pronunció poco antes de ir a refugiarse a Perea, a fines de diciembre pasado. En ella advertía solemnemente, en forma simbólica, a los judíos que lo escuchaban, que Dios abandonaría a Israel si éste perseveraba en el pecado. A ustedes, el pueblo de Abraham, Dios los invitó a su banquete de bodas, les dijo, y ustedes no respondieron a su invitación: no se extrañen entonces si perdieron su lugar, y otros pueblos lo ocupan ahora.

—Entiendo, caballero —concluyó Hiram—. Los judíos traicionaron con frecuencia al Eterno, que sin embargo les dio una oportunidad muchas veces: enviándoles a Noé, luego a Moisés, luego a David, luego a los profetas. Pero eso no sirvió para nada, y llegó el castigo supremo: la destrucción del Templo de Salomón, las dos deportaciones, primero la de los babilonios, en la Mesopotamia, y luego la de los asirios... y ahora, por supuesto, la confiscación de su Tierra Santa por parte de los romanos. Al predicar sus verdades ante los judíos, aunque sea en forma de parábolas, en el atrio de los sacerdotes, Jesús muestra todas las características de un provocador religioso. Las autoridades del Templo lo comprendieron perfectamente. Cuando terminó su Parábola de los viñadores homicidas, observé a los sumos sacerdotes y a los doctores: estaban a punto de arrojarse sobre Jesús, ¡y sabe Dios qué le habrían hecho!

—Lo que los contuvo, Hiram, fue el miedo a los *populares*. ¡Esos

32. Véase p. 525.

viejos sabios son valientes, pero no temerarios! Míralos: están saliendo de aquí con la cabeza gacha. Pero sin embargo, Jesús todavía no ganó la partida: veamos qué nos reserva el día de mañana.

A la mañana siguiente, martes 4 de abril, Jesús, que había pasado la noche a salvo en Betania, volvió a tomar el camino a Jerusalén con sus apóstoles y su pequeño grupo de amigos y discípulos, que se engrosaba cada vez más, y al que se había agregado el cuidador de cabras del fenicio, promovido, en virtud de las circunstancias, a informante oficial de Marcelo. Volvieron a pasar frente a la higuera maldecida por el Nazareno el día anterior: había perdido todas sus hojas y estaba seca hasta las raíces. Según el pastor de cabras, Pedro, recordando lo que había pasado, le habría dicho a Jesús: "Maestro, mira, la higuera que ayer has maldecido se ha secado". Y el Nazareno le respondió, como lo había hecho el día anterior después de pronunciar su maldición:

—Tengan fe en Dios, y todo lo que le pidan orando sinceramente, lo conseguirán. Así, yo he maldecido a esta higuera, y fui escuchado. Pero si tienen algo en contra de alguien, perdónenlo, y el Padre que está en el cielo les perdonará también sus faltas".[33]

Luego, la travesía siguió sin incidentes notables hasta Jerusalén. Jesús ingresó a la explanada del Templo por la misma puerta que de costumbre —la puerta Dorada— y, como el día anterior, grupos de sacerdotes y de escribas fueron a su encuentro para hacerle preguntas. Sereno, y casi sonriente, Jesús respondió apresuradamente a unos y otros, y se dirigió rápidamente hacia la Bella Puerta. Después de atravesarla, permaneció unos instantes sentado en el atrio de las mujeres, donde pronto se vio rodeado por un grupo de fariseos y saduceos que habían suspendido sus querellas para aliarse en contra del Nazareno, y ahora lo mostraban ante el pueblo como un peligroso hereje y un traidor a la causa milenaria de Israel. Por medio de sus preguntas insidiosas, trataban de obtener de él respuestas que pudieran considerarse públicamente como blasfemas. Volvieron sobre temas que ya habían discutido con Jesús en condiciones menos solemnes, con la esperanza de ence-

33. Cf. *Marcos* 11, 24-25.

rrarlo en una red de contradicciones: ¿cuál es el mayor de todos los mandamientos de Dios? ¿Hay que pagar el tributo a César?[34] ¿En qué condiciones tendría lugar la resurrección de los muertos, de la que tanto hablaba?[35]

Pacientemente, concienzudamente, iban plantando sus banderillas. Jesús las esquivaba poniendo a sus adversarios frente a sus propias contradicciones, bajo las miradas al mismo tiempo inquietas y confiadas de Hiram y Marcelo. Luego perdió la paciencia y dio rienda suelta a su cólera y su mal humor, como lo había hecho en ese mismo atrio en octubre,[36] durante su primer gran altercado con los escribas, los sacerdotes y los fariseos.

INVECTIVAS CONTRA LOS ESCRIBAS Y LOS FARISEOS
pronunciadas en el atrio de las mujeres por Jesús
el martes 4 de abril del año 783 de Roma
(taquigrafiado por Estenón, para el caballero Marcelo)

"Los escribas y fariseos ocupan la cátedra de Moisés;[37] ustedes hagan y cumplan todo lo que ellos les digan, pero no se guíen por sus obras, porque no hacen lo que dicen. Atan pesadas cargas y las ponen sobre los hombros de los demás, mientras que ellos no quieren moverlas ni siquiera con el dedo. Todo lo hacen para que los vean: agrandan las filacterias[38] y alargan los flecos de sus mantos; [...] A nadie en el mundo llamen 'padre', porque no tienen sino uno, el Padre celestial. No se dejen llamar tampoco 'doctores', porque sólo tienen un Doctor, que es el Mesías. Que el más grande de entre ustedes se haga servidor de los otros, porque el que se ensalza será humillado, y el que se humilla será ensalzado.

¡Ay de ustedes, escribas y fariseos hipócritas, que cierran a los

---

34. *Marcos* 12, 14-17.
35. *Marcos* 12, 18-27.
36. Véase p. 470 y ss.
37. Símbolo de la autoridad oficial conferida a los escribas —a quienes se llamaba también "legistas"—, que se encargaban de enseñar la Ley mosaica y controlar que fuera bien aplicada.
38. Pequeños estuches de cuero de forma cúbica que contenían la copia de los pasajes esenciales de la Ley, y que los escribas y los fariseos se colocaban en la frente y en las muñecas cuando oraban.

hombres el Reino de los Cielos! Ni entran ustedes, ni dejan entrar a los que quisieran. ¡Ay de ustedes, escribas y fariseos hipócritas, que recorren mar y tierra para conseguir un prosélito, y cuando lo han conseguido lo hacen dos veces más digno de la Gehena que ustedes! ¡Ay de ustedes, guías ciegos, que dicen: 'Si se jura por el santuario, el juramento no vale; pero si se jura por el oro del santuario, entonces sí que vale!' ¡Insensatos y ciegos! ¿Qué es más importante: el oro o el santuario que hace sagrado el oro? Ustedes dicen también: 'Si se jura por el altar, el juramento no vale, pero vale si se jura por la ofrenda que está sobre el altar'. ¡Ciegos! ¿Qué es más importante, la ofrenda o el altar que hace sagrada esa ofrenda? Ahora bien, jurar por el altar, es jurar por él y por todo lo que está sobre él. Jurar por el santuario, es jurar por él y por aquel que lo habita. Jurar por el cielo, es jurar por el trono de Dios y por aquel que está sentado en él.

¡Ay de ustedes, escribas y fariseos hipócritas, que pagan el diezmo de la menta, del hinojo y del comino, y descuidan lo esencial de la Ley: la justicia, la misericordia y la fidelidad! Hay que practicar esto, sin descuidar aquello. ¡Guías ciegos, que filtran el mosquito y se tragan el camello! ¡Ay de ustedes, escribas y fariseos hipócritas, que limpian por fuera la copa y el plato, mientras que por dentro están llenos de codicia y desenfreno! ¡Fariseo ciego! Limpia primero la copa por dentro, y así también quedará limpia por fuera.

¡Ay de ustedes, escribas y fariseos hipócritas, que parecen sepulcros blanqueados: [...] que construyen los sepulcros de los profetas y adornan las tumbas de los justos, diciendo: 'Si hubiéramos vivido en el tiempo de nuestros padres, no nos hubiéramos unido a ellos para derramar la sangre de los profetas'! De esa manera atestiguan contra ustedes mismos que son hijos de los que mataron a los profetas. ¡Colmen entonces la medida de sus padres! ¡Serpientes, raza de víboras! ¿Cómo podrán escapar a la condenación de la Gehena? Por eso, yo voy a enviarles profetas, sabios y escribas; ustedes matarán y crucificarán a unos, azotarán a otros en las sinagogas, y los perseguirán de ciudad en ciudad. Así caerá sobre ustedes toda la sangre inocente derramada en la tierra, desde la sangre del justo Abel, hasta la sangre de Zacarías, hijo de Baraquías, al que ustedes asesinaron entre el santuario y el altar. Les aseguro que todo esto sobrevendrá a la presente generación."39

39. *Mateo* 23, 1-36; pero también *Marcos* 12, 28-34 y *Lucas* 11, 39-52.

—¡Bueno, lo menos que se puede decir es que no tiene pelos en la lengua, nuestro Nazareno! —exclamó Marcelo después de oír ese sermón—. Pudieron haberlo lapidado en el acto, ya que esta mañana no tenía aliados en el atrio de las mujeres.[40]

—Eso no es cierto, caballero. Es verdad que no hay una multitud, ni en el atrio de las mujeres, ni en el de los gentiles, porque en Jerusalén todo el mundo está pensando mucho más en el *séder*[41] que en la política o en la teología. El anuncio de la lapidación de Jesús podría provocar disturbios en la ciudad, cosa que no pueden admitir ni Pilato ni Herodes Antipas, quien, aunque sea rey, vino a celebrar la Pascua a Jerusalén, como todos los judíos.

—Me contaron que efectivamente el tetrarca manifestó cierto interés por Jesús. ¿Tú qué dices, Hiram? Yo no estaba al tanto de esto.

—Yo tampoco, caballero. Recién anoche me lo dijo un caravanero. Parece que el tetrarca se interesa por el caso del Nazareno desde que comenzó a predicar en Galilea, hace dos años. En cierto modo, Jesús es uno de sus súbditos, ya que es galileo,[42] y fue en Galilea, especialmente alrededor del lago de Tiberíades, donde predicó por primera vez: acuérdate del Sermón de la Montaña y del de Cafarnaún. Él vivía en Betsaida, Galilea, y todos sus apóstoles son galileos, incluyendo a Mateo, un publicano que no es otro que Leví, el recaudador de impuestos de Cafarnaún. Antes de llegar a oídos de Pilato y del Templo, la fama de Jesús llegó con total naturalidad a los de Herodes Antipas, que vive en Tiberíades, en pleno corazón de esa Galilea a través de la cual Jesús difundía su doctrina de aldea en aldea.

—Tienes mil veces razón, Hiram, y confieso que nunca pensé en ello. Siempre tuve tendencia a olvidar que Palestina no es únicamente Jerusalén...

40. Véase p. 473.

41. La cena pascual, en la cual se consumía un cordero asado. Se llevaba a cabo en la noche del 14 al 15 de Nisan, primer mes del año judío.

42. Recordemos que los territorios conferidos por Augusto a Herodes Antipas, en la división del reino de su padre, incluían las tierras palestinas del este del Jordán —Perea— y Galilea, de donde era originario Jesús. Por su parte, Herodes residía en la capital de ese reino, sobre el mar de Galilea, que el tetrarca llamaba "lago de Tiberíades", en homenaje al emperador Tiberio.

—¡Del mismo modo que el Imperio no es únicamente Roma, caballero! Debes saber que la policía del tetrarca ya vigilaba a Jesús incluso antes de su primera subida a Jerusalén, en la época del Sermón de la Montaña.

—Ya lo sé. Y Pilato me contó que cuando Herodes Antipas oyó hablar de un profeta galileo que había provocado una pelea en el atrio de los gentiles, en Jerusalén, creyó que era Juan el Bautista resucitado de entre los muertos...[43] Por otra parte, siempre estuve convencido de que los permanentes desplazamientos de Jesús y sus apóstoles tenían como objetivo huir de los esbirros de Herodes. Incluso me dijeron que antes de su primera subida a Jerusalén, algunos fariseos de Cafarnaún con los que él tenía buenas relaciones, lo habrían alertado: "Aléjate de aquí, porque Herodes quiere matarte". Jesús les habría contestado que fueran a decirle a "ese zorro", como llamaba al tetrarca, que durante dos días expulsaría demonios y llevaría a cabo curaciones, pero inmediatamente después se iría de Galilea, porque, según dijo: *No puede ser que un profeta muera fuera de Jerusalén*".[44]

—A mí me dijeron lo contrario en aquel momento —dijo el fenicio—, pero no te lo comenté porque me pareció irrelevante. Poco después de ordenar que le cortaran la cabeza a Juan en las condiciones que ya conoces, Herodes estaba sorprendido porque corría el rumor de que Jesús no era otro que Juan resucitado de entre los muertos, y solía decir a propósito de esto: "A Juan yo mismo lo hice decapitar, pero éste ¿quién es?", y trataba de ver al Nazareno.

—Todo concuerda —dijo del caballero—: Herodes no era hostil a Jesús, e incluso lo habría recibido en su reino, pero Jesús no tenía confianza en ese rey vengativo, a causa de la amistad que lo había unido a Juan. Por lo tanto, renunció a establecerse abiertamente en Perea. Y como también estaba bajo la amenaza de las persecuciones del Templo después de su segunda subida a Jerusalén,[45] prefirió que se olvidaran de él y desapareció durante más de ocho meses.

—¡Cómo nos hizo correr, a mí y a mis informantes, el amigo Jesús! — dijo Hiram—. ¡Hace dos años que lo seguimos, y hemos

---

43. *Marcos* 6, 14.
44. *Lucas* 13, 33.
45. En julio del año 28, después de haberse proclamado en Jerusalén Hijo de Dios por primera vez, durante el verano del año 28.

registrado su paso por unos cincuenta lugares diferentes! Sin embargo, me pregunto si al volver a Jerusalén por cuarta vez en dos años, y sobre todo, al actuar como acaba de hacerlo frente a los sumos sacerdotes, los escribas y los fariseos, Jesús no habrá llegado a un punto sin retorno. En rigor, los dirigentes civiles y religiosos de Jerusalén podían admitir que echara a latigazos a los mercaderes del atrio de los gentiles, pero no pueden aceptar que los insulte a ellos públicamente, como acaba de hacerlo al llamarlos "hipócritas" y "viejos sepulcros blanqueados".

—Pienso lo mismo que tú, fenicio, pero no estoy demasiado preocupado: ya no estamos en tiempos de Moisés, y ya pasó la época en que los judíos condenaban a muerte a un hombre por violar el shabbat o, lo que es menos grave con respecto a la Ley, por insultar a un sumo sacerdote. Lo peor que le podría pasar a Jesús sería que lo expulsaran de Judea, incluso de Galilea, o que lo enviaran a prisión.

—Que el cielo te oiga, caballero. Yo mantengo las esperanzas. Mira a tu alrededor: no hay un solo guardia frente a la puerta Nicanor, y el sol ya está casi en su punto más alto: tengo la impresión de que después de este arranque de ira, Jesús cambiará de discurso y dejará de lanzar invectivas contra Israel, sus sacerdotes y su Ley.

—Sus invectivas no se dirigen contra Israel, mi querido Hiram, sino contra el "sistema" instaurado en el seno de esta nación y de las otras, que usa la religión como medio de poder. Él cree místicamente en la necesidad de una *conversión*,[46] como repite sin cesar, no sólo de los judíos, sino de toda la humanidad, que para guiarse, no puede limitarse solamente a la Ley de Moisés. Esta mañana se dirigió a los que organizan ese "sistema" y a los que sacan provecho de él. Los insultó y los puso en la picota. Pero ahora les va a hablar a sus víctimas como profeta apocalíptico, y no como fiscal, para anunciarles en nombre de Dios que deben arrepentirse y apartarse del "sistema" para recibir al Hijo de Dios y la Buena Noticia. Mira: Jesús se alejó del santuario y contempla la ciudad que se extiende a sus pies... Está por hablar, Hiram. Dame una tablilla para anotar sus palabras... Se diría que tiene lágrimas en los ojos...

46. La palabra griega, en los *Evangelios*, es *metanoia*: se refiere a una profunda conversión interior.

REPROCHE DE JESÚS A JERUSALÉN
pronunciado el martes 4 de abril del año 783 de Roma
desde lo alto de las terrazas del Templo

"¡Jerusalén, Jerusalén, que matas a los profetas y apedreas a los que te son enviados! ¡Cuántas veces quise reunir a tus hijos, como la gallina reúne bajo sus alas a los pollitos, y tú no quisiste! Por eso, a ustedes la casa les quedará vacía. Les aseguro que ya no me verán más, hasta que llegue el día en que digan: '¡Bendito el que viene en nombre del Señor!'."[47]

—Este anuncio no es nuevo, caballero: Jesús ya lo hizo varias veces.

—Sí, es algo que lo obsesiona: muchas veces predijo la futura destrucción de Jerusalén: sería el castigo que infligiría Dios a su pueblo por haberlo traicionado.

—En esto hay algo que nunca pude entender, caballero, aunque incluso siendo fenicio, soy un buen judío.

—¿De qué se trata?

—¿Por qué Yahveh, que es omnipotente, permitió el mal que hacen los hombres, las injusticias de los fariseos y todas las traiciones de Israel, que lo han llevado a castigar a su pueblo?

—Terrible pregunta, Hiram, a la que, si no me equivoco, Jesús respondió cuando le devolvió la vista al mendigo de Jericó, que era ciego de nacimiento. En realidad, desde hace por lo menos seis meses, es decir, desde que salió de su silencio, Jesús no pierde una sola oportunidad de anunciar a sus discípulos el derrumbe de la civilización actual.

En ese momento, hubo un movimiento entre el gentío cerca de la puerta Dorada: Jesús, sus apóstoles y el pequeño grupo de fieles que lo seguía desde hacía varios días estaban saliendo de la explanada del Templo y tomaban la dirección del monte de los Olivos:

—¡Qué curioso! —observó Marcelo—: parece que Jesús no predicará bajo los pórticos esta tarde. O bien considera que dijo demasiado y regresa a Perea para ponerse a salvo de las persecuciones del

47. *Lucas* 13, 34-35.

Templo, o bien, considerando que dijo todo lo que tenía que decir, se va a preparar la Pascua en Betania.

—Sigámoslo, caballero, así sabremos a qué atenernos. Por otra parte, una vez que Jesús se haya ido, no tenemos nada más que hacer aquí, sin contar con que el cielo se está oscureciendo y pronto tendremos una hermosa tormenta de primavera.

—Vayamos a pie, Hiram: Betania está a poco más de una hora de marcha. En caso de necesidad, nos resguardaremos en el camino.

Alcanzaron a Jesús y su comitiva en la ladera del monte de los Olivos. La tormenta que se anunciaba se había desencadenado, y el Nazareno, sus apóstoles y sus fieles se instalaron como pudieron en el interior de una gruta suficientemente profunda como para cobijarlos a todos. Los truenos no dejaban de retumbar, los rayos atravesaban el cielo con una luz que parecía sobrenatural. Jesús, sentado aparte cerca de la entrada de la gruta, meditaba o rezaba. Mientras se alejaban de las murallas grises de Jerusalén que dominaban orgullosamente los mármoles blancos y el oro del Templo, uno de sus apóstoles, admirando el panorama, le había dicho: "¡Maestro, mira esas piedras, esas grandes construcciones!", y él había respondido, dirigiéndose a todos los que lo seguían: *"¿Ven todo esto? Les aseguro que no quedará aquí piedra sobre piedra: todo será destruido"*.[48]

Ahora estaba esperando que pasara la tormenta, y sus apóstoles fueron a verlo, uno por uno, a solas, para hacerle las mismas preguntas: "Maestro, dinos, esas cosas que tú anuncias ¿no anuncian el fin del mundo y el advenimiento de tu gloria? ¿Cuándo tendrá lugar ese apocalipsis? ¿Y cuáles serán los signos de tu advenimiento y de que todo terminará?" Él les hizo entonces la siguiente declaración, que Marcelo, instalado en un rincón de la gruta, pudo oír y anotar en sus tablillas de cera, que nunca lo abandonaban.

APOCALIPSIS ANUNCIADO POR JESÚS
el martes 4 de abril del año 783 de Roma, en el monte de los Olivos

"Tengan cuidado de que no los engañen, porque muchos se presentarán en mi Nombre, diciendo: 'Yo soy el Mesías', y engañarán a

---

48. *Mateo* 24, 1-3; *Marcos* 13, 1-4; *Lucas* 21, 5-7.

mucha gente. Ustedes oirán hablar de guerras y de rumores de guerras; no se alarmen: *todo esto debe suceder*, pero todavía no será el fin. En efecto, se levantará nación contra nación y reino contra reino. En muchas partes habrá hambre y terremotos. Todo esto no será más que el comienzo de los dolores del parto. Ustedes serán entregados a la tribulación y a la muerte, y serán odiados por todos los paganos[49] a causa de mi nombre. Entonces muchos sucumbirán; se traicionarán y se odiarán los unos a los otros. Aparecerá una multitud de falsos profetas, que engañarán a mucha gente. Al aumentar la maldad se enfriará el amor de muchos, pero el que persevere hasta el fin, se salvará. Esta Buena Noticia del Reino será proclamada en el mundo entero como testimonio delante de todos los pueblos, y entonces llegará el fin.

Cuando vean en el Lugar santo la Abominación de la desolación, de la que habló el profeta Daniel —el que lea esto, entiéndalo bien—, los que estén en Judea, que se refugien en las montañas; el que esté en la azotea de su casa, no baje a buscar sus cosas; y el que esté en el campo, que no vuelva a buscar su manto. ¡Ay de las mujeres que estén embarazadas o tengan niños de pecho en aquellos días! Rueguen para que no tengan que huir en invierno o en día sábado. Porque habrá entonces una gran tribulación, como no la hubo desde el comienzo del mundo hasta ahora, ni la habrá jamás. Y si no fuera abreviado ese tiempo, nadie se salvaría; pero será abreviado, a causa de los elegidos. Si alguien les dice entonces: 'El Mesías está aquí o está allí', no lo crean. Porque aparecerán falsos mesías y falsos profetas que harán milagros y prodigios asombrosos, capaces de engañar, si fuera posible, a los mismos elegidos. Por eso los prevengo. [...] Inmediatamente después de la tribulación de aquellos días, el sol se oscurecerá, la luna dejará de brillar, las estrellas caerán del cielo y los astros se conmoverán. Entonces aparecerá en el cielo la señal del Hijo del hombre.[50] Todas las tribus de la tierra se golpearán el pecho y verán al Hijo del hombre venir sobre las nubes del cielo, lleno de poder y de gloria. Y él enviará a sus ángeles para que, al sonido de la trompeta, congreguen a sus elegidos de los cuatro puntos cardinales, de un extremo al otro del horizonte. [...] Cuando vean todas estas cosas, sepan que el fin está cerca,

49. Este término designa a los no judíos.
50. Así designa Jesús al Mesías.

a la puerta. Les aseguro que no pasará esta generación, sin que suceda todo esto. El cielo y la tierra pasarán, pero mis palabras no pasarán. En cuanto a ese día y esa hora, nadie los conoce, ni los ángeles del cielo, ni el Hijo, sino sólo el Padre. [...] Ustedes también estén preparados, porque el Hijo del hombre vendrá a la hora menos pensada."[51]

—Eso es hablar como un profeta, caballero —dijo Hiram—. Pero ¿qué quiere decir con "estén preparados"?

—Seguramente: Estén suficientemente lavados de sus pecados en todo momento para entrar en el Reino de Dios que se instaurará después de ese cataclismo, porque sólo Dios conoce el día y la hora de la venida de su Enviado, y para cada uno de ustedes vendrá por sorpresa, como un ladrón.[52]

Había dejado de llover, las nubes negras del oeste se habían disipado; ya era de noche, y desde lo alto del cielo, la luna llena de la Pascua iluminaba el monte de los Olivos y las casitas blancas de adobe de Betania, en las que brillaban algunas modestas lámparas de aceite. Jesús se despidió de Marcelo y de su compañero, que habían decidido pernoctar en casa de Simón el Leproso, y se dirigió hacia la casa de su amigo Lázaro. Éste lo aguardaba, ansioso, en el umbral de la puerta. Le abrió los brazos con alegría, mientras el Nazareno lanzaba una última profecía a sus somnolientos apóstoles, que ya se alejaban a través de la aldea en busca de algún granero hospitalario: *"Ya saben que dentro de dos días se celebrará la Pascua, y el Hijo del hombre será entregado para ser crucificado"*.[53]

Pero sus palabras se perdieron en la espesa bruma nocturna de Betania...

---

51. *Mateo* 24, 3-44.
52. *"Permanece alerta* [...]. *Recuerda cómo has recibido y escuchado la Palabra: consérvala fielmente y arrepiéntete. Porque si no vigilas, llegará como un ladrón, y no sabrás a qué hora te sorprenderé"* (*Apocalipsis* 3, 2-4). El Enviado —el Mesías— sería Jesús, resucitado después de su futura muerte, que reinaría en persona, en primer lugar sobre la tierra, durante mil años, y luego en el cielo. Esta segunda venida de Jesús a la tierra se llama *"parusía"* (del griego *parousia*, "venida").
53. *Mateo* 26, 1-2.

24

La última cena

Miércoles 5-jueves 6 de abril, año 783 de Roma
(30 d.C.)

Miércoles 5 de abril: al amanecer, Caifás convoca a los principales miembros del Sanedrín a la colina del Mal Consejo, para determinar las medidas a tomar con respecto a Jesús; al final de la mañana, Judas el Iscariote propone entregarlo a las autoridades del Templo – Jueves 6 de abril a la mañana: en Betania, Jesús le da instrucciones a Juan de Zebedeo para preparar la Pascua, que ha decidido celebrar esa noche – Jueves 6 de abril a la noche: Jesús se reúne con sus doce apóstoles en el Cenáculo, para la cena pascual; Jesús lava los pies de sus apóstoles, y luego tiene lugar la cena ritual; durante la cena, Jesús anuncia que uno de los comensales presentes lo traicionará; Judas huye; un poco antes de la medianoche, Jesús instituye el rito de la eucaristía ("Esto es mi cuerpo, esto es mi sangre") – Después de medianoche: última conversación, en cuyo transcurso Jesús enuncia el fundamento del mensaje evangélico ("Ámense los unos a los otros"); la oración sacerdotal: la unidad consustancial entre el Padre y el Hijo.

En la mañana del miércoles 5 de abril, Hiram y Marcelo, que esperaban a Jesús y sus seguidores desde el alba a la salida de Betania, en el camino a Jerusalén, se dieron cuenta de que habían perdido el tiempo: el Nazareno había decidido no ir al Templo ese día. Los dos amigos estaban sorprendidos.

—¡Qué raro! —dijo el fenicio—. Hoy es la víspera de los panes sin levadura, y en los atrios y bajo los pórticos, habrá más gente que nunca: jamás encontrará Jesús una oportunidad mejor para dar a conocer su Buena Noticia a un público tan grande. A pesar de eso, es evidente que renunció a ir hoy al Templo y predicar. Me pregunto cuál será el motivo...

—Quizá —conjeturó Marcelo— tenga miedo de que lo arresten por orden de los sumos sacerdotes o bajo la presión de los escribas y los fariseos, que, en principio, son enemigos de cualquier innovación en materia de doctrina y hostiles a toda forma de agitación, más aun después de las escandalosas invectivas que lanzó ayer contra ellos en público.

—Jesús no corre demasiados riesgos, caballero, porque ni Caifás ni el colegio de los sumos sacerdotes se atreverán nunca a dar la orden de interpelarlo en plena celebración: es demasiado popular, y su detención podría desencadenar una revuelta que nadie sabe cómo podría terminar.[1]

—Eso es lo que tú dices, Hiram, pero no es tan seguro. Estoy de acuerdo contigo en que Jesús es popular en los alrededores del mar de Galilea, o en Caná, pero de los cincuenta o sesenta mil judíos que deambulan por la explanada del Templo desde el comienzo del período pascual, debe de haber sólo un centenar que lo oyó predicar, además de los escribas y los sacerdotes. Además, créeme: si Jesús realmente fuera popular, Pilato ya tendría su expediente. Pero hasta hace muy poco tiempo, el procurador ni siquiera conocía su nombre. En realidad, son sus apóstoles y sus discípulos los que se imaginan que todos conocen a Jesús en Judea. Para Caifás, no es más que un agitador galileo que insulta a Israel y a la Ley, y al que hay que neutralizar de alguna manera.

Marcelo estaba en lo cierto. Ese mismo miércoles, el príncipe de los sacerdotes había reunido a los miembros del Sanedrín, o por lo menos, a los más influyentes de ellos, y a algunos representantes del partido fariseo en su villa de la colina del Mal Consejo, un cerro ubicado en las afueras de Jerusalén, del otro lado del valle de Cedrón. En esta conferencia oficiosa de alto nivel también estaban presentes los jefes de las dos grandes familias sacerdotales judías, la de Anás, el pontífice que había conocido Marcelo cuando era sumo sacerdote, treinta años atrás, cuando él acababa de llegar a Jerusalén, y la de Boeto, así como los más prestigiosos doctores de la Ley, esos escribas a quienes Jesús vilipendiaba con tanta frecuencia, y los principales miembros del partido fariseo.

En ese momento, faltaban dos días para la fiesta de los ázimos que marcaba el comienzo de la Pascua,[2] y los sanedristas buscaban

---

1. *"Decían: 'No lo hagamos durante la fiesta, para que no se produzca un tumulto en el pueblo'."* (*Marcos* 14, 2; *Mateo* 26, 5; *Lucas* 22, 1-2).

2. Véase p. 205 ss.

la manera de librarse de ese molesto predicador que era Jesús. Por supuesto, la reunión era secreta, y no se filtró ninguna noticia sobre lo que se trató durante su desarrollo, pero circularon algunos rumores, que se propagaron rápidamente a través de Jerusalén por intermedio de los esclavos encargados de proveer de agua fresca a la augusta compañía sacerdotal. De acuerdo con esas indiscreciones, algunos de los personajes convocados por el sumo sacerdote, aunque estaban convencidos de que las tesis que sostenía Jesús tenían un carácter herético y provocador, se oponían sin embargo a una intervención demasiado brutal.

—¿Cómo podemos hacer, decían, para librarnos de él sin violencia? Este hombre hace muchos milagros, sospechosos quizá, pero si lo dejamos seguir así, el pueblo terminará creyendo en él. Y si lo arrestamos para juzgarlo, se producirán disputas y rebeliones, los romanos intervendrán y destruirán nuestro Templo, nuestra ciudad santa, y sin duda, también a nuestra nación:[3] no debemos olvidar la rebelión de Judas hijo de Sarifeo por el Águila de oro que colocó Herodes el Grande sobre la puerta del Templo;[4] no debemos olvidar a los sicarios y los zelotes de Judas de Gamala...[5]

—Ustedes no entienden nada —les habría dicho Caifás a los indecisos—. No ven que es mejor para todos los judíos que muera un solo hombre por nuestro pueblo y no que desaparezca toda la nación de Israel. Personalmente, no deseo la muerte de Jesús, y sin duda sería una injusticia arrestarlo y enviarlo a prisión, pero creo que sería un mal menor en comparación con los desórdenes que

3. Los sanedristas tenían razón. El pueblo de Israel se sublevó, en efecto, contra Roma en 66-68, durante el reinado del emperador Vespasiano, por motivos al mismo tiempo religiosos y nacionalistas. El iniciador de ese movimiento fue Menahem, hijo de Judas de Gamala, llamado Judas el Galileo, jefe de la rebelión de los zelotes. Se apoderó de los arsenales romanos, y el sumo sacerdote Eleazar, hijo de Anás, suspendió el culto al emperador. La guerra causó estragos en Palestina. Terminó con la toma de Jerusalén por parte del emperador Tito, en el año 70: todos sus habitantes fueron llevados en cautiverio, y la ciudad fue completamente arrasada (esta guerra está relatada en *La guerra de los judíos*, de Flavio Josefo, que participó en ella).

4. Véase p. 141 ss.

5. Véase p. 199 ss. La rebelión de los zelotes tuvo lugar en el año 759 de Roma, es decir, veinticuatro años antes.

puede provocar su predicación. Debemos tomar una medida ejemplar que haga reflexionar a los sediciosos en potencia, y recordar el precepto de nuestros antiguos escribas: "Maten a los doctores perniciosos durante las grandes peregrinaciones".

Cuando estas palabras y otras del mismo tenor llegaron a oídos de Marcelo, que esperaba en su villa el final de la Pascua para salir de caza, se irritó sobremanera y hasta llegó a tratar de mentiroso al médico sirio Lucilio, que se las había transmitido.

—Conozco a Caifás, Lucilio —le dijo el caballero—, y siento aprecio por él: es incapaz de decir semejante cosa. Ya no estamos en los tiempos de Herodes el Grande, y la prédica pacifista de Jesús no tiene nada que ver con la locura furiosa de los zelotes de entonces. Los sicarios de Judas de Gamala eran miles, y a Jesús sólo lo sigue una docena de miserables apóstoles, a quienes se agrega, a lo sumo, un centenar de fieles de Galilea. Simón predicaba la guerra; Jesús predica el amor al prójimo, la no violencia y el perdón de las ofensas. Los zelotes se rebelaron en Judea a sangre y fuego, el Nazareno consuela a los desdichados, perdona sus faltas a las mujeres adúlteras y comparte su pan con los pobres. ¿Cómo puede considerarse a un hombre tan bueno, tan dulce, un peligroso revolucionario?

—Entonces ¿por qué convocó Caifás a una reunión secreta para tratar el tema de Jesús, una reunión que más bien parecía una conspiración?

—Porque es sumo sacerdote y tiene el deber de hacer respetar su religión, así como el gobernador de Siria y Pilato tienen el deber de hacer respetar las leyes de Roma... aunque no siempre estén de acuerdo con ellas. Francamente, Lucilio, creo que te llenaron la cabeza contra Caifás. Lo más probable es que convoque a Jesús uno de estos días, para pedirle que deje de predicar la desobediencia a la Torah, que deje de insultarla, del mismo modo que Pilato podría llamarte al orden si tú desobedecieras sus leyes o si insultaras al emperador.

—Eres muy optimista, caballero. ¿Y qué opinas sobre la propuesta de Judas?

—¿Qué Judas?

—Judas el Iscariote, uno de los apóstoles de Jesús. Dicen en la ciudad que fue a hablar en secreto con los sumos sacerdotes y los jefes de los guardias responsables de la policía del Templo, y les propuso entregarles información, a cambio de una gratificación, sobre el lugar y la hora en que podrían proceder cómodamente al arresto del Nazareno, sin escándalo y sin derramamiento de sangre.

—Caifás no necesita a Judas para encontrar a Jesús, porque puede verlo casi todos los días en los atrios...

—Parece ser que el sumo sacerdote descartó la idea de hacerlo arrestar en las cercanías del Templo en este período de fiesta. Seguramente conserva todavía en su memoria la pelea que provocó Jesús hace dos años, cuando expulsó a los cambistas y a los mercaderes de los atrios, y teme que esta vez, habida cuenta de su popularidad —aunque sea relativa—, una interpelación pública en el monte Moriah pueda provocar una rebelión de consecuencias imprevisibles.

—En lo que concierne a las posibles consecuencias de un arresto de Jesús en público, en la explanada del Templo, pienso como tú, Lucilio, pero ¿cuál sería el papel de Judas?

—Tú sabes que Jesús es muy desconfiado, y raramente duerme dos veces en el mismo sitio, caballero. Nadie sabe dónde y en casa de quién se lo puede encontrar cuando sale de Jerusalén: ¿En una gruta del monte de los Olivos? ¿En Betania? ¿En Jericó? ¿En casa de Lázaro? ¿En casa de Zaqueo? Sólo los Doce están al tanto de los lugares donde se refugia para dormir, y en general, se los informa sólo a último momento. Por eso el Iscariote les propuso darles a conocer el lugar en que se encuentre, para permitir una intervención discreta de las autoridades del Templo. Además, el capitán de los guardias le preguntó al pérfido apóstol cómo podría reconocer a Jesús en medio del grupo de discípulos que lo rodea habitualmente, y Judas le contestó que él mismo se lo señalaría dándole un beso. El trato se cerró inmediatamente, mediante la entrega de treinta denarios, como pago de la traición del Iscariote. Desde ese momento, Jesús se encuentra bajo la amenaza constante de un arresto: los jefes de los guardias no tienen más que esperar la señal que les dará Judas, en el momento oportuno, para atrapar al Nazareno y llevarlo ante Caifás.

—¡No creo ni una palabra de toda esa historia, Lucilio, y la persona que te la contó no es más que un *bobinator*[6] de baja estofa! Es

---

6. Palabra latina familiar que significa "mentiroso".

absolutamente inverosímil, por lo menos por dos buenas razones: en primer lugar, porque las autoridades del Templo no tienen ninguna necesidad de recurrir a Judas para saber dónde pueden capturar a Jesús, aunque fuera por sorpresa, porque tienen sus propios informantes, y Jesús no va a desaparecer súbitamente de Jerusalén; y en segundo lugar, porque Judas —todo el mundo lo sabe— es el tesorero de los Doce, y es evidente que si hubiera querido cometer algún acto deshonesto con respecto al dinero, le hubiera bastado con huir llevándose la caja en lugar de vender a su maestro. Sin embargo...

—¿Sin embargo?

—Sin embargo, amigo Lucilio, quizás exista una razón para esta hipotética felonía de Judas, pero no me atrevo a formularla...

—¿Por qué, caballero?

—Porque después de treinta años de haber abandonado el país en el que era razonable gobernarse por la razón, aprendí a buscar en las acciones aparentemente absurdas de mis semejantes, explicaciones diferentes a las causas determinantes o a las causas finales, basadas en las mentalidades de los pueblos.

—¿Qué quieres decir?

—Ambos somos paganos, y actuamos en función de nuestros impulsos, nuestras tendencias o los objetivos que queremos alcanzar. Los orientales —especialmente los judíos y los persas— experimentan a menudo la necesidad de justificar sus actos refiriéndolos a sus textos sagrados. Los persas, por ejemplo, al menos los que son religiosos, citan su libro sagrado, el *Avesta*, cada vez que desean otorgarle un valor particular a una acción importante, y lo mismo hacen los judíos refiriéndose a su Torah. En el caso de Judas, a quien nunca vi ni siquiera de lejos, pero que me parece un poco loco por lo que me han dicho, creo que está convencido hasta el fondo de su corazón de que Jesús es el descendiente de David anunciado por los profetas para regenerar al mundo, y sufre por el hecho de que ningún judío lo cree. Entonces quiso demostrarlo.

—¿Demostrarlo? ¿En qué forma?

—Al cometer contra Jesús un acto infame anunciado en los Libros sagrados, cree que podrá demostrar la autenticidad de la misión de Jesús.

—¿Qué acto, por ejemplo?

—El de hacerle a Jesús, su amigo y su maestro, el supremo ultraje de denunciarlo, como si fuera su peor enemigo, según está escrito en las Sagradas Escrituras. En los *Salmos* puede leerse:

"No veo más que violencia y discordia en la ciudad,
rondando día y noche por sus muros.
Dentro de ella hay maldad y opresión,
en su interior hay ruindad;
la crueldad y el engaño no se apartan de sus plazas.
Si fuera mi enemigo el que me agravia, podría soportarlo;
si mi adversario se alzara contra mí, me ocultaría de él.
¡Pero eres tú, un hombre de mi condición, mi amigo y confidente,
con quien vivía en dulce intimidad".7

—¿Quieres decir que Judas traicionaría a Jesús porque lo predijo la Biblia? Con todo el respeto que te debo, Marcelo, ¿no te parece que estás diciendo tonterías?

—De ninguna manera. La mentalidad religiosa judía es contradictoria por esencia. El todopoderoso Yahveh crea el primer hombre, y éste lo desobedece: primera contradicción. Luego envía a su hijo a la tierra para regenerar a su pueblo, pero hace que sea traicionado por uno de los discípulos que amaba, y esto demuestra por el absurdo, como dirían los geómetras, que efectivamente Jesús es ese Mesías que se espera.

—¡Es bastante retorcida tu demostración!

—Retorcida pero plausible, Lucilio, y explica la situación: es absurdo e ilegítimo suponer que Judas haya vendido su talento de informante contra Jesús, pero no es absurdo decir que traicionó para demostrar que la Biblia no mintió al anunciar esa traición.

—Pero debes admitir, señor caballero —replicó Lucilio— que cuando se trata de su religión, los judíos son mucho más intransigentes que nosotros, los romanos, con respecto a nuestras leyes.

—Los judíos son como son, y los romanos también: esto vale para todos los pueblos.

—¿Cómo se desarrollarán las cosas en Jerusalén?

7. *Salmos* 55, 10-15.

—Te confiaré el fondo de mi pensamiento, Lucilio. Creo que este Nazareno, como tú dices, predica dos doctrinas totalmente independientes, que él mismo condensó en dos máximas. La primera es una ética que se resume en una fórmula que le gusta repetir a menudo: *"Ama a tu prójimo como a ti mismo"*,[8] y la segunda es una teología monoteísta que no se basa en el *temor*, sino en el *amor* a Dios, que es única.[9]

—¿Y ambas son independientes entre sí?

—Sí, porque tú puedes perfectamente tener como máxima de vida: "Ama a tu prójimo como a ti mismo" sin creer en Dios, e inversamente, puedes creer en Dios sin tener necesidad de amar a tu prójimo como a ti mismo.

—¿Y cómo es esto para los judíos?

—Para ellos, Lucilio, la ética no es independiente de la teología. Para un judío, creer en Dios implica creer en su Ley y, por consiguiente, respetarla como se respeta a Dios. El mandamiento moral es una consecuencia del mandamiento teológico: si violas la Ley, pecas contra Dios, y serás castigado como lo establece la Ley de Dios, es decir, la Torah.

—¿No ocurre lo mismo en nuestro Imperio pagano, caballero? Si yo violo la ley romana, soy castigado como lo establece nuestro código penal.

—Pero sin embargo hay una diferencia entre ambos sistemas, y lo entenderás con un ejemplo. Supongamos que dos hombres, el romano Marcos y el judío Lázaro cometen cada uno una falta penada por su ley, pero nadie se entera de que han cometido esa falta. Marcos se frotará las manos y vivirá el resto de sus días feliz por haber sacado provecho de los resultados de esa falta y quedar impune...

—Lázaro también, caballero.

—No, en absoluto: el crimen de Lázaro quedará impune en su vida terrenal, pero su religión le promete a su alma inmortal un castigo eterno después de su muerte.

—¿Qué castigo?

8. *Marcos* 12, 31.
9. *Marcos* 12, 29.

—Él no lo sabe, pero los rabinos le explican que será horrible y que no terminará nunca. Por eso pasará su vida sumido en el tormento.

—¿Y el adepto de Jesús? ¿Qué pasará con él?

—Podrá escapar al castigo eterno por medio del arrepentimiento.

—¿El arrepentimiento? ¿Qué es eso, caballero? ¿Una penitencia?

—Me llevó mucho tiempo entenderlo, Lucilio, pero lo conseguí. No se trata de una penitencia, ni tampoco de una purificación como la practican los judíos. Es una especie de transformación total y sutil del alma del pecador, que va mucho más allá de un simple pesar por haber cometido el pecado o su reparación, y cuya sinceridad, según la enseñanza de Jesús —al menos, lo que yo llegué a entender de ella— sólo Dios puede reconocer.

—¿Y cuál es el papel de Jesús en todo esto, caballero?

—Él dice que es el Hijo de Dios, que él y el Padre son uno, y que es su Mesías en la tierra. También dice que, a través de su muerte en el suplicio, seguida por su resurrección, la raza humana arrepentida se salvará y vivirá eternamente en el Paraíso del que fue expulsada tras el Pecado de Adán.

—Creo que entendí algo, señor Marcelo. Los judíos dicen que todos los hombres y todas las mujeres de su pueblo están marcados por el pecado original de Adán, que es la causa de todas las desgracias de Israel desde la noche de los tiempos, pero que si observan rigurosamente la Ley dictada por Dios a Moisés, es posible que algunas de las almas de los muertos que se están corrompiendo en el *sheol* adquieran una bienaventurada vida eterna en el futuro, aunque no se sabe exactamente qué almas: su suerte será decidida por el Eterno en el Día de Yahveh, que nadie sabe cuándo llegará. En cambio, los adeptos a la religión que predica Jesús tienen la muy fuerte esperanza de que, por efecto del arrepentimiento, las almas se redimirán y que, por la infinita bondad de Dios, que no es un dios de cólera sino un dios de amor y de misericordia, serán perdonadas por toda la eternidad. Si me permites ser trivial, diría que lo que todos los seres humanos temen, no es la enfermedad, la pobreza o la ignorancia, sino la muerte, y la pregunta fundamental que se plantean en ese sentido es: "¿Qué sucederá conmigo después de mi muerte?" A esta pregunta, los judíos responden que primero vendrá el *sheol*, y luego, después del Juicio de Yahveh, los buenos re-

cuperarán el Jardín del Edén y los malos irán al *sheol*. Los fieles de
Cristo dicen más o menos lo mismo: creen en el Juicio Final, en la
vida eterna, en el Infierno y en el Paraíso, pero —y esta restricción
es fundamental— creen que, gracias a la inmolación mística del Hijo Jesús y a la infinita misericordia del Padre, el Infierno está y estará vacío.

—Felicitaciones, doctor Lucilio —dijo Marcelo—. Yo creía que
los médicos eran grandes ignorantes incapaces de razonar, pero tú
eres la excepción que confirma la regla: me saco el sombrero ante
ti. Pero volvamos a la tierra por unos instantes. La predicación iti-
nerante de Jesús en Galilea no molestó ni molesta a nadie, y eso explica la relativa indiferencia de Herodes Antipas hacia él, aunque de
vez en cuando teme que el Nazareno lo agravie públicamente como
lo hacía Juan. En cambio, la predicación agresiva de Jesús, que ataca al Templo, a los saduceos, a los fariseos, a los escribas y a los sumos sacerdotes, y su éxito —aunque relativo— entre los humildes,
puede llevar en el corto o en el largo plazo, a la creación de un quinto partido político-religioso en Judea,[10] que podría tener un carácter
popular. Esto es lo que no quieren de ninguna manera las autoridades del Templo.

—En consecuencia —concluyó Lucilio—, el partido del Templo,
que une a todas las tendencias, tiene que excluir a Jesús. Si estuvié-
ramos en Roma, el problema se resolvería por medio del puñal o el
veneno, pero estamos en Judea, el país cuya vida política y religiosa
está totalmente basada, desde hace dos mil años, en un formalismo
jurídico draconiano. Jesús no debe ser eliminado, sino juzgado según las reglas, es decir, lo deben llevar ante el Sanedrín, que está
presidido, por supuesto, por el sumo sacerdote Caifás.

—¡Por eso se llevó a cabo el gran consejo en la colina del... Mal
Consejo! Todo esto está bien planeado, bien realizado, no se parece
en nada a una conspiración, y deberá llevar no a un asesinato, como tú sostenías un poco a la ligera, Lucilio, sino a un proceso en
buena y debida forma por causa de herejía e insulto a la religión...

—Que inevitablemente terminará en una condena a muerte
contra Jesús, caballero: será juzgado como un doctor sedicioso, en

10. Véase capítulo 5 sobre las sectas judías.

nombre del antiguo precepto de Hipócrates —o de otro—, que dice: más vale prevenir que curar. Por eso, insisto en decir, a pesar de todas las buenas intenciones que tú le atribuyes a Caifás, que ese proceso será una farsa, porque ya lo condenaron de antemano: el único objetivo es legitimar la eliminación física de Jesús. En buen latín, o en el latín de la calle, eso se llama homicidio con premeditación, un verdadero asesinato.

—No estoy de acuerdo contigo, doctor Lucilio. Como sumo sacerdote, Caifás tiene el deber de defender la Ley mosaica, aunque nosotros la consideremos absurda e incongruente, e incluso aunque las intenciones de Jesús sean puras, como lo creemos, porque esa Ley es la garantía de la unidad y de la permanencia de Israel. Por lo tanto, es lógico que quiera juzgarlo según el procedimiento de ese pueblo. Pero de todos modos, no me lo imagino pidiendo la muerte del Nazareno. Incluso me pregunto si tiene derecho a hacerlo, de acuerdo con las disposiciones tomadas por Roma concernientes a ese tipo de procesos: tendré que sumergirme en los tratados que han definido los respectivos derechos de Roma y de Judea. Y ahora, me despido. Que sigas bien, Lucilio, y ¡buen regreso a Damasco!

—Parto mañana mismo al amanecer. Si hay novedades sobre el asunto Jesús, escríbeme, caballero.

—Prometido, hijo de Esculapio.

El día siguiente, jueves 6 de abril, primer día de los panes ázimos, era la jornada en la cual, según prescribía la Ley, había que inmolar ritualmente el cordero pascual,[II] que debía comerse, asado, esa noche. María, la madre de Jesús, había subido a Jerusalén para esa circunstancia. Desde la mañana reinaba una gran agitación en Betania, en torno a la fuente del pueblo: los hombres habían llevado allí sus asnos, que bebían ruidosamente a lengüeteadas el agua de la fuente de piedra de la cual brotaba, fresca y abundante; las mujeres llenaban sus cántaros de hojalata o de bronce, mientras una docena de niños se salpicaban alegremente unos a otros entre risas.

II. Véase p. 56.

Hiram y Marcelo estaban allí también, uno montado en su caballo y el otro en su mulo, atentos, acechando la salida de Jesús que, según ellos, debía de haber dormido en casa de Lázaro. Pero perdieron el tiempo: el pastor de cabras que estaba al servicio del fenicio le dijo a su amo que Jesús y sus apóstoles habían pasado la noche a la intemperie, en Jericó:

—Durmieron en el jardín de Zaqueo, que le manda saludos, señor Hiram, y lo espera para jugar una buena partida de dados.

—¡La última vez que jugué a los dados con ese publicano filibustero —dijo Hiram sonriendo al recordar el episodio— perdí cien denarios! Iría con mucho gusto a Jericó a tomar mi revancha, pero por el momento no tengo tiempo: agradécele en mi nombre y dile que hoy tengo pensado seguir los pasos de Jesús. ¿Y dónde está Jesús ahora? ¿Tú lo sabes?

Como era su costumbre, contó el cabrero, Jesús se había despertado temprano. Sus discípulos fueron a buscarlo cuando apenas terminaba la noche y le dijeron: "Hoy es el primer día de los ázimos, maestro. ¿Dónde quieres que vayamos a prepararte la comida pascual?".[12] A esta pregunta, Jesús respondió llamando a los dos hijos de Zebedeo, Santiago y Juan, a quienes les dio instrucciones precisas:

—Vayan a Jerusalén. Al entrar en la ciudad encontrarán a un hombre que lleva un cántaro de agua. Síganlo hasta la casa donde entre, y digan a su dueño: "El Maestro manda preguntarte: ¿Dónde está la sala en que podré comer la Pascua con mis discípulos?". Él les mostrará en el piso alto un gran *cenáculo*,[13] un comedor amobla-

---

12. *Mateo* 26, 17-19; *Marcos* 14, 12; *Lucas* 22, 7-8. La palabra "Pascua" significa tanto el cordero asado que se debe comer, como la fiesta que acompaña a esta comida: durante la Pascua, se come la Pascua. Esta cena ritual se realiza en la noche del 14 al 15 de Nisan. Desde hace siglos, los exegetas han llevado a cabo interminables (e infructuosas) discusiones para determinar la fecha exacta de la última Pascua de Jesús, basándose en los indicios de los cuatro *Evangelios*, que son contradictorios entre sí. La fecha tradicional actualmente admitida para esta Última Cena, es el jueves 6 de abril. Al día siguiente, viernes, siempre según esa tradición, Jesús fue crucificado.

13. En la casa romana (*domus*), el *cenaculum* era una habitación amplia, de techo elevado (situada en un primer piso o en los pisos más altos), en la que tenía lugar la *cena* (cena), la principal comida del día —las otras eran el *jentaculum*, que corresponde a nuestro desayuno, el *prandium* (almuerzo ligero) y

do, arreglado con almohadones y ya dispuesto: preparen allí lo necesario para nuestra Pascua.

Marcelo le preguntó al cuidador de cabras dónde se encontraba esa famosa casa, pero el hombre, que no conocía muy bien Jerusalén, no pudo darle más que una información muy imprecisa: "Está ubicada en alguna parte de la zona alta de la ciudad", le dijo, "pasando el Tiropeón, más o menos a mitad de camino entre las murallas de la ciudad y el palacio de los sumos sacerdotes, cerca de la puerta de los Alfareros".[14]

—Todo esto me parece bastante misterioso —le dijo Marcelo a Hiram—, pero no me llama la atención. Evidentemente, Jesús se siente vigilado. Tal vez se enteró de la reunión organizada ayer por Caifás. Por otra parte, seguramente había elegido esa sala hace algún tiempo, ya que el hombre del cántaro de agua al que siguieron Santiago y Juan tenía sus instrucciones exactas, pero Jesús mantuvo la dirección en secreto hasta esta mañana... Y ni siquiera esta mañana les dijo a sus discípulos dónde estaba situada: la descubrirán al seguir al aguatero.

—Pienso lo mismo que tú, caballero, y agrego que haber elegido a un aguatero como guía es muy sutil, porque les evitará a los dos apóstoles interrogar a la gente en la calle: un hombre que lleva un cántaro no es común aquí, ni en Palestina, ni en Fenicia, donde en general son las mujeres las que van a buscar el agua a las fuentes. Pero ¿por qué eligió el Nazareno un cenáculo que está tan cerca del palacio de los sumos sacerdotes, donde está lleno de guardias?

—Vayamos a examinar el lugar, y lo sabremos.

Los dos hombres, guiados por el pastor de cabras, fueron a ver entonces la ubicación de la casa en la que Jesús había decidido organizar la cena de la Pascua. Construida en la parte superior de la colina más alta de Jerusalén, a trescientos o cuatrocientos pies del palacio de los sumos sacerdotes, la casa dominaba toda la ciudad. Desde su puerta, se tenía una visión de conjunto, y de derecha a izquierda, podía verse el Templo, la torre Antonia, el antiguo palacio

---

el *vesperum* (que era una cena tardía o, en algunos casos, un banquete nocturno también llamado *cena*).

14. Véase el plano de Jerusalén, p. 82.

de Herodes, y muy cerca, el palacio sacerdotal, reservado a los sumos sacerdotes.

Después de contemplar un momento ese panorama, Marcelo le
dijo sonriendo a su amigo fenicio:

—Es lo que yo pensaba, Hiram: el cenáculo que eligió Jesús está
a dos pasos de la puerta de los Alfareros, que es bastante amplia para que pueda huir rápidamente de Jerusalén con su grupo de apóstoles en caso de peligro. No me sorprendería saber que coloque vi-
gías de confianza cerca del palacio sacerdotal, para que lo prevengan
de cualquier movimiento intempestivo de los guardias, no solamente durante el día, sino también esta noche, durante la cena. Recuerda que te dije por primera vez hace dos años, en el mes de marzo, en
tu casa de Sidón, algo de lo que ahora estoy más seguro que nunca:
nuestro galileo es un fino estratego, y trabaja, desde aquella época,
en la fundación de una quinta secta judía, incluso una nueva religión. Todo lo que hace, hasta lo más insignificante, está calculado:
desde el reclutamiento de sus primeros apóstoles a orillas del lago de
Tiberíades, hasta la Pascua de esta noche, está todo previsto: no veo
ninguna otra explicación para la elección de este cenáculo.

—¿Cuándo crees que comerán el cordero?

—En principio, a la hora romana de la cena, es decir, al caer la
noche. Iremos a ubicarnos cerca de la casa donde tendrá lugar: tu
cabrero nos llevará hasta allí y nos ocultaremos en los alrededores,
por las dudas.

—Yo intentaré entrar allí antes de la llegada de Jesús y sus apóstoles. Conozco esas casitas: hay una decena de ellas en Jerusalén.
Suelen tener muchos escondites, y ya encontraré algún reducto para introducirme o alguna colgadura detrás de la cual pueda escon-
derme.

—No me atrevía a pedírtelo, Hiram, pero me parece una buena
idea. Por mi parte, te esperaré en el puesto de guardia de la puerta
de los Alfareros, y vendrás a buscarme en caso de necesidad.

Hiram y Marcelo regresaron a la ciudad. La festividad estaba a
punto de empezar. Ese día jueves de abril, en el que todas las familias de Judea se dedicaban a la preparación de la Pascua, transcurrió
sin incidentes y en medio de la alegría en Jerusalén. En toda la urbe
podía percibirse el fuerte olor de los corderos que se asaban en cada casa de la ciudad, frente a cada tienda de los suburbios, y la bri-

sa ligera y cálida, proveniente de los desiertos del norte, transportaba los efluvios perfumados de las hierbas amargas[15] con las que aderezaban la carne.

Al caer la noche, los apóstoles ingresaron, uno a uno, en el cenáculo, donde todos juntos comerían con Jesús el cordero pascual, para conmemorar, como todos los judíos de Palestina o de la diáspora, la liberación de los hijos de Israel de la esclavitud en tierra egipcia. Cuando los comensales se tendieron en los tres lechos del *triclinium*[16] que rodeaban la mesa, según la tradición de las cenas de gala, Jesús, que presidía el ágape con Juan, su discípulo preferido, a su derecha, y Pedro a su izquierda, abrió la Cena con una breve alocución que dejó a sus discípulos perplejos y preocupados:

"He deseado ardientemente comer esta Pascua con ustedes antes de padecer, porque les aseguro que ya no la comeré más hasta que llegue a su pleno cumplimiento en el Reino de Dios".[17]

Luego, cuando le trajeron la primera de las cuatro copas de vino que cada comensal debía beber durante el transcurso de la cena, en recuerdo, según se dice, de los cuatro términos que designan en la Biblia la redención de los hijos de Israel, Jesús pronunció las dos eucaristías[18] judías tradicionales, bendijo la fiesta pascual y el vino que contenía la copa, y se la ofreció, sin beberla, a sus apóstoles, diciéndoles:

"Tomen y compártanla entre ustedes. Porque les aseguro que desde ahora no beberé más del fruto de la vid hasta que llegue el Reino de Dios."[19]

---

15. Las especias que sazonaban las comidas, especialmente tomillo, laurel, albahaca, orégano.

16. Reunión de tres lechos para comer, colocados de manera que formaban los tres lados de un cuadrado o de un rectángulo, con un espacio vacío en el medio para poner una mesa. El cuarto lado quedaba abierto para permitir el paso de los criados con las fuentes.

17. *Lucas* 22, 15-16.

18. Acción de gracias acompañada de una bendición.

19. *Lucas* 22, 17-18.

En principio, después de estas dos acciones de gracias, cuando el *séder*[20] se realiza en familia, el hijo menor debe preguntar ritualmente a su padre cuál es el significado de la ceremonia que están llevando a cabo. Entonces el jefe de la familia recuerda brevemente lo que fueron los sufrimientos de los hijos de Israel en Egipto, y cómo fueron liberados por el Eterno. Después de ese relato se bebe una segunda copa de vino y todos cantan a coro la parte del *Hallel*[21] que celebra el éxodo hacia Canaán:

> "Cuando Israel salió de Egipto,
> y la familia de Jacob se alejó de un pueblo extranjero,
> Judá se convirtió en su Santuario,
> la tierra de Israel fue su dominio".[22]

Una vez terminados estos ritos, la fiesta pascual se desarrolla normalmente,[23] luego se bebe una tercera copa de vino, se procede a la bendición de la comida y se canta el final del *Hallel* después de beber una cuarta copa de vino.

Pero el *séder* organizado ese día por Jesús fue completamente diferente al tradicional *séder* judío, como pudo observar Hiram, que había podido introducirse clandestinamente en la casa.

—El Nazareno trastocó todo —le explicó a Marcelo, cuando fue a informarle sobre lo que había visto—: después de cantar el *Hallel egipcio*, no siguió el rito instaurado por Moisés... Y hasta diría que creó uno nuevo.

—¿Cómo es eso?

—En vez de empezar a comer, como lo prescribió Moisés, Jesús se levantó de la mesa, se quitó lentamente su manto ante la mirada de sus apóstoles, que, desconcertados, no decían ni una palabra, y se ató una gran toalla blanca en las caderas. Luego vertió agua en un recipiente, comenzó a lavar los pies de sus discípulos y se los secó con

20. La comida tradicional de la Pascua judía. Véase p. 204 ss.

21. Véase p. 206. La parte del *Hallel* que se canta después de la primera copa se llama *"Hallel egipcio"*: citamos aquí sus dos primeros versículos (*Salmos* 114).

22. *Salmos* 114, 1-2.

23. El desarrollo se describe en p. 204 ss.

la toalla que tenía en la cintura, uno después de otro, empezando por
el apóstol Juan, quien, sentado a su derecha, ocupaba el puesto de
honor. Ninguno de los Doce se atrevió a moverse: todos habían quedado petrificados. Cuando Jesús llegó a Pedro, éste exclamó, asombrado: "¿Tú, Señor, me vas a lavar los pies a mí?". El Nazareno le respondió que ahora no podían entender lo que estaba haciendo, al
lavarle los pies, pero que después lo entenderían. Entonces Pedro se
sublevó y le dijo: "¡No, no, tú jamás me lavarás los pies a mí!".

—¿Y qué le contestó Jesús? —preguntó Marcelo.

—Le dijo severamente: *"Si yo no te lavo, no podrás compartir mi
suerte"*. Entonces Pedro se ablandó, se resignó y le dijo a Jesús: *"Entonces lávame, Señor, ¡y no sólo los pies, sino también las manos y la cabeza!"*. Y en ese momento, Jesús pronunció esta asombrosa réplica:
"El que se ha bañado no necesita lavarse más que los pies, porque
está completamente limpio". Te confieso, caballero, que no entendí
qué quiso decir con eso el Nazareno...

—Es un gran cumplido el que le hizo a su apóstol, fenicio, pero
hay que entenderlo en sentido simbólico. Lo que quiso decir es: "El
que, como tú, Pedro, se bañó espiritualmente en mí, hasta hacerse
uno conmigo por medio del espíritu, es puro de pies a cabeza, y no
necesita lavarse el cuerpo". Conociendo la manera de expresarse de
Jesús, juraría que no se limitó a hacer eso.

—Estás en lo cierto, Marcelo. Terminó de lavar los pies de sus
discípulos, volvió a ponerse el manto, regresó a la mesa y les dijo a
los Doce estas palabras, que son al mismo tiempo una verdadera
profesión de fe social y una alusión al origen místico de su misión,
anunciada por las Escrituras:

"¿Comprenden lo que acabo de hacer con ustedes? Ustedes me
llaman Maestro y Señor; y tienen razón, porque lo soy. Si yo, que soy
el Señor y el Maestro, les he lavado los pies, ustedes también deben lavarse los pies unos a otros. Les he dado el ejemplo, para que hagan lo
mismo que yo hice con ustedes. Les aseguro que el servidor no es más
grande que su señor, ni el enviado más grande que el que lo envía. Ustedes serán felices si, sabiendo estas cosas, las practican.

No lo digo por todos ustedes; yo conozco a los que he elegido. Pero es necesario que se cumpla la Escritura que dice:

El que comparte mi pan
se volvió contra mí.[24]

Les digo esto desde ahora, antes de que suceda, para que cuando suceda, crean que Yo Soy.

Les aseguro que el que reciba al que yo envíe, me recibe a mí, y el que me recibe, recibe al que me envió."[25]

Jesús acababa de dar una espectacular lección de humildad a sus discípulos, que —Marcelo se enteró de esto mucho tiempo después— habían discutido entre ellos, antes de la cena, por ocupar los lugares próximos a su maestro. Jesús los había llamado al orden:

"Los reyes de las naciones las dominan como señores absolutos, y los que ejercen el poder sobre el pueblo se hacen llamar bienhechores. Pero entre ustedes no debe ser así. Al contrario, el que es más grande, que se comporte como el menor, y el que gobierna, como un servidor. Porque, ¿quién es más grande, el que está a la mesa o el que sirve? ¿No es acaso el que está a la mesa? Y sin embargo, yo estoy entre ustedes como el que sirve".[26]

Ya había llegado la noche —una noche fresca y clara— cuando el fenicio volvió a introducirse secretamente en el cenáculo donde se hallaban Jesús y sus discípulos. A pesar de su reumatismo y su incipiente obesidad, logró ocultarse en un pequeño escondite, detrás de un tapiz polvoriento, desde donde podía verlos y oírlos sin que lo descubrieran. Las lámparas de aceite habían sido encendidas y luego colgadas en los candelabros, y la cena pascual había retomado su curso, lento, silencioso, impresionante. Habían cocinado el cordero en un asador, sin quebrarle ningún hueso, luego lo cortaron y lo sirvieron entre los trece comensales, que mojaban su pan en el plato central, donde estaban los trozos de carne embebidos en la salsa de hierbas.

24. *Salmos* 41, 10.
25. El episodio del lavado de pies y su moral sólo se encuentran en *Juan* 13, 1-20.
26. *Lucas* 22, 24-27.

El Nazareno comía en silencio, sin duda dominado por una turbación interior, pensó Hiram, pero sin dejarla traslucir ante sus discípulos. De pronto, dejó sobre la mesa el trozo de pan que tenía en la mano y declaró, con un tono grave y solemne: *"Les aseguro que uno de ustedes me entregará"*.

Un silencio de plomo cayó sobre el cenáculo. Los apóstoles también dejaron de comer y se miraban unos a otros, preguntándose de quién hablaba su maestro. Pedro le hizo una señal discreta a Juan: "Pregúntale a quién se refiere", le dijo en voz baja. Entonces Juan se reclinó sobre el pecho de Jesús y le dijo, con una voz apenas audible: "Señor, ¿quién es?". Los demás, profundamente apenados, empezaron a preguntarle uno por uno: "¿Seré yo, rabí?". Jesús terminó por responder: *"El que acaba de servirse de la misma fuente que yo, ése me va a entregar. El Hijo del hombre se va, como está escrito de él, pero ¡ay de aquel por quien el Hijo del hombre será entregado: más le valdría no haber nacido!"*[27] Y como le seguían preguntando "¿quién es?", Jesús tomó un último pedazo de pan y les dijo a sus apóstoles: *"Es aquel al que daré el bocado que voy a mojar en el plato"*. Y mojando un bocado, se lo dio a Judas, el hijo de Simón Iscariote. Éste le preguntó: "¿Seré yo, rabí?". Entonces, en el silencio del cenáculo, apenas perturbado por el vuelo de una mosca, Hiram oyó que Jesús le respondió, con el laconismo de los antiguos espartanos: *"Tú lo has dicho"*.[28] Los demás no entendieron inmediatamente, y menos aún cuando Jesús agregó: *"Lo que tienes que hacer, hazlo pronto"*.[29] Entonces Judas, después de recibir el bocado que le tendía Jesús, salió precipitadamente y se perdió en la noche, que se había vuelto completamente oscura.

La cena llegaba a su fin, y todos estaban tristes: el incidente que había provocado Jesús al dar a entender que Judas estaba a punto de entregarlo a sus enemigos, es decir, a los sumos sacerdotes y los fariseos extremistas, había enfriado el entusiasmo de los apóstoles. El mismo Nazareno estaba taciturno: en lugar de instar a sus após-

---

27. *Mateo* 26, 23-24.
28. Este anuncio de la traición a Jesús está tomado de *Mateo* 26, 20-25; *Marcos* 14, 17-21; *Lucas* 22, 21-23; *Juan* 14, 21-30.
29. *Juan* 13, 27.

toles a cantar el *Hallel* pascual alegre y triunfante de los judíos, puso fin a la cena que les había ofrecido con un breve discurso que sonó como el enunciado de sus últimas voluntades. El fenicio se sintió conmovido, a pesar de los calambres que le producía su incómoda posición en el escondite. Jesús tomó un pan de la mesa, lo bendijo, lo partió y lo dio a sus discípulos diciendo: *"Esto es mi Cuerpo, que se entrega por ustedes. Hagan esto en memoria mía"*.[30] Luego tomó una copa, y después de dar gracias, declaró: *"Esta copa es la Nueva Alianza sellada con mi Sangre, que se derrama por ustedes"*.[31]

Después de decir estas palabras, Jesús se puso de pie, sus discípulos hicieron lo mismo, y todos salieron a respirar el aire puro y fresco de las noches de Judea, mientras el fenicio, exhausto y dolorido, se fue cojeando hacia la puerta de los Alfareros a encontrarse con el caballero Marcelo, a quien le hizo un breve resumen del curioso desarrollo de esa cena pascual de Jesús que había podido presenciar en secreto.

—Ahora estoy seguro, caballero, de que tenías toda la razón cuando me decías, hace dos años, en Sidón, que Jesús había partido para fundar una nueva religión. Esta noche, instituyó los dos ritos fundamentales: el primero, la transformación del pan en el cuerpo de Jesús, que es Cristo, el Ungido de Dios, y la del vino en su sangre con una acción de gracias, una *eucaristía*, como dicen los griegos. Y el segundo, el acto de comer y beber en común ese pan y ese vino, cuya sustancia ha sido transformada. ¿No crees, Marcelo, que esto tiene que ver más bien con la magia?

—Sé en qué piensas, Hiram: en esos antropófagos de África que se comen a sus enemigos más valientes para que su coraje pase a su sangre, o en los adoradores de Mitra, que se rociaban con la sangre de un toro para adquirir su valor y su fuerza.[32] De hecho, según mi humilde opinión, esta eucaristía expresa confusamente, en la mente de Jesús, tres tesis, que se volverán más claras de aquí en adelante, si Dios le da vida.

30. *Lucas* 22, 19.
31. *Lucas* 22, 20.
32. Véase p. 33 ss.

—¿Cuáles, caballero? ¡Tengo la impresión de que me vas a llevar una vez más por los senderos de la filosofía!

—La primera es lo que significan las propias palabras de Jesús cuando bendijo el pan y el vino: *"Esto es mi cuerpo"* y *"Esto es mi sangre"*, la afirmación de la transformación sobrenatural de la sustancia del pan y del vino, que se convierten por medio de esa acción de gracias, en la sustancia del cuerpo y de la sangre del Hijo de Dios: en el vocabulario de los filósofos, ese milagro se llama *transustanciación*.

—Ya sabía yo que llegaríamos a las grandes palabras...

—La segunda tesis, simbolizada por esa cena en común de Jesús con sus apóstoles, a cada uno de los cuales les dio un trozo de pan único, que antes había bendecido, es que cuando todos los fieles comen el pan y beben el vino de la eucaristía, se unen místicamente con el Señor Jesús. Esta noche, en la mesa del Señor Jesús, eran doce los que comieron la Pascua en común con él, los que compartieron esa *comunión*: cada uno de ellos, al comer una miga-ja de su pan, al beber una gota de su vino, ha recibido de él una parte de su fuerza divina que suprime la muerte, puesto que es la promesa de una vida eterna...

—Suprime la muerte si uno cree, caballero. Yo, que soy judío, amo a Jesús como hombre, pero no lo considero el Hijo de Yahveh que sacará a mi alma del *sheol* después de mi muerte.

—Y yo, que soy un pagano, no creo ni en la existencia de Yahveh, ni en el *sheol*, ni en la vida eterna que promete Jesús: simplemente espero que mi alma viva eternamente en los Campos Elíseos, donde por fin encontraré a Heráclito, Platón, Sócrates, Aristóteles y todos los demás.

—Deja de blasfemar, caballero, y volvamos a los temas más serios. Además de la transustanciación y la comunión, ¿cuál es la tercera tesis que subyace detrás de la enseñanza de Jesús?

—Las palabras que les dijo a sus apóstoles al ofrecerles los fragmentos de pan que rompió y el vino que bendijo la resumen: *"Esto es mi Cuerpo, que se entrega por ustedes"*... *"Esta copa es la Nueva Alianza sellada con mi Sangre, que se derrama por ustedes"*. Con estas palabras, sugiere que su muerte, que sabe cercana, es el sacrificio expiatorio que reconciliará a todos los pueblos de la tierra —y no solamente al pueblo judío— con Dios. Jesús no se refiere ya a la

Alianza prometida a Abraham y renovada por Moisés, sino a una reconciliación de Dios con *todos* los seres humanos, a los que promete la redención de todos sus pecados.

—Si entiendo bien lo que dices, Marcelo, lo esencial de la fe religiosa que predica Jesús se resume en la pequeña frase que les dijo a los Doce al final de la Cena: *"Esto es mi cuerpo, esto es mi sangre"*...

—Entendiste perfectamente, Hiram. Este jueves 6 de abril del año 783 de Roma, un poco antes de la medianoche, en Jerusalén, cerca de la puerta de los Alfareros, nació una religión. Pero sólo cuenta con doce fieles, y a pesar de toda la simpatía que me despierta Jesús, mucho me temo que tenga una vida muy efímera...

Pero la velada pascual no había terminado. Después de respirar durante algunos instantes el aire fresco de la noche, Jesús y sus once apóstoles —el duodécimo, Judas, había huido— volvieron a entrar al cenáculo para tener una última reunión. Hiram y Marcelo, que ya no tenían veinte años, habían decidido tomar dos o tres horas de descanso, porque preveían que la noche sería rica en incidentes. Por eso habían regresado a su villa, a su bosque de olivos.

—Judas ya está desenmascarado —dijo Marcelo— y se irá corriendo al palacio de los sumos sacerdotes o a la casa de Caifás, si no lo hizo ya, para informarles sobre la presencia de Jesús y sus apóstoles a dos pasos del palacio sacerdotal... Si los demás se dan prisa, podrían llevar a cabo una buena redada sitiando el cenáculo de noche. Por las dudas, ya instalé a Estenón, tu secretario, en el mismo escondite que utilizaste tú, con la misión de anotar todo lo que se diga o haga durante el resto de la velada que cerrará esta memorable Pascua, y que nos avise por intermedio de un mensajero si se produce algún incidente.

Hiram y Marcelo pudieron dormir tranquilos: no hubo ningún incidente durante su breve ausencia, pero a juzgar por la extensión del papiro que les entregó Estenón, Jesús había estado particularmente locuaz. El Nazareno, que presentía que ésa sería la última reunión que tendría con sus once fieles apóstoles, y tenía la íntima convicción —lo había dicho a menudo— de que debía ser capturado, y luego sufrir y morir para resucitar más tarde, les dijo al comienzo con un dejo de nostalgia en su voz:

—Hijos míos, ya no estaré mucho tiempo con ustedes. Ustedes me buscarán, pero yo les digo ahora lo mismo que les dije a los judíos:33 *"Adonde yo voy, ustedes no pueden venir"*.

Según Estenón, Pedro habría insistido, como lo anotó en su informe, que Marcelo leía ahora en voz alta frente a Hiram:

> "Simón Pedro le dijo: 'Señor, ¿adónde vas?' Jesús le respondió: 'Adonde yo voy, tú no puedes seguirme ahora, pero más adelante me seguirás'. Pedro le preguntó: '¿Por qué no puedo seguirte ahora? Yo daré mi vida por ti'. Jesús le respondió: '¿Darás tu vida por mí? Te aseguro que no cantará el gallo antes que me hayas negado tres veces'."34

Después, siempre según Estenón, Jesús había tratado de insuflar valor en sus discípulos, que, uno tras otro, le hacían preguntas:

> "'No se inquieten. Crean en Dios y crean también en mí', les dijo. 'En la Casa de mi Padre hay muchas habitaciones; si no fuera así, se lo habría dicho a ustedes. Yo voy a prepararles un lugar. Y cuando haya ido y les haya preparado un lugar, volveré otra vez para llevarlos conmigo, a fin de que donde yo esté, estén también ustedes. Ya conocen el camino del lugar adonde voy'.
>
> Tomás le dijo: 'Señor, no sabemos adónde vas. ¿Cómo vamos a conocer el camino?'.
>
> Jesús le respondió: 'Yo soy el Camino, la Verdad y la Vida. Nadie va al Padre, sino por mí. Si ustedes me conocen, conocerán también a mi Padre. Ya desde ahora lo conocen y lo han visto'.
>
> Felipe le dijo: 'Señor, muéstranos al Padre y eso nos basta'.
>
> Jesús le respondió: 'Felipe, hace tanto tiempo que estoy con ustedes,35 ¿y todavía no me conocen? El que me ha visto, ha visto al Padre.

---

33. En el *Evangelio de Juan*, la denominación "judíos" se refiere en general a las autoridades civiles y religiosas del pueblo judío, y especialmente a las de Judea. El contenido de esta conversación de Jesús con los apóstoles que reproducimos aquí, sólo figura en *Juan*, con excepción de los versículos 22, 31-38 de *Lucas*.

34. Juan 13, 36-38.

35. En realidad, desde hacía dos años: el primer apóstol, Simón Pedro, había sido llamado en marzo del año 28.

¿Cómo dices: Muéstranos al Padre? ¿No crees que yo estoy en el Padre y que el Padre está en mí? Las palabras que digo no son mías: el Padre que habita en mí es el que hace las obras. Créanme: yo estoy en el Padre y el Padre está en mí.[36] Créanlo, al menos, por las obras. Les aseguro que el que cree en mí hará también las obras que yo hago, y aún mayores, porque yo me voy al Padre. Y yo haré todo lo que ustedes pidan en mi Nombre, para que el Padre sea glorificado en el Hijo. Si ustedes me piden algo en mi Nombre, yo lo haré'".[37]

A medida que Marcelo desenrollaba el papiro de Estenón, una extraña emoción lo embargaba, y se lo confió a su amigo fenicio.

—Jesús comprendió que va a morir, Hiram, y a pesar de todo trata de tranquilizar a sus apóstoles, que parecen perder la fe en él a medida que se aproxima su muerte. Sus preguntas y las respuestas que él les da son muy conmovedoras, sin duda, pero lo más hermoso por parte de Jesús, y lo más incomprensible para un pagano como yo, es su falta de desesperación ante su muerte próxima. Está profundamente convencido, por una parte, de que es un pasaje hacia la vida eterna de bienaventuranza en el seno del Reino de Dios, y por la otra, de que los sufrimientos que deberá soportar borrarán el Pecado de Adán, y permitirán que toda la humanidad, pasada, presente y futura, se beneficie con esa misma vida. Por eso está tan emocionado y tan temeroso también.

—¿Temeroso?

—Sí. La obsesión de Jesús —o su misión, como quieras—, es cumplir su papel de Divino Salvador. Pero si después de su sacrificio, la humanidad sigue siendo tan "malvada", tan pecadora como antes, no podrá alcanzar la salvación eterna que le procura su inmolación. Por eso transmite el mensaje evangélico a sus apóstoles: elegido por Dios Padre, de cuya sustancia participa, como su Mesías y su Hijo, su papel de Salvador es necesario, pero no suficiente, les explicó. Su muerte en el suplicio, que tantas veces anunció a sus discípulos a lo largo de sus dos años de predicación, le abre a la hu-

36. Enunciado de la doctrina fundamental de la *consustancialidad entre el Padre y el Hijo*, según la cual ambos comparten la misma sustancia divina.
37. *Juan* 14, 1-14.

manidad las puertas de la vida eterna en el Reino de Dios, pero esa humanidad tiene que ganar su derecho a acceder a ello llevando a cabo una *metanoia*, como te dije un día, una *conversión*, que sólo las grandes almas pueden hacer: será la tarea de sus apóstoles y sus discípulos ayudar a los hombres a cumplirla.

—Entiendo, caballero. Es como si Jesús les dijera a los Doce: Yo hago la parte fundamental para la salvación de la humanidad aceptando el tormento, y ustedes hagan el resto evangelizándola. No es muy evidente, pero creo haberlo captado: Jesús no es Sócrates.

—Tienes toda la razón del mundo, fenicio. Sócrates descubrió, a través de la meditación y la reflexión, cierta manera de vivir feliz en la tierra, que intentó comunicar a sus discípulos. Pero nunca se planteó realmente el problema de la vida eterna y la salvación de la humanidad. En cambio, ésa es la preocupación fundamental de Jesús. Por eso, él no se limita a darles instrucciones a sus apóstoles, sino que les asegura su amor fraternal y su asistencia sobrenatural. Escucha lo que les anunció, después de prometerles que Dios Padre escuchará todos sus pedidos: hará que Él les envíe el Espíritu mismo de Dios, el Espíritu Santo, al que llama "el Supremo Consolador", el "Paráclito":[38]

ANUNCIO DEL PARÁCLITO HECHO POR JESÚS
A SUS DISCÍPULOS
(después de la Cena, la noche del jueves 6 de abril del año 783 de Roma) taquigrafiado por Estenón, para el caballero Marcelo

"'Si ustedes me aman, cumplirán mis mandamientos. Y yo rogaré al Padre, y él les dará otro Paráclito para que esté siempre con ustedes: el Espíritu de la Verdad, a quien el mundo no puede recibir, porque no lo ve ni lo conoce. Ustedes, en cambio, lo conocen, porque él permanece con ustedes y estará en ustedes. No los dejaré huérfanos, volveré a ustedes. Dentro de poco el mundo ya no me verá, pero ustedes sí me verán, porque yo vivo y también ustedes vivirán. Aquel día

---

38. Del griego *parakletos*, término jurídico que designa a alguien que es llamado para defender a un acusado en un proceso, y que podría traducirse aquí como "consolador" o "intercesor".

comprenderán que yo estoy en mi Padre, y que ustedes están en mí y yo en ustedes. El que recibe mis mandamientos y los cumple, ése es el que me ama; y el que me ama será amado por mi Padre, y yo lo amaré y me manifestaré a él.'

Judas —no el Iscariote— le dijo: 'Señor, ¿por qué te vas a manifestar a nosotros y no al mundo?'. Jesús le respondió: 'El que me ama será fiel a mi palabra, y mi Padre lo amará; iremos a él y habitaremos en él. El que no me ama no es fiel a mis palabras. La palabra que ustedes oyeron no es mía, sino del Padre que me envió. Yo les digo estas cosas mientras permanezco con ustedes. Pero el Paráclito, el Espíritu Santo, que el Padre enviará en mi Nombre, les enseñará todo y les recordará lo que les he dicho.

Les dejo la paz, les doy mi paz, pero no como la da el mundo. ¡No se inquieten ni teman! Me han oído decir: 'Me voy y volveré a ustedes'. Si me amaran, se alegrarían de que vuelva junto al Padre, porque el Padre es más grande que yo.

Les he dicho esto antes de que suceda, para que cuando se cumpla, ustedes crean.

Ya no hablaré mucho más con ustedes, porque está por llegar el Príncipe de este mundo: él nada puede hacer contra mí, pero es necesario que el mundo sepa que yo amo al Padre y obro como él me ha ordenado. Levántense, salgamos de aquí'."[39]

—¿Y, qué dices, Hiram? ¿Qué piensas de estas últimas palabras de Jesús?

—Estoy confundido, caballero, porque Jesús nunca predicó así.

—Opino lo mismo que tú, fenicio. Razonemos como personas de sentido común. Las nuevas ideas de Jesús sobre el apocalipsis, la instauración del Reino de Dios, en el fondo no tienen nada de nuevo: se encuentran en los profetas y en los apocalipsis que están de moda en esta época. ¿Me lo admites?

—¡Te lo admito, incrédulo!

—Por otra parte, antes de transformarse en lo que es ahora, Jesús fue educado como un judío, hijo de un buen carpintero judío, y la idea que tenía de Dios, hasta esta noche, era, en líneas generales,

39. *Juan* 14, 15-31.

la de todos los judíos. Cuando discutió en el Templo con los saduceos, durante la fiesta de la Dedicación del año pasado, les dio la definición de Dios que dan todos los judíos, y que figura en el *Deuteronomio*: es el Dios de Abraham, el que le habló a Moisés y a los profetas, el Señor del cielo y de la tierra. En la reunión que tuvo esta noche con sus discípulos, habló de algo que nunca había tratado en sus prédicas anteriores: *el amor de Dios*. Por otra parte, hasta el presente, siempre había dicho, al hablar de Dios, *"el Padre"* o *"el Padre de ustedes"*, y a veces *"mi Padre"*, pero de sus últimas prédicas se infiere que *"el Padre"* es un Dios que sería el padre de *todos* los hombres, y no solamente de los descendientes de Abraham, a los que él mismo pertenece.

—Ése es un punto fundamental, caballero: si Dios es el Padre de todos los hombres, sin excepción, ya no hay pueblo elegido...

—Exactamente, Hiram, y las Alianzas efectuadas por "el Padre" con Abraham, y luego con Moisés están caducas. La nueva alianza de la que habla Jesús se hará con todos los hombres, todos los pueblos. Y la gran Ley de esta alianza no será una serie de prohibiciones y obligaciones, sino una *ley de amor*, que se traducirá para los seres humanos en una exigencia de pureza que engendra las virtudes. La pureza de las intenciones engendra la virtud de *veracidad*, la pureza de las costumbres lleva a la *castidad*, y la pureza de espíritu cuando juzga engendra finalmente virtudes desconocidas —o por lo menos, no reclamadas— por el Dios bíblico: la *humildad*, la *dulzura*, la *misericordia*, el *olvido de las injurias*, la *simplicidad del corazón* y sobre todo, el *amor al prójimo*, que va a la par del *amor a Dios*.

—¿Qué relación existe entre la Ley de Moisés y la ley de amor?

—El que no observa la Ley de Moisés es castigado; el que no observa los mandamientos del Padre no es castigado: su "castigo" consiste en no ser amado por el Padre.

Un mensajero que llegó sin aliento interrumpió esta torpe conversación teológica. Traía un segundo rollo de papiro, apresuradamente redactado por Estenón: se lo entregó a Marcelo, diciéndole, de parte de su secretario, que por el momento no pasaba nada importante alrededor del palacio de los sumos sacerdotes.

Cuando el hombre partió, Marcelo sacudió al fenicio, que dormitaba a su lado en un sofá persa.

—¡Despierta, amigo mío! Te leeré las últimas voluntades de Jesús —le dijo.

Hiram se sobresaltó y preguntó:

—¿Está muerto?

—No, todavía no. Pero Estenón acaba de mandarme sus anotaciones de un discurso que pronunció ante sus apóstoles, y temo que sea el último.

Después de decir esto, Marcelo desplegó un largo papiro, que los dos hombres leyeron en silencio, con mucha emoción.

PALABRAS DE JESÚS A SUS APÓSTOLES
pronunciadas el jueves 6 de abril, antes de la medianoche
(extractos, taquigrafiados por Estenón, para el caballero Marcelo)

"Yo soy la verdadera vid y mi Padre es el viñador. Él corta todos mis sarmientos que no dan fruto; al que da fruto, lo poda para que dé más todavía. Ustedes ya están limpios por la palabra que yo les anuncié. Permanezcan en mí, como yo permanezco en ustedes. Así como el sarmiento no puede dar fruto si no permanece en la vid, tampoco ustedes, si no permanecen en mí. Yo soy la vid, ustedes los sarmientos. El que permanece en mí, y yo en él, da mucho fruto, porque separados de mí, nada pueden hacer.

Pero el que no permanece en mí, es como el sarmiento que se tira y se seca; después se recoge, se arroja al fuego y arde. Si ustedes permanecen en mí y mis palabras permanecen en ustedes, pidan lo que quieran y lo obtendrán. La gloria de mi Padre consiste en que ustedes den fruto abundante, y así sean mis discípulos.

Como el Padre me amó, también yo los he amado a ustedes. Permanezcan en mi amor. Si cumplen mis mandamientos, permanecerán en mi amor, como yo cumplí los mandamientos de mi Padre y permanezco en su amor.

Les he dicho esto para que mi gozo sea el de ustedes, y ese gozo sea perfecto.

Éste es mi mandamiento: *Ámense los unos a los otros, como yo los he amado*. No hay amor más grande que dar la vida por los amigos. Ustedes son mis amigos si hacen lo que yo les mando. Ya no los llamo servidores, porque el servidor ignora lo que hace su señor; yo los llamo amigos, porque les he dado a conocer todo lo que oí de mi Padre.

No son ustedes los que me eligieron a mí, sino yo el que los elegí a ustedes, y los destiné para que vayan y den fruto, y ese fruto sea duradero. Así, todo lo que pidan al Padre en mi Nombre, él se lo concederá. Lo que yo les mando es que se amen los unos a los otros."⁴⁰

Nota de Estenón

Jesús me pareció muy emocionado cuando terminó su sermón, y los apóstoles lo estaban aún más. Luego les predijo que serían odiados, como él lo había sido: "Acuérdense de lo que les dije", les recordó: "el servidor no es más grande que su señor'.⁴¹ Pues bien, el mundo me ha odiado en Judea, y los odiará a ustedes también a causa de mi nombre. Pero aquellos que odian también a mi Padre, que lo recuerden".

Después de hablar así, Jesús levantó los ojos al cielo y dirigió una plegaria a Dios por los suyos, que transcribo aquí en toda su extensión.

PLEGARIA SACERDOTAL
(dicha por Jesús la noche del jueves 6 de abril)

"Padre, ha llegado la hora: glorifica a tu Hijo para que el Hijo te glorifique a ti, ya que le diste autoridad sobre todos los hombres, para que él diera Vida eterna a todos los que tú le has dado. Ésta es la Vida eterna: que te conozcan a ti, el único Dios verdadero, y a tu Enviado, Jesucristo. Yo te he glorificado en la tierra, llevando a cabo la obra que me encomendaste. Ahora, Padre, glorifícame junto a ti, con la gloria que yo tenía contigo antes de que el mundo existiera.

Manifesté tu Nombre a los que separaste del mundo para confiármelos. Eran tuyos y me los diste, y ellos fueron fieles a tu palabra. Ahora saben que todo lo que me has dado viene de ti, porque les comuniqué las palabras que tú me diste: ellos han reconocido verdaderamente que yo salí de ti, y han creído que tú me enviaste. Yo ruego por ellos: no ruego por el mundo, sino por los que me diste, porque son tuyos. Todo lo mío es tuyo y todo lo tuyo es mío, y en ellos he sido glorificado.

40. *Juan* 15, 1-17.
41. *Juan* 15, 20-21.

Ya no estoy más en el mundo, pero ellos están en él; y yo vuelvo a ti. Padre santo, cuida en tu Nombre a aquellos que me diste, para que sean uno, como nosotros. Mientras estaba con ellos, cuidaba en tu Nombre a los que me diste; yo los protegía y no se perdió ninguno de ellos, excepto el que debía perderse, para que se cumpliera la Escritura. Pero ahora voy a ti, y digo esto estando en el mundo, para que mi gozo sea el de ellos y su gozo sea perfecto. Yo les comuniqué tu palabra, y el mundo los odió porque ellos no son del mundo, como tampoco yo soy del mundo.

No te pido que los saques del mundo, sino que los preserves del Maligno. Ellos no son del mundo, como tampoco yo soy del mundo. Conságralos en la verdad: tu palabra es verdad. Así como tú me enviaste al mundo, yo también los envío al mundo. Por ellos me consagro, para que también ellos sean consagrados en la verdad. No ruego solamente por ellos, sino también por los que, gracias a su palabra, creerán en mí. Que todos sean uno: como tú, Padre, estás en mí y yo en ti, que también ellos sean uno en nosotros, para que el mundo crea que tú me enviaste. Yo les he dado la gloria que tú me diste, para que sean uno, como nosotros somos uno —yo en ellos y tú en mí—, para que sean perfectamente uno y el mundo conozca que tú me has enviado, y que yo los amé cómo tú me amaste. Padre, quiero que los que tú me diste estén conmigo donde yo esté, para que contemplen la gloria que me has dado, porque ya me amabas antes de la creación del mundo.

Padre justo, el mundo no te ha conocido, pero yo te conocí, y ellos reconocieron que tú me enviaste. Les di a conocer tu Nombre, y se lo seguiré dando a conocer, para que el amor con que tú me amaste esté en ellos, y yo también esté en ellos."[42]

—¡Por fin! —suspiró Marcelo después de terminar su lectura—. Ahora todo se explica.

—¿Qué quieres decir, caballero? —le preguntó Hiram, súbitamente asombrado.

—Quiero decir que por primera vez desde el comienzo de su ministerio, Jesús lo dijo todo, sin disimulo, sin parábolas, sin alu-

42. *Juan* 17, 1-26.

siones misteriosas. Por primera vez, entendí su actitud y su fe. Esta plegaria lo explica todo.

—Te escucho, caballero, porque la enseñanza de Jesús, o por lo menos, lo que yo he oído de ella durante dos años, tanto en Cafarnaún como en el Templo, frente al pueblo o frente a los sacerdotes, me ha emocionado. ¿Quieres que te diga algo? Yo tenía veinte años cuando me convertí al judaísmo para las razones que ya conoces...

—Razones poco religiosas, fenicio...

—En el momento de mi conversión, lo confieso, no eran nada sinceras. Pero más tarde escuché a los rabinos, leí las Escrituras, y realmente encontré en esa religión cierta serenidad. Luego, al envejecer, empecé a tener miedo a la muerte, y fue entonces cuando di cuenta de que la religión de los judíos no me bastaba: el *sheol* me espantaba, y el estricto respeto a las observancias me parecía secundario en comparación con las desdichas del mundo. Hace dos años que oigo los sermones de Jesús, en la montaña, en la rada de Cafarnaún, en el Templo, frente al pueblo o frente a los sacerdotes, y desde que leí lo que tú llamas tu "lista",[43] que me los trajo nuevamente a la memoria, me siento atraído por la religión que él predica: no prohíbe nada, no amenaza a nadie con iras divinas, predica el amor y el perdón de las ofensas, y no el odio al pecador y su castigo. Por eso me gustaría que me aclararas por qué dices que su plegaria lo explica todo.

—Sin saberlo, pusiste el dedo en la llaga, Hiram. Lo que más temen los hombres, no es el dolor, el hambre, la enfermedad o la opresión, sino la muerte, de la que no los preserva ninguna divinidad pagana, ningún dios único, así sea el Yahveh de los judíos o el Mitra de los persas. Y desde el comienzo mismo de su plegaria, Jesús anunció a los hombres dos novedades reconfortantes: en primer lugar, que el único verdadero Dios, que es su Padre, le ha conferido el poder de otorgar la vida eterna a todos los seres humanos, y en segundo lugar, que esa vida eterna consiste en reconocer a ese verdadero Dios y a Su Enviado —Su Mesías—, que comparte su sustancia, es decir, Jesús.

—¿Y qué significa la continuación de esa plegaria?

43. Véase capítulo 20.

—En ella, Jesús declara que él es uno con Dios Padre, el que lo envió al mundo para instaurar su Reino, y que él mismo es uno con cada uno de sus apóstoles, y le pide a su Padre que los bendiga y los consagre como lo bendijo y lo consagró a él. *"Ustedes son mis enviados, como yo soy el enviado de mi Padre*, les dijo, *y serán odiados como lo soy yo, inmolados como lo seré yo".*

En ese momento, llegó otro mensajero con un nuevo mensaje de Estenón para Marcelo. Su secretario le decía que Jesús había terminado de hablar, la Cena había finalizado, el Nazareno había cantado los salmos de *Hallel*44 con sus apóstoles, y todos se habían dirigido, en silencio, a la ciudad baja. Habían salido de Jerusalén por la Pequeña Puerta que se hallaba en el ángulo sudeste de las murallas y se abría sobre el valle de Cedrón. En una posdata escrita con prisa, Estenón le avisaba además al caballero que había logrado alcanzarlos y que le enviaría un tercer mensaje alrededor de una hora más tarde.

Todo estaba tranquilo, ahora, en Jerusalén.

---

44. *Marcos* 14, 26. Se trata de los *Salmos* 115 a 118: véase p. 206.

25

El proceso

Viernes 7 de abril, año 783 de Roma,
desde la medianoche hasta las 8 de la mañana[1]
(7 de abril del año 30 d.C.)

Medianoche: Jesús y los apóstoles salen del Cenáculo y se dirigen a Getsemaní
– Hacia la 1 de la mañana: detención de Jesús – Hacia las 2: llegada al pala-
cio de los sumos sacerdotes – Poco después: Jesús frente a Anás, quien lo envía
a Caifás – Hacia las 2.30: primer interrogatorio a cargo de Caifás; primera ne-
gación de Pedro (con una primera sirvienta) – Hacia las 3: el gallo canta por
primera vez: segunda negación de Pedro (con otra sirvienta) – Hacia las 3.30:
tercera negación de Pedro; el gallo canta por segunda vez – Un poco antes de
las 4 de la mañana: fin del Consejo nocturno de Caifás – Entre las 4 y las 5: Je-
sús es entregado a los guardias del Templo – Poco después de las 5: apertura le-
gal del proceso a Jesús ante el Sanedrín – A las 5.51: fin de la audiencia del Sa-
nedrín; Jesús es enviado ante Pilato – A las 7: se espera el veredicto de Pilato –
A las 8: el veredicto – ¿Quién tiene la responsabilidad: Caifás, Pilato o la mul-
titud? – Entre las 8 y las 9: para escarnecerlo, visten a Jesús (flagelado, y luego
víctima de las burlas de la soldadesca) con un manto de púrpura y una corona
de espinas – Hacia las 9: fin de las vejaciones – Un poco antes de las 10: Ecce
homo! En el Litóstrotos, último diálogo de Jesús con Pilato frente a la multitud.

1. La jornada del viernes 7 de abril, en cuyo transcurso tiene lugar el proceso a Jesús, y cuyos detalles sólo conocemos a través de los *Evangelios* y algunos fragmentos de los *Hechos de los Apóstoles*, es el único período de la vida de
Jesús que puede ser seguido hora por hora, gracias a las vagas informaciones
que ofrecen esas fuentes, que son, sin embargo, muy dudosas desde el punto
de vista de las ciencias históricas (sobre esto, véase el Anexo 3). La cronología
horaria que proponemos es compatible con los datos de los cuatro *Evangelios*,
a partir de los cuales la hemos reconstruido, teniendo en cuenta especialmente el tiempo necesario para ir a pie de un lugar a otro en la Jerusalén de los ar-
queólogos (por ejemplo, desde la torre Antonia hasta el montículo del Gólgota). Además, hemos traducido las menciones evangélicas ("la tercera hora", "la
sexta hora", etcétera, que corresponden a la cronometría romana) a sus equi-
valentes (aproximados) en nuestra cronometría moderna.

En el silencio de la noche, bajo la pálida luz de la luna, Jesús y sus apóstoles, discretamente seguidos a distancia por Estenón, a quien Marcelo había dado la consigna de no perder de vista al Nazareno, caminaban sin hablar por el ancho camino que descendía, en forma escalonada, de la parte alta de la colina —donde se encontraban el cenáculo y el palacio de los sumos sacerdotes— hasta el valle del Cedrón. En esa época del año, en el río fluía con gran estruendo un agua rápida y glauca, que en verano solía transformarse en un delgado hilo de barro estancado y nauseabundo.

Desde la huida de Judas, Jesús suponía que sería buscado por los guardias de los sumos sacerdotes, y trataba de evitar los lugares donde acostumbraba pasar la noche, como la casa de Lázaro en Betania, por ejemplo. Llevó a sus discípulos hasta un terreno ubicado al pie del monte de los Olivos, al que los lugareños llamaban "Getsemaní", porque allí había un lagar comunal de aceite (*Getsemaní* en arameo). Era un lugar que Jesús conocía muy bien, porque muchas veces había reunido allí a sus discípulos,[2] y cuando llegaron, Estenón oyó claramente que les decía: *"Mi alma siente una tristeza de muerte. Quédense aquí, velando conmigo"*,[3] y luego se alejó para orar, acompañado por Pedro y los dos hijos de Zebedeo, Santiago y Juan. Más tarde, en el transcurso de la noche, Estenón, muy conmovido, fue a informarle a Marcelo sobre esta plegaria y los dramáticos acontecimientos posteriores.

—Era un poco más de medianoche, señor Marcelo, cuando Jesús, después de haberse alejado con sus discípulos, se adelantó dos o tres pasos, cayó con el rostro en tierra, y murmuró una plegaria: *"Padre mío, si es posible, que pase lejos de mí este cáliz,[4] pero no se haga mi voluntad, sino la tuya"*. En ese momento, dijo haber visto un ángel que descendía del cielo, que lo reconfortó; angustiado, comenzó a orar de nuevo con exaltación, hasta el punto de que en su frente no había gotas de sudor sino gotas de sangre.[5] Luego fue ha-

2. *Juan* 18, 2.
3. *Mateo* 26, 38.
4. En el sentido de "prueba cruel". Cf. la expresión corriente: "Beber el cáliz hasta las heces".
5. Esta indicación solamente se encuentra en *Lucas*, el evangelista médico (22, 44).

cia donde estaban sus discípulos y los encontró dormidos. Entonces sacudió a Pedro y le dijo, en tono de reproche: *"¿Es posible que no hayan podido quedarse despiertos conmigo, ni siquiera una hora? Estén prevenidos y oren para no caer en la tentación, porque el espíritu está dispuesto, pero la carne es débil"*. Luego se alejó por segunda vez para orar, y pude oírlo invocar a Dios en estos términos: *"Padre mío, si no puede pasar este cáliz sin que yo lo beba, que se haga tu voluntad"*. Después regresó con sus discípulos: dormían tan profundamente que su sueño ni siquiera fue interrumpido por el ruido de una tropa que subía al lagar, conducida por Judas el Iscariote, cuya silueta percibió Jesús en la lejanía, a la luz de los faroles y las antorchas que sostenían los que habían ido a detenerlo. Desanimado e irritado al mismo tiempo por la indiferencia de los suyos, el Nazareno les gritó, aunque en vano: *"Ahora pueden dormir y descansar: ha llegado la hora en que el Hijo del hombre va a ser entregado en manos de los pecadores. ¡Levántense! ¡Vamos! Ya se acerca el que me va a entregar"*. Unos minutos después, una cohorte[6] de guardias armados al servicio de los sumos sacerdotes y los fariseos,[7] hizo irrupción en el lugar donde Jesús había reunido a sus discípulos, que acababan de despertarse. Como había convenido con el capitán de los guardias, Judas se precipitó hacia él: "Rabí", le dijo, dándole un beso. Jesús le respondió secamente al apóstol traidor: *"Amigo, ¡cumple tu cometido!"*. Luego le preguntó al capitán: *"¿A quién buscan?"*. El otro le respondió que venía a arrestar a Jesús, el Nazareno. Jesús le dijo serenamente: *"Soy yo"*. Entonces los guardias se arrojaron sobre él y lo prendieron, sin más. Sin embargo, uno de los apóstoles[8] intentó resistir, sacó su espada e hirió a uno de los

---

6. El término griego empleado por el redactor del *Evangelio de Juan* es *speira* (Juan 18, 3), que se refiere, según los casos, a la unidad militar romana llamada *cohorte* o *compañía* (tercio de cohorte): se trata de la cohorte que estaba permanentemente acantonada en la torre Antonia. Contaba con seiscientos legionarios, y *Juan* 18, 12 llama a su jefe *chilliarco*, equivalente griego de la palabra "tribuno". Ninguno de los otros tres *Evangelios* usa esta terminología romana para designar a los que fueron a prender a Jesús. Véase también aquí abajo la nota 16.

7. *Juan* 18, 3.

8. Según la tradición, se trata del apóstol Pedro.

servidores del Sumo Sacerdote, un tal Malco,9 cortándole la oreja. Pero el Nazareno, a quien los guardias sostenían con firmeza, le dijo: "*Guarda tu espada, porque el que a hierro mata a hierro muere. ¿O piensas que no puedo recurrir a mi Padre? El pondría inmediatamente a mi disposición más de doce legiones de ángeles. Pero entonces, ¿cómo se cumplirían las Escrituras, según las cuales debe suceder así?*"10 Luego, dirigiéndose a sus agresores, les dijo: "*¿Soy acaso un ladrón, para que salgan a arrestarme con espadas y palos? Todos los días me sentaba a enseñar en el Templo,*11 *y ustedes no me detuvieron. Todo esto sucedió para que se cumpliera lo que escribieron los profetas*".12 En ese momento, todos los discípulos lo abandonaron, huyeron y se dispersaron entre las malezas y los olivos. Los legionarios de la cohorte romana, comandados por un tribuno, y los guardias judíos aferraron a Jesús, lo ataron y lo llevaron. También trataron de arrestar a un hombre joven que se había unido a último momento a los seguidores del Nazareno, y que, como toda vestimenta, se había envuelto el cuerpo con un lienzo. En el breve forcejeo que se produjo, dejó su lienzo y huyó desnudo en la noche: se llamaba Marcos.13 Nadie supo quién era ni qué fue de él. Esto es todo lo que vi y oí, señor caballero —terminó Estenón— y si ya no me necesitas, te pido respetuosamente autorización para ir a dormir, porque ésta fue una noche terrible para mí...

—Esta vez, Marcelo, las cosas se complican —dijo Hiram cuando Estenón finalizó su relato y se fue—. Lo que les predijo Jesús a sus discípulos desde el inicio de su ministerio —que sería entregado en manos de los hombres, que lo matarían y que al tercer día después de su muerte resucitaría—14 está empezando a cumplirse.

—No había que ser demasiado entendido en la materia para darse cuenta de que su aventura terminaría de este modo, fenicio.

---

9. *Juan* 18, 10.

10. *Mateo* 26, 52-54.

11. Es decir, en los atrios, bajo los pórticos y en el interior del santuario.

12. Véase *Mateo* 26, 52-56; *Marcos* 14, 43-51; *Juan* 18, 1-12.

13. Esta información sólo aparece en *Marcos* 14, 51. Algunos exegetas e historiadores afirman, sin pruebas ni argumentos, que se trataría del redactor del *Evangelio según san Marcos*, que habría puesto así su firma en su obra.

14. *Mateo* 17, 22-23.

Desde hace un poco más de dos años, Jesús no deja de violar o denigrar la Ley de Moisés: entonces las autoridades religiosas se sintieron obligadas a detenerlo, e incluso me sorprende que no lo hayan hecho antes. Además, algunas veces alteró el orden público, y la misión de Pilato, como la de todos los procuradores anteriores, es impedir que se repitan en Jerusalén las revueltas del pasado.[15] Por lo tanto, nos guste o no, lo que pasó esta noche en Getsemaní era inevitable y previsible. Sin embargo, el relato de esa detención que hizo Estenón en pocos minutos, contiene algunos puntos oscuros y me parece un poco incierto...

—¿Por ejemplo, caballero?

—Por ejemplo, me gustaría saber quién dio la orden oficial de detener a Jesús, si Pilato o las autoridades religiosas judías.

—Estenón te lo dijo expresamente: Jesús fue capturado como un vulgar malhechor por una tropa armada, que actuó por orden de los sumos sacerdotes y los escribas, es decir, de las autoridades del Templo, gracias a las informaciones de Judas, que condujo a esa tropa hasta Getsemaní.

—Quien dice *arresto*, dice *proceso*, fenicio, y quien dice *proceso*, dice *sentencia del Sanedrín*. En este caso concreto, tratándose de una acusación de blasfemia grave, la pena impuesta será, sin duda alguna, la muerte o la prisión perpetua. Además, en la hipótesis de una condena a muerte, según el estatus de Judea, la ejecución de la sentencia está a cargo del procurador, quien también tiene el poder de conmutar la pena e incluso de indultar al condenado. En este momento, no sabemos cuál será la actitud de Pilato. Los judíos —me refiero a las autoridades judías del Templo— no tienen jurisdicción para ejecutar una pena capital.

—En su relato, caballero, Estenón habló de una "cohorte" comandada por un "tribuno": por lo tanto, son legionarios romanos los que detuvieron a Jesús, por orden del Templo.

—Las fuerzas romanas sólo pueden recibir órdenes del procurador, Hiram, pero Estenón dijo también que estaban acompañadas por hombres armados por los sumos sacerdotes y los fariseos. Como es completamente inverosímil que Judas esté al mando de una

---

15. Véase p. 196 ss.

cohorte romana, infiero que: 1) la decisión de arrestar a Jesús fue tomada en común por las autoridades del Templo, encabezadas desde hace unos doce años por el sumo sacerdote Caifás, que es dueño y señor de Jerusalén... después de Pilato, por supuesto; 2) esa decisión fue avalada por las autoridades romanas, es decir, por el procurador; 3) en consecuencia, la "tropa" a la que se refiere Estenón estaba formada por legionarios romanos y por guardias judíos del Templo. Por lo tanto, la responsabilidad por el arresto de Jesús es compartida.

—Y ahora, ¿qué pasará, Marcelo?

—Como el delito del que acusan a Jesús no es un delito de orden público, sino un delito religioso, el Nazareno será llevado de inmediato ante el tribunal de los judíos, es decir, ante el Sanedrín, que lo juzgará en consecuencia. Pero todavía faltaría aclarar un punto importante.

—¿Cuál, caballero?

—¿Quién tomó la iniciativa de llevar a cabo esta operación de policía: Judas, Caifás o Pilato?[16] Judas está descartado: es un perso-

16. Entre los exegetas y los historiadores, existen dos tesis contrapuestas: una adjudica la responsabilidad por el arresto de Jesús en Getsemaní a los judíos (las autoridades religiosas judías), y la otra, a los romanos (en este caso, Pilato). Lamentablemente, para decidir entre estos dos puntos de vista, sólo contamos con el texto —evidentemente parcial— de los cuatro *Evangelios*: a) *Mateo* (26, 47) acusa únicamente a los judíos: *"Jesús estaba hablando todavía, cuando llegó Judas, uno de los Doce, acompañado de una multitud con espadas y palos, enviada por los sumos sacerdotes y los ancianos del pueblo"*; b) *Marcos* (14, 43) acusa únicamente a los judíos: *"Jesús estaba hablando todavía, cuando se presentó Judas, uno de los Doce, acompañado de un grupo con espadas y palos, enviado por los sumos sacerdotes, los escribas y los ancianos"*; c) *Lucas* (22, 47-52) acusa únicamente a los judíos, y en particular (por medio de una alusión indirecta) al sumo sacerdote Caifás: *"Todavía estaba hablando, cuando llegó una multitud encabezada por el que se llamaba Judas, uno de los Doce [...] Los que estaban con Jesús, viendo lo que iba a suceder, le preguntaron: 'Señor, ¿usamos la espada?'. Y uno de ellos hirió con su espada al servidor del Sumo Sacerdote, cortándole la oreja derecha. [...] Jesús dijo entonces a los sumos sacerdotes, a los jefes de la guardia del Templo y a los ancianos que habían venido a arrestarlo: '[...]Todos los días estaba con ustedes en el Templo y no me arrestaron'"*; d) *Juan* (18, 2-12) es el único que acusa no sólo a los judíos sino también (por el vocabulario que emplea) a los romanos, que participaron en la detención de Jesús, y en particular (por la misma alusión indirecta que *Lucas*) al sumo sacerdote: *"Entonces Judas,*

naje de muy poca envergadura, un traidor lamentable, sin interés. Por otro lado, sabemos que la decisión de detener a Jesús y juzgarlo fue tomada por unanimidad por los sumos sacerdotes en la reunión que tuvieron con Caifás, en el monte del Mal Consejo, anteayer, el miércoles 5 de abril, al final de la tarde. Pero los sumos sacerdotes no tienen ninguna autoridad sobre la milicia: ¿cómo es posible, entonces, que hubiera legionarios romanos entre los soldados que detuvieron al Nazareno? El tribuno que los dirigía, según el relato de Estenón, es un simple ejecutor, que sólo puede hacer lo que le ordena Pilato: por lo tanto, es el procurador quien dio la orden de detener a Jesús. Pero ¿la dio por iniciativa propia, después de recibir informaciones de sus servicios de inteligencia, con el fin de evitar disturbios religiosos o una especie de guerra de religión en Judea, entre el Templo y los partidarios de Jesús? ¿O cedió ante la presión de los judíos, es decir, de las autoridades religiosas, ya que el pueblo judío no tiene nada que ver con este asunto? En una palabra: la intervención administrativa de Pilato en esta detención sigue siendo un misterio para mí.

—Yo no poseo tus altas competencias en materia de estrategia política, caballero, pero me gusta conversar con la gente, escuchar qué dicen en los mercados, e incluso lo que cuentan los borrachos, y por casualidad, recibí un pequeño indicio que podría ponerte sobre la pista de una solución.

—Habla, fenicio.

—Anteayer recibí la visita de un primo lejano, un comerciante de joyas que compra sus diamantes en la India a bajo precio para

---

al frente de una cohorte [*speira*, término griego que designa a la unidad romana llamada "cohorte"; Juan no usa la palabra "tropa"] *y de los guardias designados por los sumos sacerdotes y los fariseos* [...]. *Entonces Simón Pedro, que llevaba una espada, la sacó e hirió al servidor del Sumo Sacerdote, cortándole la oreja derecha* [...]. *La cohorte* [segunda vez que aparece] *con su chilliarco* [véase más arriba, nota 6] *y los guardias judíos, se apoderaron de Jesús y lo ataron"*; e) No es aberrante pensar que los sumos sacerdotes, los escribas y los fariseos hubieran tomado la iniciativa de perseguir a Jesús y detenerlo para llevarlo ante el Sanedrín, que hayan pedido la ayuda de las fuerzas romanas para esta operación policial nocturna, y que Pilato, partidario del orden por sobre todas las cosas, haya dado su consentimiento.

venderlos en Damasco, en Jerusalén y en Roma, y que consigue entrar a la casa de los clientes ricos que le interesan, sobornando a alguno de sus esclavos. Pues bien: el amo de uno de éstos es un sanedrista, cuyo nombre no recuerdo, y le reveló a mi primo que, desde hace algún tiempo, ese judío le hacía muchas visitas secretas a Pilato, algo que no es habitual en un miembro del Sanedrín. De manera que traté de hacer hablar a ese esclavo, porque siempre es bueno recibir una buena información... o comprarla.

—¿Y qué le sonsacaste a ese esclavo?

—Nada. Pero le compré una confidencia, hace exactamente dos días: su amo le dijo a Pilato que Jesús se proclamaba en todas partes rey de los judíos, y que estaba preparando un complot contra el procurador para tomar el poder en Jerusalén. Según esta versión, tendría la intención de hacerse nombrar como sucesor del último rey de Judea, Arquelao, el hijo de Herodes el Grande.

—¿De dónde salió ese cuento que es una fabulación del principio al fin? Nunca oí hablar de eso.

—No es ningún cuento, Marcelo: mi amigo, el esclavo, me presentó a su amo, y él me repitió la misma historia.

—Si lo que me dices es cierto, Hiram, la intervención de un comando romano en Getsemaní se justifica, y empiezo a ver más claro. El Sanedrín, o al menos algunos de sus miembros más influyentes, entre ellos, Caifás, considera que las acciones y las palabras de Jesús son blasfemas. Pero el Sanedrín no está habilitado para infligirle la pena de muerte que establece la Torah para ese delito. Sólo puede sentenciarla, y es el procurador —que, no lo olvidemos, posee el derecho de indulto— quien la aplica. En consecuencia, para forzarle la mano, las autoridades judías decidieron acusar a Jesús ante Pilato de un delito político grave, en este caso, de rebelión contra el emperador y contra sus leyes, y para eso, aprovecharon la ambigüedad de sus palabras.

—¿Cuáles, caballero?

—Desde hace varios meses, y cada vez con mayor frecuencia, Jesús proclama que él es el Mesías enviado por Dios para organizar Su Reino en la tierra. Los judíos del Templo comprenden el sentido teológico y místico de sus palabras, porque ellos mismos enseñan todos los días lo que los profetas dijeron sobre el tema. Pero lograron hacerle creer a Pilato que Jesús realmente estaba organizando un golpe de

Estado, que era un agitador político clandestino y que preparaba una rebelión contra las autoridades romanas para instaurar un Estado judío independiente —el "Reino de Dios"—, cuyo rey sería él.

—Entendí perfectamente, Marcelo: según las leyes de Augusto que rigen a Palestina, el procurador de Judea no tiene competencia para juzgar el crimen religioso que el Templo le reprocha a Jesús, pero es soberano en materia de delitos políticos. De manera que Pilato envió una escuadra a Getsemaní para apoyar con su fuerza a los guardias del Templo, con el objeto de detener a un personaje doblemente criminal, en el plano religioso y en el plano político.

—De cualquier manera, fenicio, nos encaminamos en primer lugar hacia un proceso religioso frente al Sanedrín, y no frente a un tribunal civil romano.

—¿Y cuándo tendrá lugar, Marcelo?

—Eso depende del Consejo de los sumos sacerdotes, y en particular, de Caifás. Creo que llegó el momento de que vayamos a ver más de cerca lo que está pasando, Hiram.

—¿Tienes alguna idea del lugar al que llevaron a Jesús, después de arrestarlo?

—Si, como todo parece indicarlo según el relato de Estenón, son las autoridades judías las que decidieron detener a Jesús, éste será conducido ante Caifás, al palacio de los sumos sacerdotes, donde vive también su predecesor, el viejo Anás. ¿Te acuerdas de él?

—Como si fuera ayer, caballero: ¡siempre guardaré en mi memoria el recuerdo de sus anchos pantalones blancos ceñidos en los tobillos y las campanillas de oro que adornaban su vestimenta de gala cuando vino a visitarnos, hace veinticinco años, después de que le entregué su Águila de oro!

—Hablaremos de tus recuerdos de juventud más tarde, fenicio: debemos partir de inmediato si queremos asistir a la llegada de Jesús a casa de Caifás.

—Dame tiempo para ponerme un manto bien abrigado: las noches son frescas en abril.

Los dos amigos llegaron al palacio de los sumos sacerdotes al mismo tiempo que una tropa irregular formada por guardias del Templo y legionarios romanos, que empujaba a Jesús, atado, pero impasible, hacia la ciudad alta, por el mismo sendero escalonado que había usado para bajar desde el cenáculo hasta el Cedrón. Ro-

dearon la colina de Sión y llegaron hasta el pie de la pequeña loma
sobre la que se encontraba la casita donde había tenido lugar la última cena de Jesús. Esto le hizo decir a Marcelo:

—Hemos vuelto al punto de partida de esta fiesta de la Pascua,
Hiram. ¡Cuando pienso que hace apenas unas horas, Jesús estaba
aquí comiendo, bebiendo y cantando el *Hallel* con sus apóstoles!

Poco a poco, el palacio sacerdotal, cuyas ventanas se iban iluminando unas tras otras, empezó a animarse. Bajo el pórtico principal,
había un incesante ir y venir de guardias, sacerdotes y fariseos vestidos de gala. La colonia galilea de Jerusalén también estaba presente allí, ruidosa e inquieta: circulaba el rumor de que llevarían a Jesús en primer lugar ante Anás, el suegro de Caifás, que por su edad
avanzada y su inteligencia religiosa fuera de lo común era designado habitualmente como árbitro supremo de las causas delicadas. El
ex sumo sacerdote, respetado por toda la clase sacerdotal, también
era venerado por la clase humilde de los campesinos y los comerciantes de Judea por su apego no sólo a la religión de sus padres, sino también a la cultura judía, y todos los nacionalistas israelitas antirromanos se reconocían en él: así como Caifás era considerado el
"patrón" indiscutido del Templo, Anás era valorado como el jefe
moral de la comunidad judía y el guardián de todas sus tradiciones.

—¿Por qué lo llevan a comparecer ante Anás, caballero? ¿Qué
sentido tiene eso?

—Confieso que es sorprendente, Hiram, pero se puede entender. En mi opinión, fue Caifás quien tomó la iniciativa de arrestar a
Jesús: su función de sumo sacerdote consiste en preservar la religión —a la que él sirve con eficacia y sinceridad— de todas las des-
viaciones y de todas las herejías. No obstante, tal como yo lo conozco, estoy casi seguro de que no reclamará la muerte del pecador,
como la Ley lo invita a hacer. En ese caso, chocará con el partido fariseo, que es intransigente en este punto, y necesitará un aliado de
peso en el Sanedrín. Y ¿qué mejor aliado puede encontrar que el ve-
nerable Anás? Como éste es sensible a las atenciones, Caifás ordenó que Jesús sea presentado en primer lugar ante su anciano ante-
cesor, que todavía no digirió el hecho de haber sido tratado por el
Nazareno como "sepulcro blanqueado", en pleno Templo, a fines
del año pasado. Como respuesta de este homenaje, Anás apoyará a
Caifás en su acción contra el partido saduceo, que tiene mucho po-

der dentro del Sanedrín: es el partido de los sacerdotes, los hombres de negocios y los "romanófilos".

—Para decirlo de otro modo, si te entiendo bien, caballero, Caifás quiere que el Sanedrín condene a Jesús, al término de un proceso religioso, para proteger la pureza del judaísmo. Pero todavía no es de día, y la Ley judía prohíbe los debates judiciales nocturnos: el Sanedrín debe esperar el canto del gallo para sesionar. Jesús sólo podrá ser interrogado hoy, viernes, cuando salga el sol, y como nuestro código de procedimientos prohíbe que se dicte sentencia el mismo día del interrogatorio, sólo podrá eventualmente ser juzgado el sábado. Aquí se ve la astucia de Caifás, que quiere terminar cuanto antes con Jesús: lo hace comparecer ahora mismo ante Anás, lo que parece una muestra de respeto hacia el anciano pontífice, y obtiene a cambio la condena inmediata del acusado, que luego será propuesta al Sanedrín para que la avale.

—Has comprendido perfectamente la maniobra, Hiram: ¡tienes la mente tan retorcida como nuestros jurisconsultos romanos! Y ahora, vayamos a ver cómo lo juzgan los sumos sacerdotes.

En realidad, las cosas salieron mal. Jesús fue llevado, en efecto, en primer lugar ante Anás, cuyos aposentos estaban separados de los del sumo sacerdote por un simple patio. Anás comenzó a interrogarlo con voz temblorosa, pues se estaba poniendo viejo: eran las dos de la mañana pasadas, no había dormido todavía, y Jesús, firme y voluntarioso, no había abierto la boca. Entonces el anciano pontífice ordenó que llevaran al Nazareno ante Caifás, y luego, sin duda, agotado por ese esfuerzo, se otorgó algunas horas de descanso: Anás quería estar bien lúcido para sesionar en el Sanedrín, que, una vez terminados los interrogatorios, debería llevar a cabo el juicio.

Todavía era noche cerrada y seguía haciendo frío. En el patio del palacio sacerdotal, los sirvientes somnolientos se calentaban junto a un gran fuego de leña que habían encendido. Entre ellos, se encontraba Pedro, el combativo apóstol que había declarado que estaba dispuesto a seguir a su maestro a la prisión, e incluso a la muerte. Nadie lo había reconocido. Olvidando su promesa, lo único que le importaba era pasar inadvertido.

Al enterarse del arresto del Nazareno, comenzaron a llegar al palacio sacerdotal sumos sacerdotes, sacerdotes, fariseos, escribas, Ancianos del pueblo y simples curiosos. Una sirvienta, que estaba encargada de vigilar la puerta del palacio e iba de un lado a otro, vio a Pedro y lo reconoció. Lo miró fijamente un instante y dijo en voz muy alta: "¡Tú también estabas con Jesús, el Nazareno!".[17] Se hizo un gran silencio, todos volvieron sus miradas hacia el hombre que ella había señalado y esperaron su reacción. Sobresaltado, Pedro gritó con fuerza: "No sé nada, mujer; no entiendo de qué estás hablando. ¡Ni siquiera conozco a ese Jesús!". Luego se puso de pie y salió al vestíbulo para abandonar el palacio. A lo lejos, se oyó el primer canto de un gallo, pero el sonido fue cubierto por el alboroto, y Pedro no reparó en él. Eran las tres de la mañana.

Acababa de atravesar el umbral del vestíbulo salvador, cuando lo vio otra sirvienta y empezó a incitar a la multitud que se agolpaba en el lugar: "¡Es uno de ellos, es uno de ellos!", aulló, pero una vez más, el apóstol negó. Pasó otra media hora entre murmullos y conciliábulos. Los que estaban allí miraban a Pedro, que se esforzaba por parecer sereno, pero en su interior temblaba de miedo: sabía que, a pesar de su valentía, no podría hacer nada si todos se abalanzaban sobre él. Hacia las tres y media de la mañana, un hombre lo enfrentó y le dijo, como las dos sirvientas: "Tú también eres uno de ellos". Pedro respondió, como antes: "No lo soy". Pero el hombre, que había reconocido su acento áspero de las montañas de Galilea, insistió en su acusación y gritó, en dirección a los guardias: "¡Deténganlo! ¡Es un galileo!". Pedro negó obstinadamente y empezó a maldecir, gritando a voz en cuello: "¡No conozco al hombre del que me hablan!". En ese momento, en el silencio de la noche, el gallo cantó por segunda vez, Pedro oyó su canto, y recordó las palabras que le había dicho el Señor: *"Antes de que cante el gallo por segunda vez, tú me habrás negado tres veces"*.[18] Con el alma llena de remordimientos, salió del palacio llorando lágrimas amargas y se arrepintió.

Los guardias fueron a buscar a Jesús para llevarlo ahora ante Caifás, que lo esperaba, rodeado por un Consejo reducido, para interrogarlo a su vez. El sumo sacerdote quería saber todo: dónde predicaba, quiénes eran sus discípulos, y sobre todo, qué doctrinas predicaba. Las respuestas a todas esas preguntas se debatirían en el transcurso del Gran Consejo del Sanedrín, que, según la Ley, debía

17. *Marcos* 14, 67.
18. *Marcos* 14, 72.

reunirse en la sala del Templo reservada para tal fin, a la hora en que los primeros rayos del sol rozaran la colina del Moriah.

El Nazareno le respondió que nunca había predicado a escondidas, sino siempre abiertamente, en las sinagogas en primer lugar, luego en los atrios del Templo, e incluso en el interior del recinto sagrado, donde se reúnen todos los judíos, y que nunca había dicho nada que fuera secreto o misterioso. Luego perdió la paciencia y le gritó a Caifás: *"¿Por qué me interrogas a mí? Pregunta a los que me han oído qué les enseñé"*.[19] Apenas Jesús dijo esto, uno de los guardias allí presentes le dio una bofetada, diciéndole: "¿Así respondes al Sumo Sacerdote?". Jesús le respondió con calma: *"Si he hablado mal, muestra en qué ha sido; pero si he hablado bien, ¿por qué me pegas?"*.[20]

Cuando finalizó ese Consejo nocturno, el acusado fue puesto en manos de los guardias del Templo y de los servidores de los sumos sacerdotes, que lo trataron de una manera despreciable. Luego esperaron que el día se alzara sobre la colina del Templo, mientras los húsares del sumo sacerdote se dispersaban a través de la ciudad, para convocar a los setenta y dos miembros del Sanedrín,[21] ante el cual debía comparecer Jesús, acusado de blasfemia, de sedición y de ser un falso profeta.

La sala en la que se reunía habitualmente esa Asamblea suprema del pueblo judío estaba situada en el fondo del amplio santuario que había edificado Herodes el Grande. El tribunal era presidido por el príncipe del Sanedrín, el *Nasí*, secundado por el decano de los sanedristas, el *Ab Bet Din*. Los setenta y dos miembros de ese Consejo se sentaban en semicírculo alrededor de esos dos personajes. En cada extremo, había un escriba que se encargaba de reunir los votos de los jueces presentes.

El asunto fue despachado en forma expeditiva, le escribiría más

19. *Juan* 18, 19-21.
20. *Juan* relata el incidente de la bofetada en el interrogatorio conducido por Anás. El interrogatorio nocturno que sigue, conducido por Caifás, no es admitido por todos los exegetas que se refieren a su contenido en la sesión celebrada por el Sanedrín, tres horas más tarde.
21. Para la organización del Sanedrín, véase p. 215 ss.

tarde Marcelo a uno de sus amigos que vivía en Alejandría, al que
le informó sobre el caso. Se hizo comparecer al acusado ante el tribunal de los judíos hacia las cinco de la mañana; tres cuartos de hora después,[22] tras haber sido interrogado y juzgado culpable por la
unanimidad de los votos del Sanedrín, prácticamente sin debate, Jesús fue conducido ante Pilato para que el procurador en persona
pronunciara la sentencia, en conformidad con la constitución administrativa que Roma le había otorgado a Judea.[23] "Tres cuartos de
hora para condenar a un hombre, cualquiera sea su crimen", decía
Marcelo en su carta, "no es buena justicia: es un asesinato".

Como la entrada al santuario estaba prohibida para los *goim*,
Marcelo no había podido asistir a la sesión extraordinaria que había
celebrado la Asamblea suprema del pueblo judío. Por eso, le había
encargado a Hiram que siguiera atentamente todo su desarrollo, y
lo esperó afuera caminando de un lado a otro en el atrio de los gentiles. Cuando Hiram salió del Templo, pálido, con lágrimas en los
ojos, demudado, el caballero comprendió que la causa del Nazareno estaba perdida. Escuchó, sin decir una palabra, el relato de su
amigo sobre lo que había sucedido en la audiencia:

—Caifás y los sanedristas —le dijo el fenicio— consideran que
Jesús es un hereje peligroso. Trataron de encontrar aunque fuera
un solo testimonio que pudiera justificar una condena a muerte, pero fue en vano. Muchos judíos fueron a declarar contra él, pero sus
dichos no concordaban. Otros llegaron a hacer acusaciones falsas,
como unos judíos de Jerusalén, que aseguraron, bajo juramento,
que habían oído a Jesús hablar mal del Templo y proclamar: *"Yo
destruiré este Templo hecho por la mano del hombre, y en tres días volveré a construir otro que no será hecho por la mano del hombre"*,[24] pero
sus testimonios se contradecían entre sí. En realidad, Jesús había

---

22. Según *Juan* 18, 28 —el único evangelista que nos proporciona este detalle— "era de madrugada". Los cálculos astronómicos retrospectivos indican
que el viernes 7 de abril, en Jerusalén, el sol salió a las 5.52 horas. Además, se
necesitaban a lo sumo diez minutos para ir a pie, incluso caminando lentamente, desde el Templo hasta la torre Antonia, donde vivía Poncio Pilato cuando estaba en Jerusalén, y que se encontraba a unos seiscientos metros de allí.

23. Pero no en Galilea, que pertenecía al tetrarca Herodes Antipas.

24. *Marcos* 14, 58.

pronunciado una frase parecida la primera vez que subió a Jerusalén, cuando echó a los mercaderes del Templo, pero no como una amenaza ni con jactancia. Simplemente había respondido a los sacerdotes y los escribas que en aquel momento le pidieron que demostrara que era el Hijo de Dios que pretendía ser: *"Destruyan el Templo que edificó Herodes el Grande, y en tres días, delante de sus ojos, lo volveré a levantar"*.[25] Esto no impidió que el sumo sacerdote se levantara en medio de la asamblea para preguntarle a Jesús qué tenía para responder a esas personas que declaraban en su contra, pero él se mantuvo en silencio todo el tiempo y no contestó nada. El sumo sacerdote prosiguió con el interrogatorio: "¿Eres el Mesías, el Hijo de Dios bendito?", le preguntó. Jesús respondió con orgullo: *"Sí, yo lo soy: y ustedes verán al Hijo del hombre sentarse a la derecha del Todopoderoso y venir entre las nubes del cielo"*.[26] Al oír esto, Caifás perdió la compostura e hizo el gesto que hacen los judíos cuando están desesperados: rasgó sus vestiduras, se volvió hacia los Setenta y dos,[27] y les dijo: "¿Qué necesidad tenemos ya de testigos? Ustedes acaban de oír la blasfemia. ¿Cuál es su veredicto?".

—¿Y cuál fue?

—El Sanedrín dictaminó, por unanimidad, que Jesús era culpable de blasfemia, y por lo tanto merecía la muerte, y que había que llevarlo ante Pilato para que éste pronunciara contra él una sentencia capital. Incluso parece ser que algunos judíos presentes lo escupieron, cubrieron su rostro con un velo, lo abofetearon, lo golpearon y le dijeron, burlándose de él: "¡Tú que eres el Mesías, profetiza ahora!".[28]

—¿Los viste con tus propios ojos, Hiram?

—No, caballero, había tal tumulto que no pude ver nada, y en esta clase de circunstancias, se suele decir cualquier cosa: no se puede discriminar entre lo verdadero y lo falso. Pero de una cosa estoy seguro: dieron la orden de llevar a Jesús ante Pilato.

Marcelo estaba perplejo.

25. Véase p. 392.
26. *Marcos* 14, 62.
27. Los setenta y dos miembros del Sanedrín.
28. *Mateo* 26, 67-68; *Marcos* 14, 65; *Lucas* 22, 63-65.

—No entiendo nada de lo que pasa, Hiram. En primer lugar, ¿presenciaste un verdadero proceso? Por lo que yo sé, los judíos no suelen instruir un proceso en el día de la Pascua, y en este momento, todos los sanedristas deberían estar conmemorando la salida de Egipto, y no deliberando sobre el caso de Jesús.

—Estoy de acuerdo contigo, caballero, y diría más: la redada de anoche en Getsemaní, fue una simple operación de policía decidida por Anás y Caifás, con el consentimiento más o menos tácito de Pilato, que fue montada para evitar que Jesús y su grupo perturbaran las ceremonias tradicionales que se llevarán a cabo hoy.

—Tienes toda la razón, amigo. Lo que acaba de desarrollarse en ese lugar sagrado no es un proceso, sino, a lo sumo, una formalidad procesal que justifica la intervención de Pilato. En principio, como se trata de un delito religioso, el Sanedrín tiene el derecho de pronunciar una sentencia de muerte: para eso, no necesita la autorización del procurador romano. Aunque Caifás está seguro, en conciencia, del carácter sacrílego y blasfemo de la conducta de Jesús desde el punto de vista de la Ley judía, no se atreve a pronunciar una sentencia de muerte: teme sin duda una sublevación de la gente humilde —los pobres, los mendigos, los "condenados de la tierra", como tú llamabas a los adeptos a Juan el Bautista hace dos años— en favor del Nazareno, y una sublevación de esa clase podría costarle la vida, o, por lo menos, su puesto de sumo sacerdote, que ocupa desde hace doce años.

—¿Ésa es la razón por la cual le dejaría la responsabilidad de la decisión final al procurador?

—No veo otra, Hiram. Caifás y los sanedristas, por unanimidad, consideran culpable a Jesús no sólo de blasfemia, sino también de múltiples transgresiones a la Ley mosaica, y tienen jurisdicción para condenar a muerte a los autores de delitos contra la religión. Sin embargo, no quieren ensuciarse las manos pronunciando ellos mismos la sentencia capital, y prefieren dejarle esa responsabilidad a Pilato.

—No entiendo por qué: si, según ellos, existe un delito contra la Santa Ley de Moisés, no deberían tener ningún problema para hacerlo. No sería la primera vez en la historia de los judíos, ya que dentro de su comunidad, la intolerancia es una virtud, como en todas las religiones.

—Sin embargo, es muy simple, Hiram. Los judíos, que son un pueblo pequeño, sufrieron muchas persecuciones en el pasado, como cualquier otro pueblo pequeño, por otra parte. La ejecución de Jesús podría provocar tumultos en Judea, como te dije, y esos tumultos podrían originar, a su vez, persecuciones contra los judíos por parte de los romanos. Hasta ahora, los romanos no los han oprimido, y Caifás no quiere que eso suceda en el futuro.

—Ahora creo que entiendo, Marcelo: para Caifás y el Sanedrín, Jesús es pasible de la pena de muerte, pero quieren que sea pronunciada por el procurador en persona, para no tener que asumir la responsabilidad de los tumultos que podrían producirse contra Roma, y para evitarle al pueblo judío nuevas persecuciones como consecuencia de esos tumultos.

El diálogo entre ambos hombres fue interrumpido por la llegada al atrio de los gentiles, donde ellos se encontraban, del cortejo de los sanedristas que, encabezados por Caifás y seguidos por una enorme multitud, llevaban a Jesús, fuertemente atado, hacia la torre Antonia, la fortaleza que dominaba las murallas de la ciudad, y en la que se alojaba Pilato cuando iba a Jerusalén. En pocos minutos, esa devota y ruidosa masa humana llegó hasta el imponente edificio, alrededor del cual el procurador había dispuesto, por precaución, un doble cordón de legionarios. Finalmente, despuntó el día.[29] Ni los sanedristas, ni los guardias que rodeaban a Jesús se atrevían a entrar a la residencia impura de un pagano —aunque fuera el procurador de Judea—, por temor a mancillarse y no poder participar de la cena ritual de la Pascua, que tendría lugar esa misma noche.[30] Por ese motivo, Pilato salió a la puerta de su fortaleza, algo que era, por lo menos, inesperado: por un lado, los romanos tenían fama de levantarse tarde, y por el otro, conseguir una audiencia con el primer personaje de Judea exigía por lo general muchos trámites previos.

29. Cf. más arriba, nota 22. El texto que sigue es una paráfrasis de *Juan* 18, 28 y 19-16, completado por *Lucas* 23, 1-12.

30. Jesús había celebrado la Pascua con sus apóstoles en la noche del jueves, pero el *Hallel* sin duda había sido cantado después de la medianoche, por lo tanto, al comienzo del viernes anterior al domingo de Pascua: la tradición quedaba a salvo.

—Seguramente le dijeron que se trataba del proceso a Jesús —le dijo Hiram a Marcelo, para responder a su sorpresa.

—No veo por qué algo así lo haría salir de la cama —le contestó el caballero—. Los judíos sólo conocen a Jesús por dos o tres sermones que pronunció en la explanada del Templo, y, hace apenas dieciocho meses, Pilato ni siquiera conocía su existencia: su red de espías lo mantiene informado de los asuntos políticos de la ciudad, pero el procurador ignora o finge ignorar los chismorreos y los conflictos de las autoridades religiosas judías. No me lo imagino poniéndose a disposición de los judíos para hacer el papel de árbitro. En mi opinión, fenicio, Pilato ha celebrado la llegada de la Pascua al estilo romano: con un interminable banquete, alegrado por las caricias de algunas voluptuosas prostitutas llegadas de Sidón o de Babilonia. Y no es que se despertó temprano: ¡todavía no se acostó!

—¡Más pagano que tú no se puede ser! —replicó Hiram, que había aprendido esta expresión de un fenicio de África.

—Cállate y escucha lo que dice el procurador.

Pilato estaba hablando con los judíos que empujaban a Jesús delante de ellos sin miramientos, y acababa de preguntarles:

—¿Qué acusación traen contra este hombre?

—Si no fuera un malhechor, no te lo entregaríamos —le respondió un sanedrista con cierta altivez.

—Tómenlo y júzguenlo ustedes mismos según la Ley que tienen —le dijo Pilato, que había advertido la insolencia.[31]

Uno de los sanedristas, o tal vez un escriba, replicó en el acto, como si la sentencia ya hubiera sido pronunciada:

—A nosotros no nos está permitido dar muerte a nadie.

Marcelo se inclinó hacia Hiram:

—¿Qué te decía yo? El sacerdote o el rabí que acaba de dar esa respuesta está prejuzgando sobre la decisión que el Sanedrín todavía no ha tomado, pero desea que tome el gobernador.

Un consejero, un escriba, aplaudido por los demás doctores, detalló los cargos contra el Nazareno:

—Hemos encontrado a este hombre provocando desórdenes en

31. *Juan* 18, 31.

nuestra nación: prohíbe pagar el tributo al César y se llama a sí mismo "Mesías rey".

Pilato, como digno administrador romano, no discutía en público, frente a la puerta. Volvió a entrar a la torre Antonia y ordenó que hicieran entrar a Jesús: los asuntos de Roma, pensaba seguramente, no se dirimen en la plaza pública. Recibió, pues, a Jesús en la pieza enlosada[32] donde había instalado su pretorio, y lo interrogó tranquilamente.

—¿Eres tú el rey de los judíos?

Jesús le respondió:

—¿Dices esto por ti mismo u otros te lo han dicho de mí?

—¿Acaso yo soy judío? —replicó Pilato—. Tus compatriotas y los sumos sacerdotes te han puesto en mis manos. ¿Qué es lo que has hecho?

—Mi reino no es de este mundo. Si mi reino fuera de este mundo, los que están a mi servicio habrían combatido para que yo no fuera entregado a los judíos. Pero mi reino no es de aquí.

—¿Entonces tú eres rey? —le dijo Pilato.

—Tú lo dices: yo soy rey. Para esto he nacido y he venido al mundo: para dar testimonio de la verdad. El que es de la verdad, escucha mi voz.

Pilato, pensativo, preguntó:

—¿Qué es la verdad?[33]

Después de decir esto, el procurador salió y fue a ver a los judíos, que estaban esperando su decisión frente a la entrada de la torre Antonia.

—No encuentro en este hombre ningún motivo de condena —les dijo.

Pero los principales sacrificadores que le habían llevado a Jesús insistieron: "Subleva al pueblo con su enseñanza en toda la Judea. Comenzó en Galilea y ha llegado hasta aquí",[34] le dijeron a Pilato, quien, al oír la palabra "Galilea", se alegró súbitamente, porque co-

---

32. En griego, *lithostrotos*, "lugar enlosado".
33. Este diálogo, famoso por la última réplica de Pilato, figura en *Juan* 18, 33-38.
34. *Lucas* 23, 2-5.

mo buen funcionario romano, creyó que había encontrado el motivo administrativo ideal para librarse del "caso Jesús", como lo llamaba desde hacía cuatro o cinco meses.35 Volvió a entrar y le preguntó a Jesús:

—¿Eres realmente galileo?

—Sí, nací en Galilea —le respondió Jesús.

Entonces el procurador llamó a Caifás para informarle sobre el
delicado problema de jurisdicción territorial que planteaba el origen
del acusado.

—Es un galileo, y por lo tanto, debe ser juzgado por el tetrarca
de Galilea y Perea —le dijo—. Pero esto de ninguna manera atrasa-
rá el procedimiento que has iniciado, porque Herodes el Tetrarca se
encuentra en este momento en Jerusalén, adonde vino a celebrar la
Pascua, y reside en el antiguo palacio de los asmoneos:36 a él deben
dirigirse para juzgar a Jesús.

El palacio en cuestión se encontraba a diez minutos de la torre
Antonia. Sin perder un instante, los sanedristas fueron allí, seguidos por sus guardias, que mantenían a Jesús firmemente atado, y
por la multitud, cada vez más excitada. Hiram se dispuso a ir detrás
de ellos, pero el caballero lo contuvo.

—¿Qué te parecería un pan bien caliente, relleno de cebolla y
aromatizado con hierbas amargas, fenicio?

—¿No vamos a casa de Antipas?

—Conozco al tetrarca, Hiram: va a representar la comedia del
príncipe complaciente y magnánimo, y luego, cuando los sacerdotes se enojen, volverá a enviar a Jesús ante Pilato. ¡Lo pondrá en
apuros! Mandemos allí a Estenón, para que nos traiga un buen informe, redactado como él suele hacerlo, y nosotros vayamos a la pa-
nadería que fabrica esos deliciosos panes rellenos. Son más de las
siete, el cielo está azul, el sol brilla, y yo estoy muerto de hambre.

Una hora más tarde, Estenón regresó, sin aliento por haber co-
rrido, enarbolando un papiro escrito con su caligrafía fina y redon-

---

35. Véase p. 504.

36. Recordemos que la dinastía de los asmoneos (o hasmoneos), proveniente de los Macabeos, había reinado sobre Palestina de 134 a 37 a.C., antes
de Herodes el Grande, rey de los judíos de 37 a 4 a.C. La presencia de Jesús
frente a Herodes Antipas sólo está relatada en *Lucas* 23,6-12.

da, que le tendió a Marcelo con una sonrisa irónica. El caballero lo leyó rápidamente, sonriendo también él cada vez más, a medida que avanzaba en la lectura, y luego, cuando terminó, lanzó una carcajada y le tendió el manuscrito al fenicio, mientras le decía:

—¡Pero qué ridículo!

Intrigado, Hiram leyó a su vez la prosa de Estenón.

COMPARECENCIA DE JESÚS ANTE HERODES ANTIPAS
el viernes 7 de abril del año 783 de Roma
(informe de Estenón para el caballero Marcelo)

Nota bene: como la conversación se desarrolló en arameo, he escrito este informe bajo el dictado de un ferviente discípulo del Nazareno, que me la tradujo.

"Al ver a Jesús, Herodes sintió una gran alegría. Hacía tiempo que deseaba verlo, por lo que había oído decir de él, y esperaba que hiciera algún milagro en su presencia. Le hizo muchas preguntas, pero Jesús no le contestó nada. En cambio, los sumos sacerdotes y los escribas que estaban allí lo acusaron con vehemencia. Herodes y sus guardias, después de tratarlo con desprecio y ponerlo en ridículo, lo cubrieron con un magnífico manto y lo enviaron de nuevo a Pilato. En este día, Herodes y Pilato, que estaban enemistados, se hicieron amigos".[37]

—¿Por que dijiste que era ridículo, Marcelo? ¿Qué te causa tanta gracia? —le preguntó Hiram a su amigo.

—Pilato es astuto, fenicio. No tenía la intención de deshacerse del expediente del "caso Jesús", pero si quiere seguir gobernando Judea como hasta ahora, debe mantener buenas relaciones con el Templo y con los fariseos. Si Herodes absolviera al Nazareno, el procurador perdería toda autoridad sobre ese partido, que es la fuerza política más exigente y más activa de Judea, e incluso en toda la Palestina judía, como sabes. Por lo tanto, es ridículo que deje a Antipas resolver este caso.

—Entonces ¿por qué le pidió que lo hiciera?

---

37. Solamente *Lucas* 23, 8-12.

—Por un lado, para halagar al tetrarca, al que puede necesitar algún día; y por otro lado, para mostrarles a los adversarios políticos de los fariseos, es decir, a los saduceos —que no son los que más se encarnizan contra Jesús—, que él es capaz de ser clemente. Por último, entendió que el habitante medio de Judea, que es religioso sin ser extremista, también merecía ser consultado. Así que seguramente todavía tiene otros recursos. Míralo saliendo del pretorio, alegre y vivaz, frente a la torre Antonia: a él no le interesa ni el destino de Jesús ni la diosa de la Justicia, sino su propia carrera. Cómo todos los políticos romanos, sabe que sólo hay dos maneras de gobernar: apoyándose en la despiadada fuerza de las armas o en la más inestable fuerza de la opinión pública. Le da exactamente lo mismo hacer morir a Jesús o indultarlo, pero tiene que sentirse apoyado por el pueblo. La opinión de los sumos sacerdotes no le importa demasiado, y así como aprovechó la presencia de Herodes en Jerusalén para adularlo pidiéndole un consejo que no necesitaba, aprovechará este "caso" para adular al pueblo de Jerusalén. Escuchémoslo: acaba de subir a su estrado.

En efecto, Pilato había empezado a arengar a los sanedristas y a las demás autoridades religiosas judías que seguían aguardando su decisión, así como a los magistrados y al pueblo que se había reunido en gran número frente a la torre Antonia.

—Ustedes me han traído a este hombre —dijo, dirigiéndose a los miembros del Sanedrín— acusándolo de incitar al pueblo a la rebelión. Pero yo lo interrogué delante de ustedes y no encontré ningún motivo de condena en los cargos de que lo acusan; ni tampoco Herodes, ya que él me lo ha devuelto. Como ven, este hombre no ha hecho nada que merezca la muerte. Después de darle un escarmiento, lo dejaré en libertad...[38]

La multitud lo interrumpió con gritos, ya que en Jerusalén existía la costumbre de liberar a un prisionero en cada fiesta, pero a un prisionero elegido por el pueblo, y no por el procurador. Al ver que había cometido un error, Pilato intentó corregirlo diciendo:

—... A menos que prefieran que deje en libertad a un famoso

---

38. *Lucas* 23, 13-16.

prisionero, cuyo nombre es Jesús Barrabás,[39] que está encerrado en la cárcel.

La multitud, incitada por los sacerdotes —que querían la muerte de Jesús— reclamó furiosamente: "¡Barrabás! ¡Barrabás!". Pilato seguía dudando, cuando llegó un mensajero con un recado de su esposa, que le decía, a propósito de Jesús: "No te mezcles en el asunto de ese justo, porque hoy, por su causa, tuve un sueño que me hizo sufrir mucho".[40] El procurador se encogió de hombros, mientras los sumos sacerdotes y los ancianos convencían a la multitud de que gritara cada vez más fuerte: "¡Barrabás! ¡Barrabás!"

Tomando de nuevo la palabra, el gobernador les preguntó:

—¿Y qué haré con Jesús, llamado el Mesías?

—¡Crucifícalo! ¡Crucifícalo!

—¿Qué mal ha hecho? —intentó defenderlo Pilato.

—¡Crucifícalo! ¡Crucifícalo!

Al ver que no se llegaba a nada, sino que aumentaba el tumulto, Pilato hizo traer un recipiente lleno de agua y se lavó lentamente las manos delante de la multitud —que no entendió su gesto— diciendo: *"Yo soy inocente de esta sangre. Es asunto de ustedes"*. Y todo el pueblo respondió: "Que su sangre caiga sobre nosotros y sobre nuestros hijos". Entonces, Pilato puso en libertad a Barrabás.[41] Luego, de acuerdo con el ceremonial tradicional de las condenas capitales, ordenó a los soldados de la cohorte que azotaran a Jesús con látigos compuestos por correas de cuero llamadas *flagelos*, y a continuación lo hizo llevar al interior del palacio, a su pretorio.

Allí, los soldados también torturaron al Nazareno y se burlaron de él, como lo hacían con todos los condenados a muerte. Le echaron sobre los hombros un manto de púrpura, tejieron una corona de espinas y se la hundieron en la cabeza, pusieron una caña en su mano derecha como si fuera un cetro, y, doblando la rodilla delante de él, se burlaban, diciendo: "Salud, rey de los judíos". Le quitaron la caña, le golpearon con ella la cabeza y lo escupieron.[42] Des-

---

39. El primer nombre de Barrabás figura en *Mateo* 27, 16.
40. *Mateo* 27, 19.
41. *Mateo* 27, 24-25.
42. Las escenas de los ultrajes sólo aparecen en *Juan*.

pués de haberse burlado de él, le quitaron el manto de púrpura, le pusieron de nuevo sus vestiduras y lo abandonaron en el patio adyacente al pretorio del procurador. La trágica farsa había terminado. Eran las nueve de la mañana y en los senderos, las escaleras, los callejones y las callejuelas de Jerusalén, al pie de la colina del Templo, los judíos del pueblo, que ignoraban el drama que se desarrollaba frente a la torre Antonia, corrían de un lado a otro, muy atareados en la preparación del alegre banquete de la Pascua[43] que tendría lugar esa noche.

Entonces volvió a aparecer Pilato frente a la fortaleza. Vio el cuerpo casi inanimado de Jesús que yacía en el suelo, vestido sólo con un lienzo, con una corona de espinas en la cabeza, y observó en la plaza que se extendía debajo de la torre Antonia construida antaño por Herodes el Grande, al pueblo de Jerusalén, que esperaba el desarrollo de los acontecimientos. Entonces al procurador se le ocurrió la idea de que debía darle una última oportunidad al Nazareno. Subió a su estrado para dirigirse por última vez a todos esos judíos que aguardaban conmovidos por el giro que habían tomado los acontecimientos, y a los sacerdotes que se habían mezclado con la multitud.

—Escuchen: voy a hacer que Jesús salga del castillo. Quiero que sepan que yo, Pilato, no lo encuentro culpable de ningún crimen.

Entonces salió Jesús, con su corona de espinas en la cabeza. Le habían vuelto a colocar el manto de púrpura sobre los hombros. La plaza se volvió súbitamente silenciosa. Pilato le indicó a Jesús que avanzara hasta él y lo presentó ante la asistencia, pronunciando estas dos palabras, en latín, y no en arameo:

—*Ecce homo!*[44]

Pero los sumos sacerdotes y sus seguidores vieron a Jesús y volvieron a gritarle al procurador:

—¡Crucifícalo! ¡Crucifícalo!

Entonces Pilato abandonó el juego:

—Tómenlo ustedes y crucifíquenlo. Yo no encuentro en él ningún motivo para condenarlo.

43. En este libro, todas las fechas están expresadas en el calendario juliano, y resulta que el domingo 14 de Nisan, fecha fija de la Pascua en el calendario israelita lunar de 354 días, correspondía en el año 30 d.C. al viernes 7 de abril.
44. "¡Aquí tienen al hombre!" (*Juan* 19, 5).

—Nosotros tenemos una Ley —replicaron los sumos sacerdotes y otros doctores que estaban en medio de la multitud—, y según esa Ley, debe morir porque blasfemó diciendo que es el Hijo de Dios.

Al oír estas palabras, Pilato, alarmado por la determinación de los religiosos, cada vez más numerosos frente a la torre Antonia, se dio vuelta hacia su residencia y le preguntó a Jesús, que no había abierto la boca: "¿De dónde eres tú?". En ese momento, Estenón, que había sido enviado al lugar por Marcelo, logró abrirse paso a codazos y puñetazos hasta la torre: así pudo oír el último diálogo del Nazareno, y lo anotó cuidadosamente en la tablilla de cera que siempre llevaba consigo:

ÚLTIMO DIÁLOGO DE JESÚS CON PILATO
ANTES DE PARTIR AL SUPLICIO
el viernes 7 de abril del año 783 de Roma, un poco antes de las 10 de la mañana, taquigrafiado por Estenón para el caballero Marcelo

"Pilato le preguntó a Jesús: '¿De dónde eres tú?'. Pero Jesús no le respondió nada. Pilato le dijo: '¿No quieres hablarme? ¿No sabes que tengo autoridad para soltarte y también para crucificarte?'. Jesús le respondió: 'Tú no tendrías sobre mí ninguna autoridad, si no la hubieras recibido de lo alto. Por eso, el que me ha entregado a ti ha cometido un pecado más grave'. Desde ese momento, Pilato trataba de ponerlo en libertad. Pero los judíos gritaban: 'Si lo sueltas, no eres amigo del César, porque el que se hace rey se opone al César'.

Al oír esto, Pilato sacó afuera a Jesús y lo hizo sentar sobre un estrado, en el lugar llamado en griego *litóstrotos* ('el Enlosado'), y en hebreo,'Gábata' ('lugar elevado') . Era el día de la preparación de la Pascua, alrededor del mediodía. Pilato dijo a los judíos: 'Aquí tienen a su rey'. Ellos vociferaban: '¡Que muera! ¡Que muera! ¡Crucifícalo!'. Pilato les dijo: '¿Voy a crucificar a su rey?'. Los sumos sacerdotes respondieron: 'No tenemos otro rey que el César'. Entonces Pilato se lo entregó para que lo crucificaran."[45]

45. *Juan* 19, 9-16.

Marcelo estaba desesperado, Hiram sollozaba, y los discípulos de Jesús, más o menos anónimos y perdidos en la multitud, lloraban lágrimas amargas.

—Así se escribe la historia —dijo Marcelo —, la pequeña historia, como la de este "caso Jesús" del que no se hablará más dentro de unos meses, o la gran historia, como la del reinado de Tiberio, que se seguirá enseñando todavía dentro de mil o dos mil años. Tenía razón el procurador al formular la pregunta: "¿Qué es la verdad?"

—¿Qué quieres decir, caballero?

—Pienso en el informe que enviaré a Roma.

—Yo creía que ya estabas retirado, Marcelo, y que te dedicabas a la poesía latina y a la filosofía de los griegos.

—Ya no tengo ninguna función oficial, Hiram, y no me refiero al emperador cuando hablo de escribir a Roma. Le escribiré a un joven amigo, de la misma generación de Jesús, que está muy interesado en la filosofía y en la moral. Es hijo de un famoso retórico romano, y él mismo tiene un pensamiento vigoroso y un gran talento de escritor.

—¿Cómo es su nombre?

—Séneca, igual que su padre. Pero ¿de qué estábamos hablando?

—Del informe que querías enviar a Roma.

—Un informe es mucho decir; se trata simplemente de una carta, en la que me gustaría explicarle a este amigo lo que ocurrió esta mañana. Desde aquí puedo imaginarme su furia, cuando le diga que juzgaron a un hombre en media hora, y que en cierto modo echaron a suerte cuál de los dos condenados debía ser indultado.

—No lo echaron a suerte, Marcelo: Pilato se lo preguntó a la multitud.

—Es lo mismo: las multitudes suelen ser muy veleidosas, Hiram, y nunca se sabe cómo van a reaccionar. Pero no es este aspecto de la cuestión lo que me interesa. Lo que me pregunto, en realidad, es a quién le cabe la responsabilidad de la condena capital de Jesús. ¿A Pilato, que la pronunció? ¿Al pueblo de Jerusalén, que con sus vociferaciones eligió a Jesús como el reo a quien se debía ejecutar? ¿Al encarnizamiento de Caifás? ¿A la ceguera religiosa del Sanedrín?

—Para mí, el responsable es Pilato: no tengo ninguna duda al respecto. Él fue quien lo condenó a muerte, caballero.

—Lo condenó bajo la presión de la multitud, que pidió el indulto de Barrabás. Y estás planteando mal el problema, fenicio: por mi parte, me pregunto qué hubiera hecho Pilato si la multitud no hubiera estado allí. Porque es evidente que él ratificó la elección de la multitud.

—Pero entonces, si cedió al deseo de la multitud, caballero, ¿habría que acusarla a ella?

—Si Pilato cedió ante la multitud, hay dos responsables, Hiram: la multitud, sin duda, apasionada y fanática, y el propio Pilato, que no tuvo el valor de resistir ante la presión, cuando él mismo consideraba que Jesús no era culpable. Lo dijo con toda claridad: "No lo hallo culpable de ninguna de las faltas de las que ustedes lo acusan". Yo diría incluso que la responsabilidad de Pilato es más grande que la de la multitud, porque un procurador no debe ceder ante la masa ciega. Se le puede perdonar a una multitud su exaltación, especialmente cuando es provocada por una causa grande y noble, como una fe religiosa o el amor a la patria, pero no se puede excusar a un jefe por rendirse ante ella porque tenga miedo o porque quiera halagarla.

—¿No será Caifás el gran responsable entonces? Se encarnizó contra Jesús como si en ello le fuera la vida...

—Era lo que tenía que hacer, Hiram. El sumo sacerdote es el jefe de un pueblo que basa toda su vida en la Torah, y Jesús es un judío, un hombre que pertenece a ese pueblo y critica esa Ley, que se dice Hijo de Dios y quiere trastornarlo todo. Era la obligación de Caifás sacarlo del medio, pero en mi opinión, más que condenarlo a muerte, pudo haberlo desterrado, por ejemplo, como hacíamos nosotros en Roma en la época de la República. Aunque yo soy un ciudadano romano, el comportamiento de Pilato me parece criticable: cuando declaró que su sentencia se basaría en la decisión de la multitud, se hizo culpable de demagogia, algo que nosotros nunca hemos aceptado en Roma.

—¿Cómo crees que debió actuar, Marcelo?

—Según sus convicciones de juez supremo. El procurador dijo una y otra vez que no veía nada grave que reprocharle a Jesús, y entonces no tenía por qué pedir la opinión de la multitud para juzgarlo: simplemente debió indultarlo y hacer respetar su sentencia protegiendo a Jesús —a quien consideraba inocente— de los judíos fanáticos.

—¿Entonces habría que decir que son los judíos quienes origi-
naron este drama, Marcelo, y por lo tanto, son los grandes responsables?

—¿Qué quiere decir "los judíos"? ¿Las autoridades del Templo
o el pueblo judío? Si te refieres al colegio de los sumos sacerdotes,
a personajes como Anás o como Caifás, su deber es aplicar la Ley
mosaica, con mayor o menor rigor según su temperamento: se los
podrá considerar severos o indulgentes, pero no se puede decir que
son culpables o no son culpables. Si entiendes por "judíos" al pueblo judío que vive en Palestina, o más exactamente, en Judea, no tiene ningún sentido: tú eres un judío practicante, Hiram, pero nunca hubieras condenado a Jesús, mientras que el sumo sacerdote,
que también es un judío practicante, quiere su muerte.

—¿En resumen, caballero?

—En resumen, soy partidario de la separación entre las autoridades religiosas y las autoridades políticas: tienen leyes diferentes,
pero deben respetarse mutuamente. Los sumos sacerdotes no me
perseguirían por esto a mí, porque soy un pagano, y yo, por mi parte, no tengo derecho de impedirle a un judío piadoso que respete las
observancias, como lo hacen los fariseos, aunque a mí me parezcan
anticuadas o ridículas.

—¿Qué decisión habrías tomado tú, en el caso Jesús, si hubieras sido el sumo sacerdote?

—Habría dejado que Jesús practicara y predicara su religión en
la intimidad de un monasterio, como lo hacen los religiosos que viven en los alrededores del mar Muerto, pero le habría impedido venir a predicar o a provocar un escándalo en los atrios del Templo.

—¿No lo habrías hecho detener, como hizo Caifás con la ayuda
de las autoridades romanas?

—De ninguna manera, pero lo hubiera desterrado para salva-
guardar mi religión de su herejía.

—Hablemos claro, caballero: mañana, Jesús sufrirá el tormento de la crucifixión, puesto que así es como ustedes, los romanos,
ejecutan a los condenados a muerte. Ambos estamos de acuerdo en
el hecho de que este proceso no fue más que una caricatura de proceso. Entonces, ¿a quién debemos culpar por esto?

—En primer lugar, a la estupidez humana, que se presenta aquí
bajo la forma del fanatismo de algunos fariseos, la ceguera doctri-

nal de Caifás, la incapacidad política de Pilato. En segundo lugar, a la obstinación o la ceguera de Jesús, al buscar esta muerte que había leído en las Escrituras y predecirla. En tercer lugar, a la estupidez de las masas.

—¿Entonces, en tu opinión, ni el pueblo judío, ni el pueblo romano son culpables de nada?

—De nada... salvo de ser pueblos.

·26·
La Pasión

*Viernes 7 y sábado 8 de abril, año 783 de Roma,
de 9 a 15 horas
(30 d.C.)*

*Antes de las 10: partida hacia el Gólgota; Simón de Cirene ayuda a Jesús a lle-
var su cruz – Entre las 10.30 y las 11 horas aproximadamente: llegada al Gólgota; el vino mezclado con mirra; reparto de sus vestimentas entre los soldados;
INRI; crucifixión de los dos ladrones; María la Virgen, su hermana y María de
Magdala al pie de la cruz: el discípulo amado – Entre las 11 y el mediodía: insultos y burlas de los que pasan por allí y de los sumos sacerdotes; la esponja em-
bebida en vinagre – Mediodía: "tinieblas sobre toda la tierra" y muerte de Jesús
– Al día siguiente, sábado 8 de abril, por la mañana: explicación entre Pilato y
Marcelo; los sumos sacerdotes y los fariseos piden que se coloque una guardia
durante tres días ante la tumba de Jesús.*

Era cosa juzgada. Jesús, legalmente condenado a muerte por
Pilato, primero flagelado en público y luego sometido a las
agresivas burlas de la soldadesca romana (y también la de Antipas), que no era ni peor ni mejor que cualquier otra soldadesca,
pasaría por el suplicio de la crucifixión. Esta forma de castigo supremo era de origen oriental. Los persas aqueménides y los cartagine-
ses de Aníbal, si no la inventaron, al menos la habían practicado asi-
duamente, y luego la transmitieron respectivamente a los griegos y
a los romanos,[1] que la consideraban un suplicio *servil*[2] e infamante.
Al parecer, no existía, o por lo menos, era excepcional, entre los ju-

---

1. Sin embargo, Cicerón atribuye su introducción en Roma al rey Tarqui-
no el Soberbio.
2. Los romanos aplicaban la crucifixión a los criminales comunes que no
eran ciudadanos romanos y a los condenados provinciales.

díos, que disponían de otros cuatro medios para ejecutar a sus condenados a muerte: la lapidación, la muerte en la hoguera, la decapitación (por medio de la espada o el hacha) y la estrangulación (con el garrote). En el caso de un delito religioso grave, pasible de la maldición eterna —ése era el caso de Jesús, desde el punto de vista de los sumos sacerdotes y los escribas—, el suplicio prescripto era el colgamiento: *"El que está colgado de un árbol es objeto de maldición"*, dice el *Deuteronomio*.3

El lugar en el cual los romanos solían erigir las cruces de los condenados en Jerusalén era una pequeña loma rocosa con punta redondeada de alrededor de 750 metros de altura, en las laderas de la colina del Gareb, en las afueras de las murallas de la ciudad. Desprovista de toda hierba, de toda clase de vegetación, vista de lejos, se parecía vagamente a una bóveda craneal aplastada, y por eso los arameos, y luego los hebreos, la habían denominado *gulgota*, que significa "cráneo" en arameo. Más tarde, los griegos de Alejandro transformaron la palabra en Gólgota.4 Ubicado a sólo 400 o 500 metros de la torre Antonia, el "Cráneo" era un lugar ideal para exhibir tanto a los colgados malditos de los judíos como a los condenados a la crucifixión de los romanos, para que las horcas y las cruces que lo coronaban hicieran reflexionar a los bandidos y a los blasfemos, sin que la Ciudad Santa se viera mancillada por la presencia de sus cadáveres.

Los verdugos romanos utilizaban dos procedimientos para aplicar a un condenado al suplicio de la crucifixión. A veces plantaban en primer lugar la cruz —generalmente de poca altura, y cuyo travesaño horizontal se llamaba *patibulum*— en el lugar del suplicio, y luego sujetaban allí al condenado y lo clavaban. Otras veces, le hacían llevar sobre los hombros el pesado *patibulum*, después lo ataban o lo clavaban a él, e izaban el madero, con su carga humana, para unirlo al poste vertical ya plantado con anterioridad, por medio de aparejos y escaleras. En ambos casos, ataban o clavaban las manos del condenado al *patibulum*, y luego fijaban los pies en la mis-

---

3. *Deuteronomio* 21, 23.
4. Palabra que el latín eclesiástico de la Edad Media tradujo como *Calvaria*: de ahí, "calvario".

ma forma a la gran estaca vertical. Por último, clavaban a esa estaca un sólido tarugo de madera, que se pasaba entre las piernas del
ajusticiado para sostener su cuerpo, cuyo peso podía desgarrar sus
manos. Si no había un tarugo, se utilizaba un soporte, que se unía
a la estaca, sobre el que se apoyaban los pies del criminal, atados o
clavados como las manos. El ajusticiado quedaba entonces a merced de los insectos, de terribles aves de presa —especialmente bui-
tres y gavilanes— y de los roedores, y luego moría de agotamiento
al cabo de dos o tres horas, si no lo remataban antes de un lanzazo.

Eran poco más de las diez. Después de la última tentativa de Pilato de salvar la vida de Jesús, y casi sin perder un instante, el siniestro cortejo de la crucifixión, reunido al pie de la torre Antonia, se
puso en movimiento. Un centurión abría la marcha precediendo a
Jesús, quien, flanqueado por legionarios romanos, cargaba trabajo-
samente sobre sus hombros el pesado travesaño de madera sobre el
que le clavarían las manos, y avanzaba con dificultad por las sinuo-
sas calles de Jerusalén que llevaban a la puerta Efraín. Detrás de él
caminaba un grupo de fieles, discretos en su dolor, y algunos curiosos conmovidos y bulliciosos. Hiram y Marcelo, que habían sido
testigos lejanos de la corta vida del Nazareno, marchaban a su lado.

—No sé si notaste, fenicio, que no hay ninguna personalidad
oficial en este cortejo, ni romana, ni judía. Pilato está ausente, como siempre en estas circunstancias, y no envió a ningún representante. El Templo también brilla por su ausencia, pero eso es más
comprensible, porque todo lo que se refiera a la muerte, a las ejecuciones y a los cadáveres, es impuro para los judíos. Finalmente es
un simple centurión quien encabeza el cortejo.

Después de atravesar las murallas de la ciudad, como Jesús, vi-
siblemente debilitado por los malos tratos que había sufrido desde
su arresto, caminaba lentamente y tropezaba sin cesar, los soldados
detuvieron a un labrador que volvía de trabajar en el campo, un tal
Simón de Cirene,5 y le ordenaron que llevara el *patibulum* bajo el
cual se doblaba el Nazareno.

—¿Conoces a ese hombre? —le preguntó el caballero a Hiram—. ¿Por qué le pidieron ayuda los soldados?

5. *Mateo* 27, 32; *Marcos* 15, 21; *Lucas* 23, 26.

—Es un buen padre de familia que vive fuera de la ciudad, en medio del campo. Todo lo que sé de él es que tiene dos hijos que se llaman Alejandro y Rufo.[6] Pero en el negocio del panadero que me vendió el pan relleno de cebolla que comimos esta mañana, encontré a un amigo, generalmente bien informado, que me dijo que la intención de los sumos sacerdotes no era clavar a Jesús en la cruz, sino solamente atarlo, y reemplazarlo a último momento por ese Simón de Cirene, que es un verdadero coloso y podría permanecer en la cruz hasta que lo pudieran bajar, cuando se hiciera de noche.[7]

—¿Qué estás diciendo? ¿Caifás siente remordimientos o esto que me cuentas es otro invento tuyo, Hiram?

—Tratándose de Jesús, todo es posible, caballero.

—¡Cómo me gustaría que este cuento se convirtiera en realidad, fenicio! Pero no me hago ilusiones, porque conozco a los romanos: Pilato decidió que Jesús fuera crucificado, y por lo tanto, será crucificado.

Un centenar de pasos separaban a la puerta Efraín de la siniestra y calva loma del Gólgota. A medida que avanzaba por el camino, se habían agregado al cortejo muchos curiosos, en particular, mujeres, que lloraban, se golpeaban el pecho y se lamentaban por el destino del Nazareno. Éste se detuvo un instante para retomar aliento, y volviéndose hacia ellas, les dijo algunas palabras que Estenón tuvo la presencia de ánimo de anotar inmediatamente en sus tablillas:

"¡Hijas de Jerusalén! —les gritó— no lloren por mí; lloren más bien por ustedes y por sus hijos. Porque se acerca el tiempo en que se dirá: ¡Felices las estériles, felices los vientres que no concibieron y los

---

6. Solamente *Marcos, ibíd.*

7. Esta leyenda no figura en los Evangelios, evidentemente, pero fue difundida alrededor del siglo III por algunos gnósticos, defensores del *docetismo*, una herejía que sostenía que el cuerpo de Cristo era sólo una *apariencia*, y que negaba la realidad de la Pasión: Jesús habría transfigurado entonces a Simón de Cirene a su semejanza, y él mismo se habría transfigurado con los rasgos de ese personaje. Con esta apariencia, decían los docetas, habría permanecido al pie de la cruz, burlándose de los verdugos.

pechos que no amamantaron! Entonces se dirá a las montañas: ¡Caigan sobre nosotros!, y a los cerros: ¡Sepúltennos! Porque si así tratan a la leña verde, ¿qué será de la leña seca?".[8]

Después de esta breve alocución —la última predicción de Jesús en este mundo—, toda la gente se reunió en la cumbre redondeada del Gólgota, donde ya estaba clavado el poste vertical de la cruz destinada a Jesús, flanqueada por otros dos postes. Para Marcelo, esto constituyó una sorpresa.

—Antes de salir de la torre Antonia —le dijo a Hiram—, pude conversar algunos minutos con Pilato, pero no me dijo que habría otras dos cruces. Por favor, corre a pedirle información al centurión que conduce nuestra pequeña tropa.

Hiram fue a hablar con el oficial. Éste le confirmó que habría tres crucifixiones esa mañana. Los otros dos ajusticiados eran revolucionarios zelotes[9] que habían sido recientemente juzgados por el Sanedrín y condenados a sufrir la tortura de la cruz como bandidos.

—¡Sanedristas hipócritas! —murmuró Marcelo—. Llaman bandidos a todos los que opinan en forma diferente a ellos. ¿A quién van a crucificar primero?

—El centurión me dijo que sería Jesús.

—Por lo menos esos sumos sacerdotes asesinos le ahorrarán los tormentos de la espera —suspiró Marcelo—. Mira qué sereno está, Hiram. Ese hombre es un santo, y admiro el poder de sus convicciones: está seguro de ser el Hijo de Dios destinado por su Padre a salvar al género humano, y nada puede hacerlo cambiar.

En efecto, Jesús se mantenía erguido, inmóvil y mudo frente a la multitud a la que la guardia romana impedía invadir la zona de las cruces. Una mujer de aspecto elegante logró, sin embargo, franquear la barrera y le ofreció a Jesús un vaso de vino mezclado con mirra. Marcelo, intrigado por ese gesto insólito, le preguntó a Hiram qué significaba. Éste le explicó:

8. *Lucas* 23, 28-31.

9. El movimiento de los zelotes siguió existiendo clandestinamente en Palestina hasta alrededor del año 73, y fue una de las fuerzas judías que se rebelaron contra el ocupante romano en 70-73. Esta revolución llevó a Roma a destruir el Estado judío, que sólo renació históricamente en 1948.

—Las mujeres de la alta sociedad judía de Jerusalén hacen buenas obras. Por ejemplo, preparan mezclas más o menos soporíferas que les ofrecen personalmente a los condenados a muerte para aliviar sus últimos momentos, de acuerdo con una antigua tradición rabínica que dice:

"Den bebida fuerte al que va a perecer
y vino al que está sumido en la amargura:
que beba y se olvide de su miseria
y no se acuerde más de su desgracia".[10]

—¡Tú sabes realmente todo sobre las costumbres de los judíos, Hiram! ¿Cómo es que conoces ésta?

—Tengo un primo en Jericó, que les vende mirra y jugo de adormidera a esas mujeres.

—¿Jugo de adormidera?

—Sí, caballero. Lo usan como somnífero o para calmar los dolores de los heridos... Pero mira a Jesús: acaba de rechazar el vino que ella le ofreció. Hace mal, porque, según me dijeron, al beber esa clase de brebajes, ni siquiera se siente venir la muerte.

—Por lo que conozco del Nazareno, no es un hombre que quiera dormir durante el suplicio: supongo que más bien tiende a afrontarlo gozosamente. Jesús espera esta muerte desde que comenzó a predicar la Buena Noticia: nunca dejó de decirles a sus discípulos que después de su muerte se produciría su resurrección, y ése sería el *signo* que le mostraría al mundo que él es realmente el Mesías y que anunciaría el advenimiento del Reino de Dios. Por otra parte, acabas de comprobarlo por ti mismo: rechazó el vino mezclado con mirra. Es coherente consigo mismo, como lo fue siempre en los dos años que hace que lo conocemos... Y además, nunca se sabe: ¡quizá se haya dado cuenta, al olerlo, de que no era mirra lo que había en el vino, sino hiel![11]

Poco después de este incidente, hacia las diez y media, los soldados despojaron a Jesús de sus vestimentas, discutieron, se las re-

10. *Proverbios* 31, 6-7.
11. Según *Mateo* 27, 34, le habrían ofrecido a Jesús vino mezclado con hiel, y no con mirra.

partieron y sortearon entre ellos su túnica sin costura, de la que él estaba tan orgulloso. Luego colocaron cuatro escaleras alrededor del poste central que se alzaba en el Gólgota, tendieron el cuerpo desvestido de Jesús en el suelo, con los hombros apoyados en el *patibulum*. Le separaron los brazos, le ataron provisoriamente los puños con cuerdas a esa viga, y con fuertes martillazos hundieron en cada una de sus dos delgadas manos un enorme clavo, que insertaron, como pudieron, entre los huesos del carpo. Al igual que toda la multitud que se había reunido allí en ese momento, Hiram y Marcelo contemplaron ese horrible espectáculo en medio de un silencio solamente turbado por los golpes, cuyo eco repercutía en los montes de los alrededores. Jesús no había emitido un solo grito, por el simple hecho de que había perdido el conocimiento.

Ahora había que levantar el *patibulum* al que habían sujetado a Jesús por las manos, hasta la parte superior del gran poste vertical plantado en el monte Calvario. Trajeron aparejos, poleas, cuerdas, escaleras, y desde abajo, la multitud silenciosa asistió a la lenta elevación en el aire de la viga de madera en la que estaba colgado Jesús, con los brazos separados y los pies en el aire, como un muñeco desarticulado y mudo. Por último, cuando el *patibulum* alcanzó la altura adecuada, los carpinteros instalaron sus escaleras, tomaron sus martillos y lo clavaron al poste vertical, mientras unos ayudantes, también montados en escaleras, sostenían el cuerpo del ajusticiado, inerte pero todavía vivo, para que no se balanceara. Una vez colocadas las dos maderas que formaban la cruz, clavaron sus pies cruzados al poste vertical. Los ayudantes del verdugo ajustaron su soporte, y todos se apartaron para contemplar el resultado de su obra mortífera con la íntima satisfacción romana del deber cumplido. En ese momento eran las once pasadas, y el sol ya estaba muy alto en el cielo de Judea.

Pero la ceremonia de la crucifixión no había terminado. Era tradición en Roma, y por lo tanto en todo el Imperio, colgar del cuello de los criminales que iban al suplicio una tablilla —un *titulus*, en latín— en la que se señalaba el motivo de su condena. Los romanos que estaban presentes —es decir, el centurión y los legionarios— discutieron durante algunos minutos sobre la inscripción que debían poner. Como no sabían casi nada sobre ese asunto, estos simples ejecutores consideraron varias clases de inscripciones, todas más o menos irónicas. El centurión propuso que escribieran: "Jesús, el rey de los judíos".[12] Un soldado sugirió: "El rey de los judíos".[13] Un médico de Damasco quería escribir: "Éste es el rey de los judíos".[14] Un antiguo discípulo de Juan el Bautista optó por: "Jesús de Nazaret, rey de los judíos". Esta última fórmula obtuvo la mayor adhesión, y hasta hubo alguien que observó, en broma, que con las iniciales se podía componer una simple palabra de cuatro letras: "INRI".

Durante ese tiempo, los encargados de las ejecuciones ya habían puesto en sus cruces a los dos "ladrones", seguramente con más brutalidad que la que habían empleado con Jesús. Al pie de las tres cruces, la gente hacía toda clase de comentarios, mientras que poco a poco, entre el mediodía y las tres de la tarde, grandes nubes negras iban oscureciendo el cielo.

—Se acerca la tormenta, Hiram —dijo Marcelo—. Tengo la impresión de que tendremos una tempestad tan violenta como la que asoló los alrededores de Jerusalén hace poco más de dos años, en la época en que íbamos a escuchar a Juan el Bautista en el desierto.[15]

La multitud, que había destrozado las improvisadas barreras instaladas por los legionarios, también estaba ahora al pie de las cruces, desconcertada y temerosa por la tormenta que rugía a lo lejos.

—¡Mira a esos salvajes! —le dijo Marcelo a Hiram—. Esta mañana, frente a la torre Antonia, le gritaban a Pilato: "¡Suelta a Barrabás, crucifica al Galileo!" Ahora, después de conseguir lo que querían, vienen aquí a verlo en la cruz y a mofarse de él. Acabo de oír a uno que le decía: "¡Eh, tú que destruyes el Templo y en tres días lo vuelves a edificar, sálvate a ti mismo y baja de la cruz!".[16] Incluso hay dos o tres sacerdotes —los he reconocido— que vinieron, en compañía de algunos escribas, para escarnecerlo. ¡Qué falta de dignidad! ¿Qué tiene que hacer un sanedrista aquí? Estamos en Pascua, y esos personajes que pretenden dar lecciones a los demás, vie-

---

12. *Marcos* 15, 26.
13. *Mateo* 27, 37.
14. *Lucas* 23, 38.
15. Véase p. 225 ss.
16. *Marcos* 15, 29-30.

nen a un lugar de ejecución, que para ellos es impuro, para gritarle insultos a un crucificado, como ese sumo sacerdote que acaba de reírse burlonamente detrás de su barba hipócrita: "¡Dice que ha salvado a otros y no puede salvarse a sí mismo!"[17]

En ese mismo momento, un escriba que, como el anterior, era miembro del Sanedrín, y había ido a ver sufrir a su víctima, dijo en voz alta, como para darle la razón a Marcelo:

—Ya que dice que es el rey de los judíos, ¡que baje ahora de la cruz, para que veamos y creamos![18]

—Sin embargo, hay una persona que no lo insultó, caballero: es uno de los dos ladrones que está crucificado a su lado —dijo Hiram—. Mientras que su cómplice injuriaba a Jesús diciéndole: "¿No eres tú el Mesías? Sálvate a ti mismo y a nosotros", él tomó su defensa e increpó duramente a su compañero: "¿No tienes temor de Dios, tú que sufres la misma pena que él? Nosotros la sufrimos justamente, porque obtuvimos lo que merecíamos por los crímenes que cometimos, pero él no ha hecho nada malo". Y volviéndose hacia Jesús, le dijo: "Acuérdate de mí, Señor, cuando vengas a establecer tu Reino".

—¿Jesús estaba en condiciones de oír lo que le decía ese ladrón arrepentido? ¿Y cómo es su nombre?

—Lo oyó perfectamente, caballero, y murmuró: *"Yo te aseguro que hoy estarás conmigo en el Paraíso"*.[19] En cuanto a su nombre, no lo sé. Algunos dicen que se llama Dismas, otros, que se llama Tito o Zoatán.

El cielo se volvía cada vez más oscuro: todavía no eran las tres de la tarde, y sin embargo era casi de noche, como antes de un tornado. Al pie de la cruz en la que lentamente moría Jesús, los guardias tenían cada vez más dificultades para alejar tanto a los pocos fieles que habían tenido el valor de seguirlo hasta el Gólgota, como a los escribas, fariseos e incluso grandes sacrificadores que querían recrearse con sus últimos instantes de vida. Hiram también había tratado de acercarse, pero no pudo hacerlo. En cambio, un

17. Cf. *Marcos* 15, 31.
18. Cf. *Marcos* 15, 32.
19. Cf. *Lucas* 23, 39-43.

escriba del partido saduceo[20] le contó que había visto cómo tres mujeres bañadas en lágrimas habían logrado llegar hasta el pie de la cruz: se trataba, según le dijo, de su madre, María, la mujer del carpintero José; su hermana, también llamada María, que era la esposa de un tal Clopas (hermano de José), y por último, María de Magdala, que con tanta frecuencia había acompañado a Jesús a Galilea. Junto a ellas, había un joven, de nombre Juan, a quien Jesús llamaba su "discípulo amado". El escriba saduceo le informó a Hiram que, cuando vio que se acercaba su madre, Jesús le dijo en un murmullo, señalando a Juan con la mirada: *"Mujer, aquí tienes a tu hijo"*. Y luego le dijo al discípulo: *"Aquí tienes a tu madre"*.

—Es probable que ésas fueran las últimas palabras que Jesús haya pronunciado en esta tierra, caballero —le dijo Hiram a Marcelo—, y no se sabrá a cuál de esos dos seres quiso confiar al otro, si su madre a Juan, o Juan a su madre, porque según estas tres mujeres, no le quedaban ya muchos minutos por vivir.

—Tal vez le quede un poco más de tiempo del que tú piensas, Hiram: mira a ese soldado que se dirige corriendo a la cruz, llevando un cántaro y una rama de hisopo[21] en la mano.

—Lo estoy viendo igual que tú. ¿Qué significa?

—Que Jesús todavía no está muerto y que seguramente tiene sed: en esa clase de cántaros suelen transportar los legionarios su vinagre para beber.[22] Acerquémonos.

Habían dado sólo unos pocos pasos cuando de pronto oyeron gritar a Jesús con fuerte voz, en arameo: *"Eloi, Eloi, ¿lamá sabactani?"*.[23] Entre las personas que se encontraban al pie de la cruz, algunos dijeron, al oírlo: "¡Está llamando a Elías!".[24] A continuación, otro corrió a buscar una esponja, la sumergió en el cántaro que estaba al pie de la cruz, la colocó en la punta de la rama de hisopo y la

20. Los saduceos, adversarios de los fariseos, eran partidarios de una mayor apertura de Israel al mundo moderno romano.

21. Mata olorosa de la familia de las labiadas, como la salvia y el romero.

22. Bebida clásica de los soldados romanos en esa época, muy ácida, pero excelente para calmar la sed.

23. *"Dios mío, Dios mío, ¿por qué me has abandonado?"*: primer versículo del *Salmo* 22.

24. *Marcos* 15, 33.

acercó a la boca de Jesús para que pudiera beber mordiéndola. Otro dijo: "Vamos a ver si Elías viene a bajarlo".

Pero ya todo se había consumado. Cuando bebió el vinagre, Jesús murmuró: *"Todo se ha cumplido".*[25] E inclinando la cabeza, expiró, lanzando un gran grito que llenó de terror los corazones de los testigos. Al mismo tiempo, se rasgó el velo del Templo, que separaba el sanctasanctórum del resto del santuario. Eran un poco más de las tres de la tarde del viernes 7 de abril. Las nubes, espesas y cada vez más oscuras, seguían ocultando el sol, que había empezado a declinar. Se había cumplido la predicción de las Escrituras:

"Se acerca el Día del Señor
en el valle de la Decisión.
El sol y la luna se oscurecen,
las estrellas pierden su brillo.
El Señor ruge desde Sión
y desde Jerusalén hace oír su voz:
¡tiemblan el cielo y la tierra!"[26]

Entonces, en el monte calvo y ahora silencioso del Gólgota, bajo el cielo negro de nubes, se alzó la voz grave y áspera del centurión que todo el tiempo había estado vigilando las tres cruces, quien dijo: *"¡Verdaderamente, este hombre era el Hijo de Dios!"*[27]

—¿Oyes las palabras de ese romano, Hiram? Traducen la emoción de los gentiles, y hasta me atrevería a decir, de todos los gentiles, incluso los que, como yo, no son creyentes.

Ésa fue la modesta oración fúnebre del Hijo del hombre, que acababa de extinguirse, clavado a dos pedazos de madera, con los brazos en cruz, la cabeza inclinada sobre su hombro izquierdo y la mitad de su rostro cubierto por su larga cabellera. Los dos ladrones que habían sido crucificados a sus costados todavía respiraban.

Era el momento que los judíos llamaban el "primer atarde-

25. *Juan* 19, 30.
26. *Joel* 4, 14-16.
27. *Mateo* 27, 54; *Marcos* 15, 39; *Lucas* 23, 47.

cer".[28] Poco a poco, bajo un cielo que se ponía cada vez más oscuro, dejando atrás el monte calvo y los tres cuerpos de los crucificados —alrededor de los cuales empezaban a revolotear los murciélagos—, los actores y los espectadores de ese drama macabro, sacerdotes, escribas, populacho o simples curiosos, todos descendieron corriendo hacia Jerusalén como ladrones después de cometer su delito. Hiram le recordó a Marcelo, quien se extrañó por esa precipitada partida, que el shabbat comenzaba a las seis, y que, por lo tanto, esos judíos sólo tenían tres horas para proceder a la inmolación del cordero pascual,[29] lo que explicaba su prisa. Sólo algunos adeptos a Jesús, y tres mujeres acongojadas —María, su hermana y María de Magdala— permanecían a pocos pasos de la cruz, arrodillados y llorando, mientras la noche, prematura y siniestra, caía lentamente sobre el Gólgota.

En Jerusalén, sin embargo, la vida seguía su curso, alegre y ruidosa. Los judíos estaban terminando sus últimos preparativos para el shabbat, mientras que en el Sanedrín, los consejeros más escrupulosos se enfrentaban a un delicado problema legal: ¿qué harían con los cuerpos de los tres crucificados? Porque, sobre ese punto, la Ley era formal: "Si un hombre, culpable de un crimen que merece la pena de muerte, es ejecutado y colgado de un árbol, su cadáver no quedará en el árbol durante la noche, sino que lo enterrarás ese mismo día, porque el que está colgado de un árbol es una maldición de Dios",[30] decía el *Deuteronomio*. En el presente caso, debía terminarse la inhumación antes del comienzo del shabbat, es decir, antes de las seis de la tarde.

—Me pregunto cómo resolverán los sanedristas este problema

---

28. El *primer atardecer* del día era el momento en que el sol comenzaba a bajar, es decir, entre las 3 y las 4 de la tarde en el mes de abril. El *segundo atardecer* era el momento en que el sol se ponía, es decir, hacia las seis de la tarde a comienzos de ese mismo mes, la hora en que comenzaba el shabbat semanal, que terminaba al día siguiente, sábado, a la misma hora. Por esta razón, el viernes era llamado el "día de la preparación" (del shabbat).

29. Véase p. 205 ss.

30. *Deuteronomio* 21, 22-23.

—le dijo Hiram al caballero, mientras se dirigían hacia la puerta Efraín.

—¿Qué problema? No tienen más que bajar los cuerpos y enterrarlos.

—Sólo pueden hacerlo en el caso de Jesús, que acaba de morir, pero los ladrones todavía están vivos, Marcelo.

—¿Qué milagro hace que sigan con vida?

—Un médico griego me explicó que los criminales que son crucificados están colgados de los brazos, en realidad, y eso les paraliza progresivamente los músculos del pecho:[31] no pueden respirar más y mueren lentamente por asfixia. Cuando los condenados son de gran estatura, y como las cruces nunca son altas, muchas veces pueden apoyar sus pies en el suelo. En este caso, los romanos les quiebran las piernas para impedir que lo hagan y apresurar así su muerte. Por eso los ladrones todavía están vivos: son muy altos, y olvidaron quebrarles las piernas.[32] Jesús, que era más bajo que esos ladrones, murió antes que ellos.

—¿Qué esperan entonces los judíos para dar la orden de enterrar a Jesús y de quebrar las piernas de los dos ladrones, para que mueran antes de la segunda parte de la noche, es decir, antes de la puesta del sol?

—Simplemente esperan la autorización de Pilato, porque no se puede hacer nada sin el permiso del procurador. He visto que Nicodemo y otro miembro eminente del Sanedrín, un tal José, un hombre rico,[33] oriundo de Arimatea,[34] salían corriendo en dirección a la torre Antonia. Seguramente informarán a Pilato que las ejecuciones ya tuvieron lugar y le pedirán las autorizaciones necesarias, porque los judíos no pueden permitir que haya cadáveres en las cruces durante el shabbat.

Unos momentos más tarde, media hora antes de la caída del sol, los dos amigos vieron llegar a la cima del monte calvo un piquete de soldados romanos, que empezaron por quebrarles las piernas a

31. Por tétanos.
32. En latín: *crurifragium*.
33. Esta precisión sólo aparece en *Mateo* 27, 57.
34. Pequeño pueblo próximo a Cesarea la Marítima, la ciudad en la que residía habitualmente Pilato cuando no estaba en Jerusalén.

los dos ladrones crucificados al mismo tiempo que el Nazareno. Marcelo, a quien repugnaba esa faena de carnicero, se había alejado. Hiram fue a reunirse con él poco después, pues había querido estar presente en ese ceremonial fúnebre, y se veía muy conmovido. Después de interrogar al centurión, le contó el fenicio a Marcelo, los soldados habían verificado personalmente que Jesús estaba muerto. No habían tocado su cuerpo sin vida, pero uno de ellos le atravesó el costado con su lanza, y de inmediato brotó sangre y agua.[35]

—¿Qué dices, Hiram? En un cadáver ya no hay sangre. ¿Realmente viste salir sangre y agua del costado de Jesús?

—No lo vi con mis propios ojos, pero me lo contaron los que estaban allí.

—¿Eran muchos?

—Quedaban todavía tres o cuatro hombres al pie de la cruz, además de los soldados.

—¿Y ahora dónde están?

—Se perdieron en la bruma de la noche...

—Ya veo... Como siempre, ¡nunca se puede encontrar a los testigos de un milagro! —repuso Marcelo.

—¡Tú no cambiarás jamás, caballero! Pero yo lo creo, y no soy el único. Incluso dicen que José de Arimatea, el sanedrista, habría recogido esa sangre en un recipiente precioso.[36]

—De todos modos, Hiram, ahora Pilato puede dormir tranquilo: el expediente del "caso Jesús" está cerrado por la muerte oficialmente comprobada de su protagonista. Su muerte me oprime el corazón. Yo amaba a ese hombre, y esta noche, no sólo siento que he perdido a un hermano, sino que tengo la dolorosa impresión de que todo el mundo romano ha perdido a un nuevo Sócrates...

José de Arimatea y algunos seguidores del Hijo de Dios que acababa de morir como un vulgar ser humano se esforzaban ahora por bajarlo de la cruz a la que estaba atado y clavado. Tenían que actuar con rapidez, porque, como buenos judíos piadosos que eran, que-

---

35. Este "golpe de lanza" sólo se encuentra en *Juan* 19, 34.

36. En la Edad Media, la búsqueda de este misterioso recipiente —el Grial— sirvió como tema de la leyenda artúrica.

rían poner al amado muerto en una tumba antes de que sonaran, en la escalinata del Templo, los seis toques rituales de las trompetas de plata que anunciaban la apertura del shabbat de la Pascua.

José poseía una sepultura nueva, cavada en la ladera de la colina, cerca del Gólgota, en la que nunca se había colocado a nadie. Había comprado un sudario para envolver el cuerpo de Jesús y un velo para cubrir su rostro. También fue Nicodemo, llevando una mezcla de alrededor de cien libras[37] de mirra y aloe. Los dos hombres, con la ayuda de las mujeres que, como María de Magdala, habían seguido a Jesús desde su predicación en Galilea, pero también de María, su madre, y algunos otros adeptos, envolvieron en primer lugar el cuerpo con vendas, lo cubrieron con el sudario de José y luego lo colocaron suavemente en la tumba, con la cabeza apoyada en una piedra. Junto al cuerpo amortajado de Jesús depositaron las plantas aromáticas que había llevado Nicodemo, y finalmente, frente a los ojos de María de Magdala y de María la Virgen, José hizo rodar una pesada piedra para cerrar la entrada al sepulcro.

—¡Adiós, Jesús! —murmuró Marcelo cuando finalizó el ritual de la inhumación.

—No, Marcelo —dijo Hiram, que tenía los ojos llenos de lágrimas—. No hay que decir "adiós", sino "hasta pronto". ¿Acaso él no dijo siempre que sufriría, que lo matarían y que resucitaría? Yo creo en esa profecía. No sé por qué, pero creo. El cuerpo de Jesús está muerto, yace en este lugar, debajo de esas piedras, pero su alma no ha muerto: liberada de su cuerpo que se convertirá en polvo, fue hacia su Padre, a los cielos, y volverá a juzgarnos a todos, en el Día del Juicio.

—Bueno, bueno —dijo Marcelo esbozando una sonrisa impregnada de tristeza—. ¿Nuestro fenicio se habrá vuelto, por efecto de un milagro, un seguidor de Jesús?

—No te rías, impío. No sé qué sucedió dentro de mí, pero siento una necesidad irresistible de ver a Pedro, o a otro de sus discípulos, para que me enseñe la doctrina de Cristo.

—No tengo ganas de reír, querido Hiram, pero no dejo de tener los pies sobre la tierra, y sigo siendo un pagano, un gentil, si prefie-

37. Alrededor de 45 kilos.

res, ¡pero un gentil que ha mamado la leche de la filosofía griega!
Yo también creo en la inmortalidad del alma, pero a la manera de
Platón, no a la manera de Jesús.

En la mañana del día siguiente, sábado, Marcelo se dirigió a casa de Pilato, con la intención de pedirle explicaciones. Quería saber
por qué había cedido ante el partido de los fariseos y los sumos sacerdotes, que deseaban la muerte de Jesús y habían manejado hábilmente al pueblo de Jerusalén para conseguir sus objetivos. Conocía
bastante bien a ese personaje, con quien se había encontrado una
media docena de veces desde su llegada a Palestina, cuatro años antes, y tenía una opinión muy concreta sobre él.

Marcelo le había escrito al gobernador romano de Damasco
—en cierto modo el superior jerárquico del procurador— que Pilato
era el prototipo del administrador romano puntilloso, sin malas intenciones particulares, que desde su llegada a Jerusalén se había encontrado en presencia de personas —los judíos— cuyas acciones y
conductas le seguían siendo totalmente incomprensibles, y por eso
mismo, antipáticas. Además, todas las medidas que había tomado,
creyendo que eran correctas, desde que había asumido su puesto en
Jerusalén, habían sido aplicadas en contra del sentido común por sus
funcionarios, que, había que admitirlo, eran perfectos inútiles o re-
domados ladrones. Él mismo había cometido algunos errores que los
judíos no le perdonaban, como, por ejemplo, recurrir a la caja del
Templo para construir un acueducto de utilidad pública. Su preocupación fundamental era garantizar el orden público, y creía que la
mejor manera de conseguirlo era usar la fuerza, apoyándose en la autoridad indiscutida del Templo, que representaba Caifás, cuyo interés predominante, desde que había sucedido a su suegro Anás como
sumo pontífice de los judíos, doce años atrás, era poner freno a la corriente mesiánica que este último también había combatido durante
todo su pontificado. En ese terreno, Pilato aplicaba, pues, firmemente, y sin ningún escrúpulo, las consignas de Caifás. Tenía un solo le-
ma, y lo sostenía contra todo: "¡Servicio, servicio, y nada de violencia
en Judea!". Por lo demás, si no respetaba esta consigna, Caifás y las
autoridades del Templo seguramente se lo harían recordar.

Tal era el personaje a quien el caballero había decidido enfrentar esa mañana, y cuando estuvo en su presencia, no le ocultó su decepción:

—Conozco tu interés en mantener el orden en Jerusalén y en Judea, procurador, pero no veo el motivo por el cual ese Nazareno podía ser una fuente de disturbios: su predicación no se parecía para nada a la de los zelotes, por ejemplo, y predicaba el amor y la obediencia al César. Las dos fórmulas que repetía con mayor frecuencia a sus discípulos eran: *"Ámense los unos a los otros"* y *"Den al César lo que es del César, y a Dios lo que es de Dios"*. ¡No había nada subversivo en ello!

—Pero ¿acaso no pretendía ser el Hijo de Dios, el Mesías?

—Sí, pero ¿qué tiene que ver eso contigo como procurador? Jesús y sus discípulos —que no son muchos— no manifiestan por las calles de Jerusalén, pagan sus impuestos, no reivindican nada, jamás usan la violencia y son tan inocentes como los eremitas que viven alrededor del mar Muerto. ¿Por qué crucificarlo entre dos ladrones, como si fuera un peligroso criminal?

—El Sanedrín lo condenó a muerte, caballero...

—... por un crimen que nuestras leyes romanas no reconocen, Pilato. Por el contrario, en los territorios que hemos anexado al Imperio, permitimos que todos nuestros administrados practiquen su propia religión, mientras no subleven a las poblaciones contra Roma con pretextos religiosos.

—En su época, Augusto definió los derechos y los deberes de todos los habitantes de Palestina. Los galileos y los habitantes de Perea, sean o no de religión judía, obedecen a las leyes de Herodes Antipas, y sus actividades no me conciernen. Pero los judíos de Judea dependen del Templo en materia religiosa, y de Roma para lo demás. Jesús fue condenado a muerte por un tribunal religioso judío, presidido por Caifás, y me fue entregado para que yo lo hiciera ejecutar. El único derecho que yo tenía en este asunto, era el de indultarlo, y confieso que lo hubiera usado con gusto: ese judío me pareció un hombre lleno de cualidades humanas, y enfrentó a sus jueces y a la muerte con la serenidad de nuestros antepasados romanos.

—¿Por qué elegiste entonces indultar a Barrabás?

—Tú oíste, como yo, las vociferaciones de la multitud, Marcelo. Si hubiera indultado a Jesús, podía producirse una revuelta, y todavía recuerdan en Damasco, como también en Roma, las revueltas instigadas por los zelotes después de la muerte de Herodes el Grande, y luego el advenimiento de Arquelao, hace casi treinta años: provocaron tres mil muertos en dos días, en Jerusalén. Yo no quería asumir la responsabilidad de otra matanza como aquella. Por eso indulté a Barrabás.

—No existe ninguna relación entre la sublevación de los zelotes que acabas de mencionar y la predicación de Jesús. Los fundadores de esa secta predicaban la violencia, los asesinatos, la rebelión contra Roma con las armas en la mano, y la rebelión de los zelotes efectivamente alteró el orden público: el joven rey de entonces, Arquelao, empleó los mismos métodos que su difunto padre, Herodes el Grande, para restablecerlo. Pero no tiene absolutamente nada que ver con la predicación de Jesús, que sólo está compuesta de amor y plegarias.

—Pero olvidas, caballero, que sin embargo ese galileo sembró el desorden en la explanada de los gentiles la primera vez que subió a Jerusalén, hace dos años, cuando echó a latigazos a los cambistas y los mercaderes.

—Es verdad. Pero fue la única vez que Jesús apeló a la violencia, y el incidente no pasó a mayores. Y de todos modos el Sanedrín lo condenó a muerte.

—Está en todo su derecho: el Sanedrín aplica la Ley de Moisés, según la cual todo judío que no observe la Ley o que profiera blasfemias es pasible de la pena de muerte.

—Pero Roma es la encargada de ejecutar al condenado, y también de indultarlo, llegado el caso. Lo que yo te reprocho, querido procurador, es que no hayas usado tu derecho de gracia, un derecho que en esta circunstancia era un deber, porque la sentencia del Sanedrín era una invitación al asesinato. Te lo digo mirándote a los ojos, Pilato: no has tenido el valor de decirles que no a los sumos sacerdotes y a los escribas...

—¡Y a la multitud, caballero!

—¿Desde cuándo un representante del emperador está obligado a ceder a los gritos del populacho? Los judíos —o, más precisamente, las autoridades judías— querían la muerte de Jesús, e incitaron a la multitud en ese sentido, como antaño nuestros senadores instigaron a nuestras masas romanas contra los Gracos.[38] Y lamen-

38. Nombre de dos hermanos, Tiberio y Cayo Graco, que trataron de llevar a cabo una reforma agraria en Roma, y fueron masacrados, víctimas de la

to mucho tener que decirte que los responsables de la muerte de ese hombre, que era la encarnación de la bondad y el amor, son las autoridades judías y el procurador romano de Judea. La masa actuó como actúan las masas: ciegamente. Y en cuanto al pueblo judío en sí mismo, no tuvo ningún papel en este asesinato.

En ese momento vinieron a informarle a Pilato que el colegio de los sumos sacerdotes y una delegación del partido fariseo insistían en conseguir una audiencia para tratar un tema que, según decían, era de la mayor importancia.

—Recíbelos, Pilato —dijo el caballero—. Me retiraré si lo deseas.

—No tienes por qué retirarte, Marcelo. Aunque ya no cumplas las funciones de representante del emperador, sigues teniendo ese título, y tu presencia de ninguna manera será inoportuna. Veamos qué quieren de mí esos judíos.

Fue el jefe de su delegación quien expuso ante Pilato sus aspiraciones.

—Señor —le dijo—, hemos recordado que ese impostor, a quien con toda justicia hiciste ejecutar ayer, dijo muchas veces mientras vivía que resucitaría al tercer día después de su muerte. Nosotros tememos que sus discípulos quieran robar su cuerpo, para decir luego, frente al pueblo, que resucitó de entre los muertos, como él lo proclamaba. Esta última impostura sería peor que la primera, y por eso te solicitamos que pongas una guardia permanente para vigilar su tumba, día y noche, durante tres días.

—Señores sumos sacerdotes y honorables fariseos —les respondió Pilato—, ¿no tienen ustedes en el Templo una guardia propia?

—Sí.

—Pues bien, vayan y aseguren la vigilancia como lo crean conveniente.39

Los judíos se inclinaron ante el procurador y se fueron a vigilar ellos mismos el sepulcro. Para mayor seguridad, sellaron la pesada

---

oposición del partido senatorial, respectivamente en 133 y en 121 a.C. La reforma en cuestión sólo pudo ser realizada por César, quien cayó a su vez bajo los puñales de los senadores, en 44 a.C. Véase p. 403 ss.

39. Este episodio sólo figura en Mateo 27, 62-66.

piedra que había colocado José de Arimatea a la entrada de la tumba y dejaron apostado allí a un guardián.

Después de su partida, Pilato se volvió hacia Marcelo:

—¿Qué piensas de esta visita, caballero? —le preguntó.

—Que no es más que otra comedia —le contestó Marcelo, encogiéndose de hombros—. Los judíos que acaban de salir de esta habitación están tan convencidos como puedes estarlo tú de que, cuando uno está muerto, está bien muerto, y no resucita.

—Entonces ¿por qué me piden una guardia?

—Te lo dijeron para poder demostrar, dentro de tres días, que el sepulcro no está vacío, que Jesús mintió al anunciar a sus discípulos que resucitaría al tercer día después de su muerte, y que es un impostor. Así, su promesa de resurrección habrá sido una impostura más...

27

El sepulcro vacío

Sábado 8 de abril-domingo 9 de abril,
año 783 de Roma
(30 d.C.)

El sábado a la noche, después de la puesta del sol, las trompetas de plata del Templo resonaron en Jerusalén para anunciar, como de costumbre, el final del shabbat. Las mujeres que habían llegado desde Galilea con Jesús, y que el día anterior habían acompañado a José de Arimatea hasta el sepulcro antes de volver a sus casas para descansar, como lo prescribía la Ley de Moisés, retomaron sus actividades habituales. Se habían ocupado fundamentalmente de mezclar en los morteros hierbas aromáticas, como orégano, aloe y nardo, para perfumar el cuerpo del Crucificado. Pero cuando terminaron, ya había caído la noche, y no se atrevieron a aventurarse en la penumbra por las siniestras pendientes del Gólgota.

Pero el domingo por la mañana, antes del alba, cuando todavía estaba oscuro, María de Magdala fue la primera en ir al sepulcro, seguida por Salomé —la madre de los apóstoles Juan y Santiago—, por María, madre de Santiago el Menor, y por otras más. Todas estaban llorando, le contaría más tarde a Marcelo el fiel Estenón, que las había seguido. Las mujeres se decían entre ellas: "¿Pero quién nos quitará la piedra que cierra la entrada al sepulcro?"

—¿Y qué sucedió luego? —le preguntó Marcelo a su secretario, que parecía bastante conmovido.

—No me atreví a asistir a la apertura de la tumba, señor caballero.

—¿Por qué? No había nada que temer.

—Es cierto, pero el dolor de esas mujeres me conmovió y, por respeto a ellas, preferí regresar a Jerusalén. Sin embargo, pude interrogar al apóstol Juan, hijo de Zebedeo, que me relató la escena completa.

—¿Pudiste tomar nota de su relato?

—Lo transcribí escrupulosamente y en su totalidad en este rollo, caballero.

Marcelo tomó el papiro que le tendía Estenón, lo desenrolló y se puso a leer inmediatamente en voz alta delante de su amigo, el fenicio, que parecía más emocionado que nunca.

EL DESCUBRIMIENTO DE MARÍA DE MAGDALA
AL AMANECER DEL DOMINGO 9 DE ABRIL
(relato del apóstol Juan, hijo de Zebedeo)

"El primer día de la semana, de madrugada, cuando todavía estaba oscuro, María Magdalena fue al sepulcro y vio que la piedra había sido sacada. Corrió al encuentro de Simón Pedro y del otro discípulo al que Jesús amaba, y les dijo: 'Se han llevado del sepulcro al Señor y no sabemos dónde lo han puesto'.

Pedro y el otro discípulo salieron y fueron al sepulcro. Corrían los dos juntos, pero el otro discípulo corrió más rápidamente que Pedro y llegó antes. Asomándose al sepulcro, vio las vendas en el suelo, aunque no entró. Después llegó Simón Pedro, que lo seguía, y entró en el sepulcro: vio las vendas en el suelo, y también el sudario que había cubierto su cabeza; éste no estaba con las vendas, sino enrollado en un lugar aparte. Luego entró el otro discípulo, que había llegado antes al sepulcro: él también vio y creyó. Todavía no habían comprendido que, según la Escritura, él debía resucitar de entre los muertos. Los discípulos regresaron entonces a su casa.

María se había quedado afuera, llorando junto al sepulcro. Mientras lloraba, se asomó al sepulcro y vio a dos ángeles vestidos de blanco, sentados uno a la cabecera y otro a los pies del lugar donde había sido puesto el cuerpo de Jesús. Ellos le dijeron: 'Mujer, ¿por qué lloras?'. María respondió: 'Porque se han llevado a mi Señor y no sé dónde lo han puesto'. Al decir esto se dio vuelta y vio a Jesús, que estaba allí, pero no lo reconoció. Jesús le preguntó: 'Mujer, ¿por qué lloras? ¿A quién buscas?'. Ella, pensando que era el cuidador del lugar, le respondió: 'Señor, si tú lo has llevado, dime dónde lo has puesto y yo iré a buscarlo'. Jesús le dijo: '¡María!'. Ella lo reconoció y le dijo en hebreo: '¡Raboní!', es decir '¡Maestro!'. Jesús le dijo: 'No me retengas, porque todavía no he subido al Padre. Ve a decir a mis hermanos que subo a mi Padre, el Padre de ustedes; a mi Dios, el Dios de ustedes'. Entonces María Magdalena fue a anunciar a los discípulos que había visto al Señor y que él le había dicho esas palabras." (*Juan* 20, 1-18).

Marcelo enrolló lentamente el papiro que acababa de leer, sin decir una sola palabra. Hiram, rojo de emoción, parecía estar al borde de las lágrimas, y Estenón, impasible, se hacía el indiferente. Un silencio impresionante había invadido la casa del caballero quien, después de pedirle a un esclavo que le trajera un vaso de agua fresca, murmuró, como para sí mismo:

—Ese sepulcro vacío me recuerda la desaparición legendaria de Rómulo, hace casi ocho siglos...

—¿Rómulo, el fundador de Roma? —preguntó suavemente Hiram.

—Sí, ese Rómulo... si es que existió. Después de haber reinado durante treinta y siete años sobre la pequeña ciudad que había fundado, un día que estaba pasando en revista a su pueblo en el Campo de Marte, de pronto el sol se eclipsó, la oscuridad cubrió el Lacio, y cuando volvió la luz, Rómulo había desaparecido. El pueblo, que lamentaba mucho la desaparición de su rey, acusó a los senadores de haber aprovechado esa repentina oscuridad para asesinarlo, pero estos últimos afirmaban que había sido llevado al cielo. Sin embargo, el duelo se hizo más leve cuando un ciudadano respetable, llamado Julio Próculo, declaró ante el pueblo y el ejército que Rómulo se le había aparecido y le había encargado anunciar a los romanos que serían los amos del mundo, y que él velaría sobre ellos como su dios guardián Quirino.

—¿Qué relación tiene esto con Jesús, caballero?

—Los seguidores de Jesús, como todos los hombres, tienen miedo a la muerte, y sus primeros discípulos creyeron en él, no por los milagros que parecía llevar a cabo, sino porque los convenció de que vivirían eternamente después de su muerte física, y les dijo que él mismo moriría, y luego resucitaría para salvar a toda la humanidad, pasada, presente y futura, de los tormentos eternos. De modo que cuando María de Magdala descubrió, esta mañana, que el sepulcro en el que habían colocado el cuerpo de Jesús en las últimas horas del viernes, estaba vacío, y cuando después, trastornada por este descubrimiento, tuvo primero la visión de los dos ángeles blancos, y después la de Jesús, que pronunciaba su nombre, creyó sin dudar que aquel a quien ella llama su "maestro" —*Raboní*— había resucitado, y no se hizo ninguna pregunta sobre esa resurrección, pues para ella, era una evidencia. Pero yo, que soy un pagano y aprecio la enseñanza moral de Jesús, a la que he comparado a menudo con la de Sócrates, si hubiera tenido la misma visión que María de Magdala, habría atribuido ese hecho al cansancio, al sueño o al dolor. Agregaré también que el testimonio de Juan, hijo de Zebedeo, no me satisface en absoluto. Ese hombre ha sido sin duda el más inteligente de los discípulos de Jesús, y comprendió no solamente hasta qué punto su mensaje era grande y generoso, sino también que era importante apoyarlo en un mito como el de la resurrección, aunque fuera para difundir la Buena Noticia, en Palestina en primer lugar, entre los judíos, atormentados por el problema del destino del alma después de la muerte, y luego entre los gentiles, que sólo tienen las doctrinas de sus filósofos para ayudarlos a vivir. Y créeme, mi buen Hiram, si logra que compartan su impresión los demás apóstoles y los pocos centenares de galileos que han sido conmovidos por la Palabra de Jesús, dentro de mil o dos mil años se seguirá hablando de esta resurrección, no solamente en Jerusalén, sino en el mundo entero...

Anexos

ANEXO 1
Datación y cronometría

1. Datación

Los romanos contaban sus años a partir del año de la fundación de Roma, que se llamaba "año 1 de Roma", y que corresponde al año 753 antes de la era cristiana.

Desde alrededor de 1.600 años, los astrónomos y los gobiernos numeran los años a partir de un "año 1" elegido como origen de lo que convencionalmente se llama "nuestra era" o "la era cristiana". Se la llama así porque, en el pasado, se hacía coincidir ese año-origen con el año del nacimiento de Cristo, que llevaba entonces el número 1.

Se solía escribir que Jesús había nacido en el año 1 de la era cristiana y había muerto en el año 33 de esta misma era, o también que el emperador Augusto había nacido en 63 a.C (63 antes de la era cristiana), y había muerto en 14 d.C., y que, por lo tanto, había vivido 63 + 14= 77 años (porque no hay un "año cero" en el recuento de los años).

Ahora esta manera de expresarse no tiene sentido, porque se pudo determinar, por medio de diferentes cálculos astronómicos, que Jesús nació, en realidad, cuatro años antes de lo que se creía al comienzo de la Edad Media, cuando se estableció el calendario eclesiástico. Como no se podía escribir que Jesús había nacido "4 años antes de Cristo", y no se podía cambiar todo el sistema de recuento de los años, se convino en llamar "era cristiana" o "nuestra era" a la que empieza en el año 1, año en el que Jesús ya tenía 4 años, y se escribe: "Jesús nació en el año 4 antes de nuestra era", o también "Jesús nació en el año –4".

2. Cronometría

Para medir el tiempo, los romanos de la época de Augusto utilizaban relojes de agua (clepsidras) pautados con referencia a los pasos del sol por el cenit. Las doce horas del día se repartían entre la salida y la puesta del sol, y las doce horas de la noche, entre su puesta y su salida. Estas horas no tenían, pues, la misma duración en todas las estaciones. Sin entrar en el detalle de los cálculos, éstas son las equivalencias entre las horas romanas diurnas y las nuestras en el solsticio de invierno y en el solsticio de verano, según Jérôme Carcopino, con relación al mediodía, hora en la cual el sol está en el punto más alto del cielo.

Horas romanas	En el solsticio de invierno	En el solsticio de verano
Primera hora	de 7.33 a 8.17	de 4.27 a 5.42
Segunda hora	de 8.17 a 9.02	de 5.42 a 6.58
Tercera hora	de 9.02 a 9.46	de 6.58 a 8.13
Cuarta hora	de 9.46 a 10.31	de 8.13 a 9.29
Quinta hora	de 10.31 a 11.15	de 9.29 a 10.44
Sexta hora	de 11.15 a 12.00	de 10.44 a 12.00
Séptima hora	de 12.00 a 12.44	de 12.00 a 13.15
Octava hora	de 12.44 a 13.29	de 13.15 a 14.31
Novena hora	de 13.29 a 14.13	de 14.31 a 15.46
Décima hora	de 14.13 a 14.58	de 15.46 a 17.02
Undécima hora	de 14.58 a 15.42	de 17.02 a 18.17
Duodécima hora	de 15.42 a 16.47	de 18.17 a 19.33

ANEXO 2
Descendencia de Herodes el Grande

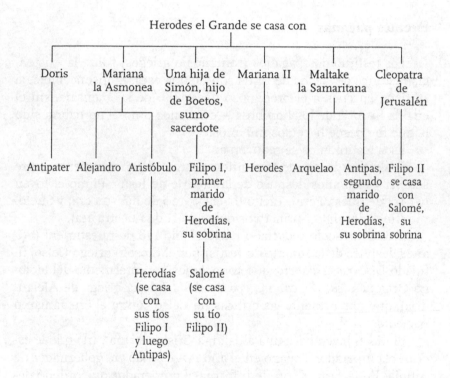

Herodes el Grande se casa con

| Doris | Mariana la Asmonea | Una hija de Simón, hijo de Boetos, sumo sacerdote | Mariana II | Maltake la Samaritana | Cleopatra de Jerusalén |

| Antipater | Alejandro | Aristóbulo | Filipo I, primer marido de Herodías, su sobrina | Herodes | Arquelao | Antipas, segundo marido de Herodías, su sobrina | Filipo II se casa con Salomé, su sobrina |

Herodías (se casa con sus tíos Filipo I y luego Antipas)

Salomé (se casa con su tío Filipo II)

Herodes el Grande (nacido en el año 73 a.C., muerto en el año 4 a.C.) se casó con diez mujeres, que le dieron doce hijos, de los cuales sólo tres reinaron después de la tripartición de Palestina realizada por Augusto: Arquelao, Herodes Antipas (Antipas) y Herodes Filipo (Filipo II). Herodías, hija de Aristóbulo, era nieta de Herodes, y se casó sucesivamente con dos de sus tíos: Filipo I, y luego Antipas. La hija que tuvo con Filipo fue Salomé, la bailarina.

ANEXO 3
Fuentes de la historia de Jesús

Fuentes paganas

Los testimonios paganos (romanos o griegos) sobre la existencia histórica de la vida de Jesús son de una escasez inconcebible, si se tiene en cuenta el prodigioso desarrollo de su mensaje, sin el cual la historia de los hombres —cristianos o no— no habría sido la que fue desde hace dos mil años.

Esos testimonios se reducen a:

1) algunas líneas de tres autores latinos que escribieron entre setenta y cien años después de la muerte de Jesús: Plinio el Joven (61-114 de nuestra era), Tácito (hacia 55-120 de nuestra era) y Suetonio (fines del siglo I-principios del siglo II de nuestra era).

2) Un opúsculo redactado hacia el año 178 de nuestra era (150 años después de la muerte de Jesús) por el filósofo griego Celso, titulado *Discurso verdadero*, que conocemos por intermedio del teólogo Orígenes (*ca.* 185-*ca.* 254, padre de la Iglesia griega de Alejandría), que nos presenta las críticas de Celso contra el cristianismo naciente.

Plinio el Joven hace una alusión a Cristo en una carta que le escribe al emperador Trajano en el año 112, cuando era gobernador de Bitinia. En la carta X, 96, le informa al emperador que ordenó detener a cierta cantidad de personas, quienes le habían confesado que *"se reunían antes de salir el sol para cantar juntos un himno a Cristo, como a un dios"*. Tácito nos dice en sus *Anales* (15, 45), escritos hacia el año 115 de nuestra era —es decir, alrededor de ochenta y cinco años después de la muerte de Jesús—, que Nerón, molesto por los rumores que le atribuían la responsabilidad del incendio de Roma, intentó desviar la acusación hacia *"[...] esos a quienes el vulgo llama "cristianos", cuyo nombre deriva de Cristo, quien, durante el rei-*

nado de Tiberio, fue entregado al suplicio por Poncio Pilato, el procurador". Suetonio, protegido de Plinio el Joven y archivista del emperador Adriano, escribió en su *Vida de Claudio* (capítulo XXV) que ese emperador *"expulsó de Roma a los judíos que agitaban sin descanso instigados por Crestos"*. Por último, hacia el año 178, el filósofo Celso escribió el *Discurso verdadero contra los cristianos*, que conocemos por la refutación que hace de él Orígenes en el siguiente siglo. Celso hace alusiones muy claras a la vida de Jesús tal como la cuentan los *Evangelios*, cuyo contenido evidentemente conocía.

Por otra parte, es bastante probable que Pilato, el procurador de Judea, le hubiera enviado al emperador Tiberio un informe oficial sobre Jesús. Al parecer, ese informe, que desapareció, habría sido visto por san Justino (*ca.* 100-*ca.* 165), autor de una *Apología al Senado Romano en favor de los cristianos* (en griego), y por el pagano converso Tertuliano (Cartago, *ca.* 135-*ca.* 182; apologista cristiano en lengua latina), que siguió sin discusión a san Justino.

Fuentes judías

El silencio de los escritores judíos de la Antigüedad es aún mayor que el de los paganos. Filón de Alejandría (*ca.* 20 a.C.-*ca.* 54 d.C.), filósofo judío de expresión griega, contemporáneo de Jesús, nos dejó una cincuentena de tratados en los cuales no dice una sola palabra sobre la *aparición* de Jesús, cosa que no tiene nada de extraño: no había ninguna relación, ni cultural, ni política, entre Judea y Egipto en esa época. El único autor judío que hace alusión a Jesús es el historiador Flavio Josefo (37-97 aproximadamente), cuyas dos grandes obras, las *Antigüedades judías* (también conocidas con el título de *Historia de los judíos*) y *La guerra de los judíos*, constituyen nuestra única fuente aparentemente completa sobre la historia de Palestina y de los judíos en esa época. Este autor escribe en su *Historia de los Judíos* (Libro XVIII, capítulo IV):

> "En aquel tiempo apareció Jesús, un hombre sabio, si verdaderamente se le puede llamar hombre, porque fue autor de hechos asombrosos, maestro de gente que recibe con gusto la verdad. Y atrajo a muchos judíos y a muchos de origen griego. Él era Cristo. Y cuando

Pilato, a causa de una acusación hecha por los principales de entre nosotros lo condenó a la cruz, los que antes lo habían amado, no dejaron de hacerlo. Porque al tercer día se les manifestó vivo de nuevo, habiendo profetizado los divinos profetas estas y otras maravillas acerca de él. Y hasta el día de hoy no han desaparecido los cristianos, llamados así a causa de él".

Dada la época en que escribió (en griego) Flavio Josefo, en Jerusalén, este testimonio es muy importante. Sin embargo, algunos críticos (por ejemplo, Guignebert, *op. cit.*, p. 19ss) lo encuentran demasiado bello para ser verdadero, y lo consideran como una interpolación tardía: sus argumentos, aunque tienen coherencia, no son demasiado convincentes. En efecto, en el tiempo en que escribe Flavio Josefo (hacia 70-80), los cristianos son suficientemente numerosos e inquietantes, si no en Jerusalén, al menos en Galilea, como para que, por instigación del doctor de la Ley rabí Gamaliel (siglo I de nuestra era), se introduzca en las *Dieciocho Bendiciones*, que el judío debe repetir tres veces por día, una maldición contra los apóstatas y los *minim* (herejes), la *Bendición XII*, contra la secta de los cristianos. Por lo tanto, no llama la atención que Flavio Josefo señale su existencia.

Fuentes cristianas

Los libros sagrados aceptados por la Iglesia cristiana constituyen lo que se llama el *Canon*. Su lista fue establecida en el transcurso de los cuatro primeros siglos de nuestra era, tras muchas discusiones. Son veintisiete, todos en lengua griega, y esa lista oficial fue confirmada por el concilio de Cartago, en el año 397. Ese conjunto se llama también *Nuevo Testamento* (del latín *testamentum*, "testimonio"). Los dividiremos en tres grupos de fuentes.

1. Entre esos veintisiete libros, hay cuatro que nos relatan los principales hechos de la vida de Jesús y los temas fundamentales de su enseñanza: son los cuatro *Evangelios* llamados "canónicos", es decir, admitidos por las autoridades de la Iglesia (la palabra "evangelio" proviene de una palabra griega que significa "Buena Noticia"). Se atribuyen a cuatro apóstoles: san Marcos, san Mateo, san

Lucas y san Juan, y se los designa por los nombres de sus autores. Los tres primeros son bastante parecidos en cuanto a la naturaleza de los hechos consignados y al orden relativo en el que se narran. Esto permite comparar su contenido presentándolos en tres columnas paralelas que ofrecen una especie de visión *sinóptica* de la historia de Jesús: por eso se los llama *Evangelios sinópticos*. En cambio, el *Cuarto Evangelio* (según san Juan) presenta una cronología completamente diferente a la de los *Sinópticos*, y menciona hechos que no aparecen en los otros tres. Por ejemplo, para aclarar esta idea, la vida pública de Jesús —su *ministerio*— dura un solo año en los *Sinópticos*, y tres años en el *Cuarto Evangelio*.

En cuanto a los *Sinópticos*, aunque es muy aventurado fecharlos, los especialistas coinciden en el hecho de que *Marcos* es el más antiguo: habría sido escrito (en griego) en Roma, entre los años 57 y 60, es decir, unos treinta años después de la muerte de Jesús. *Mateo* habría sido escrito (en arameo) en Jerusalén hacia 80-90 (o, según algunos, hacia 63-67), y *Lucas*, el más tardío, habría sido escrito (en griego) en Roma entre los años 100 y 110. En cuanto a *Juan*, habría sido escrito (en griego) en Éfeso entre 96 y 98 (algunos autores sostienen que es posterior a *Lucas*).

Como los evangelistas vivieron *después* de la breve aventura terrenal de Jesús, debemos preguntarnos, evidentemente, cuáles fueron sus fuentes. La única respuesta que se propuso a esta pregunta fue la de Papías (hacia 150), obispo de Hierápolis, en Frigia, que decía haberla obtenido de un tal "Juan el Présbita", de quien no sabemos absolutamente nada: Marcos, nos dice Papías, habría sido el intérprete del apóstol Pedro (muerto en Roma entre 64 y 67) y habría redactado *"exactamente, pero sin orden, lo que Pedro recordaba de los hechos y las palabras de Nuestro Señor Jesucristo"*. En cuanto a Mateo, siempre según Papías, habría *"reunido en lengua hebraica* [es decir, en arameo] *los dichos de Jesús, y cada uno los tradujo como pudo"*. Todo esto debe escribirse en condicional, por supuesto, y hay que decir que los tres Sinópticos, completados por el *Evangelio según san Juan*, son las únicas fuentes, imperfectas y parciales, a las que debemos remitirnos para contar la vida de Jesús.

2. *Los Apócrifos.* Se designa con este término a los escritos —tardíos— que no han sido reconocidos como canónicos por la Iglesia. Constituyen un considerable conjunto de escritos (*Evangelios*,

Epístolas, Hechos, etc.), algunos de los cuales se aproximan a los textos canónicos, y otros son a veces muy fantasiosos. En algunos casos, sirvieron como punto de partida para las elucubraciones de los gnósticos de los siglos II y III, o para los *textos apocalípticos.* Entre ellos, se pueden citar: el *Evangelio de los Egipcios,* el *Evangelio de los Ebionitas,* el *Evangelio de la Infancia,* el *Protoevangelio de Santiago,* etcétera. Han sido traducidos y publicados en un solo volumen, bajo la dirección de François Boivin y Pierre Geoltrain, en la colección de la Pléiade de las ediciones Gallimard. Se trata de textos algo afectados y torpes. Renan decía de ellos lo siguiente: *"Son ampliaciones insípidas y pueriles, que toman como base a los canónicos y no les agregan nada de valor".* Tenía razón. Como nuestro libro no tiene la forma de una biografía, sino la de un relato novelado, hemos recurrido a veces a esas fuentes fantasiosas y desprovistas de todo valor histórico, que siempre identificamos en una nota para discernir entre la paja y el trigo de nuestra documentación.

3. La tradición apostólica incluye los *Hechos de los Apóstoles* (que constituyen la continuación de los *Evangelios*), las *Epístolas* de los apóstoles Pablo, Pedro, Santiago, Juan y Judas, y el *Apocalipsis de Juan.*

ANEXO 4
Nombre, lugar y fecha de nacimiento de Jesús

Si nos remitimos a los cuatro *Evangelios* y a las *Epístolas de san Pablo*, así como a los escritos apócrifos neotestamentarios, el nombre del personaje histórico cuya vida es el objeto de este libro, era —en griego— *Iesous*, que nosotros transformamos en "Jesús" en nuestras lenguas modernas europeas. Ese nombre era la transcripción de la forma hebraica del nombre *Ieshuah*, que derivaba de la forma *Ioshua*, anterior al exilio de Babilonia (que nosotros transformamos en "Josué"). En hebreo antiguo, *Ioshua* significa "Yahveh salva".

Las mismas fuentes lo llaman también *"el Nazareno"*, o *"Jesús de Nazaret"*, y para los cuatro evangelistas, ése parece ser un apelativo de origen: Jesús es "de Nazaret" (también se encuentra la grafía *Nazara*), así como para los griegos, Pitágoras era "de Samos" o Parménides "de Elea". Pero cuando se comparan los cuatro *Evangelios*, las cosas se complican.

a) En *Mateo*, leemos, en primer lugar, esto (2, 1):

> "Cuando nació Jesús, en Belén de Judea, bajo el reinado de Herodes, unos magos de Oriente se presentaron en Jerusalén [...]".

Luego, más adelante, Mateo nos dice que José, para escapar a la cólera del rey Herodes, huyó a Egipto con su familia, y que, cuando regresó, fue a establecerse en Galilea:

> "Pero al saber que Arquelao [*el hijo de Herodes que se había convertido en tetrarca de Judea y Samaria por voluntad de Augusto*] reinaba en Judea, en lugar de su padre Herodes, tuvo miedo de ir allí y, advertido en sueños, se retiró a la región de Galilea, donde se estableció en una ciudad llamada Nazaret. Así se cumplió lo que había sido anunciado por los profetas: *Será llamado Nazareno*".

Si admitimos esta información, podemos deducir de ella que: 1. Galilea no era la tierra original de José, sino una simple tierra de refugio; 2. Jesús, que había nacido en Judea (en Belén, cerca de Jerusalén), no era "galileo" ni, menos aún, "nazareno" de nacimiento.

b) En cambio, en *Lucas* 2, 4, leemos, a propósito del censo que acababa de ordenar Quirino, el gobernador de Siria:

> "José, que pertenecía a la familia de David, salió de Nazaret, ciudad de Galilea, y se dirigió a Belén de Judea, la ciudad de David, para inscribirse con María, su esposa, que estaba embarazada".

Esta información está en contradicción con la de Mateo, ya que Lucas nos dice que José ya vivía en Galilea *antes* del censo de Quirino ("sube" de Nazaret a Jerusalén para hacerse censar), y sin duda hacía mucho tiempo que estaba en Galilea, puesto que su esposa, María, que lo acompañaba, estaba embarazada y daría a luz algunos días más tarde en Belén, en la época del censo.

c) En *Marcos*, no se habla ni del censo, ni de Belén. El evangelista no dice ni una palabra sobre el lugar ni sobre las condiciones del nacimiento de Jesús, y simplemente nos informa (*Marcos* 1, 9) de que:

> "En aquellos días, Jesús llegó desde Nazaret de Galilea y fue bautizado por Juan en el Jordán".

En cuanto al *Cuarto Evangelio* (según san Juan), no contiene ninguna indicación sobre la juventud de Jesús, quien es presentado por el evangelista en el momento en que llega al Jordán para hacerse bautizar. Por último, la comparación entre los cuatro textos evangélicos no nos permite interpretar el apelativo de Jesús como un apelativo de origen, pero tampoco se opone a ello.

d) Sin embargo, la existencia de una localidad (rural o urbana) en el lugar de la ciudad actual de Nazaret, en Israel, sólo comienza a ofrecer indicios ciertos a partir del siglo III de nuestra era. El nombre de Nazaret aparece por primera vez en los trabajos del cronógrafo Sexto Julio Africano (hacia 170-240 d.C.), autor (en griego) de una historia sincrónica del mundo titulada *Chronographiai*. Antes de este autor, el nombre Nazaret no aparece en ningún texto: ni en la Biblia, que sin embargo contiene una gran cantidad de nombres, ni en ningún otro documento antiguo, judío, griego o romano, fuera de los *Evangelios* y los *Apócrifos*.

e) Como conclusión de estas observaciones, podemos decir que el apelativo de origen que no se presta a ninguna discusión es "el Galileo", y que el apelativo "el Nazareno" quizá se refiera a una característica más precisa y más significativa que su origen geográfico, como lo sugiere el elocuente pasaje del *Evangelio según Marcos* (1, 23-24):

> "Había en la sinagoga [*la de Cafarnaún*] un hombre poseído de un espíritu impuro, que comenzó a gritar: '¿Qué quieres de nosotros, Jesús Nazareno? ¿Has venido para acabar con nosotros? Ya sé quién eres: el Santo de Dios'".

Se encuentra el mismo apelativo "Santo de Dios" en *Juan* (6, 69), cuando el apóstol Simón Pedro, hablando en nombre de los Doce, le dice a Jesús:

> "Nosotros hemos creído y sabemos que eres el Santo de Dios".

Como lo señala Guignebert (*op. cit.*, p. 90ss), la palabra griega para "Santo", *hagios*, es el equivalente de la aramea *nazir*, a la que corresponde el adjetivo griego *Nazoraios*. El apelativo de Jesús se referiría, pues, a ese carácter de Jesús, antes que a su lugar de nacimiento o de origen, y significaría "el Santo o el Enviado de Dios".

Hay que decir, sin embargo, que se encuentran testimonios ciertos sobre la aldea de Nazaret en Galilea a partir del siglo II de nuestra era.

La fecha de nacimiento de Jesús

1. ¿Qué nos dicen los Evangelios?

Sólo dos evangelistas nos proporcionan indicios cronológicos referentes al nacimiento de Jesús: el apóstol Mateo (nombre que adoptó Leví, el recaudador de impuestos de Cafarnaún, cuando fue llamado por Jesús) y el apóstol Lucas. En *Mateo* 2, 4 (véase más arriba), puede leerse que Jesús nació *"bajo el reinado de Herodes"*, y en Lucas (2, 1-7):

> "En aquella época, apareció un decreto del emperador Augusto, ordenando que se realizara un censo en todo el mundo. Este primer censo tuvo lugar cuando Quirino gobernaba la Siria [*provincia romana de la que dependía Palestina*]. Y cada uno iba a inscribirse a su ciudad de origen. José, que pertenecía a la familia de David, salió de Nazaret, ciudad de Galilea, y se dirigió a Belén de Judea, la ciudad de David, para inscribirse con María, su esposa, que estaba embarazada. Mientras se encontraban en Belén, le llegó el tiempo de ser madre; y María dio a luz a su Hijo primogénito, lo envolvió en pañales y lo acostó en un pesebre, porque no había lugar para ellos en el albergue."

Por otra parte, el mismo evangelista nos dice (1, 46) que María concibió a Jesús *"en el sexto mes"* del embarazo de su prima Isabel, quien, a su vez, concibió a su hijo, Juan el Bautista, *"en tiempos de Herodes, rey de Judea"* (1, 5), y ubica el nacimiento de Jesús en referencia al censo. Como Herodes murió en el año 4 antes de nuestra era, a fines del mes de marzo o comienzos del mes de abril, esta indicación nos permite suponer que Jesús nació en los primeros días de la primavera del año 4 antes de nuestra era, siempre que el censo de Quirino se haya llevado a cabo realmente ese año, cosa que no es absolutamente segura, porque Flavio Josefo menciona la organización de un censo por parte de ese mismo Quirino en el año 6 o 7.

Conclusiones

1. Los evangelistas están de acuerdo en el hecho de que Jesús nació en Belén, en la ciudad del rey David, pero no es seguro que su apelativo, el Nazareno, tenga un significado geográfico.

2. Es posible que haya nacido un poco antes o un poco después de la muerte de Herodes el Grande, es decir, en el año 4 antes de nuestra era.

3. Tal vez hubo dos censos: uno en el año 4 antes de nuestra era, citado por los *Evangelios*, y otro en 6/7, citado por Flavio Josefo.

4. El monje escita Dionisio el Exiguo (fin del siglo IV-hacia

540), al basarse en las indicaciones cronológicas de los *Evangelios*, creyó que era posible establecer el año del nacimiento de Cristo en el año 754 de Roma, que sería entonces el primer año de la era cristiana, fecha evidentemente hipotética. En cuanto a la fecha litúrgica del 25 de diciembre, ha sido propuesta por diversos obispos y teólogos a partir del siglo III, y finalmente fue adoptada en el transcurso del siglo IV por las Iglesias de Occidente —mientras que las de Oriente adoptaron la fecha del 6 de enero— bajo las influencias conjugadas de dos Padres de la Iglesia: san Juan Crisóstomo y Gregorio Nacianzeno.

ANEXO 5
María

1. Ascendencia

Los *Sinópticos* citan a la madre de Jesús, pero no nos dan ninguna información sobre María. En cuanto a los *Apócrifos*, en general son extravagantes cuentos de hadas. Por otra parte, en cuanto a su ascendencia, sólo *Lucas* la considera parienta de Isabel, y por lo tanto, perteneciente a la descendencia de Aarón:

> "En el sexto mes, el Ángel Gabriel fue enviado por Dios a una ciudad de Galilea, llamada Nazaret, a una virgen que estaba comprometida con un hombre perteneciente a la familia de David, llamado José. El nombre de la virgen era María. El Ángel entró en su casa y la saludó, diciendo: '¡Alégrate!, llena de gracia, el Señor está contigo'. Al oír estas palabras, ella quedó desconcertada y se preguntaba qué podía significar ese saludo. Pero el Ángel le dijo: 'No temas, María, porque Dios te ha favorecido. Concebirás y darás a luz un hijo, y le pondrás por nombre Jesús; él será grande y será llamado Hijo del Altísimo'. [...] María dijo al Ángel: '¿Cómo puede ser eso, si yo no tengo relaciones con ningún hombre?'. El Ángel le respondió: 'El Espíritu Santo descenderá sobre ti y el poder del Altísimo te cubrirá con su sombra. Por eso el niño será Santo y será llamado Hijo de Dios. También tu parienta Isabel concibió un hijo a pesar de su vejez [...]'". (*Lucas* 1, 26-37).

El mismo *Lucas*, por otra parte, relaciona a Isabel con la descendencia de Aarón:

> "En tiempos de Herodes [*se trata de Herodes el Grande, que en esa época estaba a punto de morir*], rey de Judea [*según la costumbre, Lucas*

llama Judea al conjunto de los países de los judíos, es decir, Judea, Sama-
ria, Galilea, Perea y algunos otros territorios], había un sacerdote llamado Zacarías, de la clase sacerdotal de Abías. Su mujer, llamada Isabel,
era descendiente de Aarón [*el hermano de Moisés, el antepasado de las fa-*
milias sacerdotales de Jerusalén]". (*Lucas* 1, 5).

Por lo tanto, según Lucas, María es *"parienta"* de Isabel, que es,
por su parte, descendiente de Aarón, una aarónida. Pero entonces,
si se admite la concepción virginal de Jesús, desde el punto de vista biológico, él sólo es hijo de María, y en consecuencia, también es
un aarónida. ¿Cómo podría ser entonces al mismo tiempo de la descendencia de David?

2. El problema de la virginidad de María

Los *Evangelios* nos hablan también de otros hijos que habría tenido María. Por eso, cuando Jesús trata de predicar en Nazaret, de
donde lo expulsarían, los habitantes de Nazaret dicen de él:

"¿No es acaso el carpintero, el hijo de María, hermano de Santiago, de José, de Judas y de Simón? ¿Y sus hermanas no viven aquí entre nosotros?". (*Marcos* 6, 3)

El problema tiene su importancia. Al parecer, los *Evangelios* se
atienen a la doctrina de la concepción virginal de Jesús, y Lucas insiste en eso cuando escribe (2, 7), refiriéndose al nacimiento de Jesús: *"María dio a luz a su Hijo primogénito"*. Esto permite suponer
que luego hubo otros hijos, y que una vez cumplida su misión de
madre virginal del Señor, ella se habría convertido en una mujer como las demás. Más adelante, se desarrolló la doctrina hasta llegar a
la tesis de la virginidad perpetua, y a partir del siglo II, los otros hijos de la pareja fueron presentados como nacidos de un primer matrimonio de José, quien, cuando el sumo sacerdote de Jerusalén le
confió a María, protestó y le dijo: *"Tengo hijos y soy un anciano"* (*Pro-*
toevangelio de Santiago 9, 1). Se encuentran hermanos de Jesús en
las bodas de Caná, donde el *Evangelio de Juan* nos lo muestra regre-
sando a Cafarnaún, luego de haber realizado el famoso milagro:

"Después de esto, descendió a Cafarnaún con su madre, sus hermanos y sus discípulos" (Juan 2, 12).

3. Las hipótesis

Para resolver estas contradicciones, surgieron cuatro teorías: 1) la del heresiarca latino del siglo IV Helvidio, para quien los hermanos y hermanas de Jesús eran hijos nacidos *después* de Jesús, cuya concepción sería, por lo tanto, virginal; 2) la de san Epifanio (siglo IV, obispo de Salamina), para quien se trata de hijos provenientes de un primer matrimonio de José; 3) la de san Jerónimo (hacia 340-420), uno de los Padres de la Iglesia latina, que sostiene que simplemente son primos y primas de Jesús (su padre sería un tal Clopas, hermano de José, y su madre, una hermana de la Virgen, llamada, como ella, María); 4) la de los mitólogos modernos, que niegan hasta la misma existencia de Jesús, y sostienen que los "hermanos" y las "hermanas" de Jesús no son más que el grupo de sus adeptos, que estaban unidos entre ellos en una suerte de fraternidad mística.

ANEXO 6
Personajes, dinastías y pueblos citados

Los nombres seguidos por un asterisco corresponden a personajes ficticios imaginados por el autor para las necesidades del relato, como Marcelo e Hiram, por ejemplo.

Hemos puesto en itálicas los nombres de los pueblos.

Algunos nombres antiguos comunes aparecen traducidos (por ejemplo, Alejandro, David, Herodes, César, Salomón, etcétera). Otros aparecen traducidos, y también latinizados, como lo hacían los mismos romanos en el caso de los nombres de origen griego (por ejemplo, el hijo mayor de Herodes era llamado "Archelaus", y no "Arquelaos").

Recordemos que cuando murió Salomón (945 a.C.), las doce tribus de Israel se separaron en dos reinos: las tribus del norte constituyeron el reino de Israel (931-721), y las del sur, el reino de Judá (931-587 a.C.)

Aarón: Personaje bíblico, hermano mayor de Moisés. Considerado por la tradición judía como el primer sumo sacerdote. Ancestro epónimo de la clase sacerdotal de los *aarónidas* ("hijos de Aarón").

Abraham (siglo XIX antes de nuestra era): Personaje bíblico, patriarca, ancestro de los hebreos (por su hijo Isaac) y de los árabes (por su hijo Ismael), beneficiario de una alianza divina que le otorgó Yahveh, y cuyo signo es la circuncisión. Su leyenda está relatada en el *Génesis* (cap. 11 a 26): nacido en Ur, en tierra sumeria, emigró con su familia y sus sirvientes al país de Canaán (Palestina), y recibió de Yahveh la promesa de que esa Tierra Santa sería propiedad de sus descendientes. Como su mujer Sara era estéril, Abraham tuvo un hijo (Ismael) con su sirvienta Agar, y luego otro hijo (Isaac) con su esposa legítima Sara. Se dice que murió a los 176 años, y fue enterrado en una gruta, cerca de Hebrón. Para los historiadores, Abraham podría ser el jefe de un clan (conjunto de tribus) arameo, que habría emigrado desde la Baja Mesopotamia hasta Canaán a principios del siglo XIX antes de nuestra era (hacia 1800).

Agorastocles:* Informante al servicio de Hiram.

Alejandro Magno (356-324 antes de nuestra era): Rey de Macedonia. Al comienzo de su conquista del imperio persa, después de la batalla de Issos y antes de la caída de la ciudad fenicia de Tiro, habría estado en Jerusalén, en septiembre de 331 antes de nuestra era (según Flavio Josefo, que es el único autor que señala ese hecho, aunque es muy improbable).

Ambivio (Marcus Ambivius): Segundo procurador de Judea entre 9 d.C. y 12 d.C., sucesor de Coponio (véase este nombre).

Amonitas: Pueblo emparentado con los hebreos, cuyo pequeño reino estaba situado al nordeste del mar Muerto, y cuya lengua, parecida al hebreo, se escribía con el alfabeto arameo. En lucha contra el reino de Israel desde el siglo XI hasta el siglo IX antes de nuestra era, este pueblo perdió su individualidad nacional y religiosa como consecuencia de ello, bajo la presión de los judíos y los árabes nabateos. Su ciudad principal era Rabá de los amonitas.

Amorritas: Pueblo semítico que migró a Siria y al país de Canaán con anterioridad a la llegada de los hebreos, entre los siglos XXIV y XVIII antes de nuestra era, en el tiempo del imperio acadio.

Ana: Esposa de Joaquín. Después de veinte años de vida matrimonial estéril, dio a luz a una niña, que sería la Virgen María.

Anás: Sumo sacerdote del Templo de Jerusalén, de 7 d.C. a 18 d.C. (sucedió a Joazar y precedió a Caifás).

Anaximandro de Mileto (*ca.* 610-*ca.* 547 a.C.): Filósofo y científico (astrónomo) jónico, sucesor de Tales en la dirección de la Escuela presocrática de Mileto.

Andrés (san): Pescador oriundo de Betsaida (cerca de Cafarnaún), discípulo de Juan el Bautista. Fue, junto con su hermano Simón Pedro, uno de los primeros discípulos de Jesús y uno de los doce apóstoles.

Anio Rufo (Annius Rufus): Tercer procurador de Judea, de 12 d.C. a 15 d.C. (sucedió a Ambivio y fue reemplazado por Valerio Grato).

Anquises: Príncipe troyano, padre de Eneas, que cuando cayó Troya, cargó a su hijo sobre sus hombros para llevarlo a la nave en la que ambos huirían.

Antígono: Hijo de Aristóbulo II. Sumo sacerdote y rey de los judíos de 40 a 37 a.C. (último soberano de la dinastía de los *asmoneos*: véase este nombre). Fue vencido y ejecutado por Herodes el Grande en el año 37 a.C.

Antíoco Epífanes (siglo II a.C.): Uno de los últimos emperadores de la dinastía greco-macedonia de los *seléucidas*, en la época en que el imperio persa se extendía hasta el Mediterráneo, y por lo tanto, incluía a Palestina. Su reinado (175 a.C.-164 a.C.) fue marcado por una tentativa de helenización de Palestina, que provocó la revuelta judía de los hermanos *Macabeos* (véase este nombre).

Antipas: véase Herodes Antipas.

Antipater (?-43 a.C.): Padre de Herodes el Grande, llamado *"el Idumeo"* por su origen. Adhirió a César, y fue nombrado por éste gobernador de Judea. Murió envenenado (se ignora por quién).

Antipater II (muerto en 4 a.C.): véase *Herodes Antipater*.

Antonio (Marco, 83-30 a.C.): Lugarteniente de César en Galia (52 a.C.), luego cónsul con él (44 a.C.), se alió primero con Octavio (el futuro emperador Augusto) y Lépido, y gobernó Oriente. Más adelante, combatió triunfalmente contra los partos, se casó con la reina de Egipto, Cleopatra VII y se enfrentó con Augusto, quien lo venció en la batalla de Accio (31 a.C.). Antonio se suicidó unos meses después de esa derrota.

Arameos: Pueblos de lengua semítica que llegaron a la Mesopotamia y a Siria desde el siglo XIII a.C. y fundaron allí varios reinos, más o menos efímeros. Sin embargo, su alfabeto y su idioma fueron incorporados a través de toda la Mesopotamia y en el Medio Oriente a partir del siglo VIII antes de nuestra era.

Aretas IV (8 a.C.-40 d.C.): Rey de los árabes nabateos de Petra, cuya hija se casó con Herodes Antipas.

Aristóbulo: Hijo de Herodes el Grande y Mariana la Asmonea, estrangulado en la flor de la juventud por orden de su padre. A su muerte, dejó dos hijos pequeños: Herodes Agripa I (nacido en 10 a.C.) y Herodías. Ambos eran, pues, nietos de Herodes el Grande.

Aristóbulo I: véase *Asmoneos*.

Aristóbulo II: véase *Asmoneos*.

Aristófanes (*ca.* 445 a.C.-*ca.* 386 a.C.): Poeta y autor teatral griego, autor de más de cuarenta comedias, de las cuales sólo once llegaron hasta nuestros días. En *Las Nubes*, traza un retrato violentamente caricaturesco de Sócrates y de los sofistas.

Arquelao (Archelaus: *ca.* 23 a.C.-18 d.C.): Sexto hijo de Herodes el Grande (de su esposa Maltake la Samaritana). Después de la muerte de su padre, Augusto lo nombró etnarca de Judea-Samaria-Idumea, luego lo destituyó, en el año 6 d.C., como consecuencia de la rebelión de los zelotes en Jerusalén, y lo deportó a Vienne, cerca de Lyon, donde terminó sus días. (Nota: el nombre de este rey está escrito *Archelaus* en los documentos romanos y *Archelaos* en las fuentes griegas).

Arsácidas: Dinastía parta que reinó sobre el imperio persa después de los *seléucidas* (véase este nombre) de 250 a.C. a 224 d.C., cuando fue destituida por los *sasánidas*.

Aser o Asher: Uno de los doce hijos de Jacob, ancestro epónimo de una tribu judía instalada en la Alta Galilea mediterránea.

Asmoneos o hasmoneos: Dinastía proveniente de los *Macabeos* (véase este nombre), que reinó de 134 a 37 a.C. sobre Palestina, ya independiente del imperio persa de los *seléucidas* después de la rebelión de los Macabeos contra el emperador *Antíoco Epifanes* (véase este nombre). Entonces se sucedieron como reyes de los judíos de 134 a 37 a.C. —no sin algunos golpes de estado familiares— los siguientes asmoneos (las fechas que se indican son las de sus reinados):

- Hircano I = Juan Hircano (134-104 a.C.), sumo sacerdote y rey de los judíos;
- Aristóbulo I (104 a.C.), hijo del anterior, sumo sacerdote y rey de los judíos;
- Alejandro Janeo (103-76 a.C.), hermano del anterior, y el primer sumo sacerdote que adoptó oficialmente el título de "rey de los judíos";
- Alejandra (76-67 a.C.), también llamada Salomé Alejandra, esposa de Alejandro Janeo, aparta a sus hijos del poder y reina en su lugar;
- Aristóbulo II (67-63 a.C.), hijo menor de Alejandro Janeo y de Alejandra, después de haber obligado a abdicar a su hermano mayor, Hircano II;

- Hircano II (63-40 a.C.), hijo mayor de Alejandro Janeo, repuesto en posesión de su cargo por Pompeyo, en 63 a.C. Pero el poder real fue ejercido por dos hombres que no eran asmoneos: *Antipater* (véase este nombre), que tenía el apoyo de César, y su hijo, Herodes;
- Antígono (40-37 a.C.), hijo de Aristóbulo II y sobrino de Hircano II, se alió con los partos, se apoderó de Jerusalén, despojó a su tío de su título y fue, durante tres años, sumo sacerdote y rey de los judíos.

En el año 37 a.C., Herodes —que luego sería Herodes el Grande— recibió del Senado romano el título de rey de los judíos. Con la ayuda de las legiones romanas conquistó todo el país, y tomó Jerusalén. Antígono fue hecho prisionero y ejecutado. Así termina la dinastía asmonea.

La dinastía de los asmoneos

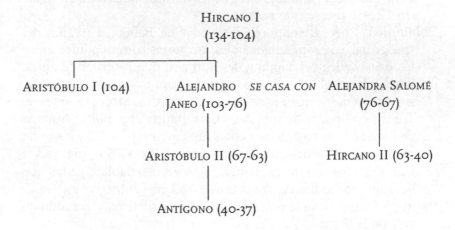

HIRCANO I
(134-104)

ARISTÓBULO I (104)   ALEJANDRO   *SE CASA CON*   ALEJANDRA SALOMÉ
                          JANEO (103-76)   (76-67)

ARISTÓBULO II (67-63)   HIRCANO II (63-40)

ANTÍGONO (40-37)

Asirios: Nombre que se dio a los semitas que vivían o que eran originarios de Asiria, es decir, del alto valle del Tigris, en el actual Irak, entre Mosul y Samarra, donde, a partir de la mitad del III milenio antes de nuestra era, varias ciudades fueron grandes centros de civilización, y especialmente, Asur, Nínive, Nimrud y Korsabad. Los reyes asirios construyeron, a expensas de los pueblos vecinos, tres grandes imperios sucesivos que, en la época de su mayor expansión, se extendieron desde el Mediterráneo hasta el golfo Pérsico, abarcando aproximadamente los territorios actuales de Israel, Jordania, Líbano, Siria, una parte de Armenia y de Irak.

Augusto (Caius Julius Caesar Octavianus Augustus: 23 de septiembre de 63 a.C.-19 de agosto de 14 d.C.): Hijo de un pretor y de Atia, sobrina de César, fue conocido en primer lugar por el nombre de Octavio, luego por el de Octaviano, a la muerte de César (en 44 a.C.), que lo había nombrado su sucesor. Al año siguiente, se hizo nombrar cónsul, y formó con Antonio y Lépido un *triunvirato* para gobernar la República romana. En 42-41, Lépido fue despojado del poder y estalló la rivalidad entre Octaviano y Antonio, que terminó con la derrota de este último en Accio, en el año 31 a.C., y su suicidio al año siguiente. Proclamado príncipe del Senado (*princeps senatus*), y luego *princeps*, se convirtió en *Augustus* (Augusto) en el año 27 a.C., y en primer emperador del Imperio romano. Tuvo como sucesor a su hijastro Tiberio (véase este nombre).

Babilonios: Pueblos semíticos instalados en Babilonia (región del Irak actual, correspondiente a los territorios comprendidos entre los bajos valles del Tigris y del Éufrates, que se extiende desde Bagdad hasta el golfo Pérsico). Los babilonios dominaron la Mesopotamia desde 2016 hasta 1595 a.C. aproximadamente, antes de caer bajo el poder de invasores no semíticos, los hititas (saqueo de Babilonia en 1595) y los casitas (de 1595 a 1156 a.C.), y luego de otros pueblos semíticos, los arameos y los asirios (de 728 a 626 a.C.). No son los babilonios, sino los neo-babilonios los que llevaron a los judíos en cautiverio a Babilonia, entre 597 y 538 a.C.

Banos:* Eremita que le explica a Marcelo la doctrina y el modo de vida de la secta de los esenios.

Baruch: Discípulo y secretario del profeta Jeremías (véase este nombre) en Jerusalén, antes y después de la toma de esta ciudad por parte de Nabucodonosor en 586 a.C. Se le atribuye un *Apocalipsis* y un *Libro de Baruch* (uno de los *Apócrifos* del *Antiguo Testamento*).

Benjamín: Último de los doce hijos de Jacob, ancestro epónimo de la tribu a la que se le asignó un territorio al noroeste del mar Muerto.

Benjamitas: Miembros de la tribu de Benjamín.

Caifás: Yerno de Anás (véase este nombre), a quien sucedió como sumo sacerdote del Templo entre los años 18 y 36 de nuestra era. Como tal, presidió el Sanedrín cuando se realizó el proceso a Jesús y a los apóstoles Simón Pedro y Juan.

Calígula (Caius Caesar Germanicus: 12-41 d.C.): Emperador romano (37-41), sucesor de Tiberio.

Cananeos: Pueblos emparentados entre sí (semitas), que estaban establecidos o eran nómadas en Fenicia y en Palestina a fines del tercer milenio o comienzos del segundo milenio antes de nuestra era. Sus territorios y sus ciudades fueron conquistados, a partir del siglo XIV a.C. por otros pueblos semíticos (*arameos, israelitas*).

Cayo César (Caius Caesar: 20 a.C.-4 d.C.): Hijo adoptivo de Augusto, que lo había nombrado su heredero. Su muerte en el sitio de Artagira, en Armenia, obligó al emperador a elegir como heredero a Tiberio, el hijo que la emperatriz Livia había tenido en un primer matrimonio.

César (Caius Julius Caesar: 101-44 a.C.): Creador de lo que más tarde se llamaría el "Imperio Romano". Su obra sería completada por su sobrino, hijo adoptivo y heredero, Augusto.

Cicerón (Marcus Tullius Cicero: 106-43 a.C.): Orador, hombre político y escritor romano.

Cincinato (Cincinnatus: siglo V a.C.): Héroe nacional de la Roma antigua, imagen del antiguo romano campesino, soldado y hombre de Estado. Lo sacaron de su arado para nombrarlo dictador durante la guerra contra los ecuos y los volscos. Vencedor, regresó a sus campos, rechazando los honores.

Cipris: Esposa de Antipater, madre de Herodes el Grande.

Ciro II el Grande (*ca.* 556-530 a.C.): Fundador del imperio persa de los aqueménides. Es citado aquí por haber derrotado al rey babilonio Nabonido en 539, y permitir así que los judíos cautivos en Babilonia retornaran a Jerusalén.

Claudio (Tiberius Claudius Caesar: 10 a.C.-54 d.C.): Emperador romano (41-54), sucesor de Calígula.

Cleopatra VII (69-30 a.C.): Última reina de la dinastía helenística de los *Lágidas* que reinó en Egipto a partir de 323 a.C. Cleopatra unió su destino al de Antonio (véase este nombre) y, derrotada por César en Accio, se quitó la vida.

Coponio: Primer procurador de Judea entre 6 y 9 d.C.

Dan: Hijo de Jacob y de Bala, sirvienta de Raquel, epónimo de una de las doce tribus de Israel, que se apoderó de una localidad situada en el nacimiento del río Jordán, y a la que también se llamó Dan.

David (*ca.* 1010-*ca.* 970 a.C.): Hijo de Jesé, propietario de la aldea de Belén, escudero-músico del rey Saúl (véase este nombre), luego caído en desgracia, fue proclamado rey a su muerte por las tribus del sur, con Hebrón como capital. Conquistó toda la Palestina, de manos de los *arameos*, los *amonitas* y los *edomitas*, y Jerusalén, de manos de los *jebuseos*, en 1000 a.C.

Doris: Primera esposa de Herodes el Grande (véase este nombre), que fue la madre de su hijo mayor, Antipater II. Herodes la repudió para casarse con Mariana la Amonea, nieta de Hircano II (véase este nombre).

Druso (Claudius Nero Drusus: 38-9 a.C.): Hijo de la emperatriz Livia y hermano de Tiberio, que se hizo famoso al combatir contra los germanos (por eso lo llamaron "Germánico").

Edomitas o idumeos: Tribus semíticas establecidas al sudeste del mar Muerto, sometidas por David y combatidas por Salomón. En la época helenística, su territorio tomó el nombre de Idumea. Herodes el Grande nació allí.

Elías (siglo IX a.C.): Profeta judío en tiempos del rey Ajab y de Jezabel (hacia 876-854 a.C.), que luchó contra el culto a Baal que éstos habían introducido en el reino de Israel (el reino del norte). Según una tradición, Elías, después de atravesar las aguas del Jordán, habría sido llevado al Cielo en un carro de fuego, y regresaría a Israel poco antes de la venida del Mesías.

Enoc: Patriarca bíblico, hijo de Caín y padre de Matusalén, de quien la Biblia nos cuenta que desapareció misteriosamente, como el profeta Elías, y cuyo retorno como servidor de Dios es uno de los temas de la literatura apocalíptica judía.

Esaías: Nombre dado al profeta Isaías en las Biblias protestantes.

Ezequías (siglo VII a.C.): Rey de Judá (716-687 a.C.), hijo y sucesor de Ajaz (736-716 a.C.), que intentó llevar a cabo una reforma religiosa con la ayuda de los profetas Isaías y Miqueas.

Ezequiel (siglo VII a.C.): Uno de los cuatro grandes profetas del Antiguo Testamento, contemporáneo de Jeremías. Estuvo entre los

judíos que fueron llevados en cautiverio a Babilonia por Nabucodonosor, en 597, y durante veinte años fue su jefe espiritual.

Felipe (san): Uno de los doce apóstoles.

Fenicios: Pueblo semítico que ocupaba el litoral sirio romano, correspondiente a la Siria marítima, el Líbano, Israel y la Jordania
actuales, desde el II milenio a.C. Sus principales ciudades eran
Tiro y Sidón.

Filipo I: véase *Herodes Filipo I*.

Filipo II: véase *Herodes Filipo II*.

Filisteos: Pueblo tribal indo-europeo llegado a Palestina con los
pueblos del mar, en el siglo XII a.C. Expulsaron a los anteriores
ocupantes (cananeos) y se instalaron en la costa, desde Sidón
hasta Gaza. Con ellos se enfrentaron los hebreos cuando fueron
a establecerse a Canaán. Fueron sometidos por David.

Filón de Alejandría (*ca.* 15 a.C.-*ca.* 50 d.C.): Filósofo judío de expresión griega que vivió y enseñó en Alejandría. Intentó demostrar que existía una complementariedad entre el pensamiento
helénico —y especialmente el platonismo— y el pensamiento bíblico.

Flavio Josefo (*ca.* 37-100 d.C.): Historiador judío nacido en Jerusalén que pertenecía a la clase sacerdotal. Durante la rebelión judía contra Roma (en 66-68, bajo el reinado de Vespasiano), el
Sanedrín le encomendó la defensa de Galilea. Luego se adhirió
a los emperadores Vespasiano y Tito, y fue a vivir a Roma, donde gozó de una pensión imperial. En Roma, escribió, en griego,
la *Guerra de los Judíos* y las *Antigüedades Judías*, las únicas fuentes que tenemos sobre la historia del pueblo judío de esa época.
Sin embargo, la interpretación que da de los acontecimientos
que describe, y de los que fue contemporáneo, no es demasiado
confiable. Flavio Josefo era lo que hoy llamaríamos un "colabo-
rador" del ocupante romano en Palestina, y escribió su *Guerra
de los Judíos* bajo la protección de los emperadores Vespasiano y
Tito (el emperador que destruyó Jerusalén y su Templo en 70
d.C.), que le habían otorgado una pensión (!).

Fraates o Fraate: Nombre de varios soberanos partos (*arsácidas*).
Fraates I (muerto hacia 171 a.C.), Fraates II (rey desde 138 hasta
127 a.C.), Fraates III (muerto hacia 57 a.C.) y Fraates IV (muerto hacia 2 d.C.).

Gabriel: Arcángel de la angeología judía, cristiana y musulmana. En los *Evangelios* aparece como el ángel que le anuncia a Zacarías el nacimiento de Juan el Bautista, y a la Virgen María, el nacimiento de Jesús.

Gad: Hijo de Jacob y de Zilpa, sirvienta de Lea, la primera esposa de este patriarca, ancestro epónimo de una de las doce tribus de Israel, cuyo territorio se encontraba al este del mar Muerto.

Gálatas: Bandas galas llegadas desde Europa al Asia Menor, donde se asentaron, por la fuerza, en el corazón de Anatolia. La región que ocuparon sería llamada Galacia, y se convertiría en una provincia romana. Los gálatas fueron evangelizados por san Pablo a mediados del siglo I (*Epístola a los Gálatas*).

Gog y Magog: Personificación de los poderes del Mal en los textos judíos y cristianos.

Gracos: Nombre que designa a los dos hijos de Tiberio Sempronio Graco (*ca.* 220-153 a.C.), tribuno de la plebe hacia 187 a.C., luego pretor y dos veces cónsul en 177 y 163. Los dos Gracos (Tiberio Sempronio, 162-133 a.C., y Cayo Sempronio, 154-121 a.C.) intentaron, uno después del otro, hacer votar leyes que favorecieran al pueblo, y permitieran resolver la grave crisis económica y social en la que se debatía en ese momento la República romana. El partido senatorial los combatió violentamente y ambos hermanos fueron masacrados junto con sus partidarios; el primero, en 133 a.C., y el segundo, en 121 a.C.

Grato (Valerius Gratus): Cuarto procurador de Judea (15-26 d.C.), sucesor de Anio Rufo y predecesor de Poncio Pilato.

Habacuc: (*ca.* 600 a.C.): Uno de los profetas menores del Antiguo Testamento.

Hebreos: Uno de los numerosos pueblos semitas del Oriente antiguo, que, después de ser nómada en los desiertos mesopotámicos y sirios entre 2000 y 1750 a.C., penetró en los territorios de los cananeos (Palestina), se instaló allí definitivamente en forma progresiva hacia 1220-1200 antes de nuestra era, bajo la conducción de Josué, y creó allí un Estado (período de los Jueces, entre 1220 y 1030 aproximadamente), que se convirtió en un reino unitario bajo los reinados de los reyes Saúl, David y Salomón. Este reino se dividió luego en dos unidades políticas: la de las tribus del norte (el *reino de Israel*, con Samaria como capital) y la de las tribus del sur (*reino de Judá*, cuya capital era Jerusalén).

Estos dos reinos fueron militarmente absorbidos por sus poderosos vecinos semitas: Israel, en 721, por los asirios, y Judá, en 587, por los babilonios, que llevaron en cautiverio a los notables y a una parte del pueblo judío de Judá. En 539 a.C., los persas (indo-europeos) de Ciro el Grande conquistaron Asia Menor y los judíos cautivos en Babilonia regresaron de su exilio. En ese momento, fueron sometidos a la autoridad de los sátrapas persas, pronto reemplazada por la de los reyes seléucidas, después de la conquista del imperio persa por parte de Alejandro Magno. La rebelión de los *Macabeos* (véase este nombre) contra el rey seléucida *Antíoco Epifanes* (véase este nombre) llevó a la constitución de un Estado teocrático judío relativamente independiente, sobre el que reinaron, sucesivamente, la dinastía de los *asmoneos* (véase este nombre) y la de los herodianos, y cayó bajo el poder de Roma durante los reinados de Pompeyo y César.

Herodes I el Grande (73-4 a.C.): Hijo de Antipater el Idumeo. Con el apoyo de los romanos, eliminó a la dinastía de los Asmoneos (véase este nombre) y se convirtió en rey de los judíos, sobre los que reinó entre los años 37 y 4 a.C. Mal recibido por los judíos tradicionalistas, terminó por imponerse a todos tanto por medio del terror como gracias a la eficacia de su política. Se le debe especialmente la edificación del tercer Templo y la construcción de muchas ciudades, entre ellas, Sebaste, la nueva capital de Samaria. A su muerte, Augusto dividió el territorio palestino entre tres de sus herederos: Arquelao, Antipas (Herodes Antipas) y Filipo II (Herodes Filipo). Luego instituyó el régimen llamado de los procuradores de Judea. Para su descendencia, véase Anexo 2. (Nota: el personaje llamado "Herodes" en los *Evangelios*, no es este Herodes el Grande, sino su hijo, Herodes Antipas).

Herodes Antipas (= Antipas: *ca*. 22 a.C.-39 d.C.): Hijo de Herodes el Grande y de la quinta esposa de éste, Maltake la Samaritana, hermano de Arquelao (véase este nombre). Fue etnarca, y luego tetrarca de Perea y de Galilea después del reparto de Palestina efectuado por Augusto en 759 de Roma (6 d.C.). Hizo encarcelar y decapitar a Juan el Bautista, fundó la ciudad de Tiberíades, y Jesús compareció ante él durante su proceso (él se lo envió luego a Poncio Pilato). Augusto lo deportó a Saint Bernard de Comminges, cerca de Lyon, donde murió en el año 39 d.C. Se casó con la hija del rey de los árabes, Aretas, pero luego la repudió para casarse con su sobrina y cuñada Herodías (véase este nombre). (Nota: en los *Evangelios*, Herodes Antipas es llamado simplemente "Herodes", o a veces, "Herodes el Tetrarca").

Herodes Antipater (= Antipater II: ?-4 a.C.): Hijo mayor de Herodes el Grande y de su primera esposa, Doris. Conspiró contra su padre, y éste lo mandó matar en 4 a.C., poco antes de su propia muerte (véase también Anexo 2).

Herodes Filipo I (= Filipo I): Hijo de Herodes el Grande y de una hija de Simón, a su vez, hijo del sumo sacerdote Boeto (véase Anexo 2). Después de la muerte de su padre, no aspiró a ninguna función política, y vivió en Roma con su esposa Herodías (véase este nombre), que no era otra que su sobrina, y con quien tuvo una hija, Salomé, la bailarina. Repudió a Herodías después del adulterio de ésta con Antipas (véase Anexo 2).

Herodes Filipo II (= Filipo II: ?-34 d.C.): Hijo de Herodes el Grande y de Cleopatra de Jerusalén. Etnarca, y luego tetrarca de Iturea (territorios al nordeste del lago de Tiberíades, entre Galilea y Siria) cuando Augusto repartió Palestina. Fue un gran constructor, siguiendo el ejemplo de su padre: fundó las ciudades de Betsaida y de Cesarea Paenas (Cesarea de Filipo).

Herodías (7 a.C.-39 d.C.): Princesa judía, hija de Aristóbulo (a su vez, hijo de Herodes el Grande y Mariana la Asmonea: véase Anexo 2), y esposa, sucesivamente, de dos hermanastros de su padre: Herodes Filipo I (véase arriba) y Herodes Antipas (véase este nombre). Fue la madre de Salomé, la bailarina, quien le pidió a Antipas la cabeza de Juan el Bautista.

Hircano I o Juan Hircano (muerto en 104 a.C.): Sumo sacerdote y rey de los judíos (etnarca) bajo los seléucidas desde 134 a.C. hasta 104 a.C. Fundador de la dinastía de los asmoneos (véase este nombre).

Hircano II (110 a.C.-30 a.C.): Sumo sacerdote (76-67 y 63-40 a.C.) y rey de los judíos (sexto rey de la dinastía de los asmoneos: véase este nombre).

Ida:* Alcahueta involucrada en un pequeño escándalo mundano de Jerusalén.

Isaac: Patriarca bíblico, hijo de Abraham y de Sara, medio hermano de Ismael, esposo de Rebeca, padre de Esaú y de Jacob.

Isabel (santa): Según los Evangelios, parienta de la Virgen María. Esposa del sumo sacerdote Zacarías y madre de Juan el Bautista.

Isacar: Quinto hijo de Jacob, ancestro epónimo de una tribu de Israel, cuyo territorio estaba situado a orillas del mar de Galilea, al sur de ese lago.

Isaías (siglo VII a.C.): El primero de los grandes profetas de Israel, que ejerció su ministerio aproximadamente entre los años 740 y 700 a.C. Anunció que los judíos sufrirían un terrible castigo, como consecuencia de su idolatría y su desprecio hacia los Mandamientos de Yahveh, que le sería infligido por los ejércitos asirios: éstos exterminarían al pueblo judío, con excepción de una pequeña parte de ese pueblo, que, conducida por un "gran príncipe", volvería a establecerse en Palestina. Los primeros comentaristas cristianos interpretaron sus profecías como un anuncio de la venida de Cristo.

Ismael: Hijo de Abraham y de Agar, la sirvienta egipcia de su esposa Sara.

Jacob: El último de los patriarcas bíblicos, hijo de Isaac y de Rebeca. Hermano mellizo de Esaú, le robó mediante un ardid su derecho de primogenitura, que cambió por un plato de lentejas. De sus dos esposas, Raquel y Lea, tuvo doce hijos, que dieron sus nombres a las doce tribus de Israel.

Jeremías (*ca.* 650-*ca.* 580 a.C.): Uno de los cuatro grandes profetas bíblicos, cuyo ministerio comenzó en 627 y finalizó en 587 a.C.

Joaquín (san): Según la tradición evangélica, esposo de santa Ana y padre de la Virgen María.

Joazar: Sumo sacerdote que debió enfrentar la sedición de los zelotes. Fue destituido de su cargo en el año 7, y reemplazado por su vicario Anás.

José (san): Esposo de la Virgen María y padre legal de Jesús. Carpintero de profesión, perteneciente a la casa de David, lo que explica que hubiera tenido que atravesar toda Palestina para empadronarse en Belén, cuna de esa casa. Los *Evangelios* aluden a algunos hijos que habría tenido en un primer matrimonio.

Josué (fines del siglo XIII a.C.): Según la Biblia, general hebreo que dirigió a su pueblo después de la muerte de Moisés y lo condujo a la conquista de la Tierra prometida... pero ya ocupada por otros pueblos. Entre los episodios más notables de esa conquista, se pueden citar el momento en que Josué detuvo la trayectoria del sol, durante su combate contra los amalecitas, y la caída de los muros de Jericó.

Juan, hijo de Zebedeo (san Juan Evangelista, muerto en Éfeso *ca.* 100): Uno de los doce apóstoles. Es probable que hubiera sido discípulo de Juan el Bautista antes del comienzo del ministerio de Jesús. La tradición católica le adjudica el *Cuarto Evangelio* y tres *Cartas,* así como el *Apocalipsis según san Juan.*

Juan el Bautista (san. Nacido algunos meses antes que Jesús-Muerto decapitado en la cárcel, en el año 28 d.C.): Hijo del sumo sacerdote Zacarías y de Isabel, parienta de la Virgen María, Juan pasó la mayor parte de su vida adulta en el desierto, donde vivía como un asceta, predicaba y bautizaba con agua: se lo puede considerar el último profeta hebreo. Lo detuvieron y encerraron en prisión por haber criticado abiertamente en su predicación la conducta impúdica de Antipas, quien había cometido adulterio y se había casado con su sobrina Herodías, esposa de su hermano Filipo.

Judá: Hijo de Jacob, ancestro que dio su nombre a la tribu de Judá, a la que le correspondió el sur de Palestina.

Judas: 1. Uno de los hijos de José. 2. Uno de los doce apóstoles (Tadeo).

Judas, hijo de Sarifeo: Fariseo extremista que, poco tiempo antes de la muerte de Herodes, junto a Matías de Margalote exhortó a jóvenes judíos a arrancar de la puerta del Templo el Águila de oro que había mandado colocar Herodes, despreciando la Ley de Moisés que prohíbe la representación figurada de seres humanos o animales.

Judas de Gamala llamado "el Galileo": Personaje que, con la ayuda de un miembro del partido fariseo llamado Sadok, hizo estallar, en el año 6 d.C., una sedición nacionalista y religiosa a la vez, cuyo pretexto fue un censo general de personas y bienes ordenado por Augusto, en relación con la instauración del régimen de procuradores de Judea. Es considerado el fundador de la secta de los zelotes, y su revuelta tuvo como consecuencia un año de tumultos, crímenes y atentados. Luego volvió a restaurarse el orden. En la explosión político-religiosa que provocó,

puede verse una señal anticipada de la gran revuelta judía que
tendría lugar sesenta años más tarde, la revuelta llamada de los
zelotes, sofocada por la campaña de Vespasiano (66-68), que
terminó con la toma de Jerusalén por parte de Tito (el hijo de
Vespasiano) y su destrucción por el fuego: en el año 70, Jerusalén, sus monumentos y su magnífico Templo fueron reducidos
a una gigantesca montaña de cenizas.

Judas el Iscariote: El integrante del grupo de los doce apóstoles
(era el tesorero) que, según los *Evangelios* y los *Hechos de los
Apóstoles,* habría entregado a Jesús a los servidores del sumo sacerdote Caifás, que habían ido a detenerlo. El apelativo de Judas,
Iscariotes en griego, proviene de una palabra aramea que significa "embustero" o bien "originario de Cariot", una localidad situada a unos 15 kilómetros al este del mar Muerto.

Judas Macabeo: véase *Macabeos.*

Leví: Tercer hijo de Jacob, que da su nombre a la tribu de Leví, cuyos miembros —los levitas— se ocupaban del servicio del Templo. Las funciones específicamente sacerdotales estaban a cargo
de los descendientes de Aarón.

Leví, hijo de Alfeo: Nombre del recaudador de impuestos indirectos (por cuenta de Antipas) en Cafarnaún. Según la tradición
evangélica, cuando Jesús pasó frente a la ventana de su oficina,
le dijo: "Sígueme", y Leví lo siguió. Se convirtió en uno de sus
doce apóstoles, con el nombre de Mateo.

Livia (Livia Drusila: 58 a.C.-29 d.C.): Esposa, en primeras nupcias,
de Tiberio Claudio Nerón, con quien tuvo un hijo, Tiberio (véase este nombre), y en segundas nupcias, del emperador Augusto, a quien sucedería Tiberio.

Lucas: Apóstol y evangelista. Compañero de Pablo en la prisión de
Roma, autor del tercer *Evangelio* (hacia 100-110 d.C.).

Macabeos: Familia judía cuyos miembros dirigieron la rebelión
nacionalista de los judíos contra el rey seléucida de Siria, Antíoco IV Epífanes, de quien dependía Palestina, y que quería imponer a los judíos la cultura e incluso las costumbres religiosas
griegas. La señal de la revuelta contra las autoridades greco-ma-
cedonias fue dada hacia 180 a.C. por el sumo sacerdote Matatías
Macabeo, que se negó ante un funcionario real a ofrecer un
sacrificio pagano, y lo mató. La rebelión se prolongó hasta

134 a.C., cuando el asmoneo Juan Hircano (véase *asmoneos*), nieto de Matatías, creó un Estado judío independiente. En esta larga lucha se destacaron tres hijos de Matatías Macabeo: Judas, Jonatan y Simón. El apelativo *Macabeo* le fue dado especialmente a Judas: proviene de una raíz hebraica que significa "martillo"). Juan Hircano era hijo de Simón Macabeo.

Madianitas: Pueblo árabe nómada cuyas tribus se desplazaban al este del golfo de Acaba, y cuyas caravanas recorrían los caminos del Sinaí y de Palestina. Moisés encontró refugio en una tribu madianita cuando debió huir de la furia del faraón egipcio, y se casó con la hija de uno de sus sacerdotes.

Maltake: Quinta esposa de Herodes el Grande, oriunda de Samaria. Fue la madre de Arquelao y de Herodes Antipas.

Marco Ambivio (Marcus Ambivius): Segundo procurador de Judea (9-12 d.C.), sucesor de Coponio.

Marcos (san): Apóstol y evangelista, autor del segundo *Evangelio* (hacia 57-60 d.C.).

María: La madre de Jesús (véase Anexo 5). Según la tradición evangélica, era hija de Ana y Joaquín.

María de Betania: Mujer que aparece en *Lucas* (10, 38-42), sentada a los pies de Jesús escuchando su palabra, mientras su hermana Marta se ocupaba del trabajo de la casa. Jesús dice de ella: *"María eligió la mejor parte, que no le será quitada"*.

María de Magdala (santa María Magdalena): Mujer cuyo nombre es mencionado en diversas oportunidades en los *Evangelios*. Fue liberada de los demonios por Jesús, estuvo en el Calvario, al pie de la cruz, y fue una de las mujeres que llegaron al sepulcro para ungir el cuerpo de Jesús, pero el sepulcro estaba vacío.

Mariana la Asmonea (Miriam: hacia 60-29 a.C.): Princesa asmonea (véase *asmoneos*) que fue la segunda esposa de Herodes el Grande, con quien tuvo dos hijos, Alejandro y Aristóbulo. Aunque Herodes la amaba apasionadamente (según Flavio Josefo), al sospechar que conspiraba contra él, la hizo matar y mandó estrangular a sus dos hijos.

Marta Hermana de María de Betania (véase este nombre).

Mateo (san): Apóstol y evangelista, autor tradicional del primer *Evangelio* (hacia 80-90 d.C.). Generalmente se lo identifica con Leví, el recaudador de impuestos de Cafarnaún.

Matías:* Servidor interrogado por Marcelo e Hiram, a quienes relata la huida a Egipto de José y su familia.

Matías (hijo de Margalote): Fariseo que, junto con *Judas hijo de Sarifeo* (véase este nombre), exhortó a jóvenes judíos a destruir el Águila de oro que Herodes había hecho colocar sobre la puerta del Templo.

Miqueas (740-687 a.C.): Uno de los profetas bíblicos menores, contemporáneo de Isaías, originario de la Judea propiamente dicha (el reino de Judá), que se lamentaba por las calamidades que sufrían los judíos por parte de los *asirios*, anunciaba el castigo de los infieles y profetizaba la venida de un Mesías que salvaría a Israel.

Moabitas: Pueblo nómada emparentado con los hebreos, que se trasladaba por el país de Moab (meseta fértil al este del mar Muerto) en el siglo XIII a.C.

Nabateos: Tribu árabe establecida al noroeste de la península arábiga, en los territorios donde terminaba la ruta de las hierbas aromáticas (la mirra y el incienso especialmente) que recorrían las caravanas provenientes de Arabia del Sur. El reino de los nabateos se extendía desde el Sinaí hasta Siria del sur, y su capital era Petra. Su expansión fue detenida por la llegada de los romanos en la época de Pompeyo, que, para contenerlos, se alió con los *idumeos* o *edomitas*, sobre los cuales reinaba la dinastía de los *asmoneos* (véase este nombre).

Nabucodonosor: Nombre de cuatro reyes neobabilónicos. El que invadió el reino de Judá en 587 a.C. y llevó en cautiverio a Babilonia a las principales familias (judías) de ese reino fue Nabucodonosor II (605-562 a.C.).

Natanael: Discípulo de Jesús, que se identifica con el apóstol Bartolomé.

Nehemías: Judío de Persia, que fue gobernador de Judea durante una gran parte de la dominación persa (de 444 a 432 y hacia 424 a.C.) antes de la conquista del Medio Oriente por Alejandro. Uno de los libros del *Antiguo Testamento* lleva su nombre: relata la obra de restauración de Judea que llevó a cabo (especialmente la reconstrucción del muro de Jerusalén).

Nerón (Lucius Domitius Claudius Nero): Emperador romano (54-68), sucesor de Claudio (véase este nombre).

Númidas: Pueblo magrebí, principalmente integrado por tribus nómadas, cuyo territorio estaba situado entre los de los mauritanos y los fenicios. Son los antepasados del pueblo argelino.

Octavio u Octaviano (Octavius, Octavianus): Octavio era el nombre de Augusto antes de ser adoptado por César. Después de su adopción, tomó el nombre de Octaviano.

Omri (muerto en 874 a.C.): Rey de Israel (el reino judío del norte) de 885 a 874 a.C. Fundador de la ciudad de Samaria, que fue su capital.

Partos: Pueblo emparentado con los iraníes, instalado en el sudeste del mar Caspio (en la región del Khorasan actual) a partir del primer milenio antes de nuestra era, y estuvo sometido a los emperadores seléucidas hasta alrededor de 250 a.C. En esa época, el jefe de una de esas tribus nómadas, Arsaces, se independizó de los seléucidas y fundó la dinastía parta de los *arsácidas*, que finalmente dominó todo el Irán, y chocó contra la potencia rival romana (en Armenia y en Siria). Los ejércitos partos llegaron incluso hasta Antioquía y Jerusalén hacia el año 43 a.C. La dominación parta se prolongó hasta 226 d.C., con la progresiva toma del poder de los *sasánidas* en Persia.

Pedro (san: ?-64 o 67 d.C.): Judío de Galilea de nombre *Simón*, que ejercía el oficio de pescador en el mar de Galilea. Fue uno de los primeros discípulos "reclutados" por Jesús, que cambió su nombre por *Cefas*, palabra que significa, en hebreo, "piedra" o "roca". Luego, al parecer se convirtió en el principal apóstol de Jesús. Después de negar tres veces a Jesús durante la noche que precedió a la Crucifixión, Pedro se convirtió en uno de los principales misioneros del naciente cristianismo. Primer jefe de la comunidad cristiana (primer "obispo" de Roma), fue arrestado por orden del emperador Nerón, pero no por iniciativa de éste, sino por una queja de los paganos que le reprochaban haber causado, con sus plegarias, la muerte de Simón el Mago. Condenado a muerte, Pedro pidió ser crucificado cabeza abajo, porque se consideraba indigno de ser puesto en la cruz en la misma forma que su Señor Jesús.

Persas: Pueblo indoeuropeo que, a partir del siglo VIII a.C., dominó el Asia anterior, desde el Indo hasta el Mediterráneo. Cuatro dinastías marcaron su historia: la de los *aqueménidas* (de 550 a 330 a.C.), eliminada por la conquista de Alejandro Magno; la de los *seléucidas* (de 330 a 200 aproximadamente), dinastía greco-macedonia fundada por Seleucos, lugarteniente de Alejandro; la de los *arsácidas* (desde alrededor del año 200 a.C. hasta 224 d.C.), dinastía parta que se opuso a la expansión romana en Oriente; y la de los *sasánidas* (de 224 a 651 d.C.), que fue eliminada por la conquista árabe musulmana.

Pilato: véase *Poncio Pilato*.

Plinio el Joven (Caius Plinius Caecilius Secundus: 61 o 62-*ca.* 114 d.C.): Su obra más importante es su *Correspondencia*: algunas cartas nos informan sobre los cristianos y la conducta que había que seguir con respecto a ellos.

Plinio el Viejo (Caius Plinius Secundus: 23-79 d.C.): Naturalista y escritor latino.

Pompeyo (Cnaeus Pompeius Magnus: 106-48 a.C.): Hombre de Estado y militar romano que pacificó España, el Mediterráneo (contra los piratas) y el Oriente: puso fin a la dominación de los seléucidas sobre Siria, tomó Jerusalén y creó la provincia de Siria-Palestina.

Pompilio:* Oficial romano retirado que hizo carrera en Oriente y que informa a Marcelo sobre los problemas que plantea la dominación romana en Palestina.

Poncio Pilato (Pontius Pilatus: siglo I d.C.): Quinto procurador de Judea (de 26 a 36 d.C.). Una inscripción descubierta en 1961 en Cesarea le da el título de *Praefectus Judae* ("Prefecto de Judea"), pero no se sabe nada sobre la manera en que cumplió sus funciones durante los diez años en que ocupó ese puesto, y sobre la continuación de su carrera. Según una tradición, que no está corroborada por ningún documento, habría muerto en Vienne, cerca de Lyon, en una fecha que se ignora.

Poseidonio (Posidonius: *ca.* 115-51 a.C.): Filósofo estoico, maestro de Pompeyo y de Cicerón.

Ptolomeo: Nombre del guardasellos real de la corte de Herodes el Grande.

Quirino (Publius Sulpicius Quirinius): Gobernador de Siria, provincia imperial de la que dependía Judea. Fue el impulsor del famoso censo que tuvo lugar en el momento del nacimiento de Jesús, y que, según los Evangelios, habría provocado el viaje de José y María, encinta, desde Galilea hasta Belén.

Raquel: Personaje bíblico, esposa preferida de Jacob. Fue la madre de José y de Benjamín.

Raquel:* Personaje ficticio, protagonista de un episodio igualmente ficticio relatado en el diario de Marcelo.

Rómulo: Fundador epónimo y legendario de Roma.

Rubén: Hijo mayor de Jacob y de su segunda esposa, Lea. Ancestro que da nombre a la tribu de Rubén.

Sadok: Fariseo que, junto con Judas el Galileo, incitó al pueblo a sublevarse contra el segundo censo a los judíos ordenado por el gobernador de Siria, Sabino. Esa sublevación marcó el nacimiento de la secta de los zelotes. No hay que confundir a este personaje con *Zadok* (véase este nombre).

Salomé (?-72 d.C.): Hija de Herodías y del primer marido de ésta, Filipo I, hijo de Herodes el Grande. Según *Mateo* (14, 6) y *Marcos* (6, 22-28), durante un banquete de cumpleaños sedujo a Herodes Antipas con la danza que ejecutó delante de él. Así obtuvo la cabeza de Juan el Bautista, que estaba en ese momento en prisión por haber atacado públicamente durante mucho tiempo a Antipas y Herodías, los amantes adúlteros.

Salomé: Nombre de la segunda comadrona que examinó a María después del parto en la gruta de Belén, y cuya mano se secó y luego fue milagrosamente curada.

Salomé: Nombre de la hermana de Herodes el Grande.

Salomón (en hebreo, *Shlomo*: siglo X a.C.): Hijo de David y de Betsabé, tercer rey de los hebreos, de 970 a 931 a.C. aproximadamente, después de Saúl y de su padre, David. Famoso por sus riquezas y por su sabiduría, edificó el "Primer Templo" de Jerusalén, pero el favor que le otorgaba a las tribus judías del sur, de donde era oriundo, condujo a las tribus del norte a llevar a cabo una secesión, y a su muerte, en 931 a.C., los judíos constituyeron dos reinos rivales: Israel, al norte (con Samaria como capital), y Judá al sur (con Jerusalén como capital).

Sanabalet: Según Flavio Josefo (que es digno de crédito en este punto, como en muchos otros, por otra parte, pero que, lamentablemente, es nuestra única fuente), sátrapa persa de Samaria, cuya hija, violando la Torah, se habría casado con un judío, Manasés, hermano del sumo sacerdote Jedua.

Santiago, hijo de Zebedeo (Santiago el Mayor: muerto en Jerusalén en 44 d.C.): Uno de los doce apóstoles, originario de Betsaida, cerca de Cafarnaún, en Galilea, hermano de Juan el Evangelista.

Santiago (muerto en 63 d.C.): Miembro de la familia de Jesús, sin duda su medio hermano (¿uno de los hijos que José habría tenido antes de casarse con María?). Desempeñó un papel fundamental en la organización de la Iglesia de Jerusalén después de la muerte de Jesús (no debe confundirse con *Santiago, hijo de Zebedeo*, ni con *Santiago, hijo de Alfeo*). Según Flavio Josefo, habría muerto lapidado por los judíos, hacia 63 d.C.

Santiago, hijo de Alfeo (Santiago el Menor): Uno de los doce apóstoles (no debe confundirse con *Santiago el Mayor*), que fue el organizador de la comunidad judeocristiana de Jerusalén tras la muerte de Jesús.

Sara o Saray: En la Biblia, la esposa de Abraham y madre de Isaac.

Sargón II (siglo VIII a.C.): Rey de Asiria (722-705 a.C.) que terminó las conquistas de su predecesor Salmanazar V y se apoderó del reino judío del norte (Israel), al que convirtió en una provincia asiria.

Sasánidas: Dinastía persa (iraní) que eliminó a la dinastía parta de los *arsácidas* (véase este nombre) a partir de 224 d.C.

Saúl (siglo XI a.C.): Jefe local de la tribu de Benjamín, designado por el profeta Samuel como primer rey de los hebreos, después del período llamado de los Jueces. Se apoyó en su general, Abner, y en el jefe de sus guardias, David, para luchar contra los filisteos, que se oponían, como era natural, al avance de los judíos en Palestina, y que vencieron a los judíos en la batalla de Gelboé, donde murió Saúl.

Sejano (Lucius Aelius Seianus: *ca.* 19 a.C.-31 d.C.): Prefecto del pretorio y favorito del emperador Tiberio. Mandó asesinar a Druso, el heredero al trono imperial, al que él mismo aspiraba. Tiberio lo hizo detener en pleno Senado y lo mandó matar.

Seléucidas: Dinastía helénica cuyo fundador fue Seleucos I (355-280 a.C. aproximadamente), uno de los lugartenientes de Alejandro. Reinó en Asia Menor y Anterior hasta 64 a.C., fecha en la cual fue reemplazada por los romanos (en Siria/Mesopotamia) y por los partos (véase este nombre) en Persia.

Simeón (san): Personaje que sólo es nombrado en *Lucas* (2, 25-33) por haber recibido con fervor a Jesús cuando José y María lo presentaron en el Templo.

Simón: véase *Pedro.*

Simón: Nombre de uno de los hijos de José, según los *Evangelios.*

Simón: Nombre del niño mordido por una víbora y curado por Jesús (anécdota relatada en el *Apócrifo* titulado *Evangelio árabe de la Infancia*).

Tácito (*ca.* 55-120): Historiador latino que menciona a los cristianos y la palabra "Cristo" en sus *Anales* (15, 45).

Tiberio (Tiberius Julius Caesar: *ca.* 42 a.C.-37 d.C.): Emperador romano (14-37 d.C.). Era el hijastro de Augusto, que no tenía heredero varón.

Toheb: Nombre que daban los mesiánicos samaritanos al Mesías.

Virgilio (Publius Vergilius Maro: 70-19 a.C.): Poeta latino, autor especialmente de la *Eneida*, poema épico que narra las peregrinaciones de Eneas, hijo de Anquises, y de sus compañeros, tras la caída de Troya, y su llegada al Lacio.

Zabulón: Personaje bíblico, hijo de Jacob y de Lea, su segunda esposa; ancestro epónimo de la tribu de Zabulón, que se estableció en Galilea.

Zacarías (san): Sumo sacerdote del Templo en tiempos de Herodes el Grande, que en el *Evangelio de Lucas* aparece como padre de Juan el Bautista.

Zadok: Según la tradición bíblica, descendiente de Aarón —el hermano de Moisés—, ancestro que da nombre a la clase sacerdotal de los zadokitas.

Zaqueo: Según la *Historia de la infancia de Jesús* (apócrifo), maestro de escuela que se sorprendió por la precocidad de Jesús en su más tierna infancia.

Zoroastro (¿660?-¿553? a.C.): Fundador (¿histórico o legendario?) de la religión nacional de los persas, cuyos principios se enuncian en el *Zend-Avesta*.

Zorobabel (comienzos del siglo VI a.C.): Gobernador de la provincia de Judea en tiempos del dominio persa. Ayudó a los judíos que regresaban del cautiverio en Babilonia a volver a establecerse en su patria y restaurar el Templo.